DICCIONARIO QUICHUA-CASTELLANO Y CASTELLANO-QUICHUA

COLECCIÓN
KASHCANCHICRAC
1

KASHCANCHICRACMI, que podría traducirse al castellano por "seguimos siendo" o "aún permanecemos", es una colección dedicada a colaborar en el esfuerzo de los pueblos indígenas por recuperar y mantener su identidad cultural.

Luis Cordero

DICCIONARIO QUICHUA-CASTELLANO Y CASTELLANO-QUICHUA

Estudio Introductorio
RUTH MOYA

Dibujos
EDUARDO KINGMAN

CORPORACIÓN
EDITORA NACIONAL

Quito, 2006

Primera edición: 1892
Cuarta edición: 1989
Octava reimpresión
ISBN: 9978-84-042-7
Derechos de autor: 006785 • Depósito legal: 000455
Impreso en el Ecuador, febrero 2006

Impresión: Ediciones Fausto Reinoso, Av. Rumipamba E1-35
y 10 de Agosto, of. 203, Quito

CONTENIDO

ESTUDIO INTRODUCTORIO

RUTH MOYA

El *Proyecto Educación Bilingüe Intercultural (P. EBI)* y la *Corporación Editora Nacional* tienen la satisfacción de presentar al público interesado una nueva edición del ***Diccionario Quichua-Castellano, Castellano-Quichua*** de Luis Cordero, preparado en 1892 y reeditado por los mismos auspiciadores en Quito, en 1989.[1] Es de especial significación para los estudiosos del quichua la reedición de este ***Diccionario*** no solo porque se cumplen cien años de lo que fuera escrito sino porque fue compuesto con la agudeza y perspicacia de quien conocía y sentía la lengua, incluso para hacer en ella literatura, y porque, pasados cien años, muchos de los sentidos, giros y palabras siguen vivos en el quichua contemporáneo mientras que los que cayeron en desuso están siendo reincorporados, a través de la escritura, al caudal del habla en un esfuerzo de revitalización y normatización del quichua, proceso auspiciado por las escuelas bilingües quichua-castellano.

Contrariamente a lo que algunos académicos podían suponer, el ***Diccionario*** de Cordero, me refiero a la edición de 1989, ha sido ampliamente consultado y minuciosamente revisado por los maestros bilingües, sobre todo de aquellos que participan de la escuela bilingüe quichua-castellano en el marco del P. EBI.

Este ***Diccionario*** forma parte de una *Colección de gramáticas y diccionarios quichuas* básicamente reeditados por el P. EBI[2] en el afán de contribuir a la dotación de una bibliografía mínima para los educadores bilingües.

1. Luis Cordero, ***Diccionario Quichua-Castellano, Castellano-Quichua***, Proyecto Educación Bilingüe Intercultural/Corporación Editora Nacional (edits.), Quito, 1989.
2. La idea de esta *Colección de gramáticas y vocabularios quichuas* fue animada por Matthías Abram y quien suscribe estas líneas y recogida e impulsada por Wolfgang Küper, del mismo P. EBI. Los títulos publicados por el P. EBI, de manera autónoma o en coedición y que forman parte de la *Colección*, son:
a) el ya mencionado ***Diccionario*** de Luis Cordero [ver nota 1 de este Estudio];
b) la edición facsimilar del padre Grimm. [Grimm, Juan M.], ***La lengua Quichua./ (Dialecto de la República del Ecuador.)/ Por/ Juan M. Grimm,/ sacerdote de la Misión./ "Evangelizare pauperibus misit me"/ Luc.IV,18/ Con licencia de los superiores./ Friburgo de Brisgovia./ B.Herder, Librero-editor pontificio./ 1896/ Sucursales en Viena, Estrasburgo, Munich y San Luis, América Sep-***

El ***Diccionario*** de Luis Cordero fue publicado en su primera parte *Quichua-Castellano* en 1892, con el título ***Diccionario/ de la lengua quichua/ que se habla actualmente, en las comarcas/ del Azuay, de la República del/ Ecuador***, *compuesto por/ Luis Cordero,/ Miembro correspondiente de la/ Real Academia Española,/ y/ Presidente de la república del Ecuador/ Tomo I. Parte quichua-castellana./ Cuenca, abril 6 de 1892.*

La obra completa, que incluía la parte *Castellano-Quichua* debía ser publicada tres años más tarde, en 1895. El título era: ***Diccionario de la lengua quichua que se habla actualmente en las comarcas del Azuay, de la República del Ecuador***. *Quito, Imprenta del Gobierno, 1895.* En esta impresión del ***Diccionario***, según Paul Rivet, la mencionada parte *Castellano-Quichua* se suspende en la palabra *acrecentar*. En esta misma edición de 1895 Cordero incorporó las ***Breves nociones gramaticales***, que ya fueron publicadas con el mismo título en 1894 y de manera independiente[3] y para las cuales sin duda tomó en cuenta sus

tentr./ (hoja aparte) Edición facsimilar reimpresa por el Proyecto Educación Bilingüe Intercultural, Convenio MEC-GTZ, Quito, 1989 (Presentación de Luis Montaluisa Ch.);

c) la edición facsimilar de la gramática del padre Manuel Guzmán: ***Gramática/ de la/ Lengua Quichua/ (Dialecto del Ecuador)/*** *Por el R.P./ Manuel Guzmán S.J./ Quito-Ecuador/ Tip. de "Prensa Católica", 1920.* P. EBI (edit.) Reimpresión en el taller gráfico del Departamento de Educación Rural, (Ministerio de Educación y Cultura), Quito, 12 de octubre de 1989, p. 218 (Introducción de Matthías Abram y Luis de la Torre. Prólogo de Ruth Moya);

d) La gramática de Diego de Torres Rubio y de Juan de Figueredo, ***Arte de la lengua quichua*** *Compuesto por el padre Diego de Torres Rubio, con adiciones que hizo el P. Juan de Figueredo,* P. EBI (edit.), Quito [1619] (1963), 1991, p. 178. El título original de la obra es ***Arte de la lengua quichua*** *Compuesto por el padre Diego de Torres Rubio, con adiciones que hizo el P. Juan de Figueredo. Por el P. Diego de Torres Rubio. Y nuevamente van añadidos los romances, el Cathecismo pequeño, todas las Oraciones, los días de fiesta, y ayunos de los Indios, el Vocabulario añadido y otro vocabulario de la lengua Chinchaisuyo, por el M.R.P.J. Ivan de Figueredo Profesor de la misma Compañia, Maestro de dicha lengua en su Colegio del Cercado, Ministro e Intérprete general de ella en el Tribunal de la Santa Inquisición, Conságrale al señor D. Miguel Núñez de Sanabria del Consejo de su Magestad, Cathedratico regente (que fue) de Prima y en Propiedad de Vísperas de Leyes de esta Real Universidad, Oydor desta Real Audiencia y Chancilleria de Lima. A costa de Francisco Farfan de los Godos, Mercader de Libros, y se vende en su casa en la calle de las Mantas, con licencia de los superiores. En Lima por Joseph de Contreras, y Alvarado, Impressor Real del S. Oficio, de la Santa Cruzada;*

e) están en prensa el ***Arte Breve*** de Alonso de Huerta [1616], (Estudio Introductorio de Ruth Moya), Proyecto Educación Bilingüe Intercultural/Corporación Editora Nacional (edits.), Quito, 1992;

f) la ***Gramática Quichua*** de Domingo de Santo Tomás [1560], (Estudio Introductorio de Ruth Moya), Proyecto Educación Bilingüe Intercultural/Corporación Editora Nacional (edits.), Quito, 1992;

g) el vocabulario de González Holguín, ***Gramática y arte nueva de la lengua general de todo el Perú, llamada Qquichua, o lengua del inca*** [1607], (Estudio Introductorio de Ruth Moya), Proyecto Educación Bilingüe Intercultural/Corporación Editora Nacional (edits.), Quito, 1992.

3. [Luis Cordero], ***Breves nociones gramaticales/ concernientes al/ Idioma Quichua/*** *escritas para prólogo/ del/ Diccionario de la misma lengua/ compuesto por/ Luis Cordero/ Quito/ Imprenta del gobierno/ 1894.*

propias observaciones críticas de 1890 sobre la descripción del quichua hecha por el padre dominicano Antonino Carli en su ***Compendio de gramática quichua***, publicado en Santiago de Chile, en 1889.[4]

En las ***Breves nociones gramaticales*** de 1894 Cordero anunciaba la publicación del *Diccionario Quichua-Castellano y Castellano-Quichua*, el cual no se publicó completo hasta cuando Rivet y Créqui-Montfort publicaban –en 1952– su ***Bibliographie des langues aymará et kičua.*** Los problemas políticos de 1895 que, como veremos más adelante, implicaron la renuncia de Cordero a la Presidencia, impidieron el que aquel año saliera a la luz el ***Diccionario***. Otra vez, según Rivet, la obra debía haberse publicado por la Imprenta del Gobierno en 1895 pero, al no suceder así, las hojas que ya habían sido impresas y que probablemente iban a servir de guía para la edición fueron recogidas por alguien, seguramente allegado a Cordero; lo cierto es que, años más tarde, estos pliegos impresos en 1895 estaban en poder de los padres redentoristas de Cuenca. Un ejemplar del ***Diccionario*** así formado fue donado por los religiosos redentoristas al mismo Rivet.[5]

El nieto de Luis Cordero, el señor Luis Cordero Crespo, en la biografía que escribió sobre su abuelo[6] relata que el 19 de noviembre de 1952 el Dr. Rivet debía dar una conferencia en Cuenca sobre la *Historia de la Cultura Humana;* en dicha ocasión le confirmó que el original del ***Diccionario*** fue enviado por Cordero a la *Exposición Internacional* de Madrid, con ocasión del Concurso auspiciado por el Cuarto Centenario del descubrimiento de América. Dicho original no le fue devuelto a Cordero y permaneció en Madrid, hasta que don Ricardo Palma lo compró allí para la Biblioteca Nacional. El mismo Rivet le indicó al señor Cordero Crespo que él vio el original completo y manuscrito en la biblioteca de la Universidad Mayor de San Marcos de Lima, a donde lo había entregado don Ricardo Palma, entonces Director de la Biblioteca Nacional. En efecto, en la portada manuscrita del ***Diccionario*** de Cordero que publican Rivet y Créqui-Montfort en su ya mencionada ***Bibliographie***, en el margen izquierdo de la página dice *"Este manuscrito ha sido comprado, en Madrid, para la biblioteca de Lima, por Ricardo Palma" (Firma)*. Rivet poseía en el *Musée de l'Homme* el único ejemplar impreso que le fuera obsequiado por el redentorista padre

4. [Luis Cordero], ***Filología/ Breve examen del "Compendio/ de Gramática quichua"/ del R.P. Carli/ 1890.*** En este opúsculo Cordero critica la obra del P. Carli por describir el quichua ecuatoriano basándose en el del Cuzco. El título de la obra de Carli es: *[Carli, Antonino], Compendio/ de/ Gramática Quichua/ por el/ R.P.Fr. Antonino Carli,/ De la Orden de predicadores/ Santiago de Chile/ Imprenta Católica de Manuel Infante/ 84-Santo Domingo-84/ 1889.*
5. Paul Rivet y Créqui-Montfort, ***Bibliographie des langues aymará et kičua***, vol. II, (1876-1915), Publie avec le concours du Centre National de la Recherche Scientifique, Paris. Paris, Institut d'Ethnologie, Musée de l'Homme, 1952, p. 267.
6. Luis Cordero Crespo, ***Del surco a la cumbre, Biografía del Ex-Presidente Don Luis Cordero***, Editorial Monterrey, Cuenca, 1975.

Jorge Kaiser. Tal ejemplar, como vimos, fue probablemente editado en la Imprenta Nacional de Quito, en 1895, cuando Cordero era Presidente de la República y *"la soldadesca de Alfaro"*, como dice su nieto Cordero Crespo, *"se aventó"* en la imprenta de los salesianos situada en el barrio quiteño de La Tola.[7] Esta información de Cordero Crespo contradice la suposición de Rivet de que la publicación debía haber salido de la Imprenta de Gobierno. Pero en una carta del mismo Luis Cordero se confirma, como veremos, la información de que el ***Diccionario*** debía ser publicado por los salesianos, con quienes Cordero guardaba una vieja y estrecha relación de amistad.

Cordero Crespo nos habla de la amistad de Luis Cordero con el redentorista P. Kaiser, quien incluso le envió al entonces Presidente de la república una carta en latín en la cual lo llamaba el *"mejor representante del humanismo moderno en el Ecuador"*.[8]

La amistad del P. Kaiser con Rivet debió ocurrir en la primera estancia de Rivet en Riobamba y Cuenca cuando en 1904-1905 éste participó en la Segunda Misión Geodésica Francesa. El P. Kaiser debió obsequiarle el ***Diccionario*** en esta época pues murió en 1929, mucho antes de que Rivet y Créqui-Montfort publicaran su ***Bibliographie.*** El P. Kaiser vino a Riobamba en 1892 y al siguiente año, 1893, pasó a Cuenca, en donde murió el 1 de diciembre de 1929.[9]

No poseo la información precisa de cómo se logró organizar el ***Diccionario*** completo en sus dos partes *Quichua-Castellano* y *Castellano-Quichua* publicado en 1955 por la Casa de la Cultura Ecuatoriana, Núcleo de Quito, cuando la presidía Benjamín Carrión. A más de las partes *Quichua-Castellano* y *Castellano-Quichua* esta edición del ***Diccionario*** terminaba en un *Apéndice* titulado ***El quichua en el Azuay*** que incluía una carta a Leon Douay, enviada a Niza y fechada en Cuenca el 1 de enero de 1901. Esta carta fue publicada dicho año con el título de ***Estudios de Lingüística americana*** y la comentaré con cierta amplitud. Fue escrita por Cordero en respuesta al envío por parte de Douay de su libro ***Nouvelles recherches philologiques sur l'antiquité américaine.*** Aquí Cordero se revela como un conocedor de las corrientes más modernas de la fi-

7. Dice Cordero Crespo, op. cit., que se trata de la imprenta de La Tola, de los salesianos, y sin duda se basó para tal afirmación en detalles conocidos al interior de la familia.
8. Ver Cordero Crespo, op. cit., pp. 101-104, 105.
9. Sobre la personalidad del P. Kaiser ver Rivera A., Néstor J., C.SS.R., ***Presencia redentorista en el Ecuador, 1870-1990,*** en computadora, inédito, Quito, diciembre, 1991, pp. 145-146; (se puede consultar en la biblioteca del Convento matriz de los P. Redentoristas de Quito). Ver también Archivo de [los redentoristas de] Riobamba. C.SS., Gobierno eclesiástico y civil, tomo I, No. 184. El P. Kaiser hablaba quichua y tal destreza le sirvió para apaciguar a los indígenas de Sayausí en el levantamiento de 1893, en contra del alza de los impuestos. Escribió dos cortos textos inéditos ***Teología de la guerra/ Sunicay, 8 de abril de 1918,*** (año del armisticio) y ***Las fiestas de los indios,*** texto teológico dirigido al Sínodo de Cuenca de 1887, que dicho sea de paso, prohibió algunas fiestas religiosas indígenas.

lología comparada que, como sabemos, planteaba la génesis y el parentesco de las lenguas indoeuropeas, lo cual lo conduce a preguntarse acerca de la lengua que, en América, debió jugar un papel similar al del sánscrito. Cordero pensaba que las lenguas americanas como el *nahualt*, el *quiché*, el *quichua*, el *maya*, el *aymara*, el *guaraní* y el *haitiano* debían tener aspectos gramaticales comunes. Suponía además que las lenguas americanas tenían su origen filogenético en alguna lengua asiática que debió llegar a América junto con los transhumantes que atravesaron el estrecho de Behring y sustentaba que el desarrollo del comparatismo terminaría arrojando luces no solo acerca de la más remota lengua madre de la humanidad sino también acerca del origen único de la especie humana, noción que se reforzaba por sus ideas católicas. Como sea, en la carta a Douay, Luis Cordero establece comparaciones entre el *tupí, el guaraní,* el *haitiano,* el *nahualt,* el *moxegue,* el *chibcha* y el *quichua;* incluso llega a hacer una primera lista de 26 palabras en *castellano, zapoteco* y *quichua* y una segunda lista de 49 palabras en *castellano, huasteco* y *quichua*, a través de las cuales trata de probar su hipótesis de un origen común de las lenguas indoamericanas. Con más cautela compara palabras del *yamato* japonés con palabras del *quichua* y otras lenguas indígenas americanas, *alucinado*, como él mismo dice, por el aspecto fonético así como por la estructura aglutinante y polisilábica de las lenguas comparadas. Esta comparación terminará con la sugerencia de que debió existir un nexo, aunque remoto, entre el *yamato* del Japón y el *quichua*. A la luz de los conocimientos actuales podríamos decir que las ideas comparatistas de Cordero eran en extremo audaces y que no contaba para sustentarlas, como él mismo se quejaba, con el suficiente fundamento teórico y empírico; sin embargo, es de notar que estas mismas ideas que nos podrían parecer insólitas ahora –sobre todo por los avances de la misma filología quichua– no eran extrañas a fines del siglo pasado y en el primer tercio del presente siglo. A su modo, fueron comparatistas Sapir y sobre todo Whorf, quien propuso el principio de la *oligosíntesis* y el origen común de las lenguas norteamericanas. En esta parte del continente hasta hace poco el *quichua* fue comparado con el *turco* por quichuistas como el argentino Benigno Ferrario.[10]

Pero volvamos a los pormenores de la edición del ***Diccionario*** en el año de 1895. En esta misma carta al señor Douay Luis Cordero le dice:

> Ya comuniqué a usted que tenía en prensa, desde 1895, un Diccionario quichua, compuesto por mí. Las turbulencias políticas, que son el pan nuestro de cada día en estas infortunadas repúblicas, han retardado, y quizá estén a punto de frustrar, la publicación de mi pobre libro. Expulsados del Ecuador los padres Salesianos, que impri-

10. Benigno Ferrario, *La dialettologia ed i problemi interni della Runa-simi*, en *Orbis*, 5, 1956, pp. 131-140.

mían la obra, ha sido también expulsado mi manuscrito, y sé que anda a peregrinar por Buenos Aires, donde espero, con muy poca fe, que se haga al fin la edición. Si ella se realiza, tendrá usted, naturalmente, el ejemplar respectivo.

La edición de la Casa de la Cultura de 1955 también incluía cartas entre Cordero y su contemporánea Matilde Matos de Turner,[11] estudiosa del quechua del Perú y autora de diversos textos de corte religioso.

A Matos de Turner le interesaba saber si sus textos bíblicos serían entendidos por los indígenas ecuatorianos. Las dudas de la autora fueron publicadas en el periódico guayaquileño ***El grito del Pueblo*** y en él se solicitaba de modo directo la opinión de Cordero sobre el aspecto de la inteligibilidad lingüística. Cordero respondió a esta pregunta a través de las cartas en cuestión y que versan sobre aspectos de dialectología quichua comparada, en base a los textos bíblicos traducidos por la señora Turner y sus propias traducciones de los mismos textos al quichua ecuatoriano. Este corto ensayo termina, a través de diversos ejemplos, concluyendo que las diferencias dialectales se refieren a la fonética, la morfología y la sintaxis.

En el *Apéndice* de la edición de 1955 también se incluyó el ensayo **"El quichua en la Botánica"**, escrito enviado por Luis Cordero al Segundo Congreso Científico Latinoamericano, reunido en Montevideo, en el año de 1901. Y el **"Breve examen del compendio de Gramática quichua del R. Padre Carli"**, artículo escrito en 1890. También se incluyó una selección de poemas bajo el título ***Algunas poesías religiosas,*** una selección de ***Poesías profanas*** y las ***Fábulas en quichua***, textos literarios a los que nos referiremos en detalle más adelante.

Por fin la edición de 1955 fue bellamente ilustrada por Eduardo Kingman, aunque lamentablemente el maestro ya no posee los originales de sus dibujos.[12]

Más tarde, en 1967, la Universidad de Cuenca publicó el ***Diccionario,*** la tercera edición si consideramos que la de 1895 de la Imprenta Nacional fue la primera como un texto independiente de la revista *ANALES* de la Universidad de Cuenca.[13] Como hemos visto, en 1989, en base a la edición de 1955, de la Casa de la Cultura Ecuatoriana, el Proyecto EBI y la Corporación Editora Na-

11. Matilde Matos de Turner, estudiosa peruana que investigó diversos dialectos del quechua del Perú, hizo diversas publicaciones de carácter religioso en el marco de la Sociedad Bíblica de Buenos Aires.
12. El maestro Eduardo Kingman autorizó a Matthías Abram y a quien suscribe este Estudio Introductorio la reproducción de sus ilustraciones de la edición del ***Diccionario*** de Cordero de 1955 y nos comunicó (Quito, 1989) la pérdida de los originales de sus ilustraciones.
13. [Luis Cordero], ***Diccionario Quichua-Castellano, Castellano-Quichua,*** en ***ANALES de la Universidad de Cuenca,*** tomo XII, No. 4, octubre-diciembre, 1967. Año Jubilar de la fundación de la Universidad.

cional editaron la siguiente y la presente edición (respectivamente la cuarta y la quinta siempre en el entendido de considerar como la primera a la de 1895 o la tercera y la cuarta si consideramos como primera edición la de 1955, con sus dos partes íntegras).

Hace cien años como ahora, a propósito del viaje de Colón a América se suscitó un interés americanista y, como lo mencionáramos previamente, en Madrid tuvo lugar la *Exposición Internacional*. Cordero, como se ha dicho ya, envió a la Exposición la *Primera parte* de su ***Diccionario*** y obtuvo como premio la *Gran Medalla de Oro*[14] pero no llegó a tener la satisfacción de ver publicada su obra.

En el ánimo de Luis Cordero –que era un intelectual católico– debieron pesar las ideas expuestas en la encíclica de León XIII ***Columbus noster est***, *Colón es nuestro*, en la que se aludía positivamente a algunos aspectos de la herencia cultural española: la lengua, la religión, los conocimientos científicos y la *'raza'*. Aunque él mismo se definía como *liberal moderado*, era considerado como un conservador por otros liberales y como un liberal sin la adjetivación de *moderado* por los conservadores del ala más tradicional del Partido Conservador. Sus concepciones religiosas sin duda marcaron su vida pública y privada y explican también su abundante producción poética de tipo religioso, escrita en castellano y en quichua.

La prolífica producción de Cordero no se limita a la literatura, pues incursionó también en las ciencias naturales, especialmente en la botánica. Otra de sus pasiones fue la política, fuente de satisfacciones y de sinsabores. Sus escritos de tipo político son en menor número y quizá el mismo Cordero no los percibió como tales.

Retornemos sin embargo a los intereses intelectuales que lo llevaron a crear su propia imprenta, que aparece en las publicaciones como *"Imprenta Literaria L.C."* o *"Imprenta Literaria del autor"* y en la que publicó muchos opúsculos suyos y de sus contemporáneos, especialmente de sus coterráneos de Cuenca. Su obra es muy amplia pero lamentablemente se encuentra dispersa, por lo cual mucho me temo no dar cuenta de la totalidad de ella. Sin embargo, aspiro a que los datos adicionales o los que reitero a continuación contribuyan a comprender la personalidad de este importante quichuista nacional. La obra, la vida y el escenario social en que se movió Cordero se imbrican de tal modo que aludiré a tales circunstancias simultáneamente.

Luis Cordero nació en San Bartolomé de Déleg, provincia del Azuay, como consta en su partida de bautizo del 7 de abril de 1833.[15] Su primera infan-

14. Cordero Crespo, op. cit., pp. 101-102.
15. Cordero Crespo, op. cit., p. 23. La partida de bautizo dice así:
En esta Parroquia de N. S. Sn Bartolomé de Déleg, en siete de abril de mil ochocientos treinta y tres,

cia transcurrió en el campo, en los fundos de su familia, precisamente en Déleg, en contacto con la cultura y la lengua quichuas. Si bien su lengua materna fue el castellano, a muy tierna edad aprendió el quichua, lo cual hizo de él un bilingüe coordinado, es decir, manejaba las dos lenguas con igual soltura y facilidad a nivel oral y escrito. Veamos cómo el mismo Cordero describe en fáciles y sencillos versos su condición de bilingüe:

Al iniciar sus lecciones
mi niñez afortunada,
halló una fuente sagrada
de admirables instrucciones,
de las sabias producciones
de todo un Luis de Granada.
De él aprendí por favor
de mi suerte, muy temprano
a saborear el primor
del lenguaje castellano,
tan sonoro, tan galano,
musical y seductor.
Mas como entre indios nací,
sus cabañas frecuenté,
con sus párvulos jugué,
sus penas supe y sentí,
su doliente quichua fue
nuevo idioma para mí.[16]

Muy joven inició Cordero su vida pública. Fue escribano, secretario de la *Academia de Abogados*, miembro de la Corte Superior de Justicia del Distrito del Azuay, diputado por su provincia, profesor y rector de la Universidad de Cuenca, miembro de la Real Academia Española de la Lengua y de la Academia Ecuatoriana de la Lengua, miembro de diversas sociedades literarias y científicas, pentaviro y presidente de la República.[17]

Señoreaba para la época –segunda mitad del siglo XIX– un estilo militarista que impregnaba la vida pública, creando tensiones de todo orden, no solo al interior de las fuerzas militares sino también en el seno de las diferentes fuerzas sociales y políticas que les disputaban a los primeros el control del poder. En 1859 las fuerzas conservadoras lograron deponer a Urbina y colocaron al fren-

yo el cura propio Bauticé solemnemente, puce [con c] por nombre Luis Dolores, hijo lexmo. [legítimo], de Gregorio Cordero y María Josefa Crespo, blancos; fue madrina Gerónima Carrión, a quien advertí obligación y parentesco. Lo firmo.
Ygo. Apolo Ramírez

16. Citado en Cordero Crespo, op. cit., p. 31.
17. Cordero Crespo, op. cit., p. 61.

te de las fuerzas de oposición un Triunvirato compuesto por Gabriel García Moreno –que lo presidía–, Jerónimo Carrión y Pacífico Chiriboga. García Moreno y Flores consolidarán la derrota de Urbina con la toma de Guayaquil, en septiembre de 1860. En 1861 se convoca a una *Asamblea Constituyente* que llevará al poder a García Moreno desde dicho año de 1861 hasta 1865. Las ideas de modernización del Estado y de la sociedad nacional planteadas por el presidente García Moreno captaban el interés, la adhesión o el respeto de muchos intelectuales conservadores e incluso de intelectuales católicos inscritos en la ideología del Partido Liberal, como era el caso de Luis Cordero.

Para 1865 subió al poder Jerónimo Carrión. Las tumultuosidades de la vida política lo obligaron a renunciar a su cargo para dar paso, en 1867, a José Javier Espinosa.

Por aquel año –15 de julio de 1867– Luis Cordero contrajo matrimonio con Jesús Dávila y Heredia, a cuya muerte escribió la elegía ***Adiós.***[18] Aquel mismo año de 1867 Cordero fue al Congreso como diputado del Azuay, ocasión que le sirvió para proponer rentas para las universidades de Cuenca y Guayaquil.

En los meses subsiguientes persisten las tensiones entre los partidos y aquellas otras de corte militarista. García Moreno obligó a J. Carrión a que renunciara a la presidencia de la República y se nombró en su lugar a Javier Espinosa. En 1869 se convoca una nueva Asamblea Constituyente que elige como Jefe Supremo a García Moreno, quien ejerció el poder por segunda ocasión desde dicho año hasta su muerte, acaecida en 1875. Entre otras razones que explican su muerte está el hecho de que García Moreno buscaba su reelección, lo cual produjo la reserva de algunos conservadores ilustres como Juan León Mera, y la abierta oposición del escritor liberal Juan Montalvo. Cordero, por su parte, había admirado la figura política de García Moreno cuando éste se oponía a Urbina, pero no admitía los despotismos del líder conservador en su etapa de dictador. La muerte de García Moreno fue conocida por Cordero cuando viajaba rumbo a Chile. Llegado a Lima Cordero –a través de la prensa– apoyó la candidatura de Antonio Borrero y de vuelta a Cuenca fundó el periódico *La voz del Azuay*, órgano a través del cual continuó el apoyo a Borrero Cortázar, quien fuera elegido Presidente en votaciones libres.

Un acontecimiento cultural que dinamizó sobre todo la actividad de los hombres de letras ocurrió por 1872. Don Juan León Mera, quien había sido nombrado miembro correspondiente de la *Real Academia Española de la Lengua* junto con el historiador liberal Pedro Fermín Cevallos, también miembro de la Academia, fundaron la *Academia Ecuatoriana de la Lengua*. Pertenecieron a las dos *Academias* figuras como nuestro autor, Luis Cordero, y otros como González Suárez, Honorato Vázquez...

18. La primera esposa de Cordero murió el 9 de julio de 1891. Cordero Crespo, op. cit., pp. 75-77.

Ese mismo año de 1875, Luis Cordero escribió su artículo **"Una excursión a Gualaquiza"**, que comentaremos luego, y con el seudónimo de *Guaman* publicaba su poema **¡Rinimi, llacta!**, cuya versión castellana es **"El adiós del Indio"** y que fue reeditado en el mismo año de su publicación, en 1884, 1885, 1900, 1920, 1933, 1939 y desde entonces en las reediciones del ***Diccionario*** así como en diversas antologías de literatura ecuatoriana.[19] El poema llamó la atención de varios contemporáneos suyos: Juan León Mera lo incluyó en su ***Antología Ecuatoriana, Cantares del Pueblo ecuatoriano***[20] de 1892 y Julio Paris en su ***Ensayo de Gramática de la lengua quichua***,[21] también de 1892. El poema es muy conocido contemporáneamente.[22]

En estos años Cordero escribirá una serie de poemas, algunos con un particular carácter político y otros de carácter religioso. Por ejemplo, en 1884 su poema en quichua ***Cushiquillca***, firmado por el seudónimo *Chimbaycela* y con la versión en versos castellanos, con su propio nombre y que en realidad es una sátira contra los diezmeros y a favor de los legisladores que se opusieron a la persistencia del tal institución.[23] En 1887 publicó como hoja volante y con el

19. Luis Cordero publicó su poema **"¡Rinimi, llacta!"** en quichua, en 1875. El título del opúsculo era: **El adios/ del/ Indio/** ***Pequeña composición poética escrita en idioma quichua/ para deplorar, de algún modo, la desdicha de una gran/ parte de los indios que en el país se llaman conciertos./ Se la publica ilustrada con una versión española,/ hecha por el señor doctor Tomás Rendón y con otra/ que ha escrito el autor de la misma poesía original./ Cuenca, 22 de mayo de 1875./ Impreso por Andrés Cordero.***
[Cordero Luis], **"¡Rinimi llacta!"** ***Composición Quichua/ en que un Indio del Azuay/ lamenta sus desventuras./ Segunda edición/ Cuenca, junio 2 de 1884/ Reimpreso por Andrés Cordero.*** Para las reediciones del **"¡Rinimi, llacta!"** hasta los años treinta ver Rivet, Paul, Créquit-Montfort, ***Bibliographie des langues aymará et kičua***, vol. I (1540-1875), Publie avec le concours du Centre de la Recherche Scientifique et de "The Viking Fund", New York, París, Institut d'Ethnologie, Musée de l'Homme, Palais de Chaillot, Place du Trocadéro (16) 1951, p. 484.
El **"¡Rinimi, llacta!"** consta en la edición del ***Diccionario*** de 1955 y en las del P. EBI/Corporación Editora Nacional (edits.) de 1989 y 1992, esta última que es la que en esta ocasión se presentó al público.
20. [Juan León Mera], ***Antología/ Ecuatoriana/ Cantares del pueblo ecuatoriano/ Compilación formada/ por/ Juan León Mera/ M.C. de la real Academia Española y de la de Buenas Letras/ de Sevilla; precedida de un estudio sobre ellos, ilustrada con/ notas acerca del lenguaje del pueblo y seguida de varias/ Antiguallas Curiosas./ Edición hecha por orden y bajo el auspicio de la/ Academia Ecuatoriana/ Quito/ Imprenta de la Universidad Central del Ecuador/ Carrera de García Moreno/ 1892.***
21. [Julio Paris], *J.M.J.A./* ***Ensayo/ de Gramática/ de la lengua Quichua/ Tal como se habla actualmente entre los Indios/ de la/ República del Ecuador/ Redactado por/ el R.P. Julio Paris/ Redentorista/ Quito/ Imprenta del Clero/ 1892.***
22. Por la vía de los textos escolares el **"¡Rinimi, llacta!"** es ampliamente conocido, al punto que se lo considera como un patrimonio de la poética popular y a menudo se ignora la autoría de Cordero.
23. [Luis Cordero], ***Cushiquillca/ Composición quichua/ en que un indio del Azuay celebra/ la cesantía de los diezmeros/ Cuenca/ marzo 18 de 1884-Impreso por Andrés Cordero.*** El poema se reprodujo entre otros por Mera y Grimm. Ver Rivet, Créqui-Montfort, op. cit., vol. II, p. 89.

seudónimo de *Padre Argelich* su ***Magnificat***, poesía quichua.[24]

Las pugnas políticas por el poder continuaron y fueron protagonizadas por Veintemilla, quien se alzó contra Borrero. Los triunfos del futuro dictador Ignacio Veintemilla en Galte y Los Molinos así como la caída de Guayaquil el 8 de septiembre de 1876 signaron definitivamente la caída de Borrero, quien gozaba del apoyo no solo de Cordero sino también de Mera. Así decía una copla popular recogida por este último en ***Cantares del pueblo ecuatoriano***:

Al presidente Borrero
le han metido en la prisión
la libertad le han quitado
no el honor ni el corazón.

Veintemilla ejerció el poder desde 1876 a 1883. La dictadura de Veintemilla despertó la oposición de liberales y conservadores, estos últimos planteaban –curiosa similitud con el momento actual– la unidad *republicana* nacional mientras los primeros imaginaban un estilo de amplia participación social que involucraba a sectores populares urbanos y rurales hasta entonces marginados de la vida política nacional.

Según su biógrafo Cordero Crespo, la amistad de Luis Cordero con algunos funcionarios del gobierno de Veintemilla le atrajeron a este último la animadversión de algunos políticos, entre ellos la de Carlos Ordóñez, anterior gobernador del Azuay. Cordero, probablemente desanimado por estos acontecimientos así como por el ningún efecto de sus gestiones (de 1882) por favorecer a Borrero, optó por un retiro momentáneo a su fundo *La Libertad*.[25] En medio de la naturaleza debió acrecentarse su interés por la botánica y por la apicultura, a la cual se dedicó hasta su vejez.

En 1880 se organizaba en Guayaquil una exposición de carácter agropecuaria auspiciada por la *Sociedad Filantrópica del Guayas* y a la cual Cordero envió algunas muestras de minerales y productos agrícolas azuayos así como un ensayo de botánica de la zona Cañar-Azuay, que básicamente era un anticipo de su ***Enumeración Botánica***,[26] publicada en 1911 por la Universidad de Cuenca, de la cual Cordero era rector. Años antes, en 1899, Cordero envió a la *Exposición Universal* de París su texto **"Plantas medicinales de las provincias del Azuay y de Cañar"**.[27] En la ***Enumeración Botánica***, Cordero se declara admirador de

24. [Luis Cordero], ***Magnificat,/ Ecuatoriano runacunpac ingarimaypi,/ pandaypandaylla allichish, churashca***, *Cuenca, abril, 1887*. Ver Rivet, Créqui-Montfort, op. cit., vol. II, p. 123.
25. Cordero Crespo, op. cit., p. 93.
26. [Luis Cordero], ***Enumeración Botánica/*** *De las principales plantas, así útiles como nocivas,/ indígenas o aclimatadas, que se dan en las provincias/ del Azuay y de Cañar de la República del Ecuador/ Cuenca, junio 21 de 1911. Imprenta de la Universidad de Cuenca.*
27. [Luis Cordero], ***Plantas medicinales de las provincias del Azuay y de Cañar***, *enviadas por Luis*

Linneo, Jussieu, Humboldt, De Candolle, Weddel, Caldas y Sodiro,[28] este último su amigo personal. La revisión cuidadosa de esta obra resulta muy interesante desde el punto de vista sociolingüístico y sociológico y no solamente botánico, pues en ella nos entrega observaciones sobre los nombres populares y los usos culturales (médicos) y mágico rituales de las plantas, especialmente por parte de los indígenas. En todo caso, Cordero recibió por este trabajo una *Medalla de Oro* y fue nombrado socio honorario de dicha *Sociedad Filantrópica*. Recordemos que en 1901 ya había preparado una ponencia similar, aunque con un énfasis más bien filológico: **"El quichua en la botánica"**,[29] trabajo incluido, como ya se mencionó, en el ***Diccionario*** (en la edición de 1955).

La preocupación de Cordero por las ciencias naturales lo condujo a hacer amistad con diversos naturalistas nacionales y extranjeros, entre los que se destaca el sabio P. Sodiro, traído al Ecuador en 1870 por García Moreno, conjuntamente con Menten y Teodoro Wolf, para la Escuela Politécnica Nacional.[30] Estos sabios fueron seguidos por el químico P. Luis Dressel y tantos otros quienes encontraron seguidores como el sabio ecuatoriano Augusto Nicolás Martínez, el P. Solano... No quisiera abundar en estos datos por no desviarme de mi propósito fundamental, a no ser para que el lector de hoy pueda comprender mejor el ambiente intelectual y científico de la época.

Pero volvamos a la amistad intelectual de Cordero y Sodiro. Quizá lo más interesante es que Sodiro nombró a un helecho clasificado por él con el apellido de Cordero; se trata del *Asplenium Corderoi*, mencionado en la obra de Sodiro ***Rescensio*** (1883, p. 39), en la cual aparece una lámina con el dibujo de la planta y al margen izquierdo un recuadro en el consta el siguiente texto a mano:

Cordero a la Exposición Universal de Paris, en 1889, y premiada con medalla de plata. Cuenca, abril de 1890. Imprenta de la Universidad del Azuay, por M. Vintimilla y hermanos.

28. Ver estos datos en la biografía del P. Luis Dressel escrita por su alumno Augusto Martínez [Martínez, Augusto N.], ***El padre Luis Dressel, Profesor de Química y Geología en la Escuela Politécnica de Quito,*** *Rasgos biográficos por Augusto N. Martínez*, en ***Revista Ecuatoriana,*** *Publicación Científica y Literaria, Director Vicente Pallares Peñafiel, año II, septiembre de 1893, número LVII, Quito, Imprenta de la Universidad Central del Ecuador, Carrera de García Moreno, 1893, pp. 354-363.*
29. [Luis Cordero], **"El quichua en la botánica"**, escrito enviado por Luis Cordero al Segundo Congreso Científico latinoamericano, reunido en Montevideo, en el año de 1901, en ***Revista de la escuela de medicina****. Publicación mensual,* Cuenca, Imprenta de la Universidad, 1er. año, No. 1, abril, 1902, pp. 8-17.
También en ***Diccionario***, op. cit., edición de 1989, pp. 345-359.
30. Ver [J. Gualberto] *J.Gualberto Pérez/* ***Recuerdo histórico/ de la Escuela/ Politécnica de Quito/*** *restablecida por el/ Señor Presidente de la República/ Dr. D. Gabriel García Moreno/ el 3 de octubre de 1870/ bajo la dirección de padres alemanes/ de la Compañía de Jesús/ Quito-Ecuador/ la Prensa Católica/ 1921.*

Excelentísimo Señor:
Quito, Junio 27/83
Le envío con la presente la lámina
correspondiente á la especie de
Asplenium que en mi opúsculo
"Rescensio" etc. me he toma-
do la libertad de honrar
con su apellido.
Espero se dignará consi-
derar ambas cosas como
prueba de la distinguida
estima que le profesa
su muy Ato. S. y Capellán
Luis Sodiro S.J. (firma)

Cordero también estudió las orquídeas de su región y, según el salesiano P. Arteta describió una *masdevallia* a la que el botanista Dr. Kraemzlin en 1925 la llamó con el apellido de Cordero: *masdevallia Corderoana*. Así también la llamó el botanista inglés F. Carlos Lehman, quien en 1880 pasó por Cuenca y Loja en busca de orquídeas.[31] Cordero también tuvo amistad con Eduardo Clavoke, a quien le mostró una orquídea que aquel describió; pero Clavoke no la denominó con el nombre de Cordero, lo cual provocó cierto descontento en nuestro botanista.[32]

La explotación de la cascarilla de Loja tuvo su auge en el siglo XVIII; terminados los bosques naturales de Loja, la actividad extractiva de este maravilloso árbol se desplazó en el siglo XIX a las regiones de Cañar y Azuay, involucrando en ella a amplios sectores sociales: desde hacendados hasta pequeños comerciantes y artesanos, pasando por trabajadores libres, comuneros indígenas y asalariados provenientes de regiones vecinas... Los dueños de haciendas y de fundos grandes se convirtieron así en exploradores de los nuevos bosques de los cuales se iba a extraer la quina y muchos de ellos, sobre todo quienes tenían contactos políticos como para hacer fluidas las redes extra regionales de comercialización, se convirtieron en exportadores de quinas.[33]

Cordero fue un exportador de quinas en la etapa del auge regional azuayo de la explotación de la cascarilla (1850-1895) y debido a esta actividad eco-

31. La *masdevallia Corderoana* recogida por Lehman está catalogada con el No. 6561 de su herbario. Ver Cordero Crespo, op. cit., p. 108.
32. Ver Cordero Crespo, op. cit., p. 109.
33. Para la comprensión de los auges y las crisis en la explotación de la quina durante el siglo XVIII y parte del XIX en las regiones de Loja y Cuenca, ver Luz del Alba Moya, ***El árbol de la vida, Esplendor y muerte en los andes ecuatorianos, La cascarilla en el siglo XVIII,*** en comp., tesis de Maestría en Historia Andina, FLACSO, Quito, p. 171.

nómica así como a su interés botánico realizó la traducción del francés al castellano del clásico trabajo de José Triana sobre las quinas intitulado ***Nouvelles études sur les quinquinas***, escrito en 1870. Esta traducción fue impresa en Cuenca, en 1877, y se complementó con sus observaciones personales sobre las quinas ecuatorianas y con un apéndice en el que incluía las observaciones hechas por el doctor Guillermo Jameson sobre *el cultivo de las cinchonas en el Ecuador* tomadas de la obra de este último ***Synopsis Plantarum Aecuatoriensium.*** En este trabajo Cordero se revela como un conocedor de los estudios botánicos sobre las quinas, pues no solo que las describe con su nombre científico y popular sino, lo que es quizá más valioso, ubica los hábitat de las diferentes clases de cinchonas. Así, se mencionan sitios de Loja, Azogues, Azuay, Saraguro… Cordero pensaba que sería de enorme interés práctico hacer una investigación científica que permitiera realizar una *quinografía ecuatoriana*. De otro lado miraba con preocupación el exterminio de los bosques naturales de quina y con mayor preocupación aún el que los botanistas (vale decir ligados a los gobiernos europeos y a sus empresarios) hubieran iniciado plantaciones de quina por ejemplo en la India y en Jamaica. Por este motivo sugería como alternativa la reforestación de los bosques de quina. De ahí que, para la traducción que hiciera del estudio de Triana, Cordero escogió los capítulos que le parecieron los más interesantes y que se refieren precisamente a la serie de labores culturales relativas no solo a la siembra sino también a la recolección y secado de esta maravillosa planta nativa.[34]

En 1875 Cordero escribió su mencionado artículo **"Una excursión a Gualaquiza"**, en el que describe las quinas de las vertientes oriental y occidental de la cordillera de los Andes, y de modo especial las de los bosques cercanos a Gualaquiza, zona de donde se extrajo la quina que era negociada por la firma *Heredia* que la exportaba a Inglaterra. Allí, en Gualaquiza, Cordero seguramente continuaba con sus negocios de quina, aunque su biógrafo Cordero Crespo solo menciona que éste instaló allí maquinaria para elaborar azúcar blanca, azúcar morena y panela porque se resistía a fabricar aguardiente.[35]

Ver también Silvia Palomeque, ***Cuenca en el siglo XIX, La articulación de una región***, FLACSO/Abya-Yala (edits.) Col. Tesis de Historia, Quito, 1990.

34. [Luis Cordero] ***Cultivo de las Quinas./*** *Traducción/ Hecha por Luis Cordero/ de algunos capítulos interesantes de la obra intitulada/* ***"Nouvelles études sur les quinquinas",/*** *escrita por el ilustre botánico colombiano/ Don J. Triana./ Se reproducen, por vía de apéndice, las observaciones/ que hizo el célebre doctor Guillermo Jameson, sobre la/ propagación artificial de las mismas plantas en el Ecuador, y especialmente en la provincia del Azuay./ Cuenca, marzo 22 de 1877./ Impreso por Antonio Cueva*. El Apéndice se intitulaba: ***Apéndice. Observaciones del Dor. Guillermo Jameson, sobre el cultivo de las cinchonas en el Ecuador***. Tomadas de la obra intitulada ***Synopis plantarum aequatoriensium***, op. cit., pp. 33-37.
   Ver también las reseñas que trae al respecto su biógrafo Cordero Crespo, op. cit., p. 109.
35. [Luis Cordero], **"Una excursión a Gualaquiza"**, Impreso por Andrés Cordero, Cuenca 1875. Ver también Cordero Crespo, op. cit., p. 111.

En 1889 Cordero envió a la *Exposición Universal* de París una colección de vegetales y minerales de la región del Azuay y en 1909 publicó las ***Nociones de apicultura.***[36]

Para cerrar este segmento referido a los nexos entre Cordero y diversos científicos, quisiera insistir en que las relaciones entre literatos, políticos, artistas y científicos de fines del siglo pasado no eran infrecuentes, quizá debido a un espíritu romántico y humanista mucho más totalizador, que independientemente de las filiaciones partidarias impregnaba la época.[37]

Retomemos por el momento el hilo de los acontecimientos políticos. Habíamos señalado que la dictadura de Veintemilla, quien gobernó al país hasta 1883, había despertado una amplia oposición en todos los sectores, al punto que en varios lugares hubo alzados en armas.

En la Costa los movimientos armados estaban protagonizados por Ezequiel Landázuri, José María Sarasti y el líder liberal Eloy Alfaro. Bajo los auspicios del liberalismo triunfante se formó un comando que incursionó en el Cañar y el Azuay. Cordero, de pensamiento liberal, no solo que se sumó a dichas fuerzas sino que las solventó de su propio pecunio y, con el apoyo del general Francisco Javier Salazar, se tomó la plaza de Cuenca.

El 1 de enero de 1883 las fuerzas *restauradoras* apoyaron la toma de Quito y se formó un gobierno pentaviral que incluía a Luis Cordero. Veintemilla fue derrotado por Francisco Javier Salazar con el apoyo de los pentaviros, el 9 de julio de 1883. Así rezaba una copla recogida por Juan León Mera en sus ***Cantares del pueblo ecuatoriano*** sobre la caída de Veintemilla:

Si quieren saber, señores,
la suerte de Veintemilla,
los bravos restauradores
lo botamos de la silla.

Caamaño fue elegido Presidente de la República por la *Asamblea Constituyente* de 1883. Fue entonces que Caamaño fundó el Partido *Progresista* al que se afilió Cordero y al que apoyaba también Flores Jijón. Los *progresistas* mataron al liberal radical Vargas Torres por insurreccionarse contra Caamaño. El *progresismo,* si bien acogía ciertas ideas liberales, en realidad era un desprendi-

36. [Luis Cordero], ***Nociones de apicultura,*** Imprenta Literaria L.C., Cuenca, 1909.
37. Así por ejemplo, Mera escribe en 1864 su poema **"Dios"**, en honor del botanista P. Vicente Solano y en 1873 **"El genio de los Andes"** en honor de Reiss y Stübel; asimismo Mera es biógrafo del químico y andinista Nicolás Martínez, del historiador Cevallos, de Joaquín de Araujo, Vicente Cuesta y de García Moreno. El químico, físico y matemático Nicolás Martínez es biógrafo de su maestro, el P. Luis Dressel. Joaquín Pinto dibuja los gráficos, diseños, etc., que requería González Suárez para su ***Atlas Arqueológico del Ecuador.***

miento del Partido Conservador y por lo mismo se alejó tanto de éste cuanto del *liberalismo radical* de Alfaro. Pensadores conservadores como Julio Matovelle miraban al *progresismo* como un *desgarramiento* del Partido Conservador que le abrió el paso al liberalismo.[38]

Desde el ala modernizante del Partido Conservador –y a partir de la caída de Veintemilla– Juan León Mera promovía el *Partido Católico Republicano* a través del periódico *La República*.

Entre 1889 y 1890 los *restauradores* apoyaban a Antonio Flores Jijón y ese mismo año de 1890 Cordero apoyaba desde el Cañar a Francisco Javier Salazar como candidato a la presidencia. En 1890 también ocurrió el *Tratado Herrera-García* que establecía nuevos límites con el Perú, cercenando territorios ecuatorianos, pues daba acceso al Alto Amazonas por los ríos Santiago y Pastaza.

En 1890 Cordero sufrió una pérdida personal, pues murió su esposa Jesús Dávila de Cordero. Poco después, en 1891, murió en Guayaquil, de fiebre amarilla, su aliado político el general Salazar y Flores Jijón asumió el poder aquel mismo año.

A este fugaz período de Flores Jijón siguieron nuevas elecciones en las que se enfrentaron para la presidencia de la República Luis Cordero por el *progresismo* y Ponce por el Partido Conservador; Cordero ganó las votaciones con 36.357 frente a los 26.321 votos de su oponente.[39]

Ya como presidente Cordero se preocupó por la educación pública en general. Así, por ejemplo, creó la Facultad de Matemáticas en la Universidad de Cuenca. Con fondos destinados originalmente al ejército quiso crear escuelas, pero fue acusado de malversación de fondos.[40] Firmado ya el *Tratado Herrera-García,* Cordero instaló a los salesianos en el Oriente para que se ocupasen de los asuntos educacionales y creó la *Junta Orientalista* que tenía por fin velar por los intereses del Estado en la región oriental en un momento en el que las cuestiones limítrofes con el Perú pasaban por uno de sus momentos críticos.

A Cordero le tocó vivir el grave conflicto denominado *la venta de la bandera* en el cual se involucró tal vez por ingenuidad. Para entonces se daba la guerra entre Japón y China. En este contexto Chile había pactado la venta del crucero *Esmeraldas* a Japón pero no quería participar directamente en la venta, dado que quería mantener una política pública de no intervención en el conflicto. Los chilenos y un comerciante de apellido Flint, quien intermediaba la negocia-

38. Para las ideas de Matovelle al respecto, ver Joaquín Martínez Ramírez, en el Prólogo a [Matovelle, José Julio María], ***Obras completas del Rvdmo. padre Dr. D. José Julio María Matovelle,*** Cuenca , Ecuador, 1939, Imprenta del Clero. Impreso por José M. León T., pp. 20-21.
39. Cordero Crespo, op. cit., p. 126.
40. Cordero Crespo, op. cit., p. 25.

ción, solicitaron al Ecuador hacer en nombre de Chile la transacción comercial, de modo que el *Esmeraldas*, con bandera ecuatoriana, sería entregado a los japoneses en algún puerto del Asia. En teoría Chile debía entregar armas al Ecuador por esta transacción, pero se dieron denuncias de que la misma involucraba el reparto de jugosas comisiones entre altos funcionarios de Cordero. Posiblemente en esta intermediación del gobierno del Ecuador con el de Chile Cordero debió tomar en consideración las tensiones chileno-peruanas y el propio conflicto limítrofe del Ecuador y Perú.[41] La presión de los conservadores impulsada por su antiguo oponente Ponce en las elecciones presidenciales en las que Cordero resultara triunfante, culminaron en la renuncia de Cordero, en 1895.

Mientras, la oposición conservadora se oponía al liderazgo de Alfaro. El liberalismo, que ya había triunfado en otros lugares del continente, iba ganando terreno en el Ecuador, y a partir de entonces se dará inicio a la larga etapa de confrontación liberal-conservadora, cuyo sustento, evidentemente, eran las distintas propuestas acerca del desarrollo social del país.

Entre abril y agosto de 1895 casi todo el litoral se volcó en favor de Alfaro, y a partir de septiembre, Alfaro asumió el poder con el apoyo de prácticamente todo el país.

Después de 1895 Cordero se dedicó a escribir cuentos y fábulas. Así, escribió en quichua del Azuay tres fábulas: **"Yuyay illag uma"**, traducida de Fedra *(vulpes ad personam tragicam)* del cuento **"La última copita"**, de Ricardo Palma; **"Mana juchallig misicuna"**, traducido de **"Los gatos escrupulosos"**, de Samaniego y **"Jillu chuspicuna"**, original de Cordero.[42]

A nivel poético Cordero hizo varias otras publicaciones, recogidas en sus ***Poesías serias*** de 1895.[43]

En 1896 se casó con Josefina Espinosa Astorga, quien murió en diciembre de 1900.

En 1901, como lo señaláramos previamente, publicó sus ***Estudios de lingüística americana.***[44]

41. Cordero Crespo, op. cit., pp. 146-150.
42. Ver [Luis Cordero], ***Fábulas en quichua***, en ***Revista Cuencana**, publicación mensual, órgano del "Liceo de la juventud del Azuay"*, Cuenca, Serie 1a. 1902, 1er. año, No. 7, julio 1902, pp. 241-244.
    También Cordero, Luis, ***Fábulas en quichua***, en ***Revista Cuencana**, publicación mensual, órgano del "Liceo de la juventud del Azuay"*, Cuenca, Imp. Literaria de L.C., Calle de Carabobo, 5o. año, No. 2, agosto, 1908, pp. 50-52.
43. Ver [Luis Cordero], ***Poesías serias**/ de/ Luis Cordero/ Miembro Correspondiente de la Real Academia Española de/ la Lengua; de la de Jurisprudencia y Legislación de Madrid;/ de la de Buenas Letras de Sevilla,y Corresponsal de la/ de Ciencias y Bellas Letras de San Salvador./ Quito, Imprenta del Gobierno/ -/ 1895.*
44. [Luis Cordero], ***Estudios/ de/ Lingüística Americana./** Carta á un distinguido americanista francés./ Cuenca/ 1901/ Imprenta Literaria del Autor.*

En 1902 escribió su ***Dies Irae*** en honor de los redentoristas, con quienes siempre mantuvo estrechas relaciones de amistad,[45] y en 1905 produjo otro poema en quichua con traducción al castellano, esta vez en honor a Paul Rivet, sin título y firmado con el seudónimo de *Timuco Atarihuana*.[46]

En 1903 escribió su comedia ***Doña Perpetua***.

En 1906 publicó un texto elegíaco en prosa, ***Voló la paloma***, a la muerte de su nuera.[47]

En 1908 Cordero publicó su ***Mushug yayahuan rimay***, texto en verso, escrito en quichua y traducido del quichua al castellano, cuya versión aparece al frente de la quichua.[48]

En 1912, año de su muerte, se publicaron dos poemas bajo el título de ***Dos joyas piadosas***. En el poema **"De rodillas"** algunas estrofas aluden a sus sinsabores políticos; y en **"El pan del peregrino"**, a sus atribulaciones personales por la muerte de sus seres cercanos.[49]

Hemos mencionado ya el interés de Cordero por la educación. Apoyó a Julio Matovelle en la fundación del *"Liceo de la Juventud del Azuay"*, institución

45. [Luis Cordero], ***Dies irae. Versión quichua, dedicada a los infatigables/ y dignos PP. Misioneros de la Congregación del/ Santísimo Redentor***, en ***Revista Cuencana, publicación mensual, órgano del "Liceo de la juventud del Azuay"***, Cuenca, Ecuador, Imprenta Literaria L.C., Calle de Carabobo, 1er. año, No. 3, marzo, 1902, pp. 90-93.
46. [Luis Cordero]. (*Timuco Atarihuana*). Se trata de un sarcástico poema de 15 estrofas de cuatro versos cada una, en el cual alude a la curación que le hizo Rivet a Cordero, quien también le sugiere conseguir el amor de una cuencana, cosa que en efecto ocurrió, pues Rivet se casó con Mariana Ordóñez. El poema, mecanografiado, es reproducido íntegramente por Rivet-Créqui-Montfort, op. cit., vol. II, pp. 461-462.
47. [Luis Cordero], dedicado a Raquel Crespo de Cordero y escrito el 3 de octubre de 1906. Ver ***Voló la paloma...***, en ***Revista Cuencana***, ***publicación mensual, órgano del "Liceo de la juventud del Azuay"***, Imprenta Literaria L.C., Calle de Carabobo, año IV, septiembre de 1907, Nos. 5, 6, 7, 8 y 9.
48. Poesía dactilocopiada que estuvo en posesión del P. Aurelio Espinosa Pólit. No sé que ocurrió después de la muerte de este religioso. La poseía fue dedicada a Manuel María Pólit Laso, décimo obispo de Cuenca al asumir sus funciones religiosas. Ver Rivet y Créqui-Montfort, op. cit., vol. II, pp. 519-521.
49. [Luis Cordero], ***Dos joyas piadosas***, con el ofrecimiento de Miguel Cordero Dávila, Cuenca, junio 13 de 1912. En nota de pie de página el editor, Cordero Dávila, al referirse a los problemas políticos escribe: *"Las injustas acusaciones políticas de que fue víctima, de que resultó absuelto por fallo público y judicial"*. El poema **"De rodillas"** dice:

Padre el ajeno pecado
fue causa de tu pasión!
A ti, que la sinrazón
de mis enemigos vi
y que a tus divinos pies
tenerme quisiste hoy día,
te entrego la causa mía:
senténciala como juez.

Y, si fallas que a sufrir
vaya la más ruda pena,
la mano que me condena
besaré, para partir.
Dueño de mi porvenir,
no has de poderme olvidar;
pues de mi paterno hogar,
a tu gloria consagrado,
Rey Augusto del altar!...

organizada con cuatro secciones académicas: la científica, la literaria, la histórica y la filarmónica. Previa la fundación del *Liceo* se creó la *Sociedad de la Esperanza*, presidida por Cordero. El *Liceo* tuvo como órgano de difusión el periódico *La Luciérnaga*. El *Liceo* recibió en su momento el apoyo de García Moreno y se convirtió luego en un colegio nacional.

En torno a la *Sociedad*, el Liceo y su órgano de difusión, *La Luciérnaga*, aparte de Cordero giraron intelectuales como Honorato Vázquez, Miguel Moreno, Federico Proaño, Miguel Aguirre, José Peralta, el ex presidente Miguel Borrero y tantos otros...

Cuando funcionaba la *Sociedad de la Esperanza* residía en Cuenca González Suárez, quien dedicó a sus principales miembros su ***Estudio sobre los Cañaris***.[50] El sabio Teodoro Wolf, más tarde, dio conferencias en el *Liceo* sobre temas que desarrolló en su ***Geografía y Geología del Ecuador***.[51]

El mismo Matovelle estuvo al frente de la creación del *Centro de Estudios Históricos y Geográficos del Azuay* que, como las otras agrupaciones culturales, acogió a distintos intelectuales del país.

La amistad entre Matovelle y Cordero[52] les permitió realizar algunos proyectos conjuntamente. Cuando Cordero estuvo en la Presidencia de la República crearon en Cuenca la *Fundación Salesiana*, que luego dio paso a la ya aludida presencia de los salesianos en el Oriente, a través de la *Misión Orientalista*, y a la creación de la *Junta Orientalista*, que, como vimos, tenía por objeto determinar los derechos del Estado en la misma región oriental.

Las ideas estéticas de Cordero ya he discutido en otro trabajo,[53] por lo cual insistiré un una sola idea de nuestro autor: el quichua y el español son aptos para hacer literatura. En quichua se puede hacer poesía, y para sustentar su tesis Cordero se remitía a las muestras de la poética oral, expresadas en tantas formas pero especialmente en el *yaraví*, forma poético musical con la cual Cordero –al igual que Mera– se sentía profundamente identificado.[54]

50. Federico González Suárez publicó entre 1890 y 1903 los siete tomos de la ***Historia general de la república del Ecuador***, Quito, Imp. del Clero (tomo I, 1890; tomo II, 1892; tomo III, 1892; tomo IV, 1893; tomo V, 1894; tomo VI, 1901; tomo VII, 1903).
51. Teodoro Wolf, ***Geografía y Geología del Ecuador***, Publicado por orden del Supremo gobierno de la República, Tipografía de A. Brockhans, Leipzig, 1892, p. 671.
52. Sobre la fundación del *Liceo* y las relaciones con Luis Cordero, ver José Julio María Matovelle, op. cit., pp. 6, 256, 263.
53. Ver Ruth Moya, *Estudio Introductorio* a la ***Gramática de la Lengua quichua de Julio Paris***, Proyecto Educación Bilingüe Intercultural/Corporación Editora Nacional (edits.), Quito, 1992 (en prensa).
54. Respecto a las posibilidades de la lengua quichua para la poesía, Cordero incluso discrepó con Ricardo Palma, quien creía que en quichua no era posible lograr la rima poética. Para mostrar lo contrario, Luis Cordero usó como ejemplos los distintos estilos de versificación documentados en ya-

La muerte de Cordero acaeció en 1912. Fue laureado como poeta el 24 de mayo de 1917.

No sería justo terminar este esbozo sobre la vida y la obra de Cordero sin acotar brevísimamente sobre algunas características del ***Diccionario Quichua-Castellano y Castellano-Quichua*** que presentamos al público en esta ocasión. Baste decir que en ambas partes del ***Diccionario*** explora la mayor cantidad de sentidos de la palabra, sus usos estilísticos, las palabras o giros que serían sinónimos; da ejemplos; indica el orden sintáctico de las partículas y, cuando describe plantas o animales, identifica los nombres populares y científicos que les corresponden.

La filología ecuatoriana tiene en Cordero un muy importante antecesor. Sería de desear que la presente iniciativa de reeditar el ***Diccionario*** de Cordero fuera acogida y ampliada por otras instituciones en la perspectiva de editar al menos sus obras sobre el lenguaje. Que la presente publicación cumpla con las espectativas que animaron inicialmente nuestra *Colección* y, sobre todo, que llegue a donde debe llegar: al maestro bilingüe.

Quito, 11 de septiembre de 1992

ravíes tradicionales del Ecuador. Ver [Cordero, Luis] ***Carta a Leon Douay***, op. cit. Por su parte Mera expresó estas ideas en su ***Cantares del pueblo ecuatoriano***, op. cit.

BREVES NOCIONES GRAMATICALES CONCERNIENTES AL IDIOMA QUICHUA

I

DE LAS LETRAS

Las letras **vocales** propias del Idioma quichua que se habla en las comarcas Azuayas de la República del Ecuador son solamente tres: **a, i, u.** Rara vez se encuentran la **e** y la **o,** y aun eso por haberse alterado la correcta pronunciación de las palabras en que tal cosa sucede.

Las letras consonantes del quichua, o más bien dicho, del dialecto quichua de estas regiones del Azuay, son las siguientes: **b, c, ch, d, g, h, j, l, ll, m, n, ñ, p, q, r, s, sh, t, y, z, zh.** Le faltan, pues, la **f,** la **k,** la **v,** y la **x.** El sonido de la primera es totalmente desconocido para los indios que ni aun en castellano aciertan a pronunciarla; el de la segunda está perfectamente representado por la **c;** el de la tercera lo está por la **b;** el de la cuarta por la combinación **gs.** A nada conduce, por tanto, el aumento de signos que no son indispensables.

La combinación **sh** es necesaria para denotar un sonido semejante al que ella tiene en el idioma inglés; pues son muy numerosas en quichua las voces en que se oye este sonido. Sirvan de ejemplo éstas: **Shamuy; shaycushca shuyacushami;** vente; cansado te he de estar esperando.

Hay también otro sonido que no se conoce en castellano y que en el quichua es comparable al de la **j** francesa. Para denotarlo en la escritura, creemos preferible a la invención de cualquier signo especial el hacer uso de la combinación **zh.** Así se verán en nuestro Diccionario las palabras **canzha,** afuera; **zhirbu,** crespo; &. en las cuales debe pronunciarse la **zh** del modo que los franceses pronuncian, su **j** en **jadis, toujours** y otros vocablos.

En lo concerniente a la **z,** debemos advertir que su sonido no difiere mucho del de la **z** española, correctamente pronunciada. Hay sólo que darle algo más de suavidad. **Zagra,** áspero; **zipi,** agrietado; **tuzu,** encogido, son los ejemplos que ponemos.

Advirtamos cuanto antes que nuestro quichua se distingue mucho del peruano y del boliviano, por la mayor blandura de los sonidos. Esta consideración nos ha determinado a usar la letra **g,** cuya pronunciación es menos dura que la de la **c,** en todos los casos en que otros escritores emplean esta última como final de sílaba. Más propio nos parece, efectivamente, escribir **cuyag,** el que ama; **tugyana,** reventar; **pugyu,** fuente &. que **cuyac, tucyana, pucyu.** &.

Para que se mire sin extrañeza tal novedad, repárese en que éste es un vocabulario del idioma que hablan actualmente los indios de la comarca en que ha nacido, se ha criado entre ellos y aún vive el autor. Mucho ha meditado él antes de resolverse a adoptar un cambio de letras que no habría preferido, a no corresponder tal cambio a la pronunciación más suave del quichua del Azuay.

Aun la **p** del antiguo idioma de los incas ha sido reemplazada por la **b**, en muchas palabras del nuestro, en el cual se pronuncia, por ejemplo, **pamba, cambag, huambuna**, en vez de **pampa, campag, huampuna** (planicie, tuyo, flotar).

Hay también varias voces en que la **t** de aquella lengua ha venido a ser **d** en la de nuestros indios, como lo manifiestan **cayandi**, el día siguiente; **rundu**, granizo; **tanda**, pan, que en otras regiones se pronuncian **cayanti, runtu, tanta**; pues ni se conoce en ellas el sonido de la **d**.

Estas y otras varias reflexiones que, por no ser difusos, omitimos, dan a conocer que el idioma quichua de estos países ecuatorianos, anterior quizá al de comarcas más meridionales, es menos duro que el celebrado **idioma general** de los incas; lo cual pudiera atribuirse a una de dos causas, es decir, a que el uso lo ha suavizado poco a poco, o a que de suyo fue más suave que el peruano aun en la época misma en que Huayna-Capac conquistó el reino de los Shiris; pues, según algunos historiadores, tuvo el famoso monarca la grata sorpresa de observar que en el país de sus nuevos súbditos (donde las aventuras de su padre le habían hecho nacer) se había hablado y hablaba la misma lengua de los antiguos.

Hay otras particularidades en que se distinguen las lenguas indígenas del norte y del sur, tanto que a primera vista no pueden los peritos en una de ellas entender con perfección lo hablado o lo escrito en la otra, razón por la cual de poco sirven para un ecuatoriano las gramáticas y los diccionarios compuestos en el Perú o en Bolivia, por doctos que tales libros sean; pero prescindimos de entrar en pormenores filológicos que desdecirán de la brevedad con que vamos apuntando estas sencillas nociones. Pasemos, pues, adelante.

II

DE LAS PARTES DE LA ORACION

Quede para ciertos innovadores el pernicioso prurito de inventar nuevas nomenclaturas, que no sirven sino para fastidiar y confundir a cuantos han estudiado y aprecian como se debe el viejo, pero docto, tecnicismo escolar. A él nos atenemos nosotros para decir que las **partes de la oración**, en la lengua quichua, son: **artículo, nombre, pronombre, adjetivo, verbo, participio, adverbio, preposición, conjunción** e **interjección**.

Diremos algo de cada una, ya que no podemos estudiarlas detenida y profundamente en el simple proemio de un Diccionario.

DEL ARTICULO

Lo mismo que en castellano, hay en el quichua dos artículos, que pueden también llamarse **indefinido** o **indeterminado,** el uno, y **definido** o **determinado,** el ótro.

El artículo indefinido viene a ser el numeral **shug,** en todos los casos en que se usa para la simple designación de personas u objetos, y no para contarlos. Así se dice, vga. "**Shug runami canta mashcacun**"; un indio te está buscando; "**Shug huambracunani cayta huagllichiscacuna**"; unos muchachos han dañado esto.

En el segundo de estos ejemplos se nota que **shug** no tiene terminación de plural, y es lo que sucede siempre con el artículo o con el **adjetivo,** cuando anteceden a nombre expreso; pues el signo de pluralidad va sólo con este nombre; vga. "Jatun yura**cuna**", los árboles grandes.

La función que en castellano y en otras lenguas desempeña el artículo definido, se ejerce en el quichua por la párticula **ca,** pospuesta al nombre o a la palabra que hace las veces de él; vga "Churi**ca** shamucunmi"; el hijo está viniendo; "Llullash purinaca mana allichu"; el andar mintiendo es cosa mala. Esta misma partícula sirve también para el plural, posponiéndose a la desinencia que denota este número; vga. "churicuna**ca**", los hijos.

DEL NOMBRE

En los nombres de este idioma es de notar que carecen de género y que la distinción sexual se explica, cuando es preciso, por la anteposición de las palabras cari o **huarmi.** Decimos cuando es preciso, porque en la mayor parte de los casos el sexo de la persona o del animal de que se trata se deduce del contexto mismo de las palabras. En las ocasiones en que no es fácil la deducción se dice, por ejemplo "**cari** allcu", "**huarmi** allcu"; perro; perra.

Los números, así en el nombre como en otras partes de la oración que los tienen, son dos: singular y plural. El segundo se forma añadiendo al singular la partícula **cuna.** Así de los sustantivos o nombres **huasi, ucucha, rucu,** provienen los plurales "huasi**cuna,** ucucha**cuna,** rucu**cuna**", las casas, los ratones, los viejos.

Los nombres que de suyo tienen sentido plural no siempre necesitan de la terminación **cuna,** y así se dice, por ejemplo, **Chaquita mayllari,** en lugar de "**Chaquicunata mayllari**"; Lávate los pies.

Lo propio sucede cuando el nombre va precedido de un adjetivo numeral; vga. **Pasag yura,** cien árboles, sin que, por esto, sea incorrecto decir "Pasag **yuracuna**".

Como a los nombres se les incorporan ciertas partículas, formando con ellos una sola palabra, para determinar los casos, esto es, las diversas funciones que aquellos desempeñan en la oración o proposición, puede afirmarse que hay verdadera declinación en el quichua. Sirve para manifestarlo el ejemplo familiar siguiente:

	Singular		Plural
Nom.	**Yaya,** el padre	Nom	**Yayacuna,** los padres.
Genit.	**Yayapag** o **Yayapa,** del padre.	Genit.	**Yayacunapag** o **Yayacunapa,** de los padres.
Dat.	**Yayaman,** a o para el padre.	Dat.	**Yayacunaman,** a o para los padres.
Acus.	**Yayata,** al padre	Acus.	**Yayacunata,** a los padres.
Vocat.	**Yaya** o **yayalla!** oh padre!	Vocat.	**Yayacuna** o **yayacunalla!** oh padres!
Ablat.	**Yayahuan, yayamanta, yayapi,** con, por, en el padre.	Ablat.	**Yayacunahuan, yayacunamanta, yayacunapi,** con, por, en los padres.

Pueden los nombres hacerse aumentativos, mediante la adición de la partícula ponderativa **rucu,** con **r** sencilla. Así es como de **runa,** indio, se forma "runarucu", indiote o indiazo; de **rumi,** piedra, "rumirucu", piedrota; &.

Pueden igualmente formarse nombres diminutivos, especialmente para denotar afecto, añadiendo al respectivo nombre las partículas **lla** o **zhu;** vga. de **huahua,** "huahualla" o "huahuazhu", que significan hijito o hijita.

DEL PRONOMBRE

Los tres pronombres personales del quichua son **ñuca,** yo; **can,** tú, y **pay, él.**

Carecen de género, como los nombres y forman el plural del mismo modo que ellos, excepto **ñuca,** que en ese número es **ñucanchi** y no **ñucacuna.**

La declinación de los pronombres no se diferencia de la de los nombres; siendo de notar únicamente que el genitivo de **can** no es **"campag",** sino **cambag;** pues el uso ha reemplazado la **p** con la **b.**

Pongamos las declinaciones de los tres pronombres personales.

	Singular		Plural
Nom.	**Ñuca,** yo	Nom.	**Ñucanchi,** nosotros.
Gen.	**Ñucapag** o **ñucapa,** de mí, mío.	Gen.	**Ñucanchipag** o **ñucanchipa,** de nosotros, nuestro.
Dat.	**Ñucaman,** para mí, a mí, mío.	Dat.	**Ñucanchiman,** para nosotros, a nosotros, nos
Acus.	**Ñucata,** a mí, me	Acus.	**Ñucanchita,** a nosotros, nos.
Voc.	(no lo tiene).	Voc.	(no lo tiene).
Abl.	**Ñucahuan, ñucamanta, ñucapi,** conmigo, por mí en mí.	Abl.	**Ñucanchihuan, ñucanchimanta, ñucanchipi,** con nosotros, por nosotros, en nosotros
Nom.	**Can,** tú; usted.	Nom.	**Cancuna,** vosotros, ustedes.
Gen.	**Cambag** o **camba,** de tí, tuyo.	Gen.	**Cancunapag** o **cancunapa,** de vosotros, vuestro

Dat.	**Canman,** para tí, a tí, te.	Dat.	**Cancunaman,** para vosotros, a vosotros, os.
Acus.	**Canta,** a tí, te.	Acus.	**Cancunata,** a vosotros, os.
Voc.	**Can** o **canlla!** oh tú!	Voc.	**Cancuna** o **cancunalla!** oh vosotros!
Abl.	**Canhuan, canmanta, campi,** contigo, por tí en tí.	Abl.	**Cancunahuan, cancunamanta, cancunapi,** con vosotros, por vosotros, en vosotros.
Nom.	**Pay,** él	Nom.	**Paycuna,** ellos
Gen.	**Paypag** o **paypa,** de él, suyo	Gen.	**Paycunapag** o **paycunapa,** de ellos, suyo.
Dat.	**Payman,** para él, a él, le	Dat.	**Paycunaman,** para ellos, a ellos, les
Voc.	(carece).	Voc.	(carece).
Abl.	**Payhuan, paymanta, paypi,** con él, por él, en él.	Abl.	**Paycunahuan, paycunamanta, paycunapi,** con ellos, por ellos, en ellos.

Se notará que a los pronombres **ñuca** y **pay** les falta vocativo; pero esta carencia es común aun en los correspondientes de otras lenguas; pues no es regular que uno se apostrofe a sí propio en primera persona, ni que dialogue con aquella de quien está hablando.

Observaráse también que **ñucapag, ñucanchipag, cambag, cancunapag, paypag, paycunapag,** son más bien adjetivos que casos pronominales, pues significan mío, nuestro, tuyo, vuestro, suyo. Efectivamente, los genitivos de los tres pronombres se han adjetivado y tienen casi siempre esa significación.

DEL ADJETIVO

El adjetivo puede ser positivo, comparativo o superlativo, como en otros idiomas.

El comparativo quichua se forma anteponiendo al positivo los adverbios de cantidad **ashun, astaun** o **yalli.** Así, del adjetivo **yurag,** que significa "blanco", dimanan **ashun yurag, astaun yurag, yalli yurag,** más blanco.

El superlativo se forma con los adverbios de ponderación **may, ancha** o **yupay.** Así es como de **puca,** rojo, proceden **may puca, ancha puca, yupay puca,** muy rojo, rojísimo. Usase así mismo el adverbio **yallimana,** demasiado, cuando se intenta llegar a lo sumo de la ponderación; vga. **Yallimana millayni cayca.** Sumamente perverso es éste.

El adjetivo quichua puede también llegar a ser aumentativo o diminutivo, mediante la adición de la partícula **rucu,** para lo primero, y de **lla,** para lo segundo. Del positivo **suni,** vga. se forman **sunirucu,** largote, y **sunilla,** larguirucho.

Hay adjetivos que denotan posesión, como los expresados **ñucapag, cambag, paypag** y cuantos pueden formarse posponiendo a cualquier nombre la terminación **pag,** signo de genitivo. De las palabras **masha.** cuñado,

sugsug, mirlo, resultan así los posesivos **mashapag, sugsugpag,** del cuñado, del mirlo.

Los adjetivos que en este idioma sirven para demostrar son **cay, chay, cayshug, chayshug, caynig, chaynig,** que, respectivamente significan "este, ese, aquel, aquel otro, el de más acá, el de más allá".

Los interrogativos son **pi,** quien; **maycan,** cual; **pipag,** de quien; **maycampag,** de cual.

Los verbales son todos aquellos que se forman añadiendo la partícula **pag** al nombre que denota la acción del verbo. Del nombre **huacay, el** lloro, se forma así **huaycapag,** lo deplorable; de **ricuy,** la visión, **ricuypag,** lo que pudiera o debiera verse; &.

Es natural que el lector note lo vario y hasta antitético de estos adjetivos verbales, fijándose en la doble significación de **ricuypag,** por ejemplo; pero tal es su valor en el idioma, según los casos en que ellos se emplean, y sólo por el contexto se deduce su significado en el pasaje en que figuran. Si se dice, por ejemplo, **Cambag llaquica huacaypagmi,** la correspondencia castellana será "Tu desgracia puede (o debe) ser llorada"; pero, si, alterando algo más las palabras o añadiendo otras, se dice **Cambag llaquita huacaypagni cangui,** la traducción nada anfibológica ya, viene a ser: "Debes llorar tu desgracia". Estas y otras semejantes peculiaridades apenas pueden apuntarse de paso en un estudio gramatical tan sucinto como el presente.

Los adjetivos numerales son de varias especies.

Hé aquí los cardinales, hasta el que significa diez mil:

Shug, uno.
Ishcay, dos.
Quimsa, tres.
Chusco, cuatro.
Pichca, cinco.
Sogta, seis.
Canchis, siete.
Pusag, ocho.
Iscun, nueve.
Chunga, diez.
Chungaishcay, doce.
Chungaquimsa, trece.
Chungachuscu, catorce.
Chungapichca, quince.
Chungasogta, diez y seis.
Chungacanchis, diez y siete.
Chungapusag, diez y ocho.
Chungaishcun, diez y nueve.
Ishcaychunga, veinte.
Ishcaychunga shug, veintiuno, &.
Quimsachunga, treinta, &.
Chuscuchunga, cuarenta, &.
Pichcachunga, cincuenta.
Sogtachunga, sesenta.
Canchischunga, setenta.
Pusagchunga, ochenta.
Iscunchunga, noventa.
Pasag, ciento.
Pasag shug, ciento uno, &.
Ishcaypasag, doscientos.
Quimsapasag, trescientos.
Chuscupasag, cuatrocientos.
Pichcapasag, quinientos.
Sogtapasag, seiscientos.
Canchispasag, setecientos.
Pusagpasag, ochocientos.
Iscunpasag, novecientos.
Huaranga, mil.
Huaranga shug, mil uno, &.
Ishcayhuaranga, dos mil.
Quimsahuaranga, tres mil.
Chuscuhuaranga, cuatro mil.
Pichcahuaranga, cinco mil.
Sogtahuaranga, seis mil.
Canchishuaranga, siete mil.
Pusaghuaranga, ocho mil.
Iscunhuaranga, nueve mil.
Chungahuaranga, diez mil.

Con el mismo sistema, que, como se ve, es regular y uniforme, pueden irse acrecentando los miles, las centenas y las unidades, hasta poder decir, si se quiere, **huaranga huaranga**, un millón, o expresar números todavía más elevados.

Los ordinales se forman de los cardinales, añadiendo a éstos la partícula **niqui**; pero este modo de contar por orden no es usado por los indios del Azuay, y apenas va dándose o conocer mediante la lectura de los pequeños libros catequísticos y devotos que, con general aplauso, suelen dar a la estampa los infatigables Padres Misioneros del Sagrado Redentor, que tanto se afanan por el bien de aquellos infelices.

Hé aquí algunos numerales de la especie de que hablamos:

Shugniqui, primero.
Ishcayniqui, segundo.
Quimsaniqui, tercero.
Chuscuniqui, cuarto.
Pichcaniqui, quinto.
Sogtaniqui, sexto.
Canchisniqui, séptimo.
Pusagniqui, octavo.
Iscunniqui, noveno.
Chunganiqui, décimo.
Chungashugniqui, undécimo.
Chungaishcayniqui, duodécimo.

Nada más fácil que formar ótros hasta el número que se quiera.

Hay también algunos numerales distributivos, como **shugllancama**, de uno en uno, y otros proporcionales, como **ishcanchishca**, duplicado, **sogtanchishca**, sextuplicado, &.

No hemos hablado cuanto antes del género de los adjetivos; porque es obvio suponer que carecen de él, una vez que no lo tienen los nombres con los cuales se juntan. De aquí procede que todo adjetivo quichua es de una sola terminación. **Alli churi**, **alli ushi**, que significan "buen hijo, buena hija", son, por ejemplo, concordancias en que se ve que el adjetivo **alli** tiene una sola y misma forma para uno y otro sexo. Lo propio sucede con todos los demás.

Al tratar del artículo indefinido **shug**, hemos dicho ya que, cuando el adjetivo va con nombre expreso, no requiere la terminación **cuna** para el significado plural, bastando que ella vaya pospuesta al nombre.

En efecto, si fijamos la atención en frases como **cuyag aillucuna, shamughuatacuna, uchilla allcucuna** (amorosos parientes, venideros años, pequeños perros), notaremos que permaneciendo en la forma singular los adjetivos **cuyag, shamug, uchilla**, participan, en cierto modo, del carácter de pluralidad de los respectivos nombres. Y, como el adjetivo viene en la oración antepuesto siempre al sustantivo, resulta que el único caso en que admite la terminación **cuna** de plural es aquel en que figura solo, sustantivos, según dicen los gramáticos. Ejemplos: "allicunaca mana huagchacunata millanchu"; los buenos no desprecian a los pobres.

De la declinación de los adjetivos, incluso el artículo indefinido **shug**, que también lo es, podemos decir que no la tienen sino cuando se hallan solos en la proposición. Entonces admiten las mismas desinencias o casos que los nombres, por la misma razón de aparecer sustantivados. (1)

---

(1) **En cualquier otra circunstancia son** palabras invariables, bastando la terminación del sustantivo para dar a conocer el caso de qué se trata.

Vaya un ejemplo de las variaciones de un adjetivo; cuando viene solo en la oración.

	Singular		Plural
Nom.	**Yana**, el negro.	Nom.	**Yanacuna**, los negros.
Gen.	**Yanapag** o **yanapa**, del negro.	Gen.	**Yanacunapag** o **yanacunapa**, de los negros.
Dat.	**Yanaman**, a o para el negro.	Dat.	**Yanacunaman**, a o para los negros.
Acus.	**Yanata**, al negro.	Acus.	**Yanacunata**, a los negros.
Voc.	**Yana** o **yanalla**! oh negro!	Voc.	**Yanacuna** o **yanacunalla**! oh negros!
Abl.	**Yanahuan, yanamanta, yanapi**, con, por, en el negro.	Abl.	**yanacunahuan, yanacunamanta, yanacunapi**, con, por, en los negros.

Pongamos algunos ejemplos que ilustren esta doctrina sobre la variación del adjetivo, a manera del nombre, cuando se encuentra sin éste en la oración.— **¿Maycan huagrapata chay anguca?-Yanapag.** ¿De cual buey es esa beta?-Del negro. Aquí se ve **yana** con la desinencia de genitivo. **Shigriman quihuata churay.** Ponle yerba al pintado. Aquí viene en dativo el adjetivo **shigri. Pagtallata yacuchigri.** Vé y dale agua al pequeñón. **Pagtallata** trae en este ejemplo la partícula **ta** de acusativo. **Chayshughuan pagta huatangui.** Atarásl‌o junto con el ótro. **Chayshug** trae pospuesta la partícula **ta** de ablativo.

Si escribiéramos una gramática algo circunstanciada y extensa, hablaríamos lo bastante sobre la sintaxis del adjetivo, en el lugar que a tal materia corresponde; mas, como no hacemos otra cosa que redactar el breve prólogo de un Diccionario, nos limitamos a expresar que en la construcción quichua va siempre el adjetivo antes del nombre, según ya lo hemos indicado, a menos que, por omisión de éste, haya quedado solo, refiriéndose a una cláusula o a un inciso anterior. Nunca se dirá, pues, **allpa sinchi, chagra sumag, tamia pishi**, traduciendo "tierra dura, sementera buena, lluvia escasa", sino **sinchi allpa, sumag chagra, pishi tamia.**

DEL VERBO

La conjugación de los verbos quichuas es una sola, aunque ellos sean algo distintos en sus terminaciones; pues los hay terminados en **ana**, como **causana**, vivir, en **ina**, como **purina**, andar, y en **una**, como **micuna**, comer.

Los modos son cuatro; a saber: infinitivo, indicativo, subjuntivo e imperativo.

Los tiempos fundamentales son tres: presente, pretérito y futuro; pero los hay también secundarios o compuestos, que se forman de los simples, combinados entre sí, o de uno de ellos y de un participio, como lo veremos luego.

Las personas son tres, como en todas las lenguas: primera, segunda y tercera, de singular y de plural.

Con esto queda dicho que los números son dos, y sólo hemos de añadir que el plural se forma añadiendo una terminación a las letras radicales, según se deja ver en "cuyan**chi**, cuyan**guichi**, cuyan**cuna**", amamos, amáis, aman, que vienen de los singulares "cuya**ni**, cuyan**gui**, cuy**an**", amo, amas, ama; o se forma, en algunos tiempos mediante la intercalación de una partícula entre dichas letras radicales y la correspondiente desinencia, como en "cuyanguic**hi**man", amaríais.

Los modelos que de la conjugación vamos a poner manifestarán cuales son las formas plurales de cada tiempo y persona.

Letras radicales son, en el verbo quichua, aquellas que subsisten después de eliminada la sílaba **na** del infinitivo, entendiendo por tal el nombre del verbo y no la primera persona del tiempo presente de indicativo, como lo han dado a entender, en sus diccionarios, casi todos los que han escrito sobre esta lengua. Las demás letras, pues, o las sílabas, que se añaden a dichas radicales no son otra cosa que las desinencias que indican tiempos, personas y números.

Notemos, finalmente, que no hay verdadera voz pasiva en este idioma, y que se la suple, como en castellano, por medio de los tiempos del verbo **cana**, ser, unidos al participio pasivo o de pretérito del verbo que se conjuga. Sólo de este participio puede asegurarse que es propiamente pasivo.

Vayan dos ejemplos de conjugación, una del verbo sustantivo y ótra de activo o transitivo.

El verbo sustantivo **cana** significa "ser", "estar" o "haber", según el sentido que en la oración quiera darle el que habla o escribe. Sus modos y tiempos son los que a continuación se expresan.

INFINITIVO

Presente **Cana**, ser, estar, haber.
Pretérito **Cashca, cana**, haber sido, &.
Futuro **Cana**, haber de ser, &.
Gerundios **Cashpa**, siendo.
Cangapag, a o para ser.
Cagpi, en siendo.
Participios De presente: **Cag**, el que es o era.
De pretérito: **Cashca**, el que fue o ha sido.

INDICATIVO

Presente

Singular **Ñuca cani**, yo soy.
Can cangui, tú eres.
Pay can, él es.
Plural **Ñucanchi canchi**, nosotros somos.
Cancuna canguichi, vosotros sois.
Paycuna can o cancuna, ellos son.

Pretérito

Sing. **Ñuca carcani,** yo fuí.
Can carcangui, tú fuiste.
Pay carca, él fue.
Plur. **Ñuca carcanchi,** nosotros fuimos.
Cancuna carcanguichi, vosotros fuisteis.
Paycuna carca o **carcacuna,** ellos fueron.

Futuro

Sing. **Ñuca casha,** yo seré.
Can cangui, tú serás.
Pay canga, él será.
Plur. **Ñucanchi cashun** o **cashunchi,** nosotros seremos.
Cancuna canguichi, vosotros seréis.
Paycuna canga o **cangacuna,** ellos serán.

SUBJUNTIVO.

Presente

Sing. **Ñuca cachun,** que yo sea.
Can cachun, que tú seas.
Pay cachun, que él sea.
Plur. **Ñucanchi cachun,** que nosotros seamos.
Cancuna cachun, que vosotros seáis.
Paycuna cachun, que ellos sean.

Pretérito imperfecto

Sing. **Ñuca cayman,** yo fuera o sería.
Cay canguiman, tu fueras o serías.
Pay canman, el fuera o sería.
Plur. **Ñucanchi canchiman,** nosotros fuéramos o seríamos.
Cancuna canguichiman, vosotros fuérais o seríais.
Paycuna canman o **canmancuna,** ellos fueran o serían.

IMPERATIVO

Presente

Sing. **Can cay,** se tú.
Pay cachun, sea él.
Plur. **Cancuna caychi,** sed vosotros.
Paicuna cachun o **cachuncuna,** sean ellos.

No necesitamos advertir que del mismo modo se conjuga en las significaciones de **haber** y de **estar.**

Lo que sí, debemos indicar que este verbo sustantivo tiene también, como los activos o transitivos, sus tiempos compuestos; vga. un pretérito perfecto, **cashca cani,** he sido, un pluscuamperfecto, **cayman carcani,** hubiera sido, &.; mas, no pudiendo prolongar demasiado este nuestro proemio gramatical, tenemos por bastante decir que la estructura de tales tiempos es en el todo semejante a la de los que vamos a expresar algo más detalladamente en la conjugación de un verbo transitivo, el que podrá servir de norma para la de ótros cualesquiera.

Sea el verbo **Rimana,** que significa "hablar".

MODO INFINITIVO

Presente	**Rimana,** hablar.
Pretérito	**Rimashca cana** o **rimashcana,** haber hablado.
Futuro	**Rimana,** haber de hablar.
Gerundios	**Rimashpa** o **rimash,** hablando.
	Rimangapag o **rimangapa,** a o para hablar.
	Rimagpi, en hablando.
Participios	Activo o de presente: **Rimag,** el que habla o hablaba.
	Pasivo o de pretérito: **Rimashca,** hablado.

INDICATIVO

Presente

Sing.	**Ñuca rimani,** yo hablo.
	Can rimangui, tú hablas.
	Pay riman, él habla.
Plur.	**Ñucanchi rimanchi,** nosotros hablamos.
	Cancuna rimanguichi, vosotros habláis.
	Paycuna riman o **rimancuna,** ellos hablan.

Pretérito imperfecto

Sing.	**Ñuca rimagcani** o **rimag carcani,** yo hablaba.
	Can rimagcangui o **rimag carcangui,** tú hablabas
	Pay rimagcag o **rimag carca,** él hablaba.
Plur.	**Ñucanchi rimagcanchi** o **rimag carcanchi,** nosotros hablábamos.
	Cancuna rimagcanguichi o **rimag carcanguichi,** vosotros hablábais.
	Paycuna rimagcag o **rimagcagcuna, rimag carca** o **rimag carcacuna,** ellos hablaban

Pretérito simple o absoluto

Sing.	**Ñuca rimarcani,** yo hablé.
	Can rimarcangui, tú hablaste.
	Pay rimarca, el habló.

Plur. **Ñucanchi rimarcanchi,** nosotros hablamos.
Cancuna rimarcanguichi, vosotros hablasteis.
Paycuna rimarca o **rimarcacuna,** ellos hablaron.

Pretérito pluscuamperfecto

Sing. **Ñuca rimashcarcani** o **rimashca carcani,** yo había hablado.
Can rimashcarcangui o **rimashca carcangui,** tú habías hablado.
Pay rimashcarca o **rimashca carca,** él había hablado.
Plural. **Ñucanchi rimashcarcanchi** o **rimashca carcanchi,** nosotros habíamos hablado.
Paycuna rimashcarca o **rimashca carcacuna,** ellos habían hablado.

Futuro simple o absoluto

Sing. **Ñuca rimashca, yo hablaré.**
Can rimangui, tú hablarás.
Pay rimanga, él hablará.
Plur. **Ñucanchi rimashun,** nosotros hablaremos.
Cancuna rimanguichi, vosotros hablaréis.
Paycuna rimanga o **rimangacuna,** ellos hablarán.

Futuro perfecto

Sing. **Ñuca rimashcasha** o **rimashca casha,** yo habré hablado.
Can rimashca cangui, tú habrás hablado.
Pay rimashcanga o **rimashca canga,** él habrá hablado.
Plur. **Ñucanchi rimashcashun** o **rimashca cashun,** nosotros habremos hablado.
Cancuna rimashca canguichi, vosotros habréis hablado.
Paycuna rimashcanga o **rimashca canga cuna,** ellos habrán hablado.

SUBJUNTIVO

Presente

Sing. **Ñuca rimachun,** que yo hable.
Can rimachun, que tú hables.
Pay rimachun, que él hable.
Plur. **Ñucanchi rimachun,** que nosotros hablemos.
Cancuna rimachun, que vosotros habléis.
Paycuna rimachun o **rimachuncuna,** que ellos hablen.

Pretérito imperfecto

Sing. **Ñuca rimayman,** yo hablara o hablaría.
Can rimanguiman, tú hablaras o hablarías.
Pay rimanman, él hablara o hablaría.
Plur. **Ñucanchi rimanchiman,** nosotros habláramos o hablaríamos.
Cancuna rimanguichiman, vosotros habláreis o hablaríais.
Paycuna rimanman o **rimanmacuna,** ellos hablaran o hablarían.

Pretérito perfecto

Sing. **Ñuca rimashcachun**, que yo haya hablado.
Can rimashcachun, que tú hayas hablado.
Pay rimashcachun, que él haya hablado.
Plur. **Ñucanchi rimashcachun**, que nosotros hayamos hablado.
Cancuna rimashcahun, que vosotros hayáis hablado.
Paycuna rimashcachun, o **rimash cachumerma canmancuna**, que ellos hayan hablado.

Pretérito pluscuamperfecto

Sing. **Ñuca rimashcayman**, yo hubiera, habría o hubiese hablado.
Can rimashcanguiman, tú hubieras habrías o hubieses hablado.
Pay **rimashcayman**, él hubiera, habría o hubiese hablado.
Plur. **Ñucanchi rimashcanchiman**, nosotros hubiéramos, habríamos o hubiésemos hablado.
Cancuna rimashcanguichiman, vosotros hubiérais, habríais o hubiéseis hablado.
Paycuna rimashcanman o **rimashcanmancuna**, ellos hubieran, habrían o hubiesen hablado.

IMPERATIVO

Presente

Sing. **Can rimay**, habla tú.
Pay rimachun, hable él.
Plur. **Cancuna rimaychi**, hablad vosotros.
Paycuna rimachun, hablen ellos.

Ya el lector habrá notado que unos tiempos compuestos se forman del participio activo del verbo que se conjuga y del tiempo correspondiente del verbo **cana**, vga. **rimagcani**, yo hablaba; y que otros resultan de la unión del participio pasivo de aquel verbo y del tiempo conveniente del mismo **cana**, vga. **rimashcanchi**, hemos hablado. Lo único que hay que observar respecto del participio de pretérito es que se sincopa al entrar en la composición; aunque ni esta modificación es absolutamente precisa, pues bien puede decirse **rimashca canchi**. &.

Hemos dicho que los verbos quichuas no tienen verdadera voz pasiva, es decir que no hay, como en latín, por ejemplo, palabras verbales simples que de suyo denoten esta voz, exceptuando solamente el participio llamado de pretérito. Advirtamos, empero, que la interposición de la partícula **ri** entre las radicales y la terminación de un verbo suele dar frases u oraciones de significación pasiva; vga. **yapurina**, ararse o ser arado el terreno; **huasichirina**, edificarse o ser edificada la casa. Sin embargo, rara es la vez en que se usa de tales expresiones, porque la partícula **ri** da casi siempre a los verbos significación reflexiva, haciendo recaer la acción sobre el mismo sujeto que la produce, como en **jatarina** levantarse; **mayllarina**, lavarse; **cu-**

yurina, moverse; &. Hay, pues, que tener en cuenta esta indicación, para no incurrir en anfibologías que oscurezcan el sentido de la proposición.

Enumeremos sucintamente los tiempos de la voz pasiva, esto es, los que se forman por medio de los expresados participios y del verbo **cana**. Los principales son los siguientes, en el verbo **Ricuna**, de que nos servimos para modelo:

INFINITIVO

Presente **Ricushca cana**, ser visto.
Pretérito **Ricushca cashca**, haber sido visto.
Futuro **Ricushca cana**, haber de ser visto.
Gerundios **Ricushca cashpa**, siendo visto.
Ricushca cangapag, a o para ser visto.
Ricushca cagpi, en siendo visto.
Participio **Ricushca**, visto.

INDICATIVO

Presente **Ricushca cani**, soy visto; **ricushca cangui**, eres visto; &.
Pret. imp. **Ricushca cagcani**, yo era visto; &.
Pret. perf. **Ricushca carcani**, fuí visto; &.
Futuro **Ricushca casha**, seré visto; &.

SUBJUNTIVO

Presente **Ricushca cachun**, que yo sea visto; &.
Pret. imp. **Ricushca cayman**, yo sería visto; &.

IMPERATIVO

Presente **Ricushca cay**, sé visto; **ricushca cahun**, sea él visto; &.

Ahora véase no solamente lo curioso y variado, sino lo admirable y sorprendente de la que llamaremos genealogía de los verbos quichuas. De cualquier nombre o adjetivo, y aún de algunos adverbios, puede formarse un verbo, sin más que cambiar levemente la terminación. Así es como de **runa**, hombre, sale **runayana**, hacerse hombre; y de **jatun**, grande, se deriva **jatunyana**, crecer o engrandecerse; de **caru**, lejos, proviene **caruyana**, alejarse; &.

Pero lo más digno de reparo y estudio es la fecunda procedencia o llámese descendencia de cada verbo. Deducidos todos los que de él pueden dimanar legítimamente, constituyen uno como grupo de su familia, que acrecentaría demasiado el vocabulario de la lengua, si se inventariase no sólo el verbo primitivo o primordial sino también cuantos de él pueden derivarse. De aquí es que en una gramática quichua es enteramente necesario tratar de las partículas intercalares que diversifican las circunstancias de la acción verbal y crean un número prodigioso de verbos secundarios, los cuales enriquecen el idioma, haciendo que él cuente con expresiones adecuadas para todos los matices de dicha acción. Para ilustrar esta doctrina, que pudiera parecer oscura, nos valdremos de un ejemplo. Sea el verbo **Surcuna**, que significa sacar. Véase como se forman los verbos de su familia:

SURCUNA, sacar.
Surcugrina, ir a sacar.
Surcucuna, estar sacando.
Surcumuna, venir sacando o después de sacar.
Surcuchina, hacer sacar.
Surcunacuna, ayudar a sacar o sacar entre dos o más.
Surcurina, sacarse.
Surcuhuana, sacarme o sacarte.
Surcurana, sacar una y otra vez.
Surcucachana, enviar a sacar.
Surcugricuna, estar yendo a sacar.
Surcugrimuna, ir a volver después de sacar.
Surcugrichina, hacer que otro u otros vayan a sacar.
Surcugrinacuna, ir a sacar entre dos o más.
Surcugririna, irse a sacar.
Surcugrihuana, ir a sacarme o a sacarte.
Surcugrirana, ir por repetidas veces a sacar.
Surcuchigrina, ir a hacer sacar.
Surcuchicuna, estar haciendo sacar.
Surcuchimuna, venir después de hacer sacar o trayendo lo que han sacado.
Surcuchichina, disponer que ótro u ótros hagan sacar.
Surcuchinacuna, ayudar a hacer sacar.
Surcuchirina, hacerse sacar.
Surcuchihuana, hacerme o hacerte sacar
Surcugrinacuna, estar yendo a ayudar en el saque.
Surcugrimucuna, estar yendo a volver después de haber sacado.
Surcugrinacuna, estar yendo para estar ayudando en el saque.
Surcuhuagrina, ir a sacarme o a sacarte.
Surcuhuachina, hacer que me saquen o te saquen.
Surcuhuamuna, venir después de sacarme o de sacarte.
Surcuhuamucuna, estar viniendo después de haberme o haberte sacado.
Surcuachimuna, venir después de haberme o de haberte hecho sacar.
Surcuhuarina, sacárseme o sacársete.
Surcuhuarigrina, ir a sacárseme o a sacársete.
Surcuhuaricuna, estar sacándoseme o sacándose.
Surcuragrina, ir a sacar frecuentemente.
Surcuracuna, estar sacando con frecuencia.
Surcuramuna, venir después de haber sacado por repetidas veces.
Surcurachina, hacer sacar una y otra vez.
Surcurachicuna, estar haciendo sacar reiteradamente.
Surcurachimuna, venir después de haber hecho sacar frecuentemente.
Surcurachinacuna, ayudar a hacer sacar por una y otra vez.
Surcurachirina, hacerse sacar por repetidas ocasiones.
Surcucachagrina, ir a mandar personas que saquen.

Surcucachacuna, estar enviando personas que saquen.
Surcucachamuna, venir después de haber enviado individuos que saquen.
Surcucachagricuna, ir a estar enviando sacadores.
Surcucachagrimuna, ir a volver después de haber enviado sacadores.
Surcucacharina, mandarse a sacar.
Surcucacharicuna, estar enviándose a sacar.
Surcucacharimuna, ponerse en regreso después de haber enviado sacadores.

Por no aturdir a nuestros lectores, no acrecentamos esta lista de la filiación del verbo **surcuna,** y además porque basta medio centenar de verbos derivados, para demostrar el inopinado poder de composición que caracteriza al idioma de que tratamos, el cual, con la interposición de una o más partículas o la incorporación de un auxiliar, hace que un verbo tome significaciones múltiples y complejas, para la expresión de la idea fundamental y de las circunstancias que en multitud de casos la modifican. Ignoramos si lo mismo sucederá con las demás lenguas aglutinantes, que no conocemos; pero, si gozan también ellas de igual fecundidad, son acreedoras a la admiración que indudablemente merece el quichua.

Demos ahora una ligera explicación sobre el significado de las partículas monosilábicas que, interponiéndose, ya una sola, ya dos o más, dan tántos matices a la acción expresada por el verbo. Estas partículas, como se habrá notado ya, son **gri, cu, mu, chi, ri, hua,** y **ra,** aparte de bisilábicas **nacu** y **cacha,** de que tambien hablaremos.

La partícula **gri,** o más propiamente **ri,** del verbo, es la sílaba radical del verbo **rina,** que significa ir, y muy propiamente denota, en la composición, la circunstancia de que el agente parte, se prepara o va a ejecutar el acto que el verbo principal expresa. De **purina,** andar, se forma, por ejemplo, **purigrina,** ir a andar. Bien analizado este **purigrina,** puede descomponerse así: **purig-ri-na,** y verse claramente que el vocablo consta del participio activo **purig,** del elemento radical **ri** perteneciente al mencionado verbo **rina,** y de la terminación **na,** propia de todo presente de infinitivo. Por eso hemos advertido que esta partícula intercalar es propiamente **ri,** y, si hemos escrito **gri,** es uniéndola con la **g** final del participio a que se pospone, para que el lector no la confunda con el elemento reflexivo **ri,** de que luego trataremos.

La partícula **cu** da a la acción del verbo el sentido de ejecución actual; por manera que, cuando se dice **puri-cu-na,** se significa que en el momento en que se habla tiene lugar el acto. Ignoramos la significación del monosílabo **cu.** Quizá es la sílaba radical de **cuna,** dar, en cuyo caso significaría presentar la acción, como si se la diese, en el instante preciso de verificarse ella. **Purig-cuna** (como debió ser al principio) querría decir "Andante presentar".—Permítasenos traducir en frases algo bárbaras como ésta, ya que la índole del quichua difiere tánto del castellano.

La partícula modificativa **mu** indica que el agente vuelve o regresa ejecutando la acción mientras camina o después de haberla ejecutado ya; de modo que **purimuna,** en nuestro ejemplo, significa venir andando o más bien, andando venir. La procedencia de **mu** nos parece clara: creemos que es la segunda sílaba radical del verbo **shamuna,** venir; por manera que, en lugar de **purimuna,** bien podría decirse **purish shamuna,** andando venir, o **purig shamuna,** el que anda venir.

Chi es partícula componente con la cual se denota que el sujeto del verbo manda o hace ejecutar con ótro la acción de que se trata, y así **purichina** quiere decir "hacer andar". No damos con la primitiva significación de este monosílabo, aisladamente considerado; pero en la formación de los verbos derivados tiene siempre el sentido de "mandar hacer", según lo manifiesta el ejemplo.

Ri, como ya lo hemos indicado, es también partícula reflexiva y con tal carácter denota que la acción revierte sobre el mismo sujeto que la ejecuta, cuando, según el verbo de que se trate, es capaz dicho sujeto de producir y de recibir esa acción. En el verbo transitivo **ricuna**, ver, por ejemplo, puede muy bien la misma persona ser sujeto y complemento, diciéndose **ricurina, verse** a sí propio. No podemos afirmar si en casos como éste dimana también la partícula **ri** del verbo **rina**; pero, inclinándonos a que de él proviene, añadiremos sólo que no cabe confusión entre esta partícula reflexiva y la que en primer lugar hemos estudiado; pues aquella va siempre con la **g** del participio, pronunciándose y escribiéndose **gri**. Pasemos adelante.

La partícula **hua**, cuya procedencia y primitiva significación no son conocidas tampoco por nosotros, manifiesta que la acción del verbo recae sobre la primera o la segunda persona. **Ricuhuana**, por ejemplo, significa "verme o verte".

El monosílabo **ra**, interpuesto en la misma forma que los ótros de que hemos hablado, comunica a la acción el carácter de frecuentativa, significando que tal acción se repite con insistencia, o es sostenida y constante. **Ricurana** vale tanto como ver incesantemente o con mucha frecuencia y atención. Nos parece que este **ra** es el mismo adverbio de tiempo que significa **aún, todavía**; de modo que, en nuestro concepto, **ricurana** casi tiene el mismo sentido que **ricurana**. —Mucho estudio del quichua, del quiché, del maya y de otros idiomas de esta familia se había de necesitar para un docto análisis de los elementos que llamaremos simples de estas lenguas. No faltarán sabios filólogos que vayan haciéndolo. Nuestra humilde faena se reduce a inventariar las palabras más usuables de que se compone el habla presente de la raza indígena del Azuay.

El disílabo **nacu**, que se interpone de igual modo entre las letras radicales y la terminación de los verbos, expresa que son dos o más los sujetos de la acción, o que ella se ejerce con la ayuda de ótra u otras personas, o, finalmente que el acto es recíproco entre dos o entre varios agentes. **Ricunacuna**, según esto, significa "ver entre dos o más", "ayudar a ver" o "verse el uno al otro o los unos a los otros". Ignoramos igualmente, el origen y el valor primitivo de esta otra partícula.

Cacha, que desempeña análogo papel en la composición verbal, es manifiestamente la parte radical o primera del verbo **cachana** y es claro que significa enviar persona o personas que ejecutan la acción. **Ricucachana**, vga. es "enviar a ver", como que se han compuesto del verbo **ricuna** y de las dos sílabas radicales de **cachana**.

Previa esta explicación, dada en cuanto nos ha sido posible, analicemos siquiera dos de aquellas complejas expresiones verbales, que, por la interposición de varias partículas, parecen demasiado intrincadas para los que no tienen bastante versación en el artificioso idioma de nuestros indios. Como en una sola palabra se acumulan diminutos signos de diferentes ideas, hay que hacer, cuando éstas son muchas, una especie de autopsia, para desentrañar los miembros de esa palabra, y darle toda su complicada significación.

Dice, vga. un indio: "Huagrata **cacharimucugricuy**", y, para entenderle bien, hemos de notar que este imperativo del verbo compuesto **cacharimucugrina,** tiene, a más de la fundamental idea del verbo **cacharina,** soltar, las adicionales denotadas por las partículas **mu, cu, gri, cu,** que se lo han incorporado una tras otra. Escribiremos la palabra en forma tal que se perciba y distinga el sentido especial de cada componente:

Cachari	**mu**	**cu**	**gri**	**cuy**	tiene reunidas estas ideas:
soltar	venir	estar	ir	estar;	

de modo que, traduciendo las partículas y el verbo en orden inverso, como han debido entenderse, resulta esta proposición u otra más correcta, pero de igual sentido:

"Estate yendo a estar viniendo, después de soltar".

Quien dice, vga. **Payta cayachimuhuagringui,** expresa juntas las ideas contenidas en los elementos:

Payta	**caya**	**chi**	**mu**	**hua**	**grin**	**gui**; es decir: (signo verbal
A él	llamar	hacer	venir	me lo	ir	de 2ª persona).

Por manera que "Payta **cayachimuhuagringui**" (oración en que el verbo viene en segunda persona de singular del futuro simple o absoluto) quiere decir, literalmente traducida, con inversión de los términos, como en el caso procedente, por exigirlo así la proposición castellana:

"Irás a me lo venir haciendo llamar".

No siempre es tan complicada la estructura de estos verbos que hemos llamado secundarios, y que bien pueden denominarse también derivados o compuestos; pues lo ordinario es que no lleven sino una o dos partículas adicionales, como **michigrina,** ir a pastar; **michigricuna,** ir a estar pastando; pero hemos puesto los ejemplos anteriores, recargados de mayor número de componentes, para que se vea cuanto es dable expresar en el fecundo idioma quichua, con sólo ir agregando los interesantes monosílabos de que acabamos de hacer tan somero estudio.

Concluiremos esta sección haciendo una advertencia concerniente a la sintaxis del verbo, y es la de que, para dar a éste la colocación propia, elegante y usual que le corresponde, hay que ponerle casi siempre al fin de la oración, es decir después de todas las demás palabras, sean éstas complementos directos o indirectos, sujetos, adjetivos, adverbios, &. De este modo es como se dice, vga. **Caymantapachaca manajaycapi canta tigrashpa ricuhuashachu;** de hoy en adelante jamás he de volver el rostro, para verte

En un tratado gramatical del quichua cabrían mil otras explicaciones de gran utilidad para el aprendizaje de este idioma; pero, como no estamos escribiendo tal tratado, es regular que nos concretemos únicamente a diseñar lo que nos parece más importante; pues no nos guía otro propósito que el de facilitar la inteligencia de este Diccionario, en cuya redacción hemos empleado tiempo muy considerable, empeñándonos siempre en tomar todas las palabras usuales de su verdadera fuente actual, esto es del lenguaje que al presente hablan los indios de estas regiones de la antigua Tomebamba, lenguaje que va sustituyendo sus más castizas expresiones con otras tomadas diariamente del castellano. Inventariar, a lo menos, las existentes, no sólo por cooperar al buen uso de ellas, sino también por contribuir de algún modo a los interesantes trabajos de Lingüística americana, ha sido el objeto de nuestra humilde labor.—Apresuremos la exposición de estos sencillos preliminares.

DEL PARTICIPIO

En el modelo de conjugación que hemos dado hace poco, se ha visto ya que los participios son dos: el de activa y el de pasiva, o sean el de presente y el de pretérito.

Rimag, el que habla, y **rimashca**, hablado o lo hablado, son los dos participios de **rimana.**

Reputándolos por adjetivos que lo son en realidad, decimos sencillamente, que son aplicables a ellos las observaciones que dejamos hechas en la sección respectiva.

Se declinan, pues, como los adjetivos, cuando el nombre correspondiente no está expreso; porque entonces vienen a ser sustantivos.

No admiten desinencia de plural sino en el mismo caso de hallarse sin nombre explícito en la oración. Por eso se dice, vga. **Yanug huarmicuna,** las mujeres que cocinan; **Pucushca murucuna,** los granos maduros; mas, cuando faltan sustantivos expresos, admiten correctamente los participios la terminación del plural; vga. **Yanugcunaman caraychi**, dan ustedes de comer a las que cocinan; **Pucushcacunata agllamungui**, vendrás escogiendo los maduros.

Siempre que el participio acompaña a un nombre, se antepone a él, como los demás adjetivos; vga. **puriglla huambra**, muchacho andariego; **pascashca pungu,** puerta abierta.

Si, en participación de las cualidades del verbo, entra a formar los tiempos que llamamos compuestos, antecede también a la expresión o palabra propiamente verbal, como lo hemos visto en **rimagcani,** yo hablaba; **rimashca cana,** haber hablado; &.

Advirtamos, por fin, que no conocemos verbo quichua que carezca de los dos participios, el de presente y el de pretérito. Aun el verbo sustantivo **cana** tiene a **cag**, el o lo que es, y a **cashca**, el o lo que ha sido.

DEL ADVERBIO

Hay en quichua adverbios de diversas clases. Enumeremos algunos.

De lugar: **Caypi**, aquí; **chaypi,** allí; **cayman**, acá; **chayman,** allá; **caynigman**, más acá; **chaynigman**, más allá; **cuchupi**, cerca; **carupi**, lejos; **maypi,** en donde; **ucupi**, dentro; **canzhapi**, fuera; **jahuapi**, arriba; **urapi**, abajo; **ñaupagpi**, delante, **huashapi**, detrás; &.

De tiempo:**Cunan,** hoy; **caya**, mañana; **mincha**, pasado mañana; **cayna,** ayer; **sarun**, anteayer; **tutamanta**, por la mañana; **chischita, por la tarde; quipa**, después; **utca**, pronto; **chayra**, todavía; **manajaycapi**, jamás; &.

De modo: **Alli,** bien; **mana alli,** mal; **imashina,** como; **casna,** de este modo; **chasna**, de ese modo; **chasnata**, así mismo; **shina**, de esa manera; **sinchi** o **sinchita**, reciamente; **sumaglIata**, con delicadeza; **ricushpalla**, con mucho tiempo; &.

De cantidad: **Ancha**, mucho; **ashalia** o **ashlla**, poco; **ancha**, harto; **may**, con exceso; **yalli**, demás; **pishilla**, escasamente; **yaca** o **yacalla**, casi; &.

De comparación: **Ashun** o **astaun**, más; **cachca**, tanto; &.

De afirmación: **Ari**, sí; **shutilla** o **shutita**, ciertamente; &.

De negación: **Mana**, no; **manara**, todavía no; **manaca**, no por cierto; **manata**, de ningún modo; &.

De duda: **Icha** o **ichapish**, quizá; puede ser; &.

De varios adjetivos se derivan adverbios, sin más que añadirles una de las partículas **ta, lla** o **llata.** De **cusi**, ligero, vga. pueden formarse **cusita, cusilla cusillata**, ligeramente, con prontitud.

De varios participios de presente se pueden también formar adverbios con la misma partícula **ta.** Así de **llugshig**, el que sale, y de **huañug**, el que muere, proceden **llugshigta**, hasta salir, y **huañugta**, de modo que muera.

Aun los mismos adverbios pueden adquirir significación más expresiva, mediante la posposición de la misma partícula **lla.** Con ésta se convierten **caru** en **carulla**, algo lejos; **chishi** en **chischilla**, bastante tarde; **utca** en **utcalla**, lo más pronto; &.

En cuanto a la sintaxis del adverbio, digamos solamente que debe esta parte de la oración colocarse antes del verbo o del adjetivo cuya significación modifica; siendo correcto decir, por ejemplo, **ancha millay**, sumamente malo;**cutin apamungui**, traerás otra vez, y no de distinta manera.

DE LA PREPOSICION

Posposición debía llamarse, más bien, tratándose del quichua, la palabra que en otras lenguas lleva el nombre de **preposición,** ya que, en vez de anteponerse a las voces regidas, va siempre después de aquellas con que se junta; pero ya hemos advertido que, para evitar engorrosas innovaciones y ser más fácilmente comprendidos, nos atenemos a la nomenclatura usual, esto es, a la de las viejas gramáticas latinas, tan conocidas y aceptadas en todos los países cultos. Persistiendo en ello, decimos lo siguiente.

Las partes de la oración que determinan a otras, o las rigen, como dicen los gramáticos, forman, en quichua, una sola palabra con el sustantivo o con el verbo que desempeña funciones de nombre. Hablemos de las principales.

Pag o **pa** equivale a la castellana **de,** y es preposición de genitivo, según se nota en **runapag huasi,** casa del indio; **paycunapag rurray,** trabajo de ellos. Hay muchas ocasiones en que no es necesaria esta preposición de genitivo; pues, para denotar el caso, basta anteponer la palabra que debe estar en éste; vga. **Ugsha huasi,** casa de paja; **yacu pata,** ribera del río; **rumi pirea,** pared de piedras.

Cuando **pag o pa** se unen a un verbo, para formar aquel gerundio que denota el fin o el objeto de la acción, no equivalen a **de,** sino a **para o a;** pues vienen a ser preposiciones de dativo, como en **Rinimi uyangapag,** voy a o para oir.

Ta o **tag,** que significa **a,** es preposición de acusativo. Va, en consecuencia, con los nombres que sirven de complemento, o con otras palabras que reciben igualmente la acción del verbo. **Cambag huauquita cayay,** llámale a tu hermano; **paycunapa rurrashcata ricumugri,** anda y vuelve después de ver lo hecho por ellos, son ejemplos que ponemos como suficientes, respecto del uso de **ta**, repitiendo que tag significa lo propio, lo hecho por ellos, pero indicando que es menos usada. **Chuscutag apamuy**, vga. **(trae cuatro)**, manifiesta la equivalencia de **tag**.

Man, que tiene la de **para**, es preposición de dativo en unas ocasiones, como cuando se dice **Ñucaman cuy**, dámela. En otras tiene significación adverbial, aunque se posponga de igual manera que en el caso precedente. **¿Maymanta ricungui?**, ¿a dónde estás yendo?, manifiesta que en oraciones como ésta, **man** es adverbio y significa "a donde" o "hacia donde".

Las preposiciones **huan**, con; **manta**, de; **pi**, en; **cama**, hasta; **raycu**, por, y algunas otras son de ablativo. Como ejemplos de su uso, damos los que siguen: **Chaquihuan tangay**, empuja con el pie; **Canmantami huacacun**, por tí está llorando; **Apunchipi shunguta churay**, pon el corazón en Dios; **Cayacamani saquiringui**, hasta mañana has de quedarte; **Cullquimantami ñucata sipicua**, por la plata me está ahorcando.

La palabra manta significa también "desde", en expresiones como **Caymantami callarin**, desde aquí empieza; **uraymantani yupamucun**, desde abajo viene contando. Más significativa viene a ser la expresión, cuando se dice **mantapacha**.

Ñaupa significa "delante" o "en presencia de", y no debe confundirse con **ñaupa**, adjetivo o adverbio, que significa "antiguo" o "antes", y no se pospone como la preposición. Si se dice, por ejemplo, **Apupa ñaupapi**, delante del superior, se hace uso de ésta; pero, cuando se dice, vga. **Ñaupaca mama chasnachu cag**, en lo antiguo no era así, tiene **ñaupa** la significación de adverbio.

Jahua, que equivale a "sobre" o "respecto de", es también preposición y va pospuesta, como al decir **yurajahuapi**, sobre el árbol; **Chayjahuatami rimacunchi**, respecto de ese mismo estamos hablando; mas, cuando es adverbio, quiere decir "encima", "superficialmente", &. vga. **Jahuapini churarcani**, encima lo puso; **May jahuallani yapushcangui**, muy superficialmente has arado.

No es difícil establecer distinciones análogas respecto de estas y otras partículas, para evitar confusiones en el discurso; mas, como no podemos proceder con mayor prolijidad, terminamos esta sección por advertir que las palabras quichuas equivalentes a las preposiciones de otras lenguas pueden posponerse en algunos casos, no solamente a nombres, sino también a adjetivos, a verbos en gerundio y aún a ciertos adverbios. Son, efectivamente, muy usuales las expresiones **carumanta**, de lejos; **cuchullapi**, muy cerca; **unaman**, hacia abajo; **ashunhuan**, con más; &.

DE LA CONJUNCION

Las conjunciones quichuas son de varias especies y desempeñan funciones muy importantes en el discurso, por el hecho mismo de tener la lengua la condición de aglutinante, es decir la tendencia de aglomerar elementos para formar palabras que, por sí solas, importan muchas veces la expresión de todo un pensamiento.

Entre las conjunciones copulativas, la más notable es **pish**, que significa y o **también**. Suele usarse repetida en uno y otro de los miembros que reune. Si, en castellano se dice, por ejemplo. "Tú y yo hemos acabado la faena", en quichua habrá que decir **Campish ñucapish rurranata tucuchishcanchimi.** En algunos casos hace de conjunción concesiva; vga. **Tucuy punzha purishpapish, mana chayashunchu**; aunque caminemos todo el día no hemos de llegar.

Las partículas **ta, tag** o **llatag,** desempeñan, igualmente, en algunos casos, el oficio de conjunciones copulativas, con la significación de "también" o "así mismo", como se ve en estos ejemplos; **Shinallata cambag panita pushamungui**; así mismo vendrás trayendo a tu hermana.

Como conjunciones disyuntivas pueden enumerarse **cashpa,** siendo; **ama** o no, y algunas otras palabras. La primera se usa repetida en los dos o más miembros de la disyunción, como cuando se dice **Cambag cashpa, mana cambag cashpa,** sea o no sea tuyo. La segunda se emplea sola entre los miembros; vga. **Munay ama munay, carahuanguini**, quieras o no quieras, has de darme de comer.

Entre las adversativas se encuentran **chasnapish, shinapish, nishpapish, ñatag, randica, &.** Las tres primeras significan "aun así"; "aunque así lo digas". Las otras quieren decir, respectivamente, "empero", "en vez de". **Ashunca,** quiere decir también "en lugar de". **Manacashpaca** equivale a "de no ser así", y hay varias otras partículas conjuncionales de valor análogo. Véanse estos ejemplos:—**Maymi ñucata millangui; chasnapish mana huasiquimanta carcuhuanguichu**: mucho me aborreces; pero aun así no has de echar de tu casa. **Ña llugshiricunimi; ñatag manara alli tatquinichu**; ya estoy convaleciendo; pero no puedo dar todavía pasos firmes. **Mañachina randica, ñucaman catuypagmi cangui**; en lugar de prestarlo, debieras vendérmelo. **Callpashpa cutimuy; manacashpaca mana micunguichu**; vuelve de corrida; de lo contrario, no has de comer.

Las principales continuativas son **chaymantaca,** luego después; **chasnaca,** y así; **quipaca,** y después. Enlazan, de ordinario, oraciones o incisos algo largos del discurso, y son como puntos de parada, para tomar aliento. Demos un ejemplo: **Pacaringapag achiay callarigpi, ñanta japishpa, alli punpitapish tarishca quipa, llagtaman cutimurcani.** Quiere decir "Tomando el camino cuando empezaba a clarear, para amanecer, anduvo hasta muy avanzado el día; luego después llegando a su casa, donde no encontró a nadie, regresó a mi país". Vaya otro ejemplo en que entre **chasnaca,** que vale tanto como **shinanaca,** y en que venga también **quipaca: —Cachca ñacarish cajahua, mana imata surcushcanichu; chasnaca mana cutin piñachishachu. Paymi juchayugca; ñucata cayun, ñucata uman; quipaca carcush cacharin.** La traducción es: "Sobre haber padecido tánto, no he sacado nada, y así ya no he de enfadarte más. El me llama, él me alucina, y después me despido y suelta".

Ya y **yari** son conjunciones ilativas, que tienen la significación de **pues,** como se nota en **Armagriya** o **armagriyari,** ve, pues a bañarte, y en otras locuciones como ésta, que son muy frecuentes.

Manta, que, como ya dejamos dicho, es preposición de ablativo, hace a veces de conjunción causal, como cuando se dice: **Payta chingachishcamanta, sapalla llaquish purini**; por haberlo perdido a él, ando padeciendo sólo.

Ca, que suele equivaler a nuestro artículo definido **el,** cuando se pospone a un nombre o al infinitivo de un verbo, desempeña en algunos casos, el oficio de conjunción condicional, juntándose con gerundios, como en los ejemplos que siguen: **Mana quilla cashpaca, chayugyanguini**; si no eres decidioso, has de enriquecerte. **Tutayagrigpica, imatapish saquishpa shamuy;** cuando vaya a anochecer, deja cualquiera cosa y vente.

Imashinami y **chasnami,** que significan "así como", "así es", son también conjunciones y se usan en las preposiciones comparativas; vga. **Imash inami Jatun Apunchi cuyahuan, chasnami campish tucuy runacunata cuyangui;** así como te ama el Gran Dios, así debes amar a todos los hombres. Sin violencia pudieran reputarse también estas partículas como adverbios de comparación.

Hay conjunciones que pueden llamarse afirmativas; porque tienen un carácter tan manifiesto de aserción, que de ordinario sustituyen al verbo **cana,** ser, en ciertas frases elípticas. En las demás sirven para corroborar la significación afirmativa de los verbos, como si desempeñasen las funciones del mismo auxiliar **cana.** Estas curiosas partículas de significación casi verbal, son **mi, ma** o **mari, chu, cha** o **chari.** Véanse algunos ejemplos de su valor gramatical:— **Paymi,** él es. **Cayma** o **caymari sumagca** ¡este sí que es hermoso! **Mana allcuca catimunchu;** no viene en seguida el perro. **Picha** o **pichari caparicun?** quién estará gritando?

Cuando la partícula **chu** viene en pregunta, tiene, como es natural, el carácter interrogativo, sin perder el sentido verbal que le es propio, como se ve en **Caynaca tamiancachu?** ha llovido ayer?

Como conjunciones dubitativas, citaremos a las mismas **cha** y **chari,** que equivalen a "tal vez", "acaso", "puede ser", cuando se las una en oraciones o frases que denotan duda o perplejidad: vga. **Usiangacha yuyarcani,** supuse que llovería; **cunanpunzhaca puyu illangachari,** parece que hoy no habrá niebla.

También estas palabras desempeñan a veces la función de adverbios.

DE LA INTERJECCION

Tiene el quichua muchas y muy expresivas interjecciones, algunas de las cuales son propiamente imitativas. Hablemos de las principales.

Denotan aplauso por la perfección o hermosura de una cosa, las interjecciones **añañay ¡añañau!** equivalentes a qué bello! qué lindo!

Significan espanto, dolor o consternación: **alau! alalau! ayau! ayayau!** que quieren decir: ay de mí! qué susto! qué dolor!

Manifiestan repugnancia o desprecio: **atatay! atatau!** qué asco! qué cosa tan abominable!

Indican deseo y esperanza, **icha! ichapish!** que perdiendo su carácter de adverbios, llegan a ser interjecciones, cuando el vehemente deseo de conseguir algo hace dar a estas voces el sentido de exclamación, como al decir: **Ichapish quishpichihuangui, yayalla!** quizá me librarás, padre mío!

Se usan para imponer silencio: **Upalla! upallay!** o **upallangui!** Punto en boca! silencio! chitón!

Para prohibir algún acto: **Pagta! pagtara! pagtapish! amayanga!** que se traducen por: cuidado! cuenta pues! aguárdate! ni lo pienses! &.

Para amenazar con alguna reprensión o castigo: **Shuyay! shuyaylla! cunan ricungui!** aguarda!, espera no más!, ya verás como te va!

Para rogar: **asta! manachu! arí!** que equivalen a: por favor! no me harás este servicio! Díme que sí!

Para manifestar sorpresa o desagrado: **Chayca! ajá!** ahí tiene usted! vea qué **ocurrencia!**

Para contestar a quien llama: **Ja! jau!** qué! cómo!

Para burlarse de lo que ótro propone o pretende: **ajajá! ajaya! ajajaya!** te equivocas! imposible! no faltaba otra cosa!

Para manifestar complacencia por algún acontecimiento grato: **allitapish!** en buena hora!

Para quejarse de frío: **achachay! achachau!**

Para quejarse de calor: o ardencia, especialmente después de un pringue o quemadura: **astaray! artarau! araray! ararau!**

Para excitar la afición de alguno sobre alguna cosa apetecible, haciéndosela envidiar: **Muná!** es decir, muérete de envidia!

Para azuzar a los perros indicándolos la presa que han de perseguir: **Mushca! jarja!**

Para expeler de las habitaciones a los mismos: **Llugshi!** que significa, fuera de aquí!

Para ahuyentar a las gallinas y otras aves domésticas: **Quisha!** que significa también, fuera!

Para indicar a estas mismas aves que las amaga el gavilán: **Hua! hua! hua!** a cuyas voces huyen desoladas.

Para separar al ternero de la ubre de la madre, a tiempo del ordeño: **Chichu! chichu!** que significa, retírate!

Quedan todavía muchas otras interjecciones, sobre todo de aquellas que constan de frases y aún de oraciones usadas con énfasis o en tono de exclamación.

△

Ligeras son las nociones que acabamos de escribir sobre el interesante idioma quichua, es decir, sobre el quichua que hablan actualmente los indios de los pueblos del Azuay, y que, con leves variaciones de palabras o de dialecto, es el mismo que se usa por los que habitan en otros lugares del Ecuador. Poco hemos podido discurrir acerca de tema tan importante; pero, a falta de un libro más adecuado para la enseñanza de este idioma, no tenemos por inútil este compendio de gramática, ya que los antiguos tratados de González Holguín, del Padre Mossi y de otros doctos quichuistas podrán, no lo dudamos, ser muy útiles en el Perú y en Bolivia, mas, no lo son en la República Ecuatoriana, donde la especial estructura de no pocas palabras, su diferente pronunciación y las peculiaridades de la sintaxis usual hacen casi totalmente infructuosas las reglas sentadas por dichos beneméritos escritores y aún dejan sin valor alguno sus más notables vocabularios. Bien está que los americanistas consulten tales obras, en obsequio de los estudios generales de la filología; mas, no sacará provecho alguno quien pretenda valerse de ellas para entender y hablar el quichua de nuestros indios.

Deseamos de todas maneras que sujetos más inteligentes y estudiosos que nosotros traten con mayor amplitud de tan interesante materia, ya para enmendar los errores gramaticales en que hayamos incurrido, ya para sentar principios y reglas que falten a nuestra teoría, ya, en fin para enriquecer nuestro modesto Diccionario, añadiéndole las muchas voces que involuntariamente hemos de haber omitido.

Insistimos en manifestar que nuestro designio no ha sido ótro que el de inventariar sin demora lo poco que nos va quedando del idioma copioso y varonil hablado ampliamente en otro tiempo, y medianamente en el día de hoy, por la distinguida raza que produjo a Huayna-Cápag, a Atahuallpa, a Quisquis, a Collahuaso y cooperó con su sangre a darnos Espejos y Mejías. Cáusanos verdadero pesar el ver como decae progresivamente ese idioma, constreñido, en cierto modo, por la obstrucción con que le circunda el castellano, y hemos querido recoger a lo menos lo que de él se está usando al presente, a fin siquiera de que la filología tenga este dato más para sus sabias disquisiciones sobre las lenguas de América.

Resultado de este propósito es nuestro modesto Diccionario, que adolecerá de muchos defectos sin duda, ya por omisión de muchas voces, como hemos insinuado, ya por mala calificación técnica de algunas, ya por deficiencia o impropiedad en la exposición de las acepciones de ótras, o por cualquiera otra particularidad en que nuestra poca competencia nos haya impedido reparar. A los sujetos entendidos que las noten agradeceríamos por cualquiera corrección fundada que tienda al posible perfeccionamiento de nuestro trabajo, en obsequio de la pobre raza que tánto nos sirve y de cuantas personas necesitan entenderse con élla.

Advertiremos, para terminar estas páginas de introducción, que nada hemos dicho relativamente a la acentuación prosódica de las palabras, porque ninguna dificultad ofrece este asunto; mas, para que no parezca omitido por descuido, bástanos expresar que tales palabras son todas graves, es decir, llevan el acento prosódico en la penúltima sílaba; por manera que no es necesaria su expresión ortográfica sino en que, por un uso impropio, proveniente de la tendencia a imitar la entonación castellana, o por la prolongación enfática de la voz, para dar mayor interés al vocablo, se acentúa la sílaba final de ciertas dicciones, como chugmál, gullán, lulún, ajá, atatáy, &. En estos casos debe escribirse el acento, cuando se recele que la palabra sea pronunciada con acentuación fonética no autorizada por el uso general.

Cuenca, Junio 18 de 1892.

Luis Cordero.

DICTAMENES RELATIVOS A NUESTRO DICCIONARIO

Un ejemplar manuscrito de la obra se presentó en el Concurso ecuatoriano de artes, industria, letras, &. de 1892. Otro ejemplar fue remitido a la Exposición Colombina Matritense inaugurada el 12 de Octubre del mismo año, para celebrar el cuarto centenario del descubrimiento de América. En uno y otro certamen obtuvo el libro el premio de una medalla de oro. No tenemos copia del informe favorable que provocó en Madrid la adjudicación de esta recompensa de primera clase, que el autor recibió y conserva con justo reconocimiento; pero sí podemos insertar los dictámenes de los Señores Drs. Don Pedro Ignacio Lizarzaburu y Don Juan León Mera, personas de notaria competencia en este y otros asuntos de índole literaria. Hé aquí lo que opinaron tan ilustrados Señores:

INFORME DEL SEÑOR LIZARZABURU

Quito, Agosto 8 de 1892.

Señor Presidente del Comité Directivo para la Exposición Nacional:

El día 5 del presente, por la noche, me fue entregado el oficio de Ud. por el cual se sirve comunicarme que el Comité Directivo había tenido a bien nombrarme Jurado calificador del Diccionario Español Quichua, presentado a la Exposición por su autor el Exmo. Sr. Dr. Dn. Luis Cordero.

En concepto mío, el Diccionario compuesto por este Señor es digno del mayor aprecio, ya por la hermosura de la lengua quichua, todavía hablada en una inmensa extensión de territorio en la América del Sur, ya por lo bien desempeñada que está la obra.

Profundo conocedor el Sr. Cordero de las lenguas latina, castellana y francesa, le ha sido fácil hacer comparaciones y descubrir aquellas diferencias que muestran la índole y carácter del quichua. Pueden aducirse, como ejemplo de esto, su estudio del abecedario quichua, el de la falta de género en los nombres, y así algunos otros, todos en la gramática quichua que precede al Diccionario.

En cuanto al Diccionario mismo, sólo he podido ver a saltos unas cuantas palabras, y en todas ellas he encontrado que el significado de las voces está tomado en su sentido más genuino.

Aun quien fuese conocedor del quichua y estuviere auxiliado de libros, necesitaría a lo menos dos meses para formar un juicio exacto y completo del Diccionario del Sr. Cordero. Esto no obstante, con lo poco que he podido estudiar, lo considero como uno de los objetos más preciosos de la Exposición Nacional de 1892.

Así no vacilo en afirmar que el Diccionario quichua del Sr. Cordero merece el calificativo de sobresaliente.

Dios guarde a Usted.

Pedro I. LIZARZABURU

INFORME DEL SEÑOR MERA ANTE LA ACADEMIA ECUATORIANA

Secretaría de la Academia Ecuatoriana Correspondiente de la Real Española.—Quito, a 20 de Octubre de 1.892

Excmo. Sr. Presidente de la República.

La Academia Ecuatoriana, en junta de hoy, me ordenó que transcribiese a V. E. el informe siguiente, aprobado en la misma reunión:

Señor Presidente de la Academia Ecuatoriana:

Señor:

La Corporación que usted dignamente preside y a la cual tengo la honra de pertenecer, me comisionó para que examinase el **Diccionario de la lengua quichua**, compuesto por el Excmo. Sr. Dr. Dn. Luis Cordero, y dí ese informe sobre él; y aunque me juzgo incompetente para esta labor paso a desempeñarla en obedecimiento a la Academia.

El idioma quichua, tal vez el más rico y mejor cultivado de los que se hablaban en Sud América al tiempo de la conquista, ha llamado siempre la atención de los filólogos, y se han escrito, para facilitar su estudio, gramáticas y vocabularios. El P. Diego de Torres publicó en 1619 su **Arte de la Lengua Quichua**, y, sin nombre de autor salió a luz en 1753 la "Breve instrucción o Arte para entender la lengua común de los indios según se habla en la provincia de Quito"; pero los trabajos más notables, a nuestro juicio, son la Gramática y Diccionario compuestos por el Alemán Tschudi. La labor de este sabio, así como aquellos libros y otros del mismo género, probaban ya la importancia del quichua, y ahora se aumenta un testimonio valioso con el Diccionario del Exmo. Sr. Cordero.

Sin embargo debo expresar mi opinión acerca del quichua en sus relaciones con la civilización actual. Si este idioma, se hubiese cultivado desde los tiempos de la conquista, para hacer de él un elemento de cultura de los indios; si se hubiera conservado la literatura de éstos, siquiera rudimentaria y defectuosa, o se hubiese creado sobre estas bases ótra con mejores condiciones, hoy en el día la lengua de los hijos del sol fuera sin duda de gran necesidad aun para los que, descendientes de españoles, hablamos el bello y riquísimo español; pero esa lengua, destinada al uso de gente caída en la miseria y abyección, sin literatura antigua ni moderna ni probabilidades de tenerla, y hablada por reducido número de indios, tiene en la actualidad una utilidad práctica muy reducida también (a), e irá el quichua, si la civilización va desbrozando y pulimentando la raza indígena, cediendo el campo al castellano dominante, hasta desaparecer del todo. Esa lengua, a mi ver, va perdiendo día tras día sus condiciones de vitalidad, y tal vez a la vuelta de un siglo no exista sino en las gramáticas y los diccionarios. Creo, además, que para civilizar a los indios es mucho mejor enseñarles el castellano que cultivar el quichua. Las escuelas civilizan, y no veo la posibilidad de establecer escuelas en que se dé la enseñanza en quichua. Contribuye, así mismo, a difundir la cultura el trato frecuente e íntimo con gente ilustrada y la lectura de buenos libros, y esa gente no habla quichua ni hay en quichua libros buenos ni malos.

Ignoro lo que, respecto al asunto de que trato, sucede actualmente en el Perú y en Bolivia; me limito al Ecuador, donde se habla un quichua bastante diverso del usado en aquellas naciones.

Las reflexiones que anteceden no tienden en manera alguna a menoscabar el mérito de la obra del Exmo. Sr. Cordero.

Hay trabajos que brillan no tanto por su objeto como por el desempeño de quienes los han acometido. El **Diccionario quichua** que acabo de examinar, y que está precedido de un excelente epítome gramatical, luce con tal mérito que, sin temor de equivocarme, puedo asegurar que es lo mejor que conozco en la materia. Hay en él método, orden y sencillez. El diccionario de Tschudi es engorroso, hasta por los signos convencionales de que se ha valido el autor para expresar muchos sonidos, lo cual viene, sin duda, de la índole del quichua boliviano. Al excelentísimo Sr. Cordero le ha bastado el alfabeto castellano, con la supresión de dos vocales y de algunas consonantes que no tiene el quichua quiteño, para desempeñarse con maestría en su labor. La mayor sencillez de la gramática y la superior dulzura y flexibilidad de nuestro quichua sobre aquel otro lo han favorecido mucho. El mentado libro será, pues, muy útil para cuantos quieran conocer el idioma que usan no solamente los indios del Azuay, sino los demás miembros de su raza diseminados en toda la República. Las variaciones de provincia a provincia no son muy notables, excepto en la de Oriente, en que el dialecto quichua (en las tribus que lo hablan) tiene más marcadas diferencias respecto del usado en las comarcas interandinas; y fuera también de la lengua de los Cayapas, que parece no tener sus raíces en el quichua.

La utilidad del libro del Exmo. Sr. Cordero será asimismo grande para los curas y otros sacerdotes que tienen que ejercer su sagrado ministerio con los indios; y, pues, la mayor parte de éstos no entienden el español o lo entienden mal, y es menester catequizarlos y confesarlos en su propia lengua. Hasta se ha notado que los sacerdotes diestros en el quichua se acarrean mayor simpatía de los indios, aunque entiendan el castellano, que los que les hablan en este idioma. No será menos provechoso el libro para los aficionados a las disquisiciones filológicas, que son tan importantes; porque agrupados en orden y definidos con claridad todos los vocablos quichuas, podrán hacerse fácilmente comparaciones y rastrearse el influjo de la lengua de los indios sobre la española y viceversa. Nadie ignora que ésta tiene ahora muchos americanismos, entre los cuales se cuentan no pocos hijos del quichua, y que el quichua se ha españolizado bastante. Sería curioso y útil un estudio acerca de esta influencia recíproca. Por último, encuentro aún otro mérito recomendable en el **Diccionario quichua,** y es la añadidura de los nombres botánicos a los nombres comunes de plantas y árboles.

Por tanto, juzgo que el libro es acreedor a la aprobación de la Academia, la que debería, previo el beneplácito del autor, que merece cumplida enhorabuena, ordenar su publicación. Hay tanto mayor motivo para esto, cuanto el Exmo. Sr. Cordero ha dedicado su interesante obra a la ilustre memoria de Colón, y la Academia por su parte, tiene vivísimo empeño en honrarla en el cuarto centenario del descubrimiento del Nuevo Mundo.

Quito, Agosto 6 de 1.892.

Juan L. MERA.

Al cumplir lo dispuesto por la Academia, me sirvo de la honrosa ocasión de suscribirme de vuestra Excelencia, obsecuente y seguro servidor.

Carlos R. Tobar.

OPINIONES DE LA PRENSA

a) Muy respetable opinión era la del Sr. Mera pero, en cuanto a la importancia actual del idioma quichua, no era muy acertada; pues, a más de que no faltan algunas, apreciables producciones antiguas y modernas, escritas en este idioma, puede decirse que revive y es más apreciado desde que los indios le oyen hablar al orador sagrado en la cátedra, al letrado en su estudio, al hacendado en su labor, al negociante en el tráfico rural, &. y aún empiezan a leer libros devotos, recientemente escritos en quichua, y a recitar poesías o discursos escolares en la misma lengua, donde quiera que los maestros tienen el plausible cuidado de procurar que los indiecitos, sus alumnos se instruyan a la vez en ambos idiomas, para que trasmitan a su modo en quichua algunas siquiera de las nociones que han recibido en castellano, y de esta manera vaya difundiéndose una ilustración por lo menos rudimentaria. Buena sería la unidad del lenguaje, no sólo entre nosotros sino en todo el mundo, aunque tal lenguaje fuese el decantado volapuck, el esperanto o cualquiera de aquellos en que sueñan ciertos ilusos; pero mientras tal unidad se consiga, lo que tal vez no sucederá ni en algunos centenares de años, muy buena y útil es que en cualquiera comarca del orbe haya personas que entiendan y hablen ante todo el idioma de la región en que han nacido, y ademas el castellano, el latín, el francés, el inglés, el italiano y aún mayor número de lenguas, si son tan felices que merezcan el título de políglotas. Cada lengua es un instrumento más para el que desea labrarse una ilustración variada y enciclopédica. En punto a las americanas, como el quichua, el quiché, el maya, &. su estudio es por otra parte, utilísimo ahora que, en la estructura de las voces y en el organismo que con ellas construye cada peculiar sintaxis, se busca, por medio de pacientes y profundas investigaciones, el rastro etnológico de las primitivas razas, para verlas de agrupar en un tronco común y deducir la identidad de su procedencia.

Puesto este leve reparo al dictámen del ilustre literato Señor Mera, de cuya pérdida se lamenta todavía la Patria, copiaremos en este pliego de preliminares algo de lo que dijo la prensa en Octubre de 1.892, con motivo de la presentación del **Diccionario quichua**, manuscrito, en la Exposición Ecuatoriana y ante la Academia Nacional correspondiente de la Española.

"El Exmo. Sr. Dr. Dn. Luis Cordero fue también uno de los expositores en nuestro último concurso nacional, e indudablemente, con un trabajo literario que prestará grandes beneficios y utilidad a las letras, como facilitará a nuestros sacerdotes la noble y laboriosa empresa de conquistar a los indígenas de nuestros bosques a la civilización cristiana.

Mucho se ha escrito sobre la naturaleza e índole de las lenguas americanas; pero entre obras de aplicación práctica, que nos enseñen el simpático idioma de los incas, en uno de sus más importantes dialectos, no conocemos otra mejor que la del Exmo. Sr. Dr. Cordero. Duponceau, Hovelaeque, Licher, Maury, Muller, el P. Bernardo de Luge y otros, a excepción de éste, que escribió una gramática, se limitaron a estudiar el polisintetismo de los idiomas del Nuevo Mundo, sin que de aquellos estudios hubiésemos, particularmente, los sudamericanos, alcanzado mayor utilidad. Justa y merecida, pues, fue la medalla de oro que, en la Exposición nacional, obtuvo el Diccionario **quichua-castellano**, a que nos referimos y sobre el cual todo encarecimiento sería por demás, después de los brillantes informes que publicamos, informes emitidos, el primero por el ilustre Sr. Dr. Dn. Pedro I. Lizarzaburu, como Jurado calificador del Concurso, y el segundo por el distinguido escritor Sr. Dn. Juan León Mera, como miembro de la Academia Ecuatoriana Correspondiente de la Real Española.

Bástanos, por hoy, anunciar a nuestros suscritores que muy pronto se imprimirán tanto el Diccionario como la Gramática que lo precede. Una joya más del vate azuayo en honor de la República".

El Republicano de Quito, Nº 3

Del mismo periódico, número 15, lo que va a leerse:

EL QUICHUA.—Cuando dijimos en nuestro número tercero, al reproducir los informes de los ilustrados Señores Lizarzaburu y Mera, sobre el "Diccionario Quichua-Castellano" del Exmo. Sr. Cordero, que no estábamos de acuerdo con aquello de que la lengua de los hijos del sol "tiene actualmente una utilidad práctica muy reducida", apenas pudimos apuntar nuestro juicio, sin apoyarlo con razones cuya exposición traspasaría los límites de un artículo de periódico, toda vez que diariamente hallamos fundados motivos para suponer fundada nuestra opinión.

Las lenguas de la América del Norte, divididas en doce familias, han sido inagotable fuente de estudios filológicos, que han llamado la atención de hombres ilustrados cuya sabiduría ha enaltecido la familia humana.

Los idiomas primitivos de la América Central sugirieron al Barón de Humboldt, hablando de la variedad de las lenguas de Méjico, las siguientes consideraciones.

"Pasan de veinte estas lenguas, de las cuales catorce tienen ya gramáticas y diccionarios bastante completos... Parece que la mayor parte de ellas, lejos de ser dialectos de una sola (como han creído equivocadamente algunos autores), son por lo menos tan diferentes entre sí como el griego y el alemán, o el francés y el polaco. Por de contado, en este caso se hallan las siete lenguas de la Nueva España, cuyos diccionarios posee. Esta variedad de idiomas hablados por los pueblos del Nuevo Continente, y de que, sin ninguna exageración, pueden contarse centenares, presenta un fenómeno bien singular, especialmente si se compara con el corto número de lenguas que se cuentan en Asia y Europa".

"De igual manera, las nueve familias de las lenguas suramericanas, con todos sus diversos dialectos, han dado lugar a detenidos y muy apreciables estudios, que han ensanchado el saber humano, tanto en lo relativo a la filología, como en orden a la historia de América antes del descubrimiento".

"Creemos, pues, que los diversos estudios sobre esta materia no pudieron ser emprendidos sino en virtud de la importancia y utilidad que presentaban las lenguas americanas. De otra manera no podríamos explicarnos la existencia de tantas obras que preocupan en el día a los sabios de Europa y América".

"A nosotros los ecuatorianos nos basta una sola consideración, para dar al quichua una utilidad positiva, práctica y de gran valía para los intereses del Estado. Va casi para cuatro siglos que una considerable porción de nuestros indígenas vive privada de todo comercio humano, sin idea ni principios de cultura, alejándose de todo germen de civilización, y aún oponiéndose a los sublimes llamamientos que hace el cristianismo á esa fracción desvalida y desgraciada. En tanto tiempo, ¿se ha podido conseguir que esas tribus nómadas y salvajes aprovechen de los esfuerzos del Supremo Gobierno por su conquista a la civilización moderna?"

"Pasará todavía un siglo sin que el errante indígena de nuestros bosques se haya sometido a la poderosa influencia del comercio humano con esta parte de la República que podemos llamar culta. ¿Y quién desconocerá que el estudio del idioma es el más eficaz medio para conseguir ese comercio y la mútua comunicación? Sólo con el idioma de los pueblos cuya conquista, adelanto y perfección moral se quiere alcanzar, se hace fácil y pronta una empresa que, de otra manera, no sólo es tardía sino imposible".

"Toca conocer el idioma tanto al misionero como a los particulares que trafican en nuestras selvas, vendiendo o permutando los efectos que hacen el comercio oriental".

"Esto basta, repetimos, para que toda obra literaria encaminada a hacer conocer y propagar nuestro primitivo idioma, sea de suma importancia. Así lo ha manifestado la prensa española, tratando del "Diccionario Quichua-castellano" del Exmo. Sr. Cordero, en varias publicaciones contraídas a la Exposición de Madrid".

"Para que se conozca que hoy, aún en un terreno puramente literario, el quichua va tomando notable importancia, publicamos a continuación el siguiente artículo, tomándolo de "Los Andes" de Lima, de 31 de Diciembre de 1.892.

EL QUICHUA

Desde cuatro años a esta parte se nota un movimiento activo en pro de los estudios del idioma peruano, estancados durante largo tiempo.

Entendemos que nuestro sabio filólogo Dr. **Villamar** tiene terminada su **Gramática Quichua**, y en nombre del país nos permitimos compelerlo a la inmediata impresión.

El Dr. Dn. Abel A. Luna, cuzqueño, ha escrito una tragedia en quechua, Yahuarhuacac, dedicada al Dr. **Villamar**, que se ha representado en la ciudad del sol, siendo repetida cinco veces, y una comedia, en tres actos, **Manco-Capac, Coosco paccarechoc,** dedicada a la Sra. Matto. Ambos trabajos los daremos a conocer pronto a los lectores de "Los Andes", con la correspondiente versión castellana.

En Venezuela se confecciona actualmente un libro en el que el quechua ocupa un lugar preferente, como se verá por la siguiente carta.

"Caracas, 31 de Octubre de 1.892.

Señora Doña Clorinda Matto de Turner.
Lima.
Ilustre escritora y colega:

La publicación de una obra esencialmente americana: colección de proverbios, refranes, máximas, cantares, &., &., o sea el lenguaje del pueblo de estos países, y especialmente de Venezuela; obra en la cual vengo trabajando desde años atrás, me hace tener el honor de dirigirme a vos, pidiéndoos contribuyáis con alguna de vuestras variadas producciones, a realzar el mérito de esta obra.

Sé que desde mucho tiempo venís figurando en primera línea entre los inspirados y eruditos escritores de ese país, y mi periódico, "El Siglo", más de una vez se ha engalanado con vuestras producciones.

Como el país en que vivís, por su antigua civilización, manifestada no sólo en la grandeza y arte de sus monumentos, sino en su sonoro y filosófico idioma, el quechua y por haber sido asiento de virreyes, cuyas fastuosas cortes eran un remedo de las del antiguo continente, debe presentar en esas formas el idioma vulgar ricos veneros de observaciones, intención picaresca a par que filosófica, y, por tanto, ser más rico, espléndido y gracioso en esos que podemos llamar **calembours** del castellano que se habla en el Perú.

Como esa mi obra no se limitará a circular sólo en Venezuela, a pesar de que una gran parte de ella a ésta se refiere, sino que me propongo sea conocida en toda la América Latina, vos podéis emplear los proverbios y las frases picarezcas de vuestra patria, sin más explicación o como queráis, que no he de ser yo el que os ponga cortapisas ni os señale la senda.

Esperando ser honrado con vuestra contestación, tengo a honra suscribirme de vos muy atento seguro servidor y colega Q. B. V. M.

Alfred Retho.

Δ

La República Argentina ha enriquecido el idioma con el libro publicado por el profesor Mossi, y el Ecuador acaba de discernir el primer premio al importante trabajo del actual Presidente Cordero. Con relación a este premio, encontramos en "El Globo" de Guayaquil, de 4 de Noviembre lo que sigue (y copian un artículo).

En Bolivia, el ilustrado escritor Tomás O' Coner D'Arlach aboga por el quichua, impugnando al Dr. Taberga, lo que ha dado margen a brillantes artículos sobre la materia"...

Y basta de preliminares. Estamos plenamente convencidos de que nuestra modesta obra servirá para el gran número de indígenas que en todas las provincias de la Sierra ecuatoriana tienden a subir un escalón siquiera en la jerarquía social, con la progresiva adquisición de los rudimentos literarios; que servirá también para facilitarles un acopio oportuno de voces a los dignos sacerdotes que evangelizan, es decir, civilizan a esos ecuatorianos sin ventura, y que en algo contribuirá, finalmente, a facilitar el trato social con los numerosos indígenas habitantes de la preciosa región oriental del Napo, que hablan también el quichua, acaso más puro y correcto que los de las comarcas andinas. Por eso la hemos escrito y la entregamos a la corrección pública, a fin de que los censores, si los tuviéramos, se conviertan en colaboradores de un libro mejor y más útil.

Ojalá que ingenios superiores al humilde nuestro anotasen las variaciones peculiares al quichua de cada provincia de las nuestras, sea en la estructura de las palabras, sea en sus acepciones genuinas, sea, por último, en su especial sintaxis y escribiesen, si no libros sobre la materia, memorias, a lo menos, o disertaciones con que propendan al mejoramiento de este léxico, que desde hoy deja de ser nuestro para ser ecuatoriano.

L. C.

PRIMERA PARTE

QUICHUA - CASTELLANO

Abreviaturas.

a. activo.
abl. ablativo.
acus. acusativo
adj. adjetivo.
adverb. adverbio.
art. artículo.
art. def. artículo definido.
art. in. artículo indefinido.
conj. conjunción.
dat. dativo.
genit. genitivo.
interj. interjección.
n. nombre.
p. participio.
p. a. participio activo.
p. e. por ejemplo.
p. p. participio pasivo.
prep. preposición.
pron. pronombre.
v. verbo.
v. a. verbo activo.
v. n. verbo neutro.
v. s. verbo sustantivo.
vga. verbigracia.
vocat. vocativo.
Si aparecen algunas ótras serán de fácil interpretación.

CRUNA, v. n ant. Vomitar.

CU, n. Harina, especialmente de cebada. Se usa muy poco esta palabra en el Azuay. Véase **Machca.**

ACHACHAU, interj. Qué frío!

ACHACHAY!, interj Qué frío!

ACHALAY!, interj. Qué hermoso! Qué lindo!

ACHARU, n. ant. Véase **Chucurillu.**

ACHCA, adj. Mucho.

ACHCA, adv. Mucho.

ACHIG, n. Luz; claridad; resplandor.

ACHIG, adj. Luminoso; claro; resplandeciente.

ACHIGNINA, v. n. Estornudar.— **Achignigrina.** Ir a estornudar.— **Achignicuna,** Estar estornudando.— **Achignichina,** Hacer estornudar.

A C H I G Y A Y, Aparición de la luz; iluminación.

ACHIGYANA v. n. Lucir; brillar; despejarse la atmósfera; aclararse cualquier lugar oscuro. **Achigyagrina,** **Ir a lucir.— Achigyacuna,** Estar luciendo. **Achigyamuna,** Empezar a lucir.— **Achigyachina,** Hacer que luzca.

Achig

ACHIGYASHCA, p. p. Iluminado; luciente.

ACHIGYAY, n. Iluminación; brillo.

ACHIRA, n. Planta de rizoma comestible (Cama índica).

ACHU? adv. de preg. Olá? ¿Conque es así?

ACHUG?, adv de preg. Lo mismo que

Achu.

ACHUGCHA, n. Planta de cápsula comestible (Sechium edule).

ACHUPALLA, n. Planta de localidades áridas (Pourretia piramidata).

ACHUPILLA, n. Lo mismo que **Achupalla**.

AGALLA, n. Gancho de madera, para coger frutas u otros objetos que están altos.

AGALLANA, v. a. Coger algo con el instrumento llamado **Agalla**.

AGCHA, n. Pelo; cabello.

AGCHACARA, n. Cuero cabelludo.

AGCHACARANA, v. a. Tomar a alguno violentamente por los cabellos.

AGCHACARAY, n. El acto de tomar con fuerza por los cabellos.

Agchasapa

AGCHASAPA, adj. Persona que tiene cabellera abundante.

AGCHASHUA, n. Un insecto que roba cabellos, según afirman los indios.

AGLLANA, v. a. Escoger.— **Agllagrina**, Ir a escoger.— **Agllacuna**, Estar escogiendo.— **Agllamuna**, Venir escogiendo o después de escoger.— **Agllachina**, Hacer escoger o escoger en compañía de varios.— **Agllahuana**, Escogerte o escogerme.—**Agllarana**, Escoger reiterada o cuidadosamente.

AGLLASHCA, p. p. Escogido; elegido.

AGLLAY, n. Escogiminto; elección.

AGLLU, adj. ant. Tartamudo.

AGLLUNA, v. n. ant. Tartamudear.

AGSU, n. desus. Saya.

AHUACULLA, n. Planta llamada comunmente **Gigantón** (Cerus pruvianus).

AHUAG, p. a. El que teje; tejedor.

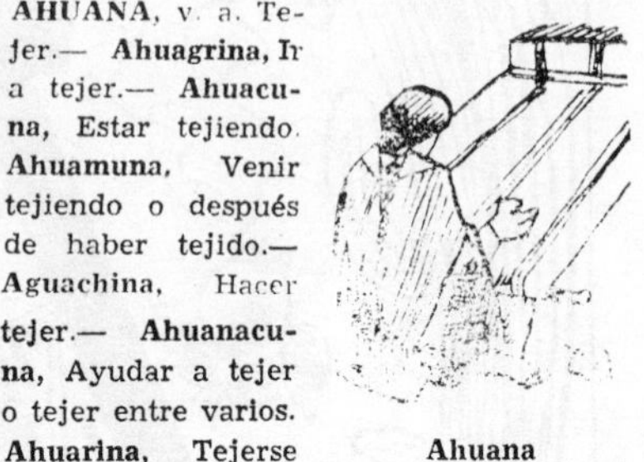

Ahuana

AHUANA, v. a. Tejer.— **Ahuagrina**, Ir a tejer.— **Ahuacuna**, Estar tejiendo. **Ahuamuna**, Venir tejiendo o después de haber tejido.— **Aguachina**, Hacer tejer.— **Ahuanacuna**, Ayudar a tejer o tejer entre varios. **Ahuarina**, Tejerse alguna cosa.— **Ahuarana**, Tejer constantemente.

AHUARUNGU, n. Planta de los pajones andinos (especie de Pourretia?).

AHUASHCA, p. p. Tejido.

AHUAY, n. Acto de tejer.

AJA!, interj. Olá!; está bien!; mire qué cosa!; ya lo veo!

AJAJAY!, interj. Me río de ello!

AJAYA!, interj. Imposible!; no lo has de ver!; de ningún modo!

AJITACHIG, adj. Cosa que empacha.

AJITAG, p. a. El que se empacha.

AJITANA, v. n. Empacharse.— **Ajitagrina**, Irse a empachar.— **Ajitacuna**, Estar empachándose.— **Ajitamuna**, Empezar a empacharse.— **Ajitachina**, Hacer empachar.

AJITAY n. El acto de empacharse; empacho.

ALALAU!, interj. Qué dolor tan terrible.

ALAU!, interj. Qué dolor!; ay de mí!

ALAUNINA, v. n. Lanzar ayes; prorrumpir en alaridos

ALAUNISHCA, n. Alarido; exclamación de dolor.

ALLAG, p. a. El que cava o excava.

ALLANA, v. a. Cavar; excavar.— **Allagrina**, Ir a cavar.— **Allcuna**, Estar cavando.— **Allamuna**, Venir después de haber cavado.— **Allachina**, Hacer cavar.— **Allanacuna**, Ayudar a cavar.— **Allarana**, Cavar incesantemente.

ALLASHCA, p. p. Cavado; excavado.

Allay

ALLAY, n. Acto de cavar; excavación.

ALLCU, n. Perro.

ALLCUCAMA, adj. Cuidador de perros; caniculario.

ALLCUHUAÑUCHG, adj. Mataperros.

ALLCUISHPA, n. Excremento de perro. Tienen también este nombre unos bolos de maíz tostado que se confitan con melaza.

ALLCUJAMBI, n. Planta de la familia de las Solanáceas (Solanum sessile). Su nombre quichua significa **Veneno de perros.**

ALLI, adj. Bueno; bondadoso; perfecto; bien construído; probo; sano, según los casos.

ALLI, adv. Bien; perfectamente; en regla.

ALLIACHIG, p. a. Persona o remedio que devuelve la salud; sujeto que compone aguna cosa dañada.

ALLIAYACHINA o **Alliachina,** v. a. Sanar a alguien; componer cosa dañada; reformar lo imperfecto.

ALLIANA, v. n. Sanarse; convalecer.— **Alliagrina,** Ir a sanarse.— **Alliyacuna,** Estar sanándose.— **Alliamuna,** Empezar a sanarse.

ALLIASHCA, p. p. Curado; sano; cosa compuesta o reformada.

ALLICHIG, p. a. El que compone; compositor.

ALLICHINA, v. a. Componer.— **Allichigrina,** Ir a componer.— **Allichigricuna,** Estar componiendo.— **Allichimuna,** Venir componiendo o después de haber compuesto.— **Allichichina,** Hacer componer.— **Allichinacuna,** Ayudar a componer.— **Allichirina,** Componerse una cosa; reformarse una persona.

ALLICHISHCA, p. p. Compuesto arreglado.

ALLILLA, adv. Bastante bien; regularmente.

ALLIMANTA, adj. Lento; tardío; despacioso.

ALLIMANTA, adv. Con tiento; poco a poco, suavemente

ALLIMANTALLA, adv Lo mismo que **Allimanta.**

ALLIRIGCHAG, adj. De buen aspecto, presencia; bien representado; cosa que parece bien.

ALLIRIGCHANA, v. n. Parecer bien alguna cosa.

ALLISHUNGU, adj Persona de buen corazón, bondadosa.

ALLITA!, interj. En buena hora!; a buen tiempo!; felizmente!

ALLITAG!, interj. Lo mismo que **Allita.**

ALLITAPISH!, interj. Algo más expresiva que **Allita!**

ALLITUCUG, p. a. El que convalece o sana; el que se reforma.

ALLITUCUNA, v. n. Convalecer; sanar; reformarse.

ALLIYACHAG, adj. Que sabe bien; docto.

Allpa

ALLPA, n. Tierra, país.

ALLPAYAG, p. a. Que se convierte en tierra.

ALLPAYANA, v. n. Convertirse en tierra.— **Allpayagrina,** Ir a convertirse en tierra.— **Allpayacuna,** Estar convirtiéndose en tierra.— **Allpayamuna, Empezar** a convertirse en tierra.— **Allpayachina,** Hacer que se convierta en tierra.

ALLPAYASHCA, p. p. Convertido en tierra.

ALLPAYAY, n. El acto de convertirse en tierra.

ALLPAYUG, adj. Dueño de tierras; hacendado.

AMA, adv. No, en sentido de prohibición; vga "Ama cutin tarpunguichu": "No sembrarás otra vez".

AMAPISH, adv. Aunque no; a ver y como no; vga. "Amapish cutimuychu"; "A ver y como no vuelvas".

AMARA, adv. Todavía no.

AMARAG, adv. Lo mismo que **Amara.**

AMARU, n. Serpiente; culebra.

Amaru

AMATA, adv. De ningún modo; en ningún caso (prohibiendo).

AMATAG, adv. Lo mismo que **Amata.**

AMAUTA, n. a. ant. Sabio.

AMAYANGA!, interj. Ni lo digas!

AMI, n. Hastío; empalagamiento.

AMIG, p. a. Que se hastía o empalaga.

AMICHIG, p a. Que hastía; que empalaga.

AMINA, v. n. Empalagarse; hastiarse.— **Amigrina,** Ir a empalagarse.— **Amicuna,** Estar empalagándose.— **Amimuna,** Empezar a empalagarse.— **Amichina,** Hacer que otro se empalague.

AMIPAG, adj. Que puede hastiarse o empalagarse.

AMISHCA, p. p. Hastiado; empalagado.

AMU, n. Patrón; señor. Tomado de la voz castellana AMO.

AMU, adj. ant. Mudo.

AMULLI, n. Bocado.

AMULLIG, p. a. El que toma un bocado.

AMULLINA, v. a. Tomar un bocado.— **Amulligrina.** Ir a tomar un bocado.— **Amullicuna,** Estar tomando un bocado.— **Amullimuna,** Venir después de haber tomado un bocado.— **Amullichina,** Hacer tomar un bocado.

AMULLISHCA, p. p. Que está con bocado o con mendrugo en la boca.

AMUYANA, v. r. ant. Enmudecer.

ANA, n. ant. Lunar.

ANA, Partícula que sirve para formar verbos reflexivos, trasponiéndose a cualquier nombre; vga. "Rucuyana": "Hacerse viejo"; "Quilluyana": "Ponerse amarillo".

ANACU, n. Manta que se arrolla en derredor de la parte baja del cuerpo; zagalejo.

Anacu

ANACUNA, v. a. Vestir la prenda llamada **Anacu.**

ANANAY!, interj. de dolor.

ANCAS, adj. ant. Azul.

ANCASÑAHUI, adj. Persona de ojos garzos o azules.

ANCHA, adj. Sumamente enfermo: muy empeorado; grave.

ANCHA, adv. Mucho; excesivo; demasiado.

ANCHACASHPA, adv. Cuando más; a lo sumo.

ANCHAYACHAG, adj. Sabiondo.

ANCHAYANA, v. r. Empeorar un enfermo.— **Anchayagrina,** Ir a empeorar.— **Anchayacuna,** Estar empeorando.— **Anchayamuna,** Empezar a empeorar.— **Anchayachina,** Hacer que empeore.— **Anchayarina,** Empeorarse.

ANCHAYASHCA, p. p. Empeorado; malísimo.

ANCHUCHIG, p. a. El que quita.

ANCHUCHINA, v. a. Quitar.— **Anchuchigrina,** Ir a quitar.— **Anchuchicuna,** Estar quitando.— **Anchuchimun,** Quitar y venir.— **Anchuchicuna,** Quitar entre dos o más.— **Anchuchirina,** Quitarse algo que fastidia, repugna.— **Anchuna** o **Anchurina,** Quitarse o separarse uno del lugar que ocupaba.

ANCHUCHIPAC, adj. Que puede o debe quitarse o retirarse. Amovible.

ANCHUCHISHCA, p. p. Quitado; retirado,

ANCHUNA, v. r, Retirarse; separarse.

ANCHUY!, interj. Quita allá!; retírate!

ANDI, part. que añadida a los nombres terminados en **a,** sirve para denotar que la persona o cosa de que se trata, está en unión o compañía de otra; vga. "Cusandimi shamun": "Viene con su marido".

ANGA, n. Gavilán..

ANGU, n. Beta; cuerda; correa; látigo; tendón del cuerpo.

ANGUG, p. a. El que da de latigazos o azota.

ANGUNA, v. a. Azotar; flagelar.

ANGUSAPA, adj. Correoso; bejucoso.

ANGUSHCA, p. p. Azotado; flagelado.

Anguyag

ANGUYAG, p. a. Que se adormece o marchita (tratándose de plantas).

ANGUYANA, v. r. Marchitarse; adormecerse; agostarse. **Anguyagrina.** Ir a marchitarse.— **Anguayacuna,** Estar marchitándose. **Anguyamuna,** Empezar a marchitarse.—**Anguyachina,** Hacer que se marchite.— **Anguyarina,** Marchitarse.

ANGUYASHCA, p. p. Agostado; marchito; lacio.

ANTA, n. ant. Cobre.

ANTACHAGRA, n. ant. Mina de cobre.

ANTI, n. ant. Lo mismo que **Anta.**

ANTISUYU, n. ant. Región o comarca de los Andes.

ANYAG, p. a. El que bosteza.

ANYANA, v. n. Bostezar.— **Anyagrina,** Ir a bostezar.— **Anyacuna,** Estar bostezando.— **Anyamuna,** Venir bostezando.— **Anyachina,** Hacer bostezar.

ANYANA, v. r. Enfadarse; inmutarse.

ANYAY, n. Bostezo.

ANYAY, n. Enfado.

AÑAS, n. Animalejo llamado vulgarmente "zorro hediondo" (Mephitis mesomelas).

AÑASCU, n. Lo mismo que **Añas.**

APA, adj. Mujer boba o lela.

APACHINA, v. a. Hacer que algún individuo o animal cargue algo.

APAG, p. a. El que lleva alguna cosa; portador.

APAMUG, p. a. El que trae algo.

APAMUNA, v. a. Traer.— **Apamugrina,** Ir a traer.— **Apamucuna,** Estar trayendo.— **Apamuchina,** Hacer traer.— **Apamunacuna.** Ayudar a traer.— **Apamurina,** Traerse.— **Apamuhuana,** Traerme o traerte.

APAMUSHCA, p. p. Persona o cosa traída.

APAMUY, n. El acto de traer.

APANA, v. a. Llevar.— **Apagrina,** Ir a llevar.— **Apacuna,** Estar llevando.— **Apamuna,** Venir llevando.— **Apachina,** Hacer llevar.— **Apanacuna,** Ayudar a llevar. **Apahuana,** Llevarme o llevarte.

APANA, v. a. Embestir los animales.

APANACUNA, v. r. Llevarse bien o vivir concordes dos o más personas.

APANDI, n. ant. Hijos gemelos.

APANGURA, n. Cangrejo (Pseudothelphusa caputi Nobili?).

APARIG, p. a. El que carga alguna cosa.

APARINA, v. a. Cargar.— **Apagrina,** Ir a cargar.— **Aparicuna,** Estar cargando.— **Aparimuna,** Venir cargado de algo.— **Aparichina,** Hacer cargar.— **Aparinacuna,** Ayudar en el transporte de la carga.— **Aparihuana,** Cargarme o cargarte.

APARISHCA, p. p. Persona o cosa cargada.

APARU, n. El último de los hijos.

APASHCA, p. p. Llevado.

APASHCA, p. p. Embestido.

API, n. Mazamorra.

API, adj. Mazamorramiento; semejante a mazamorra.

APIAG, p. a. Que se reblandece y llega

a tener semejanza con la mazamorra.

APIANA, v. r. Reducirse a una especie de mazamorra.

APIASHCA, p. p. Reducido a mazamorra.

APIG, p. a. El que hace mazamorra.

APINA, v. a. Hacer mazamorra.— **Apigrina,** Ir a hacer mazamorra.— **Apicuna,** Estar haciendo mazamorra.— **Apimuna,** Venir después de haber hecho mazamorra.— **Apichina,** Mandar hacer mazamorra.

APISHCA, p. p. Cosa que se ha convertido en mazamorra.

APU, n. Jefe; superior; mandatario.

APUSHCA, adj. Presuntuoso; soberbio; vano; fatuo.

APUSHCAY, n. Ensoberbecimiento; presunción; fatuidad.

APUSHQUI, n. ant. Progenitor; ascendiente.

APUY n. ant. Soberbia.

APUYANA, v. r. Alzarse a jefe; convertirse en superior o caudillo

AQUI, n. ant. Suegra con relación a su yerno.

ARAPA, n. Enredo; cosa intrincada o incomprnsible.

ARAPAG, p. a. El que enreda o complica alguna cosa

ARAPANA, v. a. Enredar; complicar o confundir algo

ARARAY!, interj. Con que expresa el dolor que siente quien se pringa o quema.

ARARAU!, interj. Que significa lo mismo que **Araray!**

ARI, n. Estreno de alguna cosa, especialmente de utensilios de cocina.

ARI, adv. Sí.

ARI, (Prolongando el sonido de la i), interj. de ruego. Por favor!; por vida tuya!

ARIG, p. a. El que estrena.

ARINA, v. a. Estrenar.— **Arigrina,** Ir a estrenar.— **Aricuna,** Estar estrenando.— **Arimuna,** Venir estrenando o después de haber estrenado.— **Arichina,** Hacer estrenar.

ARINIG, p. a. El que da el sí.

ARININA, v. a. Dar el sí.

ARINIPAG, adj. Cosa o asunto en que puede darse el sí; propuesta aceptable.

ARINISHCA, p. p. Cosa aceptada; consentida.

ARISHCA, p. p. Cosa estrenada.

ARMA, n. Arado. Probable es que proceda de "arma", vocablo español.

Armachina

ARMACHINA, v. a. Bañar a alguna persona.

ARMAG, p. a. El que se baña.

ARMANA, v. r. Bañarse.— **Armagrina,** Ir a bañarse.— **Armacuna,** Estar bañándose.— **Armamuna,** Venir después de haberse bañado.— **Armarina,** lo mismo que **Armana.**

ARMASHCA, p. p. El que se ha bañado.

ARMAY, n. El acto de bañarse; baño.

ASI, n. Risa.

ASICHIG, p. a. Individuo que provoca la risa; hazmereír.

ASIG, p. a. El que se ríe.

ASINA, v. n. Reirse.— **Asigrina,** Irse a reír.— **Asicuna,** Estar riéndose.— **Asimuna,** Venir riéndose o después de haberse reído.— **Asichina,** Hacer reír.— **Asinacuna,** Reirse entre varios.— **Asirana,** Reirse incesantemente.

ASIRI, n. Sonrisa.

ASIRINA, v. r. Sonreirse.

ASIRISHCA, p. p. Sonreído.

ASISHCA, p. p. Reído; risueño.

ASISHCALLA, adj. Bastante risueño.

ASNAG, adj. Hediondo; fétido.

ASNANA, v. n. Heder.— **Asnagrina,** Ir a heder.— **Asnacuna,** Estar hediendo.— **Asnamuna,** Empezar a heder.— **Asnachina,** Hacer que hieda.— **Asnarana,** Heder con exceso o sin cesar.

ASNAY, n. Hedor; fetidez.

ASPAG, p. a. El que devana.

ASPANA, v. a. Devanar.

ASPI, n. Rascadura; arañazo; rasguño.

ASPIG, p. a. El que araña o rasguña. El cardador.

ASPINA, v. a. Rasar; arañar; rasguñar; cardar.— **Aspigrani,** Ir a rascar.— **Aspicuna,** Estar rascando.— **Aspimuna, Venir** rascando o después de haber rascado.— **Aspichina,** Hacer rascar.— **Aspinacuna,** Rascarse mutuamente o rascar entre varios.—**Aspirina,** Rascarse.— **Aspihuana,** Rascarme o rascarte.— **Aspirana, Rascar** constantemente.— Las mismas formas admiten los demás significados.

ASPISHCA, p. p. Rascado; rasguñado; cardado.

ASTA!, interj. de ruego. Por favor!; por vida suya! — vga.: **"Asta jambihuay"**: "Hazme el favor de curarme".

ASTAG, p. a. El que acarrea.

ASTANA, v. a. Acarrear; transportar.— **Astragrina,** Ir a acarrear.— **Astacuna,** Estar acarreando.— **Astamuna, Venir** acarreando o después de acarrear.— **Astachina,** Hacer acarrear.— **Astarina,** Acarrearse algo.— **Astanacuna,** Ayudar a acarrear. **Astarana,** Acarrear frecuentemente.

ASTARAY!, interj. Lo mismo que **Araray!**

ASTARIG, p. a. El que se acarrea, es decir, el que acarrea sus trastos.

ASTASHCA, p. p. Cosa acarreada.

ASTAUM, adv. Más.

ASTAY, n. Acarreo.

ASUA, n. Chicha.

ASUAG. p. a. El que hace chicha.

ASUANA, v. a. Hacer chicha.— **Asuagrina,** Ir a hacer chicha.— **Asuacuna,** Estar haciendo chicha.— **Asuamuna, Venir** después de haberla hecho.— **Asuachina,** Mandarla hacer.— **Asuarana,** Hacerla con mucha frecuencia.

ASUASHCA, p. p. Convertido en chicha.

ASH, adj. apocopado de **Ashalla.**

ASHALLA, adj. Poco.

ASHALLA, adv. Poco en cantidad o en tiempo.

ASHAPUT, n. Planta silvestre de flores fragantes (Loranthus nitidus).

ASHLLA, adj. Lo mismo que **Ashalla.**

ASHLLA, adv. Lo mismo que **Ashalla.**

ASHLLAMANTA o **Ashallamanta,** adv. Por poco; vga. "Ashallamanta mana huañumi": "Por poco no m muero".

ASHUN, adv. Más.

ASHUNCA, adv. Mayormente.

ATATAY!, interj. Que denota asco, desprecio, desdén, repugnancia.

ATICHIG, p. a. El que deja que una cosa se le escape, que le venza, que le sobre (si es alguna labor o trabajo).

ATICHINA, v. a. Hacer que una cosa se escape, que reste algo de la tarea diaria; que sobre parte de la comida por saciedad del que la toma.

ATIG, p. a. El que vence; vencedor. El que se escapa, huyendo de quien lo persigue.

ATINA, v. a. Vencer; prevalecer; sobrepujar; escaparse huyendo.— **Atigrina,** Estar a punto de vencer.— **Aticuna,** Estar venciendo.— **Atimuna,** Venir después de vencer.— **Atichina,** Hacer que alguno venza a otro.— **Atihuana,** Vencerme o vencerte.

ATIPAG, adj. Capaz de vencer, de sobrar o de escaparse huyendo.

ATISHCA, p. p. Vencido; sobrante; escapado.

ATUG, n. Lobo americano, impropiamente llamado "raposo". (Es el "Caniz Azarae" de los naturalistas).

ATUGCHUCLLU, n. Planta saponífera de que usan las mujeres del pueblo para lavarse la cabellera (Phitolaca decandra).

ATUPA, n. Mazorca inmatura o choclo que se ha dañado por el desarrollo de un hongo parásito.

ATUPA, adj. Persona demasiado vieja y decrépita.

ATUPAYNA, v. r. Dañarse el choclo infestado por un hongo parásito.

AUCA, n. ant. Guerrero.

AUCA, adj. Salvaje; bárbaro; rebelde; sedicioso.

Auca

AUCANA, v. a. ant. Pelear; compartir.

AUCAYANA, v. n. Hacerse salvaje. Rebelarse contra el superior.

AULLI, n. Urdimbre; enredo; embrollo; maraña.

AULLIG, p. a. El que urde una tela. El que enreda o embrolla algo.

AULLINA, v. a. Urdir; enredar; embrollar.— **Aulligrina,** Ir a urdir.— **Aullicuna,** Estar urdiendo.— **Aullimuna,** Venir después de haber urdido.— **Aullichina,** Ayudar a urdir.— **Aullirina,** Urdirse.— **Aullirana,** Urdir con mucha frecuencia.— Las mismas formas admite en las demás acepciones.

AULLISHCA, p. p. Urdido; enredado; embrollado.

AUNINA, v. n. Aullar el perro o el raposo.

AUQUI, n. ant. Señor.

AYA, n. Difunto; cadáver.

AYACHILCHIL, n. Planta herbácea fétida. (Tagetes multiflora H.)

AYAHUANDU, n. Andas; féretro.

Ayapambana

AYAPAMBANA, n. Cementerio; panteón.

AYAPUGLLANA, n. Planta de la familia de las Melastomáceas (Chaeogastra sarmentosa D. C.).

AYATUGPI, n. Planta de la familia de las Euforbiáceas (Phylantus salviaefolius H.)

AYAYANA, v. r. Convertirse en cadáver; morir.

AYCHA, n. Carne.

AYCHASAPA, adj. Carnudo.

AYLLU, n. Parentesco; parentela.

AYLLU, adj. Pariente.

AYLLUPURA, adv. Entre parientes.

AYLLUYANA, v. r. Hacerse pariente; emparentarse.

AYLLUYASHCA, p. p. Emparentado; que las da de pariente.

AYSAG, p. a. El que tira.

AYSANA, v. a. Tirar o estirar.— **Aysagrina,** Ir a tirar.— **Aysacuna,** Estar tirando.— **Aysamuna,** Venir tirando o después de haber tirado.— **Aysachina,** Hacer tirar.— **Aysarina,** Tirarse.— **Aysanacuna,** Tirar desordenadamente o tirar entre varios.— **Aysahuana,** Tirarme o tirarte.— **Aysarana,** Tirar con tesón y porfía.

AYSARINA, v. r. Estirarse; desperezarse.

AYSAY, n. Tirón.

AYUNA, v. n. ante. Adulterar.

AYUSHCA, p. p. ante. Deshonrado por el adulterio; decíase del marido de la adúltera.

AZHAN, adv. Boca arriba; supino.

AZHANNICUNA, v. n. Hallarse una persona boca arriba o en situación supina.

BA, part. que denota genitivo, posponiéndose al pronombre CAM, de segunda persona de singular; vga. "Camba cullqui": "Tu dinero". Escribimos CAM, en la composición, por conformarnos con la ortografía castellana.

BAG, part. usada del mismo modo que BA, a voluntad del que habla o escribe.

BAMBA, n. Planicie. Es variación de **Pampa** y se usa en palabras compuestas.

BAMBA, n. Raíz adventicia de ciertos árboles, abultada lateralmente en forma de tablón.

BARDUN, n. Anillo de beta en que se asegura el timón del arado, sujetándolo contra el yugo.

BATU, adj. Grueso; tosco; basto; grosero.

BATUCARA, adj. De cáscara o piel gruesa; pelejudo.

BAYAN. n. Planta de la familia de las Sinantéreas. Da madera útil para los cercados rurales.

BICHU, n. Escorbuto; tabardillo.

BICHUNA, v. n. Contraer escorbuto o tabardillo.

BIGBIG, n. Planta de la familia de las Melastomáceas, útil para la construcción de cercados y casas de campo.

BIJAU, n. Planta cuyas hojas sirven para resguardar de la humedad algunos paquetes o cargas de viaje (Heliconia Bihay).

BIÑAN, n. Larva de ciertos insectos perjudiciales en los sembrados.

BIÑAU, n. Lo mismo que **Biñan.**

BIZI, n. Becerro. La palabra quichua parece provenir de la castellana.

BUGLAG, n. Ave montés, pintada de negro y amarillo y bastante fétida (Cassicus leucorhamphus Bp.?).

BURA, n. Véase **Matequillcana.**

BUGZU, adj. Pequeño; de catadura ruín.

BUNGA, n. Especie de moscardón.

BUTI, adj. Pequeño; pigmeo; redrojo.

A, partícula que, pospuesta a nombres, en composición, equivale al artículo definido el, la; vga. "Runaca": "El Indio"; "Sarun punzhaca": "El día de anteayer"; "Chayshugca": "El otro".

CA, partícula que pospuesta a verbos, viene a ser conjunción condicional; vga. "Munashpaca, micungui": "Si lo deseas, estarás comiendo".

CA, interj Que se pospone e incorpora a los verbos, por ejemplo: "Ricunguimanca!": "Viéraslo tú!"

CACA, n. Peña; roca.

CACA, n. Caspa, en la cabeza de los niños.

CACUG, p. a. El que friega, refriega o soba.

CACUNA, v. a. Fregar; refregar; sobar.— **Cacugrina,** Ir a fregar.— **Cacucuna,** Estar fregando.— **Cacumuna,** Venir fregando o después de fregar.— **Cacuchina,** Hacer fregar.— **Cacurina,** Fregarse.— **Cacunacuna,** Fregar entre dos o más.— **Cacuhuana,** Fregarme o fregarte.— **Cacucarana,** Fregar incesantemente.

CACUSHCA, p. p. Fregado; sobado.

CACUY, n. Friega; refregón; sobo.

CACHACACHA, n. ant. Centella.

CACHAG, p. a. El que envía; remitente.

CACHANA, v. a. Enviar; mandar; remitir.— **Cachagrina,** Ir a enviar.— **Cachacuna,** Estar enviando.— **Cachamuna,** Venir después de enviar.— **Cachachina,** Hacer que otro envíe.— **Cachanacuna,** Enviarse unos a otros.— **Cachahuana,** Enviarme o enviarte.— **Cacharana,** Enviar constantemente.— Este verbo entra frecuentemente en composición con otros, posponiéndose a las radicales de ellos; vga. **"Apachana",** Enviar a traer, **"Tapuchana",** Enviar a preguntar.

CACHAPURIG, n. ant. Alcahuete.

CACHARIG, p. a. El que suelta.

CACHARINA, v. a. Soltar.— **Cacharigrina,** Ir a soltar.— **Cacharicuna,** Estar soltando.— **Cacharimuna,** Venir después de soltar o soltando.— **Cacharichina,** Hacer soltar.— **Cacharirina,** Soltarse.— **Cacharihuana,** Soltarme o soltarte.

CACHARISHCA, p. p. Suelto.

CACHASHCA, p. p. Enviado; remitido.

CACHAY, n. Envío; remesa.

CACHCA, adv. de pond. Tánto; tán.

CACHI, n. Sal.

CACHIYANA, v. r. Cambiarse en sal.

CACHICHI, n. Saladura.

CACHICHIG, p. a. El que sala.

CACHICHINA, v. a. Salar.— **Cachichigrina,** Ir a salar.— **Cachichicuna,** Estar salando.

CACHICHURANA, n. Salero.

CACHIGUZU. n. Pantano de sal; salitral.

CACHIGUAYCU, n. Quebrada de sal.

CACHINA, v. a. Hacer que una cosa sea o exista.

CACHISAPA, adj. Lleno de sal.

CAHIYACU, n. Agua de sal o salada; salmuera.

CADI, n. Palma que da el corozo o tagua (Phitelephas macrocarpa R. et. P.).

CAG, p. a. El que es; el que existe; el que está.

Cahui

CAHUI, n. Batido de algún potaje; embrollo de algún asunto.

CAHUIG, p. a. El que bate alguna cosa; el que forma algún embrollo.

CAHUINA, v. a. Batir algún potaje; embrollar algún asunto.— **Cahuigrina,** Ir a batir.

CAHUISHCA, p. p. Cosa batida.

CAHUITU, n. Tarima alta; alacena.

CALAHUALA, n. Llámanse así dos plantas: el **Polypodium calahuala** de los botánicos y una especie de **Euphorbia** usada por el pueblo como purgante drástico.

CALCHA, n. Forraje de cañas y hojas de maíz; heno de esta planta.

CALCHAG, p. a. El que siega el maíz, para cosecharlo.

CALCHANA, v. a. Segar las matas del maíz en estado de cosecha.— **Calchagrina,** Ir a segar el maíz.

CALCHAY, n. Siega de maíz maduro.

CALUG, adj Cosa mal cocinada.

CALLAG, n. Tallo maduro del maíz, que sirve para combustible; cercados de corta duración.

CALLAMBA, n. Hongo.

CALLANA, n. Tiesto.

CALLARI, n. Principio; comienzo de cualquiera cosa.

CALLARICUG, p. a. El que está principiando apenas alguna cosa.

CALLARIG, p. a. El que principia o comienza.

CALLARINA, v. a. Principiar; comenzar.— **Callarigrina,** Ir a principiar.— **Callaricuna,** Estar principiando.— **Callarimuna,** Venir principiando o después de haber principiado.— **Callarichina,** Hacer principiar.— **Callarinacuna,** Ayudar a principiar.

CALLARISHCA, p. p. Principiado; comenzado.

CALLAY, n. Lo mismo que **Callari.**

CALLAYMANTA, adv. Desde el principio; de lleno; totalmente.

CALLMA, n. ant. Rama.

CALLPACHINAYUYU, n. desus. Yerba para hacer correr; varias especies de Genciana.

CALLPAG, p. a. El que corre.

CALLPANA, v. n. Correr.— **Callpagrina,** Ir a correr.— **Callpacuna,** Estar corriendo.— **Callpamuna,** Venir corriendo o después de haber corrido.— **Callpachina,** Hacer correr.— **Callpanacuna,** Correr entre varios.— **Callparana,** Correr habitualmente.

CALLPAY, n. Corrida; carrera.

CALLU, n. Lengua. Idioma. Cada una de las dos piezas de que se compone una ruana o poncho.

CALLUA, n. Instrumento que sirve en los telares de los indios para ajustar el tejido, después de pasar cada hebra de la trama.

CALLUSAPA, adj. Deslenguado; hablador; charlatán.

CAMA, prep. Hasta. Pospónese a nombres o verbos, formando con ellos una sola palabra; vga. "Cayacama": "Hasta mañana"; "Pay shamungacama": "Hasta que él venga"

CAMAG, p. a. El que manda, ordena, cuida o provee.

CAMANA, v. a. Mandar; ordenar; gobernar; proveer; cuidar.

CAMARI, n. Regalo; presente; obsequio de alguna cosa.

CAMARIG, p. a. El que obsequia o regala algo.

CAMARINA, v. a. Obsequiar; regalar.— **Camarigrina,** Ir a obsequiar.— **Camaricuna,** Estar obsequiando.

CAMARISHCA, p. p. Obsequiado; regalado.

CAMASHCA, p. p. Mandado; dispuesto; proveído.

CAMAY, n. Mandato; disposición; precepto; providencia.

CAMAYUG, adj. El que tiene autoridad o mando.

CAMBA o **cambag,** adj. pos. Tuyo.

CAMCHA, n. Tostado.

CAMCHANA, v. a. Tostar.— **Camchagrina,** Ir a tostar.— **Camchacuna,** Estar tostando.— **Camchamuna,** Venir después de tos'ar.— **Camchachina,** Hacer tostar.— **Camcharina,** Tostarse.— **Camchanacuna,** Ayudar a tostar.— **Camcharana,** Tostar habitualmente.

Camcha

CAMCHASHCA, p. p. Cosa tostada.

CAMCHASHIMI, adj. Hablador indiscreto; que tiene la boca en constante ruido, como el grano que se tuesta.

CAMCHAY, n. El acto de tostar.

CAMI, n. Murmuración; insulto; dicterio.

CAMIG, p. a. El que murmura, insulta o denigra.

CAMINA, v. a. Insultar; murmurar; denigrar.— **Camigrina,** Ir a insultar.— **Camicuna,** Estar insultando.

CAMISHCA, p. p. Insultado.

CAMUTI, n. Planta y tubérculo de la **Batata edulis** de los botánicos.

CAN, pron. Tú; Usted.

CANCUNA, pron. Forma plural de **Can.** Vosotros; as; Ustedes.

CANA, n. Lo futuro; lo por venir.

CANA, v a. Ser.— **Cagrina,** Ir a ser.— **Cacuna,** Estar a punto de ser.

CANA, v. n. Estar; residir; permanecer.

CANAYUYU, n. Planta herbácea forrajera (Especie de **Sonchus**).

CANCAN, n. Pavo montés.

CANCHA, n. Cerado; cerramiento.

CANCHALAHUA, n. Planta medicinal (Erythrae a quitensis H.)

CANCHIS, adj. num. Siete.

CANCHISCHUNGA, adj. num. Setenta

CANCHISCHUNGANIQUI, adj. num. desus. Septuagésimo.

CANCHISNIQUI, adj. num. desus. Séptimo.

CANCHISPASAG, adj. num. Setecientos.

CANCHISPASAGNIQUI, adj. num. desus. Septingentésimo.

CANGUIL, n. Especie de maíz fino.— Neblina o vapor muy tenue.

CANHUAN, pron. y prep. Contigo.

CANIG, p. a. El que muerde.

CANINA, v. a. Morder.— **Canigrina,** Ir a morder.— **Canicuna,** Estar mordiendo.— **Canimuna,** Venir mordiendo.— **Canichina,** Hacer morder.— **Caninacuna,** Morderse recíprocamente.— **Canirina,** Morderse.— **Canihuana,** Morderse o morderte.— **Canirana,** Morder una y otra vez.

CANIRINA, v. r. Remorderse alguna cosa.

CANIRISHCA, p. p. Remordido.

CANISHCA, p. p. Mordido.

CANMAN, pron. y prep. Para tí; para usted; a tí; a usted.

CANMANTA, pron. y prep. Por tí; por usted.

CANMANTACA!, interj. A ser por tí! Lo que es por tí!

CANTA, pron. en acus. A tí; a usted.

CANZHA, adv. Afuera.

CANZHAMAN, adv. Hacia afuera.

CANZHAMANTA, adv. De fuera; de afuera.

CANZHAPI, adv. En la parte de fuera; afuera.

CAÑARU, n. Arbol de la familia de las Leguminosas (Erytrina umbrosa).

CAPACHU, n. Zurrón de cuero. Concha del cangrejo o de otros animales que la tienen.

CAPAG, adj. Brillante; lozano; sobresaliente.

CAPAGHUASI, n. Antiguo Palacio.

CAPARI, n. Grito.

Capari

CAPARI, p. a. El que grita.

CAPARINA, v. a. Gritar.— **Caparigrina**, Ir a gritar.— **Caparicuna**, Estar gritando.— **Caparimuna**, Venir gritando o después de haber gritado.— **Caparichina**, Hacer gritar.— **Caparinacuna**, Gritar entre dos o más.— **Caparihuana**, Gritarme o gritarte.— **Caparirana**, Gritar por repetidas veces.

CAPARINACUY, n. Gritería.

CAPARIRAG, adj. Gritón.

CAPARISHCA, p. p. Gritado.

CAPCA, adj Mal cocido; a medio cocer.

CAPCHINA, v. a. Magullar alguna cosa; retorcerla.

CAPI, n. Acto de exprimir.

CAPIAG, adj. Pasmado; fofo; sin consistencia.

CAPIG, p. a. El que exprime.

CAPINA, v. a. Exprimir; ordeñar.— **Capigrina**, Ir a exprimir.— **Capicuna**, Estar exprimiendo.— **Capimuna**, Venir después de exprimir.— **Capichina**, Hacer exprimir.— **Capinacuna**, Ayudar a exprimir.— **Capirana**, Exprimir por mucho tiempo.

CARA, n. Piel; pellejo; cuero; corteza.

CARACHA, n. Sarna; costra de alguna escoriación; enconadura.

CARACHA! interj. Caramba!

CARACHASAPA, adj. Sarnoso.

CARACHU!, interj. Lo mismo que **Caracha!**

CARAG, p. a. El que da de comer.

CARANA, v. a. Dar de comer.— **Caragrina**, Ir a dar de comer.— **Caracuna**, Estar dando de comer.— **Caramuna**, Venir después de haber dado de comer.— **Carachina**, Hacer que otro dé de comer.— **Caranacuna**, Ayudar en la operación de dar de comer.— **Carahuana**, Darme o darte de comer.

CARAPACHU, n. Véase **Capachu**.

CARASAPA, adj. Cascarudo; de cortesa basta y tosca.

CARAY!, interj. Caramba!

CARCUG, p. a. El que echa o despide; el que arrea bestias.

CARCUNA, v. a. Echar o despedir; arrear.— **Carcugrina**, Ir a echar.— **Carcucuna**, Estar echando.— **Carcumuna**, Venir echando o después de haber echado.— **Carcuchina**, Hacer echar.— **Carcumunacuna**, Ayudar a echar.— **Carcuhuana** Echarme o echarte.— **Carcurana**, Echar reiteradamente.

CARCUSHCA, p. p. Echado; despedido; arreado.

CARCUY, n. Acto de echar, despedir o arrear.

CARI, n. Varón o animal macho.

CARI, adv. de pond. Ese sí que; no por cierto.

CARI, adj. Valiente; esforzado; robusto.

CARIUCHU, n. Comida de papas cocidas y sazonadas sólo con sal y ají.

CARISHINA, adj. Mujer poco apta para las labores domésticas propias de su sexo; hembra que parece varón; hombruna.

CARPA, n. Toldo o tienda de campaña.

CARU, adj. Distante; lejano.

CARU, adv. Lejos.

CARUYAY, n. Acto de alejarse.

CARUYANA, v. n. Alejarse.— **Caruyagrina**, Irse a alejar.— **Caruyacuna**, Estarse alejando.— **Caruyamuna,** Empezar a alejarse.— **Caruyachina,** Hacer que una persona o una cosa se alejen.

CARUYASHCA, p. p. Alejado.

CARURAY, n. Acto de alejarse.

CASAG, p. a. Que hiela; heladero.

CASANA, v. n. Helar.— **Casagrina,** Ir a helar.— **Casacuna,** Estar helando.— **Casamuna,** Empezar a helar.— **Casachina,** Hacer helar.— **Casarana,** Helar reiteradamente.

CASASHCA, p. p. Helado.

CASAYPAG, adj. Que puede helar.

CASCU, n. ant. Pecho.

Casi

CASI, adj. Quieto; sosegado; tranquilo.

CASIANA, v. r. Sosegarse; tranquilizarse; aquietarse.

CASICHINA, v. a. Lo mismo que **Casi.**

CASNA, adv. Así; de este modo.

CASPA, n. Mazorca en estado de madurez.

CASPA, n. Escamas de la cabeza. Parece que el castellano ha tomado también del quichua la palabra **Caspa.**

CASPAG, p. a. El que chamusca.

CASPANA, v. a. Chamuscar.— **Caspagrina,** Ir a chamuscar.— **Caspacuna,** Estar chamuscando.— **Caspamuna,** Venir después de chamuscar.— **Casparina,** Hacer chamuscar — **Caspanacuna,** Ayudar a chamuscar. **Casparana,** Chamuscar una y otra vez.

CASPASHCA, p. p. Chamuscado.

CASPAYANA, v. r. Madurar la mazorca del maíz, o convertirse el choclo en mazorca.— **Caspayagrina,** Ir a madurar.

CASPI, n. Palo; tronco; madero.

CASPI, adj. Cosa tiesa y dura como madera.

CASPIAG, adj. Que se endurece como palo.

CASPIANA, v. r. Endurarse a modo de palo.

CASPIASHCA, p. p. Endurecido como madera.

CASPICUNGA, adj. Cuellitieso; cuellierguido.

CASTUG, p. a. El que masca.

CASTUNA, v. a. Mascar.— **Castugrina,** Ir a mascar.— **Castucuna,** Estar mascando.— **Castumuna,** Venir mascando o después de haber mascado.— **Castuchina,** Hacer mascar.— **Casturina,** Mascarse.— **Castunacuna,** Mascar desordenadamente o mascarse unos a otros.— **Castuhuana,** Mascarme o mascarte.— **Casturana,** Mascar una y otra vez.

CASTUSHCA, p. p. Mascado.

CASTUY, n. Acto de mascar.

CASHA, n. Espina.

CASHAMARUCHA, n. Pequeña planta de la familia de las Compuestas. Es el Xanthium catharticum de H.— Su nombre quiere decir "Oruga o ninfa de espina", aludiendo a la forma del fruto.

CASHASAPA, adj. Espinoso; erizado de espinas.

CATA, n. Cobija, frazada. Cubierta de un edificio.

CATALLINA, v. r. Cobijarse.— **Catalligrina,** Ir a cobijarse.

CATALLISHCA, p. p. Cobijado.

CATANA, v. a. Cobijar.— **Catagrina,** Ir a cobijar.— **Catacuna,** Estar cobijando.— **Catamuna,** Venir cobijando o después de haber cobijado.— **Catachina,** Hacer cobijar.— **Catanacuna,** Ayudar a cobijar.— **Catarina,** Cobijarse.— **Catahuana,** Cobijarme o cobijarte.— **Catarana,** Cobijar una y otra vez.

CATASHCA, p. p. Cobijado.

CATAY, n. Acto de cobijar.

CATI, n. Seguimiento; persecución.

CATICHIG, adj. El que hace seguir o perseguir. El remedador. El que resiembra una sementera que ha sido rala.

CATICHINA. v. a. Hacer seguir o perseguir. Resembrar una sementera rala. Remedar o imitar maliciosamente.

CATICHISHCA, p. p. Resembrado; remedado; mandado perseguir.

CATIG, p. a. El que sigue o persigue. El inmediato posterior en edad, en orden, etc.

CATINA, v. a. Seguir; perseguir; suceder en orden, jerarquía, tiempo, etc.— **Catigrina**, Ir a seguir.— **Caticuna**, Estar siguiendo.— **Catimuna**, Venir siguiendo.— **Catichina**, Hacer seguir.— **Catirina**, Seguirse.— **Catinacuna**, Seguir entre varios.— **Catihuana**, Seguirme o seguirte.— **Catirana**, Andar en seguimiento.

CATINA, v. ant. Contagiar algún accidente.

CATIPI, adv. En seguida; inmediatamente después; a continuación.

CATIRAY, n. Persecución; seguimiento porfiado y constante.

CATIRI, adj. Bermejo; rubio.

CATIRIG, adj. El que sigue.

CATISHCA, p. p. Seguido; perseguido; imitado.

CATISHCA, p. p. Contagiado, tratándose de algún accidente.

CATQUINA, n. ant. Mondadientes.

CATU, n. Lugar en que algo se vende; mercado. vga. "Tandacatu": "Venta de pan".

CATUG, p. a. El que vende; vendedor.

CATUNA, v. a. Vender.— **Catugrina**, Ir a vender.— **Catucuna**, Estar vendiendo.— **Catumuna**, Venir después de haber vendido.— **Catuchina**, Hacer vender.— **Caturina**, Venderse.— **Catunacuna**, Vender entre dos o más.— **Catuhuana**, Venderme o venderte.— **Caturana**, Vender habitualmente.

CATURIPAG, adj. Cosa que puede venderse; vendible.

CATUSHCA, p. p. Cosa vendida.

CATUY, n. Venta.

CATUYPAG, adj. Cosa que debiera venderse.

CAUCA, adj. Véase **Capca**.

CAUCHU, n. Cordel de hebras torcidas. Goma elástica o jebe.

CAUCHUG, p. a. El que tuerce cordeles, sogas, etc.

CAUCHUNA v. a. Torcer cordeles o fabricar sogas.— Retorcer alguna cosa.

CAUPUG, p. a. El que tuerce hilo para mantas.

CAUPUNA, v. a. Torcer hilo para tejidos o costura.— **Caupugrina**, Ir a torcer.— **Caupucuna**, Estar torciendo.— **Caupumuna**, Venir torciendo o después de haber torcido.— **Caupuchina**, Hacer torcer.— **Caupurina**, Torcerse.— **Caupunacuna**, Ayudar a torcer.— **Caupurana**, Torcer constantemente.

CAUPUSHCA, p. p. Torcido (hilo).

CAUPUY, n. Acto de hacer hilo.

CAUSACUG, adj. El que está viviendo. El que sigue habitando en algún edificio o lugar.

CAUSAG, p. a. El que vive. El que habita en determinado lugar.

CAUSANA, v. n. Vivir; habitar.— **Causagrina**, Ir a vivir.— **Causacuna**, Estar viviendo.— **Causamuna**, Seguir viviendo.— **Causachina**, Hacer vivir, revivir.— **Causarina**, Revivir.— **Causarana**, Vivir por largo tiempo.

CAUSARISHCA, p.p. Revivido; resucitado.

CAUSASHCA, p. p. Vivido. Punto habitado.

CAUSAY, n. Vida; existencia del hombre y de los animales.

CAUSAYPAG, adj. Viable. Lugar donde puede vivirse con alguna comodidad.

CAY, adj. demostrat. Este.

CAYA, n. El día de mañana.

CAYACAMA, interj. de desp. Hasta mañana.

CAYAG, p. a. El que llama.

CAYAMINCHA, adv. Mañana o pasado mañana.

CAYANA, v. a. Llamar.— **Cayagrina**, Ir a llamar.— **Cayacuna**, Estar llamando.— **Cayamuna**, Venir llamando o después de haber llamado.— **Cayachina**, Hacer llamar.— **Cayarina**, Llamarse.— **Cayacuna**, llamar varios o llamarse recíprocamente.— **Cayahuana**, Llamarme o llamarte.— **Cayarana**, Llamar una y otra vez.

CAYANDI, n. El día siguiente; el de mañana.

CAYANDI, adv. Al día siguiente.

CAYASHCA, p. p. Llamado.

CAYAY, n. Llamamiento.

CAYCA, adv. He aquí; toma.

CAYLLA, adj. Este solo.

CAYLLAPI, adv. Aquí no más; aquí cerca.

CAYMAN, adv. Para acá; hacia este lado.

CAYMANTA, adv. De aquí; de este lado.

CAYMANTAPACHA, adv. Desde aquí; desde este punto.

CAYNA, n. El día de ayer.

CAYNA, adv. Ayer.

CAYNAG, p. a. El que emplea o gasta el día entero en alguna ocupación o diligencia.

CAYNANA, v. n. Emplear el día todo en alguna ocupación. Dilatar indebidamente hasta la tarde o la noche en cosa que pudo haberse hecho más pronto.

CAYNIGMAN, adv. Para acá; hacia este lado; más acá.

CAYNIGMANTA, adv. De este lado de acá; de más acá.

CAYNIGPI, adv. En este punto de más acá.

CAYPAG, adj. Cosa posible, hacedera.

CAYPAG, genit. del pron. cay. De éste.

CAYPI, adv Aquí.

CAYPICHAYPI, adv. Aquí, acullá; a trechos distantes.

CAYSHUNG, adj. demost. Este otro.

CAYTA, adv. Por aquí.

CAZARAG, adj. El que se casa. Este y los demás vocablos de su familia filológica son manifiestamente derivados del idioma castellano.

CAZARANA, v. r. Casarse.— **Cazaragrina,** Ir a casarse.— **Cazaracuna,** Estar casándose.— **Cazaramuna,** Venir después de casarse.— **Cazarachina,** Hacer casar.

CAZARASHCA, p. p. Casado.

CAZARAY, n. Casamiento, matrimonio.

CAZARAYPACHA, n. Epoca de poder casarse. Pubertad. Tiempo del matrimonio.

CAZARAYPAG, adj. Casadero; núbil.

Cazaray

CU, Partícula de composición verbal, que denota continuación de un acto presente, como en "Shamucuna": "Estar viniendo".

CUBILAN, n. Pequeño arbusto de la familia de las Sinantéreas (Eupatorium vaccinioides).

CUCA, n. ant. Pecuga.

CUCAYU, n Fiambre.

CUCAYUNA, v. a. Hacer fiambre.

CUCU, n. Fantasma enemigo; duende.

CUCUYU, n. Luciérnaga de tamaño mayor que la de temperamento frío.

CUCHA, n. Lago; laguna.

CUCHA, n. Almáciga; semillero. Tanda o suerte de cosas que pueden alternar en orden sucesivo.

CUCHAYANA, v. r. Inundarse algún lugar; convertirse en lago.

CUCHI, n. Puerco; cerdo. (Suz europeus).— **Sachacuchi,** Puerco montés. Véase **Saginu**

CUCHICHUGU, n. Ave de menor tamaño que un mirlo.

CUCHICHUPA, n. Planta del orden de las Criptógamas. (Varias especies de Polypodium).

CUCHICAMA, n. Pastor de puercos; porquerizo.

CUCHICHICAMA, n. Planta herbácea del género **Commelina.**

CUCHISIA, n. Planta herbácea de parajes inundados, vulgarmente llamada **Solimanillo** (Polygonum persicaria).

Cuchicama

CUCHU, n. Rincón.

CUCHU, cuchilla, adj. Cercano; inmediato.

CUCHUG, p. a. El que corta.

CUCHULLAPI, adv. Muy cerca.

CUCHUNA, v. a. Cortar.— **Cuchugrina,** Ir a cortar.— **Cuchucuna,** Estar cortando.— **Cuchumuna,** Venir cortando o después de cortar.— **Cuchuchina,** Hacer cortar.— **Cuchunacuna,** Cortar entre varios.—

Cuchuhuana, Cortarme o cortarte.— **Cuchurana,** Cortar con mucha frecuencia.

CUCHUNCHINA, v. a. Arrinconar. Aislar a una persona y dejarla como olvidada.

CUCHUNCHISHCA, p. p. Arrinconado; aislado; postergado.

CUCHUPAU, n. Pájaro de los pajones. (Gallinazo Jamesoni Bp?).

CUCHUPI, adv. Cerca de; junto a; en el rincón.

CUCHUSHCA, p. p. Cortado.

CUCHUY, n. Corte; sección.

CUG, p. a. El que da.

CUGUL, n. Tierra cretácea y estéril.

CUGLAG, n. Clueca.

Cugul

CUGLAGYANA, v. r. Cloquear.

CULLA, (Por corrupción **colla**), n. Planta arborescente, de la familia de las Compuestas (Polymnia?).

CULLCU, n. Tronco, especialmente si es algo pasmado.

CULLCU, n. ant. Tabla.

CULLMINA, v. a. ant. Cubrir el fuego con ceniza, para que se conserve.

CULLQUI, n. Plata; moneda; dinero.

CULLQUICAMA, n. Tesorero.

CULLQUICHINA, o **Cullquinchina,** v. a. Platear.

CULLQUICHISHCA o **Cullquinchishca,** p. p. Plateado.

CULLU, n. Tronco pasmado.

CULLUNA o **Cullurina,** v. r. Pasmarse un madero o cosa análoga.

CUMAR, n. Véase **Camuti.**

CUMAR, adj. ant. Verde.

CUMARYANA, v. r. ant. Verdear.

CUMBA, n. Cumbrera. Remate superior de la cubierta de una casa. No hay duda de que el vocablo quichua proviene del castellano.

CUMBANA, v. a. Rematar la parte superior de un edificio.

CUMI, adj. ant. Machorra.

CUMU, n. Corcova; joroba. Inclinación de un tronco o cosa semejante.

CUMU, adj. Corcovado; jorobado.

CUMURINA, v. n. Inclinarse; agacharse.— **Cumurigrina,** Irse a inclinar, etc.

CUMURISHCA, p. p. Inclinado; agachado.

CUMUYANA, v. r. Inclinarse; agobiarse.

CUNA, part. que denota número plural, posponiéndose a nombre o pronombre y aún a verbo; por ejemplo: "Runacuna": "Los indios", — "Huambracuna": "Los niños", — "Pugllancuna": "juegan". Se exceptúa el plural del pronombre **Ñuca,** que es **Ñucanchi** y no **Ñucacuna.**

CUNA, v. a. Dar.— **Cugrina,** Ir a dar.— **Cucuna,** dando.— **Cumuna,** Venir dando o después de dar.— **Cuchina,** Hacer dar.— **Curina,** Darse.— **Cuhuana,** Darme o darte.

CURINA, v. r. Darse un fruto en determinado lugar.

CUNAG, p. a. El que aconseja, amonesta o reprende.

CUNAN, adv. Ahora; al presente.

CUNANA, v. a. Aconsejar; amonestar; reprender de palabra.— **Cunagrina,** Ir a aconsejar.— **Cuncuna,** Estar aconsejando.— **Cunamuna,** Venir aconsejando o después de aconsejar.— **Cunachina,** Hacer aconsejar.— **Cunahuana,** Aconsejarme o aconsejarte.

CUNANLLA, adv. Hace poco; ahora no más; en este momento.

CUNANMANTA, adv. De hoy en adelante.

CUNANMANTAPACHA, adv. Desde hoy en adelante.

CUNANPACHA, adv. Hoy precisamente; en esta misma época.

CUNANPUNZHA, adv. En el día de hoy.

CUNASHCA, p. p. Aconsejado; amonestado.

CUNAY, n. Consejo; amonestación; reprensión verbal.

CUNDUR, n Buitre de los Andes(Vultur griphus).

CUNDURSHILLU, n. Planta medicinal, de la familia de los Líquenes.

CUNGA, n. Pescuezo; cuello; garganta.

CUNGAG, p a. El que se olvida.

CUNGAGLLA, adj. Olvidadizo.

CUNGANA, v. a. Olvidar.— **Cungagrina,** Ir a olvidar.— **Cungacuna,** Estar olvidando.— **Cungamuna,** Venir olvidando.— **Cungachina,** Hacer olvidar.— **Cungacuna,** Olvidar entre varios.— **Cungarina,** Olvidarse.— **Cungahuana,** Olvidarme u olvidarte.— **Cungarana,** Olvidar una y otra vez.

CUNGASAPA, adj. Cuellilargo.

CUNGASHCA, p. p. Olvidado.

CUNGAY, n. Olvidado.

CUNGAYPAG, adj. Que puede o que se puede olvidar.

CUNGURI, n. Rodilla.

CUNGURIG, p. a. El que se arrodilla.

CUNGURINA, v. n. Arrodillarse.— **Cungurigrina,** Ir a arrodillarse.— **Cunguricuna,** Estar arrodillándose.— **Cungurimuna,** Venir después de haberse arrodillado.— **Cungurichina,** Hacer que otro se arrodille.— **Cungurirana,** Estar constantemente arrodillado.

CUNGURISAPA, adj. Rodilludo.

CUNGURISHCA, p. p. Arodillado.

CUNU, n. Conejo. La palabra quichua es manifiestamente derivada de la castellana (Lepus americanus Desm).

CUNUCHIG, p. a. El que calienta.

CUNUCHINA, v. a. Calentar; abrigar.— **Cunuchigrina,** Ir a calentar.— **Cunuchicuna,** Estar calentando.— **Cunuchimuna,** Venir trayendo lo calentado o calentándolo en el camino.— **Cunuchichina,** Hacer que otra persona caliente.— **Cunuchirina,** Calentarse de suyo.— **Cunuchihuana,** Calentarme o calentarte.— **Cunuchirana,** Calentar una y otra vez.

CUNUCHISHCA, p. p. Calentado.

CUNUG, adj. Lo caliente.

CUNUGYANA, v. r. Calentarse.

CUNUSHCA, p. p. Calentado.

Cunugyana

CUNY, n. Calor; abrigo. Acto de calentarse o abrigarse una cosa.

CUNYACUG, adj. Cosa inflamada; cosa que está ardiendo.

CUNYAG, p. a. Lo que arde, formando llamas.

CUNYANA, v. a. Arder, formando llamas notables.— **Cunyagrina,** Ir a arder.— **Cunyacuna,** Estar ardiendo.— **Cunyamuna,** Empezar a arder.— **Cunyachina,** Hacer que arda.

CUNYAY, n. Acto de inflamarse, o arder.

CUNZHU, n. Heces de cualquier líquido. Parte sedimentosa de la chicha. **Zurrapas.**

CUNZHUYANA, v. r. Ponerse turbio y sedimentoso un líquido.

CUÑA, n. Moco.

CUÑASAPA, adj. Mocoso.

CUÑASINGA n. Lo mismo que **cuñasapa.**

CUÑU, n. Vulva o partes pudendas de la mujer.

CURACA, n. Antiguo jefe de una parcialidad de indios.

CURCU, adj. Corcovado. La primera voz es deformación de la segunda.

CURCUNA, v. n. desus. Roncar.

CURI, n. Oro.

CURINCHIG. p. p. Dorador.

CURINCHINA, v. a. Dorar.— **Curinchigrina,** Ir a dorar, etc.

CURINCHISHCA, p. p. Dorado.

CURIPITI!, Vocativo interjeccional de ruego. Pedacito de oro! Vida de mi alma! Por favor!

CURIQUINGA, n. Ave del orden de las de rapiña (Falcobaenus carunculatus Des Murs.) En el Norte llaman **Curiquinga** al **Poliborus cherivay** Jacq.

CURPA, n. Bola; esfera.

CURPANA, v. a. Dar a cualquier objeto la forma de una bola.— **Curparina,** Encorvarse; agazaparse.

CURPASHCA, p. p. Encogido; encorvado.

CURU, n. Guzano. Escarabajo. Sabandija. Insecto. Fiera de los bosques, como oso, tigre, leopardo, etc.

CURUG, adj. Lo que se agusana.

CURUNA, v. r. Agusanarse.— **Curugrina,** Ir a agusanarse.— **Curucuna,** Estar agusanándose.— **Curumuna,** Empezar a agusanarse.— **Curuchina,** o **curuyachina,** Hacer que una cosa se agusane.

CURUNDA, n. Tusa o raquis de la mazorca del maíz.

CURUPUÑU, n. Madriguera de barro de ciertos insectos que se reputan ponzoñosos. Esta palabra es una contracción de **curupuñuna,** "lugar de dormir los guzanos".

CURURU, n. Ovillo.

CURURU, n. Enredo; maquinación; fraude; trampantojo; maraña.

CURURUG, p. a. El que hace un ovillo.

CURURUG, p. a. El que enreda, enmaraña o urde algún fraude.

CURURUNA, v. a. Hacer ovillo.— **Cururugrina,** Ir a hacer ovillo, etc.

CURURUNA, v. a. Enredar o enmarañar un asunto; fraguar alguna maquinación, o fraude.— **Cururugrina,** Ir a enredar.— **Cururucuna,** Estar enredando.— **Cururumuna,** Venir enredando o después de enredar, etc.

CURUSAPA, adj. Cosa llena de gusanos.

CURUSHCA, p. p. Agusanado.

CURUY, n. Agusanamiento.

CUSA, n. Marido; esposo.

CUSACANA. n. Novio.

CUSAG, p. a. El que asa.

CUSAHUAGCHA, n. desus. Viuda.

CUSANA, v. a. Asar.— **Cusagrina, Ir** a asar.— **Cusacuna,** Estar asando.— **Cusamuna,** Venir después de asar.— **Cusachina,** Hacer que ase otra persona.— **Cusanacuna,** Ayudar a asar.— **Cusarina,** Asarse.— **Cusarana,** Asar constantemente.

CUSANDI, adv. Junto con su marido (hablando de la mujer).

CUSASHCA, p. p. Asado.

CUSAY, n. Acto de asar.

CUSAYUG, adj. Mujer que tiene marido; casada.

CUSCU, adj. Maíz de color azulejo o violado.

CUSCUNGU, n. Ave nocturna, especie de buho. (Buho nigrecens Berl. et Taez).

CUSI, adj. Agil; ligero; expedito; diligente; laborioso.

CUSIYANA o **cusiana,** v. r. Aligerarse; llegar a ser ágil y diligente.

CUSILLA, adv. Con agilidad; con prisa; prontamente.

CUSNI, n. Humo.

CUSNI, adj. Cosa de color de humo; plomiza o cenicienta.

CUSNIANA, v. r. Ahumarse. Adquirir color de humo.

CUSNIASHCA, p. p. Ahumado.

CUSNICHIG. p. a. Que produce humo.

CUSNICHINA, v. a. Producir humo. Ahumar.

CUSNICHISHCA, p. p. Ahumado.

CUSNINA, v. r. Humear.— **Cusnigrina,** Ir a humear.— **Cusnicuna, Estar humean-**

do.— **Cusnimuna,** Empezar a humear.— **Cusnirana,** Humear frecuentemente.

CUSNISAPA, adj. Lleno de humo; fumoso.

CUSHA, n. Maridito. Tratamiento cariñoso de la mujer; expresión afectuosa para pedir algún favor.

CUSHCA, p. p. Dado.

CUSHI, n. Alegría; contento; regocijo; placer; festejo.

CUSHI, adj. Alegre; contento; regocijado.

CUSHICHINA, v. a. Alegrar; regocijar.— **Cushichigrina,** Ir a alegrar.— **Cushichicuna,** Estar alegrando.— **Cushichimuna,** Venir alegrando o después de alegrar.— **Cushichihuana,** Alegrarme o alegrarte.

CUSHILLA, adj. Lo mismo que **Cushi.**

CUSHILLA, adv. Alegremente; con regocijo.

CUSHILLU, n. desus. Mono.

CUSHINA, v. r. Alegrarse.— **Cushigrina,** Ir a alegrarse.— **Cushicuna,** Estar alegrándose.— **Cushimuna,** Venir alegrándose o alegre.

CUSHIÑAHUI, adj. Risueño.

CUSHIPACHA, n. Región de la alegría; patria del contento; paraíso.

CUSHISAPA, adj. Lleno de alegría; sumamente contento.

CUSHIUG, adj. Alegre; regocijado.

CUSHMA, n. Poncho pequeño e interior, que usan algunos indios.

CUTAG, p. a. El que muele.

CUTANA, v a. Moler.— **Cutagrina,** Ir a moler.— **Cutacuna,** Estar moliendo.— **Cutamuna,** Venir después de haber molido.— **Cutachina,** Hacer moler.— **Cutanacuna,** Ayudar a moler.— **Cutarina,** Molerse.— **Cutarana,** Moler con mucha frecuencia.

Cutashca

CUTASHCA, p. p. Molido.

CUTCULLI, n. ant. Ternilla de la nariz.

CUTI, n. Vez; ocasion.

CUTICHIG, p. a. El que devuelve. Animal que rumia el alimento. Persona que vomita.

CUTICHINA, v. a. Devolver; restituir.— **Cutichigrina,** Ir a devolver.— **Cutichicuna,** Estar devolviendo.— **Cutichimuna,** Venir después de haber devuelto.— **Cutichichina,** Hacer devolver.— **Cutichirina,** Devolverse.— **Cutichinacuna,** Devolver entre varios o devolverse recíprocamente.— **Cutichihuana,** Devolverme o devolverte.

CUTICHINA, v. n. Rumiar; vomitar. Admite las mismas derivaciones que en la significación de "Devolver".

CUTICHISHCA, p. p. Devuelto; restituído. Rumiado; vomitado.

CUTIG, p. a El que vuelve o regresa.

CUTIMUG, p. a. El que viene de regreso.

CUTIMUNA, v. n. Venir de regreso.— **Cutimugrina,** Prepararse a venir de regreso.— **Cutimucuna,** Estar viniendo de regreso, etc.

CUTIMUSHCA, p. p. Que ha venido de regreso.

CUTIMUY, n. Venida de regreso.

CUTINA, v. n. Volver; regresar.— **Cutigrina,** Ir a volver.— **Cuticuna,** Estar volviendo.—**Cutimuna,** Venir de vuelta.— **Cutichina,** Hacer que vuelva otra persona.— **Cutichinacuna,** Hacer entre varios que una persona o animal vuelva.— **Cutirina,** Volverse; retroceder.

CUTIRINA, v. r. Reponerse una persona o un animal enflaquecidos.

CUTU (Coto, por corrupción), **n.** Bocio; papera.

CUTU, adj. Corto; de muy pequeño tamaño; diminuto.

CUTUCUNGA, adj. Cuellicorto.

CUTUCHANGA, adj. Corto de piernas.

CUTUCHUPA, adj. Rabicorto; mutilado del rabo.

CUTUMAQUI, adj. Corto de manos.

CUTUYAG, p. a. Que se acorta o encoge.

CUTUYANA, v. r. Encogerse.— **Cutuyagrina,** Ir a encogerse.— **Cutuyacuna,** Estar encogiéndose.— **Cutuyamuna,** Empezar a encogerse.— **Cutuyachina,** Hacer que se encoja.

CUTUYASHCA, p. p. Encogido.

CUY, n. Animalejo del orden de los Roedores. (Cavia Cubaya Desm).

CUY, n. El acto de dar; data.

CUYA, (por corrup. **Coya),** n. Princesa.

CUYAG, p. a. El que ama; amante.

CUYANA, v. a. Amar.— **Cuyagrina,** Ir a amar.— **Cuyacuna,** Estar amando.— **Cuyamuna,** Empezar a amar.— **Cuyachina,** Hacer amar.— **Cuyarina,** Amarse.— **Cuyanacuna,** Amarse unos a otros.— **Cuyahuana,** Amarme o amarte.— **Cuyarana,** Amar profundamente.

CUYANACUY, n. Amor recíproco.

CUYAY, n. Amor' afecto; aprecio.

CUYAY, n. Compasión; lástima; ternura; piedad.

CUYAYLLA, adj. Digno de compasión y lástima. Desdichado; miserable.

CUYAYPAG, adj. Digno de ser querido; amable.

CUYCA, n. Lombriz.

CUYCHI, n. Arco iris. Descomposición de la luz en fuentes o aguas pantanosas.

CUYCHUNZHULLI (tripa de cuy), n. Yerba del orden de las Labiadas (Stachis elliptica). Otra de la familia de las Violáceas (Ionidium michrofilum). También se ha llamado así otra, desconocida, propia para curar la elefancia.

CUYHUAÑUNA, n. Yerba umbelífera, venenosa para los cuyes.

CUYLAN, n. Lagartija pequeña.

CUYPAG, adj. Cosa que puede darse.

CUYUCHIG, p. a. El que mueve.

CUYUCHIPAC, adj. Movible.

CUYUCHINA, v. a. Mover.— **Cuyuchigrina,** Ir a mover.— **Cuyuchicuna,** Estar moviendo.— **Cuyuchimuna,** Venir moviendo o después de haber movido.— **Cuyuchirina,** Moverse.— **Cuyuchihuana,** Moverme o moverte.— **Cuyuchirana,** Mover frecuentemente.— **Cuyuchinacuna,** Ayudar a mover.

CUYUCHISHCA, p. p. Movido.

CUYUG, p. a. Cosa que se mueve.

CUYUGLLA, adj. Movedizo.

CUYUNA, v. r. Moverse.— **Cuyugrina,** Ir a moverse.— **Cuyucuna,** Estar moviéndose.— **Cuyumuna,** Venir moviéndose.— **Cuyurina,** Moverse de por sí.

CUYUSHCA, p. p. Movido.

CUYUY, n. Movimiento.

CUYUYPAG, adj. Cosa que puede moverse.

CUZU, n. Larva de algunos insectos.

CUZHA, n. Nido de cualquiera ave.

CUZHANA, v. a. Anidar las aves.— **Cuzhagrina,** Ir a anidar.— **Cuzhacuna,** Estar anidando, etc.

CUZHASHCA, p. p. Anidado.

ABUL, n. Mariposa.

CHACA, n. Puente.

CHACA, adj. desus. Ronco.

CHACANA, n. Camilla; andas; parihuela.

CHACATA, n. Armazón de palos. Cruz.

CHACUTANA, v. a. Desmontar.— **Chacugrina**, Ir a desmontar.— **Chacucuna**, Estar desmontando.— **Chacumuna**, Venir desmontando o empezar a hacer el desmonte.— **Chacuchina**, Hacer desmontar.— **Chacunacuna**, Desmontar entre varios.— **Chacurina**, Desmontarse.— **Chacuna** significa también destrozar una sementera

CHACUSHCA, p. p. Desmontado. Sementera destrozada por hombres o animales.

CHACUY, n. El acto de hacer desmonte o tala.

CHACHACUMA, n. Arbol de buena madera de construcción. (Escallonia Myrtilloides L.)

CHAGCHU, n. Dispersión de cosas desordenadamente regadas.

CHAGCHUNA, v. a. Regar con incuria y desorden granos o cosas análogas, de una o varias especies.— **Chagchugrina**, Ir a regar en desorden, etc.

CHAGCHUSHCA, p. p. Regado en desorden; desparramado.

CHAGCHUY, n. El acto de desparramar.

CHAGLLA, n. Varejón de madera, para edificios, tarimas o cercados.

CHAGLLANA, v. a. Formar tabiques, tarimas, etc. con los varejones llamados **chagllas**.

CHAGLLASHCA, p. p. Enmaderado con varejones y bejucos.

CHAGNA, n. Manea de animales ariscos o golosos

CHAGNANA, v. a. Manear a los animales.

CHAGNASHCA, p. p. Maneado.

CHAGNAY, n. Acto de manear.

CHAGRA, n. Sementera, especialmente de maíz; cualquiera otra mies, aún no madura

CHAGRA, adj. Campesino; rústico; charro.

CHAGRANA, v. a. Tomar choclos, fréjol

u otros granos tiernos, para el gasto del día.

CHAGRU, n. Mezcla de varias cosas heterogéneas. En el norte del Ecuador se llaman así las tiendas en que se venden víveres de muchas clases distintas.

CHAGRUNA, v. a. Mezclar cosas distintas y presentarlas en conjunto.

CHAGRUSHCA, p. p. Mezclado y revuelto

CHAHUA, adj. Cosa cruda.

CHAHUAR, n. Cabuyo; penco.— **Yanachahuar**, penco negro. (Agave americana) **Yuragchahuar**, penco blanco. (Fourcroya gigantea?).

CHAHUARQUIRU, n. El escapo o vástago floral del **Agave americana**.

CHAHUARMISHQUI, n. Miel de cabuyo; pulque

CHAHUAYANA, v. r. Encrudecerse alguna cosa

CHAHUAYASHCA, p. p. Cosa encrudecida.

CHALA, n. Pequeña porción de mies ajena, obtenida por los infelices que la rebuscan en las cosechas.

CHALAG, p. a. El que rebusca en las cosechas de otro las espigas o mazorcas olvidadas en el campo.

CHALANA, v. a. Espigar en cosechas de otro; buscar lo que los cosechadores van dejando por descuido u olvido.

CHALAY, n. El acto de espigar o recoger los residuos de cosecha ajena.

CHALLI, adj. Infiel; inconstante; ingrato; informal; voluble; versátil; falto de lealtad. Mies o fruto degenerados.

CHALLIYANA, o **challiana**, v. r. Dar en ingrato, desleal o inconstante.

CHALLIASHCA, p. p. Persona que ha llegado a ser desleal o voluble. Degenerado.

CHALLPI, n. Andrajo.

CHALLPI, adj. Andrajoso.

CHALLUA, n. Pescado. (El de nuestros ríos menores: será el Arges preñadilla C. et V?).

CHAMANA, n. Pequeño arbusto que tiene reputación de antireumático. (Dodonea viscosa L.)

CHAMBURU, n. Planta frutal de la familia de las Papayáceas.

CHAMICU, n. Estramonio. (Datura stramonium).

CHAMISA, n. Ramas; broza; hojarasca secas, que se queman en las vísperas de una fiesta de pueblo, o sirven para los hornos de tejas y ladrillos.

CHAMBA, n. Terrón; césped.

CHAMBANA, v. a. Calzar o rellenar con césped algún paraje. Levantar algún cerramiento con el propio material.

CHANCA, n. Cosa medio molida o quebrantada.

CHANCACA, n. Panela de azúcar morena, llamada generalmente **Raspadura** o **Rapadura**.

CHANCAG, p. p. El que machaca o quebranta algún grano o cosa semejante.

CHANCANA, v. a. Quebrantar o moler groseramente alguna cosa.

CHANCASHCA, p. p. Cosa quebrantada o groseramente molida.

CHANCAY, n. Acto de quebrantar o moler a medias.

CHANCHU, n. Puerco; cerdo.

CHANGA, n. Pierna.— **Mamachanga**, parte superior de la pierna; muslo.

CHANGA, n. Regazo; falda.

CHANGACHAUPI, n. Entrepiernas.

CHANGANA, v. a. Estrechar las piernas.

CHANGASAPA, adj. Largo de piernas; pernudo.

CHANTA, n. Peluca.

CHANTANA, v. a. Espetarle a una persona algún aviso, intimación o reproche desagradable.

CHAPAG, p. a. El que observa, atisba o sirve de vigía o centinela.

CHAPANA, v. a. Observar; atisbar; servir de vigía o centinela.— **Chapagrina**, Ir a observar o atisbar.— **Chapacuna**, Estar atisbando.— **Chapamuna**, Venir atisbando.— **Chapachina**, Hacer atisbar.— **Chapanacuna**, Atisbar entre dos o más.— **Chaparina**, Atisbarse.— **Chapahuana**, Atisbarme o atisbarte.— **Chaparana,** Atisbar con incesante vigilancia.

CHAPASHCA, p. p. Atisbado; vigilado.

CHAPAY, n. El acto de vigilar o atisbar.

CHAPRA, n. Broza de hojarasca y ramas menudas.

CHAPRANA, v. a. Cercar algún recinto con ramas y hojarasca.

CHAPU, n. Mezcla.

CHAPUCANA, v. a. Mezclar desordenadamente.

CHAPUCAY, El acto de mezclar sin orden ni concierto.

CHAPUG, p. a. El que mezcla o entrevera.

CHAPUNA, v. a. Mezclar; entreverar.— **Chapugrina,** Ir a mezclar.— **Chapucuna,** Estar mezclando.— **Chapumuna,** Venir mezclando.— **Chapuchina,** Hacer mezclar.— **Chapunacuna,** Ayudar a hacer la mezcla desairadamente.— **Chapurina,** Mezclarse.

CHAPUSHCA, p. p. Mezclado.

CHAPUY, n. Acto de hacer la mezcla.

CHAPUYPAG, adj. Mezclable.

CHAQUI, n. Pie. Parte inferior de un árbol, de una montaña o de cualquiera otra cosa.

CHAQUICHIG, p. a. El que seca alguna cosa.

CHAQUICHINA, v. a. Secar algo.— **Chaquichigrina,** Ir a secar.— **Chaquichicuna,** Estar secando.— **Chaquichimuna,** Venir secando o después de haber secado.— **Chaquichinacuna,** Ayudar a secar.

CHAQUIMAQUI, adj. Persona robusta, bien constituída y bizarra.

CHAQUIMUCU, n. Tobillo.

CHAQUINA v. r. Secarse.— **Chaquigrina,** Ir a secarse.— **Chaquicuna,** Estar secándose.— **Chaquimuna,** Venir secándose o empezar a secarse.— **Chaquichina,** véase la palabra.— **Chaquirina,** lo mismo que **Chaquina**

CHAQUICHISHCA, p. p. Secado; seco.

CHAQUISAPA, adj. Patón; patudo.

CHAQUISARUSHCA, n. Huella de los pies; pisada.

CHAQUISHCA, p. p. Seco.

CHARCU, n Especie de gavilán menor que el ordinario.

CHARI, conj. Pues.

CHARIG, adj. El que tiene; persona rica.

CHARINA, n. Concubina.

CHARINA, n. Cosa que se tiene o posee.

CHARINA, v. a. Tener.— **Charigrina,** Ir a tener.— **Charicuna,** Empezar teniendo.— **Charimuna,** Venir teniendo.— **Charichina,** Hacer que otro tenga.— **Charinacuna,** Ayudar a tener.— **Charirina,** Tenerse; sostenerse.— **Charihuana,** Tenerme o tenerte.— **Charirana,** Tener cuidadosamente y no soltar un momento.

CHARISHCA, p. p. Tenido.

CHARQUI, n. Cecina.

CHARQUIG, p. a. El que hace la cecina.

CHARQUINA, v. a. Hacer cecina.— **Charquigrina,** Ir a hacer cecina.— **Charquicuna,** Estar haciendo cecina, etc.

CHARQUISHCA, p. p. Carne tasajeada en cecina.

CHAS, n. Sementera de papas que se da de suyo en el campo donde antes se hizo el saque de las sembradas.

CHASCA, n. Lucero (Venus o Mercurio).

CHASNA, adv. Así; de ese modo.

CHASNACA, frase conjuncional continuat. Así pues; así que; en tal supuesto.

CHASNALLA, adj. Tal cual; corriente; mediano; pasadero.

CHASNALLA!, interj. para impedir algún exceso. Así no más! Basta!

CHASNACHANALLA, adj. Que no pasa de ordinario; menos que regular.

CHASNANA, v. a. Hacer algo del modo que se indica.

CHASNAPISH, conj. adversat. Aún así; así también; sin embargo; no obstante; empero.

CHASNATA, adv. Así mismo; de igual manera.

CHASPAG, p. a. El que chamusca.

CHASPANA, v. a. Chamuscar.— **Chaspagrina,** Ir a chamuscar.— **Chaspacuna,** Estar chamuscando.— **Chaspamuna,** Venir chamuscando o después de haber chamuscado.— **Chaspachina,** Hacer chamuscar.— **Chaspanacuna,** Ayudar a chamuscar.—

Chasparina, Chamuscarse.— **Chaspahuana,** Chamuscarme o chamuscarte.— **Chasparana,** Chamuscar obstinadamente.

CHASPASHCA, p. p. Chamuscado.

CHASPI, n. Sacudimiento; sacudida.

CHASPIG, p. a. El que sacude.

CHASPINA, v. a. Sacudir.— **Chaspigrina,** Ir a sacudir.— **Chaspicuna, Estar sacudiendo.**—**Chaspimuna,** Venir sacudiendo o después de sacudir.—**Chaspichina, Hacer** sacudir – **Chaspinacuna,** Sacudir entre dos o más alborotadamente.— **Chaspirina,** Sacudirse — **Chaspihuana,** Sacudirme o sacudirte.– **Chaspirana,** Sacudir una y otra vez.

CHASPISHCA, p. p. Sacudido.

CHASQUI, n. Recepción; recibo.

CHASQUI, n. ant. Correo de los Incas.

CHASQUIG, p. a. El que recibe.

CHASQUINA, v. a. Recibir.— **Chasquigrina,** Ir a recibir.— **Chasquicuna, Estar** recibiendo.— **Chasquimuna,** Venir después de haber recibido.— **Chasquichina, Hacer** recibir – **Chasquirina,** Recibirse.— **Chasquihuana,** Recibirme o recibirte.— **Chasquinacuna,** Ayudar a recibir o recibirse mutuamente.

CHASQUIPAG, adj. Que bien puede recibir o ser recibido. Aceptable; admirable.

CHASQUISHCA, p. p. Recibido.

CHASQUIRIPAG, adj. Cosa que puede recibirse.

CHAUCHA, adj. Especie de papa más delicada y precoz. Fruta más abultada y sabrosa del Capulí. (Prunus salicifolia H.) En sentido figurado, persona corpulenta y fornida.

CHAUPAU, n. Una ave de las serranías, del tamaño de un mirlo y de color gris amarillento (Grallaria montuosa Lap?).

CHAUPI, n. El punto central de cualquier objeto.

CHAUPI, n. Una mitad de cualquiera cosa. Una parte de ella.

CHAUPI, adj. Medio, a. vga.: "Chaupituta": "Media noche".

CHAUPI, adv. Medio. vga.: "Chaupiyapushca": "a medio arar".

CHAUPIYANA o **chaupiana,** v. r. Dimidiarse alguna cosa.

CHAUPICALLU, adj. De media lengua; balbuciente; tartajoso.

CHAUPIG, p. a. El que parte o divide; partidor; divisor.

CHAUPINA, v. a. Partir; dividir.— **Chaupigrina,** Ir a partir.— **Chaupicuna,** Estar partiendo.— **Chaupimuna,** Venir después de partir.— **Chaupichina,** Hacer partir.— **Chaupinacuna,** Ayudar a partir o partirse algo.— **Chaupirina,** Partirse.

CHAUPINCHISHCA, adj. Partido por la mitad

CHAUPIPAG, adj. Cosa que puede ser dividida; divisible; partible.

CHAUPISHCA, p. p. Dividido; partido.

CHAUPIPUNZHA, n. Mediodía.

CHAUPITUTA, n. Medianoche.

CHAY, adj. demostrat. Ese, a, o. Aquel, lla, llo.

CHAYACHINA, v. a. Acercar alguna cosa, aproximarla.— **Chayachigrina,** Ir a acercar.— **Chayachicuna,** Estar acercando.— **Chayachimuna,** Venir acercando.— **Chayachinacuna,** Ayudar a acercar.

CHAYAG, p. a. El que llega.

CHAYANA, v. n. Llegar.— **Chayagrina,** Ir a llegar.— **Chayacuna,** Estar llegando.— **Chayamuna,** Estar a punto de llegar; hallarse a la vista.— **Chayachina,** Hacer llegar.

CHAYANA, v. r. Cocerse bien algún potaje, grano o legumbre.

CHAYASHCA, p. p. Llegado.

CHAYASHCA, p. p. Bien cocido.

CHAYAY, n. Llegada.

CHAYCA, adv. Hé aquí; hé allí.

CHAYCAMA, adv. Hasta allí; hasta entonces.

CHAYLLA!, interj. Nada más!; Basta!

CHAYLLAMAN, adv. Allá no más; no muy lejos.

CHAYLLAPI, adv. Allí no más; bien cerca.

CHAYMAN, adv. Allá; hacia allá.

CHAYNIG, adj. Lo de más allá.

CHAYNIGMAN, adv. Para más allá; hacia ese paraje de más allá.

CHAYNIGPI, adv. En aquel punto de más allá.

CHAYNIGTA, adv. Por ese punto de más allá.

CHAYRA, adj. Cosa que todavía no está a punto de ser utilizada; cosa a la cual le falta mucho para perfeccionarse; vga. "Mi cunaca Chayrami": "La comida tarda todavía en hallarse lista"; — "Chayrami jallmayca": "Mucho falta para que se acabe la deshierba".

CHAYRAYCU o **Chayricu**, conj. Por eso; por esa razón o causa.

CHAYSHUG, adj. Esotro; aquel otro.

CHAYTA, adv. Por allí; por ahí.

CHAYUG, adj. Rico; acaudalado.

CHAYUGYAG, p. a. El que se enriquece.

CHAYUGYANA, v. r. Enriquecer o enriquecerse.— **Chayugyagrina**, Ir a enriquecerse.— **Chayugyacuna**, Estar enriqueciendo, etc.

CHAYUGYASHCA, p. p. Enriquecido.

CHAYUGYAY, n. Enriquecimiento.

CHAZU, n. Charro; mestizo; campesino blanco.

CHI, partícula que, interpuesta entre las radicales y la desinencia de un verbo, indica que la acción de éste se ejecuta por medio de otra persona; vga.: "Rimachina": 'Hacer hablar".

CHICAMA, n. Planta herbácea, de la familia de las Compuestas. (Polymnia?).

CHICAN, adj. Diverso; distinto; separado; extraño.

CHICAN, adv. Por separado; separadamente.

CHICANCHINA, v. a. Separar; apartar.

CHICANCHISHCA, p. p. Separado; apartado.

CHICANLLAGTA, adj. Idividuo de otro lugar o región. Forastero; extranjero.

CHICANYAG, adj. Que se muda; que se transforma.

CHICANYANA, v. r. Mudarse; transformarse; cambiarse.

CHICANYASHCA, p. p. Cambiado; transformado.

CHICU!, interj. con que se intimida y aparta al becerro, a tiempo de ordeñar, dándole algunos golpes, para que se retire. Significa: Aparta! Quita allá!

CHICUNA, v. a. Intimidar al becerro, dándole de golpes, para que no incomode en el momento del ordeño.

CHICHI, n. Duende; fantasma.

CHICHIRA, n. Yerba de la familia de las Compuestas.

CHICHU, adj. Hembra preñada.

CHICHUCHINA, v. a. Fecundar; empreñar.

CHICHUNA, v. r. Empreñarse; embarazarse· concebir.

CHICHUY, n. Estado de preñez; embarazo.

CHIGCHINA, n. Gurbia.

CHIGNI, n. Odio; aborrecimiento; aversión; antipatía.

CHIGNINA, v. a. Odiar; aborrecer; tener aversión.

CHIGNISHCA, p. p. Odiado; aborrecido; mal visto.

CHIGTA, n. Raja; rendija; hendedura. Abra en el terreno.

CHIGTAG, p. a. El que raja un leño u otra cosa.

CHIGTANA, v. a. Rajar.— **Chigtagrina**, Ir a rajar.— **Chigtacuna**, Estar rajando.— Chigtamuna, Venir rajando o después de rajar.— **Chigtachiana**, Hacer rajar.— **Chigtanacuna**, Ayudar a rajar.— **Chigtarina**, Rajarse.— **Chigtarana**, Estar una cosa notablemente rajada.

CHIGTASHCA, p. p. Rajado; hendido.

CHIHUACU, n. desus. Tordo.

CHIHUILLA, n. Especie de tamal de maíz, envuelto en hojas de idem.

CHIHUILA, adj. Que se aplica a una papa muy ojosa, poco cultivada por serlo.

CHILCA, n. Arbusto de la familia de las Sinantéreas. (Bacharis ambatensis H.)

CHILCHIL, n. Planta herbácea de la misma familia, usada como condimento (Tagetes terniflora H.) Otra especie semejante, pero fétida, se llama **Ayachilchil** (Tagetes multiflora H.)

CHILI, n. Una pequeña planta de la región oriental, perteneciente, según parece, al orden de las Palmas.

CHILUACAN, n. Planta de la familia de las Papayáceas.

CHILLPI, adj. Rajado; rasgado.

CHILLPI, adj. Individuo que tiene leporino y se llama **Huacu.**

CHILLPIG, p. a. El que raja o rasga.

CHILLPINA, v. a. Rajar; rasgar.— **Chillpigrina,** Ir a rajar.— **Chillpicuna,** Estar rajando.— **Chillpimuna,** Venir rajando o después de rajar.— **Chillpichina,** Hacer rajar.— **Chillpinacuna,** Ayudar a rajar o rajar desatinadamente.— **Chillpirina,** Rajarse.

CHILLPISHCA, p. p. Rajado.

CHIMBA, n. La otra banda; la parte fronteriza.

CHIMBA, adj. Lo de la otra banda.

CHIMBAG, p. a. El que pasa a la otra banda de un río.

CHIMBANA, n. Vado de un río.

CHIMBANA, v. a. Pasar a la otra banda de un río; vadear.— **Chimbagrina,** Ir a pasar.— **Chimbacuna,** Estar pasando.— **Chimbamuna,** Venir pasando o después de pasar.— **Chimbachina,** Hacer pasar.— **Chimbanacuna,** Pasar entre varios.

CHIMUL, n. Arbusto de la región oriental, muy bueno para bastones.

CHINA, n. India joven. Sin duda la palabra quichua es tomada del castellano.

CHINCHIMANI, n. Plantita herbácea muy acreditada para la curación de gonorreas (Especie de Drimaria?).

CHINGACHIG, p. a. El que pierde o hace perder alguna cosa.

CHINGACHINA, v. a. Perder o hacer perder algo.— **Chingachigrina,** Ir a perder.— **Chingachicuna,** Estar perdiendo, etc.

CHINGAG, p. a. El o lo que se pierde.

CHINGANA, n. Lugar de venta de comestibles y licor en fiestas de pueblo.

CHINGANA, v. r. Perderse una persona o cosa.— **Chingagrina,** Irse a perder.— **Chingacuna,** Estar perdiéndose, etc.

CHINGASHCA, p. p. Persona o cosa perdidas.

CHINGAY, n. Pérdida.

CHINGAYPAG, adj. Que puede perderse.

CHINI, n. Ortiga.— **Chagrachini,** Ortiga común (Urtica urens L.).— **Jatunchini,** Ortiga de los cercados (U. Magellanica?).— **Urcuchini,** varias especies de **Loasas.**

CHINIG, adj. Lo que causa el escozor de la ortiga.

CHININA, v. a. Ortigar.— **Chinigrina,** Ir a ortigar.— **Chinicuna,** Estar ortigando.— **Chinimuna,** Empezar a ortigar.— **Chinichina,** Hacer que otra persona se ortigue.— **Chinirina,** Ortigarse.— **Chininacuna,** Ortigarse unos a otros.— **Chinihuana,** Ortigarme u ortigarte.— **Chinirana,** Ortigar frecuentemente.

CHINISHCA, p. p. Ortigado.

CHINZHI, n. Corto desayuno de los indios, al despuntar el día.

CHINZHINA, v. r. Desayunarse ligeramente al amanecer.— **Chinzhigrina,** Ir a desayunarse, etc.

CHIPA, n. ant. Mordaza.

CHIPI, n. ant. Pestaña.

CHIPINA, v. n. desus. Pestañar.

CHIPU, n. Insecto de la clase de los Saltones.— **Ugshachipu,** Saltón largo y delgado, que parece una paja.

CHIPUÑUTCU, n. Almíbar guisado con huevos. La palabra quiere decir: "Tuétano de saltón".

CHIQUI, adj. Persona o cosa siniestras, ominosas o de mal agüero.

CHIQUICUY, n. desus. Emulación; envidia.

CHIRACRU, n. ant. Llantén (Plantago major L.).

CHIRACU, adj. Crespo; rizado.

CHIRAGNINA, v. n. Cacarear la gallina.

CHIRAPA, adj. Lo mismo que **Chiracu.**

CHIRAPANA, v. a. Encrespar las plumas de una ave o el cabello de una persona. Regar en desordenada dispersión granos o cosa semejante.

CHIRCHI, n. Andrajo.

CHIRCHI, adj. Andrajoso; pobrete.

CHIRI, adj. Cosa fría.

CHIRIACHINA, v. a. Enfriar.— **Chiriachigrina,** Ir a enfriar, etc.

CHIRIACHISHCA, p. p. Enfriado.

CHIRIAG, p. a. Cosa que se enfría.

CHIRIYANA o **Chiriana,** v. r. Enfriarse.— **Chiriachigrina,** Ir a enfriarse.— **Chiriacuna,** Estar enfriándose.— **Chiriamuna,** Venir enfriándose.— **Chiriarina,** Enfiarse.

CHIRIYASHCA o **Chiriashca,** p. p. Enfriado; frío.

CHIRIAY, n. Enfriamiento.

CHIRICHI o **Chirinchi,** n. Escalofrío.

CHIRIMUYU o **Chirimoyo** por corrup., n. Arbol frutal (Anona Cherimollia Wil.).

CHIRINA, v. n. Hacer frío; sentir frío.— **Chirigrina,** Ir a hacer frío.— **Chiricuna,** Estar haciendo frío.— **Chirimuna,** Empezar a hacer frío.— **Chirihuana,** Hacerme o hacerte frío.— **Chirirana,** Hacer frío muy intenso.— **Chirichina,** Hacer que otro sienta frío.

CHIRISAPA, adj. Friolento.

CHIRISIQUI, n. Plantita herbácea de la familia de las Oxalidáceas. Da una raicilla comestible (Oxalis elegans?).

CHIRU, n. Orangután.

CHIRU, adj. Traposo; lleno de andrajos.

CHIRUTI (Chirote por corrup.), n. Ave de bello plumaje y melodioso canto (Turpialis militaris o Sturnella bellicosa).

CHISHI, n. La tarde.

CHISHIAG, p. a. El que demora o dilata hasta la tarde, con ocupación o sin ella.

CHISHIYANA, o **Chishiana,** v. r. Sobrevenir la tarde. Demorarse alguno hasta la tarde, en cualquiera ocupación.

CHISHITA, adv. Por la tarde.

CHITA (¿derivado de **Chivo**?), n. Cabro (Capra ibex L.).

CHITACAMA, n. Cuidador de cabros; cabrero.

CHITU, n. Véase **Chiruti.**

CHU, Partícula verbal usada comunmente en preguntas y en respuestas, posponiéndola a nombre o a verbo; por ejemplo: "Paychu?" — "Es él?". — "Shamunchu?" — "Viene?". — "Mana paychu?" — "No es él?". — "Mana shamunchu?" — "No viene?". Esta y otras partículas análogas tienen cierta significación explicativa de verbos, como se manifiesta de suyo.

CHUCANA, v. r. Atragantarse o contenerse algo en la garganta.

CHUCU, n. Poste central de madera en algunas casas campestres.

CHUCU, n. Véase **Chuchu.**

CHUCUNA, v. a. Véase **Chuchuna.**

CHUCURILLU, n. Comadreja americana (Mustela alboventris).

CHUCHA, n. Vulva.

CHUCHI, n. Pollo.

CHUCHIPCHI, n. Arbolito montés (Abatia verbascifolia H. B. K.).

CHUCHU, n. Teta; mama. Leche materna de que se alimentan los niños y los animales tiernos.

CHUCHUCA, n. Maíz inmaturo que se guarda seco, después de sancocharlo o tostarlo, para quebrantarlo cuando llegue el caso y preparar la comida llamada también **chuchuca.**

CHUCHUCUG, p. a. Niño o animal tierno que está mamando; mamón.

CHUCHUCHIG, p. a. Mujer o animal hembra que da de mamar.

CHUCHUCHINA, v. a. Dar de mamar; amamantar.

CHUCHUNA, n. Mamadera; biberón.

CHUCHUNA, v. a. Mamar.— **Chuchugrina,** Ir a mamar.— **Chuchucuna,** Estar mamando.— **Chuchumuna,** Venir mamando o después de mamar.— **Chuchuchina,** Dar de mamar.— **Chuchuchinacuna,** Dar de mamar entre dos o más.

CHUCHUSAPA, adj. Pechona.

CHUGCHA, n. ant. Cabellera.

CHUGCHUG, n. Planta de lugares fríos (Calceolaria salicifolia).

CHUGCHUG, p. a. Tembloroso; trémulo.

CHUGCHUMAMA, n. Sapo tamaño y feo, de los lugares ardientes.

CHUGCHUNA, v. n. Temblar.— **Chugchugrina,** Ir a temblar.— **Chugchucuna,** Estar temblando.— **Chugchumuna,** Venir temblando.— **Chugchuchina,** Hacer temblar.

CHUGCHUSHCA, p. p. Que ha temblado.

CHUGCHUY, n. Temblor; estremecimiento. **Allpachugchuy,** terremoto.

CHUGLLA (Choglla, por corrup.), n. Choza; cabaña.

CHUGLLANA, v. a. Construir choza o cabaña.

CHUGLLU, n. Mazorca tierna de maíz; choclo.

CHUGLLUAGCHA, n. Planta parásita de la familia de las Convulvuláceas (Cuscuta pycnantha Denth).

CHUGLLUNA, v. n. Formarse en la mata del maíz la espiga llamada choclo.

CHULLUPUCUCHIG, p. a. Insécto coleóptero que aparece en Mayo o Junio.

CHUGLLUSHCA, p. p. Mata de maíz o sementera que han formado choclos.

CHUGMAL, n. Pasta o tamal de maíz tierno, molido y sazonado.

CHUGMALANA, v. a. Moler el maíz tierno y sazonarlo en una especie de tamales

CHUGNI, n. Lagaña.

CHUGNIÑAHUI o **chugnisapa,** adj. Lagañoso.

CHUGRI, n. Herida; lastimadura.

CHUGRIG, p. a. El que hiere.

CHUGRINA, v. a. Herir; lastimar.— **Chugrigrina,** Ir a herir.— **Chugricuna,** Estar hiriendo.— **Chugrimuna,** Venir hiriendo o después de haber herido.— **Chugrichina,** Hacer que otro hiera.— **Chugririna,** Herirse.— **Chugrinacuna,** Herir entre dos o más.— **Chugrihuna,** Herirme o herirte.

CHUGRISHCA, p. p. Herido; lastimado.

CHUGU. n. Ave cantora, pintada de amarillo y negro (Pheuctinus chriesegas ter Less.).

CHULCU, n. Varias especies de **Oxalis.** Sopa de huevos y quesillo.

CHULCHUL, n. Arbolito silvestre de hermosas flores rosadas. Es una especie de **Vallea.**

CHULLA, adj. Cosa que se halla sola, siendo así que ordinariamente es apareada

CHULLACHANGA, adj. Que tiene una sola pierna. Mutilado; cojo.

CHULLACHAQUI, n. Planta de la familia de las Tropeoláceas (Tropeolum peltophorum).

CHULLACHAQUI, adj. Que tiene un solo pie; cojo.

CHULLAÑAHUI, adj. Que tiene un solo ojo; tuerto.

CHULLARIGRA, adj. Que no tiene más que un brazo; manco.

CHULLAYANA, v. r. Quedar sola una cosa que estaba apareada. Atrasarse o desigualarse una persona o cosa.

CHULLCU, n. Planta herbácea de la familia de las Oxalidáceas (Varias especies de Oxalis.).

CHULLCU, n. Sopa o caldo de huevos y quesillo.

CHULLI, n. Romadizo; catarro. Muermo de las bestias.

CHULLINA, v. r. Enfermar de romadizo, catarro o muermo.

CHULLPI, n. Una especie de maíz suave y medio arrugado, que se prefiere en algunas partes para tostar.

CHULLPIANA o **Chullpiyana,** v. a. Arrugarse; contraerse; fruncirse. Se dice de los granos que así se dañan y también de las personas cuyo rostro se arruga por la vejez.

CHULLCHIG o **Chullshig,** n. Renacuajo.

CHUMANA, v. r. Emborracharse; embriagarse.— **Chumagrina,** Ir a emborracharse.— **Chumacuna,** Estar emborrachándose.— **Chumamuna,** Venir emborrachándose o después de haberse emborrachado.— **Chumachina,** Hacer que otro se emborrache.— **Chumarina,** lo mismo que **Chumana.**— **Chumanacuna,** Emborracharse entre dos o más.

CHUMAY, n. Borrachera; embriaguez.— **Jatun chumay,** gran borrachera; orgía.

CHUMBI, n. Faja; reata; liga.

CHUMBI, adj. Cerdo u otro animal que tiene atravesada en el lomo de pelos blancos, como si le hubiesen atado una faja.

CHUMBILLINA o **Chumbirina,** v. r. Fajarse.— **Chumbilligrina,** Ir a fajarse.— **Chumbillicuna,** Estar fajándose.— **Chumbillimuna,** Venir fajándose.— **Chumbillichina,** Hacer que otro se faje.— **Chumbillihuana,** Fajarse o fajarte.

CHUMU, adj. Borracho; ebrio.

CHUN, adj. Solo; silencioso; tranquilo. Se dice hablando de los lugares en que ha cesado ya alguna algazara o alboroto, que los tenía perturbados y los hacía temibles.

CHUNLLA, adj. Véase **Chun.**

CHUNYANA, v. r. Aquietarse algún lugar, por cesación del alboroto.

CHUNGA, adj. num. Diez.

CHUNGACANCHIS, adj. Diez y siete.

CHUNGACANCHISNIQUI, adj. desus. Décimoséptimo.

CHUNGACHUSCU, adj. Catorce.

CHUNGACHUSCUNIQUI, adj. desus. Décimocuarto.

CHUNGAG, p. a. El que juega o apuesta.

CHUNGAISCUN, adj. Diez y nueve.

CHUNGAISCUNNIQUI, adj. desus Décimonoveno.

CHUNGAISHCAY, adj. Doce.

CHUNGAISHCAYNIQUI, adj. desus. Duodécimo.

CHUNGANA, v. a. Jugar; echar suertes.— **Chungagrina,** Ir a jugar, etc.

CHUNGACHINA, v. a. Decuplicar.

CHUNGACHISHCA, p. a.Decuplicado.

CHUNGANIQUI, adj. desus. Décimo.

CHUNGAPICHCA, adj. Quince.

CHUUNGAPICHCANIQUI, adj. desus. Décimoquinto.

CHUNGAPUSAG, adj. Diez y ocho.

CHUNGAPUSAGNIQUI, adj. desus. Décimoctavo.

CHUNGAQUIMSA, adj. Trece.

CHUNGAQUIMSANIQUI, adj. desus. Décimotercero.

CHUNGASOGTA, adj. Diez y seis.

CHUNGASOGTANIQUI, adj. desus. Décimosexto.

CHUNGASHUG, adj. Once.

CHUNGASHUGNIQUI, adj. desus. Undécimo.

CHUNLLA, adj. Véase **Chun.**

CHUNLLA, adv. Sileciosamente; sin causar ruido.

CHUNLLAYANA, v. r. Véase **Chunyana.**

CHUNTA, (Chonta, por corrup.), n. Tronco de algunos helechos arborescentes o de ciertas especies de palmas.

CHUNTARRURRU, n. Fruto de la **Guilielma Chontaduru** de H. Nombre de esta misma palma.

CHUNTAYANA, v. r. Ponerse seca y rígida alguna cosa. Enflaquecer demasiado una persona.

CHUNU o **Chuñu,** n. Almidón; fécula.

CHUPA, n. Rabo; cola; extremidad de algún objeto. Parte inferior de una localidad.

CHUPASAPA, adj. Rabudo; rabilargo.

CHUPATULLU, (hueso del rabo), n. El hueso que los anatómicos llaman Coxis o Sacro.

CHUPAYANA, v. r. Quedar una persona o cosa tras de las otras de un rango o serie. Postergarse en cualquier sentido respecto de las demás.

CHUPAYUG, adj. Que tiene rabo. Que no puede inculpar a otra persona, porque también es culpable de alguna falta o delito.

CHUPLAG, n. Huevo clueco.

CHUPU, n. Pústula; forúnculo; nacido. **Pishcuchupu,** pústula muy pequeña.

CHUPUYANA, v. r. Enconarse y formar pus algún pequeño tumor.

CHUPUYASHCA, p. p. Enconado en forma de tumor pequeño.

CHUQUI, n. Lanza; rejón.

CHUQUI, n. Especie de danzante indio.

CHUQUIPATA, n. Meseta de los danzantes.

CHUQUIRAHUA, n. Planta febrífuga de los pajones (Chuquiraga insignia H.)

CHURACUG, p. p. Osado; pendenciero; altivo; que se planta con cualquiera.

CHURACUNA, v. n. Osarse; atreverse; contender con cualquiera persona.

CHURACHINA, v. a. Vestir a alguna persona.

CHURAG, p. a. El que pone o coloca algo. El que contribuye con dinero.

CHURANA, n. Vestuario. Suele decirse en plural **Churacuna,** los vestidos.

CHURANA, v. a.. Poner.— **Churagrina,** Ir a poner.— **Churacuna,** Estar poniendo.— **Churamuna,** Venir poniendo o después de haber puesto.— **Churachina,** Hacer que otro se ponga.— **Churarina,** Ponerse (un vestido u otra cosa).— **Churarana,** Poner constantemente.

CHURANACUNA, v. r. Armar camorra entre sí dos o más individuos.

CHURANACUNA, v. r. Contribuir dos o más personas con una cuota, para comprar víveres a escote.

CHURANACUY, n. Altercado; riña verbal; principio de pendencia.

CHURARACUY, n. Escote para comprar comestibles o cosa análoga.

CHURASHCA, p. p. Puesto.

CHURAY, n. Acto de poner. Cada una de las porciones de grano que se van poniendo, para tostar o para moler a mano.

CHURICHIG, p. a. El que engendra; el padre.

CHURICHINA, v. a. Engendrar.

CRURU, n. Caracol.

CHURU, n. Concha de caracol marino, de que se hace una especie de Bocina.

CHURUCU, n. Caracol pequeño.

CHURU, n. Coscoja del ganado (Duva hepática).

CHURUNA, v. r. Acoscojarse el ganado.

Churu

CHURUNA, v. a. Comer de algunos granos, como habas o fréjoles, arrojando la corteza.

CHURUSHCA, p. p. Acoscojado.

CHURUSHCA, p. p. Descortezado, al comer; mondado.

CHUSCU, adj. num. Cuatro.

CHUSCUCHUNGA, adj. Cuarenta.

CHUSCUCHUNGANIQUI, adj. desus. Cuadragésimo.

CHUSCUNCHISHCA, adj. Cuadruplicado.

CHUSCUNIQUI, adj. desus. Cuarto.

CHUSPA, n. Pastelito de harina de maíz con que suele sazonarse el puchero.

CHUSPA, n. Vulva.

CHUSHAG, adj. Mata estéril o vacía de maíz u otra mies.

CHUSHAG, adj. Vacío.

CHUSHAGYANA, v. r. Esterilizarse algunas mieses; no dar el fruto que debían.

CHUSHAGYASHCA, p. p. Mies vana; vacía de fruto.

CHUSHIG, n. Lechuza (especie de Strix?).

CHUSPI, n. Mosca.

CHUSPI, adj. Persona de ojos muy pequeños.

CHUSPIRINA, v. r. Mosquearse alguna sementera al nacer, por el estrago que le causan las larvas de los insctos.

CHUSPISHCA, p. p. Sementera mosqueada.

CHUTAG, p. a. El que tira.

CHUTANA, v. a. Tirar.— **Chutagrina,** Ir a tirar.— **Chutacuna,** Estar tirando.— **Chutamuna,** Venir tirando.— **Chutachina,** Hacer tirar.— **Chutanacuna,** Ayudar a tirar.— **Chutarina,** Tirarse; estirarse.— **Chutahuana,** Tirarme o tirarte.— **Chutarana,** Tirar obstinadamente.

CHUTARINA, v. r. Desperezarse; estirarse Tenderse una persona o una cosa.

CHUTASHCA, p. p. Tirado; estirado.

CHUTASHCA, p. p. Tendido.

CHUTAY, n. Acto de tirar o estirar; tensión.

CHUYA, adj. Limpio; terso; diáfano; traslúcido; inmaculado.

CHUYASHUNGU, adj. Persona de corazón llano, sencillo, limpio, sin doblez.

CHUYAYANA, v. r. Ponerse limpio un líquido u otra cosa que estaba turbia.

CHUGNINA, v. n. Zumbar los oídos.

CHUZA, adj. Delgado; endeble; entecado. Mies o fruto chupados y casi vanos.

CHUZAYANA, v. r. Adelgazarse y chuparse los granos u otros frutos.

CHUZALUNGU, n. Planta vulneraria llamada Matico (Eupatorium glutinosum Lam.)

AGLLA, n. Planta de la familia de las Compuestas (Polmnia?) De los canutos de ella suele usar el vulgo para moldes de fabricar velas.

DALI, n. Castigo fuerte; tunda; azotaina; paliza. Parece deformación del imperativo **Dale** del verbo castellano **Dar**.

DALINA, v. a. Castigar fuertemente; azotar; apalear. Atiéndase a la observación del artículo precedente.

DIAJO! interj. Significa Diablo! o Diantre.

Dalina

DUCU, n. Arbol de los montes subandinos. (Varias especies de Clusia). Su fruto llamado "manzana de Ducu", se tiene como depilatorio.

DUGDUG, n. Planta arbórea (incongnita mihi).

ACHU, n. Cuerno. Parece variación de la voz castellana **cacho.**

GACHUSAPA, adj. Cornudo.

GALUAY, n. Arbol de las serranías (Oreocallis grandiflora R. Br.) Su fruto es preconizado por el pueblo para la curación de quebraduras o hernias.

GAMU, adj. Desabrido; insípido; soso.

GAMUYANA, v. r. Hacerse insípida o desabrida alguna cosa.

GAÑAL, n. Lo mismo qu **Galuay.**

GARAU, n. Arbolillo de muy buena madera para chapeados (Lomatia obliqua H.)

GARUA, n. Llovizna muy menuda.

GARUANA, v. n. Lloviznar en gotas muy menudas.

Garuana

GUZHUL, n. Planta acuática, en forma de cabellera verde. (Especie de Conferva).

GRI, Partícula que, interpuesta entre las letras radicales y la desinencia de un verbo denota que va a ejecutarse o se halla a punto de ser realizada la acción; vga. de "Tarpuna": "Sembrar", — se forma así "Tarpugrina": "Ir a sembrar".

GUIMIGUIMI, n. ant. El crepúsculo vespertino.

GUISGUIS, n. Hierba de la familia de las Personadas (Alonsoa cualialata R. et. P.).

GUITUG, adj. Cosa dura y elástica, a modo de caucho. Dícese especialmente de la carne mal cocida y correosa.

GUITUGYANA, v. r. Ponerse alguna cosa elástica y correosa como el caucho.

GULAG, n. Planta herbácea de la familia de las Polygonáceas (Rumex aquaticus L.?) **Cha-**

Gulag

gragulag, planta de tamaño menor y de hojas rizadas, llamada "Lengua de vaca" en el Norte de la República (Rumex Crispus L.)

GULLAN, n. Planta trepadora, de fruto comestible. (Varias especies de Tacsonia).

GUSGUS, n. Planta arborescente, de la familia de las Lobeliáceas: es lechosa. (Siphocampylus giganteus D. C.)

Guzu

GUZU, n. Charca; ciénega; pantano.

GUZUSAPA, adj. Pantanoso; lleno de charcas.

GUZUYANA, v. r. Echarse algún lugar; convertirse en ciénega o pantano.

GUZUYASHCA, p. p. Trocado en charca; convertido en pantano.

GUZHA, n. Maíz cocido, harina de cebada o cosa semejante que, en las comidas, hace las veces del pan para las personas pobres que no lo tienen.

Guzha

GUZHGUNA, v. a. Lograr una cosa sin trabajo; obtenerla sin merecimiento, especialmente tratándose de viandas o licores.

GUZHGUI, n. Peonza o trompo hecho de un pequeño calabazo.

UA, partícula que, interpuesta entre las radicales y la terminación de un verbo, denota que la acción de él recae sobre el que habla o sobre la persona con quien habla; vga. de "Carana", "comer", se forma así "Carahuana", "darme o darte de comer".

HUA! Hua! Hua!, interj. Con que se advierte a las gallinas y otras aves de corral el peligro que corren, cuando el gavilán aparece.

HUACA, n. Sepulcro de los indios aborígenes. Depósito de oro formado por ellos.

Huaca

HUACACHIG, p. a. El que hace llorar.

HUACAG, p. a. El que llora.

HUACAMAYU, n. Ave. Debió decirse primitivamente **Huacagmayu** o **Huacagmaru**: animal o bicho que llora, es decir, que habla (Especie de Ara o de Psittacus?)

HUACAMUCHAG, adj. Individuo que reverencia o besa las **Huacas**; supersticioso; idólatra.

HUACAMUCHANA, v. a ant. Reverenciar los sepulcros; idolatrar.

HUACAMUCHAY, n. ant. Superstición; idolatría.

HUACAMULLU, n. Planta herbácea de la familia de las Compuestas. Infesta algunos sembrados; pero la comen las reses vacunas y los cerdos.

HUACANA, v. n. Llorar.— **Huacagrina, Ir** a llorar.— **Huacacuna,** Estar llorando.— **Huacamuna,** Venir llorando o después de haber llorado.— **Huacachina,** Hacer llorar.— **Huacarana,** Llorar intensamente.

Huacana

HUACANA, v. n. Mugir algunos animales; dar gritos o quejidos. Bramar las fieras Tronar los volcanes. Murmurar las corrientes de los ríos. Sonar cualquiera otra cosa, sea del modo que fuere. Todo ello es **Huacana** para los indios, que carecen de palabras más apropiadas.

HUACAR, n. desus. Garza.

HUACASHCA, p. p. Que ha llorado, se ha quejado, ha sonado, etc.

HUACAY, n. Lloro; gemido; grito; sonido; bramido; trueno, etc.

HUACAYCHIG, p. a. El que guarda.

HUACAYCHINA, v. a. Guardar.— **Huacaychigrina,** Ir a guardar.— **Guacaychicuna,** Estar guardando.— **Huacaychimuna,** Venir después de haber guardado.— **Huacaychichina,** Hacer guardar.— **Huacaychinacuna,** Ayudar a guardar.— **Huacaychirina,** Guardarse alguna cosa.— **Huacaychirana,** Guardar con el mayor cuidado.

HUACAYCHISHCA, p. p. Guardado.

HUACAYPAG, adj. Lamentable; deplorable

HUACU, adj. Persona de labio partido o leporino.

HUACU, adj. Envoltura vacía de lo que debía haber sido mazorca del maíz; espiga vana de este grano.

HUACUYANA, v. r. Faltar el grano dentro de la envoltura en las plantas de maíz. Reducirse el fruto a hojas sin mazorca.

HUACHACHINA, v. a. Hacer parir. Partear.

HUACHACHINA, v. a. Poner entre la serie de surcos de una siembra uno o más incompletos y suplementarios, para que no queden espacios irregulares y vacíos.

HUACHACHISHCA, p. p. Surco menor que los otros, puesto en una siembra para llenar algún vacío.

HUACHAG, adj. Mujer que ha parido o que suele parir.

HUACHANA, v. n. Parir.— **Huachagrina,** Ir a parir.— **Huachacuna,** Estar pariendo.— **Huacharana,** Parir con mucha frecuencia.

HUACHANA, v. n. Dar las plantas brotes laterales; ahijar.

HUACHANALLA, adj. Mujer o animal hembra que está de meses mayores.

HUACHASHCA, p. p. Que ha parido. Criatura o animalito que han nacido.

HUACHAY, n. Parto.

HUACHI, n. ant. Dardo; saeta.

HUACHU, n. Surco; hilera de plantas en una sementera.

Huachu

HUACHUNA, v. a. Formar surcos o hileras en un cultivo.

HUADUA, n. Planta monocotiledónea (Bambusa gadua).

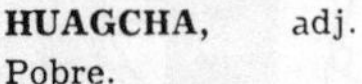

HUAGCHA, adj. Pobre.

HUAGCHALLA, adj. Pobrete; pobretón.

HUAGCHASHINA, adv. Pobremente; como pobre.

HUAGCHAYAG, p. a. El que empobrece.

HUAGCHAYANA, v. r. Empobrecer.— **Huagchayagrina,** Ir a empobrecer.— **Huagchayacuna,** Estar empobreciendo.— **Huagchayachina,** Hacer que otro empobrezca.— **Huagchayarina,** Hacerse pobre.

HUAGCHAYASHCA, p. p. Empobrecido.

HUAGCHAYAY, n. Empobrecimiento.

HUAGCHU, n. Carnero.

HUAGCHU, n. Individuo que, por carecer de padres o por no trabajar, se arrima a otro, para subsistir a costa de éste.

HUAGLLI, adj. Dañado; botarate; perillán

HUAGLLICHIG, p. a. El que daña alguna cosa; el que corrompe a una persona o le hace adquirir malos hábitos.

HUAGLLICHINA, v. a. Dañar algo. Pervertir a una persona.— **Huagllichigrina,** Ir a dañar.— **Huagllichicuna,** Estar dañando.— **Huagllichimuna,** Venir dañando o después de dañar.— **Huagllichinacuna,** Dañar entre varios

HUAGLLICHISHCA, p. p. Dañado. Corrompido.

HUAGLLIG, p. a. El o lo que se daña.

HUAGLLINA, v. r. Dañarse algo; contraer malos hábitos una persona.— **Huaglligrina,**

Ir a dañarse. **Huagllicuna,** Estar dañándose. **Huagllimuna,** Empezar a dañarse.— **Huagllichina,** véase esta palabra.

HUAGLLISHCA, p. p. Dañado; pervertido.

Huagnig

HUAGNIG, adj. Animal que ladra.

HUAGNINA, v. n. Ladrar.— **Huagnimuna,** Venir ladrando, etc.

HUAGNISHCA, n. Ladrido.

HUAGNISHCA, p. p. Ladrado.

HUAGRA, n. ant. Cuerno.

HUAGRA, n. Buey; toro. (Bos taurus).

HUAGRACAMA, n. Ganadero.

HUAGTA, n. ant. Costado.

HUAGTAG, p. a. El que golpea.

HUAGTANA, n. Instrumento para golpear; mazo.

HUAGTANA, v. a. Golpear.— **Huagtagrina,** Ir a golpear.— **Huagtacuna,** Estar golpeando.— **Huagtamuna,** Venir golpeando o después de golpear.— **Huagtachina,** Hacer golpear.— **Huagtanacuna,** Ayudar a golpear.— **Huagtarina,** Golpearse.— **Huagtahuana,** Golpearme o golpearte.— **Huagtarana,** Golpear una y otra vez.

HUAGTANACUNA, v. a. Aporrear; machucar.

HUAGTANACUY, n. Aporreamiento recíproco; choque a puño o a palo.

HUAGTASHCA, p. p. Golpeado.

HUAGTATULLU, n. ant. Costilla.

HUAGTAY, n. Golpe; porrazo.

HUAGUR, n. Puerco espín de los Andes. (Especie de Histrix o de Coendu?).

HUAHUA, n. Criatura; niño.

HUAHUAL, n. Arbol de madera incorruptible en el agua. (Especie de Myrtus). **Ingahuahual,** arbolito congénere del anterior. (Myrtus microphylla?).

Huahua

HUAHUAMAMA, n. Placenta; parias.

HUAHUANDI, adv. Junto con el hijo; a par del hijo.

HUAHUASHIMI, adj. Persona que habla a manera de niño; balbuciente.

HUAHUAYANA, v. r. Enternecerse; hacerse el niño.

HUAHUAYASHCA, p. p. Enternecido; metido a niño.

HUAHUAYAG, p. a. El que se enternece o aniña.

HUAHUAYUG, adj. Que tiene hijo. Animal con cría.

HUAYLINNINA, v. n. Oscilar alguna cosa, colgada a modo de péndulo.— **Huaylinnicuna,** Estar oscilando.— **Huaylinnichina,** Hacer oscilar.

HUALLCA, n. Gargantilla.

HUALLCANA, v. r. Ponerse gargantilla. Colocarse otra cosa cualquiera en derredor del pescuezo.

HUALLHUACU, n. ant. Sobaco.

HUALLMICU, adj. Amujerado; afeminado; insulso.

HUALLPA, n. Gallina.— **Carihuallpa,** gallo.— **Urcu huallpa,** Pava montés. (Penelope aecuatorialis Salvad. et F esta.).

HUALLPA, n. adj. Cobarde.

HUALLPAYANA, v. r. Acobardarse; intimdarse como una gallina.

HUALLU, n. Cántaro; ánfora.

HUALLUA, n. Arbusto medicinal, llamado por los blancos "Trinitaria" o "Culén". (Psoralea Mutisii H.).

HUALLUCUNGA, adj. Cuellilargo; que tiene pescuezo de cántaro.

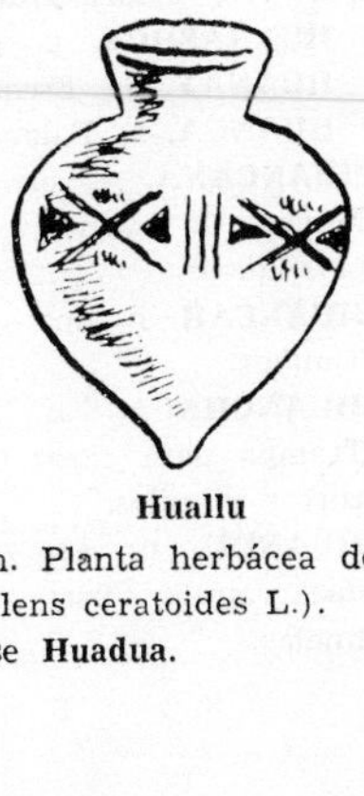

Huallu

HUALLUSACHA, n. Planta herbácea de ningún provecho. (Silens ceratoides L.).

HUAMAG, n. Véase **Huadua.**

Huamán

HUAMAN, n. Gavilán.

HUAMANICU, n. Gavilán de menor tamaño.

HUAMBRA, n. Niño; joven.

HUAMBRA, adj. Persona de poca edad o que todavía no es vieja.

HUAMBRAYANA, v. r. Rejuvenecer.

HUAMBU, n. Embarcación.

HUAMBUG, p. a. Cosa que **flota en el** agua o en otro líquido.

HUAMBUNA, v. n. Nadar; **flotar.**— **Huambugrina**, Ir a nadar.— **Huambucuna**, Estar nadando.— **Huambumuna**, Venir nadando.— **Huambuchina**, Hacer nadar.— **Huamburana**, Nadar con frecuencia.

HUAMBUY, n. Nado; flote.

HUAN, prep Con.— Va como todas, pospuesta al nombre; vga.: "Ñuca huauquihuan": "Con mi hermano".

HUANACU, n. Un animal congénere de la llama.

HUANACU, n. Poncho grueso de lana burda, conveniente para el abrigo en los lugares altos de la Sierra.

HUANAG, p. a. El que escarmienta.

HUANANA, v. r. Escarmentar.— **Huanagrina**, Ir a escarmentar.— **Huanacuna**, Estar escarmentando.— **Huanamuna**, Venir escarmentando.— **Huanachina**, Hacer que otro escarmiente.

HUANASHCA, p. p. Escarmentado.

HUANAY, n. Escarmiento.

HUANCA, n. Palanca.

HUANCANA, v. a. Manejar la palanca; palanquear.

HUANCAR, n. ant. Tambor.

HUANCHACA, n. Trampa para cazar zorros y gatos.

HUANDU, n. Andas; camilla; parihuelas.

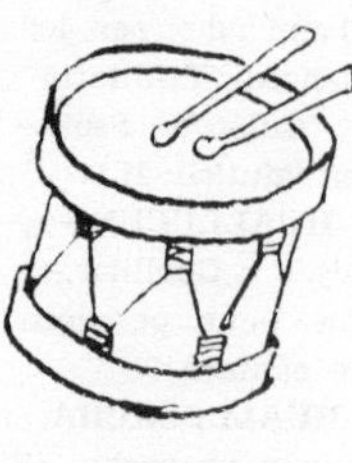
Huancar

HUANDUG, n. Floripondio rojo (Datura sanguínea R. et P.) **Yuraghuandug**, Floripondio blanco (Datura suaveolens). **Qulluhuandug**, Floripondio de flor amarilla, (variedad del rojo).

HUANDUG, p. a. El que va cargado en andas, camilla o algún vehículo semejante.

HUANDUNA, v. a. Cargar a persona, animal u objeto en andas o parihuelas.

HUANDUSHCA, p. p. Llevado en andas o camilla

HUANGU, n. Rueca.

HUANGU, n. Trenza tosca y única en que recogen el pelo las indias.

HUANGUNA, v. a. Arreglar en la rueca el algodón o la lana, para hilar.

HUANGUNA, v. r. Peinarse y recoger el pelo en una sola mal arreglada trensa.

HUANU, n. Estiércol; abono.

HUANUNA, v. n. Defecar; estercolear abonar los campos con estiércol.

HUANUSHCA, p.p. Estercoleado; abonado.

HUAÑAUCUG, adj. El que está muriendo; agonizante.

HUAÑUCHIG, p. a. El que mata. Bebedizo u otra sustancia que tiene efecto letal.

HUAÑUCHINA, v. a. Matar.— **Huañuchigrina**, Ir a matar.— **Huañuchicuna**, Estar matando.— **Huañuchimuna**, Venir después de haber matado.— **Huañuchigrina**, Matarse; suicidarse.— **Huañuchinacuna**, Ayudar a matar o matar entre varios.— **Huañuchihuana**, Matarme o matarte.

HUAÑUCHINA, v. a. Apagar una bujía; extinguir el fuego.

HUAÑUCHIRIG, p. a. El que se mata; suicida.

HUAÑUCHISHCA, p. p. Matado.

HUAÑUCHISHCA, p. p. Apagado; extinguido.

HUAÑUG, p. p. El que muere; el finado.— **Huañuglla**, Expresión cariñosa que quiere decir "el amado difunto".

HUAÑUGLLA, adj. Mortal; perecedero.

HUAÑUNA, v. n. Morir.— **Huañugrina**, Ir a morir.— **Huañucuna**, Estar muriendo; hallarse en agonía.

HUAÑURINA, v. r. Agostarse las plantas por el calor solar o por la falta de lluvia.

HUAÑURISHCA, p. p. Agostado; amortecido, tratándose de vegetales.

HUAÑUSHCA, p. p. Muerto; difunto; finado.

HUAÑUY, n. Muerte; fallecimiento. Extinción de una luz.

Huañuy

HUAÑUYPACHA, n. La hora de la muerte.

HUAÑUYTA, adv. Mortalmente; como para matar.

HUAPI, n. desus. Gorjeo.

HUAPIG, p. a. desus. El que gorjea, tratándose de las aves.

HUAPINA, v. n. desus. Gorjear.

HUAPSAY, n. Arbolillo de la familia de las Coníferas, de muy hermoso follaje y de buena madera. (Podocarpus densifolia H.).— **Urcuhuapsay,** Especie más corpulenta del mismo género.

HUAQUIMPI, adv. De cuando en cuando; por una relancina.

HUANQUINHUAQUIMPI, adv. Significa lo mismo con mayor ponderación.

HUARACA, n. Honda.

HUARACAG, p. a. El que dspara con la honda.

HUARACANA, v. a. Disparar piedra o cosa semejante con la honda.

HUARACAY, n. Acto de disparar con la honda; hondazo.

HUARANGA, adj. num. Mil.

HUARANGANIQUI, adj. desus. Milésimo.

HUARANGU, n. Arbusto de madera fina. (Acacia tortuosa).

HUARAPU, n. Jugo fermentado de caña de azúcar.

HUARCUG, p. a. El que cuelga.

HUARCUNA, n. Garfio; garabato percha para colgar objetos.

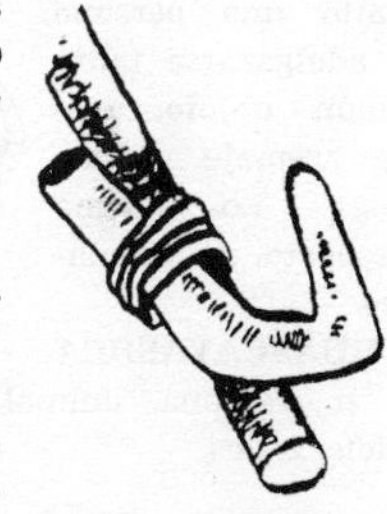

Huarcuna

HUARCUNA, v. a. Colgar.— **Huarcugrina,** Ir a colgar.— **Huarcucuna,** Estar colgando.— **Huarcumuna,** Venir después de colgar.— **Huarcuchina,** Hacer colgar.— **Huarcurina,** Colgarse.— **Huarcunacuna,** Ayudar a colgar.— **Huarcuhuana,** Colgarme o colgarte.— **Huarcurana,** Estar alguna cosa indefinidamente colgada.

HUARCURINA, v. r. Colgarse de alguna persona; valerse de un protector, para lograr el buen éxito de alguna pretensión o negocio.

HUARCUSHCA, p. p. Colgado.

HUARCUY, n. Acto de colgar; cuelga.

HUARHUAR, n. Poción estupefaciente que algunos criminales preparan de los frutos, hojas o raíces del Floripondio.

HUARHUARIANA, v. a. Privar del uso de la razón o enloquecer con el veneno llamado **Huarhuar.**

HUARHUARIASHCA, p. p. Enloquecido con el **Huarhuar.** Demente.

HUARMI, n. Mujer. Animal hembra.

HUARMI, n. Esposa.

HUARMIAG, p. a. El que se afemina o amujera.

HUARMIANA, v. r. Amujerarse.

HUARMIASHCA, p. p. Amujerado.

HUARMICANA, n. Novia.

HUARMIHUAGCHA, n. Viudo.

HUARMINDI, adv. Junto con su mujer; acompañado de ella. **Cusandi huarmindi**, Entre marido y mujer.

HUARMIYUG o **Huarmiug**, adj. Que tiene mujer; casado.

HUARU, n. Tendón de la pierna.

HUARUANGU, n. Lo mismo que **Huaru**.

HUASCA, n. soga; cuerda; cable.

HUASCAYANA v. r. Enflaquecerse tanto una persona o adelgazarse tanto algún objeto, que se asemeje a una soga. Lo mismo respecto de animales.

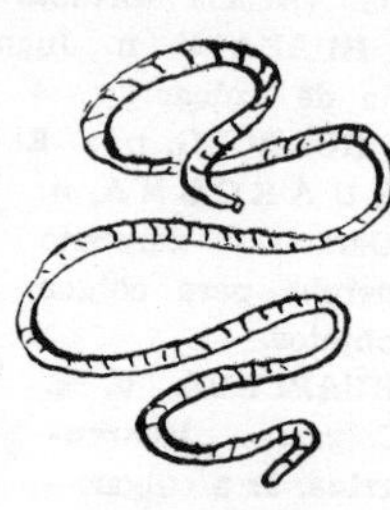

Huasca

HUASCAYASHCA, p. p. Persona, animal o cosa sumamente adelgazados.

Huasi

HUASI, n. Casa.

HUASICAMA, n. Indio encargado de cuidar la casa, animales y utensilios domésticos. Turna, por lo regular con otros peones de la misma clase.

HUASICHIG, p. a. El que fabrica una casa.

HUASICHINA, v. a. Edificar una casa.— **Huasichigrina**, Ir a edificar.— **Huasichicuna**, Estar edificando, etc.

HUASIPUNGU, n. Porcioncilla de tierra que cultiva el indio en derredor de su choza.

HUASIUCU, n. Parte interior de la casa.

HUASIUCU, n. Persona de casa; pariente.

HUASIUG, adj. Que tiene casa propia.

HUASHA, n. Espalda; lomo; parte trasera de una casa o de cualquier lugar.

HUASHMAN, adv. Para atrás; hacia atrás.

HUASHAPI, adv. Atrás, en la parte trasera.

HUASHARRIMAG, adj. Persona que murmura de otra a espaldas o en ausencia de ésta.

HUASHRRUNA, n. Denominación que los indios dan al **Chucurrillu**. (Véase este nombre); porque creen que, al llamarlo por su nombre, ha de venir a causar estragos en la casa.— **Huashrruna** quiere decir: "El indio de atrás".

HUASHATA, adv. Por la parte de atrás.

HUASHAYACHINA, v. a. Postergar a alguna persona. Poner detrás algún objeto.

HUASHAYACHISHCA, p. p. Persona o cosa postergadas.

HUASHAYANA, v. r. Atrasarse; rezagarse.

HUASHAYASHCA, p. p. atrasado; rezagado

HUASHAYSHITANA, v. a. Cargar algo por sobre el hombro, sosteniéndolo por delante.

HUASHPI. adj. Muchacha inquieta y traviesa.

HUASPIRILLA, adj. Lo mismo que **Huashpi**.

HUATA, n. Año.— **Cunanhuata, Cayhuata**, El presente año.— **Sarunhuata**, El año pasado.— **Shamughuata**, El año que viene.

HUATA, adj. Papa que madura en un año o poco menos. Se la llama así en contraposición de la **Chaucha**, que tarda mucho menor tiempo en madurar.

HUATAG, p. a. El que amarra o lía.

HUATAMPI, adv. Anualmente; año por año.

HUATANA, v. a. Amarrar; liar.— **Huatagrina**, Ir a amarrar.— **Huatacuna**, Estar amarrando.— **Huatamuna**, Venir amarrando o después de amarrar.— **Huatachina**, Hacer amarrar.— **Huatanacuna**, Amarrar entre dos o más.— **Huatarina**, Amarrarse; ligarse.— **Huatahuana**, Amarrarme o amarrarte.— **Huatarana**, Estar indefinidamente amarrado.

HUATANDI, adv. Cada año; anualmente.

HUATASAPA, adj. Lleno de años; persona de mucha edad.

HUATASHCA, p. p. Amarrado; ligado; liado.

Huatay

HUATAY, n. Acto de amarrar; amarra.

HUATAY, n. Brazada o haz de mieses, forraje o cosa análoga.

HUATANA, v. r. Transcurrir un año desde algún acontecimiento.— **Huatayagrina,** Ir a cumplirse un año, etc.

HUATAYUG. adj. Que tiene un año.

HUATU, n. Faja; cinturón; amarra.

HUATU, n. ant. Hechizo; agüero; presagio

HUATUG, adj. desus. Hechicero; présago.

HUATANA. v. a. desus. Hechizar; presagiar.

HUATUSA, n. Un animal salvaje. (Desiprocta esp.?)

HUATUSHCA, p. p. ant. Hechizado.

HUAUPU, n ant. Lujuria.

HUAUPUG, adj. ant. Lujurioso.

HUAUQUI, n. Hermano, con relación a otro hermano.

HUAUSA, adj. Indecente; deshonesto. Flojo insulso.

HUAUSANA, v. a. Fornicar; cometer actos nefandos.

HUAVIDUCA, n. Planta condimenticia de lugares ardientes, (especie de Piper).

HUAYCA, n. Rebatiña. Trabajo instantáneo hecho por varias personas.

HUAYCANA, v. a. Agotar en pocos instantes alguna cosa vendible. Ejecutar prontamente una obra entre varios.

HUAYCU, n. Quebrada; profundidad de algún paraje.

HUAYCUNA, v. r. Bajar a una quebrada o a un lugar profundo.

Huaycu

HUAYLUG, n. Árbol de bellas flores. (Tecoma rosaefolia H.?)

HUAYLUNNINA, v. n. Véase **Huaylinnina.**

HUAYLLA, n. Grama.

HUAYLLABAMBA, n. Campo de grama; potrero; prado o dehesa.

HUAYLLAPAMBA, n. Lo mismo que **Huayllabamba.**

HUAYLLASAPA, adj. Campo abundante en grama; herboso.

HUAYLLAYUG, adj. Que tiene grama.

HUAYLLUY, n. ant. Cariño; ternura.

HUAYNA, n. Mozo. Hombre que tiene relaciones ilícitas con alguna mujer. Se lo llama así con relación a ella.

HUAYNAYUG, adj. Mujer que tiene su mancebo o cómplice.

HUAYRA, n. Viento.

HUAYRACHIG, p. a. El que avienta.

HUAYRACHINA, v. a. Aventar.— **Huayrachigrina,** Ir a aventar.— **Huayrachicuna,** Estar aventando.— **Huayrachimuna,** Venir después de aventar.— **Huayrachirina,** Aventarse.— **Huayrachinacuna,** Ayudar a aventar.— **Huayrachirana,** Aventar constantemente.

HUAYRACHISHCA, p. p. Aventado.

HUAYRANA, v. n. Correr el viento, hacer viento; airear.

HUAYRASHCA, p. p. Aireado.

HUAYRASHCADA, adj. Aturdido; cabeza de viento.

HUAYRAUMA, adj. Lo mismo que **Huayrashca.**

HUAYRU, n. Juego de suerte, algo semejante al de los dados. Los indios lo acostumbran en los velorios. También llaman Huayru el pequeño hueso con que juegan.

HUAYRU, adj. Caballo que el vulgo tiene por aciago, fundándose en ciertas señales.

HUAYUNGA, n. Haz de mazorcas de maíz que los indios suelen colgar de una viga de su habitación, arreglándolo artificiosamente. Lo hacen con el objeto de guardar por algún tiempo esa porción de la cosecha y también por la creencia de que esta precaución es como un llamamiento para que sea abundante la cosecha del año próximo.

HUAYUNGANA, v.a. Colgar en.—**Huayun-**

ga una porción de mazorcas de maíz.— Colgar de modo análogo cualquier otro objeto.

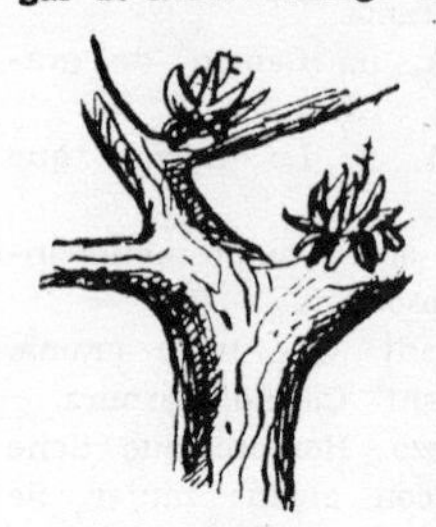
Huicundu

HUICUNDU, n. Planta epífita de bellas flores y de hojas hermosamente coloridas. (Varias especies de Bromeliáceas).

HUICUPA, n. Palo arrojadizo, para golpear algo que está alto.

HUICUPANA, v. a. Golpear alguna cosa con el palo llamado **huicupa**.

HUICHAY, n. Pendiente; cuesta; subida.

HUICHACUG, p. a. El que sube; trepador.

HUICHAYCUNA, v. n. Subir; trepar.— **Huichaycuchigrina**, Ir a subir.— **Huichaycucuna**, Estar subiendo.— **Huichaycumuna**, Venir subiendo o después de haber subido.— **Huichaycuchina**, Hacer subir.

HUICHAYCUSHCA, p. p. Subido.

HUICHAYCUY, n. Subida.

HUICHAYMAN, adv. Hacia arriba.

HUICHAYTA, adv. Por arriba; por la pendiente; por la cuesta.

HUICHCAG, p. a. El que cierra.

HUICHCANA, v. a. Cerrar; encerrar.— **Huichcagrina**, Ir a cerrar.— **Huichcacuna**, Estar cerrando.— **Huichcamuna**, Venir después de cerrar.— **Huichcachina**, Hacer cerrar.— **Huichcanacuna**, Ayudar a cerrar.— **Huichcarina**, Cerrarse.— **Huichcarana**, Estar algún lugar definitivamente cerrado.

HUICHCARIG, adj. Persona que se encierra; lugar que se cierra.

HUICHCARISHCA, p. p. Cerrado; encerrado; recluso.

HUICHCAY, n. Encerramiento; encierro; reclusión.

HUICHI, n. Cazuela.

HUIGRU, n. Bacía, rústica y grosera en que ordinariamente se da de comer a los cerdos de engorde.

HUIGRU, adj. Cosa torcida o contrahecha

HUIGRUYANA, v. r. Torcerse o deformarse algún utensilio.

HUIGSA, n. Barriga; vientre.

HUIGSASAPA, adj. Barrigón.

HUIGSAYUG, adj. Mujer que se halla en cinta.

HUIL, n. Un arbusto de la familia de las Compuestas, (especie de Eupatorium?).

HUILLAG, p. a. El que avisa.

HUILLANA, v. a. Avisar.— **Huillagrina**, Ir a avisar.— **Huillacuna**, Estar avisando.— **Huillamuna**, Venir avisando o después de avisar.— **Huillachina**, Hacer avisar.— **Huillanacuna**, Avisarse o comunicarse recíprocamente.— **Huillarina**, Avisarme.— **Huillamana**, Avisarme o avisarte.

HUILLASHCA, p. p. Avisado.

HUILLAY, n. Aviso; comunicación; declaración; noticia.

HUILLCA, n. ant. Idolo.

Huillca

HUINGU, n. Véase **Huigru**.

HUINGU, adj. Cosa torcida.

HUINGUYANA, v. r. Torcerse alguna cosa.

HUINGUYASHCA, p. p. Torcido.

HUINACHIG, p. a. El que cría.

RUIÑACHINA, v a. Criar.— **Huiñachigrina**, Ir a criar.— **Huiñachicuna**, Estar criando.— **Huiñachihuana**, Criarte.

HUIÑACHISHCA, n. Hijo de crianza; hijo adoptivo.

HUIÑACHISHCA, p. p. Criado.

HUIÑAY, n. Nacimiento; crecimiento.

HUIÑAY, adv. Por muy largo tiempo; eternamente. Vga. "Millaycunaca huiñaytami ñacaringacuna": "Los malos han de padecer para siempre".

HUIPSHI, adj. desus. Quebrantado; lastimado; descoyuntado.

HUIQUI, n. Lágrima.

HUIQUIJUNDA, adj. Lleno de lágrimas; lloroso.

Huiquijunda

HUIQUISAPA, adj. Lo mismo que **Huiquijunda**.

HUIRA, n. Manteca; unto; sebo; cera; aceite.

HUIRA, adj. Gordo.

HUIRACUCHA (**Huiracocha**, por corrup.), n. Hombre blanco; persona noble.

HUIRAHUIRA (impropiamente **Birabira**), n. Planta herbácea de la familia de las Compuestas (Gnaphalium lanuginosum H.).

HUIRAJUNDA, adj. Lleno de manteca.

HUIRALLA, adj. Gordiflón; regordete.

HUIRASAPA, adj. Lo mismo que **Huirajunda**.

HUIRAYACHINA, Engordar.— **Huirayachigrina**, Ir a engordar.— **Huirayachicuna**, Estar engordando.— **Huirayachimuna**, Traer después de haber engordado.— **Huirayachihuana**, Engordarme o engordarte.

HUIRAYACHISHCA, p. p. Engordado.

HUIRANA, v. r. Engordarse.— **Huirayagrina**, Ir a engordarse.— **Huiratacuna**, Estar engordándose.— **Huirayamuna**, Ir engordándose.

HUIRAYASHCA, p. p. Engordado; gordo.

HUIRLAS, adj. Patojo; nigüento.

HUIRPA, n. ant. Labio; geta.

HUIRQUI, n. Tina u otra bacía.

HUIRU, n. Caña de azúcar.— **Sarahuiru**, Caña de maíz.

HUIRUG, p. a. El que chupa caña.

HUIRUNA, v. a. Chupar caña.— **Huirugrina**, Ir a chuparla.— **Huirucuna**, Estar chupándola.— **Huiruchina**, Hacerla chupar.

HUISIAG, p. a. Lucio; cosa en que brillan el aceite o la manteca.

HUISIANA, v. r. Estar lucio. Brillar algún objeto por el unto o el aceite de que se halla impregnado.

HUISIAY, n. Brillo de la manteca o del aceite; gordura.

HUISHINA, n. Vaso o cantarilla con que se toma un líquido, para ir poniéndolo en un recipiente más grande.

Huishina

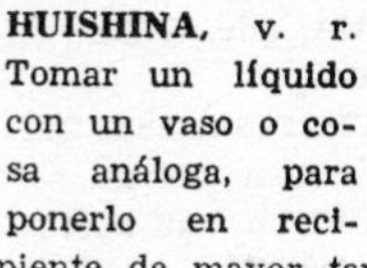

HUISHINA, v. r. Tomar un líquido con un vaso o cosa análoga, para ponerlo en recipiente de mayor tamaño.

HUITU, adj. Cosa torcida.

HUITUCHAQUI, adj. Patitorcido; patizambo.

HUISTUG, p. a. El que tuerce alguna cosa.

HUISTUNA, v. a. Torcer.— **Huistugrina**, Ir a torcer.— **Huistucuna**, Estar torciendo.— **Huistumuna**, Venir torciendo o después de haber torcido.— **Huistuchina**, Hacer torcer o que una cosa se tuerza.— **Huisturina**, Torcerse.— **Huistunacuna**, Torcer mucho o en diferentes sentidos.

HUISTUÑAHUI, adj. Torcido de la cara. Turnio; bisco.

HUISHLLA, n. ant. Cuchara.

HUIZHI, n. Tizón.

HUIZHU, n. Arbusto de la familia de las Malváceas. (Especie de Thea?).

CHA, adv. Quizá; tal vez.

ICHAPISH, adv. Quizá; bien pudiera ser

ICHU, n. ant. Hierba; paja (Stipa ichu).

ICHUNA, v. a. desus. Cortar hierba; segar paja.

ICHUNA n. ant. Instrumento de cortar hierba o paja; hoz.

IGMA, n. ant. Viudo.

IGUANA, n. Animal anfibio de la Costa. (Iguana tuberculata Lar.).

Ichuna

IHUILA, n. Arbolillo montés. (Monnina nemerosa). La corteza de sus raíces le sirve al vulgo para lavarse los cabellos y aún para lavar alguna ropa. **Uirpihuila**, Planta herbácea del mismo género, que vegeta en los campos sembrados de algunas localidades. (Monnina leptosthachya Benth).

ILI, adj. Persona débil, raquítica o enfermiza. Cosa muy endeble.

ILIANA, v. r. Debilitarse; ponerse endeble o achacoso.

ILIASHCA, p. p. Debilitado; enfermizo.

ILIN, n. Especie de grama que se cría entre las sementeras y es muy apetecida por los animales.

ILLAHUA, n Peine formado de hilos, para alzar una serie de estambres en los telares de los indios.

ILLAG, p. a. Lo que no existe. Cosa que no está donde debiera.

ILLANA, v. n. No existir. Estar ausente una persona. Faltar una cosa.

ILLAY, n. No existencia. Ausencia. Falta.

ILLAPA, n. Rayo. Disparo de arma de fuego.

ILLAPANA, v. a. Fulminar. Disparar arma de fuego.

IMA, n. Cosa; algo.

IMACHARI, n. No sé qué cosa.

IMALLA, n. Alguna cosa; cualquier cosa.

IMANA, v. a. Hacer alguna cosa que no se determina; ocuparse en algo.— **Imagrina**, Ir a hacer algo.— **Imacuna**, Estar haciendo algo.— **Imamuna,** Venir después de haber hecho algo.

IMANANA, v. r. Pasarlo bien o mal. Aliviarse o agravarse un enfermo; vga. "¿Imanacunguita?": "¿Cómo vas en tu indisposición?".

IMANASHATA!, interj. Qué he de hacer! Paciencia!

IMAPA o **Imapag,** conj. Con qué objeto; a qué fin.

IMAPISH, n. Cualquier cosa.

IMARIGCHAG, adv. De cualquier modo; a toda costa; a todo trance.

IMASTI, n. Este, esta, esto, cuyo nombre no recuerdo.

IMASHINA, adv. Como; así como; de la manera que.

IMASHINAMI, adv. Lo mismo que **Imashina**

IMASHINAPISH, adv. Como quiera; de cualquier modo.

IMASHUTI, n. Aquel; aquella o aquello cuyo nombre se me escapa de la memoria; pero lo indico vagamente.

IMASHUTINA, v. a. Hacer aquello cuyo nombre se me olvida en este instante; pero deseo hacer comprender de algún modo.

IMATA o **Imatag?,** adv. Qué?; qué es lo que dicen?; qué quieres?

INDI, Partícula que, pospuesta a nombres terminados en **i,** sirve para denotar que la persona o cosa de que se trata están en compañía o unión de otras personas u objetos; vga. "Runaca churindini shamun": "El indio viene en compañía de su hijo". Propiamente la partícula **indi,** significa **junto con.**

INDUNA, v n. Acudir varios para hacer algo como en competencia de trabajo.

INGA, n. Antiguo Monarca Peruano.

INGA, Ingashimi o **Ingarimay,** n. El idioma llamado **quichua.**

INGA! Ingá!, interj. Primeras palabras que, según el concepto de los indios, articula llorando la criatura recién nacida.

INGAHUAHUAL, n. Arbusto de los Andes, (especie de Myrthus).

INGARIRPU, n. Espejo del Inca. Llaman así una piedra de que lo hacían.

INGU, n. Carnero de cornamenta retorcida.

INGUIL, n. Planta de la familia de las Orquídeas, llamada también "Flor de Cristo" especie de Epidendrum)

INTI, n. El sol. "Inti llugshina": "La salida del sol". — "Intiyaycuna" o "Inti c h i n g ana": "La puesta del sol". "Inti unguy": "Eclipse de idem".

Inti

IÑAL, adj. Se aplica a las matas de papas o de alguna otra especie útil que, sin haber sido sembradas, nacen de suyo en el lugar donde se hizo una cosecha. Véase **Chas.**

IÑIÑA, v. n. ant. Creer.

IÑU, n. Nigua, antes de anidar en el cuerpo humano o de algún animal. (Pulex penetrans).

IQUI, n. ant. Hipo.

IQUI, n. Herida; lastimadura; excoriación.

IQUINA, v. a. Lastimar; herir levemente.

IRQUI, adj. Enfermizo; débil; amilanado; llorón (hablando de un niño).

IRQUIYASHCA o **IRQUIASHCA,** p. p. Que ha dado en llorón, enfermizo o endeble

IRQUIYANA o **Irquiana,** v. r. Debilitarse; amedrantarse; dar en llorones los niños.

IRQUIASHCA, p. p. Lo mismo que **Irqui.**

Iscu

ISCU, n. desus. Cal.

ISCUN, adj. Nueve.

ISCUNCHINA, v. a. Nenuplicar.

ISCUNCHISHCA, p. p. Nenuplicado.

I S C U N CHUNGA, adj. Noventa.

ISCUNCHUNGANIQUI, adj. desus. Nonagésimo.

ISCUNNIQUI, adj. desus. Noveno.

ISCUNPASAG, adj. Novecientos.

ISMA, n. Excremento; estiércol; mierda.

ISMAG, p. a. El que defeca o caga.

ISMANA, v. n. Defecar; cagar.

ISMASHCA, p. p. Defecado; cagado; excremento.

ISMAY, n. Acto de defecar; defecación.

ISMU, n. Podrido.

ISMUG, adj. Lo que se pudre.

ISMUNA, v. r. Podrirse.— **Ismugrina,** Ir a podrirse.— **Ismucuna,** Estar pudriéndose.— **Ismuna,** Empezar a podrirse.— **Ismuchina,** Hacer podrir.— **Ismurina,** Podrirse.

ISMUSHCA, p. p. Podrido.

ISMUY, n. Putrefacción.

ISHCANCHINA, v. a. Duplicar; parear.

ISHCANCHINA, v. a. Dar la segunda deshierba o aporque a las sementeras de maíz, papas, etc. Binar.

ISHCANCHISHCA, p. p. Desherbado por segunda vez; aporcado; binado.

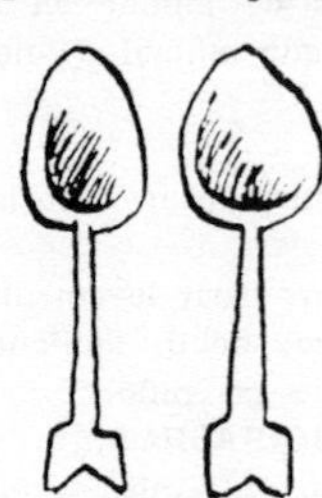

Ishcandi

ISHCANDI, adj. Los dos juntos; entrambos.

ISHCAY, adj. num. Dos.

ISHCAYCHUNGA, adj. Veinte.

ISHCACHUNGANIQUI, adj. desus. Vigésimo.

ISHCAYNIQUI, adj. desus. Segundo.

ISHCAYPASAG, adj. Doscientos.

ISHCAYPASAGNIQUI, adj. desus. Ducentésimo.

ISHCUG, p. a. El que desgrana.

ISHCUNA, v. a. Desgranar.— **Ishcugrina, Ir a desgranar.— Ishcucuna,** Estar desgranando. —**Ishcumuna, Venir desgranando o después de desgranar.** —**Ishcunchina,** Hacer desgranar.- **Ishcunacuna, Ayudar a desgranar.— Ishcurina,** Desgranarse.

Ishcug

ISHCUSHCA, p. p. Desgranado.

ISHCUY, n. Desgrane.

ISHPA, n. Orinas; meado. Excremento.

ISHPANA, n. Orinal; meadero común.

ISHPANA, v. n. Orinar; mear; defecar.

ISHPAPURU, n. Vejiga.

ISHPAPURU, n. Planta trepadora de la familia de las Amarylidáceas (**Alstroemeria Caldasii H.**).

ISHPASHCA, p. p. Orinado, meado; defecado.

ISHPINGU, n. Especie de canela basta de los bosques orientales. (Parece que será del género **Laurus**).

IZHI, n. Neblina; b r u m a; llovizna muy tenue.

IZHINA, v. n. Formarse bruma o neblina.

Izhi

A!, interj. Qué!; Cómo!; Qué es lo que dices?

JACU!, interj. Vámonos!; es como un imperativo del verbo **Rina**.

JACUCHI!, interj. Vámonos todos. Decimos lo mismo que de **Jacu!**

JACUY, adj. Despreciable; ruín; bajo; vil.

JACHAPAQUI, n. Bazo (parte del cuerpo, situada bajo el hipocondrio izquierdo). La palabra significa literalmente **"fragmento de hacha"**.

JAGA, adj. Luminoso; brillante; espléndido.

JAGAN, n. Lo mismo que **Jaga**.

JAGANNINA, v. n. Brillar; lucir; esplender, fulgurar; flamear.

JAJAYA!, interj. Imposible!; Ni lo piensen!

JAHUA, n. Lo de arriba; lo superior Lo externo.

JAHUAG, p. a. El que lava.

JAHUAJAHUALLA, adj. Lo superficial.

JAHUAJAHUALLATA, adv. Superficialmente; muy por encima.

JAHUALLA, adj. Lo superficial; lo exterior.

JAHUALLAGTA, adj. Montañés, rústico; grosero; incivil.

JAHUAMAN, adv. Para arriba; hacia arriba.

JAHUANA, v. a. Lavar.— **Jahuagrina**, Ir a lavar.— **Jahuacuna**, Estar lavando.— **Jahuamuna**, Venir después de haber lavado.— **Jahuachina**, Hacer lavar.— **Jahuarina**, Lavarse.— **Jahuanacuna**, Ayudar a lavar.— **Jahuarana**, Lavar habitualmente.

JAHUANCHINA, v. a. Hacer que alguna cosa se sobreponga a otra.

JAHUAPACHA, n. La región superior; el cielo.

JAHUAPI, adv. Arriba; encima; en la parte superior.

JAHUASHCA, p. p. Lavado.

JAHUAY, n. Acto de lavar.

JAHUAY, n. Cierto canto que en algunas comarcas del

Jahuay

Azuay acostumbran entonar los indios a tiempo de la siega.

JAHUAYACHINA, v. a. Levantar algo; subirlo.— **Jahuayachigrina,** Irlo a subir, etc.

JAHUAYAG, p. a. El que sube.

JAHUAYANA, v. n. Subir.— **Jahuayagrina,** Ir a subir.— **Jahuayacuna,** Estar subiendo.— **Jahuayamuna,** Venir subiendo o después de haber subido.— **Jahuayarina,** Subirse.

JAHUAYASHCA, p. p. Subido.

JAHUAYAY, n. Subida.

JAHUI, n. Acto de restregar o fregar.

JAHUINA, v. a. Estregar o fregar.— **Jahuigrina,** Ir a estregar, etc.

JALUG, n. Arbol de buena madera (Hesperomeles ferruginea y otras especies).

JALLMAG, p. a. El que deshierba o escarda.

JALLMANA, v. a. Desherbar; escardar.— **Jallmagrina,** Ir a desherbar.— **Jallmacuna,** Estar desherbando.— **Jallamamuna,** Venir desherbando o después de desherbar entre dos o más.— **Jallamarina,** Desherbarse una sementera.— **Jallmarana,** Desherbar continuamente.

JALLMASHCA, p. p. Desherbado.

JALLMAY, n. Deshierba; escarda.

JALLMI, adj. desus. Desdentado.

JALLPA, adj. ant. Inurbano; descortés.

JAMBATU, n. Rana; sapo.

JAMBI, n. Remedio; medicina.

JAMBI, n. Curación.

JAMBI, n. Veneno; ponzoña.

JAMBI, p. a. El que cura.— **Jambitacug,** El que envenena.

JAMBINA, v. a. Curar.— **Jambicuna,** Estar curando. — **Jambimuna,** Venir después de curar.— **Jambichina,** Hacer curar.— **Jambirina,** Curarse.— **Jambinacuna,** Ayudar a curar.— **Jambihuana,** Curarme o curarte.— **Jambirana,** Curar con esmero y constancia.

Jambi

JAMBIPAG, adj. Que puede curar o ser curado; enfermo curable.

JAMBIRIPAG, adj. Que puede curarse.

JAMBISHCA, p. p. Curado.

JAMCHI, n .Afrecho de la chicha; parte grosera de cualquier preparación líquida.

JANAG, adj. Lo que está hacia la parte superior.

JANAGMAN, adv. Hacia arriba.

JANAGPACHA, n. Lo mismo que **Jahuapacha.**

JANAGPI, adv. En la parte de arriba.

JANCA, adj Cojo.

JANCANA, v. n. desus. Cojear.— **Jancayana,** Hacerse cojo.

JANYANA, v. n. Bostezar.

JANYAY, n. Bostezo.

JAPANA, v. n. ant. Lo mismo que **Janyana**

JAPAY, n. ant. Lo mismo que **Janyay.**

JAPI, n. Cogida; agarro; agarrón.

JAPICHINA, v. a. Prender fuego.

JAPICHINA, v. a. Hilvanar ligeramente algún vestido; asegurarlo con un prendedor o cosa análoga.

JAPICHISHCA, p. p. Fuego que se ha encendido.

JAPICHISHCA, p. p. Vestuario prendido ligeramente.

JAPIG, p. a. El que coge.

JAPINA, n. Cogida; reclutamiento. Cosecha de frutas o granos. Requisa de bestias. Aprehensión de reses ariscas o bravas.

JAPINA, v. a. Coger; asir; aprehender; reclutar; requisar.— **Japigrina,** Ir a coger.— **Japicuna,** Estar cogiendo.— **Japimuna,** Venir trayendo el animal o cosa cogidos.— **Japichina,** Hacer coger.— **Japinacuna,** Ayudar a coger o coger entre varios.— **Japirina,** Cogerse.— **Japihuana,** Cogerme o cogerte.— **Japirana,** Coger y retener porfiadamente.

JAPIPAG, adj. Cosa que se puede coger; tangible.

JAPISHCA, p. p. Cogido. Persona a quien algún individuo molesta e importuna con frecuentes exigencias.

JAPRA, adj. Cegatón.

Jarata

JARATA, n. Zanja u otro cerramiento de un campo.

JARATANA, v. a. construir zanja u otro cerramiento para resguardar un campo.

JARCA, n. Obstáculo; estorbo; atajo; prohibición. Embargo de una cosa o cantidad en poder de un tercero.

JARCAG, p. a. El que estorba, ataja o pone estorbo. El que prohibe o embarga.

JARCANA, v. a. Estorbar; atajar; prohibir; embargar.— **Jarcagrina**, Ir a estorbar.— **Jarcacuna**, Estar estorbando.— **Jarcamuna**, Venir después de estorbar.— **Jarcachina**, Hacer que otro estorbe.— **Jarcanacuna**, Ayudar a estorbar.— **Jarcarina**, Estorbarse.— **Jarcahuana**, Estorbarme o estorbarte.— **Jarcarana**, Estorbar constantemente Las mismas derivaciones tienen en los demás significados.

JARCARINA, v. r. Obstruirse algún conducto Atragantarse una persona.

JARCARISHCA, p. p. Obstruído; atragantado.

JARCASHCA, p. p. Atajado; impedido. Embargado.

JARCAY, n. Atajo; impedimento. Embargo.

JARGA!, interj. Con que se azuza a los perros señalándoles la presa.

JATARICHINA, v. a. Hacer que una persona se levante. Poner alguna cosa en parte más alta.

JATARICHINA, v. a. Cultivar algún campo que estaba abandonado o sin cultivo ninguno anterior.

JATARIG, p. a. El que se levanta.

JATARINA, v. r. Levantarse.— **Jatarigrina**, Ir a levantarse.— **Jataricuna**, Estar levantándose.— **Jatarimuna**, Levantarse y venir.— **Jatarichina**, Véase esta palabra.— **Jatarinacuna**, Levantarse varios a un tiempo

JATARISHCA, p. p. Levantado.

JATUN, adj. Grande; tamaño; notable.

JATUNRUCU, adj. aument. Muy grande; disforme.

JATUNYACHINA, v. a. Agrandar alguna cosa. Hacer que crezca una persona.

JATUNYACHISHCA, p. p. Agrandado; engrandecido; criado.

JATUNYANA, v. r. Agrandarse; engrandecerse. Crecer.

JATUNYASHCA, p. p. Agrandado. Crecido.

JATUNYAY, n. Agrandamiento. Crecimiento.

JAU?, interj. Para contestar. ¿Qué me dices? ¿qué se te ofrece?; ¿cómo?

JAUCHA, n. Ensalada; salsa.

JAUCHANA, v. a. Hacer ensalada o salsa.

JAUNINA, v. n. Contestar con la interjección **Jau?**

JAY!, interj Qué!; cómo!; con que es así!.

JAYAG, adj. Picante; mordiente. Agrio; amargo.

JAYANA, v. a. Picar; mordicar. Amargar.

JAYAY, n. Picazón. Amargura.

JAYCAMA? adv. de preg. ¿Hasta cuándo?

JAYCAPI?, adv. de preg. ¿Cuándo?

JAYCAPICA, adv. Ello es que en algún tiempo.

JAYLLI, n. ant. Triunfo; alegría por el vencimiento.

JAYLLINA, v. r. ant. Triunfar; alborozarse por el vencimiento.

JAYNINA, v. n. Contestar con la palabra **Jay!**

JAYTAG, p. a. El que patea o da coces.

JAYTANA, v. a. Patear; cocear.— **Jaytagrina**, Ir a patear.— **Jaytacuna**, Estar pateando.— **Jaycamuna**, Venir dando coces.— **Jaytachina**, Hacer patear.— **Jaytanacuna**, Patearse entre sí.— **Jaytahuana**, Patearme o patearte.— **Jaytarana**, Patear una y otra vez.

JAYTARINA, v. r. Forcejear; resistirse; sostenerse.

JAYTASHCA, p. p. Pateado.

JAYTAY, n. Patada; coz.

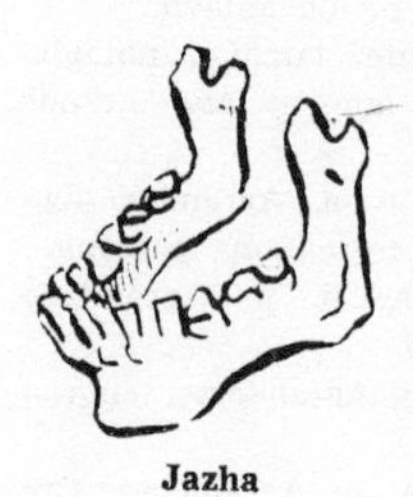

Jazha

JAZHA, n. Mandíbula; quijada.

JICHAG, p. a. El que riega; el que suelta la semilla en el campo. Regador; el que derrama el agua u otro líquido.

JICHANA, v. a. Regar semillas o cosa análoga. Derramar algo. Verter agua u otro líquido.— **Jicharina**, Ir a regar.— **Jichacuna**, Estar regando.— **Jichamuna**, Venir regando o después de haber regado.— **Jichachina**, Hacer regar.— **Jicharina**, Regarse.— **Jichanacuna**, Ayudar a regar o regar alborotadamente.

JICHAPACHA, adj. Botarate; derrochador; pródigo.

JICHAPACHANA, v. a. Derramar algo desordenadamente.

JICHASHCA, p. p. Regado; derramado.

JICHAY, n. Riega de mieses. Derramamiento.

JICHAYPAG, adj. Que puede ser regado; regable.

JICHUG, p. a. El que bota o abandona.

JICHUNA, v. a. Abandonar; desamparar; botar.— **Jichugrina**, Ir a botar.— **Jichucuna**, Estar botando.— **Jichumuna**, Venir después de botar.— **Jichuchina**, Hacer botar.— **Jichurina**, Quedar botada alguna cosa.— **Jichuhuana**, Botarme o botarte.— **Jichunacuna**, Botarse mutuamente. Las mismas derivaciones admite en los demás significados. También tiene el de perder alguna cosa.

Jichuna

JICHUY, n. Acto de botar; desamparo; abandono. Pérdida.

JILLI, n. ant. Caldo.

JILLPUNA, n. Embudo

JILLPUNA, v. a.

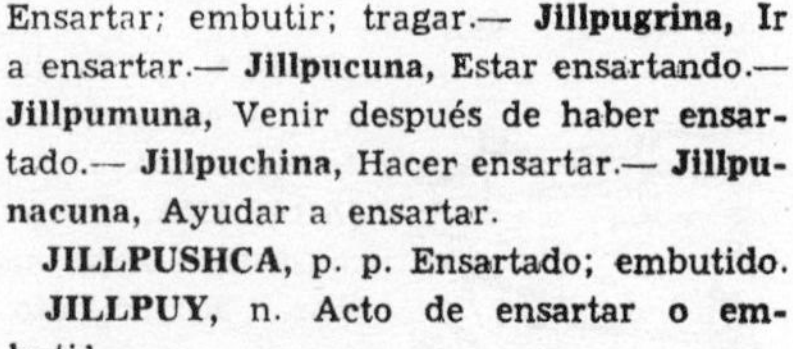

Ensartar; embutir; tragar.— **Jillpugrina**, Ir a ensartar.— **Jillpucuna**, Estar ensartando.— **Jillpumuna**, Venir después de haber ensartado.— **Jillpuchina**, Hacer ensartar.— **Jillpunacuna**, Ayudar a ensartar.

JILLPUSHCA, p. p. Ensartado; embutido.

JILLPUY, n. Acto de ensartar o embutir.

JILLU, n. Golosina.

JILLU, adj. Goloso.

JILLUNA, v. a. Comerse a escondidas alguna golosina ajena. Golosinar.

JIMBA, n. Trenza de pelo o de otra materia fibrosa.

JIMBANA, v. a. Trenzar.— **Jimbagrina**, Ir a trenzar.— **Jimbacuna**, Estar trenzando.— **Jimbamuna**, Venir después de haber trenzado.— **Jimbachina**, Hacer trenzar.— **Jimbanacuna**, Ayudar a trenzar.— **Jimbahuana**, Trenzarme o trenzarte el cabello.

JIMBASHCA, p. p. Trenzado.

JINCANA, v. a. Clavar; remachar; hincar un clavo o cosa semejante. Parece que este verbo quichua se ha derivado del español "Hincar".

JINCASHCA, p. p. Clavado; remachado.

JINCHINA (derivado del castellano "Henchir"), v. a. Rellenar; henchir.

JINCHISHCA, p. p. Rellenado; henchido.

JINQUILLINA, v. n. ant. Andar de puntillas.

JINQUINA, v. n. ant. Andar en un solo pie.

JIQUI, v. n. desus. Hipar.

JIZI, adj. Risueño; que ríe sin discreción.

JIZILLA, adj. Que anda con la risa en los labios.

JUAGTE, n. Arbol de muy buena madera (de la familia de las Drupáceas).

JUCU, adj. Mojado; húmedo.

JUCUCHINA, v. a. Mojar.— **Jucuchigrina**, Ir a mojar.— **Jucuchicuna**, Estar

Jucu

mojando.— **Jucuchimuna,** Venir mojando o después de haber mojado.— **Jucuchihuana,** Mojarme o mojarte.— **Jucurina,** o **Jucuna,** Mojarse.— **Jucuchinacuna,** Mojar entre varios o mojarse recíprocamente.— **Jucuchirana,** Mojar incesantemente.

JUCUNA, v. n. Véase **Jucuchina.**

JUCUSHCA, p. p. Mojado; **húmedo.**

JUCUY, n. Acto de mojarse.

JUCHA, n. Pecado; culpa; delito; crimen; falta, etc. **Jatun jucha,** pecado mortal.

JUCHALLIG, adj. Pecador; delincuente; etc.

JUCHALLIGLLA, adj. Que peca con facilidad; frágil.

JUCHALLINA, v. n. Pecar; delinquir; cometer delito.— **Juchalligrina,** Ir a pecar.— **Juchallicuna,** Estar pecando.— **Juchallimuna,** Pecar y venir.— **Juchallichina,** Hacer pecar.

JUCHANAYANA, v. n. Tener deseo de pecar. Hallarse en tentación.

JUCHANAYAY, n. Deseo de pecar; tentación.

JUCHASAPA, adj. Lleno de pecados; gran pecador.

JUCHAYUG, adj. Pecador; delincuente. El que tiene la culpa de algún mal suceso.

JUMBI, n. Sudor.

Jumbi

JUMBIG, p. a. El que suda.

JUMBINA, v. n. Sudar.— **Jumbigrina,** Ir a sudar.— **Jumbicuna,** Estar sudando.— **Jumbimuna,** Venir sudando.- **Jumbichina,** Hacer sudar.— **Jumbirana,** Sudar constantemente.

JUMBISAPA, adj. Sudoroso.

JUMBISHCA, p. p. Sudado.

JUNCIA, n. Función; banquete; comilona; bodorrio. No hay duda de que es el mismo nombre castellano "Función", desfigurado para el quichua.

JUNDA, adj. Lleno.

JUNDACHIG, p. a. El que llena.

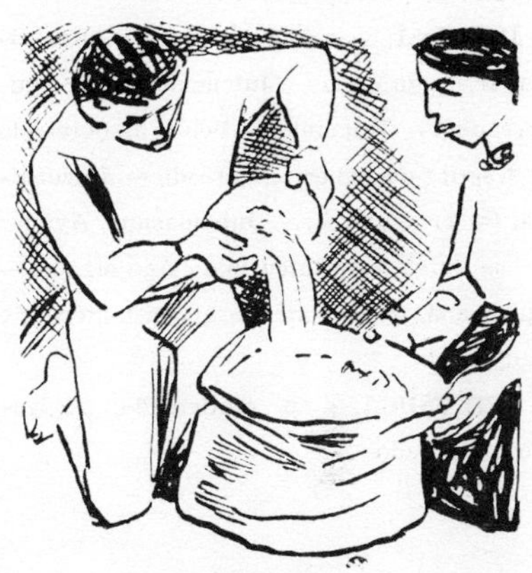

Jundachina

JUNDACHINA, v. a. Hacer que se llene una bacía, un saco o cosa análoga; llenarlos.— **Jundachigrina,** Ir a llenar.— **Jundachicuna,** Estar llenando.— **Jundachimuna,** Llenar y venir.

JUNDACHISHCA, p. p. Llenado; lleno.

JUNDANA, v .r. Llenarse.— **Jundagrina,** Ir a llenarse.— **Jundacuna,** Estar a punto de llenarse.— **Jundamuna,** Venir llenándose.— **Jundarina,** Lo mismo que **Jundana.**

JUNDASHCA, p. p. Lleno.

JURU, adj. Inclinado; jorobado. Es claro que de esta última palabra procede **Juru.**

JURULLA, adj. Inclinado; cabisbajo.

JURURINA, v. n. Inclinarse; agacharse; encorvarse.

JURUPI, n. Arbol con cuyas semillas negras y esféricas se divierten los niños y cuya cápsula contiene una especie de jabón (Sapindus saponaria).

Jutcu

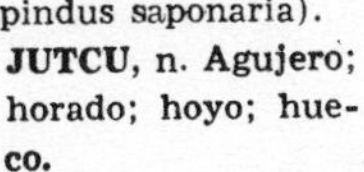

JUTCU, n. Agujero; horado; hoyo; hueco.

JUTCUG, n. a. El que agujerea.

JUTCUNA, n. Taladro.

JUTCUNA, v. a. Agujerearse.— **Jutcugrina**, Ir a agujerear.— **Jutcucuna**, Estar agujereando.— **Jutcumuna**, Venir agujereando o después de haber agujereado.— **Jutcuchina**, Hacer agujerear.— **Jutcunacuna**, Ayudar a agujerear.— **Jutcurina**, Agujerearse.— **Jutcurana**, Estar una cosa constantemente agujereada.

JUTCUSHCA, p. p. Agujereado; excavado; taladrado.

JUTCUY, n. Acto de agujerear o taladrar. Excavación.

JUYAPA, n. Arbusto frutal de las sierras (Especie de Caratostema).

JUYBIBISH, n. Ave de la familia de las Zancudas.

JUYNI, n. Silbo; silbido.

JUYNINA, v. n. Silbar.— **Juynigrina**, Ir a silbar, etc.

Juynina

ALAHUAY, n, Canto de algunos indios segadores, en la época de los cortes de trigo o cebada.

LAMAMA, n. Madrastra.

LAMPA, n. Azada plana y vertical, de uso común en algunas provincias de la Sierra Ecuatoriana.

LAMARYANA, v. r. Formarse un gran lago o mar. Es palabra derivada del castellano.

LAGLAG, n, Planta de la familia de las Iridáceas (Sisirinchium galaxioides).

LANCHA, n. Especie de gangrena que infesta y destruye o, cuando menos, deteriora mucho algunas sementeras, especialmente la de papas, tomates, pepinos y otras solanáceas.

LALACU!, interj. Albricias!; en hora buena!; qué regocijo!

LANCHA, n. Llovizna muy tenue a la cual atribuye la gente labriega la infección llamada también **lancha.** (Véase el artículo precedente).

LANCHANA, **v. r.** Inficionarse las sementeras con la gangrena que llaman **lancha.** Dícese también **Lanchariña.**

LAPLAG, n. Véase **Laglag.**

LATIG, n. Véase también **Laglag.**

LAYAYA, n. Padrastro.

LAYCHU, n. Charro o chasco; mestizo. Los indios insultan a los blancos con esta palabra.

LICUANGU, n. Véase **Chaupau.**

LINCHI, n. Tela de hebras ralas, en forma de red, a propósito para cargar bultos.

Lamaryana

Lancha

LORIA, n. El alba; la aurora.

LORIANA, v. r. Apuntar el alba; **rayar** la aurora.

LORIAY, n. El acto de rayar el alba.

Lugma

LUGMA, n. **Planta** frutal de **la familia** de las **Sapotáceas** (Achras **Lucuma**).

LUGRU o **Logro** por corrupción), n. Sopa de papas, muy usada en las más de las Provincias del Ecuador. Cualquiera otra preparación análoga de raices o de granos.

LUGRUNA, v. a. Preparar o sazonar la sopa llamada **lugru**. Hacer potajes análogos de otras raíces, legumbres o granos.

LULUN, n. **Huevo.** En las Provincias meridionales del Ecuador se lo llama **Ruru.**

Lulún

LUNGU, n. **Indio** todavía niño o adolescente. Usase como despectivo.

LUTU, n. Baba. Viscosidad de algunos vegetales.

LUTUYUYU, n. Planta de la familia de las Basselláceas (Basella obovata).

A, Partícula adverbial. Significa: No más; solamente. Vga. "Chaylla": "Ese no más"; — "Shamuylla": "Vente no más". También denota compasión, ternura o ruego, asumiendo el carácter de interjección; vga. "Huahualla": "Ay, hijo mío!"; — "Quishpichihuaylla!": "Líbrame no más!".

LLACA, n. Forraje de las hojas frescas de maíz desprendidas del tallo.

LLACANA, v. a. Desprender de las matas de maíz hojas frescas, para forraje.

LLACAY, n. Acto de desprender, para forraje, las hojas frescas del maíz. Rasgar de manera semejante la rama de un árbol o rasgar a tirones su corteza.

LLACHAPA, n. Trapo; andrajo.

LLACHAPA, n. Tasajos de melocotones cocidos con el azúcar moreno llamado usualmente "raspadura".

Llachapa

LLACHAPANA, v. a. Despedazar una tela o cosa semejante, reduciéndola a girones o trapos.

LLAGLLAG, p. a. El que desbasta.

LLAGLLANA, n. Azuela; hacha; hachuela.

LLAGLLANA, v. a. Desbastar.— **Llagllagrina**, Ir a desbastar.— **Llagllacuna**, Estar desbastando.— **Llagllamuna**, Venir después de haber desbastado.— **Llagllachina**, Hacer desbastar.— **Llagllarina**, Desbastarse.— **Llagllanacuna**, Ayudar a desbastar.— **Llagllarana**, Desbastar una y otra vez.

LLAGLLASHCA, p. p. Desbastado.

LLAGLLAY, n. Acto de desbastar; desbaste.

LLAGTA, n. País; región; comarca. Patria del que habla. "Quiquin llagta": "Mi propio país".

LLAGTACUYAG, adj. Amante de la patria; patriota.

Llacta

LLAGTACUYAY, n. Amor de la patria; patriotismo.

LLAGTANANAY, n. Deseo de regresar a la patria; nostalgia.

LLAGTAYANA, v. n. Regresar a la patria.— **Llagtayagrina,** Ir a regresar a la patria.— **Llagtayacuna,** Estar regresando a la patria.— **Llagtayamuna,** Venir de regreso a la patria.— **Llagtayachina,** Hacer que otro regrese a la patria.

LLAGTAYUG, adj. Que tiene patria.

LLAGUAG, p. a. Lamedor.

LLAGUANA, v. a. Lamer.— **Llaguagrina,** Ir a lamer.— **Llaguacuna,** Estar lamiendo.— **Llaguamuna,** Venir lamiendo o después de haber lamido.— **Llaguachina,** Hacer lamer.— **Llaguarina,** Lamerse.— **Llaguarana,** Lamer una y otra vez.

LLAGUASHCA, p. p. Lamido.

LLAGUAY, n. Lamedura.

LLAMA, n. Carnero de los aborígenes peruanos (Camelus Lama L.).

LLAMBU, adj. Liso; pulido; terso.

LLAMBUCHIG, p. a. El que alisa o pule.

Llambuchina

LLAMBUCHINA, v. a. Pulir; alisar.— **Llambuchigrina,** Ir a alisar.— **Llambuchicuna,** Estar alisando o después de alisar.— **Llambuchirina** o **Llamburina,** Alisarse. — **Llambuchinacuna,** Ayudar a alisar.

LLAMBUSHUNGU, adj. Persona de corazón sencillo: ingenua, sin doblez.

LLAMBUYANA, v. r. Alisarse o pulirse de suyo alguna cosa. Desgastarse con el frote la moneda.

LLAMINGU, n. Véase **Llama.**

LLACANA, v. a. ant. Palpar.

LLANCANA, v. a. ant. Trabajar.

LLANCAY, n. ant. Acto de palpar.

LLANCAY, n. ant. Trabajo.

LLANDU, n. Sombra.

LLANDU, adj. Sombrío; sombroso· umbrío.

LLANDUNA, v. n. Sombrear. Acogerse a la sombra.

LLANDUSHCA, p. p. Que se ha guarecido en la sombra o ha gozado de ella.

LLANDUYANA, v. r. Ponerse sombrío o umbroso algún paraje.

LLAPCHI, n. Aplastón.

LLAPCHI, adj. Cosa aplastada o atortillada.

LLAPCHINA, v. a. Aplastar.— **Llapchigrina,** Ir a aplastar. — **Llapchicuna,** Estar aplastado. — **Llapchimuna,** Venir aplastando o después de aplastar.— **Llapchichina,** Hacer aplastar.— **Llapchihuana,** Aplastarme o aplastarte.- **Llapchirina,** Aplastarse.— **Llapchinacuna,** Aplastar entre dos o más.— **Llapchirana,** Mantener aplastada alguna cosa.

Llapchi

LLAPCHISINGA, adj. Persona de nariz roma, vulgarmente **ñata.**

LLAPCHICA, p. p. Aplastado.

LLAPI, n. ant. Tacto.

LLAPINA, v. a. ant. Tantear; palpar.

LLAPISH, part. de composición. Siquiera; a lo menos; vga. "Cayllatapish cahuanguimi": "Siquiera esto me has de dar". Véase **lla** y **pish.**

LLAPLLA, adj. Cosa de muy poco espesor, muy tenue o liviana.

LLAQUI, n. Pena; pesar; tristeza; angustia; consternación; arrepentimiento; infortunio; desgracia; tribulación; conflicto; desdicha; urgencia; contratiempo.

LLAQUICHIG, p. a. Que inspira compasión o ternura.

LLAQUICHINA, v. a. Causar lástima o compasión. Entristecer; atribular.

LLAQUIG, adj. El que se aflige o consterna. El que se compadece o apiada.

LLAQUIGLLA, adj. Que se aflige o que se compadece con facilidad.

LLAQUILLA, adj. Bastante apesadumbrado; algo consternado; triste.

LLAQUINA, v. n. Apesadumbrarse; tener pena; afligirse. Deplorar algún suceso infausto.

LLAQUIÑAHUI, adj. Persona de semblante triste, sombrío o lloroso; cariacontecida.

LLAQUIPAG, adj. Cosa digna de lástima, deplorable. Suceso que debe afligir.

Llaquisapa

LLAQUISAPA, adj. Persona consternada o abatida por el pesar.

LLAQUISHCA, p. p. Sentido; deplorado.

LLAQUIYUG o **Llaquiug,** adj. Sujeto que está con pesar o desgracia recientes.

LLASHAG, adj Cosa pesada.

LLASHANA, v. n. Pesar (tratándose del peso de algún cuerpo).— **Llashagrina,** Ir a pesar.— **Llashacuna,** Estar pesando.— **Llashamuna,** Venir pesando un fardo al que lo carga.— **Llashachina,** Hacer que pese una cosa.— **Llashahuana,** Pesarme o pesarte.— **Llasharana,** Pesar demasiado el bulto que se soporta.

LLASHAY, n. Peso.

LLASHIPA, n. Planta de la familia de los Helechos. (Gleichenia revoluta y otras especies).

LLATAN, adj. Desnudo; en cueros. Sujeto excesivamente pobre.

LLATANA, v. a. Desnudar completamente; estar en cueros.

LLATANASHCA, p. p. Desnudo.

LLAUSA, adj. Baboso; biscoso.

LLAUSAYACHINA, v. a. Hacer que algo se ponga baboso. Lubricar.

LLAUSAYASHCA, p. p. Que se ha puesto baboso o viscoso.

Llatán

LLAUTU, n. Diadema; corona; guirnalda.

LLAUTUNA, v. r. Ponerse diadema o guirnalda. Coronarse.

LLAUTUSHCA, p. p. Coronado.

LLI, part. que se usa a veces en lugar de la reflexiva **Ri;** vga. "Catalina", en vez de "Catarina": "Cobijarse".

LLIBA, n. Zapallo pequeño, llamado también "limeño", en castellano.

LLICA, n. ant. Tela.

LLIGLLA, n. Mantilla.

LLIGLLANA, v. r. Ponerse la mantilla; rebozarse.

LLIGLLASHCA, p. p. Mujer rebozada con mantilla.

LLIGLLAY, n. Acto de ponerse mantilla.

LLILLI, n. Sarpullido.

Lliglla

LLIMPI, n. ant. Bermellón.

LLIPI, adj. Limpio; terso; brillante; esplendoroso; diáfano.

LLIPIACUG, adj. Que esplende; que está brillando, como el cielo en una noche despejada.

LLIPIANA, v. n. Brillar; resplandecer.— **Llipiagrina,** Ir a brillar.— **Llipiacuna,** Estar brillando.— **Llipiamuna,** Empezar a despejarse y brillar.— **Llipiachina,** Hacer que brille.— **Llipiarana,** Subsistir brillando.

LLIPIASHCA. p. p. Que ha venido a ser limpio y brillante.

LLIPIG, n. ant. Seda.

LLIPISH, n. Arbol de la familia de las Compuestas. (Especie de Eupatorium).

LLIPTA, n. La parte más fina y tenue de la ceniza.

LLIPUG, n. Yerba de la familia de las Compuestas.

LLIQUI, n. Rotura de alguna tela o cosa semejante.

Lliqui

LLIQUI, adj. Cosa rota.

LLIQUIG, p. a. El que rompe o rasga.

LLIQUINA, v. a. Romper; rasgar.— **Lliquigrina,** Ir a romper.— **Lliquicuna,** Estar rompiendo.— **Lliquimuna,** Empezar a romper. — **Lliquinacuna,** Romper desatinadamente o romper entre varios.— **Lliquirina,** Romperse.

LLIQUISHCA, p. p. Roto.

LLIU, adj. Brillante; luminoso.

LLIULLA, adj. De apariencia brillante. "Jahuataca lliulla, ucutaca purulla", proverbio con que los indios manifiestan que alguna cosa no tiene más que brillo o bondad aparentes.

LLIULLU, n. desus. Relámpago.

LLIULLINA, v. n. Relampaguear.

LLUCAG, p. a. El que gatea. Sujeto muy perezoso.

LLUCANA, v. n. Gatear.— **Llucagrina,** Ir a gatear.— **Llucacuna,** Estar gateando.— **Llucamuna,** Venir gateando. **Llucachina,** Hacer gatear.

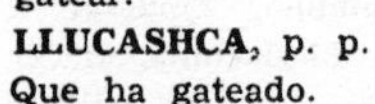

Llucag

LLUCASHCA, p. p. Que ha gateado.

LLUCAY, n. Acto de gatear.

LLUCHCA, adj. Resbaloso.

LLUCHCAG, p. a. El que resbala.

LLUCHCANA, v. n. Resbalar.— **Lluchcagrina,** Ir a resbalar.— **Lluchcacuna, Estar** resbalando.— **Lluchcamuna,** Venir resbalando.— **Lluchcachina,** Hacer resbalar.— **Lluchcarana,** Resbalar frecuentemente.

LLUCHCAY, n. Resbalón.

LLUCHU, adj. Desnudo; desollado; pelado. Persona muy pobre.

LLUCHUG, p. a. El que desuella o desnuda

LLUCHUNA, v. a. Desollar.— **Lluchugrina,** Ir a desollar.— **Lluchucuna,** Estar desollando.— **Lluchumuna,** Venir después de haber desollado.— **Lluchuchina,** Hacer desollar.— **Lluchuhuana,** Desollarme o desollarte.— **Lluchurina,** Desollarse.— **Lluchunacuna,** Ayudar a desollar.— **Lluchurana,** Estar algún animal muerto y desollado

LLUCHUNA, v. a. Azotar cruelmente, como para desollar.

LLUCHUSHCA, p. p. Desollado. Bárbaramente flagelado.

Lluchushca

LLUGCHIG, p. a. El que saca.

LLUGCHINA, v. a. Sacar.— **Llugchigrina,** Ir a sacar.— **Llugchicuna,** Estar sacando.— **Llugchimuna,** Venir sacando o después de haber sacado.— **Llugchichina,** Hacer sacar.— **Llugchigrina,** Sacarse alguna cosa.— **Llugchihuana,** Sacarme o sacarte.— **Llugchinacuna,** Sacar entre dos o más

LLUGCHISHCA, p. p. Sacado.

LLUGSHI, n. Acto de salir; salida.

LLUGSHI!, interj. Con que se amenaza a los perros, para que no incomoden. Significa: Sal!; quita allá!; fuera!.

LLUGSHINA, v. n. Salir.— **Llugshigrina,** Ir a salir.— **Llugshicuna,** Estar saliendo.— **Llugshimuna,** Venir después de haber salido o empezar a salir.— **Llugshichina,** Hacer salir.

LLUGSHIRINA, v. n. Empezar a salir el enfermo que convalece.

LLUGSHISHCA, p. p. Salido.

LLULLA, n. Mentira; ficción; engaño; fraude.

LLULLA, adj. Mentiroso; engañador; fraudulento.

LLULLANA, v. n. Mentir.— **Llullagrina,** Ir a mentir.— **Llullacuna, Estar** mintiendo.— **Llullamuna,** Empezar a mentir o venir después de haber mentido.— **Llu-**

llachina, Hacer que otro mienta.— **Llullahuana,** Mentirme o mentirte.— **Llullanacuna,** Mentir entre dos o más.— **Llullarana,** Mentir habitualmente.

LLULLASHCA, p. p. Mentido; fingido.

LLULLU, adj. Tierno.

LLULLUCHA, n. Pulpejo (¿especie de Nostoch?).

LULLURA, adj. Tierno todavía; inmaturo; en agrás.

LLULLUYAG, p. a. Que se enternece.

LLULLUYANA, v. r. Enternecerse (por volver a ser tierna una cosa).— **Llulluyagrina,** Ir a enternecerse.— **Llulluyacuna,** Estar enterneciéndose.— **Llulluyamuna,** Empezar a enternecerse.— **Llulluyachina,** Hacer que se enternezca.

LLUMPI, n. ant. Bermellón.

LLUNCUNA, v. a. desus. Bruñir; pulir.

LLUNZHI, n. Untura; barniz; enlucido.

LLUNZHIG, p. a. El que unta, enluce o barniza.

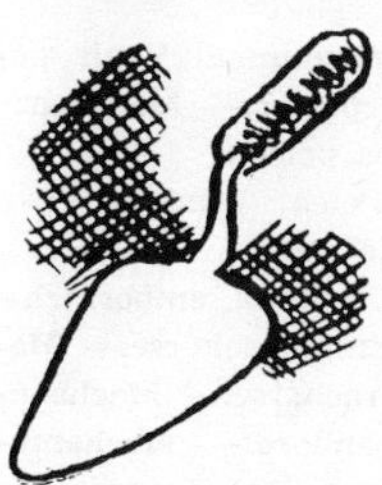

Llunzhina

LLUNZHINA, n. Plana de albañil.

LLUNZHINA, v. a. Untar; barnizar; enlucir.— **Llunzhigrina,** Ir a untar.— **Llunzhicuna,** Estar untando.— **Llunzhimuna,** Venir untando o después de untar.— **Llunzhichina,** Hacer untar.— **Llunzhirina,** Untarse.— **Llunzhinacuna,** Untar entre dos o más o untar a diestro y siniestro.

LLUNZHISCA, p. p. Untado; barnizado; enlucido.

LLUQUI, n. El brazo y la mano izquierdos.

LLUQUI, adj. Zurdo.

LLUQUIMAN, adv. Hacia la izquierda.

LLUQUIMANTA, adv. Del lado izquierdo.

LLUQUITA, adv. Por la izquierda.

LLUSTI, adj. Desolado; desnudo. Sujeto muy pobre.

LLUSTIG, p. a. El que desuella o desnuda.

LLUSTINA, v. a. Desollar; desnudar.— **Llustigrina,** Ir a desollar.— **Llusticuna,** Estar desollando.— **Llustimuna,** Venir después de haber desollado.— **Llustichina,** Hacer desollar.— **Llustirina,** Desollarse.— **Llustihuana,** Desollarme o desollarte.— **Llustinacuna,** Ayudar a desollar.

LLUSTINA, v. a. Azotar despiadadamente.

LLUSTIÑAHUI, adj. Barbilampiño. Caridesollado; falto de vergüenza.

LLUSTISHCA, p. p. Desollado.

LLUSHPI, n. Resbalo.

LLUSHPI, adj. Resbaloso.

LLUSHPIG, p. a. El que resbala.

LLUSHPINA, v. n. Resbalar. Véase **Lluchcana.**

Llushpina

LLUTAG, p. a. El que embarra.

LLUTANA, v. a. Embarrar.— **Llutagrina,** Ir a embarrar.— **Llutacuna,** Estar embarrando.— **Llutamuna,** Venir embarrando o después de embarrar.— **Llutachina,** Hacer embarrar.— **Llutanacuna,** Ayudar a embarrar.— **Llutarina,** Embarrarse.— **Llutarana,** Estar alguna cosa adherida como el barro en una pared.

LLUTARIGLLA, adj. Que se adhiere con facilidad; pegadizo.

LLUTARINA, v. r. Pegarse o adherirse fuertemente una cosa a otra.

LLUTASHCA, p. p. Embarrado.

LLUTAY, n. Embarre.

LLUTULLUTU, n. desus. Verdolaga. (Portulaca oleracea L.).

A, adv. de pond. que se une a la palabra que modifica; vga. "Cayma sumagca!": "Esto sí que es hermoso!"

MACAG, p. a. El que pega; pegador.

MACANA, n. Instrumento de pegar o golpear; arma contundente.

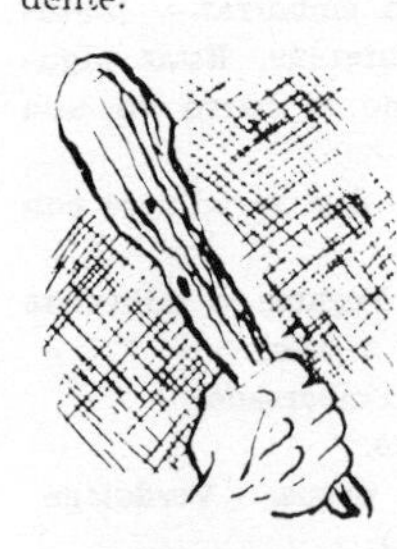

Macana

MACANA, v. a. Pegar; castigar.— **Macagrina**, Ir a pegar.- **Macacuna**, **Estar pegando**.— **Macamuna**, Venir pegando o después de haber pegado.— **Macahina**, Hacer pegar.— **Macahuana**, Pegarme o pegarte.— **Macarana**, Pegar incesantemente.

MACANACUG, p. a. El que pelea.

MACANACUNA, v. a. Pelear.— **Macanacugrina**, Ir a pelear.— **Macanacucuna**, Estar peleando.— **Macanacumuna**, Venir peleando o después de pelear.— **Macanacuchina**, Hacer que otros peleen.

MACANACUY, n. Pelea; combate.

MACAY, n. Acto de pegar; castigo.

MACHAG, p. a. El que se emborracha.

MACHANA, v. n. Emborracharse.— **Machagrina**, Ir a emborracharse.— **Machacuna**, Estar emborrachándose.— **Machamuna**, Empezar a emborracharse o venir borracho.— **Machachina**, Hacer emborrachar.— **Machanacuna**, Emborracharse mutuamente.— **Macharana**, Emborracharse con frecuencia.

MACHASHCA, p. p. Borracho; embriagado; ebrio.

MACHAY, n. Borrachera; embriaguez; ebriedad.

MACHAY, n. Cueva; caverna; hueco formado al abrigo de alguna piedra tamaña. Madriguera o guarida de fieras.

Machay

MACHCA, n. Harina de cebada, de trigo, etc., tostado.

MACHCANA, v. a. Moler el grano tostado, para obtener la harina llamada **machca**.

MACHI, n. Mono (especie de Lemur o de Midas).

MACHU, adj. ant. Viejo; anciano; decrépito.

MACHUYANA, v. r. ant. Envejecerse.

MALTA, n. Cantarilla de barro, para vender o guardar chicha.

MALTA, adj. Animal hembra que no ha parido todavía.

MALLI, n. Bocado que se da a probar.

MALLIG, p. a. El que prueba un bocado de algo.

MALLINA, n. Lo mismo que **Malli**.

MALLINA, v. a. Probar algo, tomando un bocado.— **Malligrina**, Ir a probar.— **Mallicuna**, Estar probando.— **Mallimuna**, Venir probando o después de haber probado.— **Mallichina**, Hacer probar.— **Mallirina** Probarse.— **Mallinacuna**, Probar entre dos o más.

MALLISHCA, p. p. Probado.

MALLQUI, n. Planta que se pone para probar.

MALLQUICHAGRA, n. Planta; criadero; vivero.

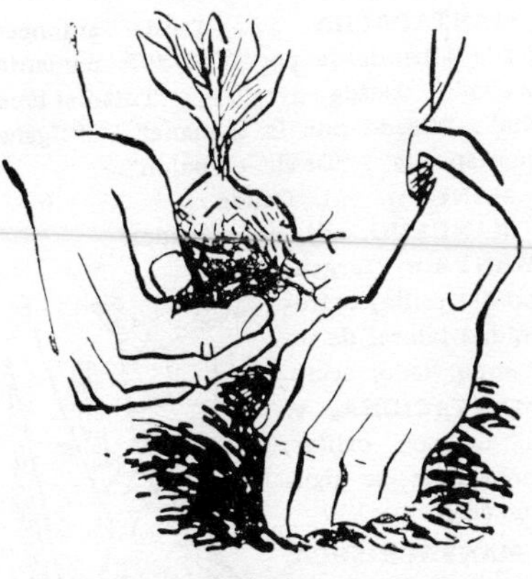

Mallquina

MALLQUINA, v. a. Plantar.— **Mallquigrina**, Ir a plantar.— **Mallquicuna**, Estar plantando.— **Mallquimuna**, Caminar plantando o venir después de plantar.— **Mallquichina**, Hacer plantar.— **Mallquirina**, Plantarse; prender una planta.— **Mallquinacuna**, Ayudar a plantar.

MALLQUISHCA, p. p. Plantado.

MAMA, n. Madre; matrona; señora respetable.

MAMACUCHA, n. El mar.

MAMACHANGA, n. La parte alta de la pierna; el muslo.

MAMAYANA, v. r. Llegar a ser madre; envejecer las mujeres.

MAN, prep. Para, hacia o a; vga. "Urcumami ricunchi": "Al cerro estamos yendo".

MAN, conj. condic. Si; vga. "Yachanguiman": "Si acaso lo supieras".

MAN, adv. de proh. No sea que; cuenta con que; vga. "Micunguiman!": "No sea que te lo comas".

MANA, adv. de neg. No.

MANACHU, adv. de preg. vga. "¿Manachu cayaca shamungui?": "¿No has de venir mañana?". También significa "No es verdad?", pregunta que habitualmente se hace para confirmar una aserción u obtener respuesta favorable; vga. "Minchaca yanapanguimi, manachu?": "¿Mañana has de ayudarme, no es verdad?".

MANAIMA, n. Ninguna cosa; nada. Literalmente quiere decir: **No cosa.**

MANAJAYCAPI, adv. neg. Nunca; jamás.

MANANINA, v. a. No acceder; denegarse; decir que no; rehusar.

MANAISHCA, p. p. Rehusado; denegado.

MANAPI, n. Nadie; ninguno. Literalmente significa: **No alguno; no quien.**

MANARA, adv. Todavía no.

MANARAG, adv. Lo mismo que **Manara.**

MANASHUTI, adj. Cosa falsa; aserción infundada.

MANATAG, adv. de suprema neg. De ningún modo; en ningún caso.

MANAYACHAG, adj. Que no sabe. Ignorante.

MANCHACHIG, p. a. Que espanta; que intimida.

Manchachishca

MANCHACHINA v. a. Espantar; amedrentar; intimidar.- **Manchachigrina,** Ir a espantar.— **Manchachicuna, Estar** espantando.— **Manchachimuna,** Venir espantando o después de haber espantado.— **Manchachinacuna,** Espantar entre varios.— **Manchachihuana,** Espantarme o espantarte.— **Manchachirana,** Espantar frecuentemente.

MANCHACHISHCA, p. p. Espantado.

MANCHANA, v. n. Temer; recelar; intimidarse.— **Manchagrina,** Estar a punto de temer.— **Manchacuna,** Estar temiendo.— **Manchamuna, Venir temiendo o empezar** a temer.— **Manchachina,** Hacer temer.— **Manchahuana,** Temerme o temerte.— **Manchanacuna,** Temerse unos a otros.— **Mancharana,** Temer constantemente.

MANCHANAYAY, n. Espanto; miedo; terror.

MANCHANAYPAG, adv. de pond. En gran número; en porción que espanta.

MANCHARIG, p. a. El que se asombra o espanta.

MANCHARINA, v. r. Espantarse; asustarse.— **Mancharigrina,** Ir a espantarse.— **Mancharicuna,** Estar espantándose.— **Mancharimuna,** Venir después de espantarse.— **Mancharichina,** Hacer que alguna persona o animal se espante.

MANCHARISHCA, p. p. Espantado; asustado; amedrentado; aterrado.

MANCHASHCA, p. p. Temido.

MANCHAY, n. Temor; susto; espanto; recelo.

MANCHAYPAG, adj. Temible. Que debe temer.

MANCHAYSAPA, adj. Lleno de temor; intimidado; meticuloso; muy lleno de zozobra.

MANDAG, p. a. El que tiende alguna tela.

MANDANA, v. a. Tender una cobija, poncho u otra tela.— **Mandagrina, Ir** a tender.— **Mandacuna,** Estar tendiendo.— **Mandamuna,** Venir después de tender.— **Mandachina,** Hacer tender.— **Mandanacuna,** Ayudar a tender.— **Mandarina,** Tenderse — **Mandarana,** Estar indefinidamente tendida una tela.

MANDASHCA, p. p. Tendido (hablando de algún género o tela).

MANGA, n. Olla.

MANGANA, v. a. Hacer ollas u otros utensilios de barro.

MANGAPAQUI, n. Yerba de la familia de las Labiadas (Salvia scutellaroides H.).

Mangarrurrag

MANGARRURRAG, n. Ollero; alfarero.

MANTA, prep. Desde; por; porque; a causa de; etc. Ejemplos: "Caymantapacha": "Desde aquí". "Canmantami ñacaricuni": "Por tí estoy padeciendo".— "Can mana jambishcamantami huañurca": "Porque tú no lo curaste murió".

MANTAPACHA, adv. Desde entonces; desde allí; desde por. Vga. "Caynamantapacha": "Desde ayer".— "Tutamantapacha": "Desde por la mañana".— "Ugshamantapacha": "Desde el pajón".

MANU, n. ant. Deuda.

MANUYUG, adj. ant. Deudor.

MANYA n. Margen; borde; orilla; extremidad lateral de un campo; lado; acera.

MANYACHINA, v. a. Ladear; orillar; prescindir de alguna cosa.

MANYACHISHCA, p. p. Ladeado; orillado; preterido.

MANYANA, v. r.

Manya

Retirarse a un lado; apartarse del centro de un camino.

MANYASHCA, p. p. Retirado al margen: persona postergada.

MAÑACHIG, p. a. El que presta.

MAÑACHINA, v. a. Prestar. (Literalmente "Hacer que otro pida").— **Mañachigrina,** Ir a prestar.— **Mañachicuna,** Estar prestando.— **Mañachimuna,** Venir después de prestar.— **Mañachirina,** Prestar alguna cosa.— **Mañachihuana,** Prestarme o prestarte — **Mañachinacuna,** Prestarse recíprocamente.— **Mañachirana,** Prestar habitualmente.

MAÑACHISHCA, p. p. Prestado.

MAÑAG, p. a. El que pide.

Mañana

MAÑANA, v. a. Pedir.— **Mañagrina,** Ir a pedir.— **Mañacuna,** Estar pidiendo.— **Mañamuna,** Venir después de pedir o trayendo la cosa pedida.— **Mañahuana,** Pedirme o pedirte.— **Mañanacuna,** Ayudar a pedir o pedirse mutuamente.— **Mañarana,** Pedir habitualmente.— **Mañachina,** Hacer pedir; prestar.

MAÑARI, n. Petición; solicitud.

MAÑARINA. v. r. Pedir con instancia; solicitar suplicando. Orar; rezar.

MAÑAY, n. Petición; súplica.

MAPA, n. Suciedad; basura; mugre.

MAPACUNA, v. r. Menstruar.

MAPACUSHCA, p. p. Mujer que está con la regla. Animal hembra en el mismo caso.

MAPACUY, n. La menstruación.

MAPASHIMI, adj. Boquisucio; obsceno.

MAPAYACHINA, v. a. Ensuciar; emporcar.— **Mapayachigrina,** Ir a ensuciar.— **Mapayachicuna,** Estar ensuciando.— **Mapayachimuna,** Venir después de ensuciar.— **Mapayachinacuna,** Ensuciar entre varios.— **Mapayachihuana,** Ensuciarme o ensuciarte.

MAPAYACHISHCA, p. p. Ensuciado; emporcado.

MAPAYANA, v. r. Ensuciarse.— **Mapayagrina,** Ir a ensuciarse.— **Mapayacuna,** Estar ensuciándose.— **Mapayamuna,** Venir ensuciándose o después de haberse ensuciado.— **Mapayachina,** Hacer que se ensucie, ensuciar.

MAPAYASHCA, p. p. Ensuciado.

MAQUI, n. Mano.

Maqui

MAQUI, n. Manojo, haz o puñado de alguna cosa.

MAQUICURPA, n. Puñetazo; moquete.

MAQUIPAMBA, n. Palma de la mano.

MARAR, n. Arbol de las serranías y de muy buena madera (¿Será de la familia de las Magnoliáceas?).

MARCA, n. Que subsiste en composición, con el significado de región, comarca o lugar; vga. "Patamarca": "Región de la meseta".— "Cajamarca": "Región de la Puna".

MARCAG, p. a. El que toma una cosa para transportarla en los brazos.

MARCAGMAMA, n. Madrina de bautismo o de confirmación.

MARCAGTAYTA, n. Padrino de bautismo o de confirmación.

MARCAGYAYA, n. Lo mismo que **Marcagtayta.**

MARCANA, v. a. Tomar algún bulto en los brazos, para transportarlo.— **Marcagrina,** Ir a tomar el bulto, etc.

MARCANA, v. a. Llevar a alguna persona por delante viajando a caballo.

MARCASHCA, n. Ahijado de bautismo o de confirmación.

MARCASHCA, p. p. Cosa que se ha tomado en peso, para transportarla.

MARCAY, n. Acto de tomar algo en los brazos.

MARCU, n. Altamisa americana. (Franseria artemisoides Will.).

MARI, adv. de pond. Vga. "**Caymari jatunca**": "Este sí que es grande". Véase **Ma.**

MARU, n. Animal, ave, o algún bicho salvaje.

MARUCHA, n. Ninfa o crisálida de malanueva o de otros insectos.

MASNA, adj. Cuantos. Rara vez se usa en plural diciendo **Masnacuna.** Lo más correcto es decir **Masna** en uno y otro número.

MASHA, n. Cuñado. Concuñado.

MASHAG, p. a. El que se abriga o calienta, saliendo al sol o apegándose al fuego.

MASHANA, v. n. Calentarse al sol o al fuego.— **Mashagrina,** Ir a calentarse.— **Mashacuna,** Estar calentándose.— **Mashamuna,** Venir después de calentarse.— **Mashachina,** Hacer que otro se caliente.— **Masharana,** Calentarse por largo tiempo.

MASHASHCA, p. p. Que se ha calentado o abrigado.

MASHCAG, p. a. El que busca.

MASHCANA, v. a. Buscar.— **Mashcagrina,** Ir a buscar.— **Mashcacuna,** Estar buscando.— **Mashcamuna,** Venir buscando o después de haber buscado.— **Mashcachina,** Hacer buscar.— **Mashcarina,** Buscarse alguna cosa.— **Mashcanacuna,** Ayudar a buscar.— **Mashcahuana,** Buscarme o buscarte.— **Mashcarana,** Buscar con suma diligencia.

MASHCARIG, adj. Buscavidas; hacendoso; negociante; vividor.

MASHCARINA, v. a. Negociar; agenciar; proporcionarse medios de subsistencia.

MASHCASHCA, p. p. Buscado.

MASHCAY, n. Acto de buscar; busca.

MASHU, n. Murciélago (Vespertilio murinus L.).

MASHUA, n. Planta de la familia de las Tropeoláceas (Tropeolum tuberosum R. et P.) Llámase también **Mashua** el tubérculo de esta planta, el cual es comestible y gusta mucho a los indios de las serranías.

Mashu

MATARA, n. Planta acuática de la familia de las Ciperáceas. Produce una **totora** basta, que sólo sirva para la primera cubierta de las casas de los indios.

MATI, n. ant. Frente.

MATI, n. Calabazo (Fruto de numerosas variedades de **Cucurbita lagenaria L.).**

MATIQUILLCANA, n. Arbusto de las Serranías, usado por el pueblo para teñir de verde (Hypericum Laricifolium H.).

MAUCA, adj. Cosa vieja o envejecida.

MAUCAYANA, v. r. Envejecer una persona o una cosa.— **Maucayagrina,** Ir a envejecer.— **Maucayacuna,** Estar envejeciendo.— **Maucayamuna,** Empezar a envejecer o venir después de haber envejecido.— **Maucayachina,** Hacer que envejezca.

MAUCAYASHCA, p. p. Persona o cosa envejecida.

MAUCAYAY, n. Acto de envejecer; envejecimiento; deterioro.

Maucayashca

MAY, adv. Muy; mucho; demasiado; excesivamente.

MAYCAN, adj. Alguno.

MAYCAMPISH, adj. Cualquiera; quienquiera.

MAYCUTI, adv. Cuanto ha; hace rato; vga. "**Ña maycuti tucuchircani**": "Hace rato que acabó".

MAYLLAG, p. a. El que lava.

MAYLLAG, adj. El que no está achispado; el que nada ha bebido.

MAYLLANA, n. Punto de lavar; lavadero.

MAYLLANA, v. a. Lavar.— **Mayllagrina,** Ir a lavar.— **Mayllacuna,** Estar lavando.— **Mayllamuna,** Venir después de lavar.— **Mayllachina,** Hacer lavar.— **Mayllanacuna,** Ayudar a lavar.— **Mayllarina,** Lavarse.— **Mayllahuana,** Lavarme o lavarte.—

Mayllarana, Lavar diariamente o lavar una y otra vez.

MAYLLASHCA, p. p. Lavado.

MAYLLAY, n. Acto de lavar.

MAYMAN, adv. A donde; hacia donde; vga. "¿Maymanta ringui?": "¿A dónde te vas?".

MAYMANPISH, adv. A donde quiera.

MAYPACHA, adv. Cuanto ha. Véase **Maycuti**.

MAYPI, adv. En donde.

MAYPIPISH, adv. Donde quiera.

MAYPITA? adv. de preg. Dónde está?

MAYTA?, adv. de preg. ¿Dónde, que no lo veo?; ¿Por dónde?. Vga. "**Mayta** cullquica?": "Dónde está el dinero?" — "¿Maytaca rirca?": "¿Por donde se fué?".

MAYTAPISH, adv. Por donde quiera.

MAYTU, n. Envoltura; pañales.

MAYTUG, p. a. El que envuelve a un niño o a otra persona.

Maytuna

MAYTUNA, v. a. Envolver a un niño o a otra persona.— **Maytugrina, Ir** a envolver.—**Maytucuna**, Estar envolviendo.— **Maytumuna**, Venir después de haber envuelto.- **Maytuchina**, Hacer envolver.— **Mayturina**, Envolverse.— **Maytunacuna**, Ayudar a envolver.— **Maytuhuana**, Envolverme o envolverte.

MAYTUSHCA, p. p. Envuelto.

MAYU, n. desus. **Río**. Se lo encuentra en composición, como en "Putumayu": "Río de los calabazos". — "Catamayu" (?); etc.

MAYUA, n. Color morado o violeta.

MI, Presente de un verbo defectivo equivalente a **Cana**, ser. Se usa sólo en tercera persona invariable para ambos números y significa **ser** o **estar**. Vga. "Paymi": "El es" — "Callpancunami": "Corren" — "Caypimi": "Aquí está".

MICA, n. Plato de madera, para molde de raspaduras.

MICU, n. Mono muy pequeño (especie de Cebus).

MICUG, p. a. El que come.

MICUNA, n. Comida.

MICUNA, v. a. Comer.— **Micugrina, Ir** a comer.— **Micucuna**, Estar comiendo.— **Micumuna**, Venir comiendo o después de haber comido.— **Micuchina**, Hacer que otro coma.— **Micunacuna**, Comer entre varios.— **Micurana**, Comer incesantemente.

MICURINA, v. r. Comerse o carcomerse alguna cosa.

MICURISHCA, p. p. Comido; carcomido; desgastado.

MICUSHCA, p. p. Comido.

MICUY, n. Comida; vianda; potaje; manjar.

MICUYPAG, adj. Cosa comible. Persona o animal que debe comer.

MICHIG, adj. Pastor.

Michina

MICHINA, v. a. Pastar.— **Michigrina, Ir** a pastar.— **Michicuna**, Estar pastando.— **Michimuna**, Venir pastando o después de pastar.— **Michichina**, Hacer pastar.— **Michinacuna**, Ayudar a pastar.— **Michirina**, Pastarse. Andar comiendo a costa ajena.— **Michirana**, Pastar diariamente.

MICHISHCA, p. p. Pastado; apacentado.

MIGLLA, n. Falda o delantal, en que se recibe algo, para transportarlo.

MIGLLANA, v. a. Recibir algo en la falda o delantal, para transportarlo.— **Migllagrina,** Ir a recibir en el delantal.— **Migllacuna,** Estar recibiéndolo, etc. **Migllana,** significa también tomar algo en la falda para retenerlo por algunos instantes o para consumirlo.

MIGLLASHCA, p. p. Cosa recibida en la falda o delantal.

MIGLLAY, n. El acto de tomar algo en el delantal.

MIGLLAY, n. Especie de medida de lo que cabe en la falda o delantal recogidos hacia arriba por los extremos para tomar o retener algo; así se dice **"Shug sara migllay".** **"Una falda llena de maíz".**

MILGA (Melga por corrup.), n. Platabanda; acirate o cantero, dispuestos para la siembra de algunas mieses o plantación de hortalizas.

MILGANA, v. a. Formar, por medio de surcos paralelos, los canteros o platabandas para una siembra.

MILGASHCA, p. p. Terreno arreglado por medio de canteros o platabandas.

MILLAG, p. a. El que aborrece u odia. El que tiene asco.

MILLANA, v .a. Aborrecer; odiar. Tener asco de alguna cosa.— **Millagrina,** Ir a aborrecer.— **Millacuna,** Estar aborreciendo.— **Millamuna,** Empezar a aborrecer.— **Millachina,** Hacer que otro aborrezca.— **Millahuana,** Aborrecerme o aborrecerte.— **Millanacuna,** Aborrecerse mutuamente.— **Millarana,** Aborrecer con tenacidad.

MILLANANAY, n. Asco; repugnancia; deseo de odiar a alguna persona.

MILLANAYPAG, adj. Aborrecible; despreciable; que causa repugnancia o asco.

MILLAY, n. Aborrecimiento; odio. Asco; repugnancia; desprecio.

MILLAY, n. Espíritu del mal; demonio.

MILLAY, n. Maldad; perversidad; iniquidad; malicia; pecado; crimen.

MILLAYMANA, adj. Sumamente aborrecible; detestable; excecrable.

MILLAYSHUNGU, adj. De mal corazón; perverso.

MILLAYPAG, adj. Cosa o persona aborrecible. Sujeto que debe aborrecer.

MILLMA, n. Lana; vellón.

MILLMASAPA, adj. lanudo; velloso.

MILLMAYUG, adj. Que tiene lana o vello.

MILLPUG, p. a. El que traga.

MILLPUNA, n. Esófago.

MILLPUNA, v. a. Tragar.— **Millpugrina,** Ir a tragar.- **Millpucuna,** Estar tragando.— **Millpumuna,** Venir tragando o después de haber tragado.— **Millpuchina,** Hacer tragar.— **Millpunacuna,** Tragar desordenadamente o entre varios.— **Millpurina,** Tragarse.— **Millpurana,** Tragar incesantemente.

Millmasapa

MILLPUSHCA, p. p. Tragado.

MILLPUY, n. El acto de tragar; deglución.

MILLUCU, n. Planta que produce tubérculos comestibles. (Basella tuberosa H.).

MINCHA, n. Pasado mañana. **"Cayamincha",** expresión adverbial: **"De mañana a pasado mañana".**

MINGA, n. Invitación o convite para algún trabajo. Encargo que se hace a una persona, sobre todo para que guarde o conduzca alguna cosa.

MINGA, n. Reunión de gente que trabaja, comiendo y bebiendo a expensas del dueño de la faena.

MINGANA, v. a. Invitar para algún trabajo gratuito, en que han de comer y beber los invitados.

MINGANA, v. a. Encargar o recomendar a alguno la conservación o la conducción o entrega de una cosa.

MINGASHCA, p. p. Convidado para algún trabajo. Recomendado para la conservación, transporte o entrega de un objeto.

MINGAY, n. Lo mismo que **Minga,** en ambas acepciones.

Mingay

MIRACHIG, p. a. El que aumenta alguna cosa. Procreador.

MIRACHINA, v. a. Aumentar.— **Mirachigrina,** Ir a aumentar.— **Mirachicuna,** Estar aumentando.— **Mirachimuna,** Venir aumentando o después de aumentar.— **Mirachichina,** Hacer aumentar.— **Mirachinacuna,** Aumentar entre dos o más.— **Mirachina,** significa procrear y admite las mismas derivaciones.

MIRACHIPAG, adj. Cosa cuyo aumento o propagación es conveniente. Persona que debe propagar.

MIRACHISHCA, p p. Aumentado; propagado.

MIRAG, adj. Lo que se aumenta o se propaga.

MIRANA, v. n. Aumentarse; propagarse.— **Miragrina,** Ir a aumentarse.— **Miracuna,** Estar aumentándose.— **Miramuna,** Empezar a aumentarse.

MIRASHCA, p. p. Aumentado; propagado.

MIRAY, n. Aumento; propagación.

MIRCA, n. Peca.

MIRCASAPA, adj. Pecoso.

MIRMIR, n. Una especie de grama.

MISA, adj. Mezquino; cicatero; tacaño.

MISAG, p. a. El que, por mezquindad, niega lo que se le pide.

MISAG, p. a. El que defiende o ampara a otra persona, para eximirla de algún castigo o tropelía.

MISANA, v. a. Negar algo, por cicatería.— **Misagrina,** Ir a negar, etc.

MISANA, v. a. Defender a otra persona de algún castigo o tropelía.

MISASHCA, p. p. Cosa negada por mezquindad.

MISASHCA, p. p. Persona eximida de algún castigo, por la defensa de otra.

MISAY, n. Acto de negar algo por tacañería.

MISAY, n. Acción de defender a otra persona, a quien se le castiga o ultraja.

MISI, n. Gato. (Felix catus Lin.).

MISHA, n. Verruga.

MISHA, n. Grano azulejo de maíz que se halla solo entre los demás de una mazorca, los cuales tienen el color común, blanco o amarillo.

MISHAYUG, adj. Mazorca que tiene un solo grano azulejo entre los demás, que son todos de otro color uniforme.

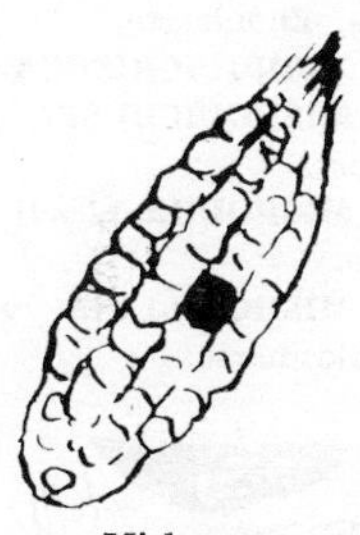

Mishayug

MISHANA, v. a. Sorprender a algún individuo, dándole a tener inopinadamente una mazorca que tenga el grano llamado **misha.** Es una pegadura por la cual se le saca algún pequeño obsequio al que ha caído en la sorpresa.

MISHASAPA, adj. Lleno de verrugas; verrugoso.

MISHAY, n. Acto de sorprender a alguno, haciéndole empuñar una mazorca que tiene disimulado el grano de color azul llamado **misha,** y obligándole con ello a una especie de multa en favor del que le da la sorpresa.

MISHAYUPAY o **Mishayupana,** n. Especie de apuesta por la cual en un deshoje de mazorcas de maíz, se empeña cada uno de los dos competidores en reunir el mayor número posible de mazorcas que tengan **misha.** Pasados algunos momentos de rápido deshoje, cuentan sus mazorcas y cotejan el resultado, quedando vencedor el que más **mishas** ha colectado e imponiéndole al otro la multa concertada. Es uno de los curiosos modos de abreviar el deshoje.

MISHI, n. Véase **Misi.**

MISHICU, n. Gatito. Se le da este nombre por cariño.

MISHQUI, n. Dulce; azúcar; miel; raspadura; almíbar; pulque.

MISHQUICHIG, p. a. El que endulza. El que sazona cualquier potaje.

MISHQUICHINA, v. a. Endulzar. Sazonar cualquiera vianda.— **Mishqui chigrina**, Ir a endulzar.— **Mishquichicuna**, Estar endulzando.— **Mishquichimuna**, Venir después de haber endulzado.— **Mishquichinacuna**, Ayudar a endulzar.— **Mishquichirina**, Endulzarse.

MISHQUICHISHCA, p. p. Endulzado.

MISHQUICHUSPI, n. Mosca de miel o abeja.

MISHQUILLA, adj. Algo dulce; dulzaíno.

MISHQUILLINA, v. r. Endulzarse; engolosinarse.

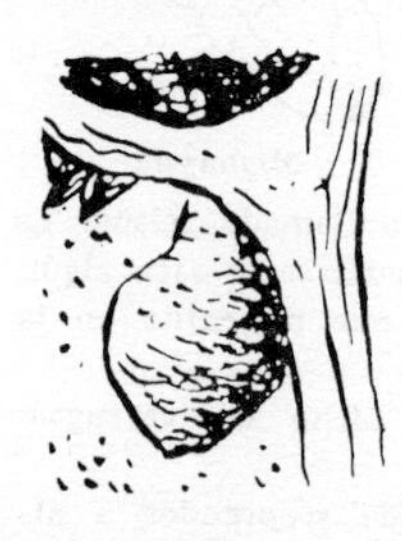

Mishquipuru

MISHQUIPURU, n. Colmena de abejas salvajes.

MISHQUISHIMI, adj. Persona de mucha labia; zalamera; seductora.

MITA, n. ant. Tiempo adecuado; época conveniente.

MITA, n. Antigua servidumbre de los indios adscritos al trabajo forzoso en los fundos de los respectivos propietarios.

MITAYUG (o **Mitayo**, por corrup.), adj. Indio de la antigua **mita.** Hoy subsiste la palabra sólo como insulto a las personas de esta raza infeliz.

MITICUG, p. a. El que huye o se oculta.

MITICUNA, v. n. Huir; fugar; esconderse.— **Miticugrina**, Ir a huir.— **Miticucuna**, Estar huyendo.— **Miticumuna**, Venir de huída.— **Miticuchina**, Hacer que huya otra persona.

MITICUSHCA, p. p. Huído; prófugo.

MITICUY, n. Acto de huir; fuga; ocultación.

MU, part. que, interponiéndose entre las radicales y la desinencia de un verbo, denota, por lo regular, la circunstancia de venir el agente después de haber ejecutado la acción o la de venir ejecutándola, si ella es de tal naturaleza que puede realizarse mientras dicho agente camina. Así es como de "armana": "bañarse", por ejmp. se forma "armamuna": "venir del baño"; de "micuna": "comer", procede "micuna", "venir comiendo", etc. Creemos que esta partícula **Mu** es contraída de **shamu**, parte radical del verbo **shamuna,** "venir"; de modo que **micucuna,** es lo mismo que **micush shamuna.**

MUCA, n. ant. Moho; orín.

MUCARINA, v. ant. Enmohecerse; cubrirse de orín; oxidarse.

MUCASHCA, p. p. ant. Oxidado; enmohecido.

MUCU, n. Articulación de los miembros del cuerpo. Nudo o protuberancia; coyuntura.

MUCUCU, n. ant. Coronilla de la cabeza.

MUCUG, p. a. Mascujador.

MUCUNA, v. a. Mascujar.— **Mucugrina**, Ir a mascujar.— **Mucucuna**, Estar mascujando.— **Mucumuna**, Venir mascujando.— **Mucuchina**, Hacer mascujar.— **Mucunacuna**, Mascujar alborotadamente.

MUCUSAPA, adj. lleno de nudos o protuberancias.

Mucusapa

MUCUSHCA, p. p. Mascujado.

MUCUY, n. Mascujamiento.

MUCUYANA, v. r. Formarse nudos o protuberancias.

MUCHA, n. Beso; ósculo.

MUCHAG, p. a. El que besa.

MUCHANA, v. a. Besar.— **Muchagrina**, Ir a besar.— **Muchacuna**, Estar besando.— **Muchamuna**, Venir besando o después de haber besado.— **Muchachina**, Hacer besar. – **Muchanacuna**, Besarse mutuamente.— **Mucharina**, Besarse.— **Muchachuana**, Besarme o besarte.— **Mucharana**, Besar una y otra vez.

MUCHANA, v. a. desus. Adorar; reverenciar.

MUCHASHCA, p. p. Besado.

MUCHASHCA, p. p. ant. Adorado; reverenciado.

MUCHAY, n. Acto de besar.

MUCHAY, n. ant. Acto ed adoración o reverencia.

MUCHAYPAG, adj. Digno de que se le bese. Adorable. Individuo que puede besar.

MUGMU, n. Yema o brote de una planta.

MUGMUG, p. a. Que echa yemas o brotes.

MUGMUNA, v. n. Echar yemas o brotes.

MUGSHI!, interj. con que se intimida al ganado vacuno. Significa: **Fuera de aquí.**

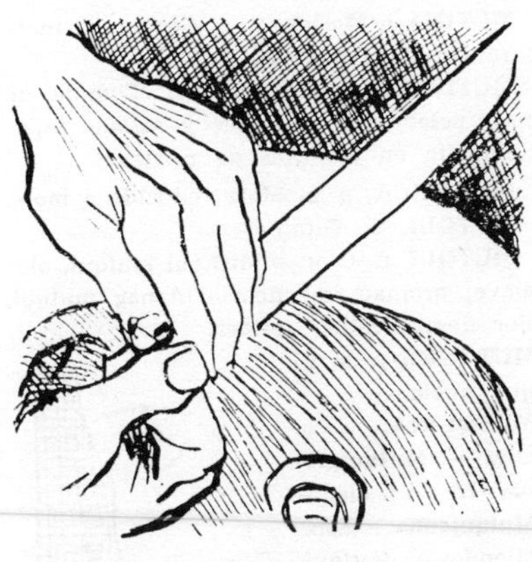

Mulana

MULAG, p. a. El que afila o amuela.

MULANA, v. a. Afilar; amolar.— **Mulagrina,** Ir a afilar.— **Mulacuna,** Estar afilando.—**Mulamuna,** Venir después de afilar.— **Mulachina,** Hacer afilar.— **Mulanacuna,** Ayudar a afilar.— **Mularina,** Afilarse alguna cosa.— **Mularana,** Afilar constantemente.

MULANARRUMI, n. Piedra de afilar.

MULASHCA, p. p. Afilado.

MULAY, n. Acto de afilar.

MULMUL, n. Véase **Cuyhuañuna.**

MULU, n. Plato rústico de barro, sin adorno alguno.

MULLUGUAG, adj. Lameplatos; persona pobre y vil, que subsiste a costa ajena.

Mullapa

MULLAPA, n. Nudo muy complicado y difícil de abrir. Racimo compacto de flores o de frutos.

MULLI (Molle, por corrup.), **n.** Arbol de adorno y que exsuda una resina aromática y vulneraria (Schinus mollis L.).

MULLINTIN (Mollentin, por corrup.), n. Planta sarmentosa y rastrera (especie de **Mühlhenbekia).**

MULLPA, n. Cosa carcomida o apolillada

MULLPARINA, v. r. Carcomerse alguna cosa: apolillarse.

MULLU, n. Chaquira. Cuentas de barro, vidrio, madera u otra materia.

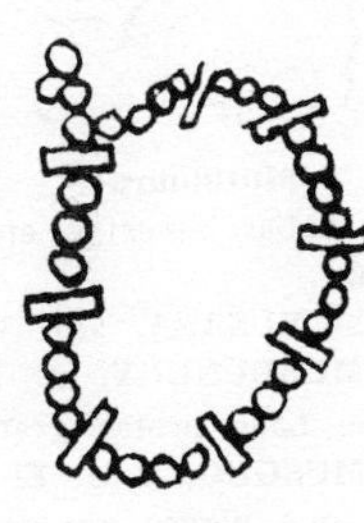

Mullu

MUNA!, interj. con que se tienta la afición o antojo ajenos, presentando el objeto grato o codiciable. Significa: Aficiónate!; provócate!

MUNACHIG, p. a. El que provoca o tienta a otra persona, mostrándole un objeto codiciable.

MUNACHINA, v. a. Provocar la afición ajena, con la exhibición de una cosa grata y apetecible.

MUNAG, p. a. El que desea una cosa ajena, aficionándose de ella.

MUNANA, v. a. Desear; querer; acceder; consentir; cobrar afición.— **Munagri-**

na, Ir a desear.— **Munacuna,** Estar deseando.— **Munamuna,** Venir deseando.— **Munarana,** Desear abiertamente. **Las mismas** derivaciones admite en los **demás significados.**

MUNAY, n. Deseo; voluntad; **consentimiento;** permiso. Afición; antojo.

MUÑA, n. desus. Poleo del país. (**Bystropogon** mollis H.).

MURU, n. Grano; semilla; fruto; **pepita.**

MURUCHU, o **Morocho, por corrup., adj.** Cosa dura o fuerte. **Calificación del maíz** amarillo común, que es **duro o de consistencia** córnea. Se aplica, en **sentido figurado,** a los sujetos robustos que no decaen a pesar de su edad avanzada.

MURUJUNDA, adj. Granoso; **granujiento.** Mazorca o espiga llenas de grano.

Murumuru

MURUMURU, n. Moho que mancha los objetos con una especie de puntuaciones menudas.

MURUMURU, adj. Objeto manchado por pintas de moho.

MURUNA, v. a. Rebuscar granos entre las cáscaras de habas, alverjas, etc. que dejan las trillas.

MURUSAPA, adj. Véase **Murujunda.**

MURUUNGUY, n. Enfermedad eruptiva que hace brotar granos.

MUSGUG, p. a. El que sueña o delira. El que piensa en vanidades o desvaríos.

MUSCUNA, v. n. Soñar; delirar; concebir proyectos disparatados.— **Musgugrina,** Ir a soñar.— **Muscucuna,** Estar soñando.— **Muscumuna,** Empezar a soñar.— **Muscuchina,** Hacer soñar.

MUSCUSHCA, p. p. Soñado.

MUSCUY, n. Sueño; delirio; desvarío.

MUSPAG, p. a. Delirante; soñador; visionario. Bobalicón; pobre de espíritu.

MUSPANA, v. n. Véase **Muscuna.**

MUSPASHCA, p. p. Soñado.

MUSPAY, n. Véase **Muscuy.**

MUSUNA, v. n. Carecer de lo **preciso** para la **vida. Padecer.**

MUSUY, n. **Escasez** o **falta de alimentos;** hambre; carestía. **Padecimiento.**

MUSHCA!, interj. con que **se azuza a** los perros, para que se **lancen sobre una** presa.

MUSHUG, adj Cosa nueva.

MUSHUGYANA, v. r. **Renovarse una cosa. Rejuvenecer** una persona. **Vestir ropa nueva.**

MUSHUGYAY, n. Renovación; rejuvenecimiento. **Acto de vestir ropa nueva.**

MUTI o **Mote,** por corrup., n. **Maíz cocido** que se usa **generalmente en varias** comarcas azuayas, en lugar de pan o a más de él.

MUTICASHCA, n. Arbolillo de la familia de las Verbenáceas. (**Duranta triacantha**)

MUTINA o **Motina,** v. a. Cocinar el maíz para reducirlo a **mote.**

MUTIPATA o **Motepata,** n. Comida de maíz pelado que se cuece y sazona, especialmente en los días de carnaval.

MUTISHCA, p. p. Maíz reducido a **mote.**

MUTQUI, n. Olfato.

MUTQUI, n. Olor.— **Mishqui mutqui,** olor suave; aroma; fragancia.— **Asnag mutqui,** olor desagradable; fetidez.

MUTQUIG, p. a. El que huele.

MUTQUINA, v. a. Oler.— **Mutquigrina,** Ir a oler.— **Mutquicuna,** Estar oliendo.— **Mutquimuna,** Venir oliendo.— **Mutquichina,** Hacer oler.— **Mutquirana,** Oler una y otra vez.

Mutquina

MUTQUINA, v. n. Oler; despedir buen olor.— **Mutquicuna,** Estar exhalando olor.

MUTQUISHCA, p. p. Olido.

MUTU, adj. Trunco; mutilado. **Es de** presumir que de esta **última palabra, apocopada,** proviene **Mutu.**

MUTULU, adj. Embotado; sin punta o sin filo; obtuso; romo.

MUTUNA, v. a. Truncar; mutilar; embotar.

MUTUYANA, v. r. Mutilarse; truncarse; embotarse algún instrumento.

MUYU, n. ant. Bola; pelota; cosa redonda o esférica.

MUYU, n. Semilla de cualquiera planta. Tubérculos de algunas que se destinan para la propagación.

MUYUCHI, n. Pequeña tarima que se cuelga de una viga o techumbre y sirve para guardar algunas cosas con seguridad, facilitando su ventilación con el movimiento del aparato.

MUYUG, adj. Cosa que rodea o que da vueltas.

MUYUNA, v. n. Rodear; dar vueltas.— **Muyugrina,** Ir a rodear.— **Muyucuna,** Estar rodeando.— **Muyumuna,** Venir rodeando.— **Muyuchina,** Hacer rodear.

MUYUNDI, adv. En derredor.

MUYUNDITA, adv. Por el derredor.

MUYUSHCA, p. p. Rodeado; circundado; circunvalado.

MUYUY, n. Vuelta; rodeo.

MUYUYANA, v. n. Hacer semilla un vegetal; formarse la simiente de él.— **Muyuyagrina,** Ir a formarse la semilla.— **Muyuyacuna,** Estar formándose.- **Muyuyamuna,** Empezar a formarse.— **Muyuyachina,** Hacer que se forme.

Muyuyana

ACU, part. que. interpuesta entre las letras radicales y la desinencia de un verbo, denota que la acción es recíproca, o que la ejecutan dos o más personas.— Así es como de "Ricuna", vga., se forma "Ricunacuna": verse mutuamente o cooperar juntos al acto de ver alguna cosa.

NANACHIG, p. a. Que causa dolor; que lastima.

NANACHINA, v. a. Causar dolor; herir; lastimar.— **Nanachigrina**, Ir a lastimar.— **Nanachicuna**, Estar lastimando.— **Nanachimuna**, Venir lastimando o después de haber lastimado.— **Nanachirina**, Lastimarse.— **Nana chinacuna**, Lastimar entre dos o más o lastimarse mutuamente.— **Nanachihuana**, Lastimarme o lastimarte.

NANACHISHCA, p. p. Lastimado; dolorido; herido.

NANAG, p. a. Que duele.

NANANA, v. n. Doler.— **Nanagrina**, Ir a doler.— **Nanacuna**, Estar doliendo.- **Nanamuna**, Empezar a doler.— **Nanahuana**, Dolerme o dolerte.— **Nanarana**, Doler incesantemente.

Nanachishca

NANARIG, p. a. Que se conduele; que se compadece.

NANARINA, v. r. Condolerse; compadecer.— **Nanagrina**, Ir a compadecer.— **Nanaricuna**, Estar compadeciendo.— **Nanarimuna**, Venir después de haber compadecido — **Nanarichina**, Hacer que otro se compadezca.— **Nanarihuana**, Compadecerme o compadecerte.

NANAY, n. Dolor; sentimiento; compasión.

NANAYSAPA, adj. Dolorido; compadecido.

NAR, n. ant. Galillo.

NASTI, n. Cesta; canasto.

NAYAG, p. a. El que desea o apetece alguna cosa.

NAYANA, v. a. Desear; apetecer.— **Nayagrina,** Ir a desear.— **Nayacuna, Estar** deseando.— **Nayamuna, Venir deseando.**— **Nayachina,** Hacer desear.— **Nayarana, De**sear con vehemencia.

NAYAY, n. Deseo; apetencia; antojo.

NIG, p. a. El que dice; el que habla algo.

NIGTUCUG, p. a. El que finge o aparenta algo con el propósito de engañar o alucinar.

NIGTUCUNA, v. n. Fingir o aparentar alguna cosa o acción, con el objeto de engañar disimuladamente.

NICTUCUSHCA, p. p. Fingido; aparentado; disimulado.

NIGTUCUY, n. Fingimiento; disimulo; apariencia.

NINA, n. Fuego; candela.

NINA, v. a. Decir; hablar; expresar algo.— **Nigrina,** Ir a decir.— **Nicuna,** Estar diciendo.— **Nimuna,** Venir diciendo.— **Nichina,** Hacer decir.— **Nirina,** Decirse.— **Nihuana,** Decirme o decirte.— **Ninacuna,** Decirse unos a otros; reñir voceándose o insultándose.— **Nihuana,** Decirme o decirte.

NINA, v. a. Querer; aceptar; acceder.— **Mananina,** No querer.— **Nigrina,** Estar a punto de querer.— **Nicuna,** Estar queriendo, etc.

Ninacuna

NINACUNA, v. n. Altercar; insultarse mutuamente; agraviarse de palabra. Es una de las derivaciones de **Nina,** decir.

NINACURU, (guzano de fuego), n. Luciérnaga.

NINACUY, n. Altercado; riña verbal; reyerta; rencilla.

NINAHUIZHI, n. Tizón encendido.

NINAMURU, n. Brasa; ascua.

NINAPATA, n. Fogón; hogar; cercanía del fuego.

NINAPATA, adj. Insultante. Hombre afecto al fogón; que no se mueve del hogar; desidioso.

NINAYANA, v. r. Convertirse en fuego; hacerse ascuas; caldearse.

Ninayana

NINAYASHCA, p. p. Convertido en fuego; escandecido; hecho ascuas.

NIPAG, adj. Cosa que muy bien puede decirse. Sujeto que puede o debe decirla.

NISHCA, p. p. Dicho; referido; mencionado; sobredicho.

NISHCA, adj. Presunto; supuesto. Vga. "Yayaminishca": "El supuesto padre".

NISHCALLA, adj. Fingido; supuesto no más.

NISHPAPISH, conj. advers. Sin embargo; con todo; aún así; a pesar de ello.

NISPALLAPISH, adv. Sólo por decirlo; fingiendo no más; por pura broma.

NUNCHI, n. Arbusto de la familia de las Acantáceas. (Justitia spicata).

NUNYA, n. Especie de haba más pequeña que la común.

NUYUCHINA, v. a. Remojar; inundar.— **Nuyuchigrina,** Ir a remojar.— **Nuyuchicuna,** Estar remojando.— **Nuyuchimuna,** Venir después de remojar.— **Nuyuchichina,** Hacer remojar.— **Nuyuchinacuna,** Remojar entre dos o más.

NUYUCHISHCA, p. p. Remojado.

Nuyushca

NUYUNA, v. r. Remojarse; inundarse.— **Nuyugrina,** Ir a remojarse.— **Nuyucuna,** Estar remojándose.— **Nuyumuna,** Empezar a remojarse.— **Nuyugrina,** Lo mismo que **Nuyuna.**

NUYUSHCA, p. p. Remojado; inundado.

NUYUY, n. Remojo; inundación.

A, adv. Ya.

ÑACA, adv. Denantes; poco ha; hace poco.

ÑACALLA, adv. Hace muy poco.

ÑACANA, v. a. ant. Aborrecer; odiar.

ÑACARIG, p. a. Que sufre: que padece. Que trabaja mucho.

ÑACARINA, v. r. Afanarse; trabajar mucho; padecer; sufrir.— **Ñacarigrina**, Ir a padecer.— **Ñacaricuna**, Estar padeciendo.— **Ñacarimuna**, Venir padeciendo.— **Ñacarichina**, Hacer que otro padezca.

ÑACASHCA, p .p. ant. Aborrecido; odiado; maldito.

ÑACAY, n. Padecimiento; pasión; brega; sumo trabajo.

ÑACHAG, n. Yerba de la familia de las Sinantéreas. (Bidens humilis.).

ÑACHU?, adv. de preg. Está ya?; es hora?

ÑAGCHA, n. Peine.

ÑAGCHAG, p .a. El que peina.

ÑAGCHANA, v. a. Peinar.— **Ñagchagrina**, Ir a peinar.— **Ñagchacuna**, Estar peinando.— **Ñagchamuna**, Venir después de haber peinado.— **Ñagchachina**, Hacer peinar.— **Ñagchanacuna**, Peinarse mutuamente.— **Ñagcharina**, Peinarse.- **Ñagchahuana**, Peinar con mucha frecuencia.

Ñagchana

ÑAGCHASHCA, p p. Peinado.

ÑAGCHAY, n. Acto de peinar o peinarse.

Ñahui

ÑAHUI, n. Rostro; semblante. **Faz principal de algún objeto.**

ÑAHUI, n. Ojo.

ÑAHUI, n. **Yema o brote de un vegetal. Cogollo principal del mismo. Nudo que deja en la madera la supresión**

de una rama.

ÑAHUINCHINA, v. a. Indagar alguna cosa encarándose con quienes deben saberla. Confrontar a dos o más individuos responsables de algún suceso.

ÑAHUIÑAHUILLA, adj. Excesivamente risueño; falto de seriedad y circunspección; frívolo.

ÑAHUIMURU, n. El globo del ojo. Literalmente "grano del ojo".

ÑAHUIRRURRU, n. Lo mismo que **Ñahuimuru.** Quiere decir "el huevo del ojo".

ÑAHUISAPA, adj. Ojón. También significa "carantón".

ÑAHUISAPA, n. Vegetal lleno de yemas, de brotes o de nudos.

ÑALLA, adv. Ya no más; dentro de poco.

ÑAMI, adv. Ya está; ya es tiempo; ya es hora.

Ñamur

ÑAMUR, adj. Cosa excesivamente cocinada.

ÑAMURYANA, v. r. Cocinarse algo con exceso, hasta empezar a deshacerse.

ÑAMURYASHCA, p. p. Cosa excesivamente cocinada, casi deshecha.

ÑAN, n. Camino; vía.— **Jatun ñan,** camino principal o mayor.— **Chaqui ñan,** Camino de a pie, vereda.

ÑAÑA, n. Hermana, con relación a otra hermana.

ÑAÑANDI, adv. Junto con su hermana; entre hermanas.

ÑAÑU, adj. Amigo; confidente; compinche.

ÑAÑU, adj. Delgado; tenue; de poco espesor.

ÑAÑULLA, adj. Bastante delgado; algo tenue.

ÑAÑUYAG, p. a. Que se adelgaza.

ÑAÑUYANA, v. r. Adelgazarse.— **Ñañugrina,** Ir a adelgazarse.— **Ñañuyacuna,** Estar adelgazándose.— **Ñañuyamuna,** Empezar a adelgazarse.— **Ñañuyachina,** Hacer que se adelgace.

ÑAÑUYASHCA, p. p Adelgazado.

ÑAPISH, adv. Cuanto há.

ÑATAG, conj. advers. Por otra parte; con todo; sin embargo; empero.

ÑATU, adj. Individuo de nariz roma; nacho; chato.

Ñauca

ÑAUCA, adj. desus. Ciego.

ÑAUPA, adv. Antes; en otro tiempo.

ÑAUPA, prep. Delante; en presencia de; vga. "Cambag ñaupapi": "delante de tí".

ÑAUPACHINA, v. a. Adelantar un pago o cosa semejante; anticipar.

ÑAUPACHINA, v. a. Hacer que adelante una persona o llevar por delante un animal.

ÑAUPAG, p. a. El que adelanta; el que guía.

ÑAUPAGMAN, adv. Hacia adelante.

ÑAUPAGPI, adv. Delante; por delante.

ÑAUPAMANTAPACHA, adv. **De** antemano; de tiempo atrás.

ÑAUPANA, v. n. Adelantar.— **Ñaupagrina,** Ir a adelantar.— **Ñaupacuna,** Estar adelantando.— **Ñaupamuna,** Venir adelantando.— **Ñaupachina,** Hacer que otro adelante.— **Ñauparina,** Adelantarse.

ÑAUPAPACHA, n. Epoca pasada; tiempo antiguo.

ÑAUPAPACHAPI, adv. Antiguamente; en otro tiempo.

ÑAUPAPI, adv. En tiempo pasado; antiguamente.

ÑAUPASHCA, p. p. Adelantado.

ÑAUPAY, n. Adelanto; acción de adelantarse.

ÑAUSA, adj. ant. Véase **Ñauca.**

ÑAUSAYANA, v. r. ant. Cegar.

ÑITCAG, p. a. El que tropieza.

ÑITCANA, v. n. Tropezar.— **Ñitcagrina,** Ir a tropezar.— **Ñitcamuna,** Estar tropezando.— **Ñitcamuna,** Venir tropezando.— **Ñitcachina,** Hacer tropezar.— **Ñitcarana,** Tropezar a cada paso.

Ñitcana

ÑITCAY, n. Tropezón.

ÑITI, n. Apretón; acto de oprimir o aplastar.

ÑITIG, p. a. El que oprime, aprieta o aplasta.

ÑITINA, v. a. Oprimir; apretar; aplastar.— **Ñitigrina,** Ir a oprimir.— **Ñiticuna,** Estar oprimiendo.— **Ñitirina,** Oprimirse.— **Ñitinacuna,** Oprimir entre dos o más.— **Ñitihuana,** Oprimirme u oprimirte.— **Ñitirana,** Oprimir fuerte y prolongadamente.

Ñitina

ÑITISHCA, p. p. Oprimido; aplastado; apretado.

ÑUCA, pron. Yo.

ÑUCAHUAN, pron. y prep. Conmigo.

ÑUCAMAN, pron. y prep. Para mí.

ÑUCAMANTA, pron. y prep. Por mí.

ÑUCAMANTACA!, interj. Lo que es por mí!; a mí qué se me da!

ÑUCANCHI, pron. Con nosotros.

ÑUCANCHIMAN, pron. y prep. Para nosotros. A nosotros.

ÑUCANCHIPAG, adj. Nuestro.

ÑUCANDI, adv. Junto conmigo.

ÑUCAPAG, adj. Mío.

ÑUGÑU, adj. Dulzaíno; casi insípido.

ÑUGÑUSHIMI, adj. Lisonjero; zalamero.

ÑUGÑUYANA, v. r. Ponerse dulzaina alguna cosa.

Ñuñu

ÑUÑU, n. Pezón.

ÑUÑU, n. Leche.

ÑUÑU, n. Nodriza.

ÑUÑUCUG, adj. Niño o animal tierno, que están mamando. Mamón.

ÑUÑUMA, n. ant. Pato. (Los salvajes **Dafila spinaccia** y otras especies).

ÑUÑUNA, v. a. Mamar.— **Ñuñugrina,** Ir a mamar.— **Ñuñucuna,** Estar mamando. Véase **Chuchuna.**

ÑUSTA, n. ant. Princesa.

ÑUTCU, n. Cerebro. Sesos.

ÑUTCUYUG, adj. Que tiene sesos. Persona de buen juicio.

ÑUTCUILLAG, adj. Sujeto desprovisto de sensatez; atronado; calavera.

ÑUTU, adj. Cosa menuda o pulverulenta.

ÑUTUCHINA, v. a. Pulverizar; desmenuzar.— **Ñutuchigrina,** Ir a pulverizar.— **Ñutuchicuna,** Estar pulverizando.- **Ñutuchimuna,** Venir pulverizando o después de pulverizar.— **Ñutuchinacuna,** Pulverizar entre dos o más, o desmenuzar desatinadamente alguna cosa.

Ñutuchina

ÑUTUCHISHCA, p. p. Pulverizado: desmenuzado.

ÑUTULLA, adj. Menudo; blando; suave; muelle.

ÑUTUYANA, v. r. Pulverizarse de suyo alguna cosa.

ACA, n. ant. Ingle.

PACACUNA,, n. Escondrijo; Escondite.

PACAG, p. a. El que esconde alguna cosa.

PACANA, v. a. Esconder; ocultar.— **Pacagrina,** Ir a esconder.— **Pacacuna,** Estar escondiendo.— **Pacamuna,** Venir después de esconder o trayendo algo a escondidas.— **Pacachina,** Hacer que otro esconda.— **Pacarina,** Esconderse.— **Pacamuna,** Ayudar a esconder.— **Pacahuana,** Esconderme o esconderte.— **Pacarana,** Esconder cuidadosamente.

PACARCAR, n. Arbol de buena madera. (Hesperomeles ferrugínea H.?).

PACARI, n. El amanecer.

PACARIG, p. a. El que amanece en alguna labor, después de haber empleado en ella la noche.

PACARINA, n. Lo mismo que **Pacari.**

PACARINA, v. n. Amanecer.— **Pacarigrina,** Ir a amanecer.— **Pacaricuna,** Estar amaneciendo.— **Pacarimuna,** Empezar a amanecer.— **Pacarichina,** Hacer que amanezca.

PACASHCA, p. p. Oculto; escondido.

PACAY, n. Acto de esconder u ocultar; ocultación.

PACAY, n. Arbol frutal conocido con el nombre de Huavo. (Inga pachicarpa y otras especies).

PACUNGA, n. Yerba que crece entre las sementeras. (Wiborgia parviflora H.).

PACHA, n. Tiempo; época.

PACHA, n. Comarca; región; país.

PACHA, n. Manta; rebozo; tela.

PACHALLINA, v. r. Cubrirse con una manta; rebozarse; cobijarse.

PACHACAMAG, n. El Ser Supremo; El Creador; el que conserva, cuida y rige el universo; Dios; la Providencia.

PACHARACA, n. Ave. (Ortalida erythroptera Natt.).

PACHI, n. Un árbol de las montañas orientales, que da una buena hilaza para cuerdas y tal vez para telas. (Species incognita mihi).

PAG, prep. de genit. Se pospone a los nombres; vga. "Runapag": "del indio".

Con el pronombre **can** muda la **p** en **b**, diciéndose **cambag**, tuyo.

PAG, conj. final, que se junta al gerundio de los verbos; vga. "**Usiangapami** Llipiacun": "Para escampar está brillando el cielo".

PAGCHA, n. Fuente; surtidor de agua; pequeño lago.

PAGCHANA, v. a .Voltear o poner boca abajo una olla, cazuela u otro utensilio semejante.

PAGCHASHCA, p. p. Utensilio puesto boca abajo.

PAGLLA, adj. Cosa lacia, caída y desairada como la falda de un sombrero vetusto.

PAGLLARINGRI, adj. Animal de orejas grandes y caídas. Se dice también de personas por insulto

PAGLLUNGU, adj. Lanudo; velloso.

PAGPA, n. Tira o lacinia que, a modo de cuerda, se obtiene de las hojas del cabuyo, rasgándolas, para atar palos de tarimas u otros objetos.

PAGPANA, v. a. Reducir a tiras las hojas del cabuyo, para atar algunos objetos.

PAGPAYANA, v. r. Amortecerse o secarse alguna cosa a modo de las tiras de cabuyo llamadas **pagpa**. Enflaquecer demasiado alguna persona o algún animal.

PAGRA, adj. Pelado; limpio; erlazo.

Pagrauma

PAGRAUMA, adj. Calvo.

PAGRAYANA, v. r. Encalvecer.

PAGTA, adj. Cosa cabal; suficiente; igual; perfecta.

PAGTA!, interj. Cuidado!; guárdate!; cuenta con ello!

PAGTACHINA, v. a. Hacer que una cosa baste para su objeto.— **Pagtachigrina**, Ir a hacer que baste.— **Pagtachicuna**, Estar haciendo que baste.— **Pagtachimuna**, Venir después de haber hecho que baste.— **Pagtachinacuna**, Conseguir entre varios que una cosa baste.

PAGTACHISHCA, p. p. Cosa que se ha completado o hecho que baste.

PAGTAG, p. a. Que basta; que es suficiente.

PAGTALLA, adv. Pequeñón; de mediana estatura; corto; de poca talla.

PAGTANA, v. n. Alcanzar una cosa para el servicio que presta o para el fin que uno se propone.— **Pagtagrina**, Ir a alcanzar.— **Pagtacuna**, Estar alcanzando.— **Pagtamuna**, Estar a punto de alcanzar.

PAGTANA, v. a. Tomar alguna cosa de parte alta, como la fruta de un árbol, etc.

PAGTARA!, interj. Más enérgica que **Pagta!** Significa: Cuidado, pues!; ni lo pienses!, etc.

PAGTASHCA p. p. Cosa que ha bastado o alcanzado.

PAGTAY, n. El acto de alcanzar o bastar

PAGTAY, n. La acción de tomar de lo alto algún objeto.

Pagtay

PALA, adj. Cosa áspera o gruesa, como la harina mal molida.

PALAPICHI, n. Mazamorra dulce de maíz a medio moler.

PALTA, n. Cosa que se pone encima de otra. Pequeña carga adicional.

PALTA, n. Arbol frutal llamado **Aguacate**. (Persea gratissima). Su **fruta tiene** también el nombre de **Palta, de que, para** una especie menor, se ha formado en castellano el nombre "**paltilla**".

PALTANA, n. Sobreprecio en algún contrato

PALTANA, v. a. Poner una cosa encima de otra; sobreponer. Añadir una pequeña carga a la que lleva una persona o bestia.— **Paltagrina**, Ir a sobreponer.— **Paltacuna**, Estar sobreponiendo.— **Paltamuna**, Venir trayendo lo sobrepuesto.—

Paltachina, Hacer que otro sobreponga.— **Paltachinacuna,** Ayudar a sobreponer.— **Paltarina,** Sobreponerse.

PALTASHCA, p. p. Cosa sobrepuesta.

PALTAY, n. Sobreposición.

PALTI, n. Tarima construída en lugar alto.

PALU, n. Lagartija. **Cuilan palu,** lagartija pequeña.

PALUSHCA (yerba de las lagartijas), n. Pequeña planta del orden de las Compuestas.

PALLAG, p. a. El que recoge algo.

PALLANA, v. a. Recoger granos o cosa semejante.— **Pallagrina,** Ir a recoger.— **Pallacuna,** Estar recogiendo.— **Pallamuna,** Venir recogiendo o después de haber recogido.— **Pallachina,** Hacer recoger.— **Pallanacuna,** Ayudar a recoger.— **Pallarina,** Recogerse.— **Pallarana,** Recoger cuidadosamente.

PALLAR, n. Especie de fréjol grande y chato. (Phaseolus?).

PALLASHCA, p .p. Recogido.

PALLAY, n. Recogimiento; recolección. Cosecha de algunos granos, como fréjol, habas, alverjas, etc.

PALLCA, n. Bifurcación de un madero o de otra cosa. Horqueta; horquilla.

PALLCA, adj. Cosa bifurcada o dividida por una de sus extremidades.

PALLCANA, v. a. Bifurcar o labrar en forma de horquilla cualquier objeto.

PALLCASHCA, p. p. Bifurcado; dividido en forma de horqueta.

PAMBA, n. Suelo; tierra; superficie. Llano; planicie; llanura.

PAMBALLA, adj. Cosa plana o superficie uniforme.

PAMBAG, p. a. El que entierra.

PAMBANA, v. a. Enterrar.— **Pambagrina,** Ir a enterrar.— **Pambacuna,** Estar enterrando.— **Pambamuna,** Venir después de enterrar.— **Pambachina,** Hacer enterrar.— **Pambanacuna,** Ayudar a enterrar.— **Pambarina,** Enterrarse.— **Pambahuana,** Enterrarme o enterrarte.— **Pambarana,** Estar una cosa indefinidamente enterrada.

PAMBANA, v. a. Aporcar algunas plantas, como las papas, el maíz, etc.

PAMBANCHINA, v. a. Aplanar la superficie del suelo; igualarla.

PAMBANCHINA, v. a. Allanar algún asunto, superando las dificultades.

PAMBANCHISHCA, p. p. Aplanado; igualado. Allanado.

PAMBASHCA, p. p. Enterrado.

PAMBAY, n. Entierro; inhumación.

PANDAG, p. a. El que yerra.

PANDANA, v. n. Errar.— **Pandagrina,** Ir a errar.— **Pandacuna,** Estar errando.— **Pandamuna,** Venir errando o empezar a errar.— **Pandachina,** Hacer errar.— **Pandanacuna,** Errar tanto el uno como el otro — **Pandarina,** Errarse.— **Pandarana,** Errar una y otra vez.

PANDASHCA, p. p. Errado.

PANDAY, n. Yermo; desierto.

PANDAYLLA, adv. Desacertadamente.

PANGA, n. Hoja.

PANGALLA, adj. Liviano; de poco peso, como una hoja.

PANGAJUNDA, adj. Lleno de hojas; frondoso.

PANGASAPA, adj. Lo mismo que **Pangajunda.**

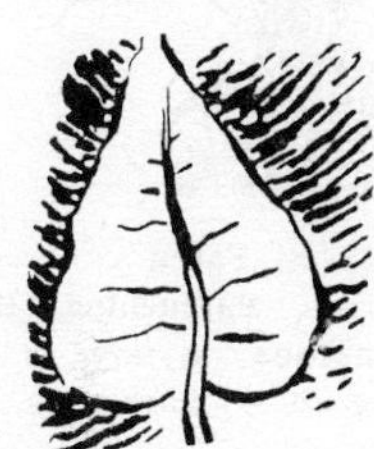

Panga

PANI, n. Hermana, respecto de su hermano.

PAPA, n. Planta generalmente conocida y cultivada, (Solanum tuberosum).

PAPA, n. Tubérculo de la planta del mismo nombre.

PAPAPSACHA, n. Yerba que se da entre las sementeras. (Calandrina caulescens H.).

PAPAYA, n. Planta frutal. (Carica Papaya L.).

PAQUI, n. Quebradura; rotura. **Fragmento** de alguna cosa.

PAQUI, adj. Cosa quebrada; rota.

PAQUICHANGA, adj. Perniquebrado.

PAQUIG, p. a. El que quiebra o rompe.

PAQUINA, v. a. Quebrar; romper.— **Pa-**

quigrina, Ir a quebrar.— **Paquicuna,** Estar rompiendo.— **Paquimuna,** Venir rompiendo o después de quebrar.— **Paquichina,** Hacer quebrar.— **Paquinacuna,** Quebrar entre dos o más.— **Paquirina,** Quebrarse.

PAQUINACUNA, v. a. Destrozar alguna cosa.

PAQUINACUSHCA, p. p. Destrozado.

PAQUIRIGLLA, adj. Quebradizo; frágil.

PAQUISIQUI, adj. Desrabadillado.

PAQUISHCA, p. p. Quebrado; roto.

PARA, n. ant. Lluvia; llovizna.

PARAMUNA, v. n. Lloviznar.

PARANA, v. n. ant. Llover.

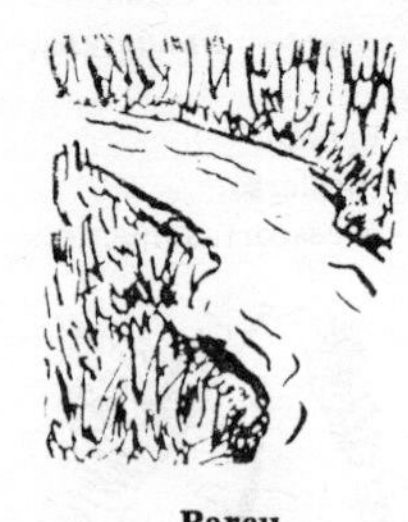

Parcu

PARCU, n. Acequia de agua; riego; regadío.

PARCUG, p. a. El que riega.

PARCUNA, v. a. Regar.— **Parcugrina,** Ir a regar.— **Parcucuna,** Estar regando.— **Parcumuna,** Venir regando o después de regar.— **Parcuchina,** Hacer regar.— **Parcunacuna,** Ayudar a regar.— **Parcurina,** Regarse.— **Parcurana,** Regar una y otra vez.

PARCUSHCA, p. p. Regado.

PARUG, n. Maíz que, en las cosechas, se aparta, para gastarlo pronto.

PARUG, n. Tasajo o cecina de bofes de res, que se sala y seca.

PASAG, adj. num. Ciento.

PASAGNIQUI, adj. desus. Centésimo.

PASCA, adj. Abierto; amplio.

PASCACHAQUI, adj. Patiabierto.

PASCAG, p. a. El que abre.

PASCANA, n. Posada; hostería. Lugar en que los arrieros abren sus cargas, las depositan y pasan la noche.

PASCANA, v. a. Abrir.— **Pascagrina,** Ir a abrir — **Pascacuna,** Estar abriendo.— **Pascamuna,** Venir abriendo o después de abrir.— **Pascachina,** Hacer abrir.— **Pascanacuna,** Ayudar a abrir.— **Pascarina,** Abrirse.— **Pascahuana,** Abrirme o abrirte.— **Pascarana,** Estar abierta de par en par alguna puerta de entrada.

PASCANACUNA, v. a. Abrir violentamente alguna cerca o cosa semejante, desbaratándola.

PASCANACUSHCA, p. p. Desordenadamente abierto. Desbaratado.

PASCARINA, v. r. Despejarse la atmósfera; disiparse el nublado; abonanzar.

PASCASHCA, p. p. Abierto; deshecho.

PASCASINGA, adj. Persona de narices abiertas o chatas.

PASCASHIMI, adj. Boquiabierto; bocón.

PASCAY, n. Acto de abrir; abertura.

PASÑA, n. ant. Muchacha; niña.

PASPA, n. Agrietamiento de la epidermis; excoriación.

PASPAYANA, v. r. Escoriarse o agrietarse la piel.

PASU, n. ant. Viudo.

PATA, n. Meseta; loma; eminencia algo plana.

Pata

PATACUN, n. Moneda de a ocho reales, llamada antes "peso".

PATACUNPANGA, n. Planta de la familia de las Piperáceas.

PATACHINA, v. a. Cocinar granos u otros comestibles hasta que empiecen a deshacerse.

PATANA, v. r. Cocinarse algo hasta empezarse a deshacerse.— **Patagrina,** Estar lo cocido a punto de deshacerse.— **Patacuna,** Estarse cocinando una cosa hasta quedar casi deshecha. etc.

PATANCHINA, v. a. Arar tan bien, que se formen eminencias a uno y otro lado del surco.

PATANCHISHCA, p. p. Terreno arado de modo que se formen lomos laterales en cada raya.

PATAPATA, adj. Superficie escabrosa o desigual llena de eminencias y depresiones.

PATARI, n. Doblez de una tela o cosa análoga.

PATARIG, p. a. El que dobla una tela.

PATARINA, v. a. Doblar o plegar telas o cosa semejante.— **Patarigrina,** Ir a doblar.— **Pataricuna,** Estar doblando.— **Patarimuna,** Caminar doblando o venir después de haber doblado.— **Patarichina,** Hacer doblar.— **Patarinacuna,** Ayudar a doblar.

PATARISHCA, p. p. Doblado o plegado.

PATAYANA, v. r. Formarse alguna elevación o preeminencia algo plana.

PATAYANA, v. n. Ascender alguno a una meseta o loma elevadas.

PATPA, n. ant. Pluma. Ala. Con la adopción de voces castellanas, van desapareciendo vocablos tan castizos como éste.

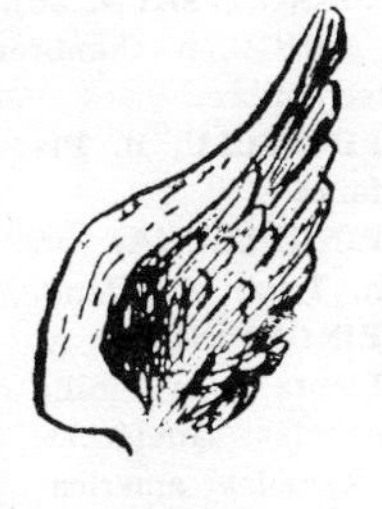

Patpa

PATPANA, v. n. ant. Sacudir las plumas o las alas; alear.

PAUCAR, .n. ant. Gorrión.

PAUCAR, n. ant. Flor.

PAUCARPAMBA o Paucarbamba, n. Llanura de flores y gorriones.

PAUCARPACHA, n. ant. Primavera.

PAY, pron. de tercera persona. El.

PAYA, n. Mujer vieja. Cosa vetusta y deteriorada.

PAYA, n. Nido.

PAYAMA, n. Arbusto andino, de muy hermosas flores. (Befaria Grandiflora H.).

PAYANA, v. r. Envejecer una hembra o deteriorarse alguna cosa con el largo uso.

PAYCU o **Payco,** por corrup., n. **Yerba** aromática usada como especia. De ella se dice que la empleaban los aborígenes, como antiséptica, para el embalsamamiento de momias. (Chenopodium ambrosioides L.).

PAYHUAN, pron. y prep. **Con él.**

PAYLLA, adj. El solo. Cosa única.

PAYLLATAG o **Payllata,** adv. De suyo; de por sí; vga. "Payllata huañushca": animal que ha muerto de suyo; mortecina.

PAYMANTA, pron. y prep. Por él.

PAYPAG o **Paypa,** adj. De él; suyo.

PAYPAYLLA, adj. Desidioso; indolente; dejado; que de nada hace aprecio.

PAYPAYLLA!, interj. A mí qué se me da! Allá se compongan! Qué me va ni qué me viene!

PI, adj. interrog. Quién? **Pitag?** o **Pita?** Quién es?

PI, prep. En. Vga. "Huasipi": "en la casa".

PICHAG, p. a. El que barre.

PICHANA, n. Escoba.

PICHANA, v. a. Barrer.— **Pichagrina,** Ir a barrer.— **Pichacuna,** Estar barriendo.— **Pichamuna,** Caminar barriendo o venir después de barrer.— **Picharana,** Barrer a cada momento.

Pichana

PICHARI, adj. No sé quién; un desconocido.

PICHASHCA, p. p. Barrido.

PICHAY, n. El acto de barrer.

PICHCA, adj. num. Cinco.

PICHCACHUNGA, adj. Cincuenta.

PICHCACHUNGANIQUI, adj. desus. Quincuagésimo.

PICHCANIQU, adj. desus. Quinto.

PICHCAPASAG, adj. Quinientos.

PICHAPOSAGNIQUI, adj. desus. Quingentésimo.

PICHI, adj. Rojo; carmesí; escarlata.

PICHURI, adj. El hijo primogénito.

PICHUSHQUI, n. ant. Tobillo.

PIGTUG, p. a. El que empuña, comprime o manosea alguna cosa.

PIGTUNA, v. a. Empuñar; comprimir o manosear alguna cosa.— **Pigtugrina,** Ir a empuñar.— **Pigtucuna,** Estar empuñando.— **Pigtumuna,** Traer empuñado.— **Pigtuchina,** Hacer empuñar.— **Pigtumacuna,** Empuñar entre varios o comprimir y magullar violentamente.

PIGTUSHCA, p. p. Empuñado; comprimido; manoseado.

PILCHI, n. Arbol que da una especie de calabaza. (Crescentia cujete L.). Llámase también **Pilchi** el fruto.

PILCHISACHA, n. Yerba que vegeta en los campos cultivados. (Anagallis cerulea H.).

PILIS, n. Piojo del cuerpo del hombre o de los animales. Véase **Usa**.

PILISCHACA (puente de los piojos), n. Omóplato o clavícula.

PILISCHIRINA, v. r. Espulgarse.

PILLIGMURU, n. Arbusto de la familia de las Sapidáceas. (Cardiospermun Loxense H.). Llámase también **Pilligmuru**, el fruto.

PILLU, n. Envoltura; capullo de algunas orugas.

PILLU, n. Enredo; trama; fraude; trampa; ardid de mala fe.

PILLU, adj. Tramposo; fraudulento; pícaro; astuto; perillán.

PILLUNA, v. a. Envolver alguna cosa. Enredar maliciosamente algún asunto.— **Pillugrina**, Ir a envolver.— **Pillucuna**, Estar envolviendo.— **Pillumuna**, Venir envolviendo o después de haber envuelto.— **Pilluchina**, Hacer envolver.— Las mismas derivaciones tiene en el sentido de "enredar".

PILLUSHCA, p. p. Envuelto. Cosa enmarañada por la mala fe.

PIMI, n. Desportilladura.

PIMI, adj. Desportillado; mellado.

PIMINA v. a. Desportillar; mellar.— **Pimigrina**, Ir a desportillar, etc.

PIMISHCA, p. p. Lo mismo que el adjetivo **Pimi**.

PIMIQUIRU, adj. Persona a la cual le faltan uno o más dientes.

PINDUG, n. Especie de caña o carrizo de lugares ardientes.

PINDULLINA, v. r. Embozarse; arroparse.

PINDULLISHCA, p. p. Rebozado, arropado.

PINGACHIG, p. a. El que causa rubor o vergüenza.

PINGACHINA, v. a. Avergonzar; causar rubor.

PINGAG, p. a. El que tiene rubor o vergüenza.

PINGANA, v. r. Avergonzarse.— **Pingagrina**, Ir a avergonzarse.— **Pingacuna**, Estar avergonzándose.— **Pingamuna**, Venir avergonzando.— **Pingarana**, Sentir mucha vergüenza.

PINGAY, n. Vergüenza.

PINGAYLLA, adv. Con rubor o vergüenza.

PINGAYPAG, adj. Persona que debía avergonzarse. Cosa vergonzosa.

PINGAYSAPA, adj. Lleno de vergüenza.

PINGU, n. Cumbrera o caballete de una techumbre.

PINGULLU, n. Pífano.

Pingullu

PINGULLUNA, v. n. Tocar el pífano.

PINGUPINGU, n. Planta de la familia de las Gnetáceas. (Ephedra americana H.). Se la reputa antisifilítica.

PINLLUG, n. Arbol de la familia de la Euforbiáceas. (Euforbia Latazi).

PIÑA, adj. Bravo; rabioso; indigesto; terco; ceñudo; adusto.

PIÑACHIG, p. a. El que enoja o enfada.

PIÑACHINA, v. a. Enojar; enfadar; incomodar; causar rabia o cólera.— **Piñachigrina**, Ir a enojar.— **Piñachicuna**, Estar enojando.— **Piñachimuna**, Venir enojando o después de haber enojado.— **Piñachinacuna**, Enojar entre dos o más.— **Piñachihuana**, Enojarme o enojarte.

PIÑAN, n. Arbusto. (Coriaria thimifolia Willd.).

PIÑANA, v. r. Enfadarse; airarse; encolerizarse, etc.— **Piñagrina**, Ir a enfadarse.— **Piñacuna**, Estar enfadándose.— **Piñarana**, Estar habitualmente enfadado.

PIÑANACUY, n. Enfado recíproco de dos o más personas.

PIÑARIG, p. a. El que se enoja o encoleriza.

PIÑARINA, v. r. Lo mismo que **Piñana.**

PIÑASHCA, p. p. Enojado; **enfadado;** encolerizado.

PIÑAY, n. Enojo; enfado; **cólera;** ira.

PIÑAYSAPA, adj. Muy enojado; **sumamente** colérico.

PIPAG, adj. Comunmente interrog. **De** quién; cuyo.

PIPAGPISH, adj. De cualquiera; de quien quiera.

PIPI, n. Pene; miembro viril.

PIPISH, adj. Cualquiera; quien quiera.

PIPISHMAYPISH, adj. Uno de tantos; el menos pensado; el primero que aparezca.

PIQUI, n. Pulga.

PIQUI, n. Nigua cuando ha hecho ya su nido bajo la epidermis de hombres o de animales. (Pulex penetrans o Sarcopsilla penetrans.).

PIQUICHAQUI, adj. Nigüento; patojo.

PIQUIJUNDA, adj. Lleno de pulgas. Lleno de niguas.

PIQUINA, v. a. Espulgar.— **Piquigrina,** Ir a espulgar.— **Piquicuna,** Estar espulgando.— **Piquimuna,** Venir después de haber espulgado.— **Piquirina,** Espulgarse.— **Piquichina,** Hacer espulgar.

PIQUISHCA, p. p. Espulgado.

PIRCA, n. Pared; tapia; cerca; muro.

Pircay

PIRCAG, p. a. El que construye pared, cerca o muro.

PIRCANA, v. a. Construir pared, cerca, etc.— **Pircagrina,** Ir a fabricar pared.— **Pircacuna,** Estar fabricando.— **Pircarina,** Fabricarse.— **Pircachina,** Hacer fabricar.— **Pircarana,** Fabricar constantemente.

PIRCASHCA, p. p. Pared construída. Recinto resguardado por paredes.

PIRCAY n. Construcción de pared; formación de muro o cerca.

PIRI, n. Sarna menuda.

PIRI, adj. Sarnoso; endeble; raquítico; enteco; insulso.

PIRIYANA, o **Piriana,** v. r. Ensarnarse. Entecarse.

PIRURU, n. Tortero, para el uso de hilar.

PISH, conj. Significa **y** o **también.** Vga. "Canpish, ñucapish": "Y tú, y yo".

PISHCU, n. Pájaro, especialmente gorrión. (Fringilla doméstica o Zonotrichia piliata Bood.)

PISHCUCAMA, n. Espantapájaros; pajarero.

Pishcucama

PISHCUSHCA, adj. Planta o fruto dañado por las aves.

PISHI, adj. Escaso; corto; pequeño.

PISHIYANA o **Pishiana,** v. r. Escasear; menoscabarse; disminuir. Decaer las fuerzas de un individuo; debilitarse éste.— **Pishiagrina,** Ir a escasear.— **Pishiacuna,** Estar escaseando.— **Pishiamuna,** Empezar a escasear.— **Pishiachina,** Hacer que escasee.— **Pishiarina,** Lo mismo que **Pishiana.**

PISHIAY, n. Menoscabo; disminución. Decaimiento corporal.

PISHIANA, v. r. Lo mismo que **Pishiana.**

PISHISHUNGU, adj. Pusilánime; cobarde; apocado.

PISHIU, n. ant. Pupila; niña del ojo.

PISH! PISH!, interj. Con que a los niños se les provoca a orinar.

PISHPINA, v. n. Orinar los niños.

PITAG o **Pita?**, part. verbal de pregunta ¿Quién es?

PITI, n. Pedazo; pequeña porción; fragmento; retazo; mendrugo.

PITI, adj. Cosa cortada.

PITICALLU, adj. Persona que habla mal, como si tuviese cortada la lengua.

PITIG, p. a. El que corta.

PITILLA, adj. Una porción diminuta; sólo un pedacito.

PITINA, v. a. Cortar; dividir; partir.— **Pitigrina,** Ir a cortar.— **Piticuna,** Estar cortando.— **Pitimuna,** Caminar cortando o venir después de cortar.— **Pitichina,** Hacer cortar.— **Pitinacuna,** Ayudar a cortar o cortar desordenadamente, despedazando.— **Pitirina,** Cortarse.

PITIRINA, v. r. Expirar el moribundo; cortársele la vida.— **Pitiricuna,** Hallarse en los últimos instantes.

PITIRINGRI, adj. Mutilado de la oreja; desorejado.

PITISHCA, p. p. Cortado; dividido.

PITIRISHCA, p. p. Persona o animal que ha expirado; que acaba de morir.

PUCA, adj. Rojo; colorado; escarlata.

PUCALLA, adj. Rojizo.

PUCAÑAHUI, n. Arbol de buena madera. cuyo color es rojo, y a ello debe su nombre. (Species incognita mihi).

PUCAÑAHUI, adj. Carirrosado; rubicundo.

Pucará

PUCARA, n. Fortaleza o castillo. Lugar donde juegan bárbaramente el carnaval los indios de algunas parcialidades modernas.

PUCUAUNA, adj. Bermejo; de cabellos rubios.

PUCAYANA, v. r. Enrojecer.— **Pucayagrina,** Ir a enrojecer.— **Pucayacuna,** Estar enrojeciendo o estar ostentando el color rojo.— **Pucayamuna,** Empezar a enrojecer.— **Pucayachina,** Hacer que enrojezca.

PUCAYASHCA, p. p. Enrojecido.

PUCU, n. ant. Escudilla.

PUCUCHIG, p. a. Que hace madurar.

PUCUCHINA, v. a. Hacer madurar.— **Pucuchigrina,** Ir a hacer madurar.— **Pucuchicuna,** Estar haciendo madurar.— **Pucuchimuna,** Venir trayendo lo que se ha hecho madurar.

PUCUCHINA, n. Cántaro que provoca la fermentación de un líquido que en él se pone, por contener heces de pasados fermentos.

PUCUCHISHCA, p. p. Cosa que se ha hecho madurar.

PUCUG, p. a. Lo que madura. Tierra en que se dan bien las mieses.

PUCUG, p. a. El que sopla.

PUCUN (que ha venido a ser **pucón),** n. El conjunto de hojas que forman el involucro de la mazorca de maíz.

PUCUNA, v. n. Madurar.— **Pucugrina,** Ir a madurar.— **Pucucuna,** Estar madurando.— **Pucumuna,** Empezar a madurar.— **Pucuchina,** Hacer madurar.

PUCUNA, v. a. Soplar.— **Pucugrina,** Ir a soplar.— **Pucucuna,** Estar soplando.— **Pucumuna,** Venir soplando o después de soplar. **Pucuchina,** Hacer soplar.— **Pucunacuna,** Soplar entre dos o más.— **Pucurina,** Soplarse.— **Pucuhuana,** Soplarme o soplarte.— **Pucurana,** Soplar incesantemente.

Pucuna

PUCUSHCA, p. p. Madurado; maduro.

PUCUSHCA, p. p. Soplado.

PUCUY, n .Maduración; madurez.

PUCUY, n. Soplo.

PUCUYPACHA, n. Tiempo de la madurez; época de la cosecha.

PUCHCA, n. Hilo; hebra.

PUCHCAG, p. a. El que hila. La hilandera.

PUCHCANA, v. a. Hilar.— **Puchcagrina,** Ir a hilar.— **Puchcacuna,** Estar hilando.— **Puchcamuna,** Caminar hilando o venir después de haber hilado.— **Puchcachina,** Hacer hilar.— **Puchcanacuna,** Ayudar a hilar.— **Puchcarana,** Hilar incesantemente.

PUCHCASHCA, p. p. Hilado.

PUCHCAY, n. Acto de hilar.

PUCHU, n. Sobra; resto; residuo.

PUCHUCAGTA, adv. Totalmente; sin dejar resto; hasta ver el fin.

PUCHUCANA, v. a. Acabar; concluir; consumir.— **Puchcagrina,** Ir a consumir.— **Puchcacuna,** Estar consumiendo.— **Puchcamuna,** Venir consumiendo o después de haber consumido.— **Puchucachina,** Hacer consumir.— **Puchcarina,** Consumirse.

PUCHUCARINA, v. r. Morirse. Véase **Pitirina.**

PUCHUCASHCA, p. p. Consumido; acabado; agotado. Extinguido.

PUCHUCAY, n. Agotamiento; fin; extinción; muerte.

PUCHUNA, v. n. Sobrar.— **Puchugrina,** Ir a sobrar.— **Puchucuna,** Estar sobrando.— **Puchumuna,** Empezar a sobrar.— **Puchuchina,** Hacer sobrar.

PUCHUSHCA, p. p. Sobrado.

PUDINA (derivado del castellano **poder**), v. a. Poder; ser capaz de hacer algo; tener facultad para alguna acción.— **Pudigrina,** Ir a poder.— **Pudicuna,** Estar pudiendo.— **Pudimuna,** Venir después de haber podido hacer algo.— **Pudichina,** Hacer que otro pueda.— **Pudinacuna,** Poder entre dos o más. Suele juntarse de ordinario con nombres verbales, en frases como éstas: "Shamuy pudina": "Poder venir", — "Mama ricuy pudina": "No poder ver a otra persona; odiarla".

PUGCHINA, v. a. Véase **Pacchana.**

PUGLLAG, p. a. El que juega.

PUGLLANA, v. a. Jugar.— **Pugllagrina,** Ir a jugar.— **Pugllacuna,** Estar jugando.— **Pugllamuna,** Venir jugando o después de haber jugado.— **Pugllachina,** Hacer jugar.— **Pugllanacuna,** Jugar dos o más entre sí.— **Pugllarana,** Ocuparse sólo en jugar.

PUGLLANANAY, n. Deseo de jugar. Propensión al juego.

PUGLLAY, n. Juego.

PUGRU, n. Hueco; hoyo; depresión del terreno.

PUGRU, adj. Cosa hueca.

PUGRUYANA, v. r. Ahuecarse; deprimirse; formarse hoyo.

PUGYU, n. Fuente; surtidor; pozo. **Timbug pugyu,** fuente de agua termal o que brota hirviendo.

PUGYU, n. ant. Mollera.

PULCHUNGU, adj. Lanudo.

PULLU, n. Cobija; frasada.

PUMA, n. Leopardo americano. (Felis concolor L. o **F.** paramorum Festa?).

PUMAMAQUI, n. Arbol de madera adecuada para cucharas y otros utensilios análogos. (Hedera avicenniaefolia). También se da el propio nombre a algunas otras especies del mismo género.

PUNA, n. Altura ventosa y fría; páramo; pajonal.

PUNGU, n. Puerta; entrada; depresión de cerros o colinas, que da paso a un camino.

PUNGUCAMA, n. Portero.

PUNGUI, n. Protuberancia; hinchazón; infarto; chichón.

PUNGUIG, p. a. Cosa que se hincha o abulta.

PUNGUINA, v. r. Hincharse.— **Punguigrina,** Ir a hincharse.— **Punguicuna,** Estar hinchándose.— **Punguimuna,** Empezar a hincharse.— **Punguirina,** Lo mismo que **Punguina.**— **Punguichina,** Hacer hinchar; producir hinchazón.— **Punguirana,** Estar indefinidamente hinchado.— **Punguillina,** Lo mismo que **Punguirina.**

PUNGUISHCA, p. p. Hinchado.

PUNTIL, n. Almohadilla que se pone en la frente de los bueyes, al uncirlos, para que no los lastimen las ligaduras de la coyunda.

PUNZU, n. Paja menuda; pajaza; basura estoposa.

PUNZU, adj. Persona o animal de pelo erizado e hirsuto.

PUNZUYANA, v. r. Erizarse; ponerse hirsuto.

PUNZHA, n. Día.

PUNZHANDI, adv. Diariamente; día por día.

PUNZHAPACHA, adv. En pleno día.

PUNZHAYANA, v. r. Demorarse en algo hasta que apunte el día.

PUNYAG, p. a. Cosa que despide muy mal olor; nauseabunda.

PUNYANA, v. n. Heder con exceso; difundir olor nauseabundo.— **Punyagrina,** Ir a heder.— **Punyacuna,** Estar hediendo.— **Punyamuna,** Venir hediendo.— **Punyachina,** Hacer que alguna cosa hieda.

PUNYAY, n. Gran fetidez.

PUÑU, n. ant. Cántaro.— **Churupuñu,** Cántaro o madriguera de ciertos insectos. Véase la palabra.

PUÑUCHIG, p. a. Que hace dormir; soporífero.

PUÑUG, p. a. El que duerme.

PUÑUNA, n. Posada; hostería; casa o lugar en que los viajeros pasan la noche.

Puñuna

PUÑUNA, v. n. Dormir.— **Puñagrina,** Ir a dormir.— **Puñucuna,** Estar durmiendo.— **Puñumuna,** Venir durmiendo o después de haber dormido.— **Puñuchina,** Hacer dormir.— **Puñurina,** Dormirse.— **Puñurana,** Dormir demasiado.

PUÑUNA, v. n. Fornicar.

PUÑUNAYAY, n. Sueño; sopor; somnolencia.

PUÑUSHCA, p. p. Dormido.

PUPU, n. Ombligo. Pequeña protuberancia o pezón de algunos frutos, como limones o calabazas.

PURA, adj. Oscuro; tenebroso; lóbrego.

PURA, prep. Entre. Vga: "Ayllupura": "entre los allegados".

PURALLA, adj. Algo oscuro; bastante lóbrego.

PURAYACHIG, p. a. Que hace oscurecer; que entenebrece.

PURAYACHINA, v. a. Hacer que oscurezca; entenebrecer.

PURAYANA, v. r. Oscurecerse; ponerse lóbrega la noche.— **Purayagrina,** Ir a oscurecerse.— **Purayacuna,** Estar oscureciéndose.— **Purayamuna,** Empezar a oscurecerse.— **Purayachina,** Hacer que se oscurezca.

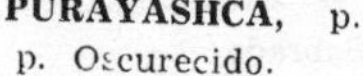

Purayana

PURAYASHCA, p. p. Oscurecido.

PURI, n. Caminata; trecho andado; una jornada.— **Punzhapuri,** Camino de un día.

PURIG, p. a. El que anda.

PURIGLLA, adj. Andariego; vagabundo.

PURINA, v. n. Andar.— **Purigrina,** Ir a andar.— **Puricuna,** Estar andando.— **Purimuna,** Venir andando o después de haber andado por partes lejanas.— **Purichina,** Hacer andar.— **Purinacuna,** Andar de aquí para allí.— **Purirana,** Andar por hábito.

PURISHCA, p. p. Andado. Lo caminado.

PURU, n. Calabazo (endocarpo de la **Cucurbita lagenaria).**

PURU, adj. Cosa hueca o vacía.

PURUGRUG, n. Planta campanulácea. Véase **Gusgus.**

PURULLA, adj. Cosa totalmente vacía.

PURUNGU (Porongo, por corrup.), n. Calabazo.

PURUTU (por corrup. **Poroto**), n. Fréjol o frijol.

PURUYANA, v. r. Ahuecarse y formar vacío alguna cosa.

PUSAG, adj. num. Ocho.

PUSAGCHUNGA, adj. Ochenta.

PUSAGPASAGNIQUI, adj. desus. Octogésimo.

PUSAGNIQUI, adj. desus. Octavo.

PUSAPASAG, adj. Ochocientos.

PUSAGPASAGNIQUI, adj. desus. Octingentésimo.

PUSCU, n. Espuma.

PUSCU, adj. Cosa avinagrada, aceda o corrompida.

PUSCUG, p. a. Que se avinagra, aceda o corrompe.

PUSCUNA, (literalmente **formar espuma**), v. r. Avinagrarse alguna cosa; corromperse o acedarse.— **Puscugrina**, Ir a avinagrarse.— **Puscunachina**, Hacer que se avinagre.— **Puscurina**, Avinagrarse. También significa ponerse de mal humor una persona.

Puscusapa

PUSCUSAPA, adj. Espumoso.

PUSCUCUSHCA, p. p. Avinagrado; acedo. Persona biliosa o adusta.

PUSCUY, n. Acedía; fermentación pútrida de alguna cosa.

PUSHAG, p. a. El que conduce o lleva a una persona.

PUSHANA, v. a. Conducir o llevar a una o varias personas.— **Pushagrina**, Ir a conducir.— **Pushacuna**, Estar conduciendo.— **Pushamuna**, Venir conduciendo.— **Pushachina**, Hacer conducir.— **Pushanacuna**, Ayudar a conducir o conducir entre varios.— **Pusharana**, Andar a llevar.

PUTI, n ant. Petaca.

PUTUL, adj. Podrido.

PUTULYANA, v. r .Podrirse alguna cosa; descomponerse totalmente.

PUTULYASHCA, p. p. Podrido; totalmente descompuesto por la corrupción.

PUTUNA, v. r. Brotar las mieses sembradas.— **Putumuna**, Empezar a brotar.

PUTUSHCA, p. p. Plantitas recién brotadas.

PUYU, n. Nube; niebla.

PUYU, n. Catarata o nube en el ojo.

PUYU, n. Carcoma.

PUYUJUNDA, adj. Cielo nublado. País nebuloso.

PUYUNA, v. r. Formarse la niebla o las nubes.— **Puyugrina**, Ir a formarse nubes o niebla, etc.

PUYURINA, v. r. Carcomerse o corroerse alguna cosa.

PUYUSAPA, adj. Lo mismo que **Puyujunda**.

PUZUN, n. Vientre; barriga; abdomen. Más propiamente el estómago mayor de las reces vacunas.

PUZUNSAPA, adj. Barrigón; ventrudo. Tragon.

PUZHA, n. Hojarasca menuda. Basura fibrosa.

UIA, n. Podre; pus; materia.

QUIAYANA, v. r. Formarse pus en algún tumor o herida.

QUICHA, n. Evacuación; diarrea. **Yahuarquicha,** disentería.

QUICHANA, v. n. Evacuar.— **Quichagrina,** Ir a evacuar.— **Quichacuna,** Estar evacuando.— **Quichamuna,** Venir evacuando o después de haberlo hecho.— **Quicharina,** Evacuarse.— **Quicharana,** Evacuar a cada paso.

QUICHINCHA, n. ant. Hollín.

QUICHQUI, adj. Estrecho; angosto; tupido.

QUICHQUIYACHINA o **Quichquiachina,** v. a. Estrechar; tupir; apretar algo.

QUICHQUIYANA o **Quichquiana,** v. r. Estrecharse algo; tupirse; enangostarse.— **Quichquiyagrina,** Ir a estrecharse.— **Quichquiyacuna,** Estar estrechándose.— **Quichquiyamuna,** Empezar a estrecharse.— **Quichquiyachina,** Hacer que se estreche.— **Quichquiyarina,** Estrecharse.

QUICHUA, n. Idioma general del antiguo imperio peruano y hablado actualmente por las razas indias de la mayor parte del Perú, de las comarcas serraniegas del Ecuador y de muchos pueblos de Bolivia, con algunas variaciones propias de cada localidad. Oscura es la etimología de la voz **QUICHUA;** pero algunos autores notables sientan que proviene de las palabras **QUIHUINA, RETORCER** — e **ICHU, PAJA,** aludiendo a la ocupación de fabricar sogas de paja que tenían los indios de una región fría de la nación peruana, a los cuales, por esta razón, se les llamaba **QUICHUACUNA.** La palabra **QUICHUA** ha sido casi desconocida en el Ecuador hasta estos últimos tiempos; pues la lengua de nuestros aborígenes ha solido llamarse **INGASHIMI** o simplemente **INGA,** es decir: IDIOMA DE LOS INCAS.

QUICHUG, p. a. El que quita.

QUICHUNA, v. a. Quitar; arrebatar alguna cosa.— **Quichugrina,** Ir a quitar.- **Quichucuna,** Estar quitando.— **Quichumuna,** Venir después de quitar o trayendo lo quitado.— **Quichuchina,** Hacer quitar.— **Quichunacuna,** Quitarse alguna cosa de unos a otros.— **Quichurina,** Quitarse.— **Quichuhuana,** Quitarme o quitarte.

QUICHUSHCA, p. p. Quitado; arrebatado.

QUICHUY, n. Acto de quitar.

QUIHUA, n. Yerba forraje.

QUIHUACHI, n. ant. Suegra.

QUIHUAC, p. a. El que corta yerba o prepara forraje.

QUIHUAMICUG, adj. Herbívoro.

QUIHUAPAMBA, n. Campo de yerba; dehesa; potrero; prado.

QUIHUAY, n. Acto de preparar forraje, cortando o pelando yerba.

QUIHUAYUG, adj. Campo cubierto de yerba Persona que la tiene.

QUIHUI, n. Torcedura; torción. Descoyuntamiento.

QUIHUINA, v. a. Torcer; retorcer. Descoyuntar.— **Quihuigrina,** Ir a torcer.— **Quihuicuna,** Estar torciendo.— **Quihuimuna,** Venir torciendo o después de haber torcido.— **Quihuichina,** Hacer que otro tuerza.— **Quihuirina,** Torcer.— **Quihuinacuna,** Retorcer en uno y otro sentido, con el objeto de dañar.

QUIHUISHCA, p. p. Torcido; retorcido. Descoyuntado.

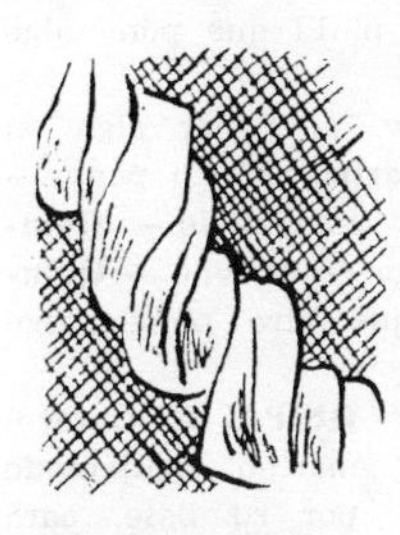

Quihuishca

QUILLA, n. La luna.— **Quillajunday,** La oposición o luna llena.— **Quillachungay,** La conjunción.

QUILLA, n. El mes o renovación de la luna.— **Chaupiquilla,** Medio mes.

QUILLA, n. Pereza; dejadez; desidia; incuria; inercia.

QUILLANAYANA, v. r. Tener pereza.

QUILLASAPA, adj. Perezoso; indolente; dejado.

QUILLAY, n. ant. El fierro y otros metales.

QUILLAYHUASCA, n. ant. Cadena de hierro o de otro metal semejante.

QUILLAYTACAG, adj. ant. Herrero.

QUILLCACAMA, n. Escribano. Archivero. Tinterillo o rábula.

QUILLCA, n. Letra; carta. Cualquier escrito.

QUILLCAG, p. a. Escritor. Escribiente; amanuense; plumario.

QUILLCANA, v. a. Escribir.— **Quillcagrina,** Ir a escribir.— **Quillcacuna, Estar** escribiendo.— **Quillcamuna,** Venir después de haber escrito.— **Quillcarina,** Escribirse.— **Quillcanacuna,** Ayudar a escribir.— **Quillcahuana,** Escribirme o escribirte.— **Quillcarana,** Escribir incesantemente.

Quillcashca

QUILLCASHCA, p. p. Escrito.

QUILLIMSA, n. ant. Carbón.

QUILLILLICU, n. Cernícalo. (Tinnunculus cinnamominus Sw?).

QUILLMA, n. ant. Gracioso; decidor; bufón.

QUILLU, adj. Amarillo.

QUILLUYAG, p. a. Lo que amarillea.

QUILLUYANA, v. r. Amarillear.— **Quilluyagrina,** Ir a amarillear.— **Quilluyacuna,** Estar amarilleando.— **Quilluyachina,** Hacer amarillear.

QUILLUYASHCA, p. p. Amarillado; amarillento. Dícese también de las personas a quienes alguna enfermedad tiene c ha dejado anémicas.

QUILLUYUYU, n. Arbol de la familia de las Melastomáceas. (Especie de **Miconia?)** La borra amarillenta de la página inferior de sus hojas sirve para teñir telas de lana en amarillo o en verde.

QUIMI, n. Apoyo; sostén; cuña.

QUIMINA, v. a. Apoyar; sostener algo con cuñas.— **Quimigrina,** Ir a sostener.— **Quimicuna,** Estar sosteniendo.— **Quimimuna,** Venir después de haber asegurado con cuñas algún ob-

Quimina

jeto.— **Quimichina,** Hacer sostener.— **Quiminacuna,** Ayudar a sostener o apoyar.

QUIMISHCA, p. p. Apoyado; sostenido con cuñas.

QUIMLLA, n. Pestaña; párpado.

QUIMLLANA, v. n. Pestañar; parpadear.

QUIMLLAY, n. Guiñada; parpadeo.

QUIMSA, adj. num. Tres.

QUIMSANCHINA, v. a. Triplicar.

QUIMSANCHISHCA, p. p. Triplicado.

QUIMSANDI, adv. Entre tres. Los tres juntos.

QUIMSANIQUI, adj. desus. Tercero.

QUIMSAPASAG, adj. Trescientos.

QUIMSAPASAGNIQUI, adj. desus. Trecentésimo.

QUICHINCHA, n. ant. Hollín.

Quindi

QUINDI, n. Colibrí; tominejo; picaflor. (Docimaster encifor Beiss., Lesbia victoriae Bour, etc).

QUINDIAG, p. a. Cosa que se encoge o contrae.

QUINDIANA, v. r. Encogerse; contraerse.— **Quindiagrina,** Ir a encogerse.— **Quindiacuna,** Estar encogiéndose.— **Quindiamuna,** Empezar a encogerse.— **Quindiachina,** Hacer que se encoja.

QUINDIASHCA, p. p. Encogido; contraído.

QUINDIAY, n. Encogimiento; contracción.

QUINDISUNGANA, n. Planta de la familia de las Labiadas. (Varias especies de Salvia).

QUINGRAY, n. Ladera; través; travesía.

QUINGAYMAN, adv. Al través; de soslayo; lateralmente en una cuesta.

QUINGU, n. Tortuosidad; zig-zag.

QUINGU, adj. Tortuoso; torcido en zigzag; sinuoso.

QUINGUNA, v. a. Torcer.— **Quingugrina,** Ir a torcer.— **Quingucuna,** Estar torciendo.— **Quingumuna,** Venir torciendo o después de haber torcido.— **Quinguchina,** Hacer torcer.

QUINGUSHCA, p. p. Torcido.

QUINQUIN, n. Cerraja. (Sonchus oleraceus L.).

QUINUA, n. Planta que produce grano comestible. (Chenopodium quinoa W.)

QUINUA, n. Arbol de la familia de las Sanguisorbáceas, (polylepis incana R. rt. P.) Es el vegetal arbóreo que sube a mayor altura

QUINZHA, n. Cerca o cerramiento de palos con bejucos.

QUINZHAG, p. a. El que hace el cerramiento llamado **quinzha.**

QUINZHANA, v. a. Fabricar cerca de palos atados con bejucos.— **Quinzhagrina,** Ir a hacer este cerramiento.— **Quinzhacuna,** Estar haciéndolo.— **Quinzhamuna,** Venir haciéndolo o después de haberlo hecho.— **Quinzhanacuna,** Hacerlo entre dos o más.

QUINZHU, n. Seno.

QUINZHULLIG, p. p. El que pone algo en el seno.

QUINZHULLINA, v. a. Poner algo en el seno.— **Quinzhulligrina,** Irlo a poner.— **Quinzhullicuna,** Estar poniéndolo.— **Quinzhullimuna,** Traer algo en el seno.— **Quinzhullichina,** Hacer que otro ponga algo en el seno.

Quipa

QUIPA, n. Caracol marino agujereado por su base, para servir de trompeta a los indios.

QUIPA, adj. Posterior.— **Quipahuiñay,** menor en edad.

QUIPA, adv. Posteriormente.

QUIPACANA, adj. Lo que ha de suceder después; lo futuro; lo venidero.

QUIPALLA, adv. Poco después.

QUIPANA, v. a. Tocar la trompa llamada **Quipa.**

QUIPANA, v. n. Arrullar una tórtola algo mayor que la común.

QUIPAÑAUPA, adv. Antes y después.

QUIPAYACHINA, v. a. Postergar a alguno.— **Quipayachigrina**, Ir a postergar.— **Quipayachicuna**, Estar postergando.— **Quipayachimuna**, Venir postergando.— **Quipayachihuana**, Postergarme o postergarte.

QUIPAYAG, p. p. El que se atrasa o posterga.

QUIPAYANA, v. r. Atrasarse.— **Quipayagrina**, Ir a atrasarse.— **Quipayacuna**, Estar atrasándose, etc.

QUIPAYASHCA, p. p. Atrasado.

QUIPAYAY, n. Atraso; postergación. Demora; tardanza.

QUIPI, n. Fardo o bulto de ropa, granos u otra cosa, que suelen los hombres del pueblo llevar a la mano o en las espaldas.

QUIPIG, p. a. El que hace el bulto o fardo llamado **Quipi.**

QUIPINA, v. a. Arreglar alguna cosa en bulto o atado para llevarla a la mano o en las espaldas.— **Quipigrina**, Ir a hacer este bulto.— **Quipicuna**, Estar haciéndolo, etc.

QUIPISHCA, p. p. Arreglado en fardo o bulto para el transporte.

QUIPU, n. Nudo.

QUIPU, n. Escritura en nudos formados en hilos de varios colores, de la cual se servían, según dicen, los Incas y sus subalternos, para darse avisos y noticias desde puntos distantes.

Quipu

QUIPUCAMA, n. El que entendía en arreglar y transmitir la escritura de los Quipus.

QUIPUNA, v. a. Anudar. Escribir en nudos.

QUIQUI, n. Flor hembra del maíz que está ya fecunda, pero cuyos granos empiezan apenas a formarse. Estado rudimentario del choclo.

QUIQUIN, adj. El mismo; idéntico. Lo propio. — "Pay quiquinmi": "el mismo es". — "Ñuca quiquinmi carca": "mío propio fué".

QUIQUINA, v. r. Brotar las flores hembras del maíz.

QUIRPAG, p. a. El que cubre o tapa.

QUIRPANA, v. a. Cubrir; tapar; ocultar.— **Quirpagrina**, Ir a cubrir.— **Quirpacuna**, Estar cubriendo.— **Quirpachina**, Hacer cubrir.— **Quirpanacuna**, Ayudar a cubrir.— **Quirpahuana**, Cubrirme o cubrirte.— **Quirparana**, Tener alguna cosa habitualmente cubierta.

QUIRPARSHCA, p. p. Cubierto; tapado.

QUIRPAY, n. Acto de cubrir o tapar.

QUIRU, n. Diente o muela.— **Ñaupaquiru**, Dientes.— **Cuchuquiru**, Muelas últimas, especialmente las cordales.

Quirpana

QUIRU, n. Madero; palo de fábrica; tronco para leña.

QUIRUAYCHA, n. Encías.

QUIRUILLAG, adj. Desdentado.

QUIRULLUGCHIG, adj. Cirujano dentista. Sacamuelas.

QUIRUNANAY, n. Dolor de muelas.

QUIRUSAPI, n. Raigón.

QUIRUSAPA, adj. Dentón.

QUIRUSURCUG, adj. Lo mismo que **Quirullugchig.**

QUISIPRA, n. ant. Ceja.

QUISHA!, interj. Cosa que he ahuyenta a las gallinas y otras aves de corral. Significa: Quita allá!, fuera!

QUISHAYUYU, n. ant. Ortiga.

QUISHPI, n. ant. Diamente.

QUISHPI, adj. Redimido; liberado; rescatado.

Quishpi

QUISHPICHIG, p. a. El que liberta de un castigo o calamidad; el que rescata de una prisión, deuda, etc. Redentor. Salvador. Perdonador.

Quishpina

QUISHPICHINA, v. a. Libertar; rescatar; indultar; perdonar. Redimir. Salvar. prisión, deuda, etc. Redentor. Salvador. Perdonado; eximido; rescatado; redimido.

QUISHPINA, v. r. Escaparse; librarse; eximirse; quedar perdonado.— **Quishpigrina,** Ir a escaparse.— **Quishpicuna,** Estar escapándose.— **Quishpimuna,** Venir escapándose.— **Quishpirina,** Lo mismo que **Quishpina.**

QUISHPIÑAHUI, adj. ant. De ojos brillantes.

QUITA, adj. Animal bravío o arisco. Ganado cimarrón o montaraz.

QUITAYANA, v. r. Embravecerse el ganado; remontarse y ponerse arisco.

QUITAYASHCA, p. p. Ganado embravecido, arisco.

QUITI, n. ant. Provincia; comarca.

RA, part. que, interponiéndose entre las radicales y la desinencia de un verbo, denota insistencia o persistencia de la acción de éste. Así es como de "Ricuna": "Ver", se forma "Ricurana": "Ver constante y cuidadosamente" o "Mirar con insistencia".

RAG o **Ra**, part. que se pospone al nombre, al verbo o al adverbio, y significa: Aún, todavía. Vga. "Chahuara": "crudo todavía". — "Yapunrami": "Ara todavía". — "Manara tutayanchu": "Aún no anochece".

RACA, n. Vulva.

RACACHA, n. Zanahoria del país. (Arracacha esculenta **DC.**).

RACU, adj. Grueso; basto.

RACUYAG, adj. Que engruesa o se abulta.

RACUYANA, v. r. Engrosar.— **Racuyagrina**, Ir a engrosar.— **Racuyacuna**, Estar engrosando – **Racuyamuna**, Empezar a engrosar.— **Racuyachina**, Hacer que engruese.

RACUYASHCA, p. p. Engrosado; abultado

RACUYAY, n. Engrosamiento.

RAGRA. n. Raja; abra; rendija; abertura. (Es de sospechar que **Ragra** se haya derivado de la voz castellana "Raja").

RAGRANA, v. a. Rajar.— **Ragragrina,** Ir a rajar.— **Ragracuna,** Estar rajando.— **Ragramuna,** Venir después de rajar.— **Ragragrina,** Rajarse.— **Ragrachina,** Hacer rajar, **Ragranacuna,** Rajar en muchas partes o rajar entre varios.

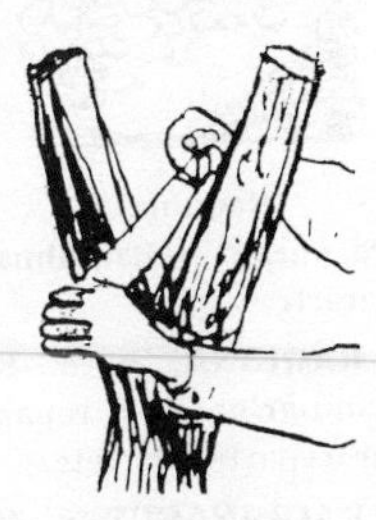

Ragrashca

RAGRASHCA, p. p. Rajado; hendido.

RAMBRAN o **Ranran**, n. Arbol de regular madera. (Alnus acuminata H.?).

RANDI, n. Compra.

RANDI, n. Un octavo de real, que vulgarmente suele llamarse **un pan** o **un mercado**

RANDI, adv. En lugar de; en vez de; más bien. Vga. "En lugar del indio": "Runapa randi".

RANDIG, p. a. El que compra; comprador.

RANDINA, v. a. Comprar.— **Randigrina,** Ir a comprar.— **Randicuna,** Estar comprando.— **Randimuna,** Venir trayendo lo comprado — **Randichina,** Hacer que otro compre.— **Randirina,** Comprarse.— **Randinacuna,** Ayudar a comprar.— **Randihuana,** Comprarme o comprarte.— **Randirana,** Comprar muy frecuentemente.

RANDISHCA, p. p. Comprado.

RAPI, n. ant. Hoja.

RAPRA, n. Hojas y ramas menudas; broza; follaje.

RAQUI, n. Separación; apartamiento. Repartimiento; distribución.

RAQUIG, p. a. El que aparta o separa. El que reparte o distribuye.

Raquina

RAQUINA, v. a. Separar; apartar.— **Raquigrina,** Ir a separar.— **Raquicuna,** Estar separando.— **Raquimuna,** Venir separando o después de separar.— **Raquichina,** Hacer separar.— **Raquirina,** Separarse.— **Raquicuna,** Separar entre varios.— **Raquihuana,** Separarme o separarte.

RAQUINA, v. a. Repartir; distribuir.— **Raquigrina,** Ir a repartir.— **Raquicuna,** Estar repartiendo, etc.

RAQUINACUY, n. Mutua separación. Repartimiento recíproco.

RAQUIPAG, adj. Que puede o debe separarse. Que puede o debe ser repartido.

RAQUISHCA, p. p. Separado; apartado.

RAQUISHCA, p. p. Repartido.

RARCA, n. Acequia; cauce de riego. Surco de desagüe en las sementeras.

RASU, n. Nieve; nevazón; nevada.

RASUNA, v. n. Nevar.— **Rasugrina,** Ir a nevar.— **Rasucuna,** Estar nevando.— **Rasumuna,** Empezar a nevar.

RASUSHCA, p. p. Nevado.

RASUY, n. Nevada; nevazón.

RATAG, adj. Cosa dura, tiesa o rígida.

RAGTAGYANA, v. r. Ponerse tiesa o rígida alguna cosa.- **Ragtagyagrina,** Ir a ponerse tiesa, etc.

RAGTAGYASHCA, p. p. Cosa seca y rígida.— Persona que ha enflaquecido mucho.

Rasuy

RATAPA, n. ant. Trapo; andrajo. Remiendo.

RATAPANA, v. a. ant. Remendar.

RATAPAY, n. ant. Acto de remendar.

RAURAG, p. a. Que arde; que escuece.

RAURANA, v. n. Arder; escocer.— **Rauragrina,** Ir a arder.— **Rauracuna,** Estar ardiendo.— **Rauramuna,** Empezar a arder.— **Raurachina,** Hacer que arda.— **Rauhuana,** Arderme o arderte.

RAURAY, n. Ardor; escozor.

RAYCU, conj. causal o final que se pospone a otra palabra; vga. "Canta ricungaraycu": "Por verte". También tiene el carácter de preposición ; vga. "Canraycu": "por tí".

RI (con **r** suave), part. que, interpuesta entre las letras radicales y la terminación o desinencia de un verbo, denota que la acción de éste es reflexiva, es decir que recae sobre el mismo sujeto que la produce. Así es como de "Mayllana", vga., que significa "Lavar", se forma "Mayhagrina": "Lavarse". — **Ri** equivale, por consiguiente, al pronombre castellano se, y expresa también la voz pasiva de los verbos del mismo modo que la circunstancia de ser ellos reflexivos, por ejemplo, 'Huasuchiricunmi": "Se está fabricando la casa".

Ricuchig

RICUCHIG, p. a. El que muestra, señala o designa.

RICUCHINA, v. a. Mostrar; señalar; designar.— **Ricuchigrina,** Ir a mostrar.— **Ricuchicuna,** Estar mostrando.— **Ricuchimuna,** Venir mostrando o después de haber mostrado.— **Ricuchichina,** Hacer que otra persona muestre.— **Ricuchirina,** Mostrarse.— **Ricuchinacuna,** Mostrar entre dos o más.— **Ricuchihuana,** Mostrarme o mostrarte.— **Ricuchirana,** Mostrar por repetidas veces.

RICUCHIPAG, adj. Persona que puede o debe mostrar. Cosa que puede o debe ser mostrada.

RICUCHISHCA, p. p. Mostrado; designado; señalado.

RICUG, p. a. El que ve.

RICUNA, v. a. Ver.— **Ricugrina,** Ir a ver.— **Ricucuna,** Estar viendo.— **Ricumuna,** Venir viendo o después de haber visto.— **Ricunacuna,** Ver entre varios; considerar o contemplar juntos alguna cosa.— **Ricurina,** Verse o aparecer.— **Ricuhuana,** Verme o verte — **Ricurana,** Ver con mucho cuidado; atender a alguna persona, por deber o por amor.

RICUNACUSHUN!, interj. de despedida. Nos volveremos a ver! Adiós! Hasta vernos!

RICURAG, p. a. El que ve de hito en hito; el que atisba.

RICURAY, p. a. Acto de mirar o ver de hito en hito.

RICURIG, p. a. El que aparece o se deja ver. Lo que se halla después de haberse perdido.

RICURINA, v. r. Aparecer; presentarse; divisarse. Hallarse una cosa que estaba perdida o confundida.

RICURISHCA, p p. Persona o cosa aparecida. Objeto hallado.

RICURISHCA, n. Pequeño obsequio o regalo con que el indio se presenta a alguna persona, para quedar bien con ella y pedirle cualquier favor.

Ricurishca

RICUSHCA, p. p. Persona o cosa vista.

RIG, p. a. El que se va.

RIGCHACHIG, p. a. El que despierta a otro.

RIGCHACHINA, v. a. Despertar a otra persona.— **Rigchachigrina,** Ir a despertar.— **Rigchachicuna,** Estar despertando.— **Rigchachimuna,** Venir después de despertar.— **Rigchachinacuna,** Despertar entre dos o más.— **Rigchachihuana,** Despertarme o despertarte.

RIGCHAG, adj. Parecido; semejante.

RIGCHAG, adj. Varias personas o cosas; vga. "Rigchag huarmicunami chayamun": "Varias mujeres llegan".

RIGCHAGLLA, adj. Parecido solamente, pero no idéntico.

RIGCHANA, v. n. Asemejarse una persona o cosa a otras de su especie.

RIGCHANA, v. r. Figurársele a uno tal o cual cosa; ponérsele tal opinión o idea; vga. "Ñucamanca pay quiquinmi rigchan": "A mí me parece que es el mismo".

RIGCHARACUG, adj. El que está o permanece despierto.

RIGCHARANA, v. r. Permanecer o conservarse despierto, especialmente si está en la cama.

RIGCHARIG, p. a. El que se despierta.

RIGCHARINA, v. r. Despertarse.— **Rigcharigrina,** Ir a despertarse.— **Rigcharicuna,** Estar despertándose.— **Rigcharimuna,** Empezar a despertar o venir después de haberse despertado.— **Rigcharihuana,** Despertarme o despertarte.

RIGCHAY, n. Semejanza; apariencia. Aspecto.

RIGLLA, adj. Que está sólo de paso; transeúnte; pasajero.

Rigra

RIGRA, n. Brazo.

RIGRA, n. Medida de una brazada, braza. Es una de las medidas de que más usan los indios.

RIGRAUCU, n. Sobaco.

RIGSI, n. Conocimiento; relación; amistad.

RIGSIG, p. a. Conocedor; amigo.

RIGSINA, v. a. Conocer.— **Rigsigrina,** Ir a conocer.— **Rigsicuna,** Estar conociendo.— **Rigsimuna,** Venir conociendo o después de haber conocido.— **Rigsichina,** Hacer que otro conozca.— **Rigsinacuna,** Conocerse mutuamente.— **Rigsihuana,** Conocerme o conocerte.— **Rigsirina,** Conocerse.

RIGSINA, v. a. Reconocer a una persona afectuosa y lealmente.

RIGSISHCA, p. p. Conocido; amigo. Bribón a quien se le tiene conocido por sus malos hábitos.

RIMAG, p. a. El que habla. El que reprende o corrige verbalmente.

RIMANA, v. a. Hablar.— **Rimagrina,** Ir a hablar.— **Rimacuna,** Estar hablando.— **Rimamuna,** Venir hablando o después de haber hablado.— **Rimachina,** Hacer hablar.— **Rimanacuna,** Hablar entre dos o más recíprocamente.— **Rimahuana,** Hablarme o hablarte.— **Rimiarina,** Hablar consigo mismo o entre dientes; refunfuñar.— **Rimarana,** Hablar incesantemente.

RIMANA, v. a. Reprender verbalmente. Admite las mismas derivaciones que en la acepción principal.

RIMANACUY, n. Conversación; conferencia; tertulia; diálogo. Salutación.

RIMASHCA, p. p. Hablado.

RIMAY, n. Habla; lengua o lenguaje; idioma; locución; palabra. Corrección verbal.

RINA, v. n. Ir.— **Rigrina,** Estar a punto de ir.— **Ricuna,** Estar yendo.— **Richina,** Hacer que otro se vaya.

RINALLA, adj. Huésped; transeúnte. Persona que está al irse.

RINGRI o **Rinrri,** n. Oreja. Oído.

Rirpu

RIRPU, n. ant. Espejo.

RUCU, n. Viejo, tratándose de varón o de algún objeto deteriorado por el tiempo.

RUCULLA, adj. Vejanco; vejancón.

RUCUTU o **Rocoto,** por corrup., **n. Ají** vulgar de los indios. (Capsicum violaceum H. y otras especies).

RUCUYANA, v. r. Envejecer.— **Rucuyagrina,** Ir a envejecer.— **Rucuyacuna,** Estar envejeciendo.— **Rucuyamuna,** Empezar a envejecer.— Rucuyachina, Hacer que otro envejezca.— **Rucuyarina,** Lo mismo que **Rucuyana.**

RUCUYASHCA, p. p. Envejecido.

RUCUYAY, n. Envejecimiento.

RUMI, n. Piedra.— **Cutanarumi,** Piedra de moler.— **Uchurrumi,** Piedra de moler ají.— **Ushcurrumi,** una especie de antrasita.— **Mulanarrumi,** piedra de amolar.— **Yacurrumi,** piedra que ha sido redondeada por la acción del agua.

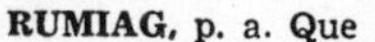

Uchurrumi

RUMIAG, p. a. Que

se endura como piedra. Persona que se obstina y empedernece en una determinación o hábito vituperables.

RUMIYANA o **Rumiana,** v. r. Endurecerse como para tener consistencia de piedra. Petrificarse. Obstinarse en alguna cosa mala.

RUMIYASHCA o **Rumiashca,** p. p. Petrificado; endurecido como piedra. Empedernido.

RUMIJUNDA, adj. Lleno de piedras; pedregoso.

RUMIPAMBA, n. Llanura o meseta pedregosa.

RUMISAPA, adj. Lo mismo que **Rumijunda.**

RUMIUMA, adj. Cabeza de piedra; testarudo; empecinado; tenaz; porfiado.

RUMISHUNGU, adj. Hombre de corazón duro, cruel; despiadado.

Rumpa

RUMPA, n. ant. Bola; esfera; pelota; cosa redonda.

RUMPA, n. Especie de papa conocida con este nombre por su redondez.

RUNA, n. Hombre. Indio; aborigen de América. Los blancos y los mestizos usan ordinariamente de esta palabra para insultar a los infelices de raza indígena.

RUNA, adj. Cosa de los indios o perteneciente a ellos; vga. "Runarrimay": "Lengua de los indios".

RUNAHUARMI, n. India.

RUNALLAMA, n. Carnero de los indios, (lo mismo que **Llama).**

RUNAYANA, v. r. Hacerse hombre; hacerse indio. Ejemplo: "Jatun apunchi, ñucanchita quishpichingaraycu, runayarca": "El Gran Soberano se hizo hombre por redimirnos".

RUNAYASHCA, p. p. Hecho hombre; convertido en indio.

RUNDU, n. Granizo.

RUNDUNA, v. n. Granizar.— **Rundugrina,** Ir a granizar.— **Runducuna,** Estar granizando.— **Rundumuna,** Empezar a granizar.— **Runduchina,** Hacer que granice.

RUNDUY, n. Granizada.

RUPACHIG, p. a El que quema.

Rupachina

RUPACHINA, v. a. Quemar; inflamar; incendiar.— **Rupachigrina,** Ir a quemar.— **Ripachicuna,** Estar quemando.— **Rupachimuna,** Venir quemando o después de quemar.— **Rupachinacuna,** Quemar entre dos o más.— **Rupachihuana,** Quemarme o quemarte.

RUPAG, adj. Ardiente; que se quema.

RUPANA, v. r. Quemarse; inflamarse; incendiarse.— **Rupagrina,** Ir a quemarse.— **Rupacuna,** Estar quemándose.— **Rupamuna,** Empezar a quemarse o avanzar el incendio.

RUPARIG, adj. Lo que se quema.

RUPARIGLLA, adj. Inflamable; combustible; que se quema con facilidad.

RUPASHCA, p. p. Quemado.

RUPAY, n. Acto de quemarse; quema; incendio; combustión. Ardor.

RUPAY, n. El sol. La luz y el calor del mismo astro.

RURRAG, p. a. El que hace alguna cosa.

RURRANA o **Rurana,** v. a. Hacer algo.— **Rurragrina,** Ir a hacer.— **Rurracuna,** Estar haciendo.— **Rurramuna,** Venir haciendo o después de haber hecho.— **Rurrachina,** Mandar hacer con otro.— **Rurranacuna,** Ayudar a hacer o hacer entre varios.

RURRARIPAG, adj. Cosa que se puede hacer; factible; hacedera.

RURRASHCA, p. p. Hecho.

RURRAY, n. Acción; hechura; facción; acto.

Rurray

RURRAY, n. Trabajo; ocupación; labor; faena.

RURRAYPAG, adj. Cosa que puede ser hecha. Sujeto que puede o debe hacerla.

RURRU o **Ruru**, n. Huevo.

RURRU, n. Pepita o semilla de alguna fruta.

RURRU, n. Teste; testículo; criadilla.

RURRUILLAG, adj. Castrado; capón.

RURRUSAPA, adj. Que tiene testículos muy grandes.

RURRUYCUY, adj. Que tiene testes. Gallina u otra ave que está con huevo.

RUTU, adj. Trasquilado; esquilado; chamorro.

RUTUG, p. a. El que trasquila; esquilador.

RUTUNA, v. a. Trasquilar; esquilar.— **Rutugrina**, Ir a trasquilar.— **Rutucuna**, Estar trasquilando.— **Rutunacuna**, Hacer trasquilar o trasquilar desordenadamente.— **Ruturina**, Trasquilarse.— **Rutuhuana**, Trasquilarme o trasquilarte.

RUTUSHCA, p. p. Trasquilado.

RUTUY, n. Trasquile; esquileo.

ACHA, n. Arboleda; selva; bosque. Montaña o cerro cubiertos de vegetación arbórea.

SACHA, n. Yerba silvestre. Mala yerba que infesta los sembrados.

SACHA, adj. Cosa silvestre o montés; vga. "Sacha huallpa": "Gallina del monte".

SACHAANGU, n. Bejuco; tallo de algunas plantas volubles o trepadoras; sirve para atar los palos de las cargas o cercas rurales.

SACHASACHA, adj. Montuoso; lleno de árboles, arbustos y broza.

Sachasacha

SACHAJUNDA, adj. Lo mismo que **Sachasacha**.

SACHALLA, adj. Todo cubierto sólo de monte.

SACHAPEPINO, n. formado una mitad quichua y otra castellana, como varios otros. Significa "Pepino salvaje". (Lycium fuchsioides H.).

SACHASAPA, adj. Lo mismo que **Sachasacha**.

SACHAYANA, v. r. Cubrirse algún paraje de vegetación silvestre.

SACHAYANA, v. r. Remontarse alguna res, internándose en la selva. Retirarse algún individuo huyendo hacia el bosque.

SAGMAG, p. p. El que abofetea.

SAGMANA, v. a .Abofetear.— **Sagmagrina**, Ir a abofetear.— **Sagmacuna**, Estar abofeteando.— **Sagmamuna**, Venir abofeteando o después de abofetear.— **Sagmachina**, Hacer abofetear.— **Sagmacuna**, Abofetear a diestro y siniestro o abofetear entre dos o más.— **Sagmagrina**, Abofetearse.— **Sagmahuana**, Abofetearme o abofetearte.— **Sagmarana**, Abofetear una y otra vez.

SAGMAY, n. Bofetada; guantada.

SAGRA, adj. Aspero; escabroso; tosco; grosero; torpe.

SAGSAG, adj. El que come hasta hartarse.

SAGSANA, v. a. Comer hasta hartarse. Comer demasiado.

SAGSASHCA, p. p. Harto de comida; ahito.

SAGSAY, n. Hartazgo.

SAJINU o **Sajino**, n. Cerdo montaraz o salvaje. (Dicotyles labiatus Cuv.).

SAMAG, p. a. El que descansa.

Samana

SAMANA, v. n. Descansar.— **Samagrina**, Ir a descansar.— **Samacuna**, Estar descansando.- **Samamuna**, Venir descansando a trechos.— **Samachina**, Hacer descansar.— **Samanacuna**, Descansar entre varios.

SAMASHCA, p. p. Descansado.

SAMAY, n. Descanso.

SAMAY, n. Aliento; respiración. "Samayta japina": "Recobrar el aliento".

SAMBA, adj. Blando; suave; delicado.

SAMBALLA, adj. Bastante suave, de consistencia blanda.

SAMBALLA, adv. Suavemente; con blandura.

SAMBASHUNGU, adj. Persona de índole suave; de corazón blando; de carácter compasivo y piadoso.

SAMBAYACHIG, p. a. Que suaviza o ablanda.

SAMBAYACHINA, v. a. Ablandar; suavizar.— **Sambayachigrina**, Ir a ablandar.— **Sambayachicuna**, Estar ablandando.— **Sambachimuna**, Venir ablandando o después de haber ablandado.— **Sambayarina**, Ablandarse.

SAMBAYANA, v. r. Suavizarse o ablandarse alguna cosa.— **Sambayagrina**, Ir a ablandarse.— **Sambayacuna**, Estar ablandándose.— **Sambayamuna**, Empezar a ablandarse.

SAMI, n. ant. Felicidad; dicha; ventura.

SAMA, n. ant. Paladar.

SANGU, n. Comida que se hace de harina de maíz tostado, sazonándolo en polenta muy espesa.

SANGU, adj. -Espeso; denso.

SANGURACHI, n. Planta. (Amaranthus caudatus L.).

SANGUYANA, v. r. Condensarse o espesarse alguna cosa.— **Sanguyagrina**, Ir a condensarse.— **Sanguyacuna**, Estar condensándose.— **Sanguyamuna**, Empezar a condensarse.— **Sanguyachina**, Hacer que se condense.— **Sanguyarina**, Lo mismo que **Sanguyana**.

SANGUYASHCA, p. p. Condensado; espesado.

SANINTU, n. ant. Huayava. (Psidium pyriferum L.).

SANSA, adj. Débil; desfallecido; que anda a duras penas; vacilante.

SANSALIANA, v. r. Vacilar; tambalear; estar cayéndose.— **Sansaliacuna**, Estar vacilando.— **Sansaliamuna**, Venir vacilando.

Sansa

SAÑI, adj. Morado; lívido; cárdeno.

SAÑIANA, v. r. Ponerse morado; cárdeno o lívido.

SAÑIASHCA, p. p. Que ha venido a ser lívido o cárdeno; que se ha hecho morado.

SAÑU, n. ant. Teja.

SAÑUCATA, n. ant. Cubierta de tejas; tejado.

SAPA, adj. de composición que denota abundancia de la cosa de que se trata, posponiéndose al nombre y formando una sola palabra con él. Vga. "Muyusapa": "Lleno de semillas.— Usase también en la forma **shapa**.

SAPALLA, adj. Solo; único; desamparado; aislado; solitario.

SAPALLU, n. Planta cultivada. (Variedades de **Cucurbita máxima**).

SAPI, n. Raíz. Parte inferior de alguna cosa.

SAPIYAG o **Sapiag**, adj. Que echa raíces.

SAPIYANA o **Sapiana,** v. n. Echar raíces.— **Sapiagrina,** Ir a echarlas.— **Sapiacuna,** Estar echándolas.— **Sapiamuna,** Empezar a echarlas.— **Sapiachina,** Hacer que las eche.

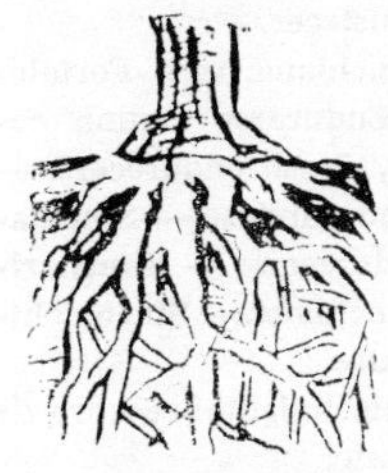
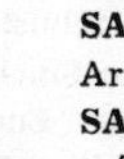
Sapiashca

SAPIASHCA, p. p. Arraigado.

SAPINDI, adv. De raíz; junto con ésta. Vga. "Sapindi surcuy": "Sácalo de raíz".

SAPIYUG o **Sapiug,** adj. Que tiene raíz o raíces.

SAQUIG, adj. El que deja.

SAQUINA, v. a. Dejar.— **Saquigrina,** Ir a dejar.— **Saquicuna,** Estar dejando.— **Saquimuna,** Venir dejando o después de haber dejado.— **Sanquichina,** Hacer que otro deje.— **Saquinacuna,** Dejar entre varios o dejarse los unos a los otros.— **Saquihuana,** Dejarme o dejarte.

SAQUIRINA, v. r. Quedarse.— **Saquirigrina,** Ir a quedarse.— **Saquiricuna,** Estar quedándose.— **Saquirimuna,** Haberse quedado, cuando debía venir.

SAQUIRISHCA, p. p. Que se ha quedado.

SAQUÍSHCA, p. p. Dejado.

SARA, n. Maíz. **Muruchu o morocho sara,** maíz amarillo común.— **Zhima sara,** maíz de color perla.— **Yurag sara,** maíz blanco.— **Cuscu sara,** maíz de color violáceo.— **Zhubay sara,** maíz amarillo de mazorca fina y grano abundante.— **Canguil sara,** maíz amarillo diminuto y a propósito para tostar.— **Yana sara,** maíz de color negro, etc.

SARAMULLU, adj. Juguetón; travieso; falto de formalidad; poco serio.

SARAR, n. Arbol de muy buena madera. (Weinmania fagaroides H.).

SARUG, p. a. El que pisa.

SARUN, adv. Anteayer. El otro día. "Sarun huata": "El año pasado o antepasado".

SARUNA, v. a. Pisar; hollar.— **Sarugrina,** Ir a pisar.— **Sarucuna,** Estar pisando.— **Sarumuna,** Venir pisando.— **Saruchina,** Hacer pisar.— **Sarunacuna,** Pisar entre varias personas o apelmazar a pisotones.— **Sarurina,** Pisarse alguna cosa.— **Saruhuana,** Pisarme o pisarte.— **Sarurana,** Pisar tenazmente.

SARUSHCA, p. p. Pisado; hollado; pisoteado.

SARUY, n. Pisada; huella.

Saruy

SATIG, p. a. El que mete o introduce.

SATINA, v. r. Meter; introducir. **Satigrina,** Ir a meter.- **Saticuna,** Estar metiendo.— **Satimuna,** Venir metiendo o después de haber metido.— **Satichina,** Hacer meter.— **Satirina,** Meterse.— **Satinacuna,** Meter entre varios o ayudar a meter.

SATIRIG, p. a. Entremetido.

SATIRINA, v. r. Entremeterse.— **Satirigrina,** Ir a entremeterse. G.

SATISHCA, p. p. Metido; introducido.

SAUNA, n. Almohada; almohadilla. Especie de basto que se pone bajo la albarda, para que ésta no lastime el lomo de las bestias de carga.

SAUNA, n. Arrimo; apoyo.

Saunana

SAUNANA, v. r. Arrimarse; apoyarse. Reclinar la cabeza sobre la almohada o sobre otro objeto que la reemplace.

SAYRI, n. Tabaco silvestre. (Nicotina lancifolia D. C.).

SERRAN, n. Arbusto de las serranías. (Cremanium aspergillare? D. C.).

SIA, n. Liendre.

SIAPAMBASHCA, adj. Chicha bien madura, cuya espuma parece un conjunto de liendres.

SIASAPA, adj. Lleno de liendres.

SICA, adj. ant. Lampiño.

SICAG, p. a. El que monta; el que sube.

SICANA, v. n. Subir; montar; trepar; cabalgar.— **Sicagrina,** Ir a subir.— **Sicacuna,** Estar subiendo.— **Sicamuna,** Venir de subida.— **Sicachina,** Hacer subir.— **Sicanacuna,** Subir entre dos o más.

Sicashca

SICASHCA, p. p. Trepado; subido; montado.

SICAY, n. Acto de trepar; subir o montar.

SIGLULUN o **Siglolon,** n. Planta frutal. (Especie de **Carica?**

SIGSI, n. Uso.

SIGSIG, n. Planta gramínea. (Gynerium saccharaoides).

SILIANA, v. n. Deslizarse suavemente por un plano inclinado. Resbalar por una ladera poco pendiente.

SILIAY, n. Resbalamiento en un plano de pendiente suave.

SIMAR, n. Planta parásita de la familia de las Lorantáceas. (Loranthus pycnanthus Benth.).

SIMBALUG o **Simbalu,** n. Baya o bellota de la mata de papa o de otra planta semejante.

SINCHI, adj. Fuerte; duro; recio; resistente. Valeroso; robusto; esforzado.

SINCHI, adv. Fuertemente.

SINCHIYACHINA o **Sinchachina,** v. a. Fortificar; robustecer; corroborar.— **Sinchiachigrina,** Ir a robustecer, etc.

SINCHIYANA, o **Sinchiana,** v. r. Fortalecerse una persona. Endurarse alguna cosa.— **Sinchiachigrina,** Ir a endurecerse.— **Sinchiacuna,** Estar endurándose.— **Sinchiamuna,** Empezar a endurecerse.— **Sinchiarina,** Lo mismo que **Sinchiana.**— **Sinchiachina,** Hacer que se endure.

SINCHIAY, n. Fortalecimiento; recobro de fuerzas. Endurecimiento.

SINCHITA, adv. Fuertemente; duro.

SINGA, n. Nariz. Pedúnculo o pezón de algunas calabazas.

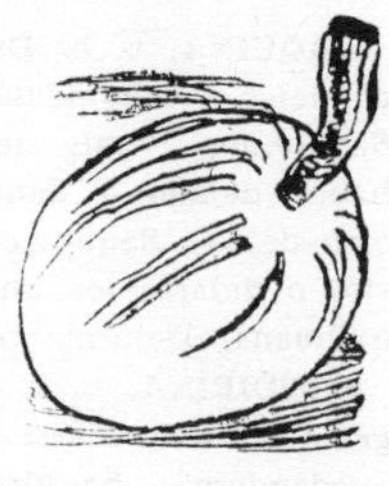

Singa

SINGALLINA, v. a. Tomar o sorber algo por la nariz.— **Singalligrina,** Ir a sorber.— **Singallicuna,** Estar sorbiendo.— **Singallimuna,** Venir sorbiendo o después de haber sorbido.— **Singallichina,** Hacer sorber.

SINGALLINA, n. Vellosidad de las narices. Lazada con que se sujeta a los caballos por el hocico.

SINGASAPA, adj. Narigón.

SINGUCHIG, p. p. El que hace rodar a una persona o una cosa.

SINGUCHINA, v. a. Hacer rodar.— **Singuchigrina,** Ir a hacer rodar.— **Singuchicuna,** Estar haciendo rodar.— **Singuchimuna,** Venir haciendo rodar o después de haberlo hecho.— **Singuchinacuna,** Hacer rodar entre dos o más.— **Singuchihuana,** Hacerme o hacerte rodar.

SINGUCHISHCA, p. p. Persona o cosa que se han hecho rodar.

SINGUG, p. a. El que rueda.

SINGUNA, v. n. Rodar.— **Singugrina,** Ir a rodar.— **Singucuna,** Estar rodando.— **Singumuna,** Venir o bajar rodando.— **Sin-**

gunacuna, Rodar juntos dos o más individuos.

SINGUSHCA, p. p. Rodado.

SINGUY, n. Acto de rodar.

SINÑINA, v. n. ant. Sonarse las narices.

SIPI, n. Ahorcamiento; estrangulación. Conflicto; apretura; apuro.

SIPIG, p. a. El que ahorca. El que perurge.

Sipi

SIPINA, v. a. Ahorcar.— **Sipigrina,** Ir a ahorcar.— **Sipicuna,** Estar ahorcando.— **Sipimuna,** Venir después de ahorcar.— **Sipinacuna,** Ahorcar entre dos o más.— **Sipirina,** Ahorcarse.— **Sipihuana,** Ahorcarme o ahorcarte.

SIPISHCA, p. p. Ahorcado. Perurgido.

SIPU, n. Arruga; pliegue; frunce.

SIPU, adj. Arrugado; plegado; fruncido. Lleno de costurones o cicatrices de viruelas.

SIPUG, p. a. El que arruga, pliega o frunce.

SIPUNA, v. a. Arrugar.— **Sipugrina,** Ir a arrugar.— **Sipucuna,** Estar arrugando.— **Sipumuna,** Venir arrugando o después de haber arrugado.— **Sipuchina,** Hacer arrugar.— **Sipunacuna,** Arrugar en compañía de otro o arrugar sin orden alguno.— **Sipurina,** Arrugarse una cosa o fruncir el semblante el que está de mal humor.

SIPUSHCA, p. p. Arrugado; plegado; fruncido.

SIPUY, n. El acto de arrugar o plegar.

SIQUI, n. Nalga. Orificio; culo. Parte inferior y trasera de alguna cosa.

SIQUIANA o **Siquiyana,** v. r. Atrasarse o postergarse alguna persona.— Descender alguna cosa a parte o lugar inferior.

SIQUIJUTCU, n. Ano; orificio.

SIQUINA, v. a. Extraer jarcia o fibras de una hoja de cabuyo, tirando de la púa con los dientes.

SIQUINCHI, n. Manta con que se carga a los niños, sosteniéndoles por la sentadera.

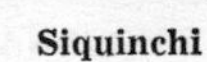

Siquinchi

SIQUIPATA, n. Cadera; rabadilla.

SIQUISAPA, adj. Culón; nalgudo.

SIRAG, p. a. El que cose.

SIRANA, v. a. Coser.— **Siragrina,** Ir a coser.— **Siracuna,** Estar cosiendo.— **Siramuna,** Venir después de coser.— **Sirachina,** Hacer coser.— **Siranacuna,** Ayudar a coser.— **Sirarina,** Coserse.— **Sirarana,** Coser habitualmente.

SIRASHCA, p. p. Cosido.

SIRAY, n. Acto de coser; costura.

SIRCA, n. ant. Pulso.

SIRCANA, n. ant. Lanceta de sangrar.

SIRCUNA, v. a. ant. Sangrar.

SIRIG, adj. El que está acostado, recostado o tendido. Objeto que yace en el suelo.

SIRINA, v. r. Estar acostado; hallarse tendido. Yacer algo en el suelo.

SIRINA, v. r. Estar olvidada o abandonada alguna cosa. Permanecer postergado algún trabajo, ocupación o asunto.

SIRIRINA, v. r. Acostarse; tenderse; postrarse.

SIRISHCA, p. p. Tendido; acostado; yacente. Olvidado; postergado.

SIRPI, n. ant. El labio inferior.

SISA, n. Flor.

SISAG, p. a. Lo que florece.

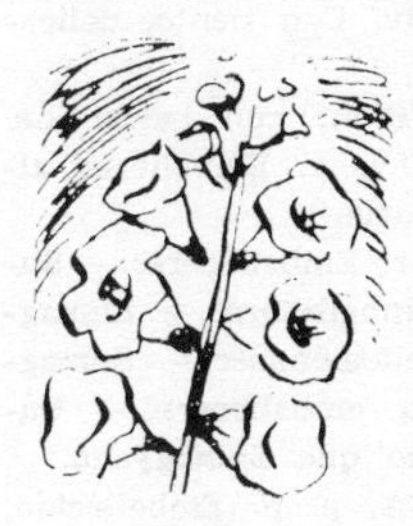

Sisana

SISANA, v. n. Florecer.— **Sisagrina,** Ir a florecer.— **Sisacuna,** Estar floreciendo.— **Sisamuna,** Empezar a florecer.— **Sisachina,** Hacer florecer.— **Sisanacuna,** Florecer varias plantas a un tiempo.

SISASHCA, p. p.

Florecido; florido.

SISAY, n. Acto de florecer; florescencia.

SISU, n. Sarna; lepra. **Allcusisu,** sarna perruna

SITU, n. ant. Resplandor.

SITUNA, v. n. ant. Resplandecer.

SOGTA, adj. num. Seis.

SOGTACHUNGA, adj. Sesenta.

SOGTACHUNGANIQUI, adj. desus. Sexagésimo.

SOGTANCHINA, v. a. Sextuplicar.

SOGTANIQUI, adj. desus. Sexto.

SOGTAPASAG, adj. Seiscientos.

SOGTAPASAGNIQUI, adj. desus. Sexagentésimo.

SUCU, n. Cana. Cabello rubio.

SUCU, adj. Cano. Rubio; bermejo.

SUCUS, n. Una especie de carrizo silvestre, de caña fina.

SUCUYANA, v. r. Encanecer.

SUCHU, adj. Tullido. Paralítico.

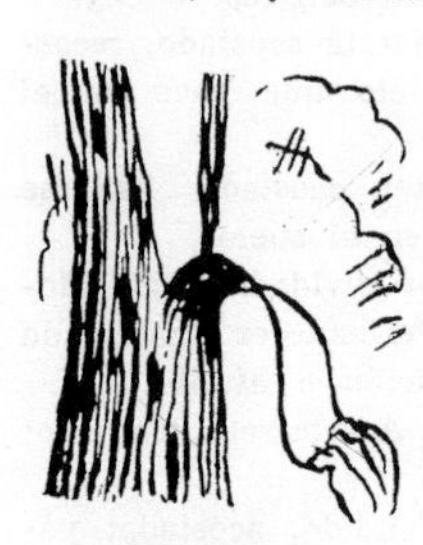

Suchuna

SUCHUNA, v. a. Desprender violentamente la piel de un animal o la corteza de un tronco.

SUCHUYANA, v. r. Tullirse. Quedar sin el uso de las piernas.

SUGSUG, n. Mirlo. (Merula gigas Seeb.).

SUMAG, adj. Hermoso; bello; bonito.

SUMAGLLA, adj. Bastante bello; medianamente hermoso.

SUMAGLLATÀ, adv. Con tiento, delicadamente.

SUMAGTA, adv. Bien; con perfección.

SUMAGYACHINA, v. a. Embellecer alguna cosa; hermosearla.

SUMAGYANA, v. r. Embellecerse.— **Sumagyagrina,** Ir a embellecerse.— **Sumagyacuna,** Estar embelleciéndose.— **Sumagyamuna,** Empezar a embellecerse.— **Sumagyarina,** Lo mismo que **Sumagyana.**

SUMAGYACHISHCA, p. p. Embellecido; hermoseado.

SUMAYMANA, adj. Muy bueno; muy hermoso; admirable; inmejorable; lindo.

SUNGANA, v. a. Chupar; sorber.— **Sungagrina,** Ir a sorber.— **Sungacuna,** Estar sorbiendo.— **Sungamuna,** Venir sorbiendo o después de haber sorbido.— **Sungachina,** Hacer sorber.— **Sungarina,** Sorberse.— **Sunganacuna,** Sorber entre varios.

SUNGASHCA, p. p. Chupado; sorbido.

SUNGAY, n. Acto de sorber. Sorbo.

SUNI, adj. Largo; extenso.

SUNIYACHINA o **Suniachina,** v. a. Alargar; prolongar; extender.— **Saniachigrina,** Ir a alargar.— **Suniachicuna,** Estar alargando, etc.

SUNIACHISHCA, p. p. Alargado; prolongado.

SUNIYANA o **Suniana,** v. r. Alargarse; prolongarse; extenderse.— **Suniagrina,** Ir a alargarse.— **Suniacuna,** Estar alargándose.— **Suniamuna,** Venir alargándose o empezar a alargarse.

SUNIYASHCA o **Suniashca,** p. p. Alargado; prolongado; extendido.

SUNIYAY o **Suniay,** n. Alargamiento; prolongación.

SUNICUNGA, adj. Cuellilargo.

SUNICHUPA, adj. Rabilargo.

SUNILLA, adj. Larguirucho.

SUNIMAQUI, adj. Manilargo.

SUPAY, n. El Demonio; Satanás.

SUPAY, n. ant. La sombra de una persona.

SUPAY, adj. Malo; perverso; maligno; malvado; facineroso; foragido.

SUPI, n. Pedo; ventosedad.

Supay

SUPICHIG, p. a. Cosa que hace peer o ventosear. Remedio carminativo.

SUPIG, p. a. El que ventosea o se pee.

SUPINA, v. n. Ventosear; peerse.— **Supigrina,** Ir a peerse.— **Supicuna,** Estar peyéndose.— **Supimuna,** Venir peyéndose o después de haberlo hecho.— **Supichina,**

Hacer que otro se pea.— **Supirina,** lo mismo que **Supina.— Supirana, Peerse** con mucha frecuencia.

SUPISIQUI, adj. Pedorrero.

SUPITULU (saco de pedos), adj. Lo mismo que **Supisiqui.**

SUPULLU, n. ant. Sarpullido.

SURCUG, p. a. El que saca.

SURCUNA, v. a. Sacar.— **Surcugrina,** Ir a sacar.— **Surcucuna,** Estar sacando.— **Surcumuna,** Caminar sacando o venir después de haber sacado.— **Surcuchina,** Hacer sacar.— **Surcunacuna,** Sacar entre dos o más.— **Surcurina,** Sacarse.— **Surcuhuana,** Sacarme o sacarte.

SURCUSHCA, p. p. Sacado.

SURCUY, n. Saque.

SURU, n. Planta de la familia de las Gramíneas. (Chusquea scandens H.).

SUYU, n. ant. Región; comarca.

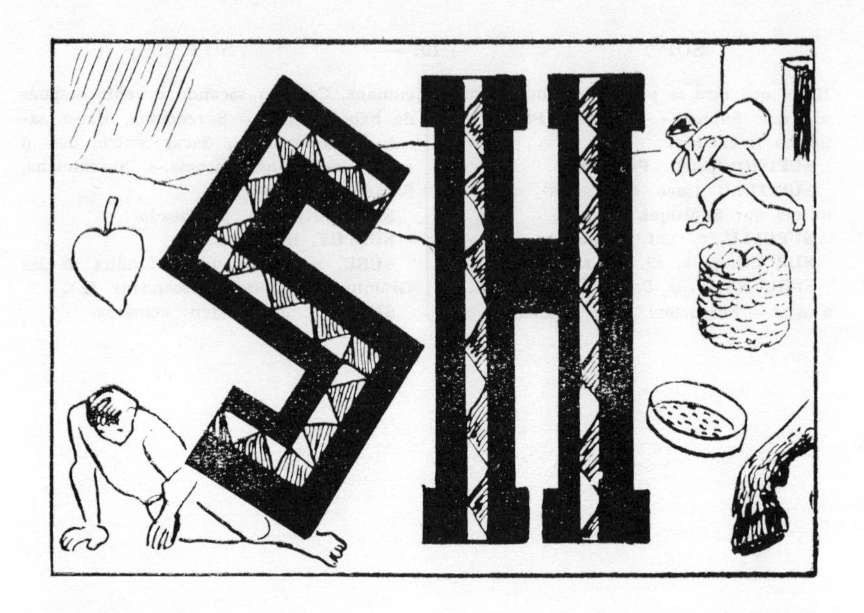

HAGSHU, adj. Parlanchín; indiscreto; frívolo; hablador; informal; badulaque.

SHALSHA, adj. Véase **Llaplla.**

SHAMUG, p. a. El que viene.

SHAMUGPACHA, n. Tiempo venidero. Vida futura.

SHAMUNA, v. n. Venir.— **Shamugrina,** Ir a venir.— **Shamucuna,** Estar viniendo.— **Shamuchina,** Hacer que otro venga.— **Shamurana,** Venir con frecuencia.

SHAMUY, n. Venida; arribo.

SHAYACHIG, p. a. El que hace parar algo.

SHAYAG, n. El estambre de una tela que va a tejerse o tejida ya.

SHAYAG, p. .a El que está parado.

SHAYANA, n. Paradero; mansión; morada. Posada u hostería.

SHAYANA, v. n. Parar; estar en pie.— **Shayagrina,** Ir a parar.— **Shayacuna,** Estar parado.— **Shayamuna,** Venir parando entre el camino.— **Shayarina,** Pararse.— **Shayachina**, Hacer que otro pare, o poner verticalmente algún objeto.— **Shayarana,** Estar indefinidamente parada alguna cosa.

SHAYASHCA, p. p. Parado.

SHAYCUCHIG, p. a. El que hace cansar o causa fatiga.

SHAYCUCHINA, v. a. Hacer cansar; producir fatiga.— **Shaycuchigrina,** Ir a hacer cansar.— **Shaycuchicuna,** Estar cansando.— **Shaycuchimuna,** Venir cansando.— **Shaycurina,** Cansarse.

SHAYCUNA, v. r. Cansarse.— **Shaycugrina,** Ir a cansarse.— **Shaycucuna,** Estar cansándose.— **Shaycumuna,** Venir cansándose o cansado.

SHAYCUSHCA, p. p. Cansado; fatigado.

SHUYCUY, n. Cansancio; fatiga.

SHI, part. adv. que se pospone a otra palabra y significa: **dizque;** vga. "Cayashi cutimunga": "Mañana dizque ha de regresar".

Shaycushca

SHIBIR, n. Pequeña piedra que, en el fogón, sirve como de cuña entre las mayores y las ollas, para que éstas se conserven a nivel y dejen espacio bastante para el combustible.

SHIGRA, n. Bolsa o talega tejida con punto de red. El material de que la hacen los indios ordinariamente, es la fibra del cabuyo, llamada **jarcia.**

SHIGRI, adj. Res vacuna de color negro salpicado de pequeñas pintas blancas.

SHIGSHI, n. Comezón; escozor.

SHIGSHICHINA, v. a. Causar comezón o escozor.— **Shigshicuna,** Estar escociendo, etc.

SHIGSHINA, v. n. Escocer; causar comezón.

SHIGUAG, p. a. El que riega alguna cosa en dispersión.

SHIGUANA, v. a. Regar algo, dispersándolo.— **Shiguagrina,** Ir a regar.— **Shi guacuna,** Estar regando.— **Shiguamuna,** Venir regando o después de haber regado.— **Shiguachina,** Hacer regar.— **Shiguanacuna,** Ayudar a regar o regar alborotadamente.— **Shiguarina,** Regarse.

SHIGUASHCA, p. p. Regado en desorden; desparramado.

SHIGUAY, n. Riega desordenada; desparramamiento.

SHIHUISA o **Shihuiza,** n. Planta de la familia de las Ranunculáceas (Clematis sericea H.). Su tallo da un bejuco muy útil para las cercas rurales de barras; pues no lo comen los ganados, por ser de savia cáustica. Es, además de larga duración.

SHILA, n. Cantarilla de barro, ordinariamente usada para la venta de la chicha.

SHILLUCAN, n. Véase **Siglulún.**

SHILLU, n. Uña. Casco de animal.

Shillu

SHILLUSAPA, adj. Persona o animal de largas uñas. Ladrón; ratero.

SHIMI, n. Boca Apertura por donde se introducen las cosas en cualquier utensilio, bacía, saco, etc. Puerta de un redil, corral caverna o paraje análogo.

SHIMILLA, adj. Individuo que es todo boca; hablador insustancial; fanfarrón.

SHIMIUG, adj. Persona de mala boca; criticona; procaz.

SHINA, adv. Así; de ese modo; de aquella manera.

SHINA, adv. de ponderación. Tan; tanto. Vga. "Shinachu millay carcangui!": "Conque tan malo había sido!"

SHINACA, conj. Y así; así pues. Vga. "Shinaca saquipagmi canchi": "Así pues, debemos dejarlo".

SHINANA, v. a. Hacerlo así; ejecutarlo del modo que el interlocutor siga con un ademán o valiéndose de cualquiera indicación conveniente.

SHIÑAN, n .Arbusto de la familia de las Sinantéreas (Barnadesia spinosa L.).

SHIPALPAL, n. Especie de Valeriana que se da en las localidades secas, de clima templado. (V. Tomentosa H.).

SHIPAS, n. Concubina.

SHIPASYUG, adj. Que tiene concubina; amancebado.

SHIRAN, n. Planta herbácea de la familia de las Sinantéreas (Bidens rufifolia H.).

SHITAG, p. a. El que bota algún objeto. El que abandona a un individuo.

SHITINA, v. a. Botar o arrojar algo. Desamparar a una persona; abandonar una casa, etc. **Shitagrina,** Ir a botar.— **Shitacuna,** Estar botando.— **Shitamuna,** Venir botando o después de botar.— **Shitachina,** Hacer botar.— **Shitanacuna,** Botar entre varios; batirse a golpes o pedradas.— **Shitarina, Botarse.— Shitahuana,** Botarme o botarte.— **Shita-**

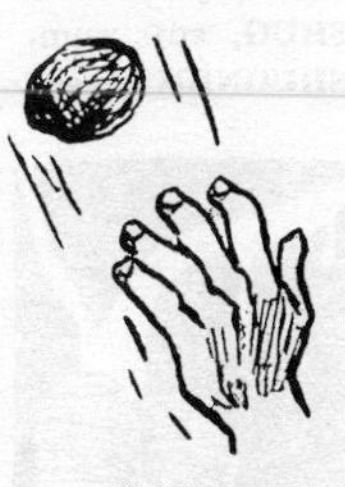

Shitina

rana, Estar botado o abandonado algún individuo u objeto.

SHITANACUY, n. Juego bárbaro del carnaval, usado hasta el día por los indios de algunas poblaciones rurales. Es un verdadero combate, en que se majan a golpes de porras o piedras atadas a hondas, defendiéndose del contendor con una especie de escudo de cueros secos de res, armado en forma de gran sombrero, que manejan con la cabeza. Lo llaman "Cobijón".

SHITASHCA, p. p. Botado; abandonado; desamparado; escueto.

SHITASHCA, adj. Hijo expósito.

SHITAY, n. Acto de botar; abandono. Disparo de una piedra o de cualquier arma.

SHUA, adj. Ladrón. **Huagrashua,** ladrón de ganado.

SHUAG, p. a. El que roba; rapaz.

SHUANA, v. a. Robar.— **Shuagrina,** Ir a robar.— **Shuacuna,** Estar robando.— **Shuamuna,** Venir después de robar o trayendo lo robado.— **Shuachina,** Hacer robar o perder algo por robo.— **Shuarina,** Robarse.— **Shuanacuna,** Robar entre varios o robarse mutuamente.— **Shuahuana,** Robarme o robarte.— **Shuarana,** Robar habitualmente.

SHUASHCA, p. p. Robado.

SHUAY, n. Robo; rapiña; trampa en el juego.

SHUG, art. indet. Una persona; un objeto cualquiera.

SHUG, adj. num. Uno.

SHUGNIQUI, adj. desus. Primero.

Shullana

SHUGPAG o **Shugpa,** adj. Cosa ajena; propia de otra persona.

SHULALAG, n. Arbusto de la familia de las Solanáceas, Cestrum umprosum?).

SHULLA, n. Escarcha. Rocío; relente.

SHULLANA, v. n. Caer escarcha o rocío. Cuajarse la evaporación de las plantas casi hasta el punto de convertirlas en hielo.

SHULLASACHA, n. Yerba cariofilácea (Drymaria ovata R. et S.)

SHULLASHCA, p. p. Que han amanecido con escarcha las plantas.

SHULLU, n. Yerba de la familia de las Onagrariáceas (Oenothera divaricata H.). Se la tiene por medicina, sobre todo contra la sífilis.

SHULLU, adj. Abortivo. Fruto que se ha dañado por falta de fecundación oportuna.

SHULLUCHIG, p. a. Que hace abortar. Pócima abortiva.

SHULLUG, adj. Hembra que aborta.

SHULLUNA, v. n. Abortar.—**Shullugrina,** Ir a abortar.— **Shullucuna,** Estar abortando.— **Shullumuna,** Venir después de haber abortado.— **Shulluchina,** Hacer abortar.— **Shullurana,** Abortar una y otra vez.

SHULLUSHCA, p. p. Abortado; criatura abortiva. Individuo endeble, raquítico o mal formado, como si proviniese de aborto.

SHUNDUCU, adj. Res vacuna de cuernos caídos y sueltos.

SHUNDUR, n. Cúmulo de piedras reunidas en montón para limpiar de ellas el campo adyacente.

Shundur

SHUNGU, n. Corazón.

SHUNGU, n. Bofe de los animales. **Yuragshungu,** bofe blanco o pulmón.— **Yanashungu,** bofe negro o hígado.

SHUNGU, n. Vientre. Entrañas. Intestinos. Todas las vísceras del cuerpo. Lo interior de cualquier objeto.

SHUNGU, n. Médula de los troncos o tallos vegetales.

SHUNGUNA, v. n. Irritarse los intestinos por el uso inmoderado del ají o por cualquiera otra cosa.

SHUNGUIR, n. Planta. Véase **Shullu.**

SHUNGUTIGRACHIG, p. a. Cosa que provoca a vomitar; nauseabunda.

SHUNGUTIGRANA, v. n. Removerse el estómago; sentir náuseas; sobrevenir el vómito.

SHUNGUTIGRAY, n. Conmoción del estómago; náusea; vómito.

SHUNSHUN, n. Planta herbácea de la familia de las Cucurbitáceas. (Sycios parviflorus Willd).

SHURU, n. Cesta tosca, hecha de varas flexibles, para el transporte de frutas.

SHUSHPILLA, n. Arbustos de la familia de las Berberidáceas. (Varias especies de **Berberis**).

SHUSHUG, p. a. El que cierne. **El que** miente con escándalo.

SHUSHUNA, n. Criba; harnero; **cedazo.**

SHUSHUNA, v. a. Cernir.— **Shushugrina**, Ir a cernir.— **Shushucuna**, Estar cirniendo.— **Shushumuna**, Venir después de haber cernido.— **Shushuchina**, Hacer cernir.— **Shushumacuna**, Ayudar a cernir.— Shushurina, Cernirse.— **Shushurana**, Cernir constantemente.

SHUSHUNA, v. n. Mentir escandalosa y frecuentemente.

SHUSHUSHCA, p. p. Cernido.

SHUSHUY, n. Acto de cernir.

Shushuy

SHUTI, n. Nombre. Apellido. Denominación de cualquiera cosa.

SHUTI, n. Verdad; realidad.

SHUTI, adj. Lo verdadero; lo real; lo cierto o **efectivo**; lo evidente.

SHUTI o **Shutita**, adv. Ciertamente; en verdad.

SHUTICHINA, v. a. Poner nombre a personas o cosas. Mentar a algún individuo en la conversación; designarlo por su nombre.

SHUTICHISHCA, p. p. Denominado. Que tiene nombre conocido.

SHUTITA, adv. Ciertamente; en efecto.

SHUTIYUG o **Shutiug**, adj. Persona o cosa que tiene nombre.

SHUTUG, p. a. Cosa que gotea.

SHUTUNA, v. n. Gotear. Filtrar.— **Shutugrina**, Ir a gotear.— **Shutucuna**, Estar goteando.— **Shutumuna**, Empezar a gotear.— **Shutuchina**, Hacer gotear.— **Shuturina**, Empaparse una persona cuando llueve.

SHUTUY, n. Acto de gotear. Gotera.

SHUTUY, n. Acto de empaparse una persona.

SHUYAG, p. a. El que espera.

SHUYANA, v. a. Esperar.— **Shuyagrina**, Ir a esperar.— **Shuyacuna**, Estar esperando.— **Shuyamuna**, Venir esperando o después de haber esperado.— **Shuyachina**, Hacer que otro espere.— **Shuyarina**, Esperarse.— **Shuyahuana**, Esperarme o esperarte.— **Shuyarana**, Esperar por largo tiempo.

SHUYASHCA, p. p. Esperado.

Shuyay

SHUYAY, n. Acto de esperar; espera.

SHUYAY!, interj. con que se amenaza a alguno. Espérate! Ya lo verás! Tate! Me la has de pagar pronto!

SHUYU, adj. Pintado. Listado.

SHUYU, adj. Sucio; manchado; emporcado; escuálido.

SHUYUNA, v. r. Ensuciarse; mancharse; emporcarse.

A, prep. de complemento, que equivale a la castellana **a**, aunque siempre se pospone al nombre; vga. "Chay huambrata cayahuay": "Llámamele a ese muchacho".

TA, prep. que equivale a la castellana **por**. Vga. "Cayta": "Por aquí"; "Chayta": "Por allí"; "Jahuata": "Por arriba", etc.

TA, part. interrogativa que tiene la misma significación verbal de **es**, en las preguntas en que interviene. Vga. "Pita?": "Quién es?": "Maycanta?": "Cuál es?". También se pronuncia **tag**, con igual significado.

TA, adv. Precisamente. Vga. "Shamunguita": "Vendrás precisamente". Puede también decirse **tag**.

TABA, n. Zancudo.

TABA, n. Broza de ramas y hojas que tupe los parajes montuosos.

TABA, n. Maraña; enredo.

TABAYANA, v. r. Enmarañarse una selva. Llenarse de maleza algún lugar montuoso.

TACA, n. Primera capa de material basto que se pone en las techumbres de las casas de los indios, antes de poner la cubierta de paja.

TACACALLU, n. Un molusco de los campos, en forma de lengua.

TACARPU, n. ant. Estaca.

TACAG, p. a. El que golpea.

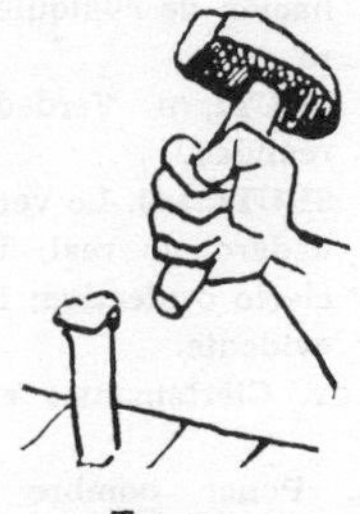

Tacana

TACANA, v. a. Golpear.— **Tacagrina**, Ir a golpear.— **Tacacuna**, Estar golpeando.— **Tacamuna**, Venir golpeando o después de haber golpeado.— **Tachina**, Hacer golpear.— **Tacanacuna**, Ayudar a golpear.— **Tacarana**, Golpear tenazmente.

TACARINA, v. r. Agolparse mucho la gente en ciertos parajes. Acumularse demasiado las cosas o las personas.

TACASHCA, p. p. Golpeado. Acumulado; agolpado.

TACAY, n. Golpe. Acumulamiento de personas o de cosas.

TACHINA, v. n. Sentarse. Se usa hablando con los indios en cierta manera infantil.

TAGLLAG, p. a. ant. El que da palmadas.

TAGLLANA, v. n. ant. Dar palmadas.

TAGLLAY, n. ant. Palmada.

TAGSU, n. Planta de la familia de las Pasifloráceas. (Tacsonia mollissima y otras especies). Varias producen frutos comestibles. Véase **Gullán.**

TAGSHAG, p. a. El que lava ropa.

TAGSHANA, v. a. Lavar ropa.— **Tagshagrina,** Ir a lavar.— **Tagshacuna,** Estar lavando.— **Tagshamuna,** Venir después de lavar o trayendo lo lavado.— **Tagsharina,** Hacer lavar.— **Tagshanacuna,** Ayudar a lavar.— **Tagsharina,** Lavarse la ropa.— **Tagsharana,** Lavar diariamente.

TAGSHAHCA, p. p. Lavado.

Tagshay

TAGSHAY, n. El acto de lavar.

TAGTAG, p. a. El que pisotea o apelmaza.

TAGTANA, v. a. Pisotear o apelmazar.— **Tagtagrina,** Ir a pisotear.— **Tagtacuna,** Estar pisoteando.— **Tagtachina,** Hacer pisotear.- **Tagtanacuna,** Pisotear entre varios o hacerlo excesivamente.— **Tagtarana,** Pisotear una y otra vez.

TACTASHCA, p. p. Pisoteado; apelmazado.

TAGTAY, n. Apelmazamiento.

TAJALLINA, v. a. Terciarse entre hombro y pecho algún paño o cosa semejante.

TALLI, n. Derramamiento; efusión.

TALLIG, p. a. El que derrama.

TALLINA, v. a. Derramar.— **Talligrina,** Ir a derramar.— **Tallicuna,** Estar derramando.— **Tallimuna,** Venir derramando o después de haber derramado.— **Tallichina,** Hacer derramar.— **Tallinacuna,** Derramar entre varios o alborotadamente.

TALLINACUY, n. Trastorno hecho desatinadamente.

TALLISHCA, p. p. Derramado; vertido; trastornado.

TAMBU o **Tambo,** n. por corrup. Posada; hostería; alojamiento en los campos para descanso y comodidad de los viajeros.

TAMBUCAMA, n. Hostelero; tambero. Esta última palabra se ha derivado de la quichua **Tambu.**

TAMIA, n. Lluvia; aguacero.

TAMIANA, v. n. Llover.— **Tamiagrina,** Ir a llover.— **Tamiacuna,** Estar lloviendo.— **Tamiamuna,** Empezar a llover.—**Tamiachina,** Hacer llover.— **Tamiarana,** Llover demasiado.

TAMIASAPA, adj. Muy lluvioso.

TAMIASHCA, p. p. Llovido.

TAMIAY, n. El acto de llover; lluvia.

TANDA, n. Pan. **Shug tanda,** Octava parte de un real (5 centavos).

TANDACATUNA, Tandacatug o **Tandacatu,** n. Lugar de venta o mercado de pan.

TANDACHIG, p. a. El que hace recoger o recoge cosa regada. El que reune personas o colecta cosas.

TANDACHINA, v. a. Hacer recoger o recoger. Reunir. Colectar.— **Tandachigrina,** Ir a hacer recoger.— **Tandachicuna,** Estar haciendo recoger.— **Tandachimuna,** Venir haciendo recoger.— **Tandachirina,** Hacer que algo se recoja.— **Tandachinacuna,** Ayudar a hacer recoger.— **Tandachihuana,** Hacer que otro me recoja o te recoja y ampare.

TANDACHISHCA, p. p. Recogido; colectado. Reunido. Amparado; protegido.

TANDAG, p. a. El que recoge, colecta o reune.

TANDANA, v. a. Recoger; colectar. Reunir a personas o animales. Recibir y amparar a sujetos desvalidos.— **Tandagrina,** Ir a recoger.— **Tandacuna,** Estar recogiendo.— **Tandamuna,** Venir recogiendo o trayendo lo recogido.— **Tandachina,** Véase esta palabra.— **Tandanacuna,** Ayudar en el recogimiento.— **Tandarina,** Recogerse.— **Tandahuana,** Recogerme o recogerte.— **Tandarana,** Recoger algo frecuentemente.

TANDANACUNA, v. r. Reunirse varias personas, con cualquier objeto.

TANDANACUY, n. Reunión de varias personas. Junta; asamblea.

TANDARINA, v. r. Véase **Tandanacuna.**

TANDARISHCA, p. p. Reunidos.

TANDARRURRAG, n. Panadero.

TANDASHCA, p. p. Reunido; colectado. Persona amparada por otra.

TANDAY, n. Recogimiento; colección; reunión. Junta; asamblea; motín. Multitud; muchedumbre.

TANDAYLLA, adv. Todos en conjunto; en pelotón; sin quedar uno solo.

TANGAG, p. a. El que empuja.

TANGAN, n. Juego de los niños con pequeñas piedras que manejan con los pies, moviéndolas a competencia sobre puntos designados en el suelo.

TANGANA, v. a. Empujar.— **Tangagrina,** Ir a empujar.— **Tangacuna,** Estar empujando.— **Tangamuna,** Venir empujando o después de haber empujado.— **Tangachina,** Hacer empujar.— **Tanganacuna,** Empujar entre dos o más.— **Tangarina,** Empujarse.— **Tangahuana,** Empujarme o empujarte.— **Tangarana,** Empujar con tesón o porfía.— **Tangana,** significa también "impeler".

TANGASHCA, p. p. Empujado; impelido.

TANGAY, n. Empujón; empellón.

TANGAYLLA, adv. A empujones o empellones.

TAÑI, n. Yerba de la familia de las Compuestas (Achyrophorus quitensis).— Se la llama impropiamente "Achicoria", por alguna semejanza con el "Cichorium Endivia L".).

TAÑINA, v. a. Restañar la sangre.

TAPZHI, adj. Cosa de sabor astringente o que causa una sensación de escozor ingrato en el esófago, como las papas que se comen sin pelar.

TAPZHINA, v. n. Causar una sensación desagradable en la garganta alguna cosa que se come.

TAPUG, p. a. El que pregunta o inquiere algo.

TAPUNA, v. a. Preguntar; inquirir; averiguar; indagar.— **Tapugrina,** Ir a preguntar.— **Tapucuna,** Estar preguntando.— **Tapumuna,** Venir preguntando o después de haberlo necho.— **Tapuchina,** Hacer preguntar.— **Tapunacuna,** Preguntar entre varios o preguntarse recíprocamente.— **Tapurina,** Preguntarse.— **Tapuhuana,** Preguntarme o preguntarte.— **Tapurana,** Preguntar con mucha insistencia.

TAPURAG, p. a. El que pregunta una y otra vez; el que indaga prolijamente.

TAPUY, n. Pregunta; indagación; averiguación.

TAQUI, n. Canto; tañido; música.

TAQUI, n. Troje.

Taquig

TAQUIG, p. a. El que canta; el que toca algún instrumento.

TAQUIG, p. a. El que guarda su cosecha, asegurándola en una troje.

TAQUINA, v. a. desus. Cantar. Tocar algún instrumento.

TAQUINA, v. n. Arrullar las tórtolas.

TAQUINA, v. a. Poner en troje las mieses cosechadas.

TARA, n. Suciedad; pingue; mugre, especialmente cuando está seca.

TARAYANA, v. r. Ensuciarse; emporcarse; llenarse de mugre que se endura y seca, como si fuese cáscara.

TARI, n. Acto de hallar alguna cosa. Hallazgo; invención.

TARIG, p. a. El que halla alguna cosa. El que da con una persona.

TARINA, v. a. Hallar algo. Encontrar con una persona que se había extraviado o estaba prófuga.— **Tarigrina,** Ir a hallar.— **Taricuna,** Estar hallando.— **Tarimuna,** Venir después de hallar o trayendo lo hallado.— **Taririna,** Hallarse.— **Tarichina,** Hacer hallar.— **Tarinacuna,** Hallar entre dos o más o encontrarse recíprocamente.— **Tarihuana,** Dar conmigo o contigo.— **Tarirana,** Hallar con frecuencia.

TARINALLA, adj. Cosa botada; sin dueño; mostrenca.

TARIPAG, adj. Cosa que puede hallarse. Persona que se la puede encontrar.

TARIPAG, p. a. El que indaga o averigua algo.

TARIPANA, v. a. Averiguar; indagar; inquirir, para esclarecer algo.— **Taripagrina,** Ir a averiguar.— **Taripacuna,** Estar averiguando.— **Taripamuna,** Venir averiguando o después de haber averiguado.— **Taripachina,** Hacer averiguar.— **Taripanacuna,** Averiguar entre varios.— **Tariparina,** Averiguarse.

TARIPASHCA, p. p. Averiguado; indagado; esclarecido.

TARIPAY, n. Indagación; averiguación; esclarecimiento.

TARISHCA, p. p. Hallado. Niño expósito hallado por alguien.

Tarpug

TARPUG, p. a. El que siembra; sembrador.

TARPUNA, v. a. Sembrar.— **Tarpugrina,** Ir a sembrar.— **Tarpucuna,** Estar sembrando.— **Tarpumuna,** Caminar sembrando o venir después de haber sembrado.— **Tarpuchina,** Hacer sembrar.— **Tarpurina,** Sembrarse.— **Tarpurana,** Sembrar frecuentemente.

TARPUY, n. Siembra.

TARPUYPACHA, n. Epoca de la siembra.

TARPUYPAG, adj. Cosa que puede ser sembrada. Persona que puede sembrar.

TARUGA, n. Venado. (Odocoileus virginianus Gray. El con astas peludas: O. Peruvianus.).

TARUGACHU, n. Yerba de la familia de las Ranunculáceas (Halenia asclepiadea Griseb.).

TARUGATAÑI, n. Yerba de la misma familia (Ranunculus Bonplandianus H.).

TASNU, n. Véase **Tasu.**

TASQUI, n. Chorrera de agua. Cascada.

TASU, n. Planta de raíz comestible (Boerhaavia esculenta o tuberosa?).

TATQUI, n. Paso.

TATQUINA, v. n. Dar pasos; marchar; caminar lenta y acompasadamente.— **Tatquigrina,** Ir a dar pasos, especialmente los niños.— **Tatquicuna,** Estar dando pasos.— **Tatquimuna,** Venir dando pasos o principiar a darlos.— **Tatquichina,** Hacer que se den pasos.

TAUCA, adj. Varios individuos. Diferentes cosas.

TAUNA, n. Bastón. Muleta.

TAUNANA, v. r. Apoyarse en el bastón o en las muletas.

TAYCU, n. ant. Calcañar.

TAYTA, n. Padre. **Jatun tayta,** abuelo. **Huiñachig tayta,** padre de crianza; padre adoptivo. **Marcag tayta,** Véase en su lugar.

TIA, n. ant. Brasero.

TIAG, p. a. Lo que hay; lo que existe; lo que aún queda.

TIANA, v. n. Haber; existir alguna cosa. Quedar algún resto.— **Tiagrina,** Ir a haber.— **Tiacuna,** Estar existiendo.— **Tiamuna,** Empezar

Tia

a haber.— **Tiachina,** Hacer que haya.— **Tiarina,** Principiar a acopiarse algún líquido o cosa semejante.— **Tiarana,** Quedar todavía alguna cosa inagotable.

TIACHINA, v. a. Hacer que una persona tome asiento.— **Tiachigrina,** Ir a hacer que lo tome, etc.

TIARINA, v. r. Sentarse.— **Tiarigrina,** Ir a sentarse.— **Tiaricuna,** Estar sentándose.— **Tiaricuna,** Venir sentándose entre el camino.

TIARISHCA, p. p. Acopiado; formado, con la leche en las ubres, el pulque en los cabuyos excavados, etc.

TIARISHCA, p. p. Sentado.

TIASHCA, p. p. Lo que ha habido.

TIAY, n. El hecho de haber o existir alguna cosa.

Tica

TICA, n. ant. Adobe.

TIGLLA, n. Mancha en alguna tela o cosa parecida.

TIGLLANA, v. a. Manchar.— **Tiglla-grina,** Ir a manchar. — **Tigllacuna,** Estar manchando.— **Tigllarina,** Mancharse, etc.

TIGLLASHCA, p. p. Manchado.

TIGLLU, adj. Lo mismo que **Tigllashca.**

TIGÑI, n. ant. Pulso.

TIGÑINA, v. n. ant. Latir el pulso.

TIGPAG, p. a. El que descascara o monda legumbres.

TIGPANA, v. a. Descascarar o mondar legumbres, abriendo las vainas.— **Tigpagrina,** Ir a descascarar.— **Tigpacuna,** Estar descascarando.— **Tigpamuna,** Venir descascarando o después de haberlo hecho.— **Tigpachina,** Hacer descascarar.— **Tigpanacuna,** Ayudar a descascarar.— **Tigparina,** Descascararse.— **Tigparana,** Descascarar incesantemente.

TIGPASHCA, p. p. Descascarado; mondado.

TIGPAY, n. Acto de descascarar o mondar.

TIGRACHINA, v. a. Voltear alguna cosa o ponerla al revés.— Hacer que alguna persona regrese del camino.— **Tigrachigrina,** Ir a voltear.— **Tigrachicuna,** Estar volteando, etc.

TIGRACHISHCA, p. p. Volteado. Persona o animal a quienes se ha obligado a regresar de un camino.

TIGRAG, p. a. El que regresa. El que vuelve el rostro o da las espaldas.

TIGRANA, v. n. Regresar. Volver el rostro o dar las espaldas.— **Tigragrina,** Ir a regresar.— **Tigracuna,** Estar regresando.— **Tigramuna,** Venir de regreso.— **Tigrachina,** Hacer que otro regrese.

Tigrag

TIGRARINA, v. r. Voltearse una cosa. Apartar el rostro o dar las espaldas una persona.

TIGRAY, n. Acto de regresar. Acción de volver el rostro.

TIGZHI, n. Castigo muy fuerte. Tunda. Paliza. Azotaina.

TIGZHINA, v. a. Castigar severamente. Dar una tunda o paliza.— **Tigzhigrina,** Ir a castigar cruelmente.— **Tigzhicuna,** Estar castigando con crueldad, etc.

TIGZHISHCA, p. p. Severamente castigado; cruelmente maltratado.

TIGTI, n. Caldo del cocimiento de jora molida. Se toma junto con la harina y afrecho de ésta, antes de hacer la filtración para la chicha.

TIGTI, n. Mazamorra dulce fermentada.

TILI, adj. Cicatero; mezquino; tacaño.

TILIYANA, o **Tiliana,** v. r. Volverse cicatero o mezquino.

TILILIN, n. Arbusto de la familia de las Piperáceas. (Piper piluliferum H., P. tumidum H. y otras especies).

TIMBUG, n. Fuente termal. Vulgarmente "Hervidero".

TIMBUG, p. a. Lo que hierve.

Timbuna

TIMBUNA, v. n. Hervir; borbotar.— **Timbugrina,** Ir a hervir.— **Timbucuna,** Estar hirviendo.— **Timbumuna,** Empezar a hervir o venir hirviendo.— **Timbuchinacuna,** Hacer hervir entre varios.

TIMBUNA, v. n. Fermentar ciertos líquidos como la chicha, presentando el fenómeno de la ebullición. Exasperarse mucho una persona.

TIMBUSHCA, n. Especie de sopa o caldo de huevos y queso.

TIMBUSHCA, p. p. Cosa hervida.

TIMBUY, n. Hervor; efervescencia.

TINGAG, p. a. El que da de papirotazos.

TINGANA, v. a. Arrojar alguna cosa a papirotazos, sobre todo en el juego de los niños con bolas de cristal o piedras o con **jurupis.** Véase esta palabra.

TINGASHCA, p. p. Arrojado a papirotazos. "Turupi tingashca": "Lanzado al lodo"

TINGAY, n. Papirote o papirotazo.

TINGUI, n. Unión; ensamble; inserción; juntura; nudo de cuerdas que se han unido.

Tingui

TINGUINA, v. a. Unir; juntar; atar entre sí dos o más cuerdas. Ensamblar; empalmar, etc.— **Tinguigrina,** Ir a unir.— **Tinguicuna,** Estar uniendo.— **Tinguimuna,** Venir uniendo o después de haber unido.— **Tinguichina,** Hacer unir.— **Tinguinacuna,** Ayudar a unir.— **Tinguirina,** Unirse.

TINGUISHCA, p. p. Cosas unidas.

TINGUISA, n. Un pequeño insecto, de la especie de los Saltones.

TINRI, adj. ant. Enano.

TIPCAG, p. a. Véase **Tigpag.**

TIPCANA, v. a. Véase **Tigpana.**

TIPCAY, n. Véase **Tigpay.**

TIPI, n. Deshojo de las mazorcas de maíz.

TIPIG, p. a. El que deshoja mazorcas de maíz.

TIPINA, v. a. Deshojar mazorcas de maíz.— **Tipigrina,** Ir a deshojar.— **Tipicuna,** Estar deshojando.— **Tipimuna,** Empezar a deshojar; deshojar caminando o venir después de haber deshojado.— **Tipichina,** Hacer deshojar.— **Tipinacuna,** Ayudar en el deshoje.— **Tipirina,** Deshojarse.— **Tipirana,** Deshojar sin descanso.— "Shayagpi tipina": "Deshojar la mazorca, sin segar la mata".

TIPISHCA, p. p. Mazorca deshojada.

TIPU, n. Yerba aromática de los pajones (Micromeria nibigena Benth.).— "Tipu api": "Mazamorra aromatizada con esta hierba", que se reputa como estomacal.

TIPU, adj. Rizado; crespo; ensortijado.

TISAG, p. a. El que encamina o guía una yunta de bueyes.

TISAG, p. a. El que escarmena o escarda lana o algodón.

TISANA, v. a. Guiar o encaminar una yunta de bueyes, para que no se desvíe de cierto modo.— **Tisagrina,** Ir a guiar.— **Tisacuna,** Estar guiando.— **Tisamuna,** Venir guiando.— **Tisachina,** Hacer guiar.— **Tisanacuna,** Ayudar a guiar.— **Tisarana,** Guiar constantemente.

TISANA, v. a. Escarmenar lana, algodón o cosa semejante.— **Tisagrina,** Ir a escarmenar.— **Tisacuna,** Estar escarmenando.— **Tisamuna,** Venir escarmenando o después de haber escarmenado.— **Tisachina,** Hacer escarmenar.— **Tisanacuna,** Ayudar a escarmenar.— **Tisarina,** Escarmenarse.— **Tisarana,** Escarmenar constantemente.

TISASHCA, p. p. Yunta guiada o encaminada.

TISASHCA, p. p. Cosa escarmenada.

Tisay

TISAY, n. Acto de guiar o encaminar una yunta.

TISAY, n. Acción de escarmenar.

TISPI, n. Pellizco.

TISPIG, p. a. El que pellizca.

TISPINA, v a. Pellizcar.— **Tispigrina,** Ir a pellizcar.— **Tispicuna,** Estar pellizcando.— **Tispimuna,** Venir pellizcando.— **Tispichina,** Hacer pellizcar.— **Tispinacuna,** Pellizcar entre dos o más o pellizcar desordenadamente alguna cosa.— **Tispirina,** Pellizcarse.— **Tispihuana,** Pellizcarme o pellizcarte.— **Tispirana,** Pellizcar incesantemente.

TISPISHCA, p. p. Pellizcado.

TISPUG, n. Larvas de insectos, que tienen el cuerpo erizado de púas.

TISPUGYANA, v. r. Erizarse; encresparse. Enfadarse mucho y quedar como erizado.

TISPUGYASHCA, p. p. Erizado; encrespado; muy enfadado.

TITI, n. ant. Plomo; estaño.

TITINCHINA, v. a. ant. Estañar.

TITU, adj. ant. Cosa difícil; asunto comprometido.

TIU, n. Arena.

TUCA, n. Saliva; gargajo; esputo.

TUCANA, n. Escupidera.

TUCANA, v. n. Escupir; esputar.— **Tucagrina,** Ir a escupir.— **Tucacuna,** Estar escupiendo.— **Tucamuna,** Venir escupiendo o empezar a escupir.— **Tucachina,** Hacer escupir.— **Tucanacuna,** Escupirse mutuamente.— **Tucahuana,** Escupirme o escupirte.— **Tucarana,** Escupir a cada momento.

TUCAY, n. El acto de escupir.

TUCU, n. Especie de alacena en el hueco de una pared, para guardar trastos caseros. Pequeña tarima alta; arreglada con igual objeto.

Tucu

TUCUCHIG, p. a. El que acaba o concluye alguna labor u obra. El que agota algo.

TUCUCHINA, v. a. Acabar; concluir. Agotar algo.— **Tucuchigrina,** Ir a acabar.— **Tucuchicuna,** Estar acabando.— **Tucuchimuna,** Venir después de acabar.— **Tucuchinacuna,** Acabar entre dos o más.— **Tucuchirina,** Acabarse.

TUCUCHISHCA, p. p. Cosa acabada.

TUCUNA, v. r. Hacerse. Transformarse de algún modo. Convertirse en algo.— Fingirse de alguna manera.— Ejemplos: "Upa tucuna": "Hacerse bobo"; "Rumi tucugrina": "Ir a transformarse o convertirse en piedra"; "Chabul tucuna": "Estar trocándose en mariposa"; "Yachag tucurina": "Fingirse el sabio"; "Mana yuyag tucuhuana": "Aparentar que no te acuerdas".

TUCURI, n. Conclusión; fin de alguna cosa.

TUCURIG, p. a. Que se acaba o termina.

TUCURIGLLA, adj. Cosa que termina fácilmente; perecedera.

TUCURINA, v. r. Acabarse; concluirse; terminar; agotarse.— **Tucurigrina,** Ir a acabarse.— **Tucuricuna,** Estar acabándose.— **Tucurimuna,** Empezar a acabarse.— **Tucurichina,** Hacer que se acabe.

TUCURINA, v. r. Expirar; morirse.

TUCURISHCA, p. p. Acabado; concluído. Persona que ha expirado.

TUCUY, n. El todo.

TUCUY, adj. Todos. **Tucuymasna,** Todos cuantos hay.

TUCUYPAG o **Tupuypa,** adj. Cosa de todos. Cosa común.

TUGA, n. Especie de tórtola mayor que la ordinaria. La llaman también **Quipag.** (Metropelia melanoptera Mol?).

TUGANA, v. r. Arrullar la tórtola.— **Tugagrina,** Ir a arrullar.— **Tugacuna,** Estar arrullando.— **Tugamuna,** Empezar a arrullar.— **Tugachina,** Hacer que arrulle.— **Tuganacuna,** Arrullar varias como en competencia.— **Tugarana,** Arrullar frecuentemente.

TUGAY, n. Arrullo de la tórtola.

TUGLLA o **Togalla,** por corrup., n. Trampa que se arma en las sementeras de maíz para matar los perros que las invaden.

TUGLLA, n. Lazo corredizo, para ahorcar animales perniciosos.

TUGLLANA, v. a. Poner trampas o lazos para matar animales dañinos, o para coger algunos útiles que son ariscos.

TUGLLASHCA, p. p. Beta o cuerda arregladas con lazo corredizo, para coger animales.

TUGSI, n. Estocada; punción.

Tugsi

TUGSIG, p. a. El que punza o da de estocadas.

TUGSINA, v. a. Punzar o dar de estocadas.— **Tugsigrina,** Ir a punzar.— **Tugsicuna,** Estar punzando.— **Tugsimuna,** Venir punzando o después de haber punzado.— **Tugsichina,** Hacer punzar.— **Tugsinacuna,** Punzar entre dos o más o punzar repetidas veces.— **Tugsirina,** Punzarse.— **Tugsihuana,** Punzarme o punzarte.— **Tugsirana,** Punzar cruelmente.

TUGSISHCA, p. p. Punzado. Herido.

TUGTU, n. El escapo o vara que sostiene la flor de algunos vegetales.

TUGTU, n. La flor masculina o superior del maíz.

TUGTUNA, v. r. Echar las plantas la vara o escapo floral.

TUGTUNA, v. r. Desarrollarse en el maíz la flor macho.— **Tugtugrina,** Ir a dar la planta de maíz la flor de la extremidad.— **Tugtucuna,** Estar dándola.— **Tugtumuna,** Empezar a darla.— **Tugtuchina,** Hacer que la dé.

TUGTUSHCA, p. p. Planta de maíz que ha echado la flor masculina. Cualquiera otra planta en que se ha desarrollado el vástago floral.

TUGTUY, n. Florescencia en las plantas que tienen escapo largo.

TUGYAG, p. a. Que revienta.

TUGYANA, v. r. Reventar.— **Tugyagrina,** Ir a reventar.— **Tugyacuna,** Estar reventando.— **Tugyamuna,** Empezar a reventar.— **Tugyachina,** Hacer reventar.— **Tugyanacuna,** Reventar varias cosas al mismo tiempo.

TUGYANA, v. r. Abrirse algún tumor o apostema que ha formado pus.

TUGYANA, v. r. Brotar el agua en la superficie de la tierra, formando fuente. Brotar las flores y expandir sus pétalos.

TUGYASHCA, p. p. Cosa que ha reventado. Apostema que se ha abierto. Fuente que ha empezado a manar. Flor que ha extendido su corola.

TUGYAY, n. Reventazón; estampido. Apertura de un tumor. Formación de una fuente. Desarrollo de una flor, etc.

TULA o **Tola,** n. Antiguo sepulcro de los aborígenes.

TULA, n. Pequeña estaca de palo que usan los indios para sacar papas o escarbar la tierra en otras labores agrícolas.

TULAPA, n. Arbol de los Andes, que da buena madera de construcción. (Especie de **Hesperomeles?**).

TULU, n. Talego; bolsa.

TULUNINA, v. imprs. Tronar.

TUMULLI, adj. Persona u objeto contrahechos o mal formados; redrojos.

TUNGURI, n. Tragadero; esófago.

TULLA, n. ant. Tórtola.

TULLPA, n. Piedra que sirve para colocar las ollas o cazuelas en el fogón.

TULLPANA, v. a. Acomodar los utensilios de cocina sobre las piedras del fogón, que se llaman **Tullpacuna.**

TULLPU, n. ant. Tinta.

TULLPUNA, v. a. ant. Teñir.

TULLPUSHCA, p. p. ant. Teñido.

TULLU, n. Hueso. Cuesco de fruta.

TULLU, adj. Flaco; descarnado.

TULLU, adj. Estéril; infecundo; tratándose de terreno para la agricultura.

TULLUSAPA, adj. Huesoso.

TULLUYANA, v. r. Enflaquecer.— **Tulluyagrina,** Ir a enflaquecer.— **Tulluyacuna,** Estar enflaqueciendo.— **Tulluyamuna,** Empezar a enflaquecer.— **Tulluyachina,** Hacer que enflaquezca una persona o un animal.

TULLUYASHCA, p. p. Enflaquecido; flaco.

Tulluyashca

TULLUYAY, n. Enflaquecimiento; flacura. Esterilización o esquilmo de un terreno.

TUNGURI, n. Gaznate; esófago.

TUÑI, n. Derrumbo. Precipicio.

TUÑIG, p. a. El que derrumba.

TUÑINA, v. a. Derrumbar.— **Tuñigrina,** Ir a derrumbar.— **Tuñicuna,** Estar derrumbando.— **Tuñimuna,** Venir derrumbando o después de haber derrumbado.— **Tuñichina,** Hacer derrumbar.— **Tuñinacuna,** Derrumbar entre dos o más.— **Tuñirina,** Derrumbarse.

TUÑISHCA, p. p. Derrumbado.

TUPU, n. Medida.

TUPAG, p. a. El que mide; medidor.

TUPUNA, v. a. Medir.— **Tupugrina,** Ir a medir.— **Tupucuna,** Estar midiendo.— **Tupumuna,** Venir midiendo o después de medir.— **Tupuchina,** Hacer medir.— **Tupunacuna,** Ayudar a medir.— **Tupurina,** Medirse.— **Tupuhuana,** Medirme o medirte.— **Tupurana,** Medir una y otra vez.

TUPUSHCA, p. p. Medido.

TUPUY, n. Acto de medir. Medida.

TUPUYPAG, adj. Mensurable. Que debe o puede medirse.

TURI, n. Hermano con relación a una hermana suya.

TURPAG, n. Arbol de la familia de las Solanáceas. (Solanum stellatum?).

TURPUNA, n. ant. Punzón.

TURU, n. Lodo; barro.

TURBUSAPA, adj. Lleno de barro, lodoso.

TURUYANA, v. r. Enlodarse.— **Turuyagrina,** Ir a enlodarse.— **Turuyacuna,** Estar enlodándose.— **Turuyamuna,** Empezar a enlodarse. Venir llena de barro una persona o una cosa.— **Turuyachina,** Hacer que se enlode.

TURUYASHCA, p. p. Enlodado.

TURUYUG, adj. Que tiene barro.

TUSHUG, p. a. El que baila. El que zapatea de cólera.

TUSHUNA, v. n. ant. Bailar.

TUSHUNA, v. n. Zapatear de cólera.— **Tushugrina,** Ir a zapatear.— **Tushucuna,** Estar zapateando.— **Tushuchina,** Hacer que alguno zapatee de cólera.— También **Tushuna** significa reñir a alguno con expresiones y ademanes de indignación o ira.

TUSHUY, n. ant. Baile.

Tushuy

TUSHUY, n. Desahogo contra alguno con ademanes de cólera.

TUSHUY, n. Algazara o chacota.

TUTA, n. Noche.— **Cunan tuta,** esta noche.— **Caya tuta,** la noche de mañana.— **Cayna tuta,** la de ayer.— **Sarun tuta,** la de anteayer.— **Chaupituta,** la media noche.

TUTAMANTA, adv. Por la mañana.

TUTAPACHA, adv. En plena noche.

TUTAPUNZHA, adv. Noche y día.

TUTAPISHCU, n. Murciélago.

TUTAPURIG, adj. Que anda por la noche. Ladrón.

TUTAYANA, v. impers. Anochecer.

TUTAYANA, v. r. Anochecerse en un camino o en alguna ocupación.— **Tutayagrina,** Irse a anochecer.— **Tutayacuna,** Estarse anocheciendo.— **Tutayamuna,** Venir después de anochecerse.— **Tutayachina,** Hacer que otro se anochezca.— **Tutayarina,** lo mismo que **Tutayana.**

TUTAYAY, n. El anochecer. El acto de anochecerle a uno en alguna faena.

TUTU! TUTU!, interj. Especie de canturria con que trata de adormir al niño la mujer que lo mece a las espaldas o entre los brazos.

TUTUNA, n. El calabazo de la **Crescentia cujete.** Cualquier otro calabazo.

TUTUNA, v. a. Entretener a los niños, provocándoles a dormir con una canturria.

TUTURA o **Totora,** por corrup, n. Planta que sirve para esteras y cubierta de casas rurales (Scyrpus Totora, de la familia de las Cyperáceas).

Totora

TUZU, adj. Encogido; amilanado; enfermo y triste

TUZUYANA, v. r. Encogerse; amilanarse; abatirse.

TUZUYASHCA, p. p. Lo mismo que **Tuzu.**

CA u **Oca,** por corrup., n. Planta herbácea que da tubérculos comestibles. (Oxalis tuberosa).

UCU, n. Parte interior o interna de una cosa. Aposento; cuarto; habitación.

UCU, adj Hueco; profundo.

UCUCHA, n. Ratón. (Mus musculus L.).

UCUCHARINA, v. r. Corroerse o desgastarse alguna cosa, comida por los ratones.

UCUCHARINGRI, n. Planta herbácea de lugares acuosos. (Varias especies de Hydrocotile).

Ucucha

UCUCHASHCA, p. p. Cosa roída por los ratones.

UCUCHARANA, n. Enaguas o vestuario interior de las mujeres.

UCUG, n. Sapo de tamaño mayor que los comunes.

UCUMAN, adv. Hacia dentro.

UCUMARI, n. ant. Oso.

UCUNCHI, n. Saya o pollera interior.

UCUNCHINA, v. r. Ponerse saya interior.

UCUNCHISHCA, p. p. Mujer vestida con saya interior.

UCUPACHA, n. Lo interior de la tierra. El infierno.

UCUPACHA, n. Supuesto habitante de lo interior de la tierra. Antípoda.

UCUPI, adv. Dentro. Debajo.

UCUTI, u **Ocote,** por corrup., n. Colón; ano; ciego.

UCUYACHINA, v. a. Hacer que una cosa se interne o baje a lugar inferior.

UCUYANA, v. r. Bajar una cosa a lugar inferior.

UCUYANA, v. r. Entrar una persona

Ucupi

o un animal a un cuarto, a una selva o lugar análogo. Internarse.— **Ucuyagrina,** Ir a internarse.— **Ucuyacuna,** Estar internándose.— **Ucuyamuna,** Venir internándose.— **Ucuyachina,** Internar.

UCHILLA, adj. Pequeño; corto. Niño.

UCHILLAYACHINA, v. a. Empequeñecer; acortar; cercenar.

UCHILLAYANA, v. r. Empequeñecerse; acortarse.

UCHILLAYASHCA, p. p. Empequeñecido; acortado.

UCHU, n. Ají. (Varias especies de Capsicum). Llámanse **Uchu** así el fruto como la planta.— **Mishquiuchu,** especie menos rústica y más aromática que otras.

UCHUCASPI, n. Arbolillo salvaje de regular madera. (Especie de Solanum.).

UCHUCHINA, v. a. Castigar frotando con ají los labios, los ojos y aún otras partes del cuerpo. Hay gente tan rústica que lo hace.

UCHUNA, v. n. Tomar algún potaje sazonado con ají.

UCHUNA, v. a. Picar demasiado el ají; irritar las vísceras del que lo come con exceso.

UCHUPA, n. Ceniza.

UCHUPA, adj. Individuo desidioso y degradado que no se aparta del fogón.

UCHUPACASPI, n. Arbusto de la familia de las Ericáceas. (Gaultheria tomentosa H.).

UCHUPANA, v. a. Encenizar, usando de la ceniza como abono o con algún otro objeto.

UCHUPASHCA, p. p. Encenizado.

Ugllag

UGLLAG, p. a. El que apresa.

UGLLAG, p. a. Gallina u otra ave clueca, que está empollando.

UGLLANA, v. a. Abrazar.— **Ugllagrina,** Ir a abrazar.— **Ugllacuna,** Estar abrazando.— **Ugllamuna,** Venir abrazando o después de haber abrazazado.— **Ugllachina,** Hacer que otro abrace.— **Ugllanacuna,** Abrazarse mutuamente.— **Ugllarina,** Abrazarse.— **Ugllahuana,** Abrazarme o abrazarte.— **Ugllarana,** Abrazar reiteradamente o con vehemencia.

UGLLANA, v. a. Empollar.— **Ugllagrina,** Ir a empollar.— **Ugllacuna,** Estar empollando.— **Ugllamuna,** Empezar a empollar.— **Ugllachina,** Hacer empollar.— **Ugllarana,** Empollar incesantemente.

UGLLAY, n. Abrazo.

UGLLAY, n. Acto de empollar las aves.

UGSHA, n. Paja. **Urcu ugsha,** paja montés.

UGSHA, n. Páramo; pajón o pajonal.

UGSHANA, n. Punto en que ordinariamente se proveen de paja los indios de cada localidad.

UGSHANA, v. n. Segar o pelar paja y proveerse de ella con cualquier objeto.

UGSHI!, interj. Abreviación o aféresis de **Llugshi!** Significa: Sal! Fuera de aquí! Y se usa para intimidar a los perros o al ganado vacuno.

UGYANA, v. n. ant. Hacer gargarismos.

UJUG, p. a. El que tose.

UJUNA, v. n. Toser.— **Ujugrina,** Ir a toser.— **Ujucuna,** Estar tosiendo.— **Ujumuna,** Empezar a toser.— **Ujurana,** Toser frecuentemente.

UJUY, n. Tos.

ULU, Adj. Mutilado de las orejas; desorejado.

ULURRINGRI, adj. Lo mismo que **Ulu.**

ULLUHUANGA, n. Gallinazo. (Cathartos burroviana Cass.).

ULLPU, adj. ant. Humilde.

ULLPUNA, v. r. ant. Humillarse; abatirse; anonadarse.

ULLPUY, n. ant. Humillación; anonadamiento.

ULLU, n. Pene.

UMA, n. Cabeza. Parte superior de un árbol, de un monte o cualquiera otra cosa por el estilo.

UMAG, p. a. El que engaña; embaucador. Chancero.

UMANA, v. a. Engañar; embaucar.—

Chancearse.— **Umagrina,** Ir a engañar.— **Umacuna,** Estar engañando.— **Umamuna,** Venir engañando o después de haber engañado.— **Umachina,** Hacer engañar.— **Umanacuna,** Engañarse recíprocamente.— **Umahuana,** Engañarme o engañarte.— **Umarana,** Engañar habitualmente.

UMASHCA, p. p. Engañado; alucinado.

UMAY, n. Engaño; embaucamiento. Chanza.

UMU, n. ant. Hechizo; brujería.

Umana

UMUNA, v. a. ent. Hechizar; brujear.

UMUSHCA, p. p. Hechizado; brujeado.

UMUTU, adj. Muy pequeño. Enano.

UNANCHA, n. Insignia; estandarte; bandera.

UNANCHI, n. Señal. Vestigio. Mojón de un lindero.

UNANCHIG, p. a. El que pone la señal; el que amojona.

UNANCHINA, v. a. Señalar. Poner mojones en los linderos.— **Unanchigrina,** Ir a señalar.— **Unanchicuna,** Estar señalando.— **Unanchimuna,** Venir señalando o después de haber señalado.— **Unanchichina,** Hacer que otro señale.— **Unanchinacuna,** Señalar entre varios.

UNANCHISHCA, p. p. Señalado; alinderado.

UNAY, n. Tiempo dilatado; larga época.

UNAYAG, p. a. El que tarda o se dilata.

UNAYANA, v. n. Tardarse; dilatarse.— **Unayagrina,** Ir a tardarse.— **Unayacuna,** Estar tardando.— **Unayamuna,** Venir tardando o atrasándose.— **Unayachina,** Hacer que otro se dilate o atrase.

UNANAY, n. Atraso; dilación; demora; tardanza.

UNDI, part. que, pospuesta a un nombre terminado en í, denota que una persona o cosa están acompañadas de otra; vga. "Cambag mashca allcundimi shamucun": "Tu cuñado está viniendo con su perro".

UNGUCHA o **Uuguni,** n. Cuadrúpedo montaraz del orden de los roedores. (Cavia capivara L.).

UNGUCHIG, p. a. Que causa enfermedad. Cosa malsana.

UNGUG, adj. Enfermo.

UUNGULLA, adj. Que enferma con facilidad o frecuencia. Enfermizo.

UNGUNA, v. n. Enfermar.— **Ungugrina,** Ir a enfermar.— **Ungucuna,** Estar enfermando.— **Ungumuna,** Venir enfermando o empezar a enfermar.— **Unguchina,** Hacer que otro enferme.— **Unguana,** Enfermar mucho; ser valetudinario.

UNGUNA, v. n. Arrullar la tórtola. Es voz imitativa del arrullo.

UNGUSHCA, p. p. Enfermo.

UNGUY, n. Enfermedad.

UNGUY, n. Arrullo de la tórtola.

Unguy

UÑA, n. ant. Oveja.

UPA, adj. Bobo; tonto; simple; sandio; idiota.

UPALLA, adj. Bastante bobo.

UPALLA, adj. Silencioso.

UPALLA, adv. Silenciosamente; en silencio.

UPALLA!, interj. Silencio! Chito!

UPALLAG, p. a. El que calla.

UPALLANA, v. a. Callar.— **Upallagrina,** Ir a callar.— **Upallacuna,** Estar callando.— **Upallamuna,** Venir callando.— **Upallachina,** Hacer callar.— **Upallacuna,** Callar el uno y el otro.

UPALLAY, n. El acto de callar.

UPALLAY!, interj. Calla! Punto en boca!

UPASHUNGU, adj. Simple; sencillo; pobre de espíritu.

UPATUCUSHCA, adj. Taimado; que se finge simple; que se hace el bobo.

UPAYANA, v. r. Entontecerse; abobarse.— **Upayagrina,** Ir a entontecerse.— **Upayacuna,** Estar entonteciéndose.— **Upayamuna,** Empezar a entontecerse.— **Upaya-**

china, Hacer que alguno se entontezca.— **Upayachihuana,** Entontecerme o entontecerte.

UPAYASHCA, p. p. Entontecido; abobado.

UPIAG, p. a. El que bebe; bebedor.

Upiana

UPIANA, v. a. Beber.— **Upiagrina,** Ir a beber.— **Upiacuna,** Estar bebiendo. — **Upiamuna,** Venir bebiendo o después de haber bebido.— **Upiachina,** Hacer que otro beba.— **Upianacuna,** Beber a competencia o en reunión de aficionados al licor.— **Upiarana,** Beber excesivamente o por hábito.

UPIANA, v. n. Darse por vicio a la bebida.

UPIANA. n. Bebida — **Upiana yacu,** agua potable.

UPIASHCA, p. p. Cosa bebida. El que ha bebido.

UPIAY, n. Bebida. Borrachera; vicio de la embriaguez.

UPIAYCATUG, p. a. El que vende bebidas. Tabernero.

UPIAYPAG, adj. Cosa que puede beberse. Agua potable. Persona que puede o debe beber algo.

UQUI, adj. Cosa de color gris, pardo o negruzco.

UQUIAG, adj. Cosa que viene a ser parda o negruzca.

UQUIYANA o **Uquiana,** v. r. Llegar una cosa a ser parda o negruzca.— **Uquiagrina,** Ir a transformarse en parda.— **Uquiacuna,** Estar haciéndose parda, etc.

UQUIAYASHCA, p. p. Cosa que se ha hecho parda, gris o negruzca.

URA, n. Parte baja o inferior del suelo o de otra cosa.

URA, adj. Lo de abajo; lo inferior.

URAMAN, adv. Para abajo; hacia abajo.

URAPI, adv. Abajo; en la parte inferior.

URATA, adv. Por abajo; por la parte inferior.

URAY, n. Descenso; bajada; declive.

URAYCUCHIG, p. a. El que hace bajar.

URAYCUCHINA, v. a. Hacer bajar a una persona. Tomar de lo alto y bajar cualquier objeto. Hacer que alguien desmonte de una cabalgadura.— **Uraycuchigrina,** Ir a hacer bajar.— **Uraycuchicuna,** Estar haciendo bajar.— **Uraycuchimuna,** Venir después de haber hecho bajar.— **Uraycuchinacuna,** Hacer bajar entre dos o más.— **Uraycuchihuana,** Hacerme o hacerte bajar.

URAYCUG, p. a. El que baja o desciende.

Uraycuna

URAYCUNA, v. n. Bajar; descender.— **Uraycugrina,** Ir a bajar.— **Uraycucuna,** Estar bajando.— **Uraycumuna,** Bajar y venir de bajada por alguna pendiente; empezar a descender de un árbol, etc.

URAYCUY, n. Acto de bajar o descender.

URCU, n. Cerro; monte; selva; bosque; sierra.

URCUPAQUI, n. Planta de la familia de las Orquídeas. (Epidendrum?).

URCUYANA, v. r. Ir al cerro o al bosque. Remontarse el ganado. Huir a la selva y ocultarse una persona.

URITU, n. desus. Perico; papagayo.

URITUSINGA, (nariz de perico), n. Quina gris de Loja. (Chinchona officinalis.).

URMACHIG, p. a. El que hace que una cosa caiga; el que derriba.

URMACHINA, v. a. Derribar. Hacer que caigan una persona o cosa.— **Urmachigrina,** Ir a derribar.— **Urmachicuna,** Estar derribando.— **Urmachimuna,** Venir después de haber derribado o derribando entre camino.— **Urmachinacuna,** Derribar entre dos o más.— **Urmachihuana,** derribarme o derribarte.

URMAGLLA, adj. Que cae con facilidad; caedizo; caduco.

URMANA, v. n. Caer.— **Urmagrina,** Ir a caer.— **Urmacuna,** Estar cayendo.— **Urmamuna,** Venir cayendo por el camino o venir después de caer.— **Urmanacuna,** Caer varios a un tiempo.— **Urmarana,** Estar caídas por largo tiempo una cosa o una persona.

Urmana

URMASHCA, p. p. Caído.

URMAY, n. Caída.

URPI, n. Tórtola común. (Zenaida auriculata Des. Murs.) — **Urcu urpi,** Torcaz. (Columba albilinea Gray.).— **Allpa urpi,** tortolilla diminuta (Chamaepelia eruziana D. Orb.).

URPISISA, n. Pequeña planta de la familia de las Ericáceas. (Hedyotis hypnoides H.).

URU, n. ant. Araña.

URULLICA, n. ant. Telaraña.

URUNGUY, n. ant. Avispa.

USA, n. Piojo que se cría en la cabeza. Véase **Pilis.**

USAG, p. a. El que espulga la cabeza.

USANA, v. a. Espulgar la cabeza.— **Usagrina,** Ir a espulgar.— **Usacuna,** Estar espulgando.— **Usanacuna,** Espulgarse mutuamente.— **Usahuana,** Espulgarme o espulgarte:— **Usarana,** Espulgar constantemente.

USASAPA, adj. Piojoso, tratándose de la cabeza.

USASHCA, p. p. Espulgado de la cabeza.

USAY, n. Acto de espulgar la cabeza.

USIANA, v. n. Escampar; abonanzar. — **Usiagrina,** Ir a escampar.— **Usiacuna,** Estar escampando.— **Usiamuna,** Empezar a escampar.— **Usiachina,** Hacer escampar.— **Usiarana,** Escampar demasiado.—.

Usiana

USIAY, n. Bonanza; sequía; verano; falta de lluvia.

USNU, n. ant. Adoratorio de los Incas.

USUCHINA, v. a. Hacer que alguna cosa abunde. Desperdiciar o malgastar algo.

USUCHUSHCA, p. p. Cosa desperdiciada.

USUCUG, adj. Cosa abundante; que pulula; que sobra.

USUY, n. Abundancia.

USUNA, v. n. Abundar; pulular; haber de sobra.

USHI, n. Hija, con relación a su padre.

USHCU, n. Gallinazo. Véase **Ullahuanga.**

USHCURRUMI, n. Especie de antracita.

USHUTA u **Oshota,** por corrup., n. Sandalia tosca de cuero sin curtir.

USHUTANA, v. r. Calzarse la sandalia llamada **Ushuta.**

USHUTASHCA, p. p. Calzado con la sandalia llamada **Ushuta.**

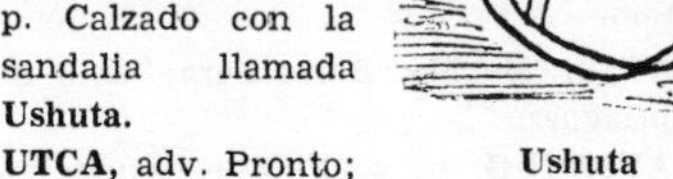
Ushuta

UTCA, adv. Pronto; presto; sin dilación; en el acto.

UTCAG, p. a. El que abrevia un trabajo u ocupación.

UTCALLA, adv. Con la mayor prontitud posible; en un momento.

UTCANA, v. a. Abreviar o acelerar alguna ocupación o trabajo.— **Utcagrina,** Ir a abreviar.— **Utcacuna,** Estar abreviando.— **Utcamuna,** Venir abreviando o después de haber abreviado.— **Utcachina,** Hacer que otro abrevie.— **Utcacuna,** Abreviar a competencia entre dos o más.

UTCASHCA, p. p. Abreviado; acelerado.

UTCASHCA, adv. Pronto; con ligereza.

UTCAY, n. Aceleramiento.

UTCU, n. ant. Algodón.

UTIG, adj. ant. Loco.

UTIGYANA, v. r. ant. Volverse loco; perder el juicio.

UTIGYAY, n. ant. Locura.

Uturungu

UTURUNGU, n. Oso. Tigre. Fiera. Nuestros osos son el **Ursus americanus** Pall y el **Tremarctos ornatus** Cuv.

UYA, n. Mejilla.

UYACHINA, v. a. Lanzar indirectas, para que alguno las oiga.

UYACHISHCA, p. p. Que ha lanzado indirectas o las ha escuchado.

UYAG, p. a. El que oye, atiende o escucha. El que presta su aceptación o consentimiento.

UYANA, v. a. Oir; escuchar; atender. Acceder; consentir.— **Uyagrina,** Ir a oir. — **Uyacuna,** Estar oyendo.— **Uyamuna,** Venir oyendo o después de oir.— **Uyachina,** Hacer oir.— **Uyanacuna,** Oirse los unos a los otros.— **Uyahuana,** Oirme u oirte.— **Uyarana,** Oir atentamente por largo tiempo.

UYANSA, n. Festejo por algún suceso fausto. Agasajo o propina al que felicita por un suceso de esta clase.

UYANSANA, v. n. Festejar un suceso fausto. Dar el parabién al que está de plácemes por tal suceso.

UYARI, n. Remesa periódica de los productos de una hacienda, para la despensa de su dueño.

UYARINA, v. r. Aparecer alguna persona; estar viniendo; presentarse a la vista.— **Mana uyarina,** no aparecer o no divisarse.

UYASHCA, p. p. Oidor.

UYAY, n. Acto de oir; audiencia.

U Y A Y!, interj. Oyeme! **Ola!**

Uyay

ACA, adv. Casi; por poco no. Vga "Yacami huañuni": "Por poco no muero; casi me muero".

YACALLA, adv. Lo mismo que **Yaca,** pero con ponderación algo mayor.

YACU, n. Cosa líquida.

YACU, n. Agua. **Jatunyacu,** Río grande, o simplemente río.

YACUASTAG, adj. Acarreador de agua; aguador.

YACULLA, adj. Bastante aguado. Chirle. Aguanoso.

YACUNAYAG, p. a. El que tiene sed; sediento.

Yacu

YACUNAYANA, v. n. Tener sed; estar sediento.— **Yanacunagrina,** Ir a tener sed. —**Yanacunayacuna,** Estar sintiendo sed.— **Yanacunayamuna,** Venir con sed.— **Yacunayachina,** Causar sed.

YACUPATA, n. Margen de río, de arroyo o de fuente. Ribera u orilla de idem.

YACUSAPA, adj. Lleno de agua; aguanoso.

YACUYACHINA, v. a. Derretir; desleir; liquidar alguna cosa.— **Yacuyachigrina,** Ir a derretir.— **Yacuyachicuna,** Estar derritiendo.— **Yacuyachimuna,** Venir trayendo lo derretido.

YACUYAG, p. a. Que se derrite; deslíe o liquida.

YACUYANA, v. r. Desleirse; liquidarse; derretirse.— **Yacuyagrina,** Ir a desleirse.— **Yacuyacuna,** Estar desliéndose.— **Yacuyamuna,** Venir desliéndose o empezar a desleirse.— **Yacuyarina,** Lo mismo que **Yacuyana.**

YACUYASHCA, p. p. Desleído, liquidado; líquido.

YACHACUG, adj. El que aprende.

YACHARIG, p. a. El que enseña.

Yachacug

YACHACUNA, v. a. Aprender.— **Yachacugrina,** Ir a aprender.— **Yachacucuna,** Estar aprendiendo.— **Yachacumuna,** Venir después de aprender.

YACHACHINA, v. a. Enseñar.— **Yachachigrina,** Ir a enseñar.— **Yachachicuna,** Estar enseñando.— **Yachachimuna,** Venir enseñando o después de enseñar.— **Yachachichina,** Hacer que otro enseñe.— **Yachachihuana,** Enseñarme o enseñarte.— **Yachachirana,** Enseñar con esmero y constancia.

YACHACHISHCA, p. p. Enseñado; discípulo.

YACHAG, adj. Sabedor; instruído. **May yachag,** sabio.— **Anchayachag,** sabihondo.

YACHAGTUCUG, adj. Que las echa de sabio; pedante.

YACHANA, v. a. Saber. Tener noticia o conocimiento de algo.— **Yachagrina,** Ir a saber.— **Yachacuna,** Estar sabiendo.— **Yachamuna,** Venir sabiendo.— **Yachachina,** Hacer saber; dar noticia.— **Yachanacuna,** Saber o instruirse de alguna cosa varios.— **Yacharina,** Saberse; descubrirse lo que se ignora.

YACHARINA, v. r. Acostumbrarse en algún lugar; aquerenciarse; aclimatarse.

YACHARISHCA, p. p. Cosa sabida. Secreto descubierto.

YACHARISHCA, p. p. Aquerenciado en algún lugar; aclimatado.

YACHASHCA, p. p. Sabido. Cosa acostumbrada. Fenómeno que nada tiene de extraño. Vga. 'Yungacunapi runa huañunaca ña yachashcami": "El morir el indio en lugar ardiente es cosa sabida".

YACHAY, n. Saber. **Jatun yachay,** sabiduría. Noticia; conocimiento.

Yahuar

YAHUAR, n. Sangre.

YAHUARJUNDA, adj. Sangriento; cruento.

YAHUARQUICHUA, n. Disentería.

YAHUARYAG, adj. Lo que se ensangrienta.

YAHUARYANA, v. r. Ensangrentarse.— **Yahuaryagrina,** Ir a ensangrentarse.— **Yahuaryacuna,** Estar ensangrentándose.— **Yahuaryamuna,** Venir ensangrentándose.— **Yahuaryachina,** Hacer que se ensangriente.

YAHUARYASHCA, p. p. Ensangrentado.

YALU, n. Zorro americano. (Didelphis virginiana, Desm. aut. Didelphys andina. Thomas?).

YALLI, adj. Demás; excesivo; sobrante; restante.

YALLICHINA, v. a. Hacer que haya demasía en algo que se da, vende, etc.— **Yallichigrina,** Ir a hacer que haya demasía.— **Yallichicuna,** Estar haciendo que haya demasía, etc.

YALLICHISHCA, p. p. Aumentado; excedido.

YALLIG, adj. Excedente; sobrante; demasiado.

YALLIG, p. a. El que va por otro camino, separándose de alguno. El que pasa de largo. Transeunte.

YALLIMANA, adv. Con exceso; excesivamente.

YALLIMICUG, adj. Que come en demasía; tragón; glotón.

YALLINA, v. n. Exceder.— **Yalligrina,** Ir a exceder.— **Yallicuna,** Estar excediendo.— **Yallimuna,** Empezar a exceder.— **Yallichina,** Véase esta palabra.

YALLINA, v. n. Tomar por otro camino, dejando al compañero o compañeros. Pasar de largo el que está de viaje.

YALLINACUY, n. Lugar en que se bifurca un camino o se cruzan dos. Encrucijada.

Yallinacuy

YAMALA, n. Cervicabra. (Mazama tema Raf?).

YANA, adj. Lo negro.

YANALLA, adj. Negruzco. Prieto.

YANANDI, n. Repetición de una cosa. Segundo trabajo. Aporque o segunda deshierba del maíz, papas, etc.

YANANDI, adv. De nuevo; nuevamente; por segunda vez.

YANANDICHI, n. Lo mismo que **Yanandi,** en su primera acepción.

YANANDICHIG, p. a. El que ejecuta un trabajo por segunda vez. El que aporca una sementera.

YANANDICHINA, v. a. Ejecutar por segunda vez algún trabajo; segundar o dar la segunda mano al cultivo de una sementera; binar.— **Yanandichigrina,** Ir a asegundar.— **Yanandichicuna,** Estar asegundando.— **Yanandichimuna,** Venir asegundando o después de haber asegundado.— **Yanandichigrina,** Asegundarse.

YANANDICHISHCA, p. p. Asegundado. Desherbado por segunda vez o aporcado.

YANAÑAHUI, adj. Ojinegro.

YANAPAG, p. a. El que ayuda o auxilia en un trabajo.— El que socorre o ampara en algún conflicto.

Yanapana

YANAPANA, v. a. Ayudar; auxiliar. Socorrer; amparar.— **Yanapagrina,** Ir a ayudar.— **Yanapacuna,** Estar ayudando.— **Yanapamuna,** Venir ayudando o después de haber ayudado.— **Yanapachina,** Hacer ayudar.— **Yanapahuana,** Ayudarme o ayudarte.

YANAPAY, n. Ayuda; auxilio; socorro; favor.

YANASHUNGU, n. Bofe negro o hígado.

YANAYAG, p. a. Lo que se ennegrece.

YANAYANA, v. r. Ennegrecerse.— **Yanayagrina,** Ir a ennegrecerse.— **Yanayacuna,** Estar ennegreciéndose.— **Yanayamuna,** Venir después de haberse ennegrecido o empezar a ennegrecerse.— **Yanayachina,** Hacer que ennegrezca.

YANGA, adj. Cosa que se da gratuitamente. Cosa ordinaria o común, que no sale de lo vulgar. Persona de poca significación.

YANGALLA, adj. Lo mismo que **Yanga,** con alguna atenuación; vga. "Shugca huiracocha; shugca yangalla": "El uno caballero; el ctro de clase ordinaria".

YANGALLAPISH, adv. Aunque sea vanamente.

YANGAMANTA, adv. En vano; vanamente.

YANGAMICUG, adj. Sujeto que come sin trabajar; que subsiste a costa ajena. Literalmente: que come de balde.

YANGAPURIG, adj. Vagabundo; andariego; que anda errante sin provecho alguno.

Yangapurig

YANGARRIMAG, adj. Fanfarrón; mentiroso.

YANGASIRIG, adj. Poltrón.

YANTA, n. Leña.

YANTA, adj. Persona o animal muy flacos y extenuados, que parecen leña.

YANTAG, p. a. Leñador.

YANTANA, v. a. Hacer leña.— **Yantagrina,** Ir a hacer leña.— **Yantacuna,** Estar haciendo leña.— **Yantamuna,** Venir trayendo la leña que se ha hecho.— **Yantachina,** Mandar hacer leña.— **Yantarina,** Hacerse la leña.— **Yanta-**

Yantana

rana, Hacer habitualmente leña.

YANTASHCA, p. p. Leña que se ha hecho. Madero reducido a leña.

YANUG, p. a. El que cocina; cocinero.

YANUNA, v. a. Cocinar.— **Yanugrina,** Ir a cocinar.— **Yanucuna,** Estar cocinando.— **Yanumuna,** Venir después de cocinar y, ordinariamente, trayendo lo cocinado.— **Yanuchina,** Hacer cocinar.— **Yanurina,** Cocinarse una vianda.— **Yanurana,** Cocinar cuidadosamente o cocinar por hábito.

YANUSHCA, p. p. Cosa cocinada.

YANUY, n. Acción de cocinar. Cocimiento.

Yanuy

YAPA, n. Adehala o pequeña porción que, por condescendencia o gracia, se añade a lo que se vende.

YAPANA, v. a. Añadir algo a lo que se vende, por condescendencia con el comprador. Dar algo más de lo ordinario.— **Yapagrina,** Ir a añadir.— **Yapacuna,** Estar añadiendo.— **Yapamuna,** Venir añadiendo o después de haber añadido.— **Yapachina,** Hacer que se añada o conseguir que se agregue algo.— **Yaparina,** Añadirse o agregarse.— **Yapahuana,** Agregar algo para mí o para tí.— **Yapanacuna,** Agregarse algo recíprocamente en las cosas que se permutan.

YAPASHCA, p. p. Añadido; agregado; acrecentado por gracia.

Yapuna

YAPAY, n. Acto de dar una porcioncilla adicional al comprador.

YAPUG, n. El que ara; arador.

YAPUNA, n. El punto que se debe arar. El campo arado. El acto de arar.

YAPUNA, v. a. Arar.— **Yapugrina,** Ir a arar.— **Yapucuna,** Estar arando.— **Yapumuna,** Venir arando o después de haber arado.— **Yapuchina,** Hacer arar.— **Yapunacuna,** Ayudar en la arada.— **Yapurana,** Arar una y otra vez o hacerlo por hábito.

YAPUY, n. Acto de arar. Arada.

YARABI, n. ant. Canto indio. Tonada popular, de aire melancólico.

YARABICU, n. ant. Cantor; poeta.

YARCAG, adj. El que tiene hambre.

YARCANA, v. n. Tener hambre.— **Yarcagrina,** Ir a tener o sentir hambre.— **Yarcacuna,** Estar sintiéndola.— **Yarcamuna,** Empezar a sentir hambre.— **Yarcachina,** Hacer que uno sienta hambre.— **Yarcahuana,** Sentir hambre yo o tú.

YARCARANA, Sentir mucha hambre.

YARCAY, n. Hambre.

YARCAYSAPA, adj. Hambriento; hambreado.

YARI, conj. Pues. Vga. "Caypi causag yari": "Vénte, pues, a vivir aquí".

YAYA, n. Padre. **Jatun yaya,** abuelo. **Marcag yaya,** padrino. **Huiñachig yaya,** padre de crianza o adoptivo.

YAYAHUAGCHA, adj. Huérfano de padre.

YAYAMAMA, adj. Persona benefactora que hace las veces de padre y madre.

YAYCUCHIG, p. a. El que hace entrar; introductor.

YAYCUCHINA, v. a. Hacer entrar; introducir.— **Yaycuchigrina,** Ir a introducir.— **Yaycuchicuna,** Estar introduciendo.— **Yaycuchimuna,** Venir después de haber introducido.— **Yaycuchirina,** Hacerse introducir.- **Yaycuchinacuna,** Ayudar a introducir.— **Yaycuchihuana,** Introducirme o introducirte.

YAYCUCHISHCA, p. p. Introducido. Metido.

YAYCUG, p. a. El que entra.

YAYCUNA, v. n.

Yaycug

Entrar.— **Yaycugrina,** Ir a entrar.— **Yaycucuna,** Estar entrando.— **Yaycumuna,** Empezar a entrar o haber entrado y acercarse.

YAYCUSHCA, p. p. Que ha entrado.

YAYCUY, n. Acto de entrar. **Entrada.**

YUBAR, n. Arbol de madera útil. (Especie de **Myrsine?).**

YUCU, n. ant. Jeme.

YUG, Partícula que, pospuesta a un nombre, denota posesión o pertenencia; vga. "Paypish allpayugmi": "El también tiene tierras".

YUGYUG, n. Arbolillo de la familia de las Melastomáceas.

YUMANA, v. a. ant. Engendrar. Fecundar el varón o el animal macho.

YUNGA, n. Lugar de temperamento ardiente.

YUNGA, n. Especie de nudo que se hace en un lazo, para que no se apriete por demás y ahorque al animal que se intente coger.

YUNGA, adj. Cosa de tierra caliente.

Yunga

YUNGANA, v. a. Hacer en el lazo un nudo que impida la extrangulación del animal que trata de coger o de atar.

YUNGASHCA, p. p. Lazo con el nudo de seguridad llamado **Yunga.**

YUPAG, p. a. El que cuenta algunas cosas; el que las enumera.

YUPANA, v. a. Contar; enumerar.— **Yupagrina,** Ir a contar.— **Yupacuna,** Estar contando.— **Yupamuna,** Venir contando o después de haber hecho la cuenta.— **Yupachina,** Hacer contar.— **Yuparina,** Contarse.— **Yupahuana,** Contarme o contarte.— **Yupanacuna,** Contar entre dos o más.— **Yuparana,** Contar una y otra vez.

YUPASHCA, p. p. Contado; enumerado.

YUPAY, n. Acto de contar o enumerar.

YUPAY, adv. Mucho; demasiado; excesivamente.

YUPAYCHINA, v. a. Engrandecer; alabar; elogiar. "Yuapaychishpa huacana": "Elogiar llorando las buenas prendas de un difunto".

YUPAYCHISHCA, p. p. Engrandecido; alabado; encomiado.

YUPAYPAG, adj. Cosas que pueden o deben contarse o enumerarse.

YUPAYPAG, adj. Persona que puede o debe contar algunos cosas.

YURA, n. Cualquier vegetal, sea árbol, arbusto o yerba.

YURAYANA, v. r. Desarrollarse una planta hasta adquirir su talla natural.

YURAG, n. Blanco.

YURAGSHUNGU, n. Bofe blanco. Pulmones.

YURAGYANA, v. a. Blanquear.— **Yuragyagrina,** Ir a blanquear.— **Yuragyacuna,** Estar blanqueando.— **Yuragyamuna,** Empezar a blanquear.— **Yuragyachina,** Hacer que blanquee.— **Yuragyachinacuna,** Blanquear entr dos o más.

YURAGYASHCA, p. p. Blanqueado; blanquecino.

YUTU, n. Perdiz de nuestros Andes. (Notoprocta curvirostris Scl. et Salv.).

YUYACUG, adj. Pensativo; meditabundo; preocupado.

YUYAG, adj. Viejo; anciano.

YUYANA, v. n. Pensar. Recordar. Opinar. Presumir. Suponer.— **Yuyagrina,** Ir a pensar.— **Yuyacuna,** Estar pensando.— **Yuyamuna,** Venir pensando.— **Yuyachina,** Hacer pensar.— **Yuyanacuna,** Pensar entre dos o más.— **Yuyarana,** Pensar profundamente. Tiene los mismos derivados en las demás significaciones.

YUYARISHCA, p. p. Recordado.

YUYAY, n. Acto de pensar, de presumir, de conjeturar, etc.

YUYAY, n. Acto de recordar.

YUYAY, n. Pensamiento. Memoria. Reflexión. Recuerdo. Intento. Designio. Proyecto. Opinión. Dictamen, etc.

Yuyay

AGRA, adj. Tosco; áspero; escabroso.

ZAGRA, adj. Torpe; obsceno.

ZAÑAS, n. Arbolillo de buena madera. (Especie de **Viburnum.**

ZAPRA, n. Maleza de los lugares montañosos.

ZAPRA, adj. Basto; áspero.

ZARCU, adj. Individuo de ojos garzos.

ZAZA, adj. Muy abierto o expandido. **Zazagachu,** res vacuna de cuernos muy abiertos.

ZIPI, adj. Agrietado; escoriado; escamoso.

ZIPIAG, adj. Que se agrieta o se pone escamoso.

ZIPIYANA o **Zipiana,** v. r. Agrietarse la piel. Ponerse escamosa.— **Zipiagrina,** Ir a agrietarse.— **Zipiacuna,** Estar agrietándose.— **Zipiachina,** Hacer que se agriete.
tar agrietándose.— **Zipiachina,** Hacer que se agriete.

ZULA, adj. Grano u otro fruto dañado por falta de nutrición regular.

ZULAYANA, v. r. Dañarse un fruto por falta de buena nutrición.— **Zulayagrina,** Ir a dañarse.— **Zulayacuna,** Estar dañándose.— **Zulayamuna,** Empezar a dañarse.

ZUPU o **Zopo,** por corrup., adj. Individuo que tiene los pies abultados y deformes, por la enfermedad llamada Elefantiasis de los árabes.

ZUPUYANA, v. r. Contraer la enfermedad de que habla el artículo precedente.

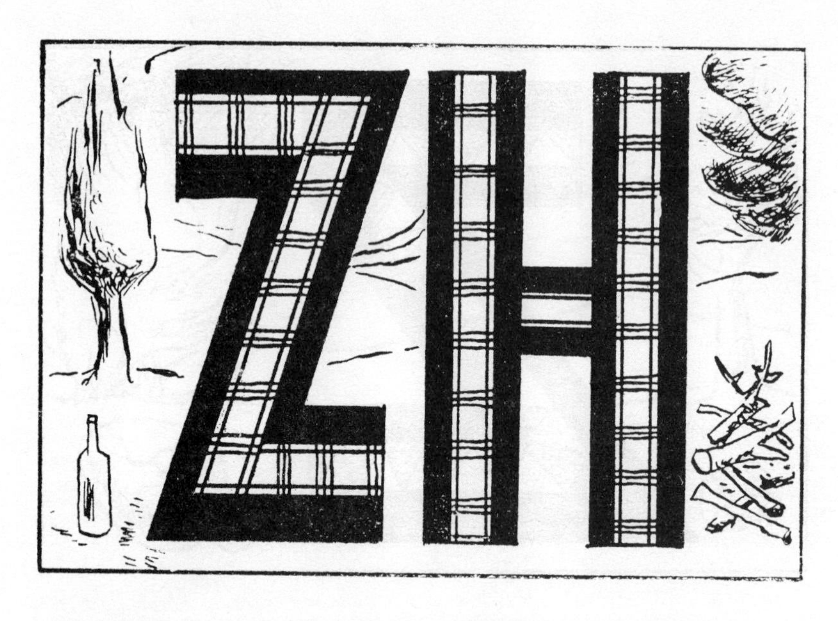

ABAN, n. Arbusto de la familia de las Sinantéreas. (Baccharis resinosa H.).

ZHAL, n. Especie de carrizo montés.

ZHAPRA, n Hojarasca que tupe los lugares montuosos.

ZHAPRANA, v. a. Formar una especie de cerramiento con ramas y hojarazca, para resguardar una sementera o potrero.

ZHARCAPU, n. Arbolillo de la familia de las Verbenáceas. (Cytarexilon ilicifolium H.).

ZHARPA, adj. Aspero; escabroso; de superficie desigual.

ZHARPI, n. Comida de maíz quebrantado y sazonado a manera de arroz.

ZHARPINA, v. a. Quebrantar el maíz para la comida que llaman **Zharpi.**— **Zharpigrina,** Irlo a quebrantar.— **Zharpicuna,** Estar quebrantándolo.— **Zharpimuna,** Venir trayendo el maíz quebrantado o venir después de haberlo quebrantado.— **Zharpichina,** Hacerlo quebrantar.

ZHARU, n. Lo mismo que **Zharpi.**

ZHARUNA, v. a. Véase **Zharpina.**

ZHILLAG, n. Véase **Laplag.**

ZHIMA, adj. Dícese del maíz que tiene color de perla.

ZHIRBI, adj. Crespo; rizado, de cabello o de pluma.

ZHIRBU, adj. Lo mismo que **Zhirbi.**

ZHIRBUYAG, adj. Que se encrespa; que se eriza.

ZHIRBUYANA, v. r. Encresparse; erizarse.— **Zhirbuyagrina,** Ir a encresparse.— **Zhirbuyacuna,** Estar encrespándose.— **Zhirbuyamuna,** Empezar a encresparse.— **Zhirbuyachina,** Hacer que se encrespe.

ZHIRBUYASHCA, p. p. Encrespado.

ZHIRIPI, n. Arbol de buena madera (de la familia de las Miricáceas?).

ZHIRU, n. Especie de cigarra que chirria a las cinco o poco más de la tarde y les sirve de reloj a los indios del campo, para alzarse del trabajo.

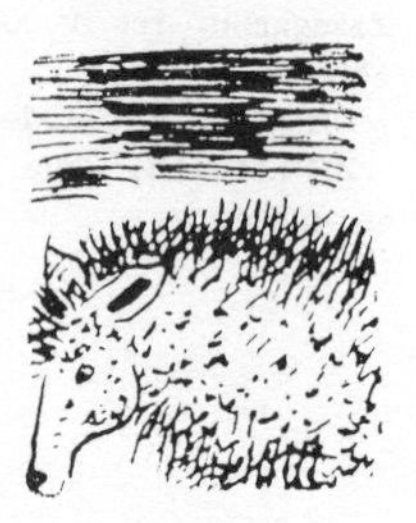

Zhirbuyana

ZHIRU, adj. Cosa de color gris.

ZHIZHI, n. Broza seca a propósito para el fuego.

ZHU, Partícula con que se forman nombres diminutos o propios para hablar de una persona con cariño o ternura. Así es como de "huahua", vga. se forma "huahuazhu", hijito.

ZHUHAY, n. Véase **Sara.**

ZHULLIN, n. Planta de la familia de las Cyperáceas. Sirve para sombreros rústicos y otros tejidos análogos

ZHURU, adj. Persona marcada por las viruelas. Cacarañado; borrado.

ZHURUYANA, v. r. Quedar borrado o cacarañado por la viruela.

Zhuru

SEGUNDA PARTE

CASTELLANO - QUICHUA

prep. **Ta,** pospuesto al nombre, cuando éste sirve de complemento, vga. "Amo mucho a los indios": "Maymi runacunata cuyami". Usase **Man,** igualmente pospuesto, cuando el nombre se halla en dativo, vga. "Dale algo a ese pobre": "Imallata chay huag chman cuy". Empléase **Pa** o **Pag,** pospuestos a verbo, cuando la preposición rige a este último, vga. "A conversar con ustedes he venido": "Cancunahuan rimanacungapani shamushcani".

ABAJO, adv, **Urapi.** Mas abajo, **Uranigpi.**

ABALANZARSE, v. r. **Imapi japirina; Maycampa jahuapi shitarina.**

ABANDONADO, a. adj. **Jichushca; Shitashca.**

ABANDONAR, v. a. **Jichuna; Shitana.**— IR A ABANDONAR, Shitagrina. — ESTAR ABANDONANDO, Shitacuna. — VENIR DESPUES DE ABANDONAR, Shitamuna.— HACER ABANDONAR, Shitachina.— Los mismos derivados tiene **Jichuna.**

Jichuna

ABANDONO, n. **Jichuy; Shitay.**

ABARCAR, v. a. **Ugliana,** (especialmente en la significación de empollar), IR A ABARCAR, Ugllagrina.— ESTAR ABARCANDO, Ugllacuna.— HACER ABARCAR, Ugllachina.— ABARCAR CONSTANTEMENTE, Ugllarana.

ABATIDO, a, (por desalentado), adj. **Shunga urmashca.**

ABEJA, n. **Mishquichuspi; Bunga.**

ABERTURA, n. **Pungu.** En la acepción de rendija, **Chigta.**

ABIERTO, a. p. p. **Pascashca.**

ABLANDAR, v. a. **Sambayachina.— IR A** ABLANDAR, Sambayachigrina.— ESTAR ABLANDANDO, Sambayachicuna.— ABLANDAR Y VENIR, Sambayachimuna.— ABLANDARSE, Sambayana.

ABLUCION, n. **Mayllay.**

ABOBADO, a, adj. **Upayashca.**

ABOBAR, v. a. **Upayachina.— IR A ABO-**BAR, Upayachigrina.— ESTAR ABOBANDO, Upayachimuna, ABOBARSE, Upayana.

ABOFETEAR, v. a. **Sagmana.— IR A** ABOFETEAR, Sagmagrina.— ESTAR ABOFETEANDO, Sagmacuna.— ABOFETEAR Y VENIR, Sagmamuna.— HACER ABOFETEAR, Sagmachina.— ABOFETEARSE MUTUAMENTE, Sagmarina.

ABOMINABLE, p. a. **Millanaypag.**

ABOMINAR, v. a. **Millana.—** ESTAR ABOMINANDO, Millacuna.— ABOMINARSE A SI PROPIO, Millarina.— ABOMINARSE RECIPROCAMENTE, Millacuna.

ABONANZAR, v. n. **Usiana.—** IR A ABONANZAR, Usiagrina.— ESTAR ABONANZANDO, Usiacuna.— EMPEZAR A ABONANZAR, Usiamuna.

ABONAR, v. a. **Huanuna.— IR A ABO-**NAR, Huanumuna.— HACER ABONAR, Huanuchina.

ABONO, n. **Huanu.**

ABORRECER, v. a. **Millana; Chignina.** En cuanto a las derivaciones, véase ABOMINAR.

ABORRECIDO, a. adj. **Millashca; Chignishca.**

ABORRECIMIENTO, n. **Millay; Chigni.**

ABORTAR, v. n. **Shuglluna.—** IR A ABORTAR, Shugllugrina.— ESTAR ABORTANDO, Shugllucuna.— HACER ABORTAR, Shuglluchina.

ABORTIVO, n. **Shullushca; Shullu.** Droga que hace abortar, **Shulluchig.**

ABORTO, n. **Shulluy.**

ABRASADO, a. p. p. **Rupashca.**

ABRASAR, v. a. Véase QUEMAR.

ABRAZADO, a. p. p. **Ugllashca.**

ABRAZAR, v. a. **Ugllana.** Sus derivados, iguales a los que tiene en la acepción EMPOLLAR.

ABRAZO, n. **Ugllay.**

ABREVADERO, n. **Upiachina o Yacuchi na pugyu.**

ABREVAR, v. a. **Upiachina.— IR A** ABREVAR, Upiachigrina.— ESTAR ABREVANDO, Upiachicuna.— **VENIR DESPUES** DE ABREVAR, Upiachimuna.

ABREVIADO, a. p. p. **Utcashca.**

ABREVIADOR, a. adj. **Utcag.**

ABREVIAR, v. a. **Utcana.— IR A ABRE-**VIAR, Utcagrina.— ESTAR ABREVIANDO, Utcacuna.— VENIR ABREVIANDO, Utcamuna.— HACER ABREVIAR, Utcachina.

ABRIGAR, v. a. Véase CALENTAR.

ABRIGO, n. Véase CALOR.

ABRIR, v. a. **Pascana.—** IR A ABRIR, Pascagrina — ESTAR ABRIENDO, Pascacuna.— ABRIR Y VENIR, Pascamuna.— HACER ABRIR, Pascachina.— ABRIRSE ALGUNA COSA DE SUYO, Pascarina.— HALLARSE ABIERTA ALGUNA COSA DE PAR EN PAR, Pascaracuna.

ABSOLVER, v. a. **Juchata pichana; Millayta pambanchina.**

ABSORTO, a. adj. **Upayashca.**

ABUELA, n. **Jatun mama.**

ABUELO, n. **Jatun tayta; Jatun yaya.**

ABUNDANCIA, n. **Usuy.**

ABUNDAR, v. n. **Usuna.— IR A ABUN-**DAR, Usugrina.— ESTAR ABUNDANDO, Usucuna.— EMPEZAR A ABUNDAR, Usumuna.— HACER ABUNDAR, Usuchina.

ABURRIR, v. a. Véanse ENOJAR y ENFADAR.

ACA, adv. **Cayman.** MAS ACA, **Caynigman.** DE ACA PARA ALLA, **Cayman chayman.**

ACABADO, a. p. p. Tucuchishca.

ACABAR, v. a. **Tucuchina.— IR A ACA-**BAR, Tucuchigrina.— ESTAR ACABANDO, Tucuchicuna.— ACABAR Y VENIR, Tucuchimuna.— HACER ACABAR, Tucuchichina.— ACABARSE ALGO, Tucuchirina o Tucurina.— ACABAR ENTRE DOS O MAS, Tucuchinacuna.— HACER QUE OTRO U OTROS ACABEN, Tucuchichina.

ACARREADO, a. p. p. **Astashca.**

ACARREAR, v. a. **Astana.**— IR A ACARREAR, Astagrina.— ESTAR ACARREANDO, Astacuna.— VENIR ACARREANDO, Astamuna.— HACER ACARREAR, Astachina.— ACARREARSE (en el sentido de transportar los muebles a otra habitación), Astarina.— ACARREAR ENTRE DOS O MAS, Astanacuna.

ACARREO o **Acarreto, n. Astay.**

ACASO, adv. **Icha; Ichapish.**

ACAUDALADO, a. adj. **Chayug; Charig; Cullquisapa.**

ACAUDALAR, v. n. **Chayugyana.— ES**TAR ACAUDALANDO, Chayugyacuna.— VOLVER ACAUDALANDO, Chayugyamuna.— HACER QUE OTRO ACAUDALE, Chayugyachina.

ACCEDER, v. n. **Arinina.**— IR A ACCEDER, Arinigrina.— ESTAR ACCEDIENDO, Arinicuna, VENIR DESPUES DE ACCEDER, Arinimuna.— HACER QUE OTRO U OTROS ACCEDAN, Arinichina.

ACECINADO, a. p. p. **Charquishca.**

ACECINAR, v. a. **Charquina.**— IR A ACECINAR Charquigrina.— ESTAR ACECINANDO, Charquicuna.— ACECINAR Y VENIR, Charquimuna.— HACER ACECINAR, Charquichina.

ACECHAR, v. a. **Ima millayta rurrangapa chapana.**

ACECHO, n. **Chapay.**

ACEDARSE, v. n. **Puscurina.**— IRSE A ACEDAR, Puscurigrina.— ESTAR ACEDANDOSE, Puscuricuna.— PRINCIPIAR A ACEDARSE, Puscurimuna.— HACER QUE ALGO SE ACEDE, Puscuchina.

ACEDO, a. adj. Puscushca.

ACEPTANTE, p. a. **Arinig; Chasquig.**

ACEPTAR, v. a. **Arinina; Chasquina.** Véase RECIBIR.

ACEQUIA, n. **Parcu.**

ACERA, n. **Manya.**

ACERCA DE, adv. **Cay jahua** o **Chay jahua,** según se trate de esto o de aquello.

Parcu

ACERCAR, v. a. **Pircana,** si el cerramiento es de adobe o de piedra; **Quinzhana,** si de barras de madera.

ACERCAR, v. a. Véase APROXIMAR.

ACIAGO, a, adj. **Chiqui.**

ACLARAR, v. n. **Achigyana.**

Manya

ACERCAR, v. a. **Pircana,** si el cerramiento es de adobe o de piedra; **Quinzhana,** si de barras de madera.

ACERCAR, v. a. Véase APOXIMAR.

ACIAGO, a. adj. **Chiqui.**

ACLARAR, v. n. **Achigyana.**— IR A ACLARAR, Achigyagrina.— ESTAR ACLARANDO, Achigyacuna.— EMPEZAR A ACLARAR, Achigyamuna.— HACER QUE ACLARE, Achigyachina.

ACLOCARSE (las aves hembras), v. r. **Cuglagyana.**— ESTAR A PUNTO DE ACLOCARSE, Cuglagyagrina.— ESTAR ACLOCANDOSE, Cuglagyacuna.— HACER QUE UNA AVE SE ACLUEQUE, Cuglagyachina.— **Cuglag,** parece corrupción de clueca, y no vocablo quichua puro.

ACOCEADO, a. p. p. Jaytashca.

ACOCEAR, v. a. Véase **PATEAR.**

ACOGER, v. a. **Chasquina.** Véase RECIBIR.

ACOGIDO, a. p. p. **Chasquishca.**

ACOMODADO, a. (por bien arreglado o dispuesto), p. p. **Allichishca.**

ACOMODAR, v. a. Véase ARREGLAR.

ACOMPAÑADO, a. p. p. **Shughuan tucushca; Shugcunahuan pagta causag; Mana sapalla purig.**

ACOMPAÑAR, v. a. **Shugta catina; Shughuan causana.**— ACOMPAÑARSE, **Maycanhuan tandarina.**

ACONSEJADO, a. p. p. **Cunashca.**

ACONSEJAR, v. a. **Cunana.— IR A A**CONSEJAR, Cunagrina.— ESTAR ACONSEJANDO, Cunacuna.— VENIR DESPUES DE ACONSEJAR, Cunamuna.— HACER

ACONSEJAR, Cunachina.— ACONSEJAR CONSTANTEMENTE, Cunarana.— ACONSEJARSE MUTUAMENTE, Cunanacuna.

ACOPIADO, a. p. p. **Tandachishca.**

ACOPIAR, v. a. **Tandachina.** Véase RECOGER.

ACORADARSE, v. r. **Yuyana; Yuyarina.**— IR A ACORDARSE, Yuyarigrina.— ESTAR ACORDANDOSE, Yuyaricuna.— EMPEZAR A ACORDARSE O VENIR DESPUES DE ACORDARSE, Yuyarimuna.

ACORTADO, a. p. p. **Cutuyachishca.**

ACORTAR, v. a. **Cutuyachina.**— IR A ACORTAR, Cutuyachigrina.— ESTAR ACORTANDO, Cutuyachicuna.— ACORTAR Y VENIR, Cutuyachimuna.

ACOSAR, v. a. **Catirana.**

ACOTADO, a. adj. **Muyundita unanchishca.**

ACOTAR, v. a. **Muyundita unanchina.**

ACOSTADO, a. p. p. **Sirichishca; Sirishca.**

ACOSTAR, v. a. **Sirichina.**— IR A ACOSTAR, Sirichigrina.— ESTAR ACOSTANDO, Sirichicuna.— VENIR DESPUES DE ACOSTAR, Sirichimuna.

ACOSTARSE, v. r. **Siririna.**— IR A ACOSTARSE, Siririgrina.— ESTAR ACOSTANDOSE, Siriricuna.— PERMANECER CONSTANTEMENTE ACOSTADO, Sirirana.

ACRECENTADO, a. p. p. **Jatunyachishca; Mirachishca.**

ACRECENTAR, v. a. **Jatunyachina.**— IR A ACRECENTAR, Jatunyachigrina|— ESTAR ACRECENTANDO, Jatunyachicuna.— ACRECENTAR Y VENIR, Jatunyachimuna. — ACRECENTARSE ALGO, Jatunyana.

ACRITUD, n. **Jayay.**

ACTUALIDAD, n. **Cunanpacha.**

ACUATICO, a. adj. **Yacupi tiag; Yacupi huiñag; Yacupi causag.**

ACUEDUCTO, n. **Parcu; Rarca.**

ACULLA, adv. **Chaynigpi; Chaynigman.**

ACUOSO, a. adj. **Yacusapa.**

ACURRUCADO, a. p. p. **Curparishca; Tuzuyashca.**

ACURRUCARSE, v. r. **Curparina; Tuzuyana.**

ACHICAR, v. a. **Cutuyachina.**— IR A ACHICAR, Cutuyachigrina.— ESTAR ACHICANDO, Cutuyachicuna.— ACHICAR Y VENIR, Cutuyachimuna.— ACHICARSE, Cutuyarina; Cutuyana.

ACHICORIA, n. **Tañi** (la silvestre).

ACHISPADO, a. p. p. **Ashalla machashca.**

ACHISPARSE, v. r. **Ashalla macharina.**

ADEHALA, n. **Yapa.**

ADELANTADO, a. p. p. **Ñaupachishca.**

ADELANTAR, v. a. **Ñaupachina.**— IR A ADELANTAR, Ñaupachigrina. — ESTAR ADELANTANDO, Ñaupachicuna.— TRAER A ALGUIEN POR DELANTE, Ñaupachimuna.

ADELANTAR, v. n. **Ñaupana.**— IR A ADELANTAR, Ñaupagrina.— ESTAR ADELANTADO, Ñaupacuna.— VENIR ADELANTANDO, Ñaupamuna.— HACER QUE OTRO ADELANTE, Ñaupachina.

ADELGAZADO, a. p. p. **Ñañuyachishca; Ñañuyashca.**

ADELGAZAR, v. a. **Ñañuyachina.**— IR A ADELGAZAR, Ñañuyachigrina.— ESTAR ADELGAZANDO, Ñañuyachicuna.— VENIR ADELGAZANDO, Ñañuyachimuna.— ADELGAZARSE ALGO, Ñañuyarina.— HACER ADELGAZAR, Ñañuyachina.

ADEMAS, adv. **Ñatag; Cutinca; Chaymantaca.**

ADENTRO, adv. **Ucupi,** con verbos de quietud, vga. "Adentro está": **"Ucupimi"**— con verbos de movimiento, se dice **Ucuman;** vga. "Ven adentro": "Ucuman shamuy".

ADHERIDO, a. p. p. **Llutarishpa.**

ADHERIRSE, v. r. **Llutarina.**— ESTAR TENAZMENTE ADHERIDO, Llutarana.

ADIOS, interj. **Ricunacungacama.** Suele añadirse "si estamos vivos", "causashpaca".

ADMIRABLE, adj. **Mana ricushca; Sumaymana.**

ADMITIR, v. a. **Chasquina.**— IR A ADMITIR, Chasquigrina.— ESTAR ADMITIENDO, Chasquicuna.— VENIR DESPUES DE HABER ADMITIDO, Chasquimuna.— HACER ADMITIR, Chasquichina.— ADMI-

TIR MUTUAMENTE O ADMITIR ENTRE VARIOS, Chasquinacuna.

ADONDE, adv. **Mayman** o **maymanta,** cuando se pregunta, vga. "Adónde me llevas?": "Maymanta apahuangui?". Cuando se contesta, se dice **"Maymanmi",** vga. "Adónde yo me voy": "Maymanmi ñuca rini".

ADOQUIERA, adv. **Maymanpish.**

ADORADO, a. p. p. **Yallimana cuyashca.**

ADORAR, v. a. **May cuyana; Yallimana cuyana; ancha cuyana.**

ADORAR (por reverenciar), v. a. **Muchana,** muy poco usado.

ADORATORIO, n. **Usnu,** anticuado.

ADORMECERSE (por dormitar), v. r. **Puñurina.** En la acepción de marchitarse algo las plantas, **Huañurina.**

ADORMECIDO, a. p. p. **Huañurishca.**

ADOBE, n. **Tica,** anticuado.

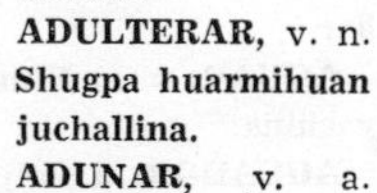

Tica

ADULTERAR, v. n. **Shugpa huarmihuan juchallina.**

ADUNAR, v. a. Véase **Juntar.**

ADUSTO, a, adj. **Piñashca; Puscushca.**

ADVENEDIZO, a. **Chican llagta runa; Shamuglla.** Por insulto, suelen llamarlo **Hayra apamushca,** es decir, "Traído por el viento".

ADVERSIDAD, n. **Llaqui.**

ADYACENTE, adj. **Cuchullapi tiag.**

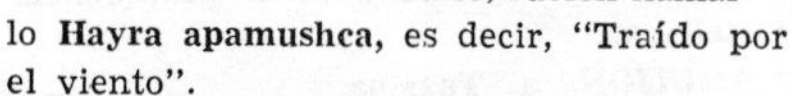

AFABLE, adj. **Mishquishimi.**

AFAN, n. **Ñacay.**

AFANARSE, v. r. **Ñacarina.**— ESTAR AFANANDOSE, Ñacaricuna.

AFICION, n. **Nayay.**

AFICIONARSE, v. r. **Nayana.**— ESTAR AFICIONADO, Nayacuna.

AFILADO, a. adj. **Mulashca.**

AFILAR, v. a. **Mulana.**— IR A AFILAR, Mulagrina.— ESTAR AFILANDO, Mulacuna, VENIR DESPUES DE AFILAR, Mulamuna.— HACER AFILAR, Mulachina.—

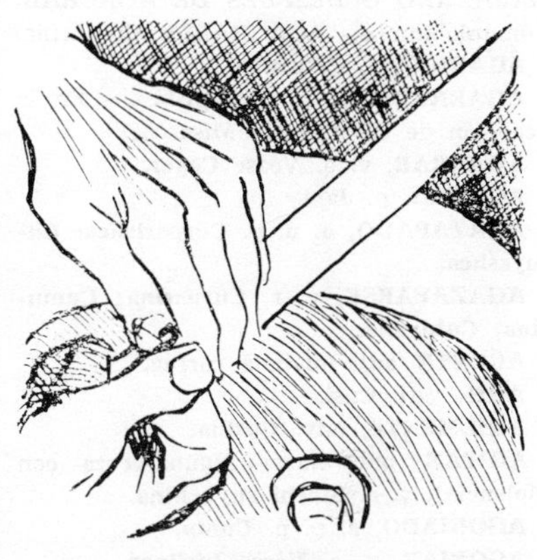

Mulana

AFILAR CON FRECUENCIA, Mularana.

AFIRMACION, n. **Ari nina.**

AFIRMADOR, a. adj. **Arinig.**

AFIRMAR, v. a. **Arinina.**— IR A AFIRMAR, Arinigrina.— ESTAR AFIRMANDO, Arinicuna.— VENIR DESPUES DE HABER AFIRMADO, Arinimuna.— HACER AFIRMAR, Arinichina.

AFLICCION, n. **Llaqui; musuy.**

AFLIGIR, v. a. **Llaquichina.**— IR A AFLIGIR, Llaquichigrina.— ESTAR AFLIGIENDO, Llaquichimuna.— VENIR AFLIGIENDO O DESPUES DE HABER AFLIGIDO, Llaquichimuna.— AFLIGIRSE, Llaquina.

AFLOJADO, a. p. p. Ashalla cacharishca.

AFLOJAR, v. a. Ashalla cacharina.

AFRECHO, (especialmente maíz germinado y cocido, para chicha), n. **Jamchi.**

AFUERA, adv. **Canzhapi,** con verbos de quietud, vga. "Afuera quedó": "Canzhapimi saquirirca". Con verbos de movimiento, se dice **Canzhaman,** vga. "Voy afuera": Canzhamanmi rini".

AGACHADO, a. p. p **Cumurishca; Cumu.**

AGACHAR, v. a. **Cumurichina.**— IR A AGACHAR, Cumurichigrina.— ESTAR AGACHANDO, Cumurichicuna.— VENIR A-

GACHANDO O DESPUES DE AGACHAR, Cumunichimuna.- AGACHARSE, Cumurina.

AGARICO, n. **Callamba.**

AGARRADO, a. p. p. **Japishca.**— En la acepción de CICATERO, **Misa.**

AGARRAR, v. a. Véase **Coger.**

AGARRO, n. **Japi.**

AGAZAPADO, a. p. p. **Curparishca; Cutuyashca.**

AGAZAPARSE, v. r. **Curparina; Cumurina; Cutuyana.**

AGENTE adj. **Imallata rurrag.**

AGIL, adj. **Cusi.**

AGILMENTE, adv. **Cusilla.**

AGITAR (por mover alguna cosa con violencia), v. a. **Sinchi cuyuchina.**

AGOBIADO, a. p. p. **Cumu.**

AGOBIAR, v. a. Véase **Inclinar.**

AGOLPARSE (por reunirse tumultuosamente en un lugar muchas personas), v. r. **Tacarina.**

AGONIA n. **Huañucuna; Pitiricuna.**

AGONIZANTE, adj. **Huañucug; Pitiricug.**

AGONIZAR, v. n. **Huañucuna; Pitiricuna.**

AGORGOJADO, a. p. p. **Curu micushca; Curushca.**

AGORGOJARSE, v. r. **Cururina; Curuna.** Véase **Aguzanarse.**

AGOSTADO, a. p. p. **Huañurishca,** ESTAR AGOSTANDOSE, Huañuricuna.

AGRACEJO (una especie de él), n. **Shuspilla.**

AGRANDADO, a. p. p. **Jatunyachishca.**

AGRANDAR, v. a. **Jatunyachina.**— IR A AGRANDAR, Jatunyachigrina.—.— ESTAR AGRANDANDO, Jatunyachicuna.— VENIR AGRANDANDO, Jatunyachimuna.— AGRANDARSE, Jatunyana.

AGREGADO, a. p. p. **Mirachishca; Yapashca.**

AGREGAR, v. a. **Mirachina.**— IR A AGREGAR, Mirachigrina.— ESTAR AGREGANDO, Mirachicuna.— VENIR DESPUES DE AGREGAR, Mirachimuna.— AGREGARSE DE SUYO LA COSA, Mirana.

AGRICULTOR, a. adj. **Chagra rurrag.**

AGRICULTURA, n. **Chagra rurray.**

AGRIO, a. adj. **Jayag.** Tratándose de personas de carácter duro, **Piña.**

AGRUPAR, v. a. **Tandachina.** Véase **Recoger.**

AGRURA, n. **Jayay;** la de las personas **Piñay.**

AGUA, n. **Yacu.**— AGUA DULCE, **Mishqui yacu.**— AGUA CENAGOSA, **Guzu yacu.**— AGUA DE LLUVIA, **Tamia yacu.**— AGUA DE FUENTE, **Pugyu yacu.**— AGUA SUCIA, **Mapa yacu.**

Yacu

AGUACATE, n. **Palta.**

AGUADIJA, n. **Yacu quia.**

AGUADOR, a. adj. **Yacu astag.**

AGUAMANOS, n. **Maqui mayllana yacu.**

AGUANOSO, a. adj. **Yacusapa.**

AGUAITAR, v. a. **Chapana.** Véase **Atisbar.**

AGUAR, v. a. **Yacuhuan chapuna; Yacuyachina.**

AGUADOR, a. adj. **Shuyag.**

AGUARDAR, v. a. **Shuyana.** Véase **Esperar.**

AGUERO (malo), n. **Chiqui.** Cosa o persona de mal agüero, **Chiqui.**

AGUIJAR (tratándose de los bueyes que aran, v. a. **Garruchahuan tugsishpa carcuna.** La palabra **garrucha** es de procedencia castellana.

AGUIJON, n. **Tugsina.**

AGUJEREADO, a. adj. **Jutcushca.**

AGUJEREAR, v. a. **Jutcuna.**— IR A AGUJEREAR, Jutcugrina.— ESTAR AGUJEREANDO, Jutcucuna.— VENIR AGUJEREANDO O DESPUES DE AGUJEREAR, Jutcumuna.— HACER AGUJEREAR, Jutcuchina.— AGUJEREAR ENTRE DOS O MAS PERSONAS, Jutcunamuna.— AGUJEREARSE DE SUYO ALGUNA COSA, Jutcurina.

AGUJERO, n. **Jutcu.**

AGUSANADO, a. p. p. **Curushca.**

AGUSANARSE, v. r. **Curuna.**— IR A AGUSANARSE, Curugrina.— ESTAR AGUSANANDOSE, Curucuna; EMPEZAR A

AGUSANARSE, Curumuna.— HACER QUE ALGO SE AGUSANE, Curuchina. También **Cururina** significa AGUSANARSE.

AGUZADOR, a. p. a. **Mulag.**

AGUZAR, v. a. **Mulana.** Véase AFILAR.

AH!, interj. de dolor, espanto, etc. **Alau!**

AHI, adv. **Chaypi.**— HE AHI, **Chayca.**— POR AHI, **Chayta.**

AHIJAR (por echar una planta renuevos radicales), v. n. **Huachamuna. Chigchimuna.**

AHITARSE, v. r. **Sagsana.** Véase HARTARSE.

AHITO, a. adj. **Sagsashca.**

AHORA, adv. **Cunan; Cunan punzha.**— HASTA AHORA, **Cunancama.**— DESDE AHORA, **Cunanmantapacha.** — AHORA BIEN, **Cunanca; Chasnaca**

AHORCADO, a, p. p. **Sipishca.**

AHORCAR, v. a. **Sipina.** — IR A AHORCAR, Sipigrina. — ESTAR AHORCANDO, Sipicuna.— AHORCAR Y VENIR, Sipimuna.- HACER AHORCAR, Sipichina. — AHORCARSE, Sipi rina.

Sipishca

AHORQUILLADO, a. p. p. **Pallcashca.**

AHORQUILLAR, v. a. **Pallcana** o **Pallcata rurrana.**

AHUECADO, a. p. p. **Pugruyachishca; Jutcushca.**

AHUECAR, v. a. **Pugruyachina.**— IR A AHUECAR, Pugruyachigrina.— ESTAR AHUECANDO, Pugruyachina.— VENIR AHUECANDO O DESPUES DE AHUECAR, Pugruyachimuna.— AHUECARSE DE SUYO ALGUNA COSA, Pugruyana o Pugruyarina.

AHUMADO, a, p. p. **Susniashca.**

AHUMAR, v. a. **Cusniachina.**— IR A AHUMAR, Cusniachigrina.— ESTAR AHUMANDO, Cusniachicuna.— VENIR AHUMANDO O DESPUES DE AHUMAR, Cusniachimuna.— AHUMARSE ALGUNA COSA, Cusniarina o Cusniana.

AHUYENTADO, a. p. p. **Miticuchishca.**

AHUYENTAR, v. a. **Miticuchina.**— IR A AHUYENTAR, Miticuchigrina.— ESTAR AHUYENTANDO, Miticuchicuna.— HABER AHUYENTADO Y VENIR, Miticuchimuna.

AIRADO, a. p. p. **Piñashca.**

AIRAR, v .a. **Piñachina.** Véase EMBRAVECER.

AIRE, n. **Huayra.**

AIREAR, v. a. **Huayrachina.**— IR A AIREAR, Huayrachigrina.— ESTAR AIREANDO, Huayrachicuna.— VENIR DESPUES DE AIREAR, Huayrachimuna.— AIREARSE ALGUNA COSA DE SUYO, Huayrarina. Véase AVENTAR.

AISLADO, a, p. p. **Chicanchishca; Sapalla.**

AISLAR, v .a. **Chicanchina.** Véase APARTAR.

AJENO, a. adj. **Shugpag,** vga. "Casa ajena": "Shugpag huasi".

AJI, n. **Uchu.**— Ají ordinario o común de los indios, **Rucutu o Rocoto,** por corrup. Ají más fino y de mejor aroma, **Mishqui uchu.** Comer alguna preparación de ají, **Uchuna.**

AJUSTADO, a, p. p. **Pagta.**

AJUSTAR, v. a. **Pagtachina.**— IR A AJUSTAR, Pagtachigrina.— ESTAR AJUSTANDO, Pagtachicuna.— HABER AJUSTADO Y VENIR, Pagtachimuna.— AJUSTAR ENTRE VARIOS, Pagtachinacuna.— AJUSTARSE ALGO DE SUYO, Pagtarina.

AJUSTE, n. **Pagtay.**

ALABADO, a. p. p. **Muchashca,** muy poco usado.

ALABAR, v. a. **Muchana;** también de muy poco uso.

ALACENA, n. **Tucu; Cahuitu.**

ALARGADO, a, p. p. **Suniachishca.**

ALARGAR, v. a. **Suniachina.**— IR A ALARGAR, Suniachigrina.— ESTAR ALARGANDO, Suniachicuna.— VENIR DESPUES DE

Tucu

ALARGAR, Saniachimna. — ALARGARSE ALGUNA COSA DE SUYO, Suniachimuna.— ALARGARSE ALGUNA COSA DE SUYO, Suniarina o Suniana.

ALARIDO, n. **Alau! nina.**

ALARMA, n. **Jatun manchay.**

ALARMAR, v. a. Véase ESPANTAR.

ALBA, n. **Pacarina; Pacari.**

ALBEDRIO, n. **Quinquin munay.**

ALBERGUE, n. **Runapag huasi; huagchapa choglla; Curupag machay.**

ALBO, a. adj. **Yallimana yurag.**

ALBORADA, n. **Pascarinapacha; Loria.**

ALBOREAR, v. n. **Pascarigrina, Loriana.**

ALBOROTAR, v. a. **Manchachishpa callpachina.** ALBOROTARSE, **Mancharishca callpana.**

Pactachishca

ALCANZADO, a. (por tomado de parte alta), p. p. **Pactachishca.**

ALCANZAR, v. a. (por ser suficiente), Pagtana.— IR A ALCANZAR, Pagtagrina.— ESTAR ALCANZANDO, Pagtacuna.— HABER HECHO ALCANZAR Y VENIR UN INDIVIDUO PARA ALGUN TRABAJO U OCUPACION, Pagtarina.— En la significación de tomar una cosa de parte alta, tiene análogas derivaciones.

ALECCIONADO, a. p. p. **Yachachishca.**

ALECCIONAR, v. a. Yachachina. Véase ENSEÑAR.

ALEGRAR. v. a. **Cushichina**— IR A ALEGRAR, Cushichigrina.— ESTAR ALEGRANDO, Cushichicuna.— VENIR DESPUES DE ALEGRAR A ALGUIEN, Cushichimuna.— ALEGRARSE, Cushina.

ALEGRE, adj. **Cushi; Cushilla.**

ALEGREMENTE, adv. **Cushilla.**

ALEGRIA, n. **Cushi.**

ALEJADO, a. p. p. **Caruyachishca; Caruyashca.**

ALEJAR, v. a. **Caruyachina.**— IR A ALEJAR, Caruyachigrina.— ESTAR ALEJANDO, Caruyachicuna.— VENIR DESPUES DE HABER ALEJADO, Caruyachimuna.— Alejarse, Caruyana.

ALFARERIA, n. **Manga rurray.**

ALFARERO, a. n. **Manga rurrag.**

ALGO, n. **Ima; Imalla.**- ALGO DE CUYA NATURALEZA O CONDICION SE DUDA, **Imacha; Imachari;** vga. "¿Qué habrá sucedido?": "Imachari tiashca?"

ALGODON, n. **Utcu,** **Mangarrurrag** anticuado.

ALGUIEN, pron. indet. **Maycan; Pi.**

ALGUNO, a. adj. **Maycan.**

ALENTAR (por infundir ánimo), v. a. **Sinchiyachina.**

ALIMAÑA, n. **Maru.**

ALIMENTACION, n. Véase COMIDA.

ALIMENTAR, v. a. **Carana.**— IR A ALIMENTAR, Caragrina.— ESTAR ALIMENTANDO, Caracuna.— VENIR ALIMENTANDO O DESPUES DE ALIMENTAR, Caramuna.— ALIMENTARSE O ALIMENTARTE, Carahuana.— ALIMENTAR ENTRE DOS O MAS, Caranacuna.— ALIMENTARSE, Véase COMER.

ALIMENTO, n. **Micuna; micuy.**

ALINDADO o **Alinderado,** a. p. p. **Muyundita unanchishca.**

ALINDAR o **Alinderar,** v. a. **Muyundita unanchina.**

ALISADO, a. p. p. **Llambuchishca; Llambuyachishca; Llambushca.**

ALISAR, v. a. **Llambuyachina.**— IR A ALISAR, Llambuyachigrina.— ESTAR ALISANDO, Llambuyachicuna.— VENIR ALISANDO O DESPUES DE ALISAR, Llambuyachimuna.

ALISO (americano) n. **Rambrán** o **Ramran.**

ALMACIGA, n. **Muyu cocha.**— HACER UNA ALMACIGA, **Cochanchina.**

ALMANTA (por canero), n. **Milga;** por corrup. **Melga.**

ALMIBAR, n. **Mishqui.**

ALMIBARADO, a. adj. **May mishqui.**

ALMIDON, n. **Chuñu.**

ALMOHADA, n. **Uma sauna.**

ALMOHADILLA, n. **Uchilla sauna.**

ALMORZAR (muy por la mañana), v. n. **Chinzhina.**— IR A ALMORZAR, Chinzhigrina.— ESTAR ALMORZANDO, Chinzhicuna.— VENIR DESPUES DE ALMORZAR, Chinzhimuna.— HACER QUE OTRO U OTROS ALMUERCEN, Chinzhichina.— ALMORZAR UN POCO MAS TARDE, Véase COMER.

ALMUERZO (muy por la mañana), n. **Chinzhi.**

ALOCADO, a, adj. **Huayrauma** (es decir, cabeza de viento); **Huayrashca.**

ALUNADO, a. adj. **Quilla japishca** (cogido por la luna).

ALTAMISA, (la del país), n. **Marcu.**

ALTANERO, a. adj. **Churanacug.**

ALTERCADO, **Ninacuy.**

Ninacuy

ALTERCAR, v. n. **Ninacuna.**— IR A ALTERCAR, Ninacugrina.— ESTAR ALTERCANDO, Ninacucuna.— VENIR DESPUES DE ALTERCAR O ALTERCANDO POR EL CAMINO, Ninacumuna.

ALTURA (por parte elevada), n. **Jahua; Jahuapata.**

ALUMBRADO, a. p. p. **Achigyachishca.**

ALUMBRAMIENTO, n. **Huachay.**

ALUMBRAR, v. a. **Achigyachina.**— IR A ALUMBRAR, Achigyachigrina.— ESTAR ALUMBRANDO, Achigyachicuna.— VENIR ALUMBRANDO O DESPUES DE ALUMBRAR, Achigyachimuna.— ALUMBRARSE DE SUYO ALGUNA COSA, Achigyarina.

ALZAR, v. a. **Jatarichina; Jahuachina.** Véase LEVANTAR.

ALLA, adv. **Chayman.** MAS ALLA, **Chaynigman.**

ALLANADO, a. p. p. **Pambanchishca.**

ALLANAR, v. a. **Pambachina.**— IR A ALLANAR, Pambanchigrina.— ESTAR ALLANANDO, Pambanchicuna.— VENIR ALLANANDO O DE ALLANAR, Pambanchimuna.

ALLEGADO, a. n. **Ayllu; Huasiucu** (esto es, de dentro de casa).

ALLEGAR (por juntar), v. a. **Tandana.**— Véase RECOGER.

ALLI, adv. **Chaypi.**— ALGO MAS LEJOS DE ALLI, **Chaynigpi.**— HE ALLI, **Chayca.**— DE ALLI, **Chaymanta.**— DESDE ALLI (lugar o tiempo), **Chaymantapacha.**

AMABLE, adj. **Cuyaypag.**

AMADO, a. p. p. **Cuyashca.**

AMADOR, a. adj. **Cuyag.**

AMAESTRADO a. p. p. **Yachachishca.**

AMAESTRAR, v. a. **Yachachina.**

AMAGAR, v. a. **Manchachina.**

AMALGAMA, n. **Chapu.**

AMALGAMAR, v. a. **Chapuna.** Véase MEZCLAR

AMAMANTAR, v. a. **Chuchuchina; Ñuñuchina.**— IR A AMAMANTAR, Chuchuchigrina.— ESTAR AMAMANTANDO, Chuchuchicuna.— VENIR DESPUES DE AMAMANTAR, Chuchuchimuna. Las mismas formas admite **Ñuñuchina.**

AMANCEBADO, a. p. **Shipasyug cari; Huaynayug huarmi.**

AMANCEBARSE, v. r. **Cari shipashuan causana; Huarmi huaynayug tucuna.**

AMANCILLADO, a. p. p. **Mapayachishca.**

AMANCILLAR, v. a. **Mapayachina.** Véase ENSUCIAR.

AMANECER, v. n. **Pacarina.**— IR A AMANECER, Pacarigrina.— ESTAR AMANECIENDO, Pacaricuna.— IR AMANECIENDO O EMPEZAR A AMANECER, Pacarimuna.

AMANECER (el), n. **Pacarina pacha; Pacarina.**

AMANTE, p. de pr. **Cuyag.**

AMAR, v. a. **Cuyana.**— IR A AMAR, Cuyagrina.— ESTAR AMANDO, Cuyacuna.— VENIR AMANDO DESDE HACE ALGUN TIEMPO, Cuyamuna.— HACER A-

MAR, Cuyachina.— AMAR CON TESON, Cuyarana.— AMARSE A SI PROPIO, Cuyarina.— AMARSE MUTUAMENTE, Cuyanacuna.

AMARGAR, v. a. **Jayana.** Véase PICAR.

AMARGOR, n. **Jayay.**

AMARILLEAR, v. n. **Quilluyana.**— IR A AMARILLEAR, Quilluyagrina.— ESTAR AMARILLEANDO, Quilluyacuna.— VENIR AMARILLEANDO O EMPEZAR A PONERSE AMARILLO, Quilluyamuna.— HACER AMARILLEAR, Quilluyachina.— AMARILLEARSE, Quilluyarina.

AMARILLENTO, a. adj. **Quilluyashca; Quillulla.**

AMARILLO, a. adj. **Quillu.**

AMARRADERO, n **Huatana.**

AMARRADO, a. p. p. **Huatashca.**

Huatashca

AMARRAR, v. a. **Huatana.**— IR A AMARRAR, Huatagrina.— ESTAR AMARRANDO, Huatacuna. — AMARRAR Y VENIR, Huatamuna.— HACER AMARRAR, Huatachina.- AMARRARSE, Huatarina. — AYUDAR A AMARRAR ENTRE VARIOS, Huatanacuna.— ESTAR UN INDIVIDUO O UN ANIMAL CONSTANTEMENTE AMARRADOS, Huatarana.— AMARRARTE O AMARRARME, Huatahuana.

AMIBICIONAR, v. n. **Imallata may munana.**

AMBOS, adj. **Ishcandi.**

AMBRINA (yerba), n. **Paicu.**

AMEDRENTADO, a. p. p. **Manchachishca; Manchay yaycushca.**

AMEDRENTAR, v. a. **Manchachina.** Véase ESPANTAR.

AMENAZAR, v. a. Véase AMEDRENTAR.

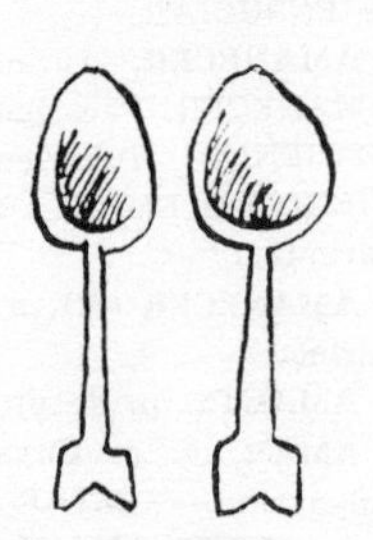

Ishcandi

AMENTE, adj. **Upa; Muspag.**

AMILANADO, a. p. p. **Irquiyashca; Tuzuyashca.**

AMISIBLE, adj. **Chingaypaglla.**

AMOJONAR, v. a. **Unanchina.** Véase SEÑALAR.

AMOLADO, a. p. p. **Mulashca.**

AMOLAR, v. a. **Mulana** (derivado indudablemente del mismo verbo castellano). Véase AFILAR.

AMONESTACION, n. **Cunay.**

AMONESTADO, a. p. p. **Cunashca.**

AMONESTAR, v. a. **Cunana.**— IR A AMONESTAR, Cunagrina.— ESTAR AMONESTANDO, Cunacuna.— VENIR AMONESTANDO O DESPUES DE AMONESTAR, Cunamuna.— HACER AMONESTAR, Cunachina Véase ACONSEJAR.

AMONTONAR, v. a. **Imallata tandachishpa paltanacuna.**

AMOR, n. **Cuyay.**

AMORATADO, a. p. p. **Sañiyashca** o **Sañiashca.**

AMORATAR, v. a. **Sañiachina.**— IR A AMORATAR, Sañiachigrina.— ESTAR AMORATANDO, Sañiachicuna.— VENIR AMORATANDO O DESPUES DE AMORATAR, Sañiachimuna.— AMORATARSE, Sañiana.

AMORIO, n. **Cuyay; Cuyanacuy.**

AMOROSO, a. adj. **Ancha; May cuyag; Cuyaysapa.**

AMORTAJADO, a. p. p. **Maytushca aya.**

AMORTAJAR, v. a. **Ayata maytuna.**

AMORTECIDO, a. adj. **Huañurishca.**

AMORTECERSE, v. r. **Huañurina.**

AMORTIGUADO, a. p. p. **Huañushca.**

AMORTIGUARSE, v. r. **Huañuna; Huañurina;** vga. "Amortiguarse el pie": "**Chaqui huañurina**".

AMOVIBLE, adj. **Cuyuchipaglla; Anchuchipag.**

AMPARAR, v. a. **Yanapana.** Véase AYUDAR.

AMPARO, n. **Yanapay.**

AMPLEXO, n. Véase ABRAZO.

AMPLIAR, v. a. **Imallata jatunyachina; suniachina.**

AMPLIO, a. adj. **Jatun.**

AMPUTACION, n. **Cuchuy.**

AMPUTAR, v. a. **Cuchuna.** Véase CORTAR.

AMUGRONAR, v. a. **Imalla mallquita cumurichish pambana, quipa sapiagpi cuchushpa, chican mallquingapa.**

AMUJERADO, a. adj. **Huarmiashca; Huallmicu.**

AMUJERARSE, v. r. **Huarmiana; Huallmicu tucuna.**

AMURALLADO a. p. p. **Muyundita pircashca.**

AMURALLAR, v. a. **Muyundita pircana, allpahuan, rumihuan, caspihuanpish cachun.**

ANALOGO, a. adj. **Rigchag.**

ANCA, n. **Siquipata.**

ANCIANO, a. adj. **Rucu; Yayag.** Si es hembra, **Paya.**

ANCHO, a. adj. **Quingrayman jatun.**

ANDABA, n. **Purishca; Puri.**

ANDANTE, adj. **Purig; Puriglla; Llagtamuyug.**

ANDAR, v. a. **Purina.**— IR A ANDAR, Purigrina.— ESTAR ANDANDO, Purimuna.— VENIR ANDANDO O DESPUES DE HABER ANDADO EN PARTES LEJANAS, Purimuna.— HACER ANDAR, Purichina.— ANDAR DE AQUI PARA ALLA, Purirana.

ANDARIEGO, a. adj. **Yanga purig.**

ANDARIN, n. **Llagtamuyug.**

ANDEN, n. **Quichqui; Purina manya.**

ANDRAJO, n. **Llachapa.**

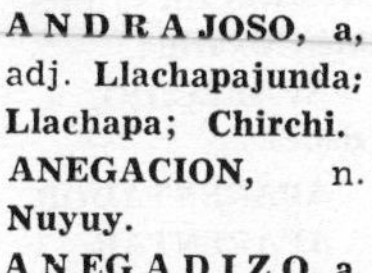

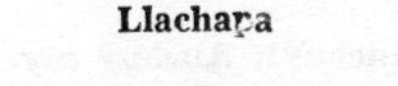

Llachapa

ANDRAJOSO, a, adj. **Llachapajunda; Llachapa; Chirchi.**

ANEGACION, n. **Nuyuy.**

ANEGADIZO, a, adj. **Nuyuglla.**

ANEGAR, v. a. **Nuyuchina.**— IR A ANEGAR, Nuyuchigrina.— ANEGARSE, Nuyucuna. Véase REMOJAR.

ANEMIA, n. **Yahuar yacuyana unguy.**

ANFORA, n. **Huallu.**

Huallu

ANGARILLAS, n. **Chacana; Huandu.**

ANGINA, n. **Tunguri quichquiana unguy.**

ANGOSTAR, v. a. **Quichquiachina.** Véase ESTRECHAR.

ANGOSTO, a. adj. **Quichqui.**

ANGUSTIA, n. **Ñacay; Jatun llaqui.**

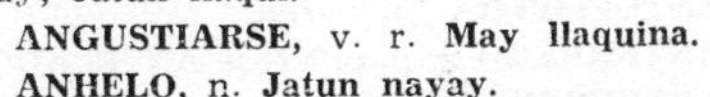

ANGUSTIARSE, v. r. **May llaquina.**

ANHELO, n. **Jatun nayay.**

ANIDADO, a. p. p. **Cuzhashca.**

ANIDAR, v. n. **Cuzhana.**— IR A ANIDAR, Cuzhagrina.— ESTAR ANIDANDO, Cuzhacuna.— EMPEZAR A HACER EL NIDO, Cuzhamuna.— HACER ANIDAR, Cuzhachina.— AYUDAR A HACER EL NIDO, Cuzhanacuna.

ANIDADO, a. (por alentado), p. p. **Sinchiashca.**

ANIMAR, v. a. Véase FORTIFICAR.

ANIQUILADO, a. p. p. **Puchucarishca.**

ANIQUILAR, v. a. **Puchucana.**— IR A ANIQUILAR, Puchucagrina.— ESTAR ANIQUILANDO, Puchucacuna.— VENIR DESPUES DE ANIQUILAR, Puchucamuna.— ANIQUILARSE ALGO, Puchucarina.— HACER ANIQUILAR, Puchucachina.

ANIVERSARIO, n. **Huata cutina punzha.**

ANO, n. **Siquijutcu.**

ANOCHE, adv. **Cunantuta.**

ANOCHECER, v. n. **Tutayana.**— IR A ANOCECER, Tutayagrina.— ESTAR ANOCHECIENDO, Tutayacuna.— EMPEZAR A ANOCHECER, Tutayamuna.— HACER QUE SE CONFUNDA U OSCUREZCA ALGUNA COSA, Tutayachina.

ANQUISECO, a. adj. **Chaquisiqui.**

ANSIA, n. **Jatun nayay.**

ANTE, prep. **Ñaupa,** pospuesto; vga. "Delante de tí": "Cambag ñaupapi".

ANTEAYER, adv. **Sarun punzha** o simplemente **Sarun.**

ANTECEDER, v. n. **Ñaupana.**— IR A

ANTECEDER, Ñaupagrina.— ESTAR ANTECEDIENDO, Ñaupacuna. Véase ADELANTAR.

ANTELADO, a. p. p. **Ñaupachishca.**

ANTELAR, v. a. **Ñaupachina.**— IR A ANTELAR, Ñaupachigrina.— ESTAR ANTELANDO, Ñaupachicuna.— VENIR ANTELANDO O DESPUES DE ANTELAR, Ñaupachimuna.

ANTEANOCHE, adv. **Saruntuta.**

ANTEPONER, v. a. Véase ANTELAR.

ANTERIOR, adj. **Ñaupa.**

ANTERIORMENTE, adv. **Ñaupa.**

ANTES, adv. **Ñaupa.**

ANTEVISPERA, n. **Sarun.**

ANTICIPADO a. p. p. Véase ANTELADO.

ANTICIPAR, v. a. Véase **Antelar.**

ANTICUADO, a. adj. **Maucayashca.**

ANTICUARSE, v. r. **Maucayana.** Véase ENVEJECER.

ANTIGUAMENTE, adv. **Ñaupa; Imapachapi.**

ANTIGüEDAD, n. **Maucapacha.**

ANTIGUO, a. adj. **Mausa.** Tratándose de personas, véase ANCIANO.

ANTIPATIA, n. **Chigni.**

ANTIPATICO, a. adj. **Chigni.**

ANTIQUISIMO, a. adj. **Yallimana mauca.**

ANTOJO, n. **Nayay.**

ANTOJARSE, v. r. **Nayana.**

ANTRO, n. **Machay.**

ANTROPOFAGIA, n. **Runapag aychata micuna.**

ANUAL, adj. **Huatapi shamug; Huatapi pucug; Huatapi rurrarig.**

ANUALMENTE, adv. **Huatandi; Huatancama.**

ANUDADO, a. p. p. **Quipushca.**

ANUDAR, v. a. **Quipuna.**— IR A ANUDAR, Quipugrina.— ESTAR ANUDANDO, Quipucuna.— VENIR ANUDANDO O DE ANUDAR, Quipumuna.— HACER ANUDAR, Quipuchina.— ANUDARSE ALGO, Quipurina.

ANUNCIAR, v. a. **Huillana.** Véase AVISAR.

ANUNCIO, n. **Huillay.**

AÑADIDO, a. p. p. **Yapashca; Tinguishca.**

AÑADIR, v. a. **Yapana.** Si se trata de cuerdas, de maderos o de otras cosas análogas, **Tinguina.**— IR A AÑADIR, Tinguigrina.— ESTAR AÑADIENDO, Tinguicuna.— VENIR AÑADIENDO O DESPUES DE HABER AÑADIDO, Tinguimuna.— AYUDAR A AÑADIR, Tinguinacuna.

AÑICOS, n. **Ñutu llachapacuna.**

AÑO, n. **Huata.**— AÑO PASADO, **Yallig huata.** AÑO ANTEPASADO, **Sarun huata.** — AÑO VENIDERO, **Shamug huata.**— DE AÑO EN AÑO, **Huatandi; Huatancama.**

AÑOSO, a. adj. **Huatasapa; Rucu.**

AOVADO, a. **Rurruman rigchag.**

APACENTADO, a. p. p. **Michishca.**

APACENTAR, v. a. **Michina.** Véase PASTAR.

APAGABLE (fuego), adj. **Huañuchipaglla.**

APAGADO, a. p. p. **Huañuchishca.**

APAGADOR, a. adj. **Huañuchig.**

APAGAR, v. a. **Huañuchina,** es decir, "matar el fuego o la luz".

APALEADO, a. p. p. **Caspihuan huagtashca.**

APALEAR, v. a. **Caspihuan huagtana.** Véase GOLPEAR.

APAREADO, a. p. p. **Ishcanchishca.**

APAREAR, v. a. **Ishcanchina.**— IR A APAREAR, Ishcanchigrina.— ESTAR APAREANDO, Ishcanchicuna.— VENIR DE APAREAR, Ishcanchimuna.— APAREARSE, Ishcanchirina; Ishcay tucuna.

APARECER, v. n. **Ricurina.**— IR A APARECER, Ricurigrina.— ESTAR APARECIENDO, Ricurimuna.— EMPEZAR A APARECER, Ricurimuna. En el sentido de APARECER O PRESENTARSE, se usa también **Uyarina.**

APARECIDO, a. p. p. **Ricurishca; Uyarishca.**

APARENTADOR, a. p. a. **Nigtucug.**

APARENTAR, v. a. **Nigtucuna.** Véase FINGIR.

APARENTE, adj. **Ricuricug.** En la acepción de PARECIDO, **Rigchag.** En la de ADECUADO, **Alli.**

APARTA!, interj. **Anchuy!; Anchuy caymanta!; Llugshi!**

APARTADO, a. p. p. **Chicanchishca.**

APARTAR, v. a. **Chicanchina.**— IR A APARTAR, Chicanchigrina.— ESTAR APARTANDO, Chicanchicuna.— APARTAR Y VENIR, Chicanchimuna.— APARTARSE, Chicanchirina.

APARTE, adv. **Chican.**

APASIONADO, a. p. p. **Ancha cuyag.**

APASIONARSE, v. r. **Ancha cuyana.** Véase AMAR.

APATIA, n. **Quilla.** Véase PEREZA.

APATICO, a. adj. **Quillasapa; Huañushca.**

APEARSE, v. r. **Uraycuna.** Véase BAJAR.

APEDREADO, a. p. p. **Rumihuan huagtashca.**

APEDREAR, v. a. **Rumihuan shitash huagtana.** Véase GOLPEAR.

APEGADO, a. p. p. **Chayachishca.**

APEGAR, v. a. **Chayachina.**— IR A APEGAR, Chayachigrina.— ESTAR APEGANDO, Chayachimuna.— TRAER APEGADO O VENIR DESPUES DE APEGAR, Chayachimuna.— APEGAR ENTRE VARIOS, Chayachinacuna.— APEGARSE, Chayarina.— APEGARSEME O APEGARSETE, Chayarihuana.

APELMAZADO, a. p. p. **Tagtashca.**

APELMAZAR, v. a. **Tagtana.**— IR A APELMAZAR, Tagtagrina.— ESTAR APELMAZANDO, Tagtacuna.— VENIR DESPUES DE APELMAZAR, Tagtamuna, HACER APELMAZAR, Tagtachina.— APELMAZARSE, Tagtarina.— AYUDAR A APELMAZAR, Tagtanacuna.

APELLIDAR, v. a. **Shutichina.** Véase NOMBRAR.

APELLIDO, n. **Ayllu shuti,** (nombre de parentezco).

APENAS, adv. **Imashinachari** (no sé cómo).

APESTADO, a. p. p. **Unguy japishca.**

APESTAR, v. a. **Taucata unguchina.** En la acepción de HEDER MUCHO, **Punyana.**

APESTARSE, v. r. **Puricug unguyhuan urmana.**

APETECER, v. a. Véase DESEAR.

APETECIBLE, adj. **Munaypag.**

APETECIDO, a. p. p. **Munashca.**

APETENCIA, n. **Nayay.**

APETITO, n. **Micunayay.**

APIADARSE, v. r. **Pimanta nanarina.**

APIÑADO, a. p. p. **Tacarishca.**

APIÑARSE, v. r. **Tacarina.** Véase AGOLPARSE.

APISONADO, a. p. p. **Tagtashca.**

APISONAR, v. a. **Tagtana.** Véase APELMAZAR.

APLANADO, a. p. p. **Pambachishca.**

APLANAR, v. a. **Pambachina.** Véase ALLANAR.

APLASTADO, a, p. p. **Llapchishca.**

APLASTADOR, a, adj. **Llapchig.**

APLASTAR, v. a. **Llapchina.**— IR A APLASTAR, Llapchigrina.— ESTAR APLASTANDO, Llapchicuna.— VENIR DESPUES DE HABER APLASTADO O APLASTANDO EN EL CAMINO, Llapchimuna.— HACER APLASTAR, Llapchichina.— APLASTARSE ALGO, Llapchirina.— APLASTAR ENTRE VARIOS, Llapchinacuna.— APLASTARME O APLASTARTE, Llapchiguana.— También tiene análoga significación **ÑITINA,** y sus derivados.

Llapchishca

APOCADO, a. p. p. **Pishishungu.**

APOCAMIENTO, n. **Shungu pishiay.**

APOCARSE, v. r. **Shungu pishina.**

APODO, n. **Camina shuti.**

APOLILLADO, a. p. p. **Curushca.**

APOLILLARSE, v. r. **Puyuna; Cururina.** Véase CARCOMERSE.

APORCADO, a. p. p. **Pambashca; Yanandichishca.**

APORCAR, v. a. **Pambana; Yanandichina.** Véanse ENTERRAR, BINAR.

APORREADO, a. p. p. **Huagtashca.**

APORREAR, v. a. **Maycanta huagtana.** Véase GOLPEAR.

APOSENTAR, v. a. **Maycanta huasipi chasquina; Quiquin ucuman yaycuchina.**

APOSENTO, n. **Ucu.**

APOSTATA, n. **Aucayag; Auca tucug.**

APOSTATAR, v. n. **Auca tucuna; Aucayana.**

APOSTEMA, n. **Jatun chupu; Quiayug pungui.**

APOYAR, v. a. **Quimina.**— IR A APOYAR, Quimigrina.— ESTAR APOYANDO, Quimicuna.— VENIR APOYANDO O DESPUES DE APOYAR, Quimimuna.— HACER APOYAR, Quimichina.— AYUDAR A APOYAR, O APOYAR ENTRE DOS O MAS, Quiminacuna.— APOYARSE UNA PERSONA EN ALGUN MUEBLE, **Saunarina** y sus derivados.

APOYO, n. **Quimi; Sauna.**

APRECIABLE, adj. **Cuyaypag.**

APRECIAR, v. a. **Ashallata cuyana.** Véase AMAR.

APRECIO, n. **Cuyay.**

APREHENDER, v. a. **Japina.** Véase COGER.

APREHENSION, n. **Japina; Japi.**

APREMIAR, v. a. **Imallamanta catirana; Sipina.**

Yachacuna

APRENDER, v. a. Yachacuna.— IR A APRENDER, Yachacugrina. — ESTAR APRENDIENDO, Yachacucuna.— VENIR DESPUES DE APRENDER, Yachacumuna.

APRENDIZ, n. **Yachacucug.**

APRENSADO, a, p. p. **Llapchishca.**

APRENSAR, v. a. **Llapchina.**

APRETADO a. p. p. **Sinchi huatashca; Ñitishca.**

APRETAR, v. a. **Sinchi huatana; Ñitina.**— Véase OPRIMIR.

APRETON, n. **Ñiti.**

APRISA, adv. **Utca; Utcashpa.**

APRISIONAR, v. a. **Japina.**

APROPIARSE, v. r. **Imalla shugpa cashcata japirina.**

APROPINCUARSE, v. r. **Chayarina; Cuchuyana.**— Véase ACERCARSE.

APUESTO, a. adj. **Chaquimaqui.**

APUNTADO, a. p. p. **Quillcashca.**

APUNTADOR, a. n. **Ashallata quillcag.**

APUNTAR, v. a. **Ashallata quillcana.** Véase ESCRIBIR.

APUNTE, n. **Uchilla quillca.**

APUÑAR, v. a. Véase EMPUÑAR.

APUÑEAR, v. a. **Maquihuan mucuta rurrash huagtana.**

APURAR, v. a. **Utcana.**— IR A APURAR, Utcagrina.— ESTAR APURANDO, Utcacuna.— VENIR APURANDO O DESPUES DE HABER APURADO, Utcamuna.— En la acepción de ACABAR O CONSUMIR, **PUCHUCANA.**

APURO (por conflicto o aprieto), n. **Llaqui.**

AQUEJAR, v. a. **Nanachina; Llaquichina.**

AQUEL, lla, llo, adj. **Chay.**— AQUEL OTRO, **Chayshug.**

AQUENDE, adv. **Caynigpi.**

AQUERENCIADO, a. p. p. **Yacharishca.**

AQUERENCIARSE, v. r. **Yacharina.**— IR A AQUERENCIARSE, Yacharigrina.— ESTAR AQERENCIANDOSE, Yacharicuna.— EMPEZAR A AQUERENCIARSE, Yacharimuna.

AQUESE, sa so, adj. **Chay.**— AQUESE OTRO, **Chayshug.**

AQUESTE, ta to, adj. **Cay.**— AQUESTE OTRO, **Cayshug.**

AQUI, adv. **Caypi.**— DESDE AQUI, **Caymantapacha.**— HASTA AQUI, **Caycama.**— POR AQUI, **Cayta.**— AQUI Y ALLA, **Caypichaypi** — DE AQUI PARA ALLI, **Caymanta chayman.**— POR AQUI, POR ALLI, **Caytachayta.**

AQUIESCENCIA, n. **Arinina.**

AQUIETAR, v. a. **Casiyachina.**

ARADA, n. **Yapuy; Yapushca.**

ARADO, n. **Arma.** PARECE PALABRA CASTELLANA ADOPTADA POR LOS INDIOS.

ARADOR, n. **Yapug.**

ARAÑA, n. **Uru,** desusado.

ARAÑAR, v. a. **Aspina.**— ARAÑARSE, **Aspirina.**— ARAÑARSE UNOS A OTROS, **Aspinacuna.**

Yapuna

ARAÑAZO, n. **Aspishca.**

ARAR, v. a. **Yapuna.**— IR A ARAR, **Yapugrina.**- ESTAR ARANDO, **Yapucuna.** — VENIR ARANDO O DESPUES DE HABER ARADO, **Yapumuna.**- HACER ARAR, **Yapuchina.**— ARAR ENTRE VARIOS O AYUDAR EN LA ARADA, **Yapunacuna.**— ARAR CONSTANTEMENTE, **Yapurana.**

ARBOL, n. **Yura.**

ARBOLILLO, n. **Pagtalla yura.**

ARBORICULTOR, a. n. **Yura huiñachig.**

ARBORICULTURA, n. **Yura huiñachina rurray.**

ARBUSTO, n. **Uchilla yura.**

ARCILLA, n. **Ceraturu.** El componente CERA es castellano.

ARCILLOSO, a. p. p. **Turusapa.**

ARCO (el Iris), n. **Cuychi.**

ARDENCIA, n. **Rupay; Ruray.**

ARDER, v. n. **Rupana.**— ARDER EL FUEGO CON VIOLENCIA, **Cunyana.**

ARDID, n. **Pillu** (corrupción del castellano).

ARDIENTE, adj. **Rupag; Rupacug; Raurag.**

ARDOR, n. **Rupay; Rauray.** QUE ARDOR!, **Araray!, Ararau!** (interjecciones).

ARDOROSO, a. adj. Véase ARDIENTE.

ARENA, n. **Tiu.**

ARENAL, n. **Tiupamba.**

ARENOSO, a. adj. **Tiusapa.**

ARESTIN, n. **Sisu.**

ARIDO, a. adj. **Chaquishca.**

ARISCO, a. adj. **Quita.**

ARISTA, n. **Ugsha.**

ARMA (la contundente), n. **Macana,** desusado.

AROMA, n. **Mishqui mutqui.**

AROMATICO, a. adj. **Mishquimutquig.**

ARRAIGADO, a. adj. **Sapiyashca o Sapiashca.**

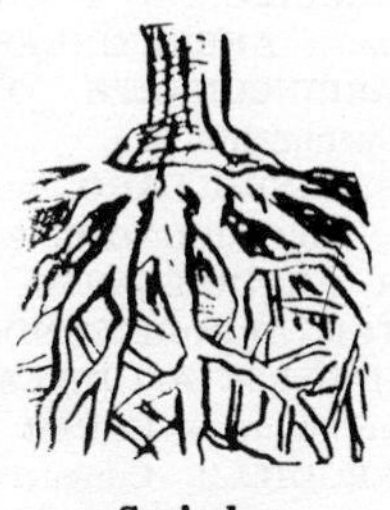

Sapiashca

ARRAIGAR, v. n. **Sapiyana o Sapiana.** IR A ARRAIGAR, Sapiagrina.- ESTAR ARRAIGANDO, Sapiacuna.— EMPEZAR A ARRAIGAR, Sapiamuna.— HACER QUE ARRAIGUE, Sapiachina.— ARRAIGARSE, Sapiarina.

ARRANCAR, v. n. **Imallata sinchi surcuna.**

ARRASADO, a. p. p. **Chacushca.**

ARRASAR, v. a. **Chacuna.**— Véanse ROZAR o DESMONTAR.

ARREAR, v. a. **Carcuna.** Véase ECHAR.

ARREDRAR, v. a. **Manchachina.** Véase ESPANTAR.

ARREGLAR, v. a. **Allichina.** Véase COMPONER.

ARREPENTIRSE, v. r. **Ima rurrashcamanta llaquina; Juchamanta nanarina.**

ARRESTAR, v. a. **Japina.** Véase COGER.

ARRIBA, adv. **Jahuapi.**— DE ARRIBA, **Jahuamanta.**— DESDE ARRIBA, **Jahuamantapacha.**— POR ARRIBA, **Jahuata.**— PARA ARRIBA, **Jahuaman.**

ARRIBAR, v. n. **Chayana.** Véase LLEGAR.

ARRIBO, n. **Chayay.**

ARRIMADO, a. p. p. **Saunashca; Quimirishca.**

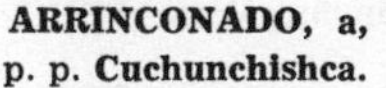

Saunana

ARRIMAR, v. a. **Saunachina.**— IR A ARRIMAR, Saunachigrina.— ESTAR ARRIMANDO, Saunachicuna.- TRAER ARRIMADO, Saunachimuna.— ARRIMARSE, Saunarina o Saunana.

ARRINCONADO, a, p. p. **Cuchunchishca.**

ARRINCONAR, v. a. **Cuchunchina.— IR** A ARRINCONAR, Cuchunchigrina.— **ES-**TAR ARRINCONANDO, Cuchunchicuna.—

ARRINCONAR Y VENIR, Cuchunchimuna.— ARRINCONARSE, Cuchunchirina.— ARRINCONARTE O ARRINCONARME, Cuchunchihuana.

ARRODILLADO, a. p. p. **Cungurishca.**

ARRODILLARSE, v. r. **Cungurina.**— IR A ARRODILLARSE, Cungurigrina.— ESTAR ARRODILLANDOSE, Cunguricuna.— HABERSE ARODILLADO Y VENIR, Cungurimuna.— HACER QUE OTRO SE ARRODILLE, Cungurichina.— VENIR ARRODILLANDOSE DE TRECHO EN TRECHO, Cungurimuna.

ARROJADO, a. p. p. **Shitashca.**

Shitana

ARROJAR, v. a. **Shitana.**— IR A ARROJAR, Shitagrina.- ESTAR ARROJANDO, Shitacuna.- VENIR DESPUES DE ARROJAR O DEJANDO ARROJADA LA COSA, Shitamuna.— HACER ARROJAR, Shitachina.- ARROJARSE, Shitarina.— ARROJARSE ALGO RECIPROCAMENTE, COMO PIEDRAS, etc. Shitanacuna.— ARROJARME O ARROJARTE ALGO, Shitahuana.

ARROPADO, a. p. p. **Catallishca; Maytushca; Pachanllishca.**

ARROPAR, v. a. **Catana; Maytuna.** Véanse COBIJAR y ENVOLVER.

ARROPARSE, v. r. **Catallina.**— IR A ARROPARSE, Catalligrina.— ESTAR ARROPANDOSE, Catallicuna.— VENIR ARROPANDOSE, Catallimuna.— HACER QUE OTRO SE ARROPE, Catallichina.

ARROYO, n. **Uchilla yacu.**

ARRUGA, n. **Sipu.**

ARRUGADO, a. p. p. **Sipushca; Sipu.**

ARRUGAR, v. a. **Sipuna.** Véase FRUNCIR.

ARRULLAR, v. n. **Taquina.** Véase CANTAR.

ARRULLO, n. **Taqui.**

ARTICULACION (por coyuntura), n. **Mucu.**

ASADO, a. p. p. **Cusashca.**

ASADOR, n. **Cusana caspi.**

ASAR, v. a. **Cusana.**— IR A ASAR, Cusagrina.— ESTAR ASANDO, Cusacuna.— VENIR DESPUES DE HABER ASADO, Cusamuna.— HACER ASAR, Cusachina.— ASAR ENTRE DOS O MAS, O AYUDAR EN ESTA OPERACION, Cusanacuna.— ASARSE, Cusarina.

ASCENDER, v. n. **Huichaycuna; Jahuayana.** Véase SUBIR.

ASCENSION, n. **Jahuayay; Huichaycuy.**

ASCENSO, n. Lo mismo que. ASCENSION.

ASCO, n. **Millanayay.**

ASCUA, n. **Ninamuyru.**

ASEMEJARSE, v. r. **Rigchana. Véase** PARECERSE.

ASENTADO, a. p. p. **Tiachishca.**

ASENTAR, v. a. **Tiachina.** Véase SENTAR.

ASESINAR, v. a. **Huañuchina. Véase** MATAR.

ASI, adv. **Chasna; Shina.**— ASI COMO, **Imashinami.**— ASI PUES, **Chasnaca.**— AUN ASI, **Chasnapish.**— ASI MISMO, **Chasnallata.**— ASI ASI, **Chasnachasnalla.**— ASI SEA, **Chasna cachun.**— ASI SERA, **Chasnachari.** Frases semejantes se construyen con el adverbio **SHINA.**

ASIDO, a. p. p. **Japishca.**

ASIR, v. a. **Japina.** Véase COGER.

ASOCIARSE, v. r. **Tandanacuna. Véase** JUNTAR.

ASOLEAR, v. a. **Imallata rupaypi churana.**

ASOMAR, v. n. **Ricurina; Uyarina.** Véase APARECER.

ASOMBRADO, a. p. p. **Mancharishca.**

ASOMBRAR, v. a. **Manchachina.** Véase ESPANTAR.

ASOMBRO, n. **Manchay.**

ASOMBROSO, a. adj. **Manchaypag; Manchanaypag.**

ASPECTO, n. **Rigchay.**

ASPERO, a. adj. **Zagra; Zharu.**

ASPIRAR (por absorver el aire), v. n. **Samayta aysana.**

ASQUEAR, v. n. **Millana.**— IR A ASQUEAR, Millagrina.— ESTAR ASQUEANDO, Millacuna.— VENIR ASQUEANDO, Millamuna.— HACER ASQUEAR, Millachina.

ASQUEROSO, a. adj. **Millanaypag.**

ASTA (cuerno), n. **Gachu,** que parece deformación del castellano CACHO.

ASTILLA, n. **Chigta.**

ASUSTADO, a. p. p. **Mancharishca.**

ASUSTAR, v. a. **Manchachina.** Véase ESPANTAR.

ATABARDILLADO, a. p. p. **Jatun unguy japishca.**

ATADO, a, p. p. **Huatashca.**

ATAJADO, a, p. p. **Jarcashca.**

ATAJADOR, a. adj. **Jarcag.**

ATAJAR, v. a. **Jarcana.**— IR A ATAJAR, Jarcagrina.— ESTAR ATAJANDO, Jarcacuna.— VENIR DESPUES DE ATAJAR O ATAJANDO, Jarcamuna.— ATAJARSE, Jarcarina.

ATALAYA, n. **Chapag.**

ATAR, v. a. **Huatana.** Véase AMARRAR.

ATASAJAR, v. a. **Charquina.** Véase ACECINAR.

ATASCARSE, v. r. **Turupi, guzupi pambarina.**

ATASCO, n. **Pambarina turu; Pambarina guzu.**

ATEMORIZADO, a, p. p. **Mancharishca; Manchay yaycushca.**

ATEMORIZAR, v. a. **Manchachina.** Véase ESPANTAR.

ATENDER, v. a. **Uyana.** Véase OIR.

ATERIDO, a, p. p. **Chiripi chontayashca.**

ATERIRSE, v. r. **Chiripi chontayana.**

ATERRADO, a, p. p. **Yupay mancharishca.**

ATERRAR, v. a. **Yupay manchachina.**

ATESTADO, a, p. p. **Tacashca** (de Atacar?); **Jinchishca** (de Henchir?).

ATISBAR, v. a. **Chapana.**— IR A ATISBAR, Chapagrina.— ESTAR ATISBANDO, Chapacuna.— VENIR DESPUES DE ATISBAR O ATISBANDO EL CAMINO, Chapamuna.— ATISBAR ENTRE VARIOS, Chapanacuna.— ATISBAR CON PERSISTENCIA, Chaparana.

ATISBO, n. **Chapay.**

ATOLONDRADO, a. adj. **Huayrauma.**

ATOLLADERO, n. Véase ATASCO.

ATONTADO, a. p. p. **Upayashca.**

ATONTAR, v. a. **Upayachina.**— IR A ATONTAR, Upayachigrina.- ESTAR ATONTANDO, Upayachicuna.— VENIR ATONTANDO O EMPEZAR A INFUNDIR TONTERIA, Upayachimuna.— ATONTARSE, Upayana.

ATORARSE, v. r. **Jarcarina.**— ESTAR ATORANDOSE, Jarcaricuna.

ATRAS, adv. Con verbos de quietud, **Huashapi;** con los de movimiento, **Huashaman.**— ALGO MAS ATRAS, **Huashanigman.**— DE ATRAS, **Huashamanta.**— PARA ATRAS, **Huashaman.**— POR ATRAS, **Huashata.**— DESDE ATRAS, **Huashamantapacha.**

ATRASADO, a, p. p. **Quipayashca; Huashayashca.**

ATRASAR, v. a. **Quipayachina; Huashayachina.**— IR A ATRASAR, Quipayachigrina.— ESTAR ATRASANDO, Quipayachicuna.— VENIR ATRASANDO, Quipayachimuna.— ATRASARSE, Quipayana.— Las mismas derivaciones admite **HUASHAYANA.** ATRASARSE EN FORTUNA, véase EMPOBRECER.

ATRASO, n. **Quipayay.** ATRASO EN BIENES, **Huagcha tucuna.**

ATRAVESADO, a, p. p. **Quingayman churashca.**

ATRAVESAR, v. a. **Imallata quingrayman churana, ñanta jarcashina.**

ATREVERSE, v. r. **Churanacuna.** Véase LIDIAR.

ATREVIDO, a, p. p. **Churanacug.**

AUDITORIO, n. **Uyagcuna.**

AULLAR, v. n. **Aunina.**

AULLIDO, n. **Aunishca.**

AUMENTADO, a, p. p. **Mirachishca.**

AUMENTAR, v. a. **Mirachina.**— IR A AUMENTAR, Mirachigrina.— ESTAR AUMENTANDO, Mirachicuna.— VENIR AUMENTANDO O DESPUES DE AUMENTAR, Mirachimuna.— AUMENTAR A ES-

COTE ENTRE VARIOS, Mirachinacuna.

AUMENTO, n. **Miray.**

AUN, adv. **Chayra.**— AUN NO, **Manara.**— AUN MAS O TAMBIEN, **Pish,** pospuesto al nombre o al verbo, vga. **"Aún** este indio me insulta": "Cay runapish aminmi". "Aún más tengo que desherbar": "Jallmanatapish charinini". Se usa además de **CANA** en casos de ponderación, vga. "Aún él me ha de vocear!": "Paycamachu ñucata caparinga!".

AUNQUE, adv. **Pish,** pospuesto a la palabra correspondiente de la oración o frase, vga. "Aunque me aborrezcas, he de quererte": "Can millaguagpipish, cuyahuashami".

AURORA, n. **Pacarina pacha; Loria.**

AUSENTE, adj. **Mana huasipi taririg.**

AUSENTARSE, v. r. **Huasimanta caruyana; Llagtamanta raquirina.**

AUXILIADOR, a, p. p. **Yanapag.**

AUXILIAR, v. a. **Yanapana.** Véase AYUDAR.

AUXILIO, n. **Yanapay.**

AVANZAR, v. n. **Ñaupana.** Véase ADELANTAR.

AVARO, a, adj. **Cullqui huacaychig; Misa.**

AVARIENTO, a, adj. Lo mismo que AVARO.

AVE, n. **Pishcu.**

AVECILLA, n. **Uchilla pishcu.**

AVEJENTADO, a, adj. **Rucuyashca.**

AVEJENTARSE, v. r. **Rucuyana.** Véase ENVEJECER.

AVENTADO, a, p. p. **Huayrachishca.**

AVENTAR, v. a. **Huayrachina.**— IR A AVENTAR, Huayrachigrina.— ESTAR AVENTANDO, Huayrachicuna.— VENIR AVENTANDO O DESPUES DE AVENTAR, Huayrachimuna.— AVENTAR ENTRE VARIOS O AYUDAR EN ESTA OPERACION, Huayrachinacuna.

AVERGONZADO, a, p. p. **Pingachishca; Pingayjunda.**

AVERGONZAR, v. a. **Pingachina.**— IR A AVERGONZAR, Pingachigrina.— AVERGONZANDO, Pingachicuna.— VENIR DESPUES DE AVERGONZAR, O VENIR AVERGONZANDO, Pingachimuna.— AVERGONZARSE, Pingana.

AVERIGUADO, a, p. p. **Taripashca.**

AVERIGUAR, v. a. **Taripana.**— IR A AVERIGUAR, Taripagrina.— ESTAR AVERIGUANDO, Taripacuna.— VENIR AVERIGUANDO O DESPUES DE AVERIGUAR, Taripamuna.— AVERIGUAR CON TESON, Tariparana.

AVINAGRADO, a, p. p. **Jayag, Jayagyashca.** Tratándose de persona malhumorada o adusta, **Puscushca.**

AVINAGRARSE, v. r. **Jayagyana; Puscuna.**— Véanse PICAR y ACEDARSE.

AVISADOR, a, adj. **Huillag.**

AVISAR, v. a. **Huillana.**— IR A AVISAR, Huillagrina.— ESTAR AVISANDO, Huillacuna.— VENIR AVISANDO O DESPUES DE AVISAR, Huillamuna.— AVISARTE O AVISARME, Huillahuana.— AVISARSE RECIPROCAMENTE, Huillanacuna.— AVISAR CON INSISTENCIA, Huillarana.

AVISO, n. **Huillay.**

AY!, interj. **Alau!** AY QUE DOLOR!, **Ayau!** AY QUE ARDOR!, **Astaray!** AY QUE LINDO!, **Añañay!**, AY QUE FRIO! **Achachau!** AY QUE FEO!, Atatay!

AYÉR, adv. **Cayna.**

AYUDA, n. **Yanapay.**

AYUDANTE, adj. **Yanapag.**

Yanapay

AYUDAR, v. a. **Yanapana.**— IR A AYUDAR, Yanapagrina.— ESTAR AYUDANDO, Yanapacuna.— VENIR AYUDANDO O DESPUES DE AYUDAR, Yanapamuna.— AYUDARME O AYUDARTE, Yanapahuana.— AYUDAR ENTRE VARIOS O AYUDARSE MUTUAMENTE, Yanapanacuna.

AYUNAR, v. n. **Mana imata micuna.**

AYUNO, n. **Chaupi punzhacama mana imata micushcana.**— AYUNO TOTAL, **Tucuy punzhapi mana imata mallina.**

AZADA, n. **Lampa.**

AZAR (por contratiempo o desgracia), n. **Llaqui.**

AZOTADO, a, p. p. **Angushca.**

AZOTAR, v. a. **Anguhuan huagtana; Anguna.** — IR A AZOTAR, Angugrina.— ESTAR AZOTANDO, Angucuna. - VENIR AZOTANDO O DESPUES DE AZOTAR, Angumuna.

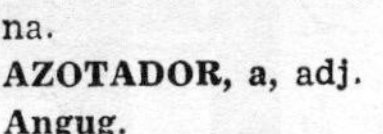

Anguna

AZOTADOR, a, adj. **Angug.**

AZOTE, n. **Angu.**

AZUL, n. **Ancas,** anticuado.

AZUCAR, Mishqui.— Azúcar morena, vulgarmente llamada RAPADURA o RASPADURA, **Chancaca.**

AZUCARADO, a, p. p. **Mishquichishca.**

AZUCARAR, v. a. **Mishquichina.** Véase ENDULZAR.

AZUZAR (a los perros), v. a. **Mushca nina; Jarga nina.**

ABA, n. **Llausa.**

BABIECA, n. **Upa.** Tratándose de mujer, se dice también APA.

BABOSO, a, adj. **Llausashimi.**

BACIA, n. **Huigru.**

BACINILLA, n. **Ishpana huigru.**

Tushuy

BACULO, n. **Tauna.**

BADULAQUE, adj. **Huayrauma; Shagshu.**

BAILAR, v. n. **Tushuna,** anticuado.

BAILARIN, a, n. **Tushug,** anticuado.

BAILE, n. **Tushuy,** anticuado.

BAJADA, n. **Uraycuy.** Significando el lugar por donde se baja. URAY.

BAJAR, v. n. **Uraycuna.**— IR A BAJAR, Uraycugrina.— ESTAR BAJANDO, Uraycucuna.— VENIR DE BAJADA, Uraycumuna.— HACER BAJAR, Uraycuchina.

BAJO, a, adj. **Urapi tiag; Ura.**

BAJO, adv. **Ucupi**; vga. "Está bajo el árbol" **Yuraucupini.**— En la significación de QUEDO, véase esta palabra.

BALBUCIENTE, adj. **Chaupicallu; Huahuashimi; Agllu,** anticuado.

BALDE (en las frases "En balde" y "De balde"), adv. **Yanga; Yangamanta.**

BALSA, n. **Huambu.**

BAMBOLEAR (una persona), v. n. **Sansaliana.** ESTAR BAMBOLEANDOSE, Sansaliacuna.— VENIR BAMBOLEANDO, Sansaliamuna.— HACER QUE OTRO BAMBOLEE, Sansaliachina.— BAMBOLEAR UNA PERSONA O COSA COLGADAS, **Huaylunnina.**

BAMBU, n. **Huamag.**

BANDA (la de un río o quebrada), n. **Chimba.**— PASAR A LA BANDA, **Chimbana.**

BANDERA, n. **Hunancha,** ant.

BANDOLERO, a, adj. **Jatun millay ahua.**

BANQUETE, n. **Juncia.** Es la palabra castellana FUNCION, acomodada al idioma de los indios.

BAÑADO, a, p. p. **Armashca.**

Armachina

BAÑAR, v. a. **Armachina.**— IR A BAÑAR, Armichigrina.— ESTAR BAÑANDO, Armichicuna.- VENIR DESPUES DE BAÑAR, Armichimuna.- BAÑARSE, Armana.

BAÑO, n. **Armay.**

BARATO, a, adj. **Ashalla cullquipi caturig.**

BARBA, n. **Ñahui millma.**

BARBACOA, n. **Caspi cahuitu; Palti.**

BARBADO, a, adj. **Ñahuimillmayug.**

BARBARO, a, adj. **Auca.**

BARBON, a, adj. Véase BARBADO.

BARCA, n. **Huambu.**

BARCO, n. Lo mismo que BARCA.

BARDAL (cerca de madera), n. **Quinzha.**

BARDAR, v. a. **Quinzhana.**

BARNIZAR, v. a. **Lluzhina.** Véase UNTAR.

BARQUILLA, n. **Uchilla huambu.**

BARRAGANA, n. Véase CONCUBINA.

BARRANCO, n. **Huaycu.**

BARRER, v. a. **Pichana.**— IR A BARRER, Pichagrina.— ESTAR BARRIENDO, Pichacuna.— VENIR BARRIENDO O DESPUES DE BARRER, Pichamuna.— HACER BARRER, Pichachina.— AYUDAR A BARRER, Pichanacuna.— BARRERSE ALGO, Picharina.

BARRERA, n. **Pirca** (si es de tierra); **Quinzha** (si es de palos).

BARRIAL, n. **Turupamba; Turuhuaycu; Turuñan.**

BARRIDA, n. **Pichashca.**

BARRIGA, n. **Huigsa.** En estilo familiar o burlesco, **Puzún.**

BARRIGON, a, adj. **Huigsasapa.**

BARRIGUDO, a, adj. Lo mismo que BARRIGON.

BARRO, n. **Turu.**

BARROSO, a, adj. **Turusapa; Turujunda.**

BASCA, n. **Millanayay; Shungu tigranayay.**

BASTA!, interj. **Chasnalla!; Chaylla!; Shinalla!**

BASTANTE, adj. **Pagta.**

BASTAR, v. n. **Pagtana.** Véase ALCANZAR.

BASTIMENTO, n. **Micuna.**— BASTIMENTO DE CAMINO, **Cucaycu.**

BASTO, a, adj. **Zagra; Zapra.**

BASTO (de albarda), n. **Sauna.**

BASTON, n. **Tauna.**

BASTONAZO, n. **Taunahuan huagtay.**

BASURA, n. **Mapa.**

BASURERO, n. **Mapashitana; Mapatandachina.**

BATALLA, n. **Macanacuy.**

BATALLADOR, a, adj. **Macanacug.**

BATALLAR, v. n. **Macanacuna.**— Véase PELEAR.

BATATA, n. **Camuti; Cumar; Cucama.**

BATEA, n. **Caspi huigru.**

BATIDO, a, p. p. **Cahuishca.**

BATIR (cosa líquida), v. a. **Cahuina.**- IR A BATIR, Cahuigrina.— ESTAR BATIENDO, Cahuicuna.— VENIR BATIENDO O DESPUES DE BATIR, Cahuimuna.- AYUDAR A BATIR O BATIR ENTRE VARIOS, Cahuinacuna.— BATIR INCESANTEMENTE, Cahuirana.- BATIRSE UNA COSA, Cahuirina.

Cahuina

BAUZAN, n. **Upa.**

BAZO (órgano interno de los animales),

n. **Jachapaqui.** El componente **jacha** es, a no dudarlo, tomado del español.

BAZOFIA, n. **Mapa; Puchu.**

BEBEDERO, n. Véase ABREVADERO.

BEBEDOR, a, adj. **Upiag.** Hablando burlescamente de los borrachos, **Chuchug.**

Upiana

BEBER, v. a. **Upiana.**— IR A BEBER, Upiagrina.— ESTAR BEBIENDO, Upiacuna.— VENIR BEBIENDO O DESPUES DE HABER BEBIDO, Upiamuna.— DAR DE BEBER, Upiachina.— BEBER ENTRE VARIOS, Upianacuna.

BEBIBLE, adj. **Upiaypag.**

BEBIDA, n. **Upiay.**

BEBIDO, a, p. p. **Upiashca.**

BECERRA, n. **Huarmi bizi.**

BECERRO, n. **Bizi.** Parece contradicción deformada de la misma palabra BECERRO.

BEJUCO, n. **Sacha angu.**

BEJUQUEAR, v. a. **Anguna.** Véase AZOTAR.

BELLACO, a, adj. **Jacuy.**

BELLAMENTE, adv. **Sumagta.**

BELLO, a, adj. **Sumag.**

BELLOTA, (baya de la planta de **PAPA** o de otro vegetal análogo), n. **Simbalug.**

BENDECIR, v. a. **Muchana,** ant.

BENDICION, n. **Muchay,** ant.

BENDITO, a, p. p. **Muchashca,** ant.

BENEFICIAR, v. a. **Maycanman ima allita rurrana.**

BENEFICIO, n. **Maycanman alli rurrashca.**

BENEPLACITO, n. **Munay.**

BENEVOLO, a, adj. **Allishungu.**

BENIGNO, a, adj. **Sambashungu.**

BEODO, a, adj. **Machashca.**

BERMEJO, a, adj. **Puca agcha; Sucu; Catiri.**

BERMELLON, n. **Llumpi,** ant.

BESAR, v. a. **Muchana.**— IR A BESAR, Muchagrina.— ESTAR BESANDO, Muchacuna.— VENIR BESANDO O DESPUES DE HABER BESADO, Muchamuna.— HACER BESAR, Muchachina.— BESARSE MUTUAMENTE, Muchanacuna.— BESARME O BESARTE, Muchahuna.— BESAR CON INSISTENCIA, Mucharana.— Besar se traduce también por **Muchallina** y tiene análogos derivados.

BESO, n. **Mucha.**

BETA, n. **Angu.**

BIBERON, n. **Chuchuna; Chuchuchina; Ñuñuchina.**

BICHON, n. **Curu.**

BIEN, adv. **Alli.**— MUY BIEN, **Allita.**

BIENES, n. **Charinacuna; Charina.**

BIENAL, adj. **Ishcay huatapi cutig; Ishcay huatapi pucug.**

BIENESTAR, n. **Alli tiana; Mana llaquishpa causana.**

BIENHABLADO, a, adj. **Alli shimita charig; Mana millayta rimag.**

BIENHADADO, a. adj. **Cushitug.**

BIENHECHOR, a, adj. **Allita maycanman rurrag.**

BIENQUISTO, a, adj. **Tucuyhuan apanacug; Manapita piñachig.**

BIENVENIDA, n. **Alli chayamushca uyanza.**

BIENVIVIR, n. **Allicausay.**

BIFURCACION, n. **Imalla pallca tucuna; Pallcayana.**

BIFURCADO, a, p. p. **Pallcayashca; Pallcayug.**

BIFURCAR, v. a. **Pallcayachina.**

BILINGüE, adj. **Ishcay shimita rimag.**

BILIOSO, a, (malhumorado) adj. **Piña; Puscu.**

BINA, n. **Yanandi jallmay; Yanandichi.**

BINADOR, a, adj. **Yanandi jallmag.**

BINAR, v. a. **Yanandichina.** Véase APORCAR.

BINAZON, n. **Yanandi jallmay.**

BIPARTIDO, a, adj. **Ishcaypi chaupishca.**

BIPEDO, a, adj. **Ishcay chaquipi purig.**

BIZCO, a, adj. **Huistuñahui.**

BLANCO, a, adj. **Yurag.**

BLANCURA, n. **Yuragcana.**

BLANDAMENTE, adv. **Allilla; Samballa; Sumagllata.**

BLANDO, a, adj. **Samba; Samballa; Ñutulla.**

BLANDURA, n. **Samba cana.**

BLANQUEADO, a, adj. **Yuragyachishca.**

BLANQUEADOR, a, adj. **Yuragyachig.**

BLANQUEAR, v. a. **Yuragyachina.**— IR A BLANQUEAR, Yuragyachigrina.— ESTAR BLANQUEANDO, Yuragyachicuna.— VENIR BLANQUEANDO O DESPUES DE BLANQUEAR, Yuragyachimuna.— BLANQUEAR ENTRE VARIOS O AYUDAR A BLANQUEAR, Yuragyachinacuna.— BLANQUEARSE, Yuragyachirina o Yuragyana.

BLANQUECINO, a, adj. **Yuraglla.**

BLANQUIMENTO, n. **Yuragyachina api.**

BLANQUINOSO, a, adj. **Yuragyashca;** Yuragyuraglla.

BLONDO, a, adj. **Jaga agcha; Catiri.**

BOBALICON, a, adj. **Upayashca; Upalla.**

BOBO, a, adj. **Upa.**

BOCA, n. **Shimi.** ESTAR UNA PERSONA BOCA ARRIBA, **Azhanlla siricuna.**— ESTAR BOCA ABAJO, **Uraysinga tiana.**

BOCADO, n. **Amulli.**

BOCIO, n. **Coto,** corrupción de **Cutu.**

BOCINA, n. **Quipa** (si es de caracol).

BOCON, a, adj. **Shimisapa.**

BODA, n. **Juncia.** Véase BANQUETE.

BOFE, n. **Yurag shungu.**

BOFETADA, n. **Pascashca maquihuan huagtay; Sagmay.**

BOFETON, n. Lo mismo que BOFETADA.

Curpa

BOLA, n. **Curpa; Cururu.**

BOLSA, n. **Tulu.** Si es tejida con punto de red, **Shigra.**

BOLSICO, n. **Uchilla tulu.**

BOLSILLO, n. Lo mismo que BOLSICO.

BOLLO (de maíz cocido), n. **Chugmal.**

BONANZA, n. **Usiay.**

BONDAD, n. **Allicana.**

BONDADOSO, a, adj. **Alli; Allishunguyug.**

BONISIMO, a, adj. **May alli.**

BONITAMENTE, adv. **Allilla; Sumagllata.**

BONITO, a, adj. **Sumag.**

BOÑIGA, n. **Huagra huanu.**

BOQUIABIERTO, a, adj. **Pascashimi.**

BOQUIFRUNCIDO, a, adj. **Sipushimi.**

BOQUINEGRO, a, adj. **Yanashimi.**

BOQUIRASGADO, a, adj. **Chillpishimi.**

BOQUIRUBIO, a, adj. (por hablador o habladora indiscretos) **Camchashimi.** Quiere decir "Boca que cruje sin cesar como el grano que se tuesta".

BOQUITORCIDO, a, adj. **Huistushimi.**

BORBOTAR, v. n. **Pugyu yacu timbushca llugshina.**

BORDE, n. **Manya.**

BORDO, n. Lo mismo que BORDE.

BORRA, (sedimento o hez de un líquido), n. **Cunzhu.**

BORRACHERA, n. **Machay.**

Timbuna

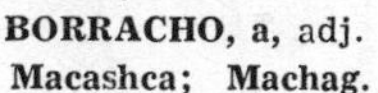

BORRACHO, a, adj. **Macashca; Machag.** El que no lo está, por no haber tomado licor, **Mayllag,** es decir: "Limpio, como si se hubiese lavado".

BORRAR, v. a. **Pichana.** Véase BARRER.

BOSQUE, n. **Sacha.**

BOSTEZAR, v. n. **Anyana.**— IR A BOSTEZAR, Anyagrina.— ESTAR BOSTEZANDO, Anyacuna.— VENIR BOSTEZANDO O DESPUES DE HABER BOSTEZADO, Anyamuna.— HACER BOSTEZAR, Anyachina.— BOSTEZAR INCESANTEMENTE, Anyarana.

BOSTEZO, n. **Anyay.**

BOTAR, v. a. **Shitana.**— IR A BOTAR, Shitagrina.— ESTAR BOTANDO, Shitacuna.— VENIR BOTANDO O DESPUES DE BOTAR, Shitamuna.— HACER BOTAR, Shitachina.— BOTARTE O BOTARME, Shitahuana.— BOTARSE, ESTO ES ARROJARSE CON IMPETU, **Shitarina.**

BOTARATE, n. **Jichapacha.**

BOTIJA, n. **Jatun manga.**

BOTON (yema vegetal), n. **Mugmu; ñahui.** ECHAR BOTONES UNA PLANTA, **Mugmuna.**

BRAMAR, v. n. **Piñarishca caparina.**

BRASA, n. **Ninamuru.**

Ninachurana

BRASERO, n. **Ninachurana.**

BRAVEZA, n. **Piñay.**

BRAVIO, a, adj. **Quita.**

BRAVO, a, adj. **Piña.**

BRAVURA, n. **Piña cana.**

BRAZA, n. **Rigra; Rigracunata pascashtupushca.**

BRAZADA, n. Lo mismo que BRAZA.

BRAZO, n. **Rigra.**

Rigra

BREBAJE, n. **Jayag upiay.**

BRECHA, n. **Pirca tuni.**

BREGA, n. **Ñacay.**

BREGAR, v. n. **Ñacarina.** Véase AFANARSE.

BREÑA, n. **Sachayug caca.**

BREVE, adj. **Utcalla tucuripag; Utcata rurraripag.**— En la acepción de CORTO, **Uchilla.**

BREVEMENTE, adv. **Utcalla; Utcashpa.**

BRIBON, a, adj. **Millay; Jacuy; Huaglli.**

BRILLADOR, a, adj. **Llipiag.**

BRILLAR, v. n. **Llipiana.**

BRILLO, n. **Llipiay.**

BRINCAR, v. n. **Tushuna,** ant.

BRINCO, n. **Tushuy,** ant.

BROMA, n. **Umay; Nigtucushcalla.**

BROMEAR, v. n. **Umana.** Véase CHANCEAR.

BRONCO, a, adj. **Zagra.**

BROTAR, (las yemas de las plantas), v. n. **Mugmuna.**— BROTAR LAS PLANTAS MISMAS, **Chigchina.**— BROTAR LAS FLORES, **Sisamuna.**— Tratándose de la flor macho del maíz o del escapo de algunas otras plantas, **Tugtuna.**

BROZA, (maleza o despojos de plantas), n. **Zhapra.**

BRUMA, n. **Izhi; Lancha.**

BRUNO, a, adj. **Uqui.**

BUENAMENTE, adv. Véase BONITAMENTE.

BUENO, a, adj. **Alli.**

BUEY, n. **Huagra.**

BUFON, a, adj. **Umag; Jizi.**

BUHO (especie americana de él), n. **Cuscungu.**

BUITRE (el de los Andes) n. **Cundur.**

BULLIR (un líquido), v. n. **Timbuna; Timbug rigchana.** Véase HERVIR.

BUQUE, n. **Jatun huambu.**

BURDO a, adj. **Zagra; Zhapra.**

BURLA, n. **Umay.**

BURLADOR, a. adj. Véase BUFON.

BURLAR, v. a. **Umana; Pugllana; Nichucuna.** Véase ENGAÑAR.

BURLESCO, a. adj. **Umashpalla nishca; Pugllashpalla rurrashca.**

BURLON, a. adj. Véase BUFON.

BUSCA, n. **Mashcay.**

BUSCADOR, a, adj. **Mashcag.**

BUSCAR, v. a. **Mashcana.**— IR A BUSCAR, Mashcagrina.— ESTAR BUSCANDO, Mashcacuna.— VENIR BUSCANDO O DESPUES DE BUSCAR, Mashcamuna.— HACER BUSCAR, Mashcachina.— AYUDAR A BUSCAR O BUSCAR ENTRE VARIOS, Mashcanacuna.— BUSCARTE O BUSCARME, Mashcahuana.— BUSCAR CON AHINCO, Mashcarana.— **BUSCARSE,** Mashcarina.

BUSCAVIDAS, n. **Mashcarishpa purig.**

ABAL, adj. **Pagta.**

CABALGADOR, a, adj. **Sicag; Sicash purig.**

CABALGAR, v. n. **Sicana.** Véase MONTAR.

CABALLERO (por Noble, adj. **Huiracocha.**

CABALLETE (madero transversal en el techo de una casa), n. **Pingu.**

CABAÑA, n. **Chuglla.** Por corrupción **Choglla.**

CABE (cerca de), prep. **Cuchupi;** vga. "Cabe la fuente": "Pugyu cuchupi".

CABECEAR, v. n. **Umata caymanchayman cuyuchina.**

CABECERA (del lecho), n. **Sauna; Saunana.**

CABELLERA, n. **Agcha.**

CABELLO, n. Lo mismo que CABELLERA.

CABELLOSO, a, adj. **Agchasapa.**

CABELLUDO, a, adj. Lo mismo que CABELLOSO.

Agchasapa

CABER, v. n. **Pagtana; Pagtash yaycuna.**

CABESTRO, n. **Huatana angu; Huatana huasca.**

CABEZA, n. **Uma.**

CABEZADA, n. **Umapi churana angu.**

CABEZAL, (almohada), n. **Uma sauna.**

CABEZON, a, adj. **Umasapa.**

CABEZUDO. a, adj. **Rumiuma**, es decir "Cabeza de piedra".

CABRA, n. **Chita.**

CABRERO, a, adj. **Chitacamag** o **Chitacama.**

CABRITO, a, n. **Huahua chita.**

CABRON, n. **Yaya chita.**

CABUYA, n. **Chahuar puchca.** Si es tosca y sin beneficiar, **Pagpa.**

CABUYO (Agave), n. **Chahuar** o **Yana**

chahuar. Su campo floral, **Chahuarquiru.**

CABUYO BLANCO (Fourcroya), n. **Yurag chahuar.**

CABUYO VARETEADO, (variedad de Agave listada de blanco), n. **Quindunga.**

CACA, n. Véase EXCREMENTO.

CACARAÑA (causada por las viruelas), n. **Zhuru.**

Zhuru

CACARAÑADO, a, adj. **Zhuru.**

CACAREAR, v. n. **Huallpa chiragnina.**

CACHIPORRA, n. **Macana caspi.**

CACHO, n. **Gachu,** tomado de la misma palabra castellana.

CACHORRO, n. **Huahua.** Si es de perro **Quisqui.**

CADAVER, n. **Aya.**

CADAVERICO, a, adj. **Ayaman rigchag; Ayañahui.**

CADUCAR (por envejecer), v. n. **Rucuyana; Maucayana.**

CADUCO, a, adj. **Rucuyash, muspag tucushca.**

CAEDIZO, a, adj. **Urmaglla.**

CAER, v. n. **Urmana.**— IR A CAER, Urmagrina.- ESTAR CAYENDO, Urmacuna.— VENIR CAYENDO O DESPUES DE CAER, Urmamuna.— HACER CAER, Urmachina. — CAERSE, Urmana.

Urmana

CAGADA, n. **Isma; Huanu.**

CAGADERO, n. **Ismana huasha; Huanuna pamba.**

CAGADO, a, p. p. **Ismashca; Huanushca.**

CAGAR, v. n. **Ismana.**— IR A CAGAR, Ismagrina.— ESTAR CAGANDO, Ismacuna.— VENIR DESPUES DE CAGAR, O HACIENDOLO EN EL CAMINO, Ismamuna.— CAGAR CON FRECUENCIA, Ismarana.— HACER CAGAR, Ismachina.— CAGARSE, Ismarina.

CAGON, a, adj. **Ancha ismag.**

CAIDA, n. **Urmay.**

CAIDO a, p. p. **Urmashca.**

CAJA (tambos), n. **Huancar,** ant.

CALABACERA (planta), n. **Mati yura.**

CALABAZA, n. **Mati.** Partida en mitades anchas, **Angara; Lapa.**— Calabaza comestible. (Cucurbita pepo), **Zambu.**— Otra mayor, comestible también. (Cucurbita máxima), **Sapallu.**

CALABAZO, n. **Putu (Poto,** por corrupción).

CALABOZO, n. **Millaycunata huichcama ucu.**

CALAGUALA, (voz que el castellano ha tomado del quichua), n. **Calahuala.**

CALAMBRE, n. **Changapi, rigrapi, nanachispa jatarig angu.**

CALAMIDAD, n. **Jatun llaqui.**

CALAMITOSO, a, adj. **Llaquisapa; May llaquichig.**

CALAMOCANO, a, adj. **Machay callaricug.**

CALAVERA, n. **Umatullu.**

CALCINAR, v. a. **Imallata huiñay rupachina.**

CALCULABLE, adj. **Yupaypag.**

CALCULAR, v. a. **Yupana.** Véase CONTAR.

CALCULO, n. **Yupay.**

CALDEAR, v. a. **Ninayachingacama cunuchina.**

CALDO, n. Jilli, ant. Caldo de patas de res, **TUGRU** o **TOGRO,** por corrupción.

CALENDARIO, n. **Imapunzha cashcata ricuna quillca.**

CALENTADO, a, p. p. **Cunuchishca.**

CALENTADOR, a, adj. **Cunuchig.**

CALENTAR, v. a. **Cunuchina.**— IR A CALENTAR, Cunuchigrina.— ESTAR CALENTANDO, Cunuchicuna.— VENIR CALENTANDO O DESPUES DE HABER CALENTADO, Cunichumuna.— CALENTAR ENTRE DOS O MAS, O AYUDAR AL QUE

Cunurina

CALIENTA, Cunuchinacuna.— CALENTARSE, Cunurina.

CALENTURA, n. **Ungugcunapa cunuy.**

CALETRE, n. **Yuyay.**

CALIDO, a, adj. **Cunug.**

CALIENTE, adj. Lo mismo que CALIDO.

CALOFRIO, n. Véase ESCALOFRIO.

CALOR, n. **Cunuy.**

CALUMNIAR, v. a. **Maycanta llullashpa juchanchina.**

CALVA, n. **Agcha, illag uma**

CALVECER, v. a. Véase ENCALVECER.

CALVO, a, adj. **Llatan uma; Lluchu uma.**

CALLADAMENTE, adv. **Upalla; Chunlla.**

Agcha

CALLADO a, p. p. **Upallashca; Upalla.**

CALLADOR, a, adj. **Upallag.**

CALLAR, v. n. **Upallana.**— IR A CALLAR, Upallagrina.— ESTAR CALLANDO, Upallacuna.— VENIR CALLANDO, Upallamuna.— HACER CALLAR, Upallachina.

CALLE, n. **Jatun ñan; Huasicunata manyaman saquishpa rig ñan.**

CALLEJON, n. **Quichqui ñan.**

CALLEJUELA, n. **Ancha quichqui ñan.**

CAMA, n. **Puñuna palti; Puñuna catuna; Siririna pamba.**

CAMARA, n. **Ucu.**

CAMBIARSE, (por variar de condición o de aspecto), v r. **Chicanyana.**— Cuando se quiere expresar la cosa en que algo se cambia o transforma, se añade la partícula **Yana** al nombre de tal cosa, vga. 'Convertirse el día en noche": "Tutayana"; — "Cambiarse algo en piedra": "Rumiyana". Casi siempre se suprime la **Y**, como en "Caspiana": "Trocarse en palo".

CAMILLA, n. **Cacana; Huandu.**

CAMINADOR, a, adj. **May purig.**

CAMINAR, v. n. **Purina.** Véase ANDAR.

CAMINO, n. **Ñan.**— CAMINO DE A PIE, **Chaquiñán.**

CAMISA (la de lana que usan los indios pobres), n. **Cutún.** Castellanizada esta palabra, se dice **Cotón.**

CAMOTE, n. Véase BATATA.

CAMPEON, n. **Macanacugcunapag apu.**

CAMPESINO, a, adj. **Chagra.**

CAMPO, n. **Pamba.**— CAMPO RASO, **Chushag pamba; Pagrapamba.**

CAN, n. Véase PERRO.

CANA, n. **Yurag agcha; Sucu.**

CANAL, n. Véase ACEQUIA.

CANALIZAR, (por construir acequia), v. n. **Parcuta rurrana; Yacuñanta allichina.**

CANASTA a **CANASTO**, n. **Nasti**, derivado del español.

CANASTILLO, n. **Uchilla nasti.**

CANCHALAGUA (yerba medicinal), n. **Canchalahua.** Este nombre de la "Erythaea quintensis" lo ha tomado el castellano del quichua.

CANDELA (fuego), n. **Nina.**

CANDENTE, adj. **Ninayashca; Jagannicug.**

CANDIDO, a, adj. **Upa.**

CANGREJO, n. **Apangura.**

CANICIE, n. **Agcha yuragyana.**

CANO, a, adj. **Yurag uma; Sucu uma.**

CANOSO, a, adj. Lo mismo que CANO.

CANSADO, a, p. p. **Shaycushca.**

CANSANCIO, n. **Shaycuy.**

CANSAR, v. a. **Shaycuchina.**— IR A CANSAR, Shaycuchigrina.— ESTAR CANSANDO, Shaycuchicuna.— VENIR CANSANDO O DESPUES DE CANSAR, Shaycuchimuna.— CANSARSE, Shaycurina o Shaycuna.

CANTAR (por canción), n. **Yaravi; Taqui,** ant.

CANTAR, v. n. **Taquina,** ant.

CANTARILLA, n. **Shila; Malta.**

CANTARILLO, n. **Uchilla huallu.**

CANTARO, n. **Huallu; Puñu,** ant.

CANTO, n. **Taqui,** ant. Canto de los segadores, **Lalahuay.**

CANTOR, a, adj. **Taquig,** ant.

CAÑA, n. **Huiru,** si es de azúcar o de maíz.— CHUPAR CAÑA, **Huiruna.**— CAÑA SECA DE MAIZ, buena para combustible, **Callag.**

CAÑAVERAL, n. **Huiru chagra.**

CAÑERIA, n. **Allpaucutarig parcu.**

CAPADOR, a, adj. **Rurrusurcug.**

CAPADURA, n. **Rurru surcushca chugri.**

CAPAR, v. a. **Rurruta surcuna.**

CAPISAYO, n. **Cushma.**

CAPITAN, n. **Apu.**

CAPITEAR, v. a. **Maycancunapag apu tucush purina.**

CAPON, adj. **Rurruillag.**

CAPTURA, v. a. **Japina.** Véase COGER.

CARA, n. **Ñahui.**

CARACOL, n. **Churucu.**

Churucu

CARACOLEAR, v. n. **Caymanchayman quingusipa purina.**

CARACHA, n. **Caracha.** Palabra que el castellano ha adoptado del quichua.

CARAMBA!, interj. **Puchca!**

CARBON, n. **Quillimsa,** ant.

CARCEL, n. **Millaycunata huichcana huasi.**

CARCELERO, a, adj. **Huichcashca millaycunata ricurag.**

CARCOMA, n. **Puyu.**

CARCOMERSE (la madera), v. r. **Puyuna; Mullparina.**

CARCOMIDO, a. p. p. **Puyushca; Mullpashca.**

CARDA, n. **Aspina.**

CARDADOR, a, adj. **Pachacunata, millmata surcungapa, aspig.**

CARDAR, v. a. **Millmata jatarichingapag, aspina.** Véase también ESCARMENAR.

CARDENO, a, adj. **Sañiashca.**

CAREAR (a dos o más personas), v. a. **Ñahuinchina.** Véase CONFRONTAR.

CARECER, v. n. **Imallata mana charina.**

CARESTIA, n. **Musuy.**

CARGA, n. **Imalla aparinacuna.**

CARGADO, a, p. p. **Aparishca.** Excesivamente cargado, **HUINASHCA.**

CARGADOR, a, adj. **Aparig.**

CARGAR, v. a. **Aparina.**— IR A CARGAR, Aparigrina.— ESTAR CARGANDO, Aparicuna — VENIR CARGANDO, Aparimuna.— HACER CARGAR, Aparichina.— CARGARTE O CARGARME, Aparihuana.— CARGAR CONSTANTEMENTE, Aparirana.— CARGAR MUCHO, **Huinana** y sus derivados. TOMAR CARGA EN LOS BRAZOS, **Marcana** y sus derivaciones.

CARGUERO, a, adj. **Aparinata yachag.**

CARIDAD, n. **Cuyay; Huagchata llaquish cuyana.**

CARIDOLIENTE, adj. **Llaquiñahui.**

CARIGORDO, a, adj. **Punguiñahui.**

CARILARGO, a, adj. **Suniñahui.**

CARILUCIO, a, adj. **Huisiagñahui.**

CARINEGRO, a, adj. **Yanañahui.**

CARIÑO, **Cuyay.**

CARIÑOSAMENTE, adv. **Cuyaylla.**

CARIÑOSO, a, adj. **Cuyaysapa.**

CARMESI, n. **Puca; Pichi.**

CARMINATIVO, a, adj. **Huigsa huairata carcug; Supichig.**

CARNE, n. **Aycha.**

CARNERO (peruano), n. **Llama; Llamingu.**

CARNICERIA, n. **Aychahuasi; Aychana ucu.**

CARNIVORO, a, adj. **Aychamicug; Aychajillu.**

CARNOSO, a, adj. **Aychasapa.**

CARNADO, a, adj. Lo mismo que CARNOSO.

CARO, a, adj. **Ancha cullquipi caturig.**

CARPA (tienda de campaña), n. **Carpa.** Palabra que, como otras varias, han pasado del quichua al castellano.

CARPINTERIA, n. **Caspillagllana rurray.**

CARPINTERO, a, adj. **Caspillagllag.**

CARRERA, n. **Callpay.**

CARTA, n. **Maycanman cacharig quillca.**

CARTEAR, v a. **Quillcana.**

CARTEL, n. **Pircapi, pungupi churana quillca.**

CARTERO, a, adj. **Quillcaraquig.**

CARTILLA, n. **Huambracunapa yachacuna quillca.**

Huasi

CASA, n. **Huasi.**

CASADERO, a, adj. **Cazarana pagta.**

CASADO, a, p. p. **Huarmiyug cari; Cusayug huarmi.**

CASAMENTERO, a, adj. **Taucata cazarichishpa purig.**

CASAR, v. n. **Cazarana** (palabra manifiestamente tomada del castellano). — CASARSE, Cazarana.— IR A CASARSE, Cazaragrina.— ESTAR CASANDOSE, Cazaracuna.— VENIR DESPUES DE CASARSE, Cazaragrina.- HACER CASAR, Cazarachina.

CASCADA, n. **Tasqui.**

CASCAJO, n. **Ratag allpa; Cangahua.**

CASCARA, n. **Cara.**

CASCARUDO, a, adj. **Carasapa.**

CASCO, n. **Shillu.**

CASCUDO, a, adj. **Shillusapa.**

CASERO, a, adj. **Huasipi tiag; Huasipi causaglla.**

CASI, adv. **Yaca; Yacalla.**

Shillu

CASPITA!, interj. **Puchca!**

CASTAÑO, a, adj. **Puca.**

CASTAÑEAR, v. n. **Quirucuna chugchushpa huagtarina.**

CASTIGAR, v. a. **Maycan juchayugta macana.**— CASTIGAR CON PRISION, **Huichcana.**— CASTIGAR DE MUERTE, **Huiñuchina.**— CASTIGAR MUCHO CON GOLPES O AZOTES, **Tigzhina.**

CASTILLO, n. **Pucara.**

CASTRACION, n. **Rurruta anchuchina.**

CASTRADO, a, p. p. Véase CAPADO.

CASTRADOR, a, adj Lo mismo que CAPADOR.

CASTRAR, v. a. Véase CAPAR.

CATAR, v. a. **Imallata mallina.**

CATARATA, n. **Tasqui.** La de los ojos, PUYU.

CATARRO, n. **Chulli,** desusado.

CATORCE, adj. **Chungachuscu.**

CATORCENO, adj. **Chungachuscuniqui.**

CAUCE, n. **Yacu purina rarca; Yacu rina huaycu.**

CAUDILLO, n. **Apu.**

CAVA, n. **Allay.**

CAVADO, a, p. p. **Allashca.**

CAVADOR, a, adj. **Allag.**

CAVAR, v. a. **Allana.**— IR A CAVAR, Allarina.— ESTAR CAVANDO, Allacuna.— VENIR CAVANDO O DESPUES DE CAVAR, Allachina. — CAVARSE ALGO, Allarina.— AYUDAR A CAVAR O CAVAR ENTRE VARIOS, Allanacuna.

Allay

CAVERNA, n. **Machay.**

CAVERNOSO, a, adj. **Machayjunda; Machaymachay.**

CAVIDAD, n. **Pugru.**

CAYADO, n. **Tauna.**

CAZAR, v. a. **Pishcucunata, quita curucunata japish purina.**

CAZADOR, a, adj. **Pishcujapig.**

CAZUELA, n. **Huichi.**

CEBAR, v. a. Véase ENGORDAR.

CECINA, n. **Charqui.**

CEDAZO, n. **Shushuna.**

CEDER, v. a. **Imallata mañaricugman cuna; Cacharina.**

CEFALALGIA, n. **Umananay.**

CEGAR, v. n. **Mana ricuy callarina.**

CEGATON, a, adj. **Japra**, ant.

CEJA, n. **Quisipra**, desusado.

CELESTE, adj. **Jahuallagtapi tiag; chaypi causag.**

CELIBE, adj. **Mana cazarashca.**

CEMENTERIO, n. **Ayapamba.**

Ayapamba

CENADOR, a, adj. **Tutamicug.**

CENAGAL, n. **Guzu.**

CENAGOSO, a, adj. **Guzuyashca; Guzusapa.**

CENAR, v. n. **Tutapi micuna.**

CENCEÑO a, adj. **Ñañulla.**

CENICERO, a, adj. **Uchupa churana.**

CENICIENTO, a, adj. **Uchupaman rigchag.**

CENIA, n. **Uchupa.**— CENIZA MUY FINA, **Llipta.**

CENIZO, a, adj. Lo mismo que CENICIENTO.

CENTELLA, n. **Illapa; Cachacacha**, ant.

CENTELLEAR, v. n. **Jagannina.**

CENTENA, n. **Shug pasag.**

CENTENAR, n. Lo mismo que CENTENA.

CENTENO, a, adj. **Pasagniqui.**

CENTINELA, n. **Chapag auca.**

CENTRAL, adj. **Chaupipi tiag.**

CENTRALIZAR, v. a. **Imallata chaupipi churana; chaupiman tandachina.**

CENTRICO, a, adj. Véase CENTRAL.

CENTRO, n. **Chaupi.**

CENTUPLICAR, v. a. **Pasag cuti mirachina; Pasagyachina.**

CEÑIDOR, n. **Chumbi.**

CEÑIRSE, v. r. **Chumbillina.** Véase FAJARSE.

CEÑUDO, a, adj. **Piñañahui.**

CEPA, n. **Sapi.**

CEPILLO, n. **Lluncuna**, ant.

CERA, n. **Chuspi huira; Sacha huira.**

CERAMICA, n. **Mangata rurrana; Mangana.**

CERCA, n. **Pirca.** Si es de barras, **Quinzha.** Si es de troncos y ramas, **Jarata.**

CERCA, adv. **Cuchupi; Cuchullapi; Cayllapi.**

CERCANIA, n. **Cuchulla cana.**

CERCANO, a, adj. **Cuchullapi tiag.**

Pirca

CERCAR, v. a. **Pircana.**— CERCAR CON BARRAS, **Quinzhana.**— IR A CERCAR,

Quinzhagrina.— ESTAR CERCANDO, Quinzhacuna.— VENIR CERCANDO O DESPUES DE CERCAR, Quinzhamuna.— HACER CERCAR, Quinzhachina.— CERCARSE UN RECINTO, Quinzharina.— CERCAR ENTRE VARIOS O AYUDARSE EN LA OBRA, Quinzhanacuna.

CERCO, n. **Pirca; Quinzha.**

CERDA, n. **Agcha.**

CERDO, n. **Cuchi.**

CEREBRO, n. **Umañutcu.**

CERNIR, v. a. **Shushuna.**— IR A CERNIR, Shushugrina.— ESTAR CIRNIENDO, Shushucuna.— VENIR DESPUES DE HABER CERNIDO, Shushumuna.— HACER CERNIR, Shushuchina.- CERNIRSE, Shushurina. - AYUDAR A CERNIR, Shushunacuna.

Shushuna

CERNICALO, n. **Quillillicu.**

CERNIDO, a, p. p. **Shushushca.**

CERRADIZO, a, adj. **Huichcariglla.**

CERRAJA, n. **Quinquín.**

CERRADO, a p. p. **Huichcashca.**

CERRAR, v. a. **Huichcana.**— IR A CERRAR, Huichcagrina.— ESTAR CERRANDO, Huichcacuna.— VENIR DESPUES DE CERRAR, Huichcamuna.— HACER CERRAR, Huichcachina.— CERRARSE, Huichcarina.— AYUDAR A CERRAR, Huichcanacuna.

CERRIL, adj. **Urcupi causag; Urcupi tiag.**

CERRO, n. **Urcu.**

CERVATILLO, a, n. **Huahua taruga.**

CERVIZ, n. **Cunga.**

CESAR, v. n. **Imalla tucurina.**

CESPED, n. **Chamba.**

CESTA, n. **Nasti.** Cesta de mimbres toscos, en que se transportan frutas, **Shuru.**

CICATERIA, n. **Misay.**

CIEGO, a, n. **Mana ricug; Ñauca,** ant.

CIELO, n. **Jahuapacha; Cushipacha.**

Ñauca

CIEN, adj. Véase CIENTO.

CIENCIA, n. **Yachay.**

CIENTO, adj. **Pasag.**

CIERTAMENTE, adv. **Shuti; Shutita.**

CIERTO, a, adj. **Shuti.** ¿NO ES CIERTO?, **¿Manachu?**

CIERVO, n. **Taruga.**

CIGARRA (¿especie de ella?), n. **Zhiru.**

CIMA, n. **Urcupata; Jahuapata.**

CIMARRON, a, adj. **Quitayashca.**

CINCO, adj. **Pichca.**

CINCUENTA, adj. **Pichcachunga huatyug.**

CINEREO, a, adj. **Uchupaman rigchag.**

CINTURON, n. **Chumbi.**

CIRCUIR, v. a. **Mayuna; Muyundita imallata rurrana.**

CIRCULAR, n. **Muyundita rurrashca.**

CIRCULAR, v. n. **Muyundita purina.**

CIRCULO, n. **Muyundita rurrashca; Muyuy.**

CIRCUNDAR, v. a. Véase CIRCUIR.

CIRCUNSTANTES, adj. **Muyundi shayacug, muyundi tiacugcuna.**

CIRCUNVALAR, v. a. Lo mismo que CIRCULAR.

CISTERNA, n. **Pugyu; Uchilla cucha.**

CITAR, v. a. **Cayana.** Véase LLAMAR.

CITO!, interj. **Utca!**

CLAMAR, v. n. **Caparina; Caparishpa huacana.**

CLAMOR, n. **Caparishca; Capari.**

CLANDESTINO, a, adj. **Pacalla rurrashca.**

CLAREAR, v. n. **Achigyana; Pascarina.**

CLARIDAD, n. **Achigyay.**

CLARO, a, adj. **Achig; Achigyacug.**

CLAUDICAR, v. n. Véase COJEAR.

CLAVICULA (hueso de la parte superior del pecho), n. **Pilischaca.**

CLEMATIDE (una especie de este género de plantas), n. **Shihuiza.**

CLOQUEAR, v. n. **Cuglagyana.**

CLUECA, adj. **Cuglag.**

COADJUTOR, a, adj. **Yanapag.**

COADYUVANTE, adj. Lo mismo que COADJUTOR.

COADYUVAR, v. a. Véase AYUDAR.

COBARDE, adj. **Pishishungu.**

COBARDIA, n. **Pishishungu cana.**

COBIJA, n. **Cata; Catallina.**

COBIJADO, a, p. p. **Catashca.**

COBIJAR, v. a. **Catana.**— IR A COBIJAR, Catagrina.— ESTAR COBIJANDO, Catacuna.— VENIR COBIJANDO O DESPUES DE COBIJAR, Catamuna.— HACER COBIJAR, Catachina.— COBIJARSE, Catarina.— AYUDAR A COBIJAR, Catanacuna.— COBIJARTE O COBIJARME, Catahuana.

COBRAR, v. a. **Maycanman cunacharigta chasquina.**

COBRE, n. **Anti,** desus.

COCEADOR, a, adj. **Jaytanata yachag.**

COCEAR, v. a. **Jaytana.** Véase PATEAR.

COCER, v. a. **Yanuna.** Véase COCINAR.

COCIDO, a, p. p. **Yanushca.**— BIEN COCIDO, Patashca.- EXCESIVAMENTE COCIDO, **Ñamuryashca.**

COCIMIENTO, n. **Yanuy; Imalla yanurishca yacu.**

Ñamuryashca

COCINA, n. **Yanuna ucu.**

COCINAR, v. a. **Yanuna.**— IR A COCINAR, Yanugrina.— ESTAR COCINANDO, Yanucuna.— VENIR DESPUES DE COCINAR, Yanumuna.— HACER COCINAR, Yanuchina.— COCINARSE, Yanurina.— AYUDAR A COCINAR, Yanunacuna.

Yanuna

COCINERO, a, adj. **Yanug.**

COCO (duende o fantasma), n. **Cucu; Chichi.** No es fácil determinar si la primera palabra ha sido tomada del quichua para el castellano, o del castellano para el quichua.

COCUYO, n. **Cucuyo.** La voz castellana procede de la quichua.

COCHAMBRE, n. **Mapa.**

COCHINA, (la hembra del cerdo), n. **Huarmi cuchi.**

COCHINILLO, n. **Huahua cucni.**

COCHINO, n. **Cuchi.**

COCHINO, a, adj. **Mapa.**

CODICIA, n. **Jatun chayugyana munay.**

CODICIABLE, adj. **Munaypag.**

CODICIAR, v. a. **Shugpa cashcata munana; May chayyugyashca nina.**

CODO, n. **Rigra mucu.**

COETANEO, a, adj. **Shughuan huiñay.**

COGEDOR, a, adj. **Japig.**

COGEDURA, n. **Japina; Japi.**

COGER, v. a. **Japina.**— IR A COGER, Japigrina.— ESTAR COGIENDO, Japicuna.— VENIR COGIENDO O DESPUES DE COGER, Japimuna. - HACER COGER, Japichina.— COGERSE, Japirina.— COGERTE O COGERME, Japihuana.— DEJARSE COGER, Japitucuna.— AYUDAR A COGER, Japinacuna.

COGIDO, a, p. p. **Japishca.**

COGNADO, a, adj. Véase PARIENTE.

COGOLLO, n. **Mugmu; Tugtu,** cuando tiene o debe tener flor.

COGOTE, n. Véase PESCUEZO.

COHABITAR, v. n. **Cari huarmihuan,**

huarmi carihuan cana.

COHITO, n. **Cari huarmihuan cay**

COJEAR, v. n. **Jancana**, ant.

COJO, a, n. **Janca; Chullachanga.**

COJUDO, a, adj. **Rurruyug; Rurrusapa.**

COLA, n. Véase RABO.

COLAR, v. a. Véase CERNIR.

COLEAR, v. n. **Chupata caymanchayman cuyuchina.**

COLECTAR, v. a. **Tandachina.** Véase RECOGER.

COLECTOR, a, adj. **Imallata tandachig.**

COLEGIO, n. **Yachachina huasi.**

COLERA, n. **Piñay.**

COLERICO, a, adj. **Piña; Piñariglla.**

COLGADO, a, p. p. **Huarcushca.**

COLGAR, v. a. **Huarcana.**— IR A COLGAR, Huacugrina.— ESTAR COLGANDO, Huarcucuna.— VENIR DESPUES DE COLGAR O DEJAR COLGADO Y VENIR, Huarcumuna.— HACER COLGAR, Huarcuchina.— COLGARSE, Huarcurina.— ESTAR INDEFINIDAMENTE COLGADO, Huarcurana.- AYUDAR A COLGAR, Huarcunacuna.

Quindi

COLIBRI, n. **Quindi.**

COLICO, n. **Huigsananay.**

COLINA, n. **Pata.**

COLMAR, v. a. **Jundachina.** Véase LLENAR.

COLMENA (de unas abejas salvajes), n. **Mishquipuru.**

Mishquipuru

COLMILO, n. **Suni quiru.**

COLOCAR, v. a. **Churana.** Véase PONER.

COLORADO, a, (por rojo), adj. **Puca.**

COLOREAR (por enrojecer), v. n. **Pucayana** y sus derivados.

COLOSAL, adj. **Ancha jatun.**

COLUMPIAR, v. n. **Huaylumnina.**

COLLADO, n. **Pagtalla urcu.**

COLLAR, n. **Huallca.**

COMADREJA(especie americana), n. **Chucurillu.**

COMARCA, n. **Paccha; Llagta.**

COMBATE, n. **Macanacuy.**

COMBATIENTE, adj. **Macanacug.**

COMBATIR, v. a. **Macanacuna.** Véase PELEAR.

COMBUSTIBLE, n. **Imalla rupachipag.** Véase LEÑA.

COMBUSTION, n. **Rupay.**

COMEDERO, n. **Michinapamba.**

COMEDERO, a, adj. **Micuypag.**

COMEDOR, n. **Micunaucu.**

COMENSAL, n. **Shughuanpagta micug.**

COMENZADO, a, p. p. **Callarishca.**

COMENZAR, v. a. **Callarina.** Véase EMPEZAR.

COMER, v. a. **Micuna.**— IR A COMER, Micugrina.— ESTAR COMIENDO, Micucuna.— VENIR DESPUES DE HABER COMIDO O COMIENDO EN EL TRANSITO, Micumuna.— HACER QUE OTRO COMA, Micuchina.— COMER ENTRE DOS O MAS, Micunacuna.— COMER INCESANTEMENTE, Micurana.— COMERSE ALGUNA COSA (en el sentido de corroerse), Micurina.— DAR DE COMER, **Carana.**

COMERCIAR, v. a. **Randish catush purina.**

COMESTIBLE, n. **Micuna.**

COMEZON, n. **Shigshi.**— HACER COMEZON, **Shigshina.**

COMIDA, n. **Micuy.**

COMIDO, a, p. p. **Micushca.**

COMIENZO, n. **Callari.**

COMISIONADO, a, adj. **Mingashca.**

COMISIONAR, v. a. **Mingana.** Véase CONVIDAR.

COMO, adv. **Imashinami.**— COMO?, en pregunta, **Imashinata?**— COMO QUIERA, **Imashinapish.**— ¿COMO NO?, **Imashina mana.**— COMO VA?, **Imashinata?; Imananta?; Imanacunta?**— SEA COMO FUERE, **Imashinapish; Imarigchapish.**

COMPACTO a, adj. **Jinchishca; Sinchi.**

COMPADECER, v. a. **Shugpa llaquimanta nanarina.**

COMPAÑERO, a, n. **Shughuan causag; Maycanhuan purig.**

COMPARECER, v. n. **Ricurina; Chayarina.** Véase APARECER.

COMPARTIR, v. a. **Imallata raquinacuna.**

COMPASION, n. **Shugpa llaquimanta nanay.**

COMPASIVO, a, adj. **Shugmanta llaquig.**

COMPATRIOTA, n. **Ñucanchi llagtapi huiñashca.**

COMPLACENCIA, n. Véase ALEGRIA.

COMPLETAR, v. a. **Pagtachina.** Véase AJUSTAR.

COMPLETO, a, adj. **Pagta.**

COMPLICE, n. **Shughuan tucushpa jucgallig.**

COMPONEDOR, a, adj. **Allichig.**

COMPONER, v. a. **Allichina.**— IR A COMPONER, Allichigrina.— ESTAR COMPONIENDO, Allichicuna.— COMPONER Y VENIR, Allichimuna.— COMPONERSE, Allichirina.— COMPONERSE ENTRE VARIOS, O AYUDAR A COMPONER, Allichinacuna.— HACER COMPONER, Allichichina.

COMPOSITOR, a, adj. **Allichig.**

COMPRA, n. **Randi; Randishca.**

COMPRABLE, adj. **Randipag.**

COMPRADO, a, p. p. **Randishca.**

COMPRADOR, a, adj. **Randig.**

COMPRAR, v. a. **Randina.**— IR A COMPRAR, Randigrina.— ESTAR COMPRANDO, Randicuna.— VENIR DESPUES DE COMPRAR, Randimuna.— HACER COMPRAR, Randichina.— COMPRAR ENTRE VARIOS, O AYUDAR EN LA COMPRA, Randinacuna.— COMPRARSE, Randirina.

COMPRENDER (por **Entender),** v. a. **Yuyaypi japina.**

COMPRIMIR, v. a. **Ñitina; Llapchina.** Véase APLASTAR.

COMPUESTO, a, p. p. **Allichishca.**

COMPUNGIRSE, v. r. **Nanarina. Jachallishcamanta llaquina.**

COMPUTAR, v. a. **Yupana.** Véase CONTAR.

COMPUTO, n. **Yupay.**

COMUN, adj. **Taucapag; Tucypag; Pipagpish.**

COMUNICAR, v. a. **Huillana.** Véase AVISAR.

CON, prep. **Huan,** pospuesto al nombre; vga. "Con mi hermano": Ñuca huaquihuan.

CONCAVIDAD, n. **Pugru; Jutcu; Machay.**

CONCAVO, a, adj. **Pugruyashca; Jutcushca.**

CONCEBIR (por ser fecunda una hembra), v. n. **Chichuna; Huigsayug tucuna.**

CONCEDER, v. a. **Ari nina; Imallata mañagman cuna.**

CONCIUDADANO, a, adj. Véase COMPATRIOTA.

CONCLUIDO, a, p. p. **Puchucashca.**

CONCLUIR, v. a. **Puchucana.**— IR A CONCLUIR, Puchucagrina.— ESTAR CONCLUYENDO, Puchucacuna.— CONCLUIR Y VENIR, Puchucamuna.— HACER CONCLUIR, Puchucachina.— CONCLUIRSE, Puchucarina.

CONCLUSION, n. **Puchucay.**

CONCLUSO, a, p. p. Véase CONCLUIDO.

CONCUBINA, n. **Shipas; Mana quiquin huarmi cashpa, carihuan causag.**

CONCUBINATO, n. **Cari shipasyug cana; huarmi huaynayug cana.**

CONCUÑADO, a, n. **Masha.**

CONCURRIR, v. n. **Tauca shamuna; Tandarina.**

CONDOLERSE, v. r. Véase COMPADECER.

CONDOR, n. **Cundur.** El vocablo castellano es tomado del quichua.

CONDUCIR, v. a. **Apana.** Véase LLEVAR.

CONDUCTOR, a, adj. **Apag.**

CONEJO, n. **Cunu,** tomado de la voz castellana.

CONFERENCIA, n. **Rimanacuy.**

CONFERENCIAR, v. n. **Rimanacuna.** Véase HABLAR.

CONFESAR, v. a. **Imalla pacacushcata huillana.**

CONFESION, n. **Huillay.**— CONFESION

SACRAMENTAL, **Juchallishcata huillana.**

CONFIN, n. **Cuchu.**

CONFITE, n. **Mishqui.**

CONFITERO, a, adj. **Mishqui rurrag; Mishqui catug.**

CONFLICTO, n. **Llaqui.**

CONFLUIR, v. n. **Ishcay yacu shuglla tucuna; Tauca yacu shugllapi tandarina.**

CONFORTAR, v. a. **Sinchiyachina.** Véase FORTIFICAR.

CONFRONTAR, v. a. **Ñahuinchina.**— IR A CONFRONTAR, Ñahuinchigrina.— ESTAR CONFRONTANDO, Ñahuinchicuna.— VENIR DESPUES DE CONFRONTAR O CONFRONTANDO, Ñahuinchimuna.— HACER CONFRONTAR, Ñahuinchichina.— CONFRONTARSE, Ñahuinchirina.

CONFUNDIR (por perder algo), v. a. **Chingachina.**— CONFUNDIR (por embrollar) **Tutayachina.**

CONGELAR, v. a. **Chirihuan yacuta rumiyachina.**

CONGOJA, n. **Llaqui.**

CONGREGAR, v. a. **Tandachina.** Véase JUNTAR.

CONJETURA, n. **Yuyay.**

CONJETURAR, v. a. **Yuyana.** Véase PENSAR.

CONJUNCION, n. **Quilla huañuy; Quilla chingay; Quilla tucurina.**

CONMEMORAR, v. a. **Imallamanta yuyarina.** Véase RECORDAR.

CONMIGO, prep. y pron. **Ñucahuan.**

CONMINAR, v. a. **Manchachina.** Véase ESPANTAR.

CONMISERACION, n. **Shugpa llaquimanta manarina.**

CONMOCION (por movimiento), n. **Cuyuy.**

CONMOVER, v. a. **Cuyuchina. En el sentido** de ENTERNECER, **Llaquichina; Nanachina.**

CONOCEDOR, a, adj. **Rigsig.**

CONOCER, v. a. **Rigsina.**— IR A CONOCER, Rigsigrina.— ESTAR CONOCIENDO, Rigsicuna.— CONOCER Y VENIR, Rigsimuna.— HACER CONOCER, Rigsichina.— CONOCERSE, Rigsirina.— CONOCERSE MUTUAMENTE, Rigsinacuna.— CONOCERTE O CONOCERME, Rigsihuana.

CONOCIDO, a, p. p. **Rigsishca.**

CONQUE (en el sentido de ASI QUE), conj. **Chasnaca; Shinaca.**— Indicando sorpresa, **Ca,** pospuesto a la última palabra de la frase u oración, vga. "Conque no has trabajado!"; "Mana rurrashcanguica!".

CONQUISTAR, v. a. **Shugpa Llagtata quichuna.**

CONSANGUINEO, a, adj. Véase PARIENTE.

CONSEJO, n. **Cunay.**

CONSECUTIVAMENTE, adv. **Catipi.**

CONSECUTIVO, a, adj. **Catig; Catirig.**

CONSENTIMIENTO, n. **Munay; Arinishca.**

CONSENTIR, v. n. **Arinina.**

CONSERVADOR, a, adj. **Huacaychig; Camag.** EL CONSERVADOR DEL UNIVERSO, **Pachacamag.**

CONSERVAR, v. a. **Huaycaychina; Canana; Charicuna.**

CONSIGO, prep. y pron. **Payhuan.**

CONSORTE, n. **Caripag huarmi; Huarmipag cusa.**

CONSTRUIR, v. a. **Rurrana;** tratándose de paredes, **Pircana.**

CONSUMADO, a, p. p. **Puchucashca.**

CONSUMAR, v. a. **Puchucana.** Véase CONCLUIR.

CONSUMIDO, a, p. p. **Puchucashca.** En el sentido de persona enflaquecida, **Tulluyashca; Jaycamanta.**

CONSUMIR, v. a. **Tucuchina; Puchucana.** Véase ACABAR.

CONTADO, a, p. p. **Yupashca.**— DE CONTADO, **Cullquimaqui; Maquipura.**

CONTAGIADO, a, p. p. **Catishca.**

CONTAGIO, n. **Unguy catina.**

CONTAGIOSO, a, adj. p. p. **Catiglla unguy.**

CONTAGIAR, v. a. **Catina.** Véase SEGUIR.

CONTAR, v. a. **Yupana.**— IR A CONTAR, Yupagrina.— ESTAR CONTANDO, Yupacuna.— CONTAR Y VENIR, Yupamuna.— HACER CONTAR, Yupachina.— CONTARSE, Yuparina.— CONTAR ENTRE DOS O MAS, Yupanacuna.— CONTAR

FRECUENTEMENTE, Yuparana.— CONTAR, en la acepción de NARRAR, **Huillana.** Véase AVISAR.

CONTENER (en el sentido de RETENER MATERIALMENTE A UNA PERSONA), v. a. **Japina; Charirana.**

CONTENDER, v. n. **Churanacuna; Macanacuna.** Véase PELEAR.

CONTENTARSE, v. a. **Cushilla cana; Cushicuna.**

CONTENTO, a, adj. **Cushi; Cushilla.**

CONTIENDA, n. **Ninacuy; Macanacuy,** si es de obra.

CONTIGO, prep. y pron. **Canhuan.**

CONTIGUO, a, adj. **Cuchullapi tiag.**

CONTORSION, a, adj. **Huisturina.**

CONTORNO, n. **Muyundi.**

CONTRACCION, n. **Quindiana.**

CONTRADECIR, v. n. **Llullapi surcuna.**

CONTRAER (por **Acortar),** v. a. **Cutuyachina; Quindiyachina.**

CONTRICION, n. **Juchallishcamanta llaqui.**

CONTRISTAR, v. a. Véase AFLIGIR.

CONTRITO, a, adj. **Juchallashcamanta llaquig.**

CONTUSION, n. **Huagtashcamanta punguishca.**

CONVALECER, v. n. **Allitucuy callarina.**

CONVALECIENTE, adj. **Allitucucug; Llugshiricug.**

CONVENCER, v. a. **Maycanta cunashpa atina.**

CONVERSACION, n. **Rimanacuy.**

CONVERSAR, v. n. **Rimanacuna.**— ESTAR CONVERSANDO, Rimanacucuna.

CONVERSION, n. **Juchallishcamanta nanarishpa, Apunchiman cutirina.**

CONVERTIR, v. a. **Juchayugta Apunchiman cutichina.**

CONVIDAR, v. a. **Carangapag, upiachingapag cayana.**— CONVIDAR PARA QUE COMAN Y BEBAN TRABAJANDO, **Mingana.**

CONVITE, n. **Carangapa, upiachingapa cayay; Imalla rurraypa minga.**

CONVOCAR, v. a. **Taucata cayana.**

CONVULSION, n. **Chugchuy.**

CONYUGUE, n. Véase CONSORTE.

COOPERACION, n. **Yanapay.**

COOPERAR, v. n. **Yanapana. Rurranacuna.**

COPIA (en la acepción de **Abundancia),** n. **Usuy.**

COPIA (por **Trasunto),** n. **Quillcata catishpa surcushca; Imalla shugman rigchagta rurrashca.**

COPIAR, v. a. **Imallata shugpi catishpa rurrana.**

COPIOSO, a, (en la acepción de **Abundante),** adj. **Uscucug.**

COPULA, n. **Cari huarmihuan siririna; Huarmihuan puñuna.**

COPULARSE, v. r. **Huarmihuan puñuna.**

CORAZON, n. **Shungu.** POBRE DE CORAZON, **Upashungu.**

CORAZONADA, n. **Shungu huillay.**

CORCOVA, n. **Cumu.**

CORCOVADO, a, adj. **Cumu. Curcu,** (derivado de la voz castellana). En el lenguaje burlesco, suele decirse **Paquihuasha; Quipi aparishca.**

CORDEL, n. **Huatu,** si es de hebras torcidas, **Cauchu.**

CORDIAL, adj. **Shungumanta; Shungughta cushiyachig.**

CORDON, n. Véase CORDEL.

CORIZA, n. Véase CATARRO.

CORNADA, n. **Gachuhuan huagtashca; Gachuhuan jutcushca.**

CORNEAR, v. a. **Apana.** Véase EMBESTIR.

CORNUDO, a, adj. **Gachusapa.**

CORONA, n. **Llautu.**

CORRAL, n. **Canzha,** ant.

CORONILLA (la de la cabeza), n. **Mucucu,** ant.

CORREDOR, a. adj. **Calpag.**

CORREGIR, v. a. **Juchayugta cunana, macana, huigchana,** etc.

CORREO, n. **Quillcacunahuan purig.**— ANTIGUO CORREO, **Chasqui,** desus.

CORRER, v. n. **Callpana.**— IR A CORRER, Callpagrina.— ESTAR CORRIENDO, Callpacuna.— VENIR CORRIENDO, O DESPUES DE HABER CORRIDO, Callpamuna.— HACER QUE OTRO CORRA,

Callpachina.— CORRER DE AQUI PARA ALLI, Callpanacuna.

CORRETEAR, v .n. **Cayman chayman callpana.**

CORRIDA, n. **Callpay.**

CORROBORAR, v. a. Véase ROBUSTECER.

CORROMPERSE, v. r. **Huagllina; Ismuna.**

CORROMPIDO, a, p. p. **Huagllishca; Ismushca.**

CORRUPTIBLE, adj. **Huaglliglla; Ismuglla.**

CORTADO, a, p. p. **Cuchushca; Pitishca.**

CORTADERA (planta), n. **Sigsig.**

CORTAR, v. a. **Cuchuna; Pitina.**— IR A CORTAR, Cuchugrina.— ESTAR CORTANDO, Cuchucuna.— VENIR CORTANDO O DESPUES DE CORTAR, Cuchumuna.— HACER CORTAR, Cuchuchina.— AYUDAR A CORTAR O CORTAR ENTRE VARIOS, Cuchunacuna.— CORTARSE, Cuchurina.— CORTARME O CORTARTE, Cuchuguana.— Formas análogas admite **Pitina.**

CORTE (por cortadura), n. **Cuchuy; Piti.**

CORTEZA, n. **Caspi cara; Imalla cara.**

CORTO, a, adj. **Cutu.**

COSA, n. **Ima.**— ALGUNA COSA, **Imalla; Imallapish.**— NINGUNA COSA. **Mana Ima.**— COSA O PERSONA QUE NO RECUERDO, **Imashuti,** por contracción, **Imasti.**— NO SE QUE COSA, **Imachari,** por contracción, **Imacha.**

COSCOJA (Duva hepática de los naturalistas), n. **Churu.** Enfermedad de coscoja del ganado, **Churuna.**

COSECHA, n. **Pucushca chagra muruta tandana.**

COSECHAR, v. a. **Chagra muruta tandash huacaychina.**— Cosechar en tierno, para el gasto cotidiano, **Chagrana.**

COSER, v. a. **Sirana.**— IR A COSER, Siragrina.— ESTAR COSIENDO, Siracuna.— VENIR DESPUES DE COSER, Siramuna.— HACER QUE OTRO COSA, Sirachina.— AYUDAR A COSER, Siranacuna.— COSERSE, Sirarina.

COSIDO, a, p. p. **Sirashca.**

COSQUILLAS, n. **Shigshi.**

COSTURA, n. **Siray; Sirashca.**

COSTADO, n. **Huagta,** ant.

COSTAL, n. **Chahuar puchcamanta ahuahsca jatun tulu.**

COSTILLA, n. Huigsata muyug tullu.

COTO (bocio), n. **Cutu.** El vocablo español proviene del quichua.

COXIS, n. **Chupatullu.**

COYUNTURA, n. **Mucu.**

COZ, n. **Jaytay.**

CRANEO, n. Uma tullucuna.

CRAPULA, n. **Jatun machay.**

CRASO, a, adj. **Batu; Zagra.**

CREADOR, a, adj. **Huinachig; Rurrag.**— CREADOR SUPREMO, **Tucuy pachata rurrag Apunchi.**

CREAR, v. a. **Rurrana; Huiñachina; Mana ima tiashcamanta llugchina.**

CRECER, v. a. **Jatunyana.**— IR A CRECER, Jatunyagrina.— ESTAR CRECIENDO, Jatunyacuna.— VENIR CRECIENDO, Jatunyamuna.— HACER QUE ALGO CREZCA, Jatunyachina.

CRECIDO, a, p. p. **Jatunyashca.**

CRECIMIENTO, n. **Jatunyay.**

CREER, v. a. **Iñina,** ant.

CRESPO, a, adj. **Zhirbu; Zhirbuyashca; Zhirbi; Tipu.**

CRIA, n. **Huahua.**

CRIADILLA, n. **Rurru.**

CRIADO, a, p. p. **Huiñachishca.**

CRIADOR, a, adj. Véase CREADOR.

CRIADERO, n. **Huiñachina cancha; Huiñachina ucu.** CRIADERO DE METAL, **Mama,** desus.

CRIAR, v. a. **Huiñachina.**— IR A CRIAR, Huiñachigrina.— ESTAR CRIANDO, Huiñachicuna.— CRIAR ENTRE DOS OMAS, Huiñachinacuna

CRIATURA, n. **Huahua.**

CRIMEN, n. **Jatun jucha.**

CRIMINAL, adj. **Jatun juchayug.**

CRIN, n. **Agcha.**

CRISNEJA, n. **Jimba.**

Huahua

CRISTALINO, a, adj. **Chuya.**

CRONICO, a, (accidente o enfermedad), adj. **Unay unguy; Mauca unguy.**

CRIN, n. **Jimba.**

CRUCIFICADO, a, adj. **Chacatashca.**

CRUCIFICAR, v. a. **Chacatana.**— IR A CRUCIFICAR, Chacatagrina.— ESTAR CRUCIFICANDO, Chacatacuna.— VENIR DESPUES DE CRUCIFICAR, Chacatamuna.— HACER CRUCIFIAR, Chacatachina.

CRUCIFIXION, n. **Chacatay.**

CRUDO, a, adj. **Chahua.**

CRUEL, adj. **Ancha; Auca.**

CRUENTO, a, adj. **Yahuarsapa; Yahuaryashca.**

CRUJIA, (por Lance o Conflicto), n. **Llaqui.**

CRUZ, n. **Chacata,** desus.

CUADRUMANO a, adj. **Chuscu maquiyug.**

CUADRUPEDO, a, adj. **Chuscu chaquiyug.**

CUADRUPLO, a, adj. **Chuscu cuti mirachishca; Chuscunchishca.**

CUAL (interrogativo), adj. **Maycan?**

CUAL (comparativo), adv. **Imashina.** Véase COMO.— TAL CUAL, **Chasna chasnalla.**

CUALQUIERA, adj. **Maycampish; Pipish; Pillapish.** DE CUALQUIER MODO, **Imashinapish.**— EN CUALQUIER PARTE, **Maypish.**

CUANDO, adv. **Pi,** pospuesto a la frase; vga. "Cuando tú regreses": "Can cutigpi". Si la oración principal y la accesoria tienen un mismo sujeto, se pone el verbo de ésta en gerundio, sin hacer uso de **Pi;** vga. "Cuando dispiertes, has de encender el fuego": "Rigcharishpami ninata japichingui".— CUANDO MUCHO O CUANDO MAS, **Ancha cashpapish.**

CUANDO?, adv. de preg. **Jaycapi?**— HASTA CUANDO?, **Jaycacama?**

CUANTO, a, adj. **Masna**— CUANTO HA, **Maypacha; Imapachapi.**

CUARENTA, adj. **Chuscuchunga.**

CUARTEAR, v. a. **Chuscupi chaupina.**

CUARTO, a, adj. **Chuscuniqui,** desus.

CUARTON, n. **Pagtalla huasichina quiru.**

CUASI, adv. Véase CASI.

CONTRALBO, a, adj. **Tucuy chuscu chaqui yuragyug.**

CUATRERO, a, adj. **Huagra shua.**

CUATRO, adj. **Chuscu.**— En el Perú dicen **Tahua.**— TODOS CUATRO, **Chuscundi.**— En el quichua peruano, **Tahuanti,** y de aquí la palabra **Tahuantisuyo** que significa: LAS CUATRO PARTES DE LA TIERRA.

CUATROCIENTOS, adj. **Chuscu pasag.**

CUATROTANTO, n. Véase CUADRUPLO.

CUBIERTA, n. **Cata.**

CUBIERTO, a, p. p. **Catashca.**

CUBIL, n. **Machay; Jutcu.**

Catashca

CUBRIR, v. a. **Catana.**— IR A CUBRIR, Catachina. — CUBRIRSE, Catarina o Catallina. — AYUDAR A CUBRIR, Catanacuna.— CUBRIRTE O CUBRIRME, Catahuana.

CUCO, n. Véase COCO.

CUCUYO, n. Véase COCUYO.

CUCHICHEAR, v. n. **Shugpa ñaupapi maycanhuan chunlla rimanacuna.**

CUELLICORTO, a, adj. **Cutucunga.**

CUELLIERGUIDO, a, adj. **Caspicunga** (pescuezo de palo).

CUELLILARGO, a, adj. **Sunicunga; Huallucunga** (pescuezo de cántaro)..

CUELLO, n. **Cunga.**

CUENTA, n. **Yupay.**

CUERDA, n. **Huasca.** Si es de cuero, **Angu.**

CUERDO, a, adj. **Alli yuyayta charig.**

CUERNO, n. Véase CACHO.

CUERO, n. **Cara.**

CUESCO, n. **Tullu.**

CUESTA, n. **Huichay.** CUESTA ARRIBA, **Huichayman.**— CUESTA ABAJO, **Uraymanl.**

Machay

CUEVA, n. **Machay.**
CUIDAR, v. a. **Ricurana.**
CUITADO, a, adj. **Llaquiug.**
CULEBRA, n. **Amaru**, desus.
CULERO, n. **Siquinchi.**
CULO, n. **Siqui.**
CULON, a, adj. **Siquisapa.**
CULPA, n. **Jucha.**
CULPABLE, adj. **Juchayug.**
CULPADO, a, p. p. **Juchanchisnca.**
CULPAR, v. a. **Juchanchina.**
CULTIVADOR, a, adj. **Chagrata rurrag.**
CULTIVAR, v. a. **Chagrata rurrana.**
CULTIVO, n. **Chagra rurray.**
CUMBRE, n. **Pata.** Si es de una casa. **Cumba** (del castellano cumbrera).
CUMPLIR, v. a. **Pagtachina.**— IR A CUMPLIR, Patachigrina.— ESTAR CUMPLIENDO, Pagtachicuna.— CUMPLIR Y VENIRSE, Pagtachimuna.
CUÑADO, a, n. **Masha.**
CURABLE, adj. **Jambipag.**
CURADO, a, p. p. **Jambishca.**
CURADOR, a, (persona que cura), n. **Jambig.**
CURAR, v. a. **Jambina.** IR A CURAR, Jambigrina.— ESTAR CURANDO, Jambicuna.— CURAR Y VENIR, Jambimuna.— HACER CURAR, Jambichina.— CURARSE, Jambirina.— CURARTE O CURARME, Jambihuana.— AYUDAR A LA CURACION, Jambinacuna.
CURVO, a, adj. **Cumu.**
CUTIS, n. **Cara.**
CUYO, a, adj. **Pipag.**

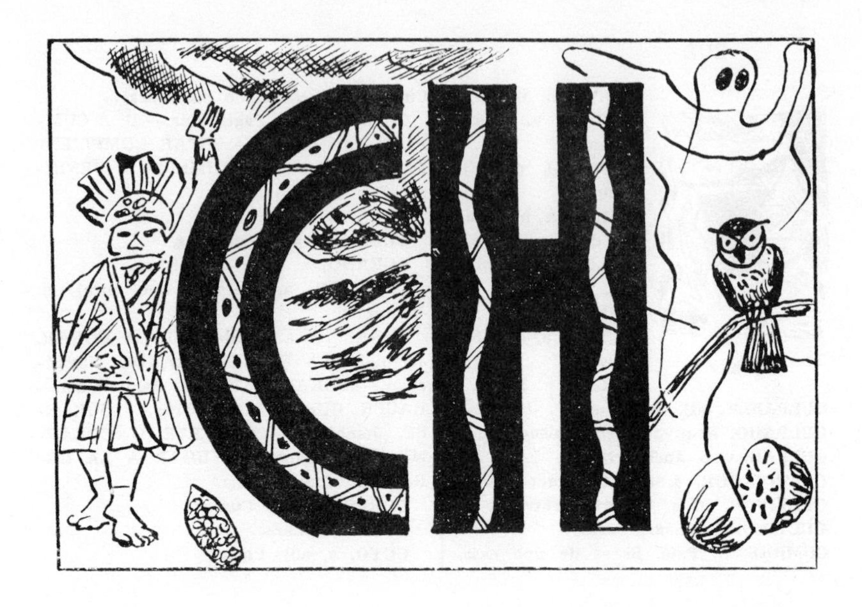

HACARA, n. **Chagra.** — El castellano se ha limitado a deformar algo la palabra quichua.

CHACARERO, a, adj. **Chagramurrag**

CHACOTA, n. **Tushuy.**

CHACOTEAR, v. n. **Tushuna.**

CHACRA, n. Véase CHACARA.

CHACHO, a, (por **Muchacho, muchacha**), n. **Huambra.**

CHAGRA (por **Campesino**), adj. **Chagra.** La misma voz quichua ha pasado al castellano.

CHAMORRO, a, (por trasquilado), adj. **Rutu.**

CHAMUSCADO, a. p. p. **Caspashca; Chaspashca.**

CHAMUSCAR, v. a **Caspana; Chaspana.**—IR A CHAMUSCAR, Caspagrina.— ESTAR CHAMUSCANDO, Caspacuna.— VENIR DESPUES DE CHAMUSCAR, Caspamuna.— HACER CHAMUSCAR, Caspachina.— CHAMUSCARSE Casparina.— CHAMUSCAR ENTRE VARIOS, Caspanacuna.— Las mismas formas admite **Chaspana.**

CHAMUSQUINA, n. **Caspay.**

CHANCERO, a, adj. **Umag; Jizi.**

CHANCLO, n. **Ushuta.**

CHANZA, n. **Umay.**

CHAPARRAL, n. **Ñuta sacha.**

CHAPARRO, n. Lo mismo que **CHAPARRAL.**

CHAPURAR, v. a. **Chican shimicunata chapunacushpa rimana.**

CHAPUZAR, v. a. **Maycanta yacupi uraysinga satina.**

CHAQUIRA, n. **Mullu.**

CHARCA o **Charco,** n. **Turucucha; Guzu.**

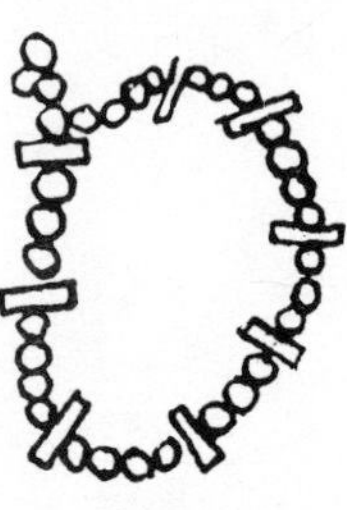

Mullu

CHARLADOR, a, adj. **Yalli rimag; Camchashimi.**

CHARLAR, v. n. **Ancha rimana.**

CHARLATAN, a, adj. Véase CHARLADOR.

CHARLATANERIA, n. **Ancha rimana; Yanga rimay.**

CHARRO, a, adj. **Chagra.**

Guzu

CHASQUI (especie de correo antiguo de los indios), n. **Chasqui.** La palabra quichua ha sido adoptada para el castellano.

CHATO, a, adj. **Llapchisinga.**

CHICO, a. adj. **Uchilla.**

CHICOTE, n. **Angu**

CHICOTAZO, n. **Anguhuan huagtay.**

CHICHON, n. **Pungui.**

CHILLAR, v. n. **Caparina.** Véase GRITAR.

CHILLIDO, n. **Caparishca.**

CHILLON, a, adj. **Ancha caparig.**

CHIMENEA, n. **Cusni llugshina jutcu.**

CHIQUERO, n. **Cuchi huichana cancha.**

CHIQUITIN, a, adj. **Ancha uchilla; Yalli cutu.**

CHIRIMOYO, n. **Chirimuyu**

CHIRLE, adj. **Yaculla.**

CHISTOSO, a, adj. **Rimashpa asichig.**

CHITO!, interj. **Upalla!**

CHITON!, interj. Lo mismo que CHITO!

CHIVO, n. **Chita,** (que parece corrupción del castellano).

CHOCAR (una cosa con otra), v. n. **Huagtanacuna.**

CHOCHEAR, v. n. **Rucuyashpa muspay callarina.**

CHOCHO, a, adj. **Muspag.**

CHOLA, n. **Yurag yangalla huarmi.**

CHOLO, n. **Cari runahuambra. Lungu.**

CHOQUE, n. **Huagtanacuy.**

CHORREADO, a, p. p. **Shutashca.**

CHORREAR, v. n. **Shutuna.** Véase GOTEAR.

CHORRERA, n. **Shutuy.** Chorrera de río **Tasqui.**

CHORRO, n. Lo mismo que CHORRERA. Además, **Pagcha,** ant.

CHOZA, n. **Chuglla.**

CHOZUELA, n. **Uchilla chuglla.**

CHUPADO, a, p. p. **Sungashca.** En la acepción de cosa delgada. **Ñañu.**

CHUPAR, v. a. **Sungana.**— IR A CHUPAR, Sungagrina.— ESTAR CHUPANDO, Sungacuna.— VENIR CHUPANDO O DESPUES DE CHUPAR, Sungamuna.— CHUPAR ENTRE VARIOS, Sunganacuna.— HACER CHUPAR, Sungachina.— CHUPAR CAÑA DE AZUCAR O DE MAIZ, **Huiruna,** con derivaciones análogas.

CHUSCO, a, adj. Véase CHISTOSO.

ABLE, adj. **Cuypag; Caypag.**

DACA (contracción de **da y acá), v. a. Cuhuay; Apamuy.**

DADIVOSO, a, adj. **Mana misa; Pascamaqui.**

DADO, a, p. p. **Cushca.**

DADOR, a, adj. **Cug.**

DANA, n. **Tushuy,** ant.

DANZANTE, n. **Tushug,** ant. **Chuqui.** Hoy, **Danza,** por corrupción.

DANZAR, v. n. **Tushuna,** ant. DANZAR CON CASCABELES, **Chilchina.**

DAÑADO, a, p. p. **Huagllichisca; Huaglli.**

DAÑADOR, a, adj. **Huagllichig.**

DAÑAR, v. a. **Huagllichina.**— IR A DAÑAR, Huagllichigrina.— ESTAR DAÑANDO, Huagllichicuna.— VENIR DAÑANDO O DESPUES DE DAÑAR, Huagllichimuna.— DAÑARSE, Huagllina.

DAÑO, n. **Huagllichishca.**

DAR, v. a. **Cuna.**— IR A DAR, Cugrina.— ESTAR DANDO, Cucuna.— VENIR DANDO O DESPUES DE DAR, Cumuna.— DARSE, Curina.— DARME O DARTE, Cuhuana.— HACER DAR, Cuchina.

DE, prep. **Pag** o **Bag,** pospuesto al nombre cuando denota posesión; vga. "De mi padre": "Ñuca yayapag"; — "Tuyo", esto es, "de tí": "Cambag".— Se usa **Manta,** igualmente pospuesto, cuando se trata de la procedencia de una cosa, o de la sustancia de que ésta se ha formado; vga. "Piedra traída de Tarqui": "Tarquimanta apamushca rumi"; — "Prendedor hecho de oro": "Curimanta rurrashca tupu".

DEBAJO, adv. **Ucupi;** vga. "Debajo de la piedra": "Rumicupi".

DEBER, v a. **Shugman ima cunata charina.**— Antiguamente se decía: **Manuyugcana;** pero no se usan ya la palabra **Manu** y sus derivados.

DEBIL, adj. **Ili; Irqui; Pishi.**

DEBILIDAD, n. **Illi cana; Irqui cana.**

DEBILITAR, v. a. **Irquiyachina; Iliyachina.**

DECAPITAR, v. a. **Umata pitina.**

DECENA, n. **Shug chunga.**

DECENO, a, adj. **Chunganiqui.,** desus.

DECIBLE, adj. **Nirpag.**

DECIMO, a, adj. Véase DECENO.

DECIMOCTAVO, a, adj. **Chungapusagniqui,** desus.

DECIMOCUARTO, a, adj. **Chungachuscuniqui,** desus.

DECIMONONO, a, adj. **Chungaiscuniqui,** desus.

DECIMONOVENO, a, adj. Véase DECINONO.

DECIMOQUINTO, a, adj. **Chungapichcaniqui,** desus.

DECIMOSEPTIMO, a, adj. **Chungacanchisniqui,** desus.

DECIMOSEXTO, a, adj. **Chungasogtaniqui,** desus.

DECIMOTERCIO, a, adj. **Chungaquimsaniqui,** desus.

DECIR, v. a. **Nina.**— IR A DECIR, Nigrina, ESTAR DICIENDO, Nicuna.— VENIR DICIENDO O HABIENDO DICHO, Nimuna.— HACER DECIR, Nichina|— DECIRSE, Nirina.— DECIRME O DECIRTE, Nihuana.

DECLARACION, n **Yachashcata huillana.**

DECLARADOR, a, adj. **Yachashcata huillag.**

DECLARANTE, adj. Lo mismo que DECLARADOR.

DECLARAR, v. a. **Imalla yachashcata huillana.**

DECLIVE, n. **Huichay; Uray.**

DECLIVIO, n. Lo mismo que DECLIVE.

DECORACION, n. **Yanuy.**

DECRECER, v. n. **Uchillayana; Cutuyana; Quindiyana.**

DECRECIENTE, adj. **Cutuyag; Quindiyag.**

DECREPITO, a, adj. **Rucuyashpa muspag.**

DESCREPITUD, n **Rucupa muspay.**

DECUPLO, a, adj. **Chunganchishca.**

DEDO, n. **Rucana,** ant.

DEFECACION, n. **Huanu; Isma.**

DEFICIENTE, adj. **Mana pagtag.**

DEFLAGAR, v. n. **Cunyana.** Véase INFLAMAR.

DEFRAUDAR, v. a. **Shugpa cashcata apana.**

DEGLUCION, n. **Millpuy.**

DEGOLLAR, v. a. **Cungata cuchuna.**

DEGüELLO, n. **Cungacuchuy.**

DEHESA, n. **Quihuapamba.**

DEIDAD, n. **Jatun Pachacamag.**

DEJADEZ, n. **Quilla.**

DEJADO, a, adj. **Quillasapa; Quilla.**

DEJAR, v. a. **Saquina.**— IR A DEJAR, Saquigrina.— ESTAR DEJANDO, Saquicuna.— VENIR DESPUES DE DEJAR, Saquimuna.— HACER DEJAR, Saquichina.— DEJAR ENTRE VARIOS, Saquinacuna.— DEJARME O DEJARTE, Saquihuana.

DELANTAL (cuando se lo levanta para ocuparlo con algo), n. **Miglla.**

DELANTE, adv. **Ñaupagpi** o **Ñaupapi,** con verbos de quietud; vga. "Está delante de tí": "Cambag naupagpimi".— Con verbos de movimiento, se dice **Ñaupaman** o Ñaupata; vga. "Vete allá": "Chayman ri"; "Camina por delante": Ñaupata puri".

DELANTERO, a, adj. **Ñaupag.**

DELGADO, a, adj. **Ñañu.**

DELICADO, a, **(por débil),** adj. **Illi; Topanalla.**

DELICUESCENTE, adj. **Yacuyag; Yacuyaglla.**

DELINCUENTE, adj. **Juchayug.**

DELINQUIR, v. n. **Juchallina.** Véase PECAR.

DELIRANTE, adj. **Muspag.**

DELIRAR, v. n. **Muspana.**

DELITO, n. **Jucha.**

DEMACRARSE, v. n. **Tulluyana.**

DEMANDA (por **petición),** n. **Mañari.**

DEMANDAR, v. a. **Mañarina.**

DEMARCAR, v. a. **Unanchina.**

DEMAS (por **los restantes),** adj. **Chayshugcuna.**

DEMAS, adv. **Yalli.**

DEMASIA, n. **Yallichishca; Yalli.**

DEMASIADO, a, adj. **Yallimana; Yupag.**

DEMENCIA, n. **Yuyay chingana; Muspag tucuna.**

DEMENTAR, v. a. **Yuyayta anchuchina.**

DEMENTE, adj. **Yuyay illag; Huayrashca** (Perturbado por el viento)). Si lo es por haber tomado poción de floripondio, **Huarhuarriashca.**

DEMOLER, v. a. **Pircata, huasita tuñina; Pascash shitana.**

DEMONIO, n. **Supay; Millay.**

DEMOSTRAR, v. a. **Imallata, taripayashpa, ricuchina.**

DENANTES, adv. **Ñaca; Ñacalla.**

DENEGAR, v. a. **Mañashcata mana cuna; Mana nina.**

DENIGRAR, v. a. **May camina.**

DENODADO, a, adj. **Manapita manchag; Shungusapa.**

DENOSTAR, v. a. Véase DENIGRAR.

DENSO, a, adj. (hablando de polentas u otras confecciones análogas) **Sangu.**

DENTADO, a, adj. **Quiruyug.**

DENTADURA, n. **Quirucuna.**

DENTICION, n. **Quiruhuiñay.**

DENTISTA, n. **Quiruta allichig; Quiruta churag.**

DENTON, a, adj. **Quirusapa;** Si tiene dientes dobles y mal puestos, **Cuchiquiru.**

DENTRO, adv. Con verbos de quietud, **Ucupi;** vga. "Ha quedado dentro": "Ucupimi saquirishca".— Con verbos de movimiento, **Ucuman;** vga. "Ven adentro": Ucuman shamuy".

DENUESTO, n. **Jatun cani.**

DENUNCIAR, v. a. **Shugpa juchallishcata maycan apuman huillana.**

DENUNCIO o **Denuncia,** n. **Shucpa juchata huillash churana.**

DEPENDER (una persona de otra), v. n. **Shugpa munaypi causana.**

DEPLORABLE, adj. **Laquipag.**

DEPLORADO, a p. p. **Llaquishca.**

Llaquina

DEPLORAR, v. a. **Llaquina; May huacana.** Véase LLORAR.

DEPOSICION (excrementicia), n. **Imay; Huanuy.**

DEPOSITAR, v. a. **Maycampa maquipi imata mingash saquina.**

adj. **Imalla mingashcata huacaychig.**

DEPOSITARIO, a, adj. **Imalla mingashcata huacaychig.**

DEPOSITO, n. **Imalla, shug huacaychigcun mingashca.**

DEPRECANTE, adj. **Mañarig.**

DEPRECAR, v. a. **Mañarina.** Véase PEDIR.

DEPREDAR, v. a. **Shuana.** Véase ROBAR.

DERECHA, n. **Alli maqui.**

DERECHAMENTE, adv. **Mana mayman huistushpa.**

DERECHO, a, adj. **Mana huistu.**

DERRAMA (escote), n. **Churanacushca.**

DERRAMADO, a, p. p. **Jichashca; Tallishca.** DERRAMADO EN DISPERSION, **Shinguashca.**— MEZCLADO Y CONFUNDIDO AL DERRAMAR, **Chagchushca.**

DERRAME, n. **Jichay; Talli; Shiguay; Chagchuy.**

DERREDOR, n. **Muyundi.** EN DERREDOR, **Muyundita.**

DERRENGADO a, adj. **Paquichanga; Paquisiqui.**

DERRETIDO, a, adj. **Yacuyashca.**

DERRETIR, v. a. **Yacuyachina.— IR A** DERRETIR, Yacuyachigrina.— ESTAR DERRETIENDO, Yacuyachicuna.— VENIR DERRETIENDO O DESPUES DE HABER DERRETIDO, Yacuyachimuna.— DERRETIRSE, Yacuyana.

DERRIBADO, a, p. p. **Urmachishca; Urmashca.**

DERRIBADOR, a, adj. **Urmachig.**

DERRIBAR, v. a. **Urmachina.— IR A** DERRIBAR, Urmachigrina.— ESTAR DERRIBANDO, Urmachimuna.— VENIR DERRIBANDO O DESPUES DE HABER DERRIBADO, Urmachimuna.— AYUDAR A DERRIBAR, Urmachinacuna.— DERRIBARTE O DERRIBARME, Urmachihuana.— AYUDAR A DERRIBAR, Urmachinacuna.— DERRIBARTE O DERRIBARME, Urmachihuana.

DERROCAR, v. a. **Tuñina.** Véase DERRUMBAR.

DERROTA, n. **Macanacush quipa miticush callpana.**

DERROTAR, v. a. **Macanacushpa callpachina.**

DERROTARSE, v. r. **Macanacucushpa, miticush callpana.**

DERRUMBADERO, n. **Singuna pata.**

DERRUMBAR, v. a. **Tuñina.**— IR A DERRUMBAR, Tuñigrina — ESTAR DERRUMBANDO, Tuñicuna.— VENIR DERRUMBANDO, Tuñimuna.— HACER DERRUMBAR, Tuñichina.— DERRUMBARSE, Tuñirina.

DESABRIDO, a, adj. **Gamu.**

DESACERTADO, a, adj. **Pandashca.**

DESACIERTO, n. **Panday.**

DESAGUAR, v. a. **Yacuta anchuchina.**

DESALAR (quitar la sal), v. a. **Cachita anchuchina.**

DESAMAR, v. a. **Cuyayta cungana.**

DESAMORADO, a, adj. **Manacuyag; Chirishungu.**

DESAMPARADO, a, p. p. **Jichushca; Shitashca; Sapalla.**

DESAMPARAR (a persona), v. a. **Jichuna; Sapallata saquina.**— DESAMPARAR HABITACIONES O CULTIVOS, **Shitana.**

DESAMPARO (acto de desamparar), n. **Jichuy; Shitay.**

DESANGRAR, v. a. **Yahuarta surcuna.**

DESAPARECER, v. n. **Chingana.**— IR A DESAPARECER, Chingagrina.— ESTAR DESAPARECIENDO, Chingacuna.— EMPEZAR A DESAPARECER, Chingamuna.— HACER QUE DESAPAREZCA, Chingachina.— DESAPARECERSE, Chingarina.

DESAPARECIDO, a, p. p. **Chingashca.**

DESAPARICION, n. **Chingay.**

DESAPIADADO, a, adj. **Mana shugpa llaquimanta nanarig.**

DESAPLICADO, a, p. p. **Quilla; Mana yachacunata munag.**

DESARRAIGAR, v. a. **Sapimanta surcuna.**

DESARREGLADO, a, p. p. **Huagllichishca.** Tratándose de persona, **Huaglli.**

DESARREGLAR, v. a. **Huagllichina.** Véase DAÑAR.

DESASEADO, a, p. p. **Mapa.**

DESASEAR, v. a. **Mapayachina.** Véase ENSUCIAR.

DESASTRE, n. **Jatun llaqui.**

DESATADO, a, p. p. **Cacharishca.**

DESATAR, v. a. **Cacharina.** Véase SOLTAR.

DESATINADO, a, adj. **Muspag; Pandaglla.**

DESATINAR, v. n. **Pandana; Mana yuyayhuan imatapish rurrana.**

DESAVENENCIA, n. **Piñanacuy.**

DESAYUNADO, a, p. p. **Chinzhizhca.**

DESAYUNARSE, v. r. **Chinzhina.** IR A DESAYUNARSE, Chinzhigrina.— ESTAR DESAYUNANDOSE, Chinzhicuna.— VENIR DESAYUNANDOSE O DESPUES DE HABERSE DESAYUNADO, Chinzhimuna.— HACER QUE OTRO SE DESAYUNE, Chinzhichina.

DESAYUNO, n. **Chinzhi.**

DESBARATAR, v. a. **Pascanacuna.**

DESBARRAR, v. n. **Muspana; Muscuna.**

DESBARRO, n. **Muspay.**

DESBASTAR, v. a. **Llagllana.**— IR A DESBASTAR, Llagllagrina.— ESTAR DESBASTANDO, Llagllacuna.— VENIR DESBASTANDO O DESPUES DE DESBASTAR, Llagllamuna.— HACER DESBASTAR, Llagllachina.— DESBASTAR ENTRE DOS O MAS, Llagllanacuna.— DESBASTARSE, Llagllarina.— DESBASTAR CON INSISTENCIA, Llagllarana.

DESBASTE, n. **Llagllay.**

DESBORDARSE, v. r. **Tallirina.** Véase TRASTORNARSE.

DESBROZAR, v. a. **Zhapracunata chacuna.**

DESCABALGAR, v. a. **Uraycuna.**

DESCABEZAR, v. a. **Umata pitina.**

DESCAECER, v. n. **Pishiana; Irquiana.**

DESCALZO, a, adj. **Ushuta illag; Llatanchapi; Llapangu.**

DESCAMISADO, a. adj. **Llusti; Chiru.**

Samana

DESCANSAR, v. n. **Samana**.— IR A DESCANSAR, Samagrina.— ESTAR DESCANSANDO, Samacuna.— VENIR DESPUES DE HABER DESCANSADO, Samamuna.— HACER DESCANSAR, Samachina.

DESCANSO, n. **Samay.**

DESCARADO, a, adj. **Mana pingag.**

DESCARGAR, v. a. **Urarcuchina; Pascana.**

DESCASCARAR, v. a. **Carata anchuchina.**— Si se trata de legumbres o vainas, **Tigpana.** — IR A DESCASCARAR, Tigpagrina.— ESTAR DESCASCARANDO, Tigpacuna.— VENIR DESCASCARANDO O DESPUES DE DESCASCARAR, Tigpamuna.— HACER DESCASCARAR, Tigpachina.— AYUDAR A DESCASCARAR, Tigpanacuna.— DESCASCARARSE, Tigparina.

DESCENDENCIA, n. **Shugmanta huiñag ayllucuna.**

DESCENDER, v. n. **Shugmanta huiñana.** En la acepción de BAJAR, **Uraycuna.**

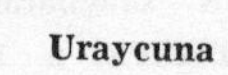

DESCENSO, n. **Uraycuy.**

DESCEÑIR, v. a. **Chumbita, huatuta pascana.**

DESCEPAR, v. a. **Yurata, mallquita Uraycuna sapindi llugchina.**

DESCERCAR, v. a. **Picashca, quinzhashcata pascana.**

DESCOBIJAR, v. a. **Catata anchuchina.**

DECOGER, v. a. **Cacharina.** Véase SOLTAR.

DESCOLGADO, a, p. p. **Chupaillag.**

DESCOLAR, v. a. **Chupata anchuchina.**

DESCOMER, v. n. Véase DEFECAR.

DESCOMPONER, v. a. **Allichishcata pascana; Huagllichina.**

DESCOMPUESTO, a, p. p. **Pascashca; Huagllichishca.**

DESCOMUNAL, adj. **Manchanaypag jatun; Mana ricushca.**

DESCONCEPTUAR, v. a. **Camina; Camish purina.**

DESCONOCER, v. a. **Mana rigsina.**

DESCONOCIDO, a p. p. **Mana rigsishca.**

DESCONSUELO, n. **Llaqui.**

DESCONTAR, v. a. **Yupashpa, imallata anchuchina.**

DESCORAZONADO, a p. p. **Shungu urmashca.**

DESCORTEZADO, a, p. p. **Caraillag; Tigpashca.**

DESCORTEZAR, v. a. Véase DESCASCARAR.

DESCOSER, v. a. **Sirashcata pascana.**

DESCOSIDO, a, p. p. **Siray pascashca.**

DESCOYUNTADO, a, p. p. **Mucupi quihuishca.**

DESCOYUNTAR, v. a. **Mucupi quihuina; Mucuta surcuna.**

DESCUAJAR (un bosque), v. a. **Chacuna.**

DESCUBRIR (por Manifestar), v. a. **Ricuchina.**— DESCUBRIR (por Hallar), **Tarina.**

DESCUIDADO, a, p. p. **Quilla; Paypaylla.**

DESCUIDAR, v. a. **Cungana; Mana ricurana; Shitana.**

DESDE, adv. **Manta o mantapacha**, pospuestos; vga. "Desde ayer": "Caymanta o Caymantapacha".

DESDECIR, v. a. **Llullapi surcuna.**

DESDENTADO, a, adj. **Quiruillag**; si le faltan sólo uno o pocos dientes, **Pimiquiru.**

DESDEÑAR, v. a. **Mana chasquina; Millana.**

DESEABLE, adj. **Munaypag.**

DESEADO, a, p. p. **Munashca.**

DESEAR, v. a. **Munana; Nayana.**— INCLINARSE A DESEAR, Munagrina.— ESTAR DESEANDO, Munacuna.— VENIR DESEANDO, Munamuna.— HACER DESEAR O PROVOCAR EL AJENO DESEO,

Munachina — DESEARSE MUTUAMENTE, Munanacuna.— DESEARTE O DESEARME, Munahuana.— La mismas variaciones admite **Nayana.**

DESENFADAR, v. a.**Piñayta anchuchina.**

DESENGAÑADO, a, p. p. **Huanashca; Shungu chiriashca.**

DESENGAÑAR, v. a. **Pandashcata ricuchina; Huanachina.**

DESENGAÑO, n. **Shugu chirlay; Huanay.**

DESENOJAR, v. a. Véase DESENFADAR.

DESENREDAR, v. a. **Aullirishcata pascana.**

DESENTENDERSE, v. r. **Mana ricug, mana uyag tucuna.**

DESENTENDIDO, a, p. p. **Mana ricug, mana uyag tucug.**

DESENTERRADO, a, p. p. **Allpaucumanta surcushca.**

DESENTERRAR, v. a. **Allpaucumanta imallata surcuna.**

DESENVOLVER, v. a. **Pillushcata pascana.**

DESEO, n. **Munay; Nayay.**— Esta última palabra se pospone de ordinario al nombre de la cosa deseada y forma una sola palabra con él; vga. "Deseo de comida": "Micunayay".

DESEOSO, a, adj. **Nayayjunda.**

DESERTAR, v. n. **Mana macanacungaraycu, miticush callpana.**

DESFACHATADO, a, adj. **Pingayta mana rigsig.**

DESFAJAR, v. a **Chumbillishcata pascana.**

DESFALLECER, v. n. **Huañurina; Jaycamanta tucuna.**

DESFILADERO, n. **Shugllancana purina quichqui ñan.**

DESGAJAR, v. a. **Chillpina.**

DESGALGAR, v. a. **Singuchina.**

DESGANO, n. **Mana micunayay; Yarcay illana.**

DESGARRAR, v. a. **Lliquina; Chillpinacuna.**

DESGRACIA, n. **Jatun llaqui.**

DESGRACIADO, a, adj. **Jatun llaquiug.**

DESGRAMAR, v. a. **Huayllata surcuna.**

DESGRANADO, a, p. p. **Ishcushca.**

DESGRANAR, v. a. **Ishcuna.** — IR A DESGRANAR, Ishcugrina. — ESTAR DESGRANANDO, Ishcucuna.— VENIR DESGRANANDO O DESPUES DE HABER DESGRANADO Ishcuchina. — AYUDAR A DESGRANAR, Ishcunacuna. — DESGRANARSE, Ishcurina.

Ishcuna

DESGRASAR, v. a. **Huirata anchuchina.**

DESHABITADO, a, p. p. **Manapi causagta charig; Jichushca; Shitashca.**

DESHABITAR, v. a. **Mana chaypi causashpa catina. Shitana.**

DESHACER, v. a. **Huagllichina; Pascana.**

DESHECHO, a, p. p. **Huagllichishca, Pascashca.**

DESHELAR, v. a. **Chiruhuan rumiashcata yacuyachina.**

DESHERBADO, a, p. p. **Jallmashca.**

DESHERBAR, v. a. **Jallmana.**— IR A DESHERBAR, Jallamagrina.— ESTAR DESHERBANDO, Jallmacuna.— VENIR DESPUES DE DESHERBAR O CAMINAR DESHERBANDO, Jallmamuna.— AYUDAR EN LA DESHIERBA, Jallmanacuna.— HACER DESHERBAR, Jallmachina.— DESHERBARSE, Jallmarina.— DESHERBAR CON INSISTENCIA, Jallmarana.

DESHIELO, n. **Imalla, chirihuan rumiashca quipa, yacuyana.**

DESHILAR (por sacar los hilos de una tela), v. a. **Maycan pachamanta puchacunata surcuna.**

DESHINCHAR, v. a. **Punguita anchuchina.**

DESHOJADO, a, p. p. **Panga anchuchishca.** Si se trata de maíz, en estado de mazorca, **Tipishca.**

DESHOJADOR, á, adj. **Pangata anchuchig. Caspata tipig.**

DESHOJAR, v. a. **Pangata anchuchina.**— DESHOJAR MAZORCAS, **Tipina.**— IR A

DESHOJAR, Tipigrina — ESTAR DESHOJANDO, Tipicuna.— VENIR DESHOJANDO O DESPUES DE DESHOJAR, Tipimuna.— HACER DESHOJAR, Tipichina.— DESHOJAR ENTRE DOS O MAS, Tipinacuna.— DESHOJARSE, Tipirina.

DESHONESTO, a, adj. **Mapa; Millay; Zagra.** DESHONESTO EN EL HABLAR, **Mapashimi.**

DESHORA (en la expresión A deshora), adv. **Tutapacha.**

DESIERTO, a, adj. **Manapi causana pamba; Manapi tiana ucu.**

DESIGNADO, a, p. p. Véase SEÑALADO.

DESIGNAR, v. a. Véase SEÑALAR.

DESIGNIO, n. **Yuyay.**

DESIGUAL, adj. **Mana rigchag.** Tratándose de suelo u otra cosa que no es llana, **Patapata; Ucujahua.**

DESISTIR, Saquina. Véase DEJAR.

DESJARRETAR, v. a. **Huaruanguta pitishpa, changata huagllichina.**

DESLEIDO, a, p. p. **Yacuyashca.**

DESLEIR, v. a. **Yacuyachina.**— IR A DESLEIR, Yacuyachigrina.— ESTAR DESLIENDO, Yacuyachicuna.— VENIR DESPUES DE HABER DESLEIDO, Yacuyachimuna.— DESLEIRSE, Yacuyarina o Yacuyana.— AYUDAR A DESLEIR, Yacuyachicuna.

DESLENGUADO, a. (por malhablado). adj. **Callusapa.**

DESLIAR, v. a. **Huatashcata pascana.**

DESLIGAR, v. a. Lo mismo que DESLIAR.

DESLINDAR, v. a. **Allpacunata unanchina.**

DESLIZARSE, v. r. **Llushpirina; Lluchcana.** Véase RESBALAR. Deslizarse suavemente por un recuesto, sin rodar, **Siliana.**

DESLUSTRAR, v. a. **Llipiacugta mapayachina.**

DESMANTECADO, a, p. p. **Huira anchuchishca.**

DESMANTECAR, v. a. **Huirata anchuchina.**

DESMATADO, a, p. p. **Sacha anchuchishca.**

DESMATAR, v. a. **Sachata anchuchina.**

DESMAYADO, a, p. p. **Huañurishca; Pishiyashca; Sansaliacug.** DESMAYADO, por privado de sentido, **Yuyay illag.**

DESMAYARSE, v. r. **Huañurina; Muspash urmana.** HACER DESMAYAR, **Mupachina.**

DESMEDIDO, a, adj. **Yalli jatun.**

DESMENTIR, v. a. **Llullapi surcuna.**

DESMENUZADO, a, p. p. **Ñutuchishca.**

DESMENUZAR, v. a. **Ñutuchina.** Véase PULVERIZAR.

DESMESURADO, a, adj. Véase DESMEDIDO.

DESMONTADO, a, (por **Rozado**), p. p. **Chacushca.**

DESMONTAR, v. a. **Chacuna.**— IR A DESMONTAR, Chacugrina.— ESTAR DESMONTANDO, Chacucuna.— VENIR DESMONTANDO O DEL DESMONTE, Chacumuna.— HACER DESMONTAR, Chacuchina.— DESMONTARSE, Chacurina.— AYUDAR EN EL DESMONTE, Chacunacuna.— Para expresar el destrozo causado en una sementera, se usa también de **Chacuna** y sus derivados.

DESMONTE, n. **Chacu.**

DESNUDAR, v. a. **Llatanana.**— IR A DESNUDAR, Llatanagrina.— ESTAR DESNUDANDO, Llatanacuna.— VENIR DESNUDANDO O DESPUES DE DESNUDAR, Llatanamuna.— HACER DESNUDAR, Llatanachina.— DESNUDARSE, Llatanarina.

DESNUDO, a, adj. **Llatan.** Por insulto, **Llusti.**

Llatán

DESOLLADO, a, p. p. **Llutishca. Lluti.**

DESOLLAR, v. a. **Llustina.** — IR A DESOLLAR, Llustigrina.— ESTAR DESOLLANDO, Llusticuna.- VENIR DESPUES DE DESOLLAR, Llustimuna.- HACER DESOLLAR, Llustichina.— DESOLLARME O DESOLLARTE, Llustihuana.— DESOLLARSE, Llustirina.

DESOPINAR, v. a. **Camina.**

DESOREJADO, a, p. p. **Pitiringri; Ulu.**

DESOREJAR, v. a. **Ringrita pitina.**

DESOVILLAR, v. a. **Puchca cururuta pascana.**

DESPACIO, adv. **Allimanta; Allilla; Sumaglla.**

DESPACHURRADO, a, p. p. **Llapchishca.**

DESPACHURRAR, v. a. **Llapchina.** Véase APLASTAR.

DESPAJAR, v. a. **Ugshata anchuchina.**

DESAPARECER, v. n. **Chingarina.**

DESPARRAMADO, a, p. p. **Shiguanacushca.**

DESPARRAMAR, v. a. **Shiguana.** Véase REGAR.

DESPEDAZADO, a, p. p. **Pitinacushca; Ñutuchishca.**

DESPEDAZAR, v. a. **Pitinacuna; Ñutuchina.**

DESPEDIR (por echar fuera de casa a una persona), v. a. **Carcush cachana; Shitana.**

DESPEDIRSE, v. r. **Raquinacuna.**

DESPEGAR, v. a. **Imalla llutaracugta anchuchina.**

DESPELUZNARSE, v. r. Véase ESPELUZNARSE.

DESPENAR, v. a. **Huañucugta puchucana.**

DESPENSA, n. **Micunacuta huacaychina ucu.**

DESPEÑADERO, n. **Singuna caca.**

DESPEÑAR, v. a. **Singuchina.— IR A** DESPEÑAR, Singuchigrina.— ESTAR DESPEÑANDO, Singuchicuna.— VENIR DESPUES DE DESPEÑAR, Singuchimuna.— DESPEÑARSE, Singuna.

DESPEÑO, n. **Singuy.**

DESPERDICIADO, a. p. p. **Usuchishca; Shitashca.**

DESPERDICIADO, a, (por Botarate), adj. **Jichapacha.**

DESPERDICIAR, v. a. **Usuchina; Yangamanta shitana.**

DESPEREZARSE, v. r. **Aysarina; Chutarina.**

DESPERTADOR, a, adj. **Rigchachig.**

DESPERTAR, v. a. **Rigchachina.** IR A DESPERTAR, Rigchachigrina.— ESTAR DESPERTANDO, Rigchachicuna.— VENIR DESPUES DE DESPERTAR, Rigchachimuna.— DESPERTAR ENTRE DOS O MAS, Rigchachinacuna.— DESPERTARSE, Rigcharina.— PERMANECER DESPIERTO, Rigcharana.

DESPIADADO, a, adj. **Manapimanta llaquig. Rumishungu.**

DESPIERTO, a, adj. **Rigcharacug.**

DESPILFARRADO, a, adj. **Jichapacha; Huayrauma.**

DESPILFARRAR, v a. **Tucuy charishcunata shitashpa, huagchayana.**

DESPOBLADO, n. **Manapipag causana.**

DESPOJAR, v. a. **Shugpa cashcata quichuna.**

DESPORTILLADO, a, p. p. **Pimi.**

DESPORTILLAR, v. a. **Pimina.—** IR A DESPORTILLAR. Pimigrina.— ESTAR DESPORTILLANDO, Pimicuna.— VENIR DESPORTILLANDO O DESPUES DE DESPORTILLAR, Pimimuna.— HACER DESPORTILLAR, Pimichina.— AYUDAR A DESPORTILLAR, Piminacuna.— DESPORTILLARSE, Pimirina.

DESPRECIABLE, adj. **Millanaypag.**

DESPRECIO, n. **Millanayay.**

DESPUES, prep **Quipa,** pospueto al nombre o al verbo que hace de tal; vga. "Después de esta tarde": "Cay chishi quipa"; — "Después de comer": "Micush quipa". También suele decirse **Quipapi,** que literalmente significa En después.

DESQUICIAR, v. a. **Punguta quihuina.**

DESTAPAR, v. a. **Quirpashcata pascana.**

DESTEJER, v. a. **Ahuashcata pascana.**

DESTERRADO, a, p. p. **Llagtamanta carcush shitashca.**

DESTERRAR, v. a. **Llagtamanta shitash cachana.**

DESTETADO, a, p. p. **Ñuñamanta raquishca.**

DESTETAR, v. a. **Ñuñamanta raquina..**

DESTILAR (por correr un líquido gota a gota), v. n. **Shutuna.** Véase GOTEAR.

DESTORCER, v. a. **Cauchushcata pascana; Huistushcata allichina.**

DESTRENZAR, v. a. **Jimbashcata pascana.**

DESTRIPADO, a, p. p. **Chunzhulli llugchishca.**

DESTRIPAR, v. a. **Chunzhullita llugchina, tallina.**

DESTRUIDO, a, p. p. Véase CONCLUIDO.

DESTRUIR, v. a. Véase CONCLUIR.

DESUNIR, v. a. **Chicanchina.** Véase SEPARAR.

DESUÑAR, v. a. **Shillucunata anchuchina.**

DESURDIR, v. a. **Aullishcata pascana.**

DESVALIDO, adj. **Tucuypa cungashca; cuyaylla.**

DESVARIADO, a, adj. **Muspag.**

DESVARIO, n. **Muspay.**

DESVELAR, v. a. **Puñuyta anchuchina.**

DESVENTURA, n. **Jatun llaqui.**

DESVENTURADO, a, adj. **Jatun llaquiug.**

DESVIAR, v. a. **Ñanta pandachina. Ñanmanta surcuna.**

DESVIVIRSE, v. r. **Causayta mana tarina. Ancha ñacarina.**

DESYERBA, n. Véase DESHIERBA.

DETENCION, n. **Unayay.**

DETENEDOR, a, adj. **Unayachig. Saquichig.**

DETENER, v. a. **Unayachina.**— IR A DETENER, Unayachigrina.— ESTAR DETENIENDO, Unayachicuna.— VENIR DETENIENDO O DESPUES DE HABER DETENIDO, Unayachimuna.— DETENER, Unayana; Unayarina.

DETENTAR, v. a. **Shugpa cashcata mana cacharina.**

DETERIORADO, a, p. p. **Huagllichishca.**

DETERIORAR, v. a. **Huagllichina.** Véase DAÑAR.

DETERIORO, n. **Huaglli.**

DETESTABLE, adj. **Millanaypag.**

DETESTAR, v. a. **Mana ricuypudina.** La última palabra es tomada manifiestamente del castellano. Antiguamente se ha empleado también el verbo **Ñacana.**

DETONACION, n. **Tugpay.**

DETONAR, v. n. **Tugyana.** Véase REVENTAR.

DETRACCION, n. **Cami.**

DETRACTAR, v. a. **Camina.** Véase MURMURAR.

DETRAS, adv. **Huashapi** o **Huashaman,** según sea, de quietud o de movimiento, el verbo de la oración. Ejemplos: :"Detrás queda": "Huashapimi saquirin".— "Vete detrás": "Huashaman ri". En la frase "por detrás", la equivalencia es **Huashata;** vga. "Por detrás viene": "Huashatami shamun".

DEUDA, n. **Manu,** ant Actualmente se usa **Dibi,** procedente del vocablo castellan" "DEBE". De aquí preceden ls verbos **Dibina,** DEBER; **Dibiana,** ENDEUDARSE, y otras palabras de igual estirpe.

DEUDOR, a, adj. **Manuyug,** ant. **DIBIG,** de procedencia castellana.

DEVANADERA, n. **Aspana caspi.**

DEVANADOR, a, adj. **Aspag.**

DEVANAR, v. a. **Aspana.**— IR A DEVANAR, Aspagrina.— ESTAR DEVANANDO, Aspacuna.— VENIR DEVANANDO O DESPUES DE DEVANAR, Aspanacuna.— DEVANARSE, Asparina.— DEVANAR CONSTANTEMENTE, Asparana.

DEVÁNEO, n. **Muspay.**

DEVOLUCION, n. **Cutichina.**

DEVOLVER, v. **Cutichina.**— IR A DEVOLVER, Cutichigrina.— ESTAR DEVOLVIENDO, Cutichicuna.— VENIR DESPUES DE HABER DEVUELTO, Cutichimuna.— COOPERAR A LA DEVOLUCION, Cutichinacuna.

DEVORAR, v. a. **Millpuna.** Véase TRAGAR.

DEVUELTO, a, p. p. **Cutichishca.**

DIA, n. **Punzha.**— EL DIA DE HOY, **Cunan punzha** o **Cunan.**— EL DIA DE MAÑANA, **Caya punzha** o **Caya.**— EL DIA DE AYER, **Cayna.**— EL DE ANTEAYER U OTRO ALGO ANTERIOR, **Sarun.**— EL DE PASADO MAÑANA, **Mincha.**— AL SIGUIENTE DIA, **Cayandi punzha.**— CADA DIA O DIARIAMENTE, **Punzhandi.**— DIA Y NOCHE, **Tutapunzha.**— EN PLENO DIA, **Punzhapacha.**— SERENARSE EL DIA,

Punzha pascarina.— TORNARSE EL DIA LLUVIOSO, **Punzha huagllina; llulluyana.**— PASAR TODO EL DIA O GASTARLO TODO EN ALGO, **Caynana.**— ELLO ES QUE ALGUN DIA, **Ma punzhaca; Jaycapica.**

DIABLO, a, n. **Millay; Supay.**

DIAFANO, a, adj. **Achig; Jaga.**

DIALOGAR, v. a. **Rimanacuna.**

DIALOGO, n. **Rimanacuy.**

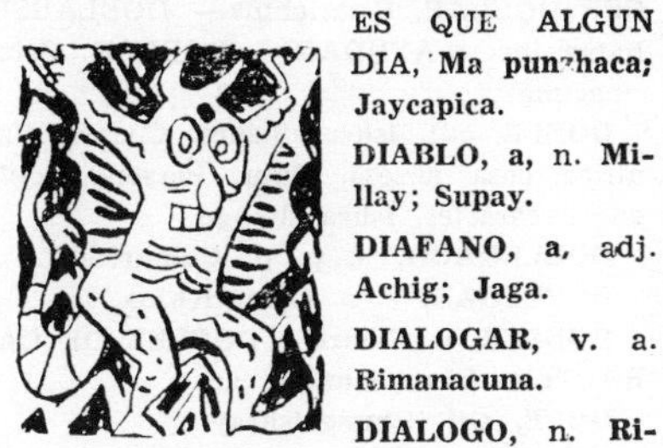

Supay

D I A M A N T E, n. **Quishpirumi,** desus.

DIANTRE, n. **Diasqui; Supay.**

D I A R I A MENTE, adv. **Punzhandi.**

DIARIO, a, adj; **Tucuy punzha tiag; Punzhandi rurrarig.**

DIARREA, n. **Quicha.**

DICCION, n. **Rimay; Shimi.**

Quishpirumi

DICCIONARIO, n. **Rimaycunata huillag quillca.**

DICTAMEN, n. **Yuyay.**

DICTAR, v. a. **Imalla shugman huillashpa quillcachina.**

DICHA, n. **Cushi.**

DICHO, a, p. p. **Nishca.**

DICHOSO, a, adj. **Cushiug; Cushisapa.**

DIENTE, n. **Quiru.** "Dientes delanteros": "Ñaupa quirucuna".

DIESTRA, n. **Alli maqui.**

DIEZ, adj. **Chunga.**

DIEMESINO, a, adj. **Chungaquillayug.**

DIFAMAR, v. a. **Camina; Camish purina.**

DIFERENTE, adj. **Chican.**

DIFICIL, adj. **Mana rurraripaglla.**

DIFICULTOSO, a, adj. Lo mismo que DIFICIL.

DIFUNTO, a. adj. **Huañug; Huañusha; Aya.**

DILACION, n. **Unayay.**

DILATARSE (por demorarse), v. r. **Unayana.** Véase TARDAR.

DILIGENTE, adj. **Cusi.**

DILUIR, v. a. **Yacuyachina.**

DILUVIO, n. **Jatun tucuypachata quirpag tamia.**

DIMIDIAR, v. a. **Chaupina.** Véase PARTIR.

DIMITIR, v. a. **Maycan camayta saquina.**

DINERAL, n. **Achca cullqui.**

DINERO, n. **Cullqui.**

DIOS, n. **Jatun Pachacamag; Apunchi.**

DISCIPULO, a, adj. **Maycampa yachachishca.**

DISCRECION, n. **Yuyay.**

DISCUSION, n. **Taripay.**

DISEMINAR, v. a. **Shiguana.**— IR A DISEMINAR, Shiguagrina.— ESTAR DISEMINANDO, Shiguacuna.— VENIR DISEMINANDO O DESPUES DE DISEMINAR, Shiguamuna.— HACER DISEMINAR, Shiguachina.— DISEMINARSE, Shiguarina.— DISEMINAR ENTRE VARIOS O EN MUCHO DESORDEN, Shiguanacuna.

DISENTERIA, n. **Yahuarquichay.**

DISFORME, adj. **Manchanaypa jatun.**

DISGUSTAR, v. a. **Piñachina.** Véase EMBRAVECER.

DISGUSTO, n. **Piñay.**

DISIMIL, adj. **Mana rigchag.**

DISIMULADO, a, adj. **Mana ricug, mana uyag tucug; Nictucushca.**

DISIMULAR, v. a. **Nigtucuna.**

DISIMULO, n. **Nigtucuy.**

DISIPADOR, a, adj. **Jichapacha.**

DISIPAR, v. a. **Tucuy charishcata shitashpa, huagchayana.**

DISLATE, n. **Muspay.**

DISMINUIR, v. a. **Chaupina; Ashallayachina; Cutuyachina.**

DISOLVER (por Licuar), v. a. **Yacuyachina.**

DISPAR, adj. **Chulla.** COSAS DISPARES ENTRE SI, **Chullachulla.**

DISPARAR, v. a. **Shitana.**

DISPARATADO, a, adj. **Muspag.**

DISPARATE, n. **Muspay.**

DISPERSAR, v. a. **Shiguana. Véase** DISEMINAR.

DISPERSO, a, adj. **Shiguashca.**

DISPERTADOR, a, adj. Véase DESPERTADOR.

DISPIERTO, a, adj. Véase **DESPIERTO.**

DISPLICENTE, adj. **Pucushca; Pungui; Piña.**

DISPUTA, n. **Rimanacuy; Ninacuy.**

DISTANTE, adj. **Caru.**

DISTAR, v. n. **Caru cana.**

DISTINTO, a, adj. **Chican.**

DISTRIBUIR, v. a. **Raquina. Véase** REPARTIR.

DIURNO, a, adj. **Punzhapi ricurig.**

DIVERSIDAD, n. **Chican cana.**

DIVERSIFICAR, v. a. **Chicanchina.**

DIVERSO, a, adj. **Chican.**

DIVERTIR, v. a. **Asichina; Huambracunata pagllachina.**

DIVIDIDO, a, Chaupishca.

DIVIDIR, v. a. **Chaupina.** Véase PARTIR.

DIVIESO, n. **Chupu.**

DIVINIDAD, n. **Jatun Apunchi; Pachacamag.**

DIVINO, a, adj. **Apunchipag; Pachacamagpa.**

DIVISAR, v. a. **Imallata ricuy callarina.**

DIVISIBLE, adj. **Chaupipag; Chaupiripag.**

DIVISOR, a, adj. **Chaupig.**

DIVORCIAR, v. a. **Cusata huarmimanta raquina.**

DIVORCIO, n. **Huarmi cusamanta, cusa huarmimanta raquinacuy.**

DIZQUE (contracción de **dicen que**), **Shi,** pospuesto al nombre, pronombre o verbo; por ejemplo: "El dizqué viene": "Payshi shamun"; — "Dizque ha llovido": "Tamiashcashi". La frase **Sí dizqué,** equivale a **Ashi; Chasnashi; Shinashi.** Cuando la respuesta es **No dizqué,** se dice en quichua **Manashi.**

DO, adv. Véase DONDE.

DOBLADO, a, p. p. **Ishcanchishca.**

DOBLAR (por duplicar), v. a. **Ishcanchina.**— DOBLAR UNA TELA, CINTA O COSA SEMEJANTE, **Patarina.**— IR A DOBLAR, Patarigrina.— ESTAR DOBLANDO, Pataricuna.— VENIR DOBLANDO O DESPUES DE DOBLAR, Patarimuna.— HACER DOBLAR, Patarichina.— DOBLARSE, Pataririna.— AYUDAR A DOBLAR, Patarinacuna.

DOBLE, adj. **Ishcanchishca.** Cuando significa cosa gruesa, **Batu.** Persona doble en su carácter, **Ishcayshungu.**

DOBLEGADO, a, p. p. **Cumurishca.**

DOBLEGAR, v. a. **Cumurichina.**

DOBLEZ, n. **Patari.**— DOBLEZ DE CARACTER, **Ishcayshungu cana.**

DOCE, adj. **Chungaishcay.**

DOCENA, n. **Chungaishcay.**

DOCENO, a, adj. **Chungaishcayniqui,** desus.

DOCENTE, adj. **Yachachig.**

DOCIENTOS, adj. **Véase** DOSCIENTOS.

DOCIL, adj. **Sambashugu; Allishungu.**

DOCTO, a, adj. **May yachag.** El fatuo que presume de docto: **Anchayachag.**

DOCTRINADOR, a, adj. **Yachachig.**

DOCTRINAR, v. a. **Yachachina. Véase** ENSEÑAR.

DOGAL, n. **Sipina angu; Sipina huasca.**

DOLENCIA, n. **Nanay.**

DOLER, v. a. **Nanana.**— IR A DOLER, Nanagrina.— ESTAR DOLIENDO, Nanacuna. — EMPEZAR A DOLER, Nanacuna. — HACER QUE DUELA, Nanachina. — DOLERSE, Nanarina.— DOLERTE O DOLERME, Nanahuana.

Nanana

DOLIENTE, n. **Nanarig.**

DOLOR, n. **Nanay.**

DOLORIDO, a, adj. **Nanayjunda; Nanaysapa.**

DOLOROSO, a, adj. **May nanachig.**— LO QUE PROVOCA A LASTIMA, **May llaquichig.**

DOMICILIO, n. **Tiana huasi; Causana llagta.**

DON, n. Véase DONATIVO.

DONCELLA, n. **Manara carita rigsig huarmi.**

DONDE, adv. **May,** combinado con otras partículas, en la manera siguiente: A DONDE, **Mayman;** EN DONDE, **Maypi;** POR DONDE, **Mayta;** DE DONDE **Maymanta.**

DONDEQUIERA, adv. **Maypipish;** A DONDE QUIERA, **Maymanpish;** DE DONDE QUIERA, **Maymantapish;** POR DONDE QUIERA, **Maytapish.**

DOQUIERA, adv. Lo mismo que DONDEQUIERA.

DORADO, a, p. p. **Curinchishca.**

DORADOR, a, adj. **Curinchina.**

DORAR, v. a. **Curinchina.**— IR A DORAR, Curinchigrina.— ESTAR DORANDO, Curinchicuna.— VENIR DESPUES DE DORAR, Curinchimuna.— DORARSE, Curinchirina.— AYUDAR A DORAR, Curinchinacuna.

DORMIDO, a, adj. **Puñushca.**

Puñuna

DORMIR, v. n. **Puñuna.**— IR A DORMIR, Puñugrina.— ESTAR DURMIENDO, Puñucuna.— VENIR DURMIENDOSE O DESPUES DE HABER DORMIDO, Puñumuna.— HACER DORMIR, Puñuchina.— DORMIRSE, Puñurina El uso malicioso ha venido a dar una significación algo obscena al verbo quichua **Puñuna,** por lo cual prefieren el mal formado verbo **Sueñana,** derivado por ellos del nombre SUEÑO.

DORMITAR, v. n. **Puñuri callarina; Puñuricuna.**

DORMITORIO, n. **Puñuna ucu.**

DOS, adj. **Ishcay.**

DOSALBO, a, adj. **Ishcay chaqui yurag.**

DOSCIENTOS, as, adj. **Ishcaypasag.**

DROGA, n. **Jambi.**

DROGUERIA, n. **Jambicatuna ucu.**

DROGUERO, a, **Jambicatug.**

DROGUISTA, n. Lo mismo que DROGUERO.

DUELO, n. **Llaqui; Huacay.**

DUENDE, n. **Chichi.**

DULCE, adj. **Mishqui.**

DULCEMENTE, adv. **Mishquilla.**

DULCERO, a, adj. **Mishquirurrag; Mishquicatug.**— Dulcero, por afecto al dulce, **Mishquijillu.**

DULCIFICANTE, adj. **Mishquichig.**

DULCIFICAR, v. a. **Mishquichina.**— IR A DULCIFICAR, Mishquichigrina.— ESTAR DULCIFICANDO, Mishquichicuna.— VENIR DESPUES DE DULCIFICAR, O EMPEZAR A HACERLO, Mishquichimuna.— DULCIFICARSE, Mishquichirina.

DULZAINO, a, adj. **Ñugñu.**

DULZURA, n. **Mishqui cana.**

DUODECIMO, a, adj. **Chungaishcayniqui,** desus.

DUPLICADO, a, adj. **Ishcanchishca.**

DUPLICAR, v. a. **Ishcanchina.**— IR A DUPLICAR, Ishcanchigrina.— ESTAR DUPLICANDO, Ihcanchicuna.— VENIR DUPLICANDO O DESPUES DE HABER DUPLICADO, Ishcanchimuna.— DUPLICARSE, Ishcanchirina.— AYUDAR A DUPLICAR, Ishcanchinacuna.

DUPLO, a, adj. Véase DUPLICADO.

DURABLE, adj. **Mana utca tucurig; Mana utca maucayag.**

DURADERO, a, adj. Lo mismo que DURABLE.

DURAR, v. n. **Mana utca tucurina; Mana utca maucayana.**

DUREZA, n. **Sinchi cana.**

DURO, a, adj. **Sinchi.**

BRIEDAD, n. **Machay.**

EBRIO, a, adj. **Machag; Machashca; Chumu; Chumashca.**

E B U L L ICION, n. **Timbuy.**

ECLIPSE, n. **Inti unguy; Quilla unguy** (si es de sol o de luna respectivamente).

ECLIPSARSE, v. r. **Inti unguna; Quilla unguna.**

ECO, n. **Urcucuna caparishcata cutichina.**

ECONOMIA (por cicatería), n. **Misa cana.**

ECHADOR, a. adj. **Carcu Shutag.**

ECHAR, v. a. **Shitana; Carcuna.**— IR A ECHAR, Carcugrina.— ESTAR ECHANDO, Carcucuna.— VENIR ECHANDO O DESPUES DE HABER ECHADO, Carcumuna.— AYUDAR A ECHAR, Carcunacuna.— HACER ECHAR, Carquchina.— Las mismas formas admite **Shitana**. Véase BOTAR.

ECHARSE (por **Acostarse**), v. r. **Siririna.**

EDAD, n. **Huiñay.**— "Somos de la misma edad"· "Chay huiñayllatami canchi".

EDIFICADOR, a, adj. **Pircag; Huasichig.**

EDIFICAR, v. a. **Pircana; Huasichina.** Véase FABRICAR.

EDIFICIO, n. **Huasi.**

EDUCAR, v. a. **Alli yachachish yachachina.**

EFECTIVAMENTE, adv. **Chasnatami; Shutita.**

EFECTIVO, a, adj. **Shuti.**

EFECTUAR, v. a. **Imallata rurrash churana.**

EFERVESCENCIA, n. **Timbuy.**

EFUSION (de un líquido), n. **Talli.**

EGENO, a. adj. Véase INDIGENTE.

EJECUTAR, v. a. Véase **EFECTUAR.**

EJECUTOR, a, adj. **Imallata rurrash churag.**

EL, art. def. **Ca**, pospuesto al nombre que se quiere designar, vga. "El granizo": "Runduca".

EL, pron. de terc. pers. **Pay.**

ELABORAR, v. a. **Imallata maquihuan rurrana.**

ELECCION, n. **Agllay.**

ELECTO, a, p. p. **Agllashca.**

ELECTOR, a, adj. **Agllag.**

ELEGIBLE, adj. **Agllaypag.**

ELEGIDO, adj. Véase ELECTO.

ELEVACION, n. **Jahua; Jahuapata.**

ELEVADO, a, adj. **Jatun.** En la acepción de COSA QUE HA SIDO LEVANTADA, **Jahuayachishca.**

ELEVAR, v. a. **Jahuayachina.**— IR A ELEVAR, Jahuayachigrina.— ESTAR ELEVANDO, Jahuayachicuna.— VENIR ELEVANDO O DESPUES DE ELEVAR, Jahuayachimuna.— ELEVARSE, Jahuayana.— AYUDAR A ELEVAR, Jahuayachinacuna.

ELIMINAR, v. a. **Anchuchina.** Véase QUITAR.

ELOCUCION, n. **Rimay.**

ELOCUENTE, adj. **May alli rimag.**

ELLA, pron. **Pay.**

ELLO, pron. neutro. **Chay.**

ELLOS, Ellas, pron. de plural. **Paycuna.**

EMBADURNAR, v. a. **Lluzhina.**— IR A EMBADURNAR, Lluzhigrina.— ESTAR EMBADURNANDO, Lluzhicuna.— VENIR EMBADURNANDO O DESPUES DE EMBADURNAR, Lluzhimuna.— AYUDAR A EMBADURNAR, Lluzhinacuna.— EMBADURNARSE, Lluzhirina.— HACER EMBADURNAR, Lluzhichina.

EMBAIDOR, a, adj. **Umag; Umash purig.**

EMBARAZADA, adj **Huigsacuy; Chichu.** Si es de meses mayores, **Chichujunda; Huachanalla.**

EMBARAZAR, v. a. **Jarcana.** Véae ATAJAR.

EMBARAZO, n. **Chichuy; Huasiyug cana.** En la acepción de OBSTACULO, **Jarca.**

EMBARCACION, n. **Huambu.**

EMBARCAR, v. a. **Huambupi imallata churana.** EMBARCARSE, **Huambuman sicana.**

EMBARGADO, a, p. p. **Jarcashca. Jarcata churana.**

EMBARGADOR, a, adj. **Jarcag.**

EMBARNECER, v. n. **Racuyana.**

EMBARRADO, a, p. p. **Llutashca.**

EMBARRADURA, n. **Llutay.**

EMBARRAR, v. a. **Llutana.**— IR A EMBARRAR, Llutagrina.— ESTAR EMBARRANDO, Llutacuna.— VENIR EMBARRANDO O DESPUES DE EMBARRAR, Llutamuna — HACER EMBARRAR, Llutachina.— EMBARRARSE, Llutarina.— AYUDAR EN EL EMBARRE, Llutanacuna.— EMBARRAR CONSTANTEMENTE, Llutarana.— ESTAR TENAZMENTE PEGADO UN OBJETO CON OTRO, Llutaracuna.

EMBAUCADOR, a, adj. **Umag.**

EMBAUCAR, v. a. **Umana.** Véase ENGAÑAR.

EMBELLECER, v. a. **Sumagyachina.**— IR A EMBELLECER, Sumagyachigrina.— ESTAR EMBELLECIENDO, Sumagyachicuna.— VENIR EMBELLECIENDO O DESPUES DE EMBELLECER, Sumagyachimuna.— HACER EMBELLECER, Sumagyachichina.— EMBELLECERSE, Sumagyarina o sumagyana

EMBELLECIDO, a, p. p. **Sumagyachishca; Sumagyashca.**

EMBERRENCHINARSE, v. r. **Piñarina.**

EMBESTIDOR, a, adj. **Apag.**

EMBESTIR, v. a. **Apana.**— IR A EMBESTIR, Apagrina.— ESTAR EMBISTIENDO, Apacuna.— VENIR EMBISTIENDO O DESPUES DE EMBESTIR, Apamuna.— HACER EMBESTIR, Apachina.— EMBESTIRSE LAS RESES MUTUAMENTE, Apanacuna.

EMBOBADO, a, p. p **Upayachishca; Upayashca.**

EMBOBAR, v. a. **Upayachina.**— IR A EMBOBAR, Upayachigrina.— ESTAR EMBOBANDO, Upayachicuna.— EMPEZAR A EMBOBAR, Upayachimuna.— EMBOBARSE, Upayana.

EMBOLISMO, n. **Cururu.**

EMBOLSAR, v. a. **Tulupi imallata churana.**

EMBORRACHAR, v. a. **Machachina.**— IR A EMBORRACHAR, Machachigrina.— ESTAR EMBORRACHANDO, **Machachicuna.**— VENIR EMBORRACHANDO O DESPUES DE HABER EMBORRACHADO, Machachimuna.— EMBORRACHARSE, Macharina; Machana.— ESTAR BORRACHO CON FRECUENCIA, Macharana.

EMBOZADO, a, p. p. **Catallishca; Pa-**

challishca. Embozada con rebozo o mantilla, **LLIGLLASHCA.**

EMBOZARSE, v. r. **Catarina; Catallina; Pachallina.** Embozarse una mujer con mantilla o rebozo, **Lliglarina.**

EMBRAVECER, v. a. **Piñachina.**— IR A EMBRAVECER, Piñachigrina.— ESTAR EMBRAVECIENDO O DESPUES DE EMBRAVECER, Piñachimuna.— EMBRAVECERSE, Piñarina; Piñana.— EMBRAVECERSE MUTUAMENTE, Piñanacuna.— PERMANECER EMBRAVECIDO, Piñarana.

EMBREÑARSE, v. r. **Sachayana.**

EMBRIAGAR, v. a. Véase EMBORRACHAR.

EMBRIAGUEZ, n. **Machay.**

EMBROLLAR, v. a. **Imallata cururuna.**

EMBROLLON, a, adj. **Cururug.**

EMBROMAR, v. a. **Umana.** Véase ENGAÑAR.

EMBRUTECER, v. a. **Upayachina.**

EMBUDO, n. **Jillpuna.**

EMBUSTE, n. **Llulla.**

EMBUSTERO, a, adj. **Llullash purig.**

EMBUTIDO, a, p. p. **Jinchishca.**

EMBUTIR, v. a. **Jinchina.**— IR A EMBUTIR, Jinchigrina.— ESTAR EMBUTIENDO, Jinchicuna.— VENIR EMBUTIENDO O DESPUES DE HABER EMBUTIDO, Jinchimuna.— HACER EMBUTIR, Jinchichina.— EMBUTIRSE, Jinchirina.— AYUDAR A EMBUTIR, Jinchinacuna. Es cosa indudable que **Jinchina** proviene del castellano HENCHIR.

EMIGRADO, a, p. p **Llagtamanta caruyashca.**

EMIGRAR, v. n. **Llagtamanta caruyana.**

EMINENCIA, n. **Jahuapata; Pata.**

EMPACHADO, a, (enfermo de saburra gástrica), p. p. **Agitashca.**

EMPACHAR, v. a. **Ajitana.**— IR A EMPACHAR, Ajitagrina.— ESTAR EMPACHANDO, Ajitacuna.— EMPEZAR A EMPACHAR O VENIR EMPACHADO, Ajitamuna.— HACER EMPACHAR, Ajitachina.— EMPACHARSE, Ajitana.

EMPACHO, n. **Ajitay.**

EMPALAGADO, a, p. p. **Amishca.**

EMPALAGAR, v. a **Amichina.**— IR A EMPALAGAR, Amichigrina.— ESTAR EMPALAGANDO, Amichicuna.— EMPEZAR A EMPALAGAR O VENIR EMPALAGANDO, Amichimuna.— EMPALAGARSE, Amina.

EMPALAGOSO, a, adj. **Amichig.**

EMPALIZADA, n. **Quinzha; Jarata.**

EMPANTANAR, v. a. **Guzupi pambana.**— EMPANTANARSE, **Guzupi pambarina.**

EMPAPADO, a, p. p. **Shutushca; Nuyushca.**

EMPAPAR, v. a. **Shutuchina; Nuyuchina.**— IR A EMPAPAR, Shutuchigrina.— ESTAR EMPAPANDO, Shutuchicuna.— VENIR EMPAPANDO O DESPUES DE HABER EMPAPADO, Shutuchimuna.— EMPAPARSE, Shutuchirina.— EMPAPAR ENTRE VARIOS, Shutuchinacuna.

EMPAREDADO, a, p. p. **Pircachaupipi quirpashca.**

EMPAREDAR, v. a. **Pircacunahuan quirpana.**

EMPARENTAR, v. n. **Aylluta tarina;** Aylluyana.

EMPECINADO, a, adj. **Rumiuma.**

EMPECINARSE, v. r. **Cunashcata mana uyasha nina.** Si se trata de animales que resisten a seguir a quien los lleva del cabestro, **Jaytarina.**

EMPEDERNIDO, a, adj. **Rumiashca.**

EMPEDRADO, a, p. p. **Rumicunahuan pambanchish allichishca.**

EMPEDRAR, v. a. **Rumicunahuan ñanta allichina.**

EMPELLON, n. **Tangay.**

EMPEORAMIENTO, n. **Ashun mana alli cay.** Empeoramiento de enfermo, **Anchayay.**

EMPEORADO, a, p. p. **Ashun mana alli tucushca.** Enfermo empeorado, **Anchayashca.**

EMPEORAR, v. n. **Ashun mana alli tucuna.** EMPEORAR UN ENFERMO, Anchayana.— IR A EMPEORAR, Anchayagrina.— ESTAR EMPEORANDO, Anchayacuna.— EMPEZAR A EMPEORAR O VENIR EMPEORADO, Anchayamuna.— EMPEORARSE, Anchayana.— HACER QUE EMPEORE, Anchayachina.

EMPEQUEÑECER, v. a. **Uchillayachina; Cutuyachina.**— IR A EMPEQUEÑECER, Cutuyachigrina.— ESTAR EMPEQUEÑECIENDO, Cutuyachicuna.— VENIR EMPEQUEÑECIENDO O EMPEZAR A EMPEQUEÑECER, Cutuyachimuna.— EMPEQUEÑECERSE, Cutuyarina; Cutuyana. Las mismas formas admite **Uchillayachina.**

EMPERADOR, n. **Ñaupa runacunapag jatun Apu; Inga.**

EMPERO, conj. **Ñatag.**

EMPEZADO, a, p. p. **Callarishca.**

EMPEZAR, v. a. **Callarina.**— IR A EMPEZAR, Callarigrina.— ESTAR EMPEZANDO, Callaricuna.— VENIR EMPEZANDO O DESPUES DE HABER EMPEZADO, Callarimuna.— HACER EMPEZAR, Callarichina.— EMPEZARSE UNA COSA, Callaririna.— AYUDAR A EMPEZAR, Callarinacuna.

EMPIEZO, n. **Callari.**

EMPINADO, a, p. p. **May shayag huichay.**

EMPINAR, v. a. **May shayachina.**

EMPOBRECER, v. a. **Huagchayachina.**— IR A EMPOBRECER, Huagchayachigrina.— ESTAR EMPOBRECIENDO, Húagchayachicuna.— EMPEZAR A EMPOBRECER, Huagchayachimuna.— EMPOBRECERSE, Huagchayarina; Huagchayana.

EMPOBRECIDO, a, p. p. **Huagchayashca.**

EMPOBRECIMENTO, n. **Huagchayay.**

EMPOLLAR, v. a. **Ugllana.** Véase ABARCAR.

EMPONZOÑADOR, a, adj. **Huañachingapa, upayachingapa, jambita cug.**

EMPONZOÑAR, v. a. **Huañuchingapa, Upayachingapa jambita cuna.**

EMPORCADO, a, p. p. **Mapayachishca.**

EMPORCAR, v. a. **Mapayachina.** Véase ENSUCIAR.

EMPREÑAR, v. a. **Chichuyachina; Chichuchina.**

EMPUJADO, a, p. p. **Tangashca.**

EMPUJAMIENTO, n. **Tangay.**

EMPUJAR, v. a. **Tangana.**— IR A EMPUJAR, Tangagrina.— ESTAR EMPUJANDO, Tangacuna.— VENIR EMPUJANDO, O DESPUES DE HABER EMPUJADO, Tangamuna.— HACER EMPUJAR, Tangachina. — EMPUJARSE, Tangarina.— EMPUJAR VARIOS, Tanganacuna.— EMPUJAR CON INSISTENCIA, Tangarana.

EMPUÑADO, a, p. p. **Pigtushca.**

EMPUÑAR, v. a. **Pigtuna.**— IR A EMPUÑAR, Pigtugrina.— ESTAR EMPUÑANDO, Pigtucuna.— VENIR EMPUÑANDO O DESPUES DE HABER EMPUÑADO, Pigtumuna.— HACER EMPUÑAR, Pigtuchina.— EMPUÑARSE, Pigturina.— EMPUÑAR ENTRE DOS O MAS, Pigtunacuna.— EMPUÑAR Y RETENER CON FUERZA, Pigturana.

EN, prep. **Pi,** pospuesto al nombre; vga. "En el cerro": "Urcupi".

ENAGUAS (de las indias y gente vulgar), n. **Ucunchi.**

ENAJENAR, v. a. **Catuna; Shugman cuna.**

ENAMORADO, a, adj. **Cuyag.**

ENAMORAR, v. a. **Cuyayta charichina.**

ENARDECER, v. a. **Rupachina; Raurachina.**

ENCABESTRAR, v. a. **Huatana.** Encabestrarse una res, **Angupi aullirina.**

ENCAJAR, v. a. **Satina.** Véase METER.

ENCAMINAR, v. a. **Ñanta ricuchina; Ñanpi churana.**

ENCANECER, v. n. **Rucuyashpa sucuyana.**

ENCANIJAMIENTO, n. **Tulluyay; Chirimanta chontayay.**

ENCANIJARSE, v. r. **May tulluyana; Chirihuan chontayana.**

ENCARCELAR, v. a. **Juchayugcunata huichcana.**

ENCARGAR, v. a. **Imallata mingash huacaychichina.**

ENCARGO, v. a. **Mingay.** Encargo, por cosa encargada, **Mingashca.**

ENCENEGARSE, v. r. **Guzupi pambarina.**

ENCENDER, v. a. **Japichina.**— IR A ENCENDER, Japichigrina.— ESTAR ENCENDIENDO, Japichicuna.— VENIR ENCENDIENDO O DESPUES DE ENCENDER, Japichimuna.— HACER ENCENDER, Japichichina.— ENCENDERSE, Japirina.—

AYUDAR A ENCENDER, Japichinacuna.

ENCENDIDO, a, p. p. **Japichishca.**

ENCENIZAR, v. a. **Uchupachina.**

ENCERRADERO, n. **Huichana ucu.**

ENCERRADOR, a, p. p. **Huichcag.**

ENCERRAR, v. a. **Huichcana.** Véase CERRAR.

ENCIERRO, n. **Huichcay.**

ENCIMA, adv. **Jahuapi.**

ENCIMAR, v. a. **Jahuayachina.**

ENCLENQUE, adj. **Ancha tullu; Ili.**

ENCOGER, v. a. **Cutuyachina; Quindiyachina.** Véase ACORTAR.

ENCOGIDO, a, p. p. **Cutuyashca; Quindiyashca.**

ENCOGIMIENTO (de una cosa), n. **Cutuyay; Quindiyay.** Encogimiento por cortedad de carácter, **Pingay.**

ENCOJAR, v. a. **Jancayachina**, ant.

ENCOLERIZADO, a, p. p. **Piñaysapa; Piña.**

ENCOLERIZAR, v. a. **Piñachina.** Véase ENOJAR.

ENCOMENDADO, a, p. p. **Mingashca.**

ENCOMENDAR, v. a. **Mingana.**

ENCONARSE (una herida o tumor), v. r. **Quiayana.**

ENCONTRADO, a, p. p. **Tarishca.**

ENCONTRAR, v. a. **Tarina.** Véase HALLAR.

ENCONTRON, n. **Huagtanacuy.**

ENCORVADURA, n. **Cumu.**

ENCORVAR, v. a. **Cumurichina.** Véase AGACHAR.

ENCRESPADO, a, p. p. **Zhirbuyashca. Tipu.**

ENCRESPAR, v. a. **Zhirbuyachina.**— IR A ENCRESPAR, Zhirbuyachigrina.— ESTAR ENCRESPANDO, Zhirbuyachicuna.— VENIR ENCRESPANDO O DESPUES DE ENCRESPAR, Zhirbuyachimuna. — ENCRESPARSE, Zhirbuyana.

ENCRUCIJADA, n. **Yallinacuy.**

Yallinacuy

ENCRUDECER, v. a. **Chahuayachina.**— IR A ENCRUDECER, Chahuayachigrina.— ESTAR ENCRUDECIENDO, Chahuayachicuna. — VENIR DESPUES DE ENCRUDECER, Chahuayachimuna.- ENCRUDECERSE, Chahuayana.

ENCRUDECIDO, a, p. p. **Chahuayachishca; Chahuayashca.**

ENCUBIERTO, a, p. p. **Pacashca**

ENCUBRIDOR, a, adj. **Pacag.**

ENCUBRIMIENTO, n. **Pacay.**

ENCUBRIR, v. a. **Pacana.** Véase OCULTAR.

ENCUMBRADO, a, adj. **May jahuapi tiag.**

ENCHARCAR, v. a **Nuyuchina; Guzuyachina.**

ENDEBLE, adj. **Ili; Irqui.**

ENDEMICO, a, (accidente o enfermedad), adj. **Llagtapi tiaglla unguy.**

ENDENANTES, adv. ant. **Ñaca; Ñacalla.**

ENDEREZAR, v. a. **Imalla huistuta allichina.**

ENDULZADO, a, p. p. **Mishquichishca.**

ENDULZAR, v. a. **Mishquichina.**— IR A ENDULZAR, Mishquichigrina.— ESTAR ENDULZANDO, Mishquichicuna.— VENIR ENDULZANDO O TRAER COSA ENDULZADA, Mishquichimuna.— ENDULZARSE, Mishquichirina.— AYUDAR A ENDULZAR, Mishquichinacuna.

ENDURADO, a, p. p. **Sinchiyachishca.**

ENDURAR, v. a. **Sinchiyachina.** Véase FORTIFICAR.

ENDURECER, v. a. Lo mismo que ENDURAR.

ENDURECIMIENTO, n, **Sinchiyay; Rumiyay.**

ENFADADO, a, p. p. **Piñashca.**

ENFADAR, v. a. **Piñachina.** Véase EMBRAVECER.

ENFADO, n. **Piñay.**

ENFERMAR, v a. **Unguna.**— IR A ENFERMAR O ESTAR A PUNTO DE ENFER MAR, Ungugrina.— ESTAR ENFFERMANDO, Ungucuna.— VENIR ENFERMANDO Ungumuna.— HACER QUE OTRO ENFER-

Unguy

ME, Unguchina.

ENFERMEDAD, n. **Unguy.**

ENFERMERIA, n. **Ungugcunapa ucu.**

ENFERMIZO, a, adj. **Ungugila.**

ENFERMO, a, adj. **Uugug; Ungushca.**

ENFLAQUECER, v. n. **Tulluyana.**— IR A ENFLAQUECER, Tulluyagrina.— ESTAR ENFLAQUECIENDO, Tulluyacuna EMPEZAR A ENFLAQUECER, Tulluyamuna.— HACER QUE ENFLAQUEZCA, Tulluyachina.— ENFLAQUECER DEMASIADO, **Ratagyana; Chuntayana.**

ENFLAQUEECIDO, a, p. p. **Tulluyashca.**

ENFRENTE, adv. **Ñaupagpi; Chimbapi; Chimbanacuypi.**

ENFRIADO, a, p. p. **Chiriashca.**

ENFRIADOR, a, adj. **Chiriachig.**

ENFRIAMIENTO, n. **Chiriay.**

Tulluyashca

ENFRIAR, v. n. **Chiriyachina.** IR A ENFRIAR, Chiriyachigrina.— ESTAR ENFRIANDO, Chiriyachicuna.— VENIR ENFRIANDO O DESPUES DE ENFRIAR, Chiriyachimuna.— AYUDAR A ENFRIAR, Chiriyachicumuna.— ENFRIARSE, Chiriyana.

ENFURECER, v. a. **Yallimana piñachina.**

ENFURECIDO, a, p. p. **Yallimana piñashca.**

ENGAÑADO, a, p. p. **Umashca.**

ENGAÑADOR, a, adj. **Umag; Llulla.**

ENGAÑAR, v. a. **Umana.**— IR A ENGAÑAR, Umagrina.— ESTAR ENGAÑANDO, Umacuna.— VENIR ENGAÑANDO O DESPUES DE ENGAÑAR, Umamuna.— HACER ENGAÑAR, Umachina.— ENGAÑARSE RECIPROCAMENTE, Umanacuna.

ENGAÑIFA, n. **Umay.**

ENGAÑO, n. **Umay**

ENGARROTARSE, v. r. **Caspiana.**— IR A ENGARROTARSE, Caspiagrina.— ESTAR ENGARROTANDOSE, Caspiacuna.— EMPEZAR A ENGARROTARSE O VENIR ENGARROTANDOSE, Caspiamuna.— HACER QUE OTRO SE ENGARROTE, Caspiachina.

ENGENDRADOR, a, adj. **Churichig.**

ENGENDRAR, v. a. **Churichina.**

ENGOLOSINARSE, v. n. **Jillu tucuna.**

ENGORDADO, a, p. p. **Huirayashca.**

ENGORDADOR, adj. **Huirayachig.**

ENGORDAR, v. a. **Huirayachina.**— IR A ENGORDAR, Huirayachigrina.— ESTAR ENGORDANDO, Huirayachicuna.— EMPEZAR A ENGORDAR, Huirayachimuna.— ENGORDARSE, Huirayana.— AYUDAR A ENGORDAR, Huirayachinacuna.

ENGRANDECER, v. a. **Jatunyachina.**— ENGRANDECERSE, Jatunyana.

ENGRANDECIMIENTO, n. **Jatunyay.**

ENGRANUJARSE, v. n. **Murusapa tucuna.**

ENGRASAR, v. a. **Huirahuan Llutana.**

ENGREDAR, v. a. **Turuhuan Llutana.**

ENGROSAR, v. a. **Rucuyachina.**— ENGROSARSE, Rucuyana.

ENGULLIDOR, a, adj. **Millpug.**

ENGULLIR, v. a. **Millpamuna.**— IR A ENGULLIR, Millpamugrina.— ESTAR ENGULLENDO, Millpucuna.— VENIR ENGULLENDO O DESPUES DE HABER ENGULLIDO, Millpumuna.— HACER ENGULLIR, Millpuchina.— ENGULLIR ENTRE VARIOS, Millpunacuna.

ENJUNDIA, n. **Huallpa huira.**

ENJUTO, a, adj. **Chaquishca.**

ENLAZAR (el ganado), v. a. **Anguhuan japina; Anguna.**

ENLODADO, a, p. p. **Turusapa; Turujunda.**

ENLODAR, v. a. **Turuyachina.**— IR A ENLODAR, Turuyachigrina.— ESTAR ENLODANDO, Turuyachicuna.— VENIR ENLODANDO O DESPUES DE ENLODAR, Turuyachimuna.— ENLODARSE, Turuyarina; Turuyana.— AYUDAR A ENLODAR, Turuyachinacuna.

ENLOQUECER, v. a. **Yuyayta chingachina; Upayana.**

ENLUCIR, v. a. **Llunzhina.**

ENLUTAR, v. a. **Yanayachina.**

ENMADERAR, v. a. **Huasichishpa, caspinacunata churana.**

ENMARAÑADO, a, p. p. **Aullinacushca.** Tratándose de plantas, **Tabayashca.**

ENMARAÑAR, v. a. **Aullina; Tabayachina.**

ENMENDAR, v. a. **Pandashcata allichina.**

ENMUDECER (por volverse mudo un individuo), v. n. **Amuyana, desus.**

ENNEGRECER, v. a. **Yanayachina.**— IR A ENNEGRECER, Yanachigrina.— ESTAR ENNEGRECIENDO, Yanayachicuna.— VENIR ENNEGRECIENDO O DESPUES DE ENNEGRECER, Yanayachimuna.— ENNEGRECERSE, Yanayana.— AYUDAR A ENNEGRECER, Yanayachinacuna.

ENNEGRECIDO, a, p. p. **Yanayashca.**

ENOJADO, a, p. p. **Piñashca.**

ENOJAR, v. a. **Piñachina.** Véase EMBRAVECER.

ENOJO, n. **Piñay.**

ENOJOSO, a, adj. **Piñachig.**

ENORME, adj. Véase DISFORME.

ENREDADO, a, p. p. **Aullirishca; Arapashca.**

ENREDADOR, a. adj. **Aullig; Arapag.**

ENREDAR, v. a. **Aullina; Arapana.**

ENREDO, n. **Aulli; Arapa.**

ENRIQUECER, v. a. Véase ACAUDALAR.

ENRIQUECIDO, a, p. p. Véase ACAUDALADO.

ENROJECER, v. n. **Pucayana.**— IR A ENROJECER, Pucayagrina.— ESTAR ENROJECIENDO, Pucayacuna.— EMPEZAR A ENROJECER, Pucayamuna.— HACER QUE ENROJEZCA, Pucayachina.

ENROJECIDO, a, p. p. **Pucayashca.**

ENRONQUECER, v. n. **Chacayana,** ant.

ENROSCARSE, v. r. **Cururina.**

ENSALADA, n. **Jaucha.**

ENSAMBLAR, v. a.**Tinguina.** Véase AÑADIR.

ENSAMBLE, n. **Tingui.**

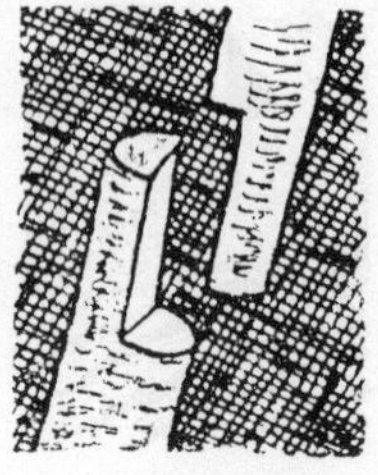

Tingui

ENSANGRENTADO, a, adj. **Yahuaryashca; Yahuarsapa.**

ENSANGRENTAR, v. a. **Yahuaryachina.**

ENSARTADO, a, p. p. **Jillpushca.**

ENSARTAR, v. a. **Jillpuna.** — IR A ENSARTAR, Jillpugrina.— ESTAR ENSARTANDO, Jillpucuna. — VENIR ENSARTANDO O DEPUES DE HABER ENSARTADO, Jillpumuna.— HACER ENSARTAR, Jillpuchina.— ENSARTARSE, Jillpurina.— AYUDAR A ENSARTAR, Jillpunacuna.

ENSEBAR, v. a. **Huirahuan imallata llutana.**

ENSEÑADO, a, p. p. **Yachachishca.**

ENSEÑAR, v. a. **Yachachina.**— IR A ENSEÑAR, Yachachigrina.— ESTAR ENSEÑANDO, Yachachicuna.— VENIR ENSEÑANDO, Yachachimuna.— AYUDAR A ENSEÑAR, Yachachinacuna.— ENSEÑAR CON TESON, Yachachirana.

ENSOGAR, v. a. **Huascahuan huatana.**

ENSORDECER, v. n. **Uray illag saquirina.**

ENSORTIJARSE, v. r. **Tipuyana.**

ENSUCIADO, a, p. p. **Mapayashca.**

ENSUCIAR, v. a. **Mapayachina.**— IR A ENSUCIAR, Mapayachigrina.— ESTAR ENSUCIANDO, Mapayachicuna.— ENSUCIARSE, Mapayarina o Mapayana.— ENSUCIAR ENTRE VARIOS, Mapayachinacuna.

ENTALEGAR, v. a. Véase EMBOLSAR.

ENTARDECER, v. a. **Chishiyana.**

ENTECADO, a, adj. **Tulluyashca; Jaycamanta.**

ENTENDER, v. a. **Imallata yuyaypi chasquina.**

ENTENDIMIENTO, n. **Yuyay.**

ENTENEBRECER, v. a. **Purayachina.**— Véase OBSCURECER.

ENTERAMENTE, adv. **Callaymanta; Puchucagta.**

ENTERNECER, v. a. **Llulluyachina.**— ENTERNECERSE, Llulluyana.

ENTERO, a, adj. **Mana callarishca; Mana chayashca.**

ENTERRADO, a, p. p. **Pambashca.**

ENTERRADOR, a, adj. **Pambag.**

ENTERRAMIENTO, n. Véase ENTIERRO.

ENTERRAR, v. a. **Pambana.**— IR A ENTERRAR, Pambagrina.— ESTAR ENTERRANDO, Pambacuna.— VENIR DESPUES DE ENTERRAR O ENTERRANDO, Pambamuna.— HACER ENTERRAR, Pambachina. — ENTERRARSE, Pambarina.— AYUDAR A ENTERRAR, Pambanacuna.— ESTAR UNA COSA INDEFINIDAMENTE ENTERRADA, Pambarana.

ENTIBIAR, v. a. **Ashallata cunuchina.** Véase CALENTAR.

ENTIERRO, n. **Pambay.**

ENTONCES, adv. **Chaypachapica.** En la acepción de SIENDO ASI o EN TAL CASO; **Chasna cashpaca; Chay cashpaca.**

ENTONTECER, v. a. **Upayachina.**

ENTONTECIDO, p. p. **Upayashca.**

ENTORPECER, v. a. Lo mismo que ENTONTECER.

ENTORPECIDO, a, p. p. Lo mismo que ENTONTECIDO.

ENTORTAR, v. a. **Huistuchina.**— Véase TORCER.

ENTRADA, n. **Yaycuy.** En la significación de PUERTA, **Yaycuna** o **Pungu.**

ENTRAMBOS, adj. **Ishcandi.**

ENTRANTE, adj. **Yaycug.** En la acepción de VENIDERO, **Shamug**; vga. "En el mes entrante": "Shamug quilla".

ENTRAR, v. a. **Yaycuna.**— IR A ENTRAR, Yaycugrina.- VENIR ENTRANDO O DESPUES DE ESTAR ENTRANDO, Yaycucuna.— ENTRAR, Yaycumuna, HACER ENTRAR, Yaycuchina. ENTRAR ENTRE VARIOS O ATROPELLADAMENTE, Yaycunacuna.

Yaycuna

ENTRE, prep. **Andi; Indi; Undi**, pospuestos al nombre, según éste termine en **a, i o u**; vga. "Han llegado entre marido, mujer y parientes": "Cusandi, huarmi, ayllundimi chayamushcacuna". Usase también **Pura**, cuando las personas de que se habla tienen mutua relación de parentesco, paisanaje, etc. vga. "Entre hermanos almuerzan": "Huaquipurami chinzhicuna".

ENTREGAR, v. a. **Cuna.** Véase DAR.

ENTRELAZAR, v. a. **Huatanacuna.**

ENTROMETERSE, v. r. **Satirina.**

ENTROMETIDO, a, p. p. **Satirig.**

ENTREPIERNAS, n. **Changachaupi.**

ENTRETANTO, adv. **Cama**, pospuesto al nombre o verbo, vga. "Entretanto que amanezca": "Pacaringacana".

ENTRETENER (a los niños), v. a. **Pugllachina.**

ENTREVERADO, a, p. p. **Chapushca; Chapunacushca.**

ENTREVER, v. a. **Chapuna.** Véase MEZCLAR.

ENTRISTECER, v. a. **Llaquichina.**

ENTROMETIDO, a, p. p. Véase ENTREMETIDO.

ENTUMECER (por **Hinchar**), v. a. **Punguichina.**— ENTUMECERSE, Punguirina; Punguina.

ENTUMECIDO, a, p. p. **Punguishca.**

ENTUMIR, v. a. **Irquiyachina.**

ENTURBIAR, v. a. **Mapayachina.** Véase ENSUCIAR.

ENUMERACION, n. **Yupay.**

ENUMERAR, v. a. **Yupana.**

ENVANECERSE (las mieses), v. r. **Chushagyana.**

ENVEJECERSE, v. r. **Maucayana.** Tratándose de individuos varones, **Rucuyana.** Si de hembras, **Payayana.**

Payayashca

ENVEJECIDO, a, p. p. **Maucayashca; Rucuyashca; Payayashca;** según se trate de cosas, de hombres o de mujeres.

ENVEJECIMIENTO, n. **Maucayay; Rucuyay; Payayay,** con la distinción indicada en el artículo precedente.

ENVENENADOR, a. adj. **Jambita cug.**

ENVENENAR, v. a. **Jambita cuna. Jambihuan unguchina.**

ENVIADO, a, p. p. **Cachashca.**

ENVIAR, v. a. **Cachana.**— IR A ENVIAR, Cachagrina.— ESTAR ENVIANDO, Cachacuna.— VENIR DESPUES DE ENVIAR, Cachamuna.— HACER ENVIAR, Cachachina.— COOPERAR EN EL ENVIO, Cachanacuna.— ENVIARSE UNA COSA, Cacharina.— ENVIAR CON FRECUENCIA, Cacharana.

ENVIDIA, n. **Chiquicuy,** ant.

ENVIO, n. **Cachay**

ENVIUDAR, v. n. **Cusa huarmi illag saquirina; Cusa huarmita chingachina.**

ENVOLTORIO, n. **Quipi.**

ENVOLTURA, n. **Maytu.**

ENVOLVEDOR, a, adj. **Quipig; Maytug.**

ENVOLVER, v. a. **Quipina,** si se trata de cosas; **Maytuna,** si de personas.

ENVUELTO, a, p. p. **Quipishca,** si es cosa; **Maytushca, si** es persona.

EPIDEMIA, n. **Catilla unguy.**

EPISTOLA, n. Véase CARTA.

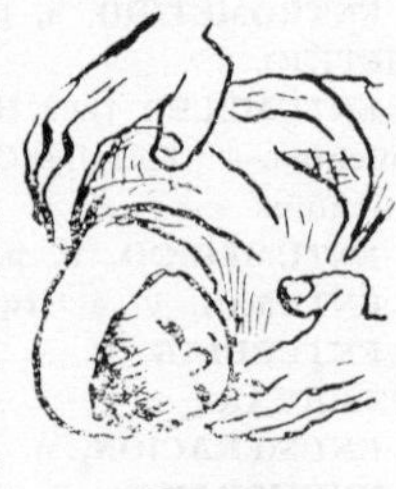

Maytuna

EPOCA, n. **Pacha.** "La época en que él murió": "Pay huañushca pacha".

EPULON, a, adj. **Yalli micug.**

EQUIVOCACION, n. **Panday.**

EQUIVOCARSE, v. r. **Pandana.** Véase ERRAR.

ERIAL, n. **Chaquishca pamba; Ratag allpa.**

ERIZADO, a, p. p. **Punzuyashca; Cashasapa.**

ERIZARSE, v. r. **Punzuyana; Cashayana.**

ERIZO (puerco espín), n. **Huagur.** Larva erizada de púas, **Tispug.**

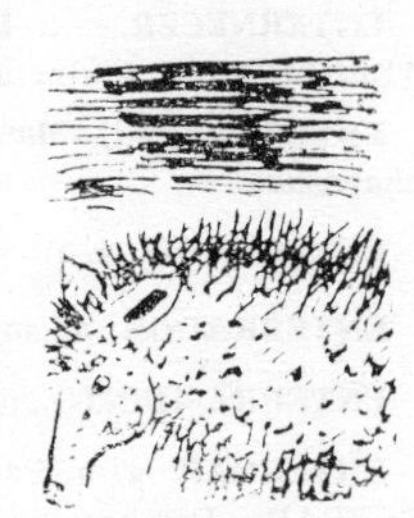

Punzuyana

ERRABUNDO, a, adj. **Maytapish purigllla; Llagtamuyug.**

ERRADAMENTE, adv. **Pandashpalla.**

ERRANTE, adj. **Maytapish puriglla.**

ERRADO, a, p. p. **Pandashca.**

ERRAR, v. n. **Pandana.**— IR A ERRAR, Pandagrina.— ESTAR ERRANDO, Pandacuna.— VENIR ERRANDO O EMPEZAR A ERRAR, Pandamuna.— HACER ERRAR, Pandachina.— ERRARSE, Pandarina.— ERRAR ENTRE VARIOS, Pandanacuna.

ERRATA, n. **Quillcapi pandashca.**

ERRONEO, a. adj. **Pandashca.**

ERROR, n. **Panday.**

ERUCTAR, v. n. **Cutichina.**

ESCABROSO, a, adj. **Zagra; Patapata.**

ESCABULLIRSE, v. r. **Cungachishpa miticuna.**

ESCALAR, v. a. **Pircata llucashpa yaycuna.**

ESCALDADURA, n. **Rupashpa nanachirishca.**

ESCALDARSE, v. r. **Rupashpa nanachirina.**

ESCALENTAR, v. a. **May cunuchina.** Véase CALENTAR.

ESCALERA, n. **Huichaycuna caspi.**

ESCALOFRIO, n. **Chirichi; Chugchuy.**

ESCAMOSO, a, adj. **Zipi.**

Usiana

ESCAMPAR, v. n. **Usiana.**— IR A ESCAMPAR, Usiagrina.— ESTAR ESCAMPANDO, Usiacuna.— EMPEZAR A ESCAMPAR, Usiamuna.— HACER ESCAMPAR, Usiachina.- ESCAMPAR TENAZMENTE, Usiarana.

ESCAPAR, v. n. **Quishpina.**— IR A ESCAPAR, Quishpigrina.— ESTAR ESCAPANDO, Quishpicuna.— VENIR ESCA-

Quishpina

PANDO, Quishpimuna.— ESCAPARSE, Quishpirina.

ESCAPATORIA, n. **Quishpi.**

ESCAPE, n. Lo mismo que ESCAPATORIA.

ESCARABAJO, n. **Curu.**

ESCARBADOR, a, adj. **Aspig.**

ESCARBAR, v. a. **Aspina.**— IR A ESCARBAR, Aspigrina.— ESTAR ESCARBANDO, Aspicuna.— VENIR ESCARBANDO O DESPUES DE ESCARBAR, Aspimuna.— HACER ESCARBAR, Aspichina.— ESCARBAR ENTRE VARIOS, Aspinacuna.— ESCARBARSE, Aspirina.

ESCARCHA, n. **Shulla.**

Shullana

ESCARCHADO, a, p. p. **Shullashca.**

ESCARCHAR, v. n. **Shullana.** — IR A ESCARCHAR, Shullagrina. — ESTAR ESCARCHANDO, Shullacuna. — EMPEZAR A ESCARCHAR, Shullamuna. ESCARCHAR CON INSISTENCIA, Shullarana.— HACER ESCARCHAR, Shullachina.

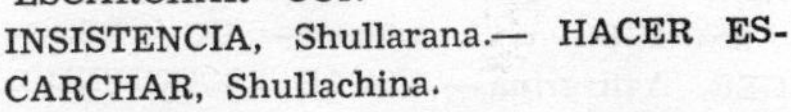

ESCARDAR, v. a. **Allpata aspishpa, sachacunata anchuchina; Jahuallata jallmana.**

ESCARLATA, n. **Pichi.**

ESCARMENADO, a, p. p. **Tisashca.**

ESCARMENAR, v. a. **Tisana.**— IR A ESCARMENAR, **Tisagrina.**— ESTAR ESCARMENANDO, **Tisacuna.**— VENIR EESCARMENANDO, **Tisamuna.**— HACER ESCARMENAR, **Tisachina.**— ESCARMENARSE, **Tisarina.**— ESCARMENAR INCESANTEMENTE, **Tisarana.**— AYUDAR A ESCARMENAR, **Tisanacuna.**

ESCARMENTADO, a, p. p. **Huanashca.**

ESCARMENTAR, v. a. **Huanachina.**— IR A ESCARMENTAR, **Huanachigrina.**— ESTAR ESCARMENTANDO, **Huanachicuna.**— VENIR DESPUES DE ESCARMENTAR, **Huanachina.**— RECIBIR ESCARMIENTO, **Huanana.**

ESCARMIENTO, n. **Huanay.**

ESCASAMENTE, adv. **Pishilla.**

ESCASEAR, v. n. **Pishina.**— IR A ESCASEAR, **Pishigrina.**— ESTAR ESCASEANDO, **Pishicuna.**— HACER ESCASEAR, **Pishichina.**— EMPEZAR A ESCASEAR, **Pishimuna.**

ESCASEZ, n. **Pishiay.**

ESCASO, a, adj. **Pishi.**

EESCATIMAR, v. a. **Misana. Pishiyachina.**

ESCLARECER (por AVERIGUAR), v. a. **Taripana.**

ESCLARECIMIENTO, n. **Taripay.**

Pichana

ESCOBA, n. **Pichana.**

ESCOCER, v. n. **Shigshina.**— IR A ESCOCER, **Shigshigrina.**— ESTAR ESCOCIENDO, **Shigshigrina.**— ESTAR ESCOCIENDO, **Shigshicuna.**— EMPEZAR A ESCOCER, **Shigshimuna.**- ESCOCER CONSTANTEMENTE, **Shigshirana.**

ESCOGER, v. a. **Agllana.**— IR A ESCOGER, **Agllagrina.**— ESTAR ESCOGIENDO, **Agllacuna.**— VENIR ESCOGIENDO O DESPUES DE ESCOGER, **Agllamuna.**— HACER ESCOGER, **Agllachina.**— ESCOGERSE, **Agllarina.**— AYUDAR A ESCOGER, **Agllanacuna.**— ESCOGER INCESANTEMENTE, **Agllarana.**

ESCOGIDO, a, p. p. **Agllashca.**

ESCONDER, v. a. **Pacana.**— IR A ESCONDER, **Pacagrina.**— ESTAR ESCONDIENDO, **Pacacuna.**— VENIR ESCONDIENDO O DESPUES DE HABER ESCONDIDO, **Pacamuna.**— HACER ESCONDER, **Pacachina.**— ESCONDER ENTRE VARIOS, **Pacanacuna.**

ESCONDIDAS (en la frase A ESCONDIDAS), adv. **Pacalla.**

ESCONDIDO, a, p. p. **Pacashca.**

ESCONDITE, n. **Pacana ucu; Pacacuna jutcu.**

ESCONDRIJO, n. Lo mismo que ESCONDITE.

ESCORBUTO, n. **Bichu.**

ESCORIARSE, v. r. **Llacarishpa nanachirina.**

ESCOTE, n. **Shigshi.**

ESCOZOR, n. **Shigshi.**

ESCRIBIENTE, n. **Quillcag.**

ESCRIBIR, v. a. **Quillcana.**— IR A ESCRIBIR, **Quillcagrina.**— ESTAR ESCRIBIENDO, **Quillcacuna.**— VENIR DESPUES DE HABER ESCRITO, **Quillcamuna.**— ESCRIBIRSE, **Quillcarina.**— AYUDAR A ESCRIBIR INCESANTEMENTE, **Quillcarana.**

ESCRITO, a, p. p. **Quillcashca.**— SI es sustantivo. **Quillca.**

Quillca

ESCRITOR, a, n. **Quillca.**

ESCUALIDO, a, adj. **Mapa; Shuyu.**— Por MACILENTO, **Quilluyashca.**

ESCUCHAR, v. a. **Uyarana.** Véase OIR.

ESCUDILLA, n. **Pucu,** desus.

ESCUDRIÑAR, a, adj. **Tapurashpa taripayag.**

ESCUDRIÑAR, v. a. **Taripangapa tapurana.** Véase PREGUNTAR.

ESCUPIDERA, n. **Tucana.**

ESCUPIR, v. n. **Tucana.**— IR A ESCUPIR, **Tucagrina.**— ESTAR ESCUPIENDO, **Tucacuna.**— VENIR ESCUPIENDO O DESPUES DE ESCUPIR, **Tucamuna.**— HACER ESCUPIR, **Tucachina.**— ESCUPIR A CADA INSTANTE, **Tucarana.**— ESCUPIRSE MUTUAMENTE, **Tucanacuna.**

ESCUPITINA, n. **Tucashca; Tuca.**

ESE, ESA, ESO, adj. pron. **Chay.**— POR ESO, **Chayraycu; Chayricu.** Si se quiere hablar de persona o de cosa que por el momento no se recuerda, se dice **Imashuti** o **Imasti,** esto es: "Ese o eso cuyo nombre no tengo presente". Con tal recurso suplen los indios la escasez de sus poco ilustrados entendimiento y memoria, aún haciendo uso del peregrino verbo **Imastina:** "Hacer cosa que no recuerdo o no acierto a expresar".

ESFERA, n. **Curpa.**

ESFERICO, a, adj. **Curpashca.**

ESFORZADO, a, adj. **Sinchi; Chaquimaqui.**

ESFORZAR, v. a. **Sinchiyachina.** Véase FORTIFICAR.

ESOFAGO, n. **Tunguri.**

ESOTRO, a, adj. **Chayshug.**

Pishcumanchachina

ESPALDA, n. **Huasha.**

ESPALDAR, n. **Huasha saunana**

ESPANTABLE, adj. **Manchanaypag.**

ESPANTADIZO, a, adj. **Mancharigllа.**

ESPANTADO, a, p. p. **Mancharishca.**

ESPANTAJO, n. **Pishcumanchachina.**

ESPANTAR, v. a. **Manchagrina.** — IR A ESPANTAR, **Manchachigrina.** — ESTAR ESPANTANDO, **Manchachicuna.** — VENIR ESPANTANDO O DESPUES DE HABER ESPANTADO, **Manchachimuna.** — ESPANTARSE, **Mancharina.** — AYUDAR A ESPANTAR, **Manchachinacuna.**

Manchachishca

ESPANTO, n. **Manchay.**

ESPARCIDO, a, p. p. **Siguashca.**

ESPARCIDOR, a, adj. **Shiguag.**

ESPARCIR, v. a. **Shiguana.**— IR A ESPARCIR, **Shiguagrina.**— ESTAR ESPARCIENDO, **Shiguacuna.**— VENIR ESPARCIENDO O DESPUES DE ESPARCIR, **Shiguamuna.**— HACER ESPARCIR, **Shiguachina.**— ESPARCIRSE, **Shiguarina.**— AYUDAR A ESPARCIR, **Shiguanacuna.**

ESPEJO, n. **Rirpu.**

ESPELUZNANTE, adj. **Manchaymanta, agcha shayachig.**

ESPELUZNAR, v. a. **Manchachishpa, agchata shayachina.**

ESPERA, n, **Shuyay.**

ESPERADO, a, p. p. **Shuyashca.**

ESPERANZA, n. **Imalla cushita shuyana.**

Rirpu

Shuyana

ESPERAR, v. a. **Shuyana.**— IR A ESPERAR, **Shuyagrina.**— ESTAR ESPERANDO, **Shuyacuna.**— VENIR DESPUES DE HABER ESPERADO, **Shuyamuna.**— HACER ESPERAR, **Shuyachina.**

ESPESADO, a, p. p. **Sanguyashca.**

ESPESAR, v. n. **Sanguyana.**— IR A ESPESAR, **Sanguyagrina.**— ESTAR ESPESANDO, **Sanguyacuna.**— VENIR ESPESANDO, **Sanguyamuna.**— HACER ESPESAR, **Sanguyachina.**

ESPESO, a, adj. **Sangu.**

ESPIA, n. **Chapag.**

ESPIADO, a, p. p. **Chapashca.**

ESPIAR, v. a. **Chapana.**— IR A ESPIAR, **Chapagrina.**— ESTAR ESPIANDO, **Chapacuna.**— VENIR ESPIANDO O DESPUES DE HABERLO HECHO, **Chapamuna.**— HACER ESPIAR, **Chapachina.**— ESPIAR ENTRE DOS O MAS, **Chapanacuna.**

ESPIGA, n. **Tugtu.** La espiga madura del maíz, estos es, la flor hembra que ha fructipifacod, **Caspa.**

ESPIN (puerco), n. Véase **ERIZO.**

ESPINA, n. **Casha.**

ESPINADURA, n. **Casha tugsishca.**

ESPINAR, n. **Cashayug sacha.**

ESPINAZO, n. **Huashatullu.**

ESPINOSO, a, adj. **Cashajunda; Cashasapa; Cashayug.**

ESPLENDENTE, adj. **Llipiacug.**

ESPLENDER, v. n. **Llipiana; Jagannina.** Véase BRILLAR.

ESPLENDIDO (por muy hermoso), adj. **Sumaymana.**

ESPLENDOR, n. **Llipiay.**

ESPLENDOROSO, a, adj. Véase ESPLENDENTE.

ESPOSA, n. **Quinquin huarmi.**

ESPULGADO, a, p. p. **Piquishca.**

ESPULGADOR, a, adj. **Piquig.**

ESPULGAR, v. a. **Puiquina.**— IR A ESPULGAR, **Piquigrina.**— ESTAR ESPULGANDO, **Piquicuna.**— VENIR DESPUES DE HABER ESPULGADO, **Piquimuna.**— ESPULGARSE, **Piquirina.**— HACER ESPULGAR, **Piquichina.**— AUDAR A ESPULGAR, **Piquinacuna.**

Puscusapa

ESPUMA, n. **Puscu.**

ESPUMADERA, n. **Puscuanchuchina.**

ESPUMANTE, adj. **Puscusapa.**

ESPUMAR, v. n. **Puscuta anchuchina.**

ESPUTAR, v. n. **Tucuna.** Véase ESCUPIR.

ESPUTO, n. **Tuca.**

ESQUELA, n. **Uchilla quillca.**

ESQUILA, n. **Rutuy.**

ESQUILAR, v. a. Véase TRASQUILAR.

ESQUILEO, n. Lo mismo que **ESQUILA.**

ESQUINENCIA, n. **Cungata punguichishpa sipig unguy.**

ESTABLE, adj. **Tiaglla; Mana chingarig.**

ESTACA, n. **Tacarpu,** ant.

ESTACADA, n. **Quinzha.**

ESTALLAR, v. n. **Tugyana.** Véase REVENTAR.

ESTALLIDO, n. **Tugyay.**

ESTAMBRE, n. **Shayag pucha.**

ESTAMPIDO, n. **Tugyay.**

ESTANCAR (el agua), v. a. **Yacuta jarcashpa cuchayachina.**

ESTANCO, (de licores), n. **Upiay catuna ucu.**

ESTANDARTE, n. **Unancha,** desus.

ESTANQUE, n. **Yacu cucha.**

ESTANQUERO, a, adj. **Upiaycunata catug.**

ESTAR, v. s. **Cana.** Véase SER. "¿Cómo está?": "¿Imashinata?; ¿Imacunata?".— NO ESTAR UNO EN SU HABITACION, **Illana.**

ESTE, ESTA, ESTO, adj. pron. **Cay.**— POR ESTO, **Cayraycu.**— POR ESTO SOLO, **Cayrayculla.**

ESTERCOLAMIENTO, n. **Huanuta allpapi shitana.**

ESTERCOLAR, v. a. **Allpata huanuchina.** Véase ABONAR.

ESTERIL, adj. **Mana huachag.** Si se trata de tierra, **Tullu allpa.**

ESTIMA, n. **Cuyay.**

ESTIMABLE, adj. **Cuyaypag.**

ESTIMACION, n. **Cuyay.**

ESTIMADOR, a, adj. **Cuyag.**

ESTIMADO, a, p. p. **Cuyashca.**

ESTIMAR, v. a. Véase AMAR.

ESTIRADO, a, p. p. **Chutashca.**

ESTIRADOR, a, adj. **Chutag.**

ESTIRAR, v. a. **Chutana.**— IR A ESTIRAR, **Chutagrina.**— ESTAR ESTIRANDO, **Chutacuna.**— VENIR ESTIRANDO, **Chutamuna.**— HACER ESTIRAR, **Chutachina.**— ESTIRARSE, **Chutarina.**— ESTIRAR CON FUERZA Y TESON, **Chutarana.**— ESTIRAR ENTRE VARIOS, **Chutanacuna.**

ESTIRON, n. **Chutay.**

ESTOCADA, n. **Tugsi.**

ESTOMAGO, n. **Shungu.** Ya se sabe que todas las vísceran son **Shungu** para los indios.

ESTOQUE, n. **Tugsina.**

ESTORBADOR, a, adj. **Jarcag.**

ESTORBAR, v. a. **Jarcana.** Véase ATAJAR.

Tugsi

ESTORBO, n. **Jarcay; Jarca.**

ESTORNUDAR, v. n. **Achignina.**

ESTORNUDO, n. **Achignishca.**

ESTOTRO, a, adj. pron. **Cayshug.**

ESTRAGO, n. **Puchucay.**

ESTRAMONIO, n. **Chamicu.**

ESTRANGULAR, v. a. **Sipina.** Véase AHORCAR.

ESTRECHADO, a, p. p. **Quichquichisca.**

ESTRECHAR, v. a. **Quichquichina.**

ESTRECHEZ, n. **Quichqui.**

ESTRECHO, a, adj. **Quichqui.**

ESTREGAR, v. a. **Cacuna.**— IR A ESTREGAR, **Cacugrina.**— ESTAR ESTREGANDO, **Cacucuna.**— VENIR ESTREGANDO O DESPUES DE ESTREGAR, **Cacumuna.**— HACER ESTREGAR, **Cacuchina.**— ESTREGARSE, **Cacurina.**— ESTREGAR ENTRE VARIOS, **Cacunacuna.**— ESTREGARSE CON INSISTENCIA, **Cacurana.**

ESTREGON, n. **Cacuy.**

ESTRELLA, n. **Cuillur.**

ESTREMECER, v. a. **Chugchuchina.**— IR A ESTREMECER, **Chugchuchigrina.**— ESTAR ESTREMECIENDO, **Chugchichicuna.**— VENIR ESTREMECIENDO O DESPUES DE ESTREMECER, **Chugchichimuna.**— ESTREMECERSE, **Chugchuna.**— ESTREMECER ENTRE VARIOS, **Chugchuchinacuna.**

ESTREMECIMIENTO, n. **Chugchuy.**

ESTRENAR, v. a. **Arina.**— IR A ESTRENAR, **Arigrina.**— ESTAR ESTRENANDO, **Aricuna.**— VENIR ESTRENANDO O DESPUES DE ESTRENAR, **Arimuna.**— HACER ESTRENAR, **Arichina.**— ESTRENARSE, **Aririna.**

ESTRENO, n. **Ari; Arina.**

ESTROPEAR, v. a. **Huagtana; Huagtanacuna.** Véase GOLPEAR.

ESTROPEO, n. **Huagtay.**

ESTRUJAR, v. a. **apinacuna.**

ESTUDIAR, v. a. **Yachacuna.**

ESTUDIO, n. **Yachacuy.**

ESTULTO, a, adj. **Upa.**

ESTUPEFACTO, a, adj. **Upayashca.**

ESTUPIDO, a, adj. **Yallimana upa.**

ESTUPRAR, v. a. **Huarmi huambrata huagllichina.**

ESTUPRO, n. **Huambra huarmita huagllichishca.**

ESTEREO, a, adj. **Huayraman rigchag.**

ETERNAMENTE, adv. **Huiñayta; Manajaycapi tucurigta.**

ETERNO, a, adj. **Manajaycapi tucurig.**

EUFORBIO, n. **Pinllug.**

EUNUCO, adj. **Rurruillag.**

EVACUACION (del vientre), n. **Isma**, cuando es sólida; **Quicha**, cuando es de diarrea.

EVACUAR (el vientre), v. a. **Ismana** o **Quichana**, según sea sólida o líquida la defecación.

EVADIRSE, v. r. **Llugshish rina; Miticuna.** Véase HUIR.

EXAGERAR, v. a. **Mirachina; Yapashpa huillana.**

EXAMEN, n. **Yachashca mana yachashcata taripay.**

EXAMINAR, v. a. **Yachashca mana yachashcata taripana.**

EXCARCELAR, v. a. **Huichacashca tiacugta cacharina.**

EXCAVACION, n. **Allay.**

EXCAVADO, a, p. p. **Allashca.**

EXCAVAR, v. a. **Allana.**

EXCEDENTE, adj. **Imalla shugtayallig.**

EXCEDER, v. a. **Yallina.**— IR A EXCEDER, **Yalligrina.**— ESTAR EXCEDIENDO, **Yallicuna.**— EMPEZAR A EXCEDER, **Yallimuna.**— HACER QUE EXCEDA, **Yallichina.**

EXCELSO, a, adj. **Yallimana jatun.**

EXCESIVAMENTE, adv. **Yallimana.**

EXCESIVO, a, **Yalli.**

EXCESO, n. **Yaylli.**

EXCLAMACION, n. **Cushishpa, mancharishpa, caparishca .**

EXCLAMAR, v. a. **Cushishpa, mancharishpa, caparina.**

EXCLUIR, v. a. **Chicanchina.** Véase APARTAR.

EXCREMENTO, n. **Huanu; Isma.**

EXCRETAR, v. n. **Ismana; Huanuna.**

EXECRABLE, adj. Véase DETESTABLE.

EXECRAR, v. a. **May millana; Mana rircunayana.**

EXHIBIR, v. a. **Ricuchina.** Véase MOSTRAR.

EXHORTAR, v. a. **Cuanana.** Véase ACONSEJAR.

EXHUMAR, v. a. **Pambashca ayata aurcuna.**

EXIGUO, a, adj. **Uchilla.** Exiguo, en sentido de cantidad, **Azhalla.**

EXIMIR, v. a. **Quishpichina.** Véase LIBERTAR.

EXISTENCIA, n. **Cana.**

EXISTENTE, adj. **Cag.**

EXISTIR, v. n. **Cana.** Véase SER.

EXPATRIAR, v. a. Véase DESTERRAR.

EXPATRIARSE, Llagtamanta llugshishpa rina.

EXPECTATIVA, n. **Imalla shuyay.**

EXPECTORAR, v. n. **Tucana.** Véase ESCUPIR.

EXPELER, v. a. **Shitana.**

EXPELIDO, a, p. p. **Shitashca.**

EXPENDEDOR, a, adj. **Imallata catug.**

EXPENDER, v. a. **Imallata catuna.** Véase VENDER.

EXPERIENCIA, n. **Yachay.**

EXPERIMENTADO, a, p. p. **Yachag.**

EXPERIMENTAR, v. a. **Imallata, ricushpa, rurrashpa, yachacuna.**

EXPLORAR, v. a. **Alli ricuna; Chapana.**

EXPLOSION, n. **Tugyay.**

EXPLOSIVO, a, adj. **Tugyalla.**

EXPOSITO, a, adj. **Shitashca huahua.**

EXPRESADO, a, p. p. **Nishca; Ñacalla shutichishca.**

EXPRESAR, v. a. **Nina; Shutichina; Rimana.**

EXPRESION, n. **Rimay; Shimi.**

EXPRESIVO, a, adj. **May alli rimay; Mishqui shimi.**

EXPRIMIDO, a, p. p. Capishca.

EXPRIMIR, v. a. **Capina.**— IR A EXPRIMIR, **Capigrina.**— ESTAR EXPRIMIENDO, **Capicuna.**— VENIR EXPRIMIENDO O DESPUES DE HABER EXPRIMIDO, **Capimuna.**— HACER EXPRIMIR, **Capichina.**— EXPRIMIRSE, **Capirina.**— AYUDAR A EXPRIMIR, **Capinacuna.**— EXPRIMIR CONSTANTEMENTE, **Capirana.**

EXPROPIAR, v. a. **Shugpa cashcata quichuna.** Véase QUITAR.

EXPULSAR, v. a. **Carcush cachana.**

EXPULSION, n. **Carcuy; Shitay.**

EXPULSO, a, p. p. **Shitashca.**

EXQUISITO, a, adj. **May allí; Sumaymana.**

EXTENDER, v. a. **Jatunyachina; Suniachina.**

EXTENDIDO, a, p. p. **Jatunyachishca; Suniashca.**

EXTENSO, a, adj. **Jatun; Suni.**

EXTENUACION, n. **Ancha tulluyay.**

EXTENUADO, a, p. p. **Ancha tulluyashca; Huañuypag.**

EXTENUARSE, v. r. **Tullullapi saquirina; Jaycamanta tucuna.**

EXTERIOR, adj. **Canzhaman ricuricug; Canzhapi tiag.**

EXTERMINAR, v. a. **Huañuchishpa tucuchina; Puchucana.**

EXTERNO, a, adj. Lo mismo que EXTERIOR.

EXTINCION, n. **Huañuy; Tucuripay.**

EXTINGUIDO, a, p. p. **Hauñushca; Puchucarishca.**

EXTINGUIR, v. a. **Huañuchina; Tucuchina.** Véase MATAR y ACABAR.

EXTIRPAR, v. a. **Sapindi surcush shitana.**

EXTRACCION, n. **Surcuy.**

EXTRAER, v. a. **Surcuna.** Véase SACAR.

EXTRAIDO, a, p. p. **Surcushca.**

EXTRAÑAR (por no acostumbrarse) v. n. **Mana yacharina.**

EXTRAÑO, a, adj. **Chican llagtamanta shamug.**— Extraño, por cosa no vista u oída, **Mana ricushca; Mana jaycapi uyashca.**

EXTRAORDINARIO, a, adj. Lo mismo que EXTRAÑO, en su segunda acepción.

EXTRAVIAR, v. a. **Ñanta pandachina.**— EXTRAVIARSE, **Ñanta pandana.**

EXTRAVIO (por yerro), n.**Panday.**

ABRICA, n. **Jataricug huasi; Rurraricug pirca.**

FABRICADOR, a, adj. **Huasichig; Bircag.**

FABRICANTE, adj. Lo mismo que FABRICADOR.

FABULA, n. **Pugllashpalla nishca.**

FABULOSO, a, adj. **Manashuti; Nishcalla.**

FACIL, adj. **Ruranalla.**

FACINEROSO, a, adj. **Mana ricushca millay.**

FACTIBLE, adj. **Ruraripag.**

FACHA, n. **Ñahui; Ñaupa.**

FACHADA, n. **Huasiñaupa.**

FAENA, n. **Imalla rurray.**

FAJA, n. **Chumni.**

FAJADO, a, p. p. **Chumbillishca.**

FAJAR, v. a. **Chumbillina.**— IR A FAJAR, **Chumbilligrina.**— ESTAR FAJANDO, **Chumbillicuna.**— VENIR DESPUES DE FAJAR, **Chumbillimuna.**— FAJARSE, **Chumbillirina.**— HACER QUE OTRO FAJE, **Chumbillichina.**

FALDA, n. **Miglla.**— TOMAR ALGUNA COSA EN LA FALDA, **Migllana.**

FALDEAR (una pendiente), v. a. **Quingrayman purina.**

FALSEDAD, n. **Llulla.**

FALSO, a, adj. **Manashuti; Llulla.**

FALTA, n. **Illay.** FALTA MORAL, **Jucha.**

FALTAR, v. n. **Illana.**— IR A FALTAR, **Illagrina.**— ESTAR FALTANDO, **Illacuna.**— EMPEZAR A FALTAR, **Illamuna.**— HACER FALTAR, **Illachina.**

FALTRIQUERA, n. **Cutumpi sirashca tulu.**

FALLECER, v. n. **Huañuna.** Véase MORIR.

FALLECIDO, a, p. p. **Huañushca; Huañuglla.**

FALLECIMIENTO, n. **Huañuy.**

FAMELICO, a, adj. **Yarcaysapa; Yangamicug.**

FANDANGO, n. **Juncia**, tomado, al parecer, del castellano FUNCION.

FANDANGUERO, a, adj. **Junciacunapi puriglla.**

FANFARRON, a, adj. **Shagshu.**

FANGO, n. **Turu; Guzu.**

FARDO, n. **Quipi.** HACER FARDOS, **Quipina.**

FASTIDIADO, a, p. p. Véase ENFADADO.

FASTIDIAR, v. a. **Piñachina.** Véase ENOJAR.

FASTIDIO, n. **Piñari callarina.**

Shaycushca

FASTIDIOSO, a, adj. **Piñachig.**

FATIGA, n. **Shaycuy.**

FATIGADO, a, p. p. **Shaycushca.**

FATIGAR, v. a. **Shaycuchina.** Véase CANSAR.

FATIGOSO, a, adj. **May shaycuchig.**

FATUO, a, adj. **Jatun tucug; Yachag tucug upa.**

FAVOR, n. **Yanapay.**

FAVORECER, v. a. **Yanapana.** Véase AYUDAR.

FAZ, n. **Ñahui.**

FEALDAD, n. **Mana sumag cana.**

FEBLE, adj. **Ili; Shalsha.**

FEBRICITANTE, adj. **Jatun unguyta charig.**

FEBRIFUGO, a, adj. **Jatun unguyta jambingapag alli.**

FECULA, n. **Chuñu.**

FECUNDAR, v. a. **Chichuchina.** Tratándose de terrenos, **Huanuhuan allichina.**

FECUNDO, a, (tratándose del suelo), adj. **Alli allpa; Chagra alipa.**— HEMBRA FECUNDA, **Huachag; Mirag.**

FELICIDAD, n. **Cushi.**

FELIZ, adj. **Cushiug.**

FEMUR, n. **Mamachanga tullu.**

FENACIMIENTO, n. **Puchucay.**

FEO, a, adj. **Mana sumag.**

FERAZ, adj. **Mirag huarmi; Pucug allpa.**

FERIA, n. **Catuna punzha; Catuna pamba.**

FERMENTADO, a, p. p. **Timbushca.** Con fermentación ácida o pútrida, **Puscushca.**

FERMENTAR, v. n. **Timbuna.** Véase HERVIR. Fermentar corrompiéndose, **Puscuna.**

FERMENTO, n. **Pucuchina cunzhu.**

FEROZ, adj. **Manchanaypag piña.**

FERTIL, adj. Véase FERAZ.

FERTILIZAR, v. a. **Allpata huanuhuan allichina.**

FESTEJAR, v. a. **Cushichina.** Véase ALEGRAR.

FESTEJO, n. **Cushi.**

FESTIN, n. **Juncia.** Véase FANDANGO.

FETIDEZ, n. **Asnay.**

FETIDO, a, adj. **Asnag.**

FIAMBRE, n. **Cucayu.**

FIAMBRERA, n. **Cucayu aspana tulu.**

FIBRA, n. **Puchca.**

FIBROSO, a, **Puchcasapa; Angujunda.**

FICCION, n. **Umay; Llulla.**

FIEBRE, n. **Jatun unguy.**

FIEL, adj. **Manachalli; Manacungag.**

FIEREZA, n. **Jatun piñay.**

FIERO, a, adj. **Ancha piña.**

FIERRO, n. **Quillay,** desus.

FIJO, a, adj. **Mana cuyug.**

FILA (por serie de matas en una sementera), n. **Huachu.**

FILIAL, adj. **Churipag; Ushipag.**

FILTRAR, v. a. **Imalla yacu ahushurina; Shutuna.**

FIN, n. **Puchucay.**

FINAR, v. n. **Tucurina; Puchucarina** Véase ACABAR.

FINCA, n. **Allpa; Huasi.**

FINGIDO, a, adj. **Nigtucushca.**

FINGIDOR, a, adj. **Nigtucug.**

FINGIR, v. a. **Nigtucuna.**

FINITO, a, adj. **Tucuriglla.**

FIRMAMENTO, n. Véase CIELO.

FIRME, adj. **Sinchi; Mana cuyug.**

FISGAR, v. n. **Umashpa rimana; Pugllana**

FISGON, a, .adj **Umag; Pugllag.**

FISONOMIA, n. **Ñahui.**

FLACO, a, adj. **Tullu.**

FLAGELADO, a, adj. Angushca.

FLAMEAR, v. n. **Cunyana.**

FLAMIGERO, a, adj. **Cunyag.**

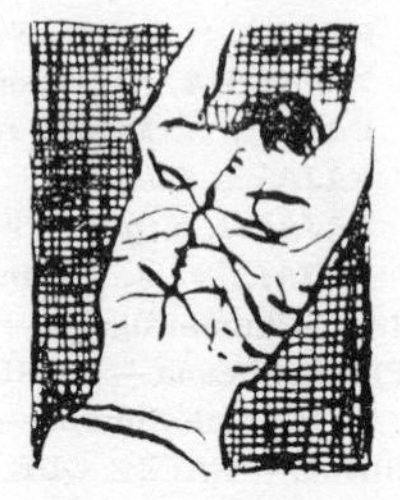

Angushca

FLOJO, a, adj. **Samba; Mana sinchi.**

FLEBIL, adj. **Llaquichipag; Huacachipag.**

Sisa

FLOR, n. **Sisa.**

FLORECER, v. n. **Sisana.**- IR A FLORECER, **Sisagrina.**— ESTAR FLORECIENDO, **Sisacuna.**— EMPEZAR A FLORECER, **Sisamuna.**— HACER FLORECER, **Sisamuna.** — HACER FLORECER CONSTANTEMENTE, **Sisarana.**

FLORERO, n. **Sisachurana.**

FLORICULTOR, a, adj. **Sisatarpug.**

FLORIDO, a, adj. **Sisashca; Sisajunda.**

FLORIPONDIO, n. **Huandug.** Tósigo preparado con el sumo de esta planta **Huarhuar.**

FLOTAR, v. n. **Huambuna.** Véase NADAR.

FLUIDO, a, adj. **Yacuman rigchag.**

FUIR, v. n. **Yacushina cuyush callpana.**

FOFO, a, adj. **Capiag.**

FOGATA, n. **Nina.**

FOGON, n. Lo mismo que FOGATA.

FOJA, n. **Panga.**

FOLLAJE, n. **Pangacuna.**

FORAGIDO, a, adj. Véase FACINEROSO.

FORASTERO, a, adj. **Chicanllagta; Mana ñucanchi llagtapi huiñashca.**

FORCEJEAR, v. n. **Jaytarina.**

FORMIDABLE, adj. **Manchanaypag.**

FORNICACION, n. **Huarmihuan juchallishca.**

FORNICAR, v. n. **Huarmihuan juchallina.**

FORNIDO, a, adj. **Racu; Sinchi; Chaquimaqui.**

FORRAJE, n. **Quihua.** Forraje seco de maíz, **Calcha.**

FORRAJEAR, v. a. **Quihuana.** Forrajear arrancando hojas frescas de maíz, **Llacana.**

FORTALECER, v. a. **Sinchiyachina**

FORTALEZA, n. **Sinchicana.** Fortaleza en la acepción de FUERTE MILITAR, **Pucará.**

FORTIFICAR, v. a. La mismo que FORTALECER.

Pucará

FORTISIMO, a, adj. **Yallimana sinchi.**

FOSA, n. **Jutcu; Pugru.**

FOSO, n. Lo mismo que FOSA.

FRACCIONAR, v. a. **Chaupina; Pitinacuna.** Véase PARTIR.

FRACTURA, n. **Paqui; Piti.**

FRACTURADO, a, p. p. **Paquishca.**

FRACTURAR, v. a. **Paquina; Pitinacuna.**

FRAGANCIA, n. **Mishqui mutqui.**

FRAGIL, adj. **Paquiriglla; Mana sinchi.**

FRAGMENTO, n. **Chaupi; Piti.**

FRANCO, a, (por **Dadivoso**), adj. **Pascamaqui.**

FRATERNAL, adj. **Huauquipag; Turipag; Panipag; Ñañapag.**

FRATERNO, a, adj. Lo mismo que FRATERNAL.

FRAUDE, n. **Pillu; Cururu.**

FRAUDULENTO, a, adj. **Pillug; Cururug.**

FRAZADA, n. **Cata; Pullu.**

FREGADO, a, p. p. **Cacushca.**

FREGAR, v. a. **Cacuna.**— IR A FREGAR, **Cacugrina.**— ESTAR FREGANDO, **Cacucuna.**— VENIR FREGANDO O DESPUES DE FREGAR, **Cacumuna.**— HACER FREGAR, **Cacuchina.**— FREGARSE, **Cacurina.**— AYUDAR A FREGAR, **Cacunacuna.**— FREGAR INCESANTEMENTE, **Cacurana.**

FREIR, v. a. **Camchana.** Véase TOSTAR.

FREJOL, n. **Purutu.** Fréjol grande y aplanado, **PALLARU.**

FRENTE, n. **Mati,** desus.

FRESCO, a, adj. **Chirilla.**

FRESCOR, n. **Ashalla chiri.**

FRESCURA, n. Lo mismo que FRESCOR.

FRIALDAD, n. **Chiri.**

FRIGIDO, a, adj. **Yalli chiri.**

FRIJOL, n. Lo mismo que FREJOL.

FRIO, a, adj. **Chiri.**

FRIOLENTO, a, adj. **Chirisapa; Chirimanchag.**

FRITO, a, adj. **Camchashca; Huirapi timbuchishca.**

FRIVOLO, a, adj. **Huayrauma; Shagshu.**

FRONDOSO, a, adj. **Pangasapa; Zhaprasapa.**

FROTAR, v. a. Véase FREGAR.

FRUCTIFERO, a, adj. **May pucug; Achcata aparig.**

FRUCTIFICAR, v. a. **Aparina; Muruna; Pucuna.**

FRUNCE, n. **Sipu.**

FRUNCIDO, a, adj. **Sipushca; Sipu.**

FRUNCIR, v. a. **Sipuna.**

FRUSTRAR, v. a. **Imallata huagllichish churana.**

Nina

FRUTO (de los vegetales), n. **Muru.**

FUEGO, n. **Nina.**

FUENTE, n. **Pugyu.**

FUERA, n. **Canzha.**

FUERA!, interj. **Anchuy c a y m a n ta!; Llugshi!** Hablando con las aves, **Quisha!**

FUENTE, adj. **Sinchi.**

FUERTEMENTE, adv. **Sinchita.**

FUGA, n. **Miticuy.**

FUGADO, a, p. p. **Miticushca.**

FUGAR, v. n. **Miticuna.** Véase HUIR.

FUGAZ, adj. **Rigiia; Tucuriglla.**

FUGITIVO, a, adj. **Miticush purig.**

FULANO, a, n. **Imashuti; Imasti.**

FULGENTE, adj. **Llipiag; Llipiacug; Cunyag.**

FULGIDO, a, adj. Lo mismo que FULGENTE.

FUMIGAR, v. a. **Cusnichina.** Véase AHUMAR.

FUMOSO, a, adj. **Cusnisapa.**

FUNCION (en el sentido de banquete o festín), n. **Juncia.** Véase FANDANGO.

FUNDIR, v. a. **Ninahuan yacuyachina.**

FURIBUNDO, a, adj. **Mana ricushca piña.**

FURIOSO, a, adj. Lo mismo que FURIBUNDO.

FUROR, n. **Jatun piñay.**

FURTIVO, a, adj. **Pacalla rurrashca.**

FUSCO, a, adj. **Uqui.**

FUSIBLE, adj. **Ninapi yacuyaypag.**

FUTURO, a, adj. **Quipacana; Quipashamuna.**

ABINETE, n. **Shug ucu.**

GACHO, a, adj. **Cumugachu; Zaza.**

GALGA, n. **Singu rumi.**

GALGO, a, n. **Shug jatun allcu.**

GALILLO, n. **Millpuna; Nar**, ant.

GALLARDO, a, adj. **Sumag chaqui maqui**, es decir: bizarro de cuerpo, pies y manos.

GALLINA, n. **Huallpa.**

GALLINAZO, n. **Ushcu.** Cuando tiene las plumas descoloridas, por la vejez, **Shararan.**

GALLO, n. **Carihuallpa.**

GAMA, n. **Huarmi taruga.**

GAMO, n. **Taruga.**

Huallpa

GANA, n. **Nanay; Munay.**— TENER GANA, **Nayana; Munana.**

GANADERO, a, adj. **Huagracama.**

GANADO, n. **Huagracuna.**

GANAR, v. a. **Mashcarishpa, cullquita mirachina.**

GANCHO, n. **Agalla.**

GANGOSO, a, adj. **Singahuan rimag.**

GANGUEAR, v. n. **Singahuan rimana.**

GANGUEO, n. **Singahuan rimay.**

GANOSO, a, adj. **Nayacug; Munacug.**

GAÑOTE, n. **Tunguri.**

GARABATO, n. **Huarcuna agallashca caspi.**

GARANTE, adj. **Shugmanta shayarig.**

GARAÑON, n. **Yaya.**

GARFIO, n. **Agalla.**

GARGAJO, n. **Tuca.**

GARGANTA, n. **Cunga.**

GARGANTILLA, n. **Huallca.**

GARGUERO, n. Véase GAÑOTE.

GARROTAZO, n. **Caspihuan huagtay.**

GARROTE, n. **Macanacaspi.**

Agalla

GARROTEAR, v. a. **Caspihuan macana.**

GARRULO, a, adj. **Yalli rimarig; Shagshu.**

GARZA, n. **Huácar,** ant.

GASTRITIS, n. **Shug huigsa unguy.**

GATA, n. **Huarmi misi.**

GATEAR, v. n. **Llucana.**— IR A GATEAR, **Llucagrina.**— ESTAR GATEANDO, **Llucacuna.**— VENIR GATEANDO O DEPUES DE HABER GATEADO, **Llucachina.**— GATEAR CONSTANTEMENTE, **Llucarana.**

GATO, n. **Misi.**

Huamán

GAVILAN, n. **Anga; Huaman.** Una especie algo menor, **Charcu.**

GAZNATE, n. **Tunguri.**

GELIDO, a, adj. **Yallimana chiri.**

GEMELOS, n. **Shuglla huachaypi huiñashca huahuacuna.**

GEMIDO, n. **Huacay; Alaunishca.**

GEMINAR, v. a. **Yanandichina.**

GEMIR, v. n. **Huacana; Alaunina.**

GENERADOR, a, adj. **Churichig; Mirachig.**

GENERAR, v. a. Véase ENGENDRAR.

GENEROSO, a, adj. **Mana misa; Pascamaqui.**

GENCIANA, n. **Callpachinayuyu.** Una especie de flor amarilla salpicada de rojo, **Mishasara.**

GENTE, n. **Runacuna.**

GENTIL (por pagano), adj. **Auca.**

GENTIO, n. **Tauca runacuna.**

GERMEN, n. **Muyu.**

GERMINACION, n. **Muyu, huiñangapa, chaquita aysay callarina.**

GESTACION, n. **Chichuypacha.**

GIBA, n. Véase CORCOVA.

GIBADO, a, adj. **Cumu; Quipi aparishca.**

GIBOSO, a, adj. Lo mismo que GIBADO.

GIGANTE, adj. **Yalli jatun runa.**

GIGANTESCO, a, adj. **Ancha jatun.**

GIRAR, v. n. **Muyundita purina.**

GIRO, n. **Muyuy.**

GLACIAL, adj. **Yallimana chiri; Rasuchina rumiashca.**

GLEBA, n. **Chamba.**

GLOBO, n. **Muyundita curpashca; Curpa.**

GLORIARSE (por complacerse), v. r. **Cushina.**

GLORIFICAR, v. a. **Muchana,** desus.

GLORIOSO, a, adj. **Cushisapa.**

GLOTON, a, adj. **Yallimicug; Sagsag; Mana amig.**

GLOTONERIA, n. **Yalli micuna.**

GOBERNADOR (denominación genérica del que gobierna), n. **Camag.**

GOBERNAR, v. a. **Camana.**

GOBIERNO, n. **Camay.**

GOLOSINA, n. **Jillu.**

GOLOSINAR, v. a. **Jilluna.**— IR A GOLOSINAR, **Jillugrina.**— ESTAR GOLOSINANDO, **Jillucuna.**— VENIR DESPUES DE GOLOSINAR, **Jillumuna.**— HACER GOLOSINAR, **Jilluchina.**— COOPERAR EN LA GOLOSINA, **Jillunacuna.**

GOLOSO, a, adj. **Jillu.**

GOLPE, n. **Huagtay.**

GOLPEADO, a, p. p. **Huagtashca.**

GOLPEAR, v. a. **Huagtana.**— IR A GOLPEAR, **Huagtagrina.** — ESTAR GOLPEANDO, **Huagtacuna.** — VENIR GOLPEANDO O DESPUES DE GOLEPEAR, **Huagtamuna.** HACER GOLPEAR, **Huagtachina.**— GOLPEARSE, **Huagtarina.** — GOLPEAR DESORDENADAMENTE O AYUDAR A GOLPEAR, **Huagtanacuna.**— GOLPEAR CONSTANTEMENTE, **Huagtarana.**

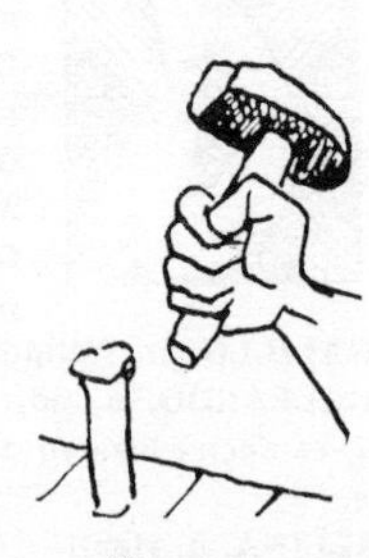

Huagtana

GOLLETE, n. **Cunga.**

GORDIFLON, a, adj. **Huiralla.**

GORDO, a, adj. **Huira.**

GORDURA, n. **Huira cana; Huira.**

GORJEAR, v. n. **Huarpina,** desus.

GORJEO, n. **Huarpi,** desus.

GORRION, n. **Huarpi,** desus.

GORRON, a. adj. **Yangamicug.**

GOTA, n. **Shutuy.**

GOTEADO, a, p. p. **Shutushca.**

GOTEAR, v. n. **Shutuna.**— IR A GOTEAR, **Shutugrina.**— ESTAR GOTEANDO, **Shutucuna.**— EMPEZAR A GOTEAR O VENIR GOTEANDO, **Shutumuna.**— HACER GOTEAR, **Shutuchina.**— GOTEAR CONSTANTEMENTE, **Shuturana.**

GOTERA, n. **Huasishutuy.**

GOZAR, v. n. **Cushina; Guzhuna.**

GOZO, n. **Cushi.**

GOZOSO, a, adj. **Cushiug; Cushisapa.**

GOZQUE, n. **Shug uchilla allcu; Quisqui.**

GRASIENTO, a, adj. **Huirasapa; Huisiacug.**.

GRACIOSO, a, adj. **Asichig; Shagshu.**

GRADA, n. **Huasiman huichaycuna.**

GRADO (por voluntad), n. **Munay.**

GRAMA, n. **Huaylla.**

GRAMAL, n. **Huayllapamba; Huayllabamba.**

GRAMOSO, a, adj. **Huayllajunda.**

GRAN, GRANDE, adj. **Jatun.**

GRANDEZA, n. **Jatun cana.**

GRANDILOCUENTE, adj. **May alli rimag.**

GRANDOTE, adj. **Jatunrucu.**

GRANADILLA (del género "Tacsonia"), n. **Gullán.**

GRANAR, v. n. **Muruna.**— IR A GRANAR, **Murugrina.**— ESTAR GRANANDO, **Murucuna.**— EMPEZAR A GRANAR, **Murumuna.**— HACER GRANAR, **Muruchina.**

GRANEAR, v. a. **Muruta shiguana.**

GRANIVORO, a, adj. **Murumicug.**

GRANIZADA, n. **Runduy.**

GRANIZAR, v. n. **Runduna.**— IR A GRANIZAR, **Rundugrina.**— ESTAR GRANIZANDO, **Runducuna.**— VENIR GRANIZANDO O EMPEZAR LA GRANIZADA, **Rundumuna.**— HACER GRANIZAR, **Runduchina.**

GRANIZO, n. **Rundu.**

GRANO, n. **Muru.**

GRANOSO, a, adj. **Murujunda; Murusapa.**

GRANUJIENTO, a, adj. Lo mismo que GRANOSO.

GRANUJO, n. **Ñutu chupu; Pishcuchupu.**

GRASA, n. **Huira.**

GRATIS, adv. **Yangamanta.**

GRATUITO, a, adj. **Yanga.**

GRAVE (por circunspecto), adj. **Mana asig; Piñañahui.**

GRAVIDA, adj. **Chichu; Huisayug.**

GREDA, n. **Turu.**

GREDOSO, a, adj. **Turusapa.**

GREÑA, n. **Tabayashca agcha.**

GRESCA, n. **Ninacuy; Macanacuy.**

GRIETA, n. **Chigta; Ragra.**

GRIETARSE, AGRIETARSE, v. n. **Chigtarina; Ragragrina.**

GRITOSO, a, adj. **Chigtajunda; Ragrasapa.**

GRIMA, n. **Quillanayay; Millanayay.**

GRIS, adj. **Uqui; Cusni.**

GRITA, n. **Caparishca; Capari.**

GRITADOR, a, adj. **Caparig.**

GRITERIA, n. **Caparinacuy.**

GRITAR, v. n. **Caparina.**— IR A GRITAR, **Caparigrina.**— ESTAR GRITANDO, **Caparicuna.** — VENIR GRITANDO O DEPUES DE HABER GRITADO, **Caparimuna.**— HACER GRITAR, **Caparichina.**— GRITAR ENTRE VARIOS O GRITARSE MUTUAMENTE, **Caparinacuna.**— GRITAR INCESANTEMENTE, **Caparirana.**

Capari

GRITO, n. Véase GRITA.

GRITON, a, adj. **Ancha caparishpa rimag.**

GROSERO, a, adj. **Llashag; Batu.**

GROSURA, n. **Huira.**

GRUESO, a, adj. **Racu.**

GRUTA, n. **Machay.**

GUADUA, n. **Huamag; Huadua.** De esta última palabra se ha tomado el nombre castellano.

GUADUAL, n. **Huamag chagra.**

GUANO, n. **Huanu.** De la voz quichua se ha derivado la castellana.

GUAPO, a, adj. **Sinchi; Shayariglla; Manapita manchag.**

GUARDA, n. **Camag; Cama.**

GUARDACASA, n. **Huasicama.**

GUARDACERDOS, n. **Cuchicama.**

GUARDADO, a, p. p. **Huacaychishca.**

GUARDADOR, a, adj. **Huacaychig.**

GUADASEMENTERAS, n. **Chagracama.**

GUARDAR, v. a. **Huacaychina.**— IR A GUARDAR, **Huacaychigrina.**— ESTAR GUARDANDO, **Huacaychicuna.**— VENIR DESPUES DE GUARDAR, **Huacaychimuna.**— HACER GUARDAR, **Huacaychichina.**— GUARDARSE, **Huacaychirina.**— AYUDAR A GUARDAR, **Huacaychinacuna.**— GUARDAR CON SUMO CUIDADO, **Huacaychirana.**

GUARDOSO, a, adj. **May huacaychig.**

GUARIDA (en las rocas o bajo las piedras), n. **Machay.**

GUARTE!, interj. **Pagta!**

GUAY!, interj. **Alau!**

GUEDEJA, n. **Agcha; Agchajimba.**

GUEDEJUDO, a, adj. **Agchasapa; Millmauma.**

GUERRA, n. **Jatun macanacuy.**

GUERREADOR, a, adj. **Macanacush purig.**

GUERRERO, a, adj. **Macanacug.**

GUERRILLERO, a, adj. **Caypichaypi macanacush purig.**

GUIA, n. **Ñaupag; Ñanta ricuchishpa rig.**

GUIADOR, a, adj. Lo mismo que GUIA.

GUIAR, v. a. **Ñanta ricuchishpa ñaupana.**

GUIJA, n. **Ñutu yacurumi.**

GUIJARRO, n. **Pagtalla rumi.**

GUIJARROSO, a, adj. **Uchilla rumi junda.**

GUINCHAR, v. a. **Tugsina.** Véase HERIR.

GUINDAR, v. a. **Imallata huarcush churana.**

GUIÑADA, n. **Quimllay.**

GUIÑADOR, a, adj. **Quimllag.** Guiñador, por defecto, **Michug.**

GUIÑAPO, n. **Llachapa.**

GUIÑAR, v. n. **Quimllana.**

GUIÑO, n. Lo mismo que GUIÑADA.

GUIRNALDA, n. **Sisa llautu.**

GUISADO, a, p. p. **Mishquichishca.**

GUISAR, v. a. **Micuyta mishquichina.** Véase ENDULZAR.

GUISO, n. **Mishquichishca micuy.**

GULA, n. **Yallimicuna jucha.**

GULOSO, a, adj. **Yallimug.**

GUSANIENTO, a, adj. **Curusapa.**

GUSANO, n. **Curu.**

GUSARAPO, n. **Uchilla curu.**

GUSTAR, v. a. **Mallina; Mishquillina.**

GUSTO, n. **Mishquig manamishquita alli mallina.**

GUSTOSO, a, adj. **Mishqui.** En la acepción de COMPLACIDO, **Cushiug.**

A!, interj. **Ja.**

HABER (por existir), v. s. **Tiana.**— IR A HABER, **Tiagrina.** — ESTAR HABIENDO, **Tiacuna.**— EMPEZAR A HABER, **Tiamuna.** HACER QUE HAYA, **Tiachina.**— NO HABER, **Illiana, Llagrina, Illacuna,** etc.

HABIDO, a, p. p. **Tiashca.**

HABITABLE, adj. **Causaypag.**

HABITACION, n. **Huasi; Chuglla; Ucu.**

HABITADOR, a, adj. **Huasipi, chugllapi causag.**

HABITAR, v. a. **Huasipi, chugllapi causana.**— IR A HABITAR, **Causagrina.**— ESTAR HABITANDO, **Causacuna.**— VENIR DESPUES DE HABER HABITADO, EN ALGUN LUGAR, **Causamuna.**— HACER QUE OTRO HABITE, **Causachina.**

HABITO (por vestido), n. **Churanacuna.**

HABITUARSE (en elguna parte), v. r. **Yacharina.**

HABLA, n. **Rimay; Shimi; Callu.**

HABLADO, a, p. p. **Rimashca.**

HABLADOR, a, adj. **Yallirimag; Camchashimi.**

HABLANTIN, a, adj. Lo mismo que HABLADOR.

HABLAR, v. a. **Rimana.** IR A HABLAR, **Rimagrina.**— ESTAR HABLANDO, **Rimacuna.**— VENIR HABLANDO O DESPUES DE HABER HABLADO, **Rimamuna.**— HACER HABLAR, **Rimachina.**— HABLAR ENTRE VARIOS, **Rimanacuna.**— HABLARTE O HABLARME, **Rimahuana.**— HABLAR INCESANTEMENTE, **Rimarana.**

HACEDERO, a, adj. **Rurraypag; Rurraripag.**

HACEDOR, n. **Rurrag.**

HACENDADO, a, adj. **Jatun allpayug.**

HACENDOSO, a, adj. **Cusi; Mashcarig.**

HACER, v. a. **Rurrana.**— IR A HACER, **Rurragrina.**— ESTAR HACIENDO, **Rurracuna.**— VENIR HACIENDO O DESPUES DE HACER, **Rurramuna.**— MANDAR HACER CON OTRO, **Rurrachina.**— HACERSE, **Rurrarina.** En la acepcinó de HACERSE, úsase también de **Tucuna,** en algunos casos, vga. "Hacerse rico": "Chayug tucuna". Lo mismo se consigue por medio de la palabra componente **YANA**, pospuesta a nombre o adjetivo para formar verbo, por ejemplo, "Hacerse indio": "Runayana"; "Hacerse pobre": "Huagchayana".— HACER PRONTO UNA COSA, **Utcana**, HACER ALGO QUE POR EL MOMENTO NO SE ACIERTA A DENOMINAR, **Imashutina; Imastina.**

HACIA, prep. **Man**, pospuesto al nombre, vga. "Hacia la ribera del río": "**Yacupataman**".

HACIENDA, n. **Jatun allpa; Huasi; Imallapish charinacuna.**

HACINA (de piedras), n. **Shundur.**

HALAR, v. a. **Chutana.** Véase TIRAR.

HALCON, n. Véase GAVILAN.

HALDA, n. Véase FALDA.

HALITO, n. **Samay.**

HALLADO, a, p. p. **Tarishca.**

HALLADOR, a, adj. **Tarig.**

HALLAR, v. a. **Tarina.**— IR A HALLAR, **Tarigrina.**— ESTAR HALLANDO, **Taricuna.**— VENIR HALLANDO O DESPUES DE HABER HALLADO, **Tarimuna.**— HACER HALLAR, **Tarichina.**— HALLARSE, **Taririna.**— HALLARTE O HALLARME, **Tarihuana.**— HALLAR A CADA PASO, **Tarirana.**— HALLAR ENTRE DOS O MAS, **Tarinacuna.**

HALLAZGO, n. **Tarina.** En la significación de PROPINA PARA EL QUE HALLA COSA AJENA, **Tarishca uyanza.**

HAMBRE, n. **Yarcay.**

HAMBREAR, v. n. **Yarcana.**

HAMBRIENTO, a, adj. **Yarcaysapa; Yarcaymanta huañucug.**

HAO!, interj. **Jau!**

HARAGAN, a, adj. **Quilla; Yangamicug.**

HARAGANEAR, v. n. **Maniamata rurrana; Yanga micush purina.**

HARAPO, n. **Llachapa.**

HARAPOSO, a, adj. **Llachapajunda.**

HARINA (de cualquier grano tostado), n. **Machca.**

HARINOSO, a, adj. **Machcalla.**

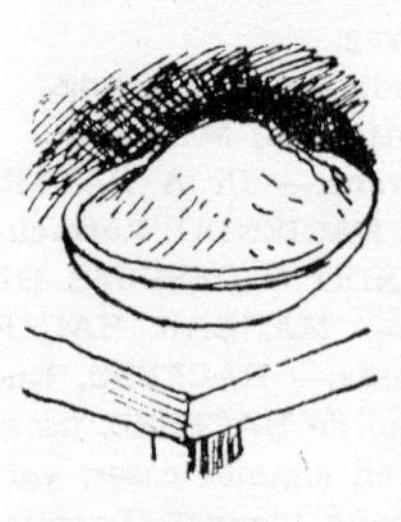

Machca

HARNERO, n. **Shushuna.**

HARTAR, v. a. **Sagsachina.**— IR A HARTAR, **Sagsachigrina.**— ESTAR HARTANDO, **Sagsachicuna.**— VENIR HARTANDO O DESPUES DE HABER HARTADO, **Sagsachimuna.**— HARTARSE ENTRE DOS O MAS, **Sagsanacuna.**

HARTAZGO, n. **Sagsay.**

HARTO, a, p. p **Sagsashca.**

HARTO, a, (por bastante o sobrado), adj. **Achca; May.**

HARTURA, n. **Sagsay.**

HASTA, prep. **Cama**, pospuesto al nombre, vga. "Hasta mañana": "Cayacama".

HASTIADO, a, p. p. **Amishca.**

HASTIAR, v. a. **Amichina.**— IR A HASTIAR, **Amichigrina.**— ESTAR HASTIANDO, **Amichicuna.**— VENIR DESPUES DE HASTIAR O EMPEZAR A HASTIAR, **Amichimuna.**— HASTIARSE, **Amina.**

HASTIO, n. **Ami.**

HAZMEREIR, n. **Asichig.**

HE AHI, frase adv. **Chayca.**

HE ALLI, frase adv. **Chayca.**

HE AQUI, frase adv. **Cayca.**

HEBRA, n. **Puchca.**

HECHICERO, a, adj. **Humug**, ant.; **Huatug**, ant.

HECHIZADO, a, p. p. **Huatushca**, ant.; **Humushca**, ant. también.

HECHIZAR, v. a. **Huamuna; Huatuna**, desus.

Humug

HECHO, a, (por habituado), p. p. **Yacharishca.**

HECHOR, a, adj. **Rurrag.**

HECHURA, n. **Rurray.**

HEDENTINA, n. **Asnay; Punyay.**

HEDER, v. n. **Asnana.**— IR A HEDER, **Asnagrina.**— ESTAR HEDIENDO, **Asnacuna.**— VENIR HEDIENDO O EMPEZAR A HEDER, **Asnamuna.**— HACER HEDER, **Asnagrina.**— HEDER SIN CESAR, **Asnarana.**— HEDER CON EXCESO, **PUNYANA.**

HEDIONDEZ, n. **Asnay; Punyay.**

HEDIONDO, a, adj. **Asnag; Punyag.**

HEDOR, n. Véase HEDENTINA.

HELADA, n. **Casay.**

HELADIZO, a, adj. **Casaglla.**

HELAR, v. n. **Casay japina; Casana.**— IR A HELAR, **Casagrina.**— ESTAR HELANDO, **Casacuna.**— EMPEZAR A HELAR, **Casamuna.**— HELARSE, **Casarina.**— HELAR CONSECUTIVAMENTE, **Casarana.**— HELARSE UNA COSA POR CONGELACION, **Chirihuan rumiana.**

HELADO, (varias especies de él), n. **Llashipa.**

HEMBRA, n. **Huarmi.**

HEMORRAGIA, n. **Yahuar shutuna; Yahuar tallirina unguy.**

HENCHIDO, a, p. p. **Jinchishca**, palabra manifiestamente tomada del castellano.

HENCHIR, v. a. **Jinchina**, tomada igualmente del castellano.

HENDEDURA, n. **Chigta; Ragra.**

HENDER, v. a. **Chigtana; Ragrana.** Véase RAJAR.

HENDIDO, a, p. p. **Chigtashca.**

HENO, n. **Chaquishca quihua.** Si es de maíz, **Calcha.**

HERBACEO, a, adj. **Quihuashina.**

HERBAJE, n. **Quihuapamba.**

HERBIVORO, a, adj. **Quihuatamicug.**

HERBORIZAR, v. a. **Sachacunata tandash purina.**

HERBOSO, a, adj. **Quihuayug; Quihuajunda.**

HEREDAD, n. **Quiquin allpa.**

HEREDADO, a, p. p. **Maycan huañugpa saquishca allpa, huasi.**

HEREDAR, v. a. **Maycan huañugpa saquishcacunata chasquina.**

HEREDERO, a, adj. **Huañugpa saquishcata chaquig.**

HERENCIA, n. **Imalla huañugpa shugman saquishca.**

HERIDA, n. **Chugri.** HERIDA SUPERFICIAL, **Iqui; Llacay.**

HERIDO, a, p. p. **Chugrishca.**

HERIDOR, a, adj. **Chugrig.**

HERIR, v. a. **Chugrina.**— IR A HERIR, **Chugrigrina.**— ESTAR HIRIENDO, **Chugricuna.**— VENIR HIRIENDO O DESPUES DE HERIR, **Chugrimuna.**— HACER HERIR, **Chugrichina.**— HERIRSE, **Chugririna.**— HERIR ENTRE DOS O MAS O HERIRSE RECIPROCAMENTE, **Chugrinacuna.**— HERIRTE O HERIRME, **Chugrihuana.**

HERMANA, n. **Pani**, con relación a un hermano; **Ñaña**, con relación a una hermana.

HERMANAR, v. a. **Ishcanchina.** Véase APAREAR.

HERMANO, n. **Huauqui**, con relación a un hermano; **Turi**, con relación a una hermana.

HERMOSEADO, a, p. p. **Sumagyachishca.**

HERMOSEADOR, a, adj. **Sumagyachina.**

HERMOSEAR, v. a. Véase EMBELLECER.

HERMOSO, a, adj. **Sumag.**

HERMOSURA, n. **Sumagya cana.**

HERPE o HERPES, n. **Sisu; Piri.**

HERPETICO, a, adj. **Sisujunda; Piri.**

HERVIDERO, n. **Timbug.**

HERVIDO, a, p. p. **Timbushca.**

HERVIR, v. n. **Timbuna.**— IR A HERVIR, **Timbugrina.**— ESTAR HIRVIENDO, **Timbucuna.**— EMPEZAR A HERVIR O VENIR HIRVIENDO, **Timbumuna.**— HACER HERVIR, **Timbuchina.**

HERVOR, n. **Timbuy.**

HESPERO, n. **Chishi cuyllur.**

HEZ, n. **Cunzhu.**

HIDROFOBIA, n. **Allcu unguy.**

HIDROFOBO, a, adj. **Ungug allcu; Ungug allcushina piña.**

HIELO, n. **Casay.**

HIERBA, n. **Quihua; Yuyu.**

HIERRO, n. Véase FIERRO.

HIGADO, n. **Yanashungu.**

HIJA, n. **Ushi**, respecto del padre; **Huahua**, respecto de la madre.

HIJO, n. **Churi**, para con el padre; **Huahua**, para con la madre.

HILA, n. **Llachapamanta ñutuchishca puchca.**

HILACHA, n. **Ñutu llachapa.**

HILADO, a, p. p. **Puchcashca.**

HILADOR, a, adj. **Puchcag.**

HILAR, v. a. **Puchcana.**— IR A HILAR, **Puchcagrina.**— ESTAR HILANDO, **Puchcacuna.**— VENIR HILANDO O DESPUES DE

HILAR, **Puchcamuna.**— HACER HILAR, **Puchcachina.**— HILARSE, **Puchcarina.**— HILAR INCESANTEMENTE, **Puchcarana.**— AYUDAR A HILAR, **Puchcanacuna.**

HILERA (por serie de matas o cosa análoga), n. **Huachu.**

HILO, n. **Puchca.**

HILVAN, n. **Jahuallata japichishpa sirashca.**

HILVANAR, v. a. **Jahuallata japichishpa sirana.**

HINCARSE, v. r. Véase ARRODILLARSE.

HINCHADO, a, p. p. **Punguichina.**— IR A HINCHAR, **Punguichigrina.**— ESTAR HINCHANDO, **Punguichicuna.**— HINCHARSE, **Punguina; Punguillina.**— HINCHARSE CON FRECUENCIA O PERMANECER LA HINCHAZON, **Punguirana.**

HINCHAZON, n. **Pungui.**

HIPAR, v. n. **Iquina,** ant.

HIPO, n. **Iqui,** ant.

HIRSUTO, a, adj. **Cashayashca; Punzu.**

HOGAR, n. **Nina; Ninapata; Causana huasi.**

HOGUERA, n. **Jatun nina.**

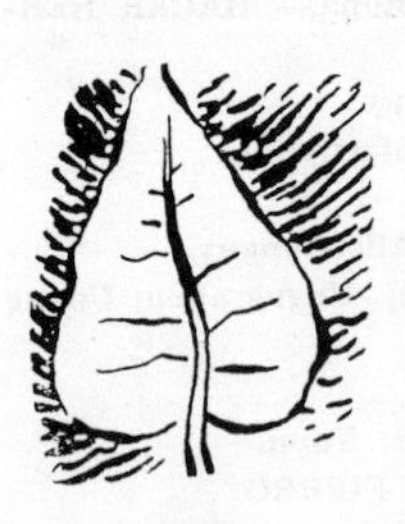

Panga

HOJA, n. **Panga.** Conjunto de hojas que cubren la mazorca del maíz, **Pucun.**

HOJARASCA, n. **Pambapi sirig chaquishca pangacuna.**

HOJOSO, a, adj. **Pangasapa.**

HOLA!, interj. **Jau!; Achu!; Chasnachu!; Imata ningui!**

HOLGANZA, n. **Quilla; Samacuna.**

HOLGAR, v. n. **Manaimata rurrashpa, samacuna.**

HOLGAZAN, n. **Quilla; Manaimata rurrag.**

HOLGORIO, n. Véase FESTIN.

HOLLADO, a, p. p. **Sarushca.**

HOLLAR, v. a. **Saruna.**

HOLLIN, n. **Quichincha,** desus.

HOMBRE, n. **Runa.**

HOMBRECILLO, n. **Uchilla runa.**

HOMBRO, n. **Huamani,** desus.

HOMBRON, n. **Runarucu.**

HOMICIDA, n. **Shugta huañuchig.**

HOMICIDIO, n. **Shugta huañuchina.**

HONDA, n. **Huaraca.**

HONDAZO, n. **Huaracay.**

HONDEAR, v. a. **Huaracana.**— IR A HONDEAR, **Huaracagrina.**— ESTAR HONDEANDO, **Huaracacuna.**— VENIR HONDEANDO, **Huaracamuna.**— HACER HONDEAR, **Huaracachina.**

HONDO, a, adj. **Ucu; Pugru.**

HONDURA, n. **Pugru; Huaycu.**

HONGO, n. **Callamba.**

HORA, n. **Pacha;** vga. "Qué hora es?": "Ima pachata?".

HORADADO, a, p. p. **Jutcushca.**

HORADAR, v. a. **Jutcuna.**

HORADO, n. **Jutcu.**

HORAMEN, n. Lo mismo que HORADO.

HORCA, n. **Sipina caspi.**

HORCON, n. **Pallca.**

HORIZONTE, n. **Muyundi ricurig pacha.**

HORQUILLA, n. **Uchilla pallca.**

HORRENDO, a, adj. **Manchanaypag.**

HORRIBLE, adj. Lo mismo que HORRENDO.

Jutcu

HORRIPILAR, v. a. **Huiñayta manchachina.**

HORROR, n. **Jatun manchay.**

HORRORIZADO, a, p. p. **Huiñay mancharishca.**

HORRORIZAR, v. a. Véase HORRIPILAR.

HORROROSO, a, adj. Véase HORRENDO.

HOSPEDARSE, v. r. **Shugpa huasipi samana.**

HORTALIZA, n. **Micuna yuyucuna.**

HORTELANO, a, adj. **Yuyutarpug; Yuyucama.**

HOSCO, a, adj. **Uqui.** Hosco, por ADUSTO, **Piña; Puscushca.**

HOSPITAL, n. **Ungugcunata jambina huasi.**

HOSTERIA (en los caminos), n. **Tambu; Pascana.**

HOY, n. **Cunan punzha; Cunan.**

HOYO, n. **Pugru; Jutcu.**

HOYOSO, a, adj. **Pugrujunda; Pugrupugru.**

HOZAR, v. a. **Cuchicuna pambata allana.**

HUAYABA. n. **Sanintu,** desus.

HUECO, a, adj. **Pugruyashca; Pugru.**

Chaquisarushca

HUELLA, n. **Chaquisarushca.**

HUERFANO, a, adj. **Yayahuagcha; Mamahuagcha.**

HUERO, a, adj. **Chushag; Chuplag.**

HUESO, n. **Tullu.**

HUESOSO, a, adj. **Tullusapa.**

HUESPED, n. **Shugpa huasipi samag; Shugpa huasipi causacug.**

HUESUDO, a, adj. Lo mismo que HUESOSO.

HUEVO, n. **Rurru.**

Rurru

HUIDA, n. **Miticuy.**

HUIDOR, a, adj. **Miticuglla; Challi.**

HUIR, v. n. **Miticuna.**— IR A HUIR, **Miticurina.**- ESTAR HUYENDO, **Miticucuna.**— VENIR HUYENDO O DESPUES DE HABER HUIDO, **Miticumuna.**— HACER HUIR, **Miticuchina.**

HUMANIDAD, n. **Tucuy pachapi cusag runacuna.** Humanidad, por compasión, **Shugmanta nanarina.**

HUMANIZARSE, v. r. **Runa tucuna; Runayana.**

HUMANO, a, adj. **Runapag.**

HUMAREDA, n. **Jatun cusni.**

HUMAZO, n. **Cusnichishca; Cusnichi.**

HUMEAR, v. n. **Cusnina.**— IR A HUMEAR, **Cusnigrina.**— ESTAR HUMEANDO, **Cusnicuna.**— VENIR HUMEANDO O EMPEZAR A ECHAR HUMO, **Cusnimuna.**— HUMEARSE, **Cusnirina.**— HACER HUMEAR, **Cusnichina.**— HUMEAR INCESANTEMENTE, **Cusnirana.**

HUMECTAR, v. a. **Ashallata jucuchina.**

HUMEDAD, n. **Ashalla jucuy.**

HUMEDECER, v. a. Lo mismo que HUMECTAR.

HUMEDO, a, adj. **Ashalla jucu.**

Jucu

HUMILDAD, n. **Llambushungu cana.**

HUMILLARSE, v. r. **Cumurina.**

HUMITA, n. **Chugmal.** Humita es palabra tomada del quichua peruano.

HUMO, n. **Cusni.**

HUMOSO, a, adj. **Cusnisapa.**

HURACAN, n. **Jatun huayra.**

HURTADILLAS (en la locución a hurtadillas), adv. **Pacalla.**

HURTADO, a, p. p. **Shuashca.**

HURTADOR, a, adj. **Shua.**

HURTAR, v. a. **Shuana.** Véase ROBAR.

HURTO, n. **Shuay.**

HUSMEAR, v. a. **Mutquina.**

HUSO, n. **Sigsi.**

conj. No tiene correspondencia exacta en quichua, y se la suple, cuando es preciso, con la partícula componente **PISH**, que propiamente s i g n i f i ca TAMBIEN; vga. "El padre, el hijo y la hija": "Yana, churi, ushipish".

IBIDEM, adv. **Chayllapita.**

IDA, n. **Rina.**

IDEA, n. **Yuyay.**

IDEAL, adj. **Yuyashcalla.**

IDEAR, v. a. **Yuyana.** Véase PENSAR.

IDEM, adj. **Payllata; Chayllata.**

IDENTICO, a, adj. **Payquiquin; Chayllata;** IDENTICO, por muy semejante, **Payta ricushcalla; Ñahuita suchushcalla.**

IDIOMA, n. Véase HABLA.

IDIOTA, adj. **Upa.** Si es hembra, se dice también **Apa.**

IDOLATRAR, v. a. **Huacata muchana,** desus.

IDOLATRIA, n. **Huacamuchay.**

IDOLO, n. **Huaca,** desus.

IGNEO, a, adj. **Ninamanta; Ninalla.**

IGNIFERO, a, adj. **Ninata shitag; Ninayug.**

IGNIVOMO, a, adj. Lo mismo que IGNIFERO.

IGNORANCIA, n. **Mana yachana.**

Huaca

IGNORANTE, adj. **Mana yachag.**

IGNORAR, v. a. **Mana yachana.**

IGNOTO, a, adj. **Mana rigsishca.**

IGUAL, adj. **Pagta.**

IGUALACION, n. **Pagtachina; Pagtachi.**

IGUALADO, a, p. p. **Pagtachishca.**

IGUALAR, v. a. **Pagtachina.**— IR A IGUALAR, **Pagtachigrina.**— ESTAR IGUALANDO, **Pagtachicuna.**— VENIR IGUALANDO O DESPUES DE IGUALAR, **Pagtachimuna.**— IGUALARSE, **Pagtarina; Pagtana.** Véase ALCANZAR.

IGUALDAD, n. **Pagta.**

ILESO, a, adj. **Mana nanachishca; Mana chayashca.**

ILICITO, a, adj. **Mana caypag; Mana rurraripag; Millay.**

ILUMINADO, a, adj. **Achigyachishca.**

ILUMINADOR, a, adj. **Achigyachig.**

ILUMINAR, v. a. **Achigyachina.** Véase ALUMBRAR.

IMAGEN, n. **Rigchag.**

IMAGINADO, a, p. p. **Yuyashca; Yuyashcalla.**

IMAGINAR, v. a. **Yuyana.** Véase PENSAR.

IMAGINARIO, a, adj. **Yuyashcalla.**

IMBECIL, adj. **Upa.**

IMITADO, a, p. p. **Shugpi ricush catishca.**

IMITADOR, a, adj. **Catig.**

IMITAR, v. a. **Shugpig ricush catina.**

IMPALPABLE, adj. **Mana japipag.**

IMPAR, adj. **Chulla.**

IMPAVIDEZ, n. **Mancahay illana.**

IMPAVIDO, a, adj. **Mana imata manchag.**

IMPEDIDO, a, p. p. **Jarcashca.**

IMPEDIMENTO, n. **Jarcay; Jarca.**

IMPEDIR, v. a. **Imallata, ama rurrarichum, jarcana.**

IMPELER, v. a. **Tangana.** Véase EMPUJAR.

IMPELIDO, a, p. p. **Tangashca.**

IMPENSADO, a, adj. **Mana yuyashca.**

IMPERDIBLE, adj. **Mana chingaripag.**

IMPERECEDERO, a, adj. **Mana huañuypag.**

IMPERFECTO, a, adj. **Manarag alli; Mana tucuchishca; Mana sumag.**

IMPERTERRITO, adj. Véase IMPAVIDO.

IMPLORAR, v. a. **Mañarina.** Véase PEDIR.

IMPLUME, adj. **Patpaillag; Llusti.**

IMPOSIBLE, adj. **Mana rurraripag; Manata caypag .**

IMPREGNACION, n. **Chichuy.**

IMPREGNARSE, v. r. **Chichuna.**

IMPREVISTO, adj. Véase IMPENSADO.

IMPROBO, a, adj. **Ancha millay.**

IMPRODUCTIVO, a, (suelo o teirra), adj. **Mana pucug; Ancha tullu.**

IMPROPERIO, n. **Jatun cami.**

IMPROVISO, a, adj. Véase IMPENSADO.

IMPUBER, adj. **Huambrara.**

IMPUDICO, a, adj. **Mapa; Zagra.**

IMPURO, a, adj. Lo mismo que IMPUDICO.

IMPUTAR, v. a. **Juchayugmi nina; Juchanchina.**

INACABABLE, adj. **Mana tucuripag.**

INACCESIBLE, adj. **Mana pagtaripag; Mana chayapag.**

INACCION, n. **Quilla.**

INACTIVO, a, adj. **Quillasapa; Quilla.**

INADMISIBLE, adj. **Mana chasquipag.**

INAGOTABLE, adj. **Mana tucuripag.**

INADMISIBLE, adj. **Mana chingaripag.**

INANE, adj. **Chushag.**

INAPAGABLE, adj. **Mana huañuchipag.**

INAPETENCIA, n. **Mana Micunayay.**

INAPETENTE, adj. **Mana micunayag.**

INAUDITO, a, adj. **Mana jaycapi uyashca.**

INCA, n. **Inga; Imapachapi runacunapag jatun apu.**

INCALCULABLE, adj. **Mana yuparipag.**

INCANDESCENTE, adj. **Ninayachishca; Ninamuruman rigchag.**

INCANSABLE, adj. **Mana shaycug.**

INCENDIAR, v. a. **Rupachina.** Véase QUEMAR.

INCENDIARIO, a, adj. **Shugpa huasita, shugpa chagrata rupachig.**

INCENDIO, n. **Rupay.**

INCINERADO, a, p. p. **Uchupayashca.**

INCINERAR, v. a. **Rupachishca uchupayachina.**

INCIPIENTE, adj. **Callaricuglla.**

INCISIVO, a, adj. **Cuchug; Pitig.**

INCLINADO, a, p. p. **Cumurishca; Cumu.**

INCLINAR, v. a. **Cumurichina.**— IR A INCLINAR, **Cumurichigrina.**— ESTAR INCLINANDO, **Cumurichicuna.**— VENIR INCLINANDO O DESPUES DE HABER INCLINADO, **Cumurichimuna.**— INCLINARSE, **Cumurina.**— AYUDAR A INCLINAR, **Cumurichinacuna.**

INCLUIDO, a, adj. **Ucupi churashca; Shunguchishca.**

INCLUIR, v. a. **Ucupi satina; Shungunchina.**

INCOADO, a, p. p. **Callarishca.**

INCOAR, v. a. **Callarina.** Véase EMPEZAR.

INCOGNITO, a, adj. **Mana rigsishca.**

INCOMBUSTIBLE, adj. **Mana ruparig.**

INCOMODAR, (por **Enfadar**), v. a. **Piñachina.**

INCOMPLETO, a, adj. **Mana pagta; Pishi.**

INCOMPONIBLE, adj. **Mana allichiripag.**

INCONCEBIBLE, adj. **Mana yuyaypag.**

INCONSTANTE, adj. **Challi.**

INCONTABLE, adj. Véase INCALCULABLE.

INCORPORARSE, (un enfermo), v. r. **Cutirina.**

INCORREGIBLE, adj. **Mana huanag.**

INCORRUPTIBLE, adj. **Mana ismug; Mana huagllig.**

INCORRUPTO, a, adj. **Mana ismushca; Mana huagllishca.**

INCREADO, a, adj. **Payquiquin causag; Manapipag rurrashca; Mana huiñashca.**

INCREMENTO, (aumento) n. **Miray.**

INCULPABLE, adj. **Mana juchayug.**

INCULTO, a, (campo o tierra), adj. **Mana jatarichishca; Shitashca.**

INCURABLE, adj. **Mana jambiripag.**

INCURIA, n. **Quilla.**

INCURRIR, v. n. **Juchallina.** Véase PECAR.

INDAGACION, n. **Taripay.**

INDAGAR, v. a. **Taripana.** Véase AVERIGUAR.

INDECENTE, adj. **Mapa.**

INDECIBLE, adj. **Mana niripag.**

INDELEBLE, adj. **Mana picharipag.**

INDEZUELO, a, n. **Uchilla runa; Pagtalla huarmi; Huambra.**

INDIANO, a, n. **Runa; Runahuarmi.**

INDIGENA, n. **Quiquin llagtapi causag.**

INDIGENCIA, n. **May huagcha cana.**

INDIGENTE, adj. **May huagcha.**

INDIGESTO, a, adj. **Huigsapi chahuayag; Puscushca, huigsata nanachig.**

INDIGNACION, n. **Jatun piñay.**

INDIGNAR, v. a. **Ancha piñachina.** Véase EMBRAVECER.

INDIA, n. **Runahuarmi.** Si es todava joven, **China,** vocablo que parece de origen exótico.

INDIO, n. **Runa.** INDIO TODAVIA JOVEN, **Lungu,** Indio, por insulto, **Mitayu,** apodo proveniente de **MITA,** antigua servidumbre de esta infeliz raza.

INDIRECTA, n. **Uyachishca.**

INDISOLUBLE, adj. **Mana pascaripag.**

INDISPOSICION, n. **Utcalla tucurig unguy.**

INDISPUESTO, a, adj. **Ashalla ungushca.**

INDIVISIBLE, adj. **Mana chaupiripag.**

INDIVISO, a, adj. **Mana chaupishca.**

INDOCTO, a, adj. **Mana yachag.**

INDOLENTE, adj. **Mana nanarig; Paypaylla.**

INEPTO, a, adj. **Mana yachacug; Rumiuma.**

INERTE, adj. **Quilla; Mana cuyug.**

INESPERADO, a, adj. **Mana shuyashca.**

INEXISTENTE, adj. **Mana causag; Mana tiag.**

INEXPLICABLE, adj. **Mana nipag.**

INFANCIA, n. **Huahua cana.**

INFANTE, n. **Huahua.**

INFANTICIDA, adj. **Huahua huañuchig.**

INFANTIL, adj. **Huahuapag.**

INFARTO, n. **Pungui.**

INFATIGABLE, adj. **Mana shaycug.**

INFATIGABLEMENTE, (por ingrato), adj **Challi.** Infiel (por pagano), **Auca.**

INFIERNO, n. **Ucupacha; Millaypacha.**

INFINITO, a, adj. **Mana maypi; Mana jaycapi tucurig.**

INFLAMABLE, adj. **Rupariglla.**

INFLAMADO, a, p. p. **Cunyacug.**

INFLAMAR, v. a. **Cunyachina.**— IR A INFLAMAR, **Cunyachigrina.**— ESTAR INFLAMANDO, **Cunyachicuna.**— VENIR INFLAMANDO O DESPUES DE HABER INFLAMADO, **Cunyachicuna.**— INFLAMARSE, **Cunyama**

INFLORESCENCIA, n. **Sisay.**

INFORTUNIO, n. **Llaqui.**

INFRANGIBLE, adj. **Mana paquiripag.**

INFRUCTIFERO, a, adj. **Mana aparig; Mana pucug.**

INGENTE, adj. **Yallijatun.**

INGRATO, a, adj. **Challi.**

INGRESAR, v. n. **Yaycuna.** Véase ENTRAR.

INGRESO, n. **Yaycuy.**

INHUMACION, n. **Pambay.**

INHUMANO, **a**, adj. **Mana pimanta llaquig; Mana nanarig.**

INHUMAR, v. a. **Avata pambana.** Véase ENTERRAR.

INICIAR, v. a. Véase EMPEZAR.

INICUO, **a**, adj. **Ancha millay.**

INIQUIDAD, n. **Jatun millay.**

INJERTAR, v. a. **Mallquicunata tinguinacuna.**

INJERTO, n. **Malqui tingui.**

INJURIA, (verbal), n. **Cami.** Si es de obra, **Huagtay; Sagmay.**

INJURIADO, **a**, adj. **Camishca; Huagtashca.**

INMACULADO, **a**, adj. **Mana imapi mapayashca; Chuya.**

INMATURO, **a**, adj. **Llullura.**

INMEDIATAMENTE, adv. **Chaypita.**

INMEDIATO, **a**, adj. **Cuchullapi tiag; Catiglla.**

INMEJORABLE, adj. **Yupay alli; Sumaymana.**

INMEJORABLE, adj. **Mana yuyaripag.**

INMEMORIAL, adj. Lo mismo que INMEMORABLE.

INMENSO, **a**, adj. **Yupay jatun.**

INMENSURABLE, adj. **Mana tupuripag.**

INMIGRAR, v. n. **Chican llagtapi causagrina.**

INMOLE, adj. **Mana cuyug.**

INMORTAL, adj. **Mana jaycapi huañug.**

INMORTALIDAD, n. **Mana jaycapi huañuna.**

INMOTO, **a**, adj. **Mana cuyushca.**

INMOVIBLE, adj. **Mana cuyuchipag.**

INMOVIL, adj. Lo mismo que INMOBLE.

INMUNDO, **a**, adj. **Mapa.**

INNUMERABLE, adj. **Mana yuparipag.**

INOCENCIA, n. **Chuyashungu cana; Mana ima juchata charina.**

INOCENTE, adj. **Chuyashungu; Mana ima juchayug.**

INOCENTON, **a**, adj. **Upa.**

INODORO, **a**, adj. **Mana imatapish mutquit.**

INOLVIDABLE, adj. **Mana cungaypag.**

INOPIA, n. **Ancha huagcha cana; Mana imata charina.**

INOPINADO, **a**, adj. **Mana yuyashca.**

INQUIETAR, v. a. **Mana casillata saquina.**

INQUIETO, **a**, adj. **Mana casilla tiag.**

INQUIRIR, v. a. **Tapurana.** Véase PREGUNTAR.

INSACIABLE, adj. **Mana amig; Mana sagsag.**

INSALUBRE, adj. **Unguchiglla.**

INSANABLE, adj. **Mana jambiripag.**

INSECTO, n. **Curu.**

INSENSATO, **a**, adj. **Muspag; Huayrauma.**

INSEPARABLE, adj. **Mana raquirig; Catish puriglla.**

INSEPULTO, **a**, adj. **Mana pambashca aya.**

INSIGNIA, n. **Unancha,** desus.

INSOLUBLE, (que no se disuelve), adj. **Mana yacuyag.**

INSOMNE, adj. **Mana puñuyta tarig.**

INSOMNIO, n. **Puñuy illana.**

INSPECCION, n. **Ricuy.**

INSPECCIONADO, **a**, p. p. **Ricushca.**

INSPECCIONAR, v. a. **Muyundi ricuna.**

INSPECTOR, **a**, adj. **Ricug.**

INSPIRAR (por absorver el aire), v. n. **Samayta aysana.**

INSTAR, v. a. **May mañarina.**

INSTRUCCION, n. **Yachay.**

INSTRUCTOR, **a**, adj. **Yachachig.**

INSTRUIDO, **a**, p. p. **Yachag.**

INSTRUIR, v. a. **Yachachina.** Véase ENSEÑAR.

INSUFICIENTE, adj. **Manapagta.**

INSULSO, **a**, adj. **Zhanzha; Shalsha.**

INSULTADO, **a**, p. p. **Camishca.**

INSULTADOR, **a**, adj. **Camig.**

INSULTANTE, adj. Lo mismo que INSULTADOR.

INSULTAR, v. a. **Camina.**— IR A INSULTAR, **Camigrina.**— ESTAR INSULTANDO, **Camicuna.**— VENIR INSULTANDO O DESPUES DE INSULTAR, **Camimuna.**— HACER INSULTAR, **Camichina.**— INSULTARTE O INSULTARME, **Camihuana.**— INSULTARSE RECIPROCAMENTE, **Caminacuna.**

INSULTO. n. **Cami.**

INSURGENTE, adj. **Apucunahuan churanacug.**

INSURRECCION, n. **Apucunahuan churanacuna.**

INSURRECTO, a, adj. Lo mismo que INSURGENTE.

INTACTO, a, adj. **Tucuy pagta; Mana chayashca.**

INTANGIBLE, adj. **Mana japipag.**

INTEGRANTE, adv. **Callaymanta; Pichagta.**

INTEGRAR, v. a. **Pagtachina.**

INTEGRO, a, adj. **Tucuy; Pagta.**

INTELIGENCIA, n. **Yuyay.**

INTELIGENTE, adj. **Alli yuyayta charig.**

INTENTO, n. **Yuyay.**

INTERCEDER, v. a. **Shugmanta mañarina.**

INTERCESOR, a, adj. **Shugmanta mañarig.**

INTERIOR, adj. **Ucupi tiag; Shungupi huacaychishca.**

INTERIM, adv. **Chaycama; Chaycamaca.**

INTERLOCUTOR, a, adj. **Shunguhuan rimag.**

INTERMEDIO, a, adj. **Chaupipi tiag.**

INTERMINABLE, adj. **Mana tucuripag.**

INTERNO, a, adj. Véase INTERIOR.

INTERPOLADO, a, p. p. **Chapushca.**

INTERPOLAR, v. a. **Chapuna.** Véase MEZCLAR.

INTERPONER, v. a. **Chaupipi churana.**

INTERPUESTO, a, p. p. **Chaupipi churashca.**

INTERROGACION, n. **Tapuy.**

INTERROGANTE, adj. **Tapug.**

INTERROGAR, v. a. **Tapuna.**

INTESTINO, n. **Chunzhulli.**

INTIMIDADO, a, p. p. **Manchachishca.**

INTIMIDAR, v. a. **Manchachina.** Véase ESPANTAR.

INTONSO, a, adj. **Mana rutushca; Millmasapa.**

INTOXICADO, a, p. p. **Jambihuam unguchishca.**

INTOXICAR, v. a. **Jambita cushpa unguchina.**

INTRANQUILO, a, adj. **Mana casilla cag.**

Yaycug

INTRANSITABLE (camino), adj. **Mana puripag.**

INTREPIDO, a, adj. **Mana manchag.**

INTRODUCIDO, a, adj. **Yaycuchishca.**

INTRODUCIR, v. a. **Yaycuchina.** Véase METER.

INTRODUCTOR, a, adj. **Yaycuchig.**

INTRUSO, a, adj. **Satirishca; Satirig.**

INUNDADO, a, p. p. **Nuyuchishca; Cuchayachishca.**

INUNDAR, v. a. Véase ANEGAR.

INUTIL, adj. **Mana imapag alli.**

INVARIABLE, adj. **Mana chicanyag.**

INVENCIBLE, adj. **Mana atipag.**

INVENCION, (hallazgo), n. **Tarina; Tari.**

Nuyuchishca

INVENDIBLE, adj. **Mana caturipag.**

INVERECUNDO, a, adj. **Mana pingag.**

INVEROSIMIL, adj. **Mana caypag.**

INVERSO, a, adj. **Tigrachishca.**

INVERTIR, v. a. **Tigrachina.** Véase VOLTEAR.

INVESTIGADO, a, p. p. **Taripashca.**

INVESTIGAR, v. a. **Taripana.** Véase AVERIGUAR.

INVICTO, a, adj. **Mana pipag atishca.**

INVIERNO, n. **Tamiapacha.**

INVISIBLE, adj. **Mana ricurig.**

IDO, a, p. p. **Rishca.**

IR, v. n. **Rina.**— PREPARARSE A IR, **Rigrina.**— ESTAR YENDOSE, **Ricuna.**— HACER QUE OTRO SE VAYA, **Richina.**

IRACUNDO, a, adj. **Piñaysapa.**

IRASCIBLE, adj. **Piñariglla.**

IRIS (arco), n. **Cuychi.**

IRRACIONAL, adj. **Mana yuyayta charig.**

IRREALIZABLE, adj. **Mana rurraripag; Mana caypag.**

IRREFLEXIVO, a, adj. **Mana alli yuyarishpa, imatapish rurraglla.**

IRREPRENSIBLE, adj. **Mana ima juchata charig.**

IRRISION, n. **Umay.**

IRRITADO, a, p. p. **Piñashca.**

IRRITAR, v. a. **Piñachina.**

ITEM, adv. **Ashun; Ashunca.**

ITERADO, a, p. p. **Ishcanchishca.**

ITERAR, v. a. **Ishcanchina.**

IZQUIERDO, a, adj. **Lluqui**

ABALI, n. **Urcu cuchi; Sajinu.**

JADEANTE, adj. **May shaycushca.**

JALDE, adv. **Yupay quillu.**

JALON (estaca), n. **Unanchina, tacarpu.** La última voz es anticuada.

JAMAS, adv. **Manajaycapi.**

JAMON, n. **Cachichishca cusnichishca cuchichanga.**

JAQUE, adj. **Manamanchag; Jatun shunguyug.**

JAQUECA, n. **Umananay.**

JAQUIMA, n. **Umapi churana aullishca angu.**

JARABE, n. **Upiana mishqui jambi.**

JARAL (de arbustos enredados), n. **Tabayashca sachacuna.**

JARANA, n. **Juncia; Macanacuy.**

JARCIA, n. **Chahuar puchca; Huasca.**

JARDIN, n. **Sisachagra.**

JARDINERO, a, adj. **Sisacama.**

JARRA, n. **Shila.**

JARRO, n. **Yacu upiana shila.**

JAU!, interj. **Jau!** Es indudable que del quichua ha pasado esta voz al Diccionario Castellano.

JAURIA, n. **Allcu tandanacuy.**

JAYAN, n. **Jatun chaquimaqui runarucu.**

JEFA, n. **Huarmi apu.**

JEFE, n. **Apu.**

JEHOVA, n. **Jatun Pachacamag.**

JERGA, n. **Racu puchcamanta ahuashca pacha.**

JERIGONZA, n. **Chapunacushca rimay.**

JESUCRISTO, n. **Jatun Pachacangapa Churi, ñucanchita quishpichig.**

JESUS, n. Lo mismo que JESUCRISTO.

JETA, n. **Huirpa**, ant.

JIBARO, n. **Hualaquizapi causag auca.**

JIGOTE, n. **Ñutu aychamanta rurrashca mucuy.**

JINETE, n. **Sicag.**

JINETEAR, v. n. **Sicana.** Véase MONTAR.

JIRON, (trapo), n. **Llachapa.**

JOCOSO, a, adj. **Asichig.**

JORNADA, n. **Shug punzhapi purina ñan.**

JORNAL, n. **Shug punzhapi rurrashcamanta chasquina cullqui.**

JORNALERO, a, adj. **Punzhandi rurrashpa culquita chasquig.**

JOROBA, n. **Cumu; Curcu.** La última voz proviene de CORCOBADO.

JOROBADO, a, p. p. **Cumuhuashca.**

JOROBAR, v. a. **Mana causagta saquina; Piñachina.**

JOVEN, n. **Huambra; Huambrara.**

JOVIAL, adj. **Cushi; Asishcalla.**

JUBILO, n. **Cushi.**

JUBILOSO, a, adj. **Cushilla; Cushi junda.**

JUBON, n. **Cutun.**

JUDIA, n. **Purutu.**

JUEGO, n. **Pugllay.**

JUEZ, n. **Taripag apu; Taripashquipa, allpata, huasita mana shuagta saquig.**

JUGADA, n. **Pugllay.**

JUGADOR, a, adj. **Pugllag.**

JUGAR, v. n. **Pugllana.**— IR A JUGAR, **Pugllagrina.**— ESTAR JUGANDO, **Pugllacuna.**-- VENIR JUGANDO O DESPUES DE JUGAR, **Pugllamuna.**— HACER JUGAR, **Pugllachina.**— JUGAR INCESANTEMENTE, **Pugllarana.**— JUGAR ENTRE VARIOS **Pugllanacuna.**— JUGAR CON INTERES, PARA DISPONER DE LA GANANCIA, **Chungana.**

JUGO, n. **Yacunapi tiag yacu.**

JUGOSO, a, adj. **Yacusapa.**

JUGUETEAR, v. n. **Pugllanacuna.**

JUGUETON, a, adj. **Yalli pugllag; Pugllash causag.**

JUICIO (por criterio), n. **Yuyay.**

JUICIOSO, a, adj. **Alli yuyayta charig.**

JUNTA, n. **Tanday; Tandanacuy.** Junta de trabajadores, para alguna labor, **Minga.**

JUNTADO, a, p. p. **Tandashca.**

JUNTADOR, a, adj. **Tandachig; Mingag.**

JUNTAR, v. a. **Tandana.**— IR A JUNTAR, **Tandagrina.**— ESTAR JUNTANDO, **Tandacuna.**— VENIR JUNTANDO O DESPUES DE HABER JUNTADO, **Tandamuna.** — HACER JUNTAR, **Tandachina.**— JUNTARSE, **Tandarina.**— JUNTARSE POR MUTUA COVOCATORIA, **Tandanacuna.** También significa, en esta última forma, AYUDAR A JUNTAR. En el sentido de juntar gente para algún trabajo, se dice **Mingana.**

JUNTO, a, adj. **Tandashca.** Junto, por cercano, **Cuchulla.**

JUNTO, a, fr. adv. **Cuchupi**; vga. "Junto a la piedra": "Rumicuchupi".

JURAMENTO, n. **Apunchita shutichishpa, imallata nina.**

JURAR, v. n. **Apunchipag shutipi imata rimana.**

JUSTO, a, adv. **May alli.**

JUVENIL, adj. **Huambrapag.**

JUVENTUD, n. **Huambra cana.**

JUZGAR, v. a. **Taripana.** En la acepción de PENSAR U OPINAR, **Yuyana.**

A, art. def. **Ca,** pospuesto al nombre; vga. "La sementera": "Chagraca".

LA, pron. en acus. **Payta;** vga. "La vió": "Payta ricurca".

LABARO, n. **Unancha,** desus.

LABIA, n. **Mishquishima cana.** "Hombre de mucha labia": "Mishquishimi runa".

LABIO, n. **Huirpa,** desus.

LABOR, n. **Imalla rurray.**

LABORABLE, (terreno), adj. **Jatarichipag; Allichipag; Tarpuna allpa.**

LABORIOSO, a, adj. **Cusi; May rurrag; Mana quilla.**

LABRADO, a, (campo, p. p. **Jatarichishca; Allchishca; Tarpushca.**

LABRADOR, a, adj. **Chagrarrurrag.**

LABRAR (terreno, v. a. **Allpa jatarichina; Allichina.**

LABRIEGO, a, adj. Lo mismo que LABRADOR.

LACERADO, a, adj. **Chugrishca; Huagtanacushca.**

LACERAR, v. a. **Chungrina; Huagtana.**

LACIO, a, adj. **Huañurishca; Cacharishca.**

LACRIMOSO, a, adj. **Huiquisapa.**

LACTACION, n. **Huahuacunapag chuchuna pacha.**

LACTANCIA, n. **Huahuacunapa ñuñuy.**

LACTANTE, adj. **Chuchuchig huarmi; Ñuñu.**

LACTAR, v. a. **Chuchuchina; Ñuñuchina.**— IR A LACTAR, **Chuchuchigrina.**— ESTAR LACTANDO, **Chuchuchicuna.**— VENIR LACTANDO O DESPUES DE LACTAR, **Chuchuchimuna.**— LACTAR ENTRE DOS O MAS, **Chuchuchinacuna.** Las mismas formas admite **Ñuñuchina.**

LACUSTRE, adj. **Cuchapi tiag.**

LADEADO, a, p. p. **Mayanchishca.**

LADEAR, v. a. **Manyaman tangana; Manyachina.**

LADERA, n. **Huichay,** con relación a la pendiente; **Quingray,** con referencia a la travesía.

LADO, n. **Manya.** AL LADO DERECHO, **Allimaquiman,** AL LADO IZQUIERDO, **Lluquiman.**

LADRADOR, a, adj. **Huagnig.**

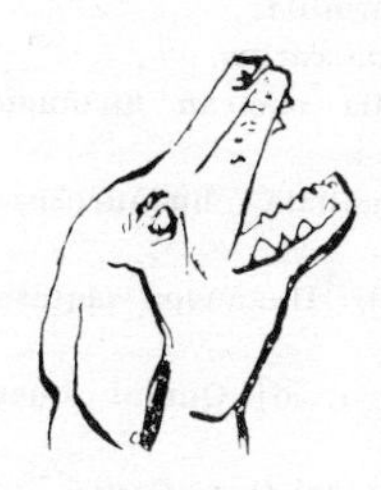

Huagnina

LADRAR, v. n. **Huagnina.**— IR A LADRAR, **Huagnigrina.**— ESTAR LADRANDO, **Huagnicuna.**— VENIR LADRANDO O DESPUES DE LADRAR, **Huagnimuna.**— HACER LADRAR, **Huagnichina.**— LADRAR ENTRE VARIOS PERROS, **Huagninacuna.**

LADRARTE o **Ladrarme, Huagnihuana.**— LADRAR CON FUROR Y A PUNTO DE MORDER, **Huagnishpa, ña japicuna.**

LADRIDO, n. **Huagnina.**

LADRON, n. **Shua**

LADRONERA, n. **Shuacausana; Shua tandarina machay.**

LAGAÑA, n. **Chugni.**

LAGAÑOSO, a, adj. **Chugnisapa; Chubicu.**

LAGARTIJA, n. **Palu;** Lagartija pequeña, **Cuylampalu; Cuylan.**

LAGO, n. **Cucha. Cocha,** por corrupción.

Cucha

LAGRIMA, n. **Huiqui.**

LAGRIMAL, n. **Huiquillugshina.**

LAGRIMON, n. **Racu huiqui.**

LAGRIMOSO, a, adj. Lo mismo que LACRIMOSO.

LAGUNA, n. Véase LAGO.

LAGUNOSO, a, adj. **Cuchasapa; Guzuguzu.**

LAJA, n. **Caca.**

LAMA (especie de Conserva), **Gazhul.**

LAMEDOR, a, adj. **Llapuag.**

LAMENTABLE, adj. **Llaquichig; Huacaypag.**

LAMENTACION, n. **Jatun huacay; Huacanacuy; Yupaychishpa huacana.**

LAMENTADO, a, p. p. **May huacashca.**

LAMENTADOR, a, adj. **Yupaychishpa huacag.**

LAMENTAR, v. n. **Yupaychishpa huacana.**

LAMENTO, n. **Yupaychishca huacay.**

LAMEPLATOS (por comedor de sobras, adj. **Mangallaguag.**

LAMER, v. a. **Llaguana.**— IR A LAMER, **Llaguagrina.**— ESTAR LAMIENDO, **Llaguacuna.**— VENIR LAMIENDO O DESPUES DE HABER LAMIDO, **Llaguamuna.**— HACER LAMER, **Llaguachina.**— LAMER ENTRE DOS O MAS, **Llaguanacuna.**— LAMER CON INSISTENCIA, **Llaguarana.** Del verbo castellano LAMER, han formado los indios el suyo **Lambina,** que es muy usado, aunque no tan expresivo como **Llaguana.**

LAMPIÑO, a, adj. **Llambuñahui; Llustiñahui.**

LANA, n. **Millma.**

LANAR, adj. **Millmayug.**

LANGUIDECER, v. n. **Iliana.**

LANGUIDO, a, adj. **Ili.**

LANUDO, a, adj. **Millmasapa.**

LANZA, n. **Chuqui,** desus.

LANZAR, v. a. **Shitana.** Véase ARROJAR.

LAPIDAR, v. a. **Rumihuan shitana.**

LAR, (hogar o casa), n. **Huasiucu.**

LARGAR, v. a. **Cacharina.** Véase SOLTAR.

Millmasapa

LARGO, a, adj. **Suni.**

LARGOR, n. **Suniman tupuy.**

LARGUIRUCHO, a, adj. **Sunilla.**

LARINGE, n. **Tunguri.**

LARVA (de algunos insectos), n. **Cuzu.**

LASCIVO, a, adj. **Mapajuchata may munag.**

LASTIMA, n. **Llaqui; Llaquimanta nanarina.**

LASTIMADO, a, p. p. **Nanachishca; Iquishca.**

LASTIMAR, v. a. **Nanachina; Irquina; Ashallata chugrina.**

LASTIMERO, a, adj. **Llaquichig; Shunguta nanachig.**

LATENTE, adj. **Pacashca; Pacalla tiag.**

LATERAL, adj. **Manyapi tiag; Manyaman saquirig.**

LATIGO, n. **Angu.**

LATIGUEADO, a, p. p. **Angushca.**

LATIGUEAR, v. a. **Anguna.** Véase AZOTAR.

LATIR (el perro), v. n. Véase LADRAR.

LATITUD, n. **Quingrayman tupuy.**

LAVADERO, n. **Tagshana.** Lavadero de oro, **Curi Mayllana.**

LAVADOR, a, adj. **Mayllag.** Si es de ropa, **Tagshag.**

LAVADURA, n. **Mayllay; Tagshay.**

LAVANDERA, n. **Tagshag huarmi.**

Tagshana

LAVAR, v. a. **Mayllana; Jahuana.** LAVAR ROPA, **TAGSHANA.**- IR A LAVAR, **Mayllagrina.**- ESTAR LAVANDO, **Mayllacuna.**— VENIR DESPUES DE LAVAR, **Mayllamuna.** — LAVARSE, **Mayllarina.**— LAVARSE POR VIA DE BAÑO, **ARMANA.**— LAVARTE O LAVARME, **Mayllahuana.**— AYUDAR A LAVAR O LAVARSE UNOS A OTROS, **Mayllanacuna.**— LAVAR DIARIAMENTE, **Mayllarara.**— LAVARSE LA BOCA, **MUGCHINA.** Las mismas formas que **Mayllana,** admiten **Jahuana** y **Tagshana.**

LAZO, n. **Quitacunata japina angu.**

LE, pron. en dat. **Payman;** vga: "Dale eso": "Payman chayta cuy".

LEAL, adj. **Mana challi.**

LEALTAD, n. **Mana challi cana.**

LECTOR, a, adj. **Quillcata catig.**

LECHE, n. **Ñuñu,** ant.

LECHO, n. **Siririna palti; Siririna pamba.**

LECHUZA, n. **Chushig**

LEDO, a. **Cushi; Cushilla.**

LEER, v. a. **Quillcata carina.**

LEGADO, n. **Imalla maycan huañugpa shugman saquishca.**

LEGAR, v. a. **Imallata, huañucushpa, shugman saquina.**

LEGATARIO, a, adj. **Huañugpa saquishcata chasquig.**

LEGITIMO, a, (hijos), adj. **Quiquin huarmipag huahua**

LEJANO, a, adj. **Carupi tiag; Caru.**

LEJIA, n. **Uchupayacu.**

LEJOS, adv. **Carupi; Caru.**

LELO, a, adj. **Upa.**

LENDROSO, a, adj. **Siasapa.**

LENGUA, n. **Callu.** En la acepción de IDIOMA, véase esta voz.

LENGUARAZ, adj. **Tauca calluta rimag.**

LENIDAD, n. **Sambashungu cana..**

LENTITUD, n. **Ima rurraypi unayana**

LENTO, a, adj. **Ima rurraypi unayag.**

LEÑA, n. **Yanta.** HACER LEÑA, **Yantana.**

LEÑADOR, a, adj. **Yantata rurrag; Yantag.**

LEÑO, n. **Caspi; Quiru.** Leño pasmade podrido, **Cullcu.**

LEÑOSO, a, adj. **Caspiman rigchag; Caspiashca.**

LEOPARDO, n. **Puma.**

Yantag

LEPRA, n. **Sisu; Caracha.** El castellano

LEPROSO, a, adj. **Sisusapa; Carachajunda.**

LERDO, a, adj. **Mana utca purig.**

LETAL, adj. **Huañuchig jambi; Huañuchig llaqui.**

LETARGO, n. **Huañushcashina saquirina.**

LETRA, n. **Quillca.**

LETRADO, a, adj. **Yachag.**

LEVA (recluta), n. **Japina.**

LEVANTADO, a, p. p. **Jatarichishca; Jahuapi tiag.**

LEVANTAR, v. a. **Jatarichina; Jahuachina.**— IR A LEVANTAR, **Jatarichigrina.**—

ESTAR LEVANTANDO, **Jatarichicuna.**— VENIR LEVANTANDO O DESPUES DE LEVANTAR, **Jatarichimuna.**— LEVANTARSE, (sobre todo un enfermo), **Jatarina.**— HACER QUE OTRO SE LEVANTE, **Jatarichina.**— LEVANTAR ENTRE DOS O MAS, **Jatarichinacuna.**

LEVANTE, n. **Inti llugshina pacha.**

LEVE (por Liviano), adj. **Pangalla.**

LIADO, a, p. p. **Huatashca.**

LIAR, v. a. **Huatana.** Véase AMARRAR.

LIBAR, v. a. **Sungana.** Véase CHUPAR.

LIBERAL (dadivoso), adj. **Mana misa; Pascamaqui.**

LIBERTADOR, a, adj. **Quishpichig.**

LIBERTADO, a, p. p. **Quishpichishca.**

LIBERTAR, v. a. **Quishpichina.** Véase REDIMIR.

LIBRAR, v. a. Lo mismo que LIBERTAR.

LICITO, a, adj. **Mana juchallishpa rurraripag.**

LICOR, n. **Imalla upiana.**

LICUABLE, adj. **Yacuyag.**

LICUADO, a, p. p. **Yacuyashca.**

LICUAR, v. a. **Yacuyachina.** Véase LIQUIDAR.

LID, n. **Ninacuy; Churanacuy; Macanacuy.**

LIDIAR, v. a. **Ninacuna; Churanacuna; Macanacuna.**

LIENDRE, n. **Sía.**

LIENZO, n. **Pacha.**

LIGA, n. **Changapi huatarina cutu chumbi.**

LIGADO, a, p. p. **Huatarishca; Huatashca.**

LIGAR, v. ac. **Huatana.** Véase AMARRAR.

LIGERO, a, (en el trabajo), adj. **Cusi.** Ligero, por liviano, **Pangalla.**

LIMITAR (por designar límites), v. a. **Unanchina.** Véase SEÑALAR.

LIMO, n. **Ñutulla turu.**

LIMOSNA, n. **Imalla huagchaman curig.**

LIMOSNERO, a, adj. **Mañashpalla micug. huagcha.**

LIMOSO, a, adj. **Ñututuruyug.**

LIMPIAR, v. a. **Pichana.** Véase BARRER.

LIMPIO, a, adj. **Pichashca; Mayllashca.** Limpio, en la significación popular de HOMBRE QUE NO HA TOMADO LICOR, **Maylla.**

LINAJE (parentela), n. **Ayllu.**

LINDERO, n. **Allpacunapi unanchishca.**

LINDO, a, adj. **Sumaymana.**

LINEA (serie de plantas o surco en el terreno), n. **Huachu.**

LIQUIDABLE (materia o cuerpo), adj. **Yacunaypag.**

LIQUIDAR, v. a. **Yacuyachina.**— IR A LIQUIDAR, **Yacuyachigrina.**— ESTAR LIQUIDANDO, **Yacuyachicuna.**— VENIR DESPUES DE LIQUIDAR, **Yacuyachimuna.**— LIQUIDARSE, **Yacuyarina** o **Yacuyana.**

LIQUIDO, a, adj. **Yacuman rigchag; Yacuyashca.**

LISO, a, adj. **Llambu.**

LISONJERO, a, adj. **Mishquishimi; Ñugñushimi.**

LISTADO, a, adj. **Shuyu.**

LISURA, n. **Llambu cana.**

LITIGAR, v. n. **Imallata, apucunapa ñaupagpi, quichunacushca nish purina.**

LIVIANO, a, (por cosa de poco peso), adj. **Pangalla.** Liviano, por frágil, **Juchalliglla; Urmaglla.**

LIVIDO, a, adj. **Sañi.**

LO, art. def. **Ca,** pospuesto al adjetivo sustantivado; vga. "Lo bueno, lo cierto": "Allica, Shitica".

LO, pron. de acus. Payta; vga. "Míralo": "Payta ricuy".

LOAR, v. a. **Maycanta yupaychina.**

LOBO (del país), n. **Atug.**

LOBREGO, a, adj. **May pura.**

LOCO, a, adj. **Yuyay illag; Muspag; Utig,** desus.

LOCOMOTOR, a, adj. **Cuyuchig.**

LOCUAZ, adj. **Yallirimag.**

LOCURA, n. **Yuyayillana; Muspana.**

LODO, n. **Turu.**

LOGRAR (en sentido burlesco), v. a. **Guzhana.** "Nó lo has de lograr": **"Mana guzhgunguichu".**

LOMA, n. **Pata.**

LOMBRIZ, n. **Cuyca.**

LOMO, n. **Huasha.**

LONGEVO, a, adj. **May yuyag; Ancha causag.**

LONGITUD, n. **Suniman tupuy.**

LOS, LAS, art. de plur. **Ca.** pospuesto al

nombre; vga. "Los árboles, las flores": "Yuracunaca, Sisacunaca".

LUBRICAR, v. a. **Llausayachina.**

LUCERO, n. **Chasca**, desus.

LUCIENTE, adj. **Achigyacug.**

LUCIERNAGA, n. **Ninacuru.**

LUCIDO, a, adj. **Achigyacug.**

LUCIFER, n. **Supay; Millaycunapag apu.**

LUCIR, v. n. **Achigyana; Jagannina.**

LUCRO, n. **Imalla quiquin rurrayhuan mirachishca.**

LUCTUOSO, a, adj. **Lliquipag; Huacaypag.**

LUCHA, n. **Pugllanacuy; Macanacuy.**

LUCHADOR, n. **Pugllashpa, piñarishpa, macanacug.**

LUCHAR, v. n. **Pugllanacuna; Macanacuna.**— Véanse JUGAR y PELEAR.

LUEGO, adv. **Quipalla; Catipi.** LUEGO DESPUES, **Chaymantaca.** LUEGO (por prontamente), **Utca; Utcalla.**

LUEGO, conj. **Chasnaca; Shinaca.**

LUGAR, n. **Pacha; Llagta.**

LUGUBRE, n. **Llaquichug.**

LUJURIA, n. **Mapajucha; Zagrajucha**

LUJURIOSO, a, adj. **Huaupug.** desus.

LUMBRE, n. **Achig.** Lumbre de fuego, **Nina.**

LUMINOSO, a, adj. **Archigyag; Cunyag.**

LUNA, n. **Quilla.** Luna nueva, **Mushug Quilla.** Oposición de la luna, **Quillajunday.** Conjunción de ella, **Quillahuañuy.**

LUPIA, n. **Rumiashca pungui.**

LUTO, n. **Huañugcunamanta yana pacha churina.**

LUZ, n. **Achig.**

Achig

AGA, n. **Chugri.**

LLAGADO, a, p. p. **Chugrishca.**

LLAGAR, v. a. **Chugrina.** Véase HERIR.

LLAMA, (animal), n. **Llama; Runallama; Llamingu.**

LLAMA (de fuego), n. **Nina cunyay; Nina.**

LLAMADA, n. **Cayay.**

LLAMADO, a, p. p. **Cayashca.**

LLAMADOR, a, adj. **Cayay.**

LLAMAR. v. a. **Cayana.**— IR A LLAMAR, **Cayagrina.**— ESTAR LLAMANDO, **Cayacuna.**— VENIR LLAMANDO O DESPUES DE LLAMAR, **Cayamuna.**— HACER LLAMAR, **Cayachina.**— LLAMAR ENTRE VARIOS, **Cayanacuna.**— LLAMARTE O LLAMARME, **Cayahuana.**— LLAMARSE, **Cayarina.**— LLAMAR CON INSISTENCIA, **Cayarana.**

LLAMARADA, n. **Jatun cunyay.**

LANADA, n. **Pamba; Quihuapamba.**

LLANO, a, adj. **Pamballa; Pamba.**

LLANTO, n. **Huacay.**

LLANURA, n. Lo mismo que **LLANADA.**

LLEGADA, n. **Chayay.**

LLEGADO, a, p. p. **Chayashca.**

LLEGAR, v. n. **Chayana.**— IR A LLEGAR, **Chayagrina**— ESTAR LLEGANDO, **Chayacuna**— ESTAR A PUNTO DE LLEGAR O IR LLEGANDO VARIAS PERSONAS, **Chayamuna.**— HACER LLEGAR, **Chayachina.**— LLEGARSE (por acercarse), **Chayarina.**

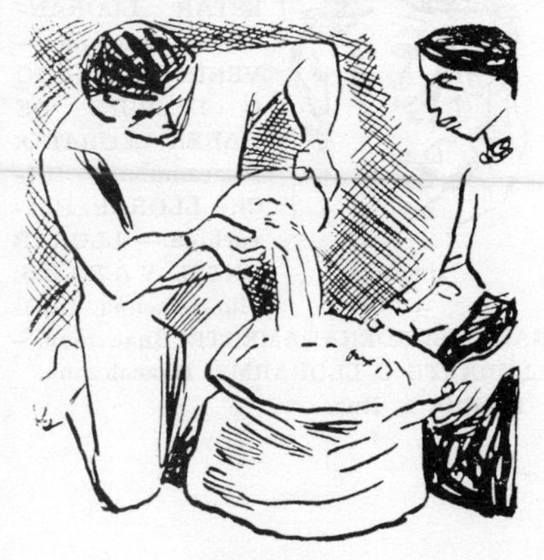

Jundachina

LLENADO, a, p. p. **Jundachishca.**

LLENAR, v. a. **Jundachina.**— IR A LLENAR, **Jundachigrina.**— ESTAR LLENANDO, **Jundachicuna.**— VENIR LLENANDO O DESPUES DE LLENAR, **Jundachimuna.**— LLENARSE, **Jundarina; Jundana.**— AYUDAR A LLENAR, **Jundachinacuna.**— ESTAR CONSTANTEMENTE LLENA UNA COSA, **Jundarana.**

LLENO, a, adj. **Junda.**

LLEVADO, a, p. p. **Apashca.**

LLEVAR, v. a. Tratándose de persona, **Pushana.** Refiriéndose al transporte de cosas, **Apana.**— IR A LLEVAR, **Apagrina.** — ESTAR LLEVANDO, **Apacuna.**— VENIR LLEVANDO, **Apamuna.**— HACER LLEVAR, **Apachina.**— LLEVARTE O LLEVARME, **Apahuana.**— AYUDAR A LLEVAR, **Apanacuna;** lo que significa, además, LLEVAR POR DELANTE, **MARCANA**; ARRASTRANDO, **AYSANA**; EN ANDAS, **HUANDUNA.**

LLORADO, a, p. p. **Huacashca.**

LLORADOR, a, adj. **Huacag.** "Niño que llora mucho": "Huacagmaru", es decir "Alimaña llorona". De aquí parece derivarse **HUACAMAYU**, animalejo que grita o llora.

LLORAR, v. n. **Huacana.**— IR A LLORAR, **Huacagrina.**- ESTAR LLORANDO, **.Huacacuna.** — VENIR LLORANDO O DESPUES DE HABER LLORADO, **Huacamuna.**— HACER LLORAR, **Huacachina.**— LLORAR ENTRE VARIOS, **Huacanacuna.** LLORAR DESORDENADAMENTE, **Huacarana.**— LLORARTE O LLORARME, **Huacahuana.**

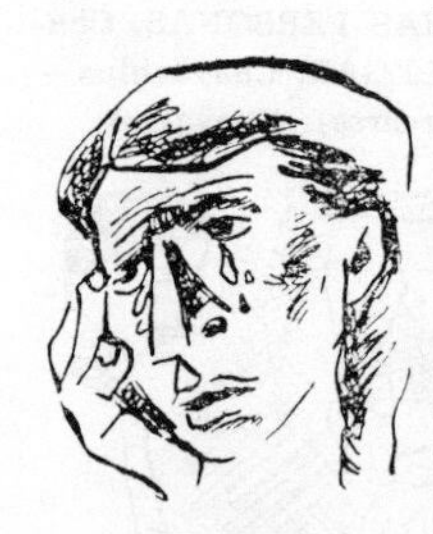

Huacana

LLORO, n. **Huacay.**

LLOROSO, a, adj. **Huiquisapa; Huiquijunda.**

Huiquijunda

LLOVER, v. n. **Tamiana.**— IR A LLOVER, **Tamiagrina.**— ESTAR LLOVIENDO, **Tamiacuna.**— EMPEZAR A LLOVER, **Tamiamuna.**— HACER LLOVER, **Tamiachina.** — LLOVER INCESANTEMENTE, **Tamiarana.**

LLOVIDO, a, p. p. **Tamiashca.**

LLOVIOSO, a, adj. **Tamiajunda.** DIA LLOVIOSO, **Tamia punzha; Llulluyashca punzha**, esto es, "día enternecido'.

LLOVIZNA, n. **Ñutu tamia; Garua; Izhi; Lancha.**

LLOVIZNAR, v. n. **Ñutu tamia urmana; Garuana; Izhina; Lanchana.**

LLUVIOSO, a, adj. Lo mismo que LLOVIOSO.

Garúa

ACANA, n. **Macana** (arma ofensiva). Esta palabra ha sido tomada del quichua, como otras varias, para el vocabulario español.

MACERADO, a, p. p. **Yacupi sambayachishca.**

MACERAR, v. a. **Yacupi sambayachina; Huagtana; Ñutuchina.**

MACETA, n. **Mallqui huiñachina huirqui.**

MACILENTO, a, adj. **Quilluñahui.**

MACISO, a, adj. **Racu; Batu; Sinchi.**

MACHACADO, a, p. p. **Chancashca.**

MACHACADOR, a, adj. **Chancag.**

MACHACAR, v. a. **Chancana.**— IR A MACHACAR, **Chancagrina.**— ESTAR MACHACANDO, **Chancacuna.**— VENIR DESPUES DE MACHACAR O TRAYENDO LO MACHACADO, **Chancamuna.**— HACER MACHACAR, **Chancachina.**— MACHACARSE, **Chancarina.**— AYUDAR A MACHACAR, **Chancanacuna.**

MACHO, n. **Cari.**

MACHORRA, n. **Mana huachag.**

MACHUCAR, v. a. Véase MACHACAR.

MACHUCHO, a, adj. **Rucuruna; Paya huarmi.**

MADERA, n. **Caspi; Quiru.**

MADERAJE, n. **Huasi caspicuna.**

MADERAMEN, n. Lo mismo que MADERAJE.

MADERO, n. **Caspi; Quiru.**

MADRASTRA, n. **Lamama.**

MADRE, n. **Mama.**

MADRIGUERA, n. **Curucuna tiana machay, causana jutcu.**

MADRINA (de bautismo o confirmación), n. **Marcagmama.**

MADRUGADA, n. **Pacarina; Loriana.**

MADRUGADOR, a, adj. **Pacarigpi, manara pacarigpi jatarig.**

MADRUGAR, v. n. **May tutamanta jatarina.**

MADRUGON, n. **Manarapish pacarigpi jatarishca**

MADURACION, n. **Pucuy.**

MADURADO, a, p p. **Pucushca.**

MADURADOR, a, adj. **Pucuchig.**

MADURAR, v. n. **Pucuna.**— IR A MADURAR, **Pucugrina.**— ESTAR MADURAN-

DO, **Pucuna.**— EMPEZAR A MADURAR, **Pucumuna.**— HACER MADURAR, **Pucuchina.**

MADURATIVO, n. **Pucuchig.**

MADUREZ, n. **Pucuypacha; Pucuy.**

MADURO, a, adj. **Pucushca.**

MAESTRO, a, n. **Yachachig.**

MAGICO, n. **Huatug**, ant.

MAGNIFICAR, v. a. **Yupaychishpa, jatunyachina.**

MAGNIFICO, a, adj. **Ancha alli; Sumaymana.**

MAGNITUD, n. **Jatun cana.**

MAGNO, a, adj. **Jatun.**

MAGRO, a, adj. **Tullu.**

MAGULLADO, a, p p. **Huagtashpa, llapchishpa, huagllichishca.**

MAGULLAR, v. a. **Huagsahaspa; Ñitishpa; Huagllichina.**

MAIZ, n. **Sara.** MAIZ BLANCO, **Yurag sara.**— MAIZ AMARILLO DURO, llamado vulgarmente "morocho", **Muruchu sara.**— MAIZ DE COLOR PERLA, **Zhima sara.**— MAIZ DE COLOR AZULEJO, **Cuscu sara.**— MAIZ COCINADO, **Muti;** TOSTADO, **Gamcha;** GERMINADO Y SECO PARA CHICHA, **Jura.**— MAIZ A MEDIO MADURAR, COCIDO Y SECADO AL SOL, PARA QUEBRANTARLO Y HACER UNA COMIDA, **Chuchuca.** MAIZ QUE, POR NO ESTAR COMPLETAMENTE MADURO, SE APARTA EN LA COSECHA, PARA GASTARLO DESDE LUEGO, **Parug.**

MAIZAL, n. **Sarachagra; Chagra.**

MAJADA (estiércol), n. **Huanu.**

MAJADEAR (estercolar), v. a. **Huanuna.**

MAJAR, v. a. **Chancana.**

MAL, n. **Mana alli; Millay.**

MAL, adv. **Mana alli.**

MALACONSEJADO, a, adj. **Mana alli cunashca.**

MALAMENTE, adv. **Mana alli.**

MALAVENTURA, n. **Llaqui.**

MALAVENTURADO, a, adj. **Jatun llaquiug.**

MALBARATADOR, a, adj. **Jichapacha.**

MALBARATAR, v. a. **Charishcata shitana; Jichapacha tucuna.**

MALCOMER, v. a. **Mana alli micuna.**

MALCOMIDO, a, p. p. **Mana alli micushca.**

MALCRIADO, a, adj. **Mana alli cunash huiñachishca.**

MALDAD, n. **Millay.**

MALDECIR, v. a. **Ñacana**, desus.

MALDITO, a, adj. **Ñacashca**, desus.

MALEDICENCIA, n. **Shugmanta millayta rimana.**

MALEFICENCIA, n. **Millayta rurrana.**

MALEFICO, a, adj. **Millayta rurrag**

MALEVOLO, a, adj. **Millag.**

MALEZA (zarzas y arbustos enredados), n. **Taba; Zhapra.**

MALGASTADOR, a, adj. Véase MALBARATADOR.

MALGASTAR, v. a. Véase MALBARATAR.

MALHADADO, a, adj. **May llaquishpa, cuyayta causag.**

MALHECHOR, a, adj. **Millayta rurrashpa causag.**

MALICIA, n. **Millayta munana; Millayta rurrana.**

MALICIOSO, a, adj. **Millayshungu; Millay.**

MALIGNO, a, adj. **Ancha millay.**

MALO, a, adj. **Mana alli; Millay.**

MALPARIDA, adj. **Shullushca.**

MALPARIDO, a, (niño o niña), adj. **Shullushca.**

MALPARIR, v. n. Véase ABORTAR.

MALPARTO, n. **Shulluy.**

MALQUERER, v. a. **Mana cuyana; Millana.**

MALQUERIENTE, adj. **Millag.**

MALSANO, a, adj. **Unguchig.**

MALTRATAMIENTO, n. **Camina; Huagtana**

MALTRATADO, a, p. p. **Camishca; Huagtashca.**

MALTRATAR, v. a. **Camina; Nanachina.**

MALTRATO, n. Véase MALTRATAMIENTO.

MALVADO, a, adj. **Ancha millay.**

MAMA, n. **Mama.**

MAMA (teta), n. **Chuchu; Ñuñu.**

MAMADERA, n. **Chuchuna; Chuchuchina.**

MAMADO, a, p. p. **Chuchushca.** Así se

le llama también al borracho.

MAMANTON, a, adj. **Chayra chuchucug.**

MAMAR, v. a. **Chuchuna.**— IR A MAMAR, **Chuchugrina.**— ESTAR MAMANDO, **Chuchucuna.**— VENIR MAMANDO O DESPUES DE MAMAR, **Chuchumuna.**— DAR DE MAMAR, **Chuchumuna.**— DAR DE MAMAR O HACER MAMAR, **Chuchuchina.**— MAMAR ENTRE VARIOS, **Chuchunacuna.**— MAMAR INCESANTEMENTE, **Chuchurana.**

MAMON, a, adj. **May chuchug; Chayra chuchucug.**

MANANTIAL, n. **Allpamanta Llugshig yacu.**

MANAR, v. n. **Yacu allpamanta llugshina.**

MANCEBA, n. **Shipas,** poco usado.

MANCEBO, n. **Lungu; Huayna,** que se toma regularmente en mal sentido.

MANCILIAR, v. a. **Mapayachina.** Véase ENSUCIAR.

MANCO, a, adj. **Chullamaqui; Chullarigra; Mutu.**

MANCHA, n. **Mapa; Tiglla.** Muchas pequeñas manchas, **MURUMURU.**

MANCHADO, a, p. p. **Mapayachishca; Tigllashca; Murumuru**
Véase ENSUCIAR.

MANCHAR, v. a. **Mapayachina; Tigllana.**

MANDAR, v. a. **Camana.** En la acepción de ENVIAR, véase este verbo.

MANDATO (disposición), n. **Camay.**

MANDERECHA, n. **Allimaqui manya.**

MANDIBULA, n. **Jazha.**

MANDO, n. **Camay.**

MANDON, a, adj. **Camag.**

MANDRIA, adj. **Upa; Mana imata rurrag; Yangamicug.**

MANEA, n. **Chagna.**

MANEAR, n. **Chagnana.** Véase MANIATAR.

Jazha

MANGO (de algún utensilio o instrumento), n. **Chupa.**

MANIA, n. **Muspay; Utigyay,** desus.

MANIATADO, a, p. p. **Chagnashca.**

MANIATAR, v. a. **Chagnana.**— IR A MANIATAR, **Chagnagrina.**— ESTAR MANIATANDO, **Chagnacuna.**— VENIR DESPUES DE MANIATAR, **Chagnamuna.**— HACER MANIATAR, **Chagnachina.**— MANIATARSE, **Chagnarina.**— MANIATARTE O MANIATARME, **Chagnahuna.**— ESTAR INDEFINIDAMENTE MANIATADO, **Chagnaracuna.**

MANICOMIO, n. **Utigcunata huichcana huasi; Muspagcunapag ucu.**

MANICORTO, a, adj. **Cutumaqui.**

MANIDA, n. **Causana; Shayana.**

MANIFESTACION, n. **Rimashpa, rurrashpa, imata ricuchina.**

MANIFESTAR, v. a. Véase MOSTRAR.

MANIFIESTO, a, adj. **Mana pacashca; Ricuricug.**

MANILARGO, a, adj. **Sunimaqui.**

MANIOBRA, n. **Imalla maquihuan rurrarig.**

MANIOBRAR, v. a. **Imallata maquihuan rurrana.**

MANIPULAR, v. a. Lo mismo que MANIOBRAR.

MANIROTO, a, adj. **Pascamaqui.**

MANJAR, n. **Imalla micuy.**

MANO, n. **Maqui.**— MANO DIESTRA O DERECHA, **Alli maqui.**— MANO SINIESTRA O IZQUIERDA, **Lluqui maqui,** o simplemente **Lluqui.**

Maqui

MANOJO, n. **Maqui;** v. g. "Un manojo de yerba": "**Shug quihua maqui**".

MANOSEAR, v a. **Pigtunacuna.**

MANOTADA, n. **Maquihuagtag; Maquicurpay.**

MANOTEAR, v. a. **Maquihuan huagtana.**

MANOTEO, n. Lo mismo que MANOTADA.

MANSEDUMBRE, n. **Mana piña cana; Samba shunguta charina.**

MANSION, n. **Causana huasi; Tiana; Shayana.**

MANSO, a, adj. **Mana piña.**

MANTA, n. **Pacha**. MANTA DE COBIJARSE, **Cata; Pullu.**

MANTECA, n. **Huira.**

MANTECOSO, a, adj. **Huirajunda.**

MANTENER, v. a. **Carashpa charina.**

MANTENIMIENTO, n. **Punzhandi caray.**

MANTEQUERO, a, adj. **Huiracatug.**

Lliglla

MANTILLA, n. **Lliglla.**

MANTO, n.**Pachallina.**

MANUAL, adj. **Maquillahuan rurrana.**

MANUFACTURA, n. **Imalla maquihuan rurrashca.**

MANUSCRITO, n. **Maquillahuan quillcashca.**

MANTENCION, n. Véase MANTENIMIENTO.

MAÑANA (la primera parte del día), n. **Tutamanta.**

MAÑANA (el día siguiente), n. **Caya.**

MAR, n. **Mamacucha**, desus.

MARAÑA, n. **Aulli.**

MARAÑERO, a, adj. **Aullig.**

MARAVILLA, n. **Imalla may sumag; Mana ricushca.**

MARAVILLARSE, v r. **Imalla may allita ricushpa, mancharina.**

MARAVILLOSO, a, adj. **Sumaymana.**

MARCHA, n. **Tatqui; Puri.**

MARCHAR, v. n. **Tatquina; Purina.**

MARCHITARSE, v. r. **Huañurina.**

MARCHITADO, a, p. p. **Huañurishca.**

MARCHITO, a, adj. Lo mismo que MARCHITADO.

MARGEN, n. **Manya.**

MARICON, adj. **Huallmicu.**

MARIDO, n. **Cusa.**

MARIPOSA, n. **Chabul**, desus.

MARMITA, n. **Manga.**

MAROMA, n. **Huasca.**

MARRANA, n. **Huarmi cuchi.**

MARRANILLO, a, n. **Uchilla cuchi; Llullu cuchi.**

MARRANO, n. **Cari cuchi.**

MARRAR, v. n. **Mana alli llugshina; Huaglline.**

MARTIR, n. **Apunchipa cuyaymanta huañuyta chasquig; Ancha ñacarishpa causag.**

MARTIRIO, n. **Apunchipa cuyaymanta huañuna; Ancha llaquichina.**

MARTIRIZAR, v. a. **Apunchita cuyashcamanta huañuchina; Ancha llaquichina.**

MAS, adv. **Astun; Astahuan; Ashun; Ashuan.** También se usa **Tahuan**, pospuesto a otra palabra, vga. "Uno más": "Shugtahuan". A LO MAS o CUANDO MAS, **ANCHACASHPA.**— MUCHO MAS, **ASHUNYALLI.**

MAS, conj. **Chasnapish; Shinapish; Natag**; vga. "Te quiero; mas no debo llevarte": "Cuyahuanimi; chasnapish, mana apahuaypagchu cani".

MASCADO, a, p. p. **Castushca.**

MASCADOR, a, adj. **Castug.**

MASCADURA, n. **Castushca.**

MASCAR, v. a. **Castuna.** IR A MASCAR, **Castugrina.**— ESTAR MASCANDO, **Castucuna.**— VENIR MASCANDO O DESPUES DE HABER MASCADO, **Castumuna.**— MASCARSE, **Casturina.**— HACER MASCAR, **Castuchina.**— AYUDAR A MASCAR O MASCAR DESORDENADAMENTE, **Castunacuna.**— MASCARME O MASCARTE, **Castuhuana.**— MASCAR CONSTANTEMENTE, **Casturana.**

MASCUJAR, v. a. **Mucuna.**— IR A MASCUJAR, **Mucugrina.**— ESTAR MASCUJANDO, **Mucucuna.**— VENIR MASCUJANDO O DESPUES DE HABER MASCUJADO, **Mucumuna.**— HACER MASCUJAR, **Mucuchina.**— MASCUJARSE, **Mucurina.**— MASCUJAR ENTRE DOS O MAS, **Mucunacuna.**

MASCULINO, a, adj. **Caripag.**

MASTICACION, n. **Castuy; Mucuy.**

MASTICAR, v. a. **Castuna.** Véase MASCAR.

MASTUERZO (una especie de él), n. **Chullachaqui.**

MATA, n. **Yura.**

MATADERO, n. **Huagrahuañuchina huasi.**

MATADO, a, p. p. **Huañuchishca.**

MATADOR, a, adj. **Huañuchig.**

MATADURA, n. **Huashapi nanachirishca.**

MATALOTAJE, n. **Cucayu.**

MATANZA, n. **Huañuchina.**

MATAPERROS, adj. **Allcuhuañuchig.**

MATAR, v. a. **Huañuchina.**— IR A MATAR, **Huañuchigrina.**— ESTAR MATANDO, **Huañuchicuna**— VENIR DESPUES DE MATAR, **Huañuchimuna.**— HACER MATAR, **Huañuchichina.**— MATARSE, **Huañuchirina.**— AYUDAR A MATAR O MATARSE MUTUAMENTE, **Huañuchinacuna.**— MATARME O MATARTE, **Huañuchihuana.**

MATERIA (en la acepcinó de pus), n. **Quia.**

MATERNAL, adj. **Mamapag.**

MATERNIDAD, n. **Mama cana; Mama tucuna.**

MATERNO, a, adj. Lo mismo que MATERNAL.

MATORRAL, n. **Pagtalla yura; Cutusacha.**

MATOSO, a, adj. **Sachajunda; Sachasacha.**

MATRICIDA, n. **Mamata huañuchig**

MATRIMONIO, n. Cazaray. Véase CASAR.

MATURACION, n. **Pucuy.**

MATUTINO, a, adj. **Pacarinapachapi ricurig; Tutamanta tiag.**

MAXIMO, a, adj. **Tucuytayalli jatun.**

MAYOR, adj. **Shugtayalli jatun; Ñaupa huiñashca.**

MAYORIA, n. **Ñaupahuiñay cana.**

Cazaray

MAYORMENTE, adv. **Ashunca.**

MAZAMORRA, n. **Api.**

MAZO, n. **Huagtana cutu caspi.**

MAZORCA, n. **Caspa**— MAZORCA TIERNA, **Chugllu**. SI ES MUY TIERNA, **Quizhi.** MAZORCA INMATURA, que se aparta al cosechar, **Parug.** HAZ DE MAZORCAS QUE SUELEN COLGAR LOS INDIOS EN LA EPOCA DE LA COSECHA, CON LA CREENCIA DE QUE PROVOCAN UNA BUENA PRODUUCION PARA EL AÑO VENIDERO, **Huayunga.**

ME, pron. en dativo. **Ñucaman**; vga. "Dame ese dinero": "Chay cullquita ñucaman cuy". Puede sustituirse con la partícula Huay, diciendo "Cuhuay".

ME, pron. en acus. **Ñucata**; vga. "Mírame": "Ñucata ricuy". También puede decirse "Ricuhuay", reemplazando **Ñucata** con la partícula **Huay.**

MEADA, n. **Ishpashca.**

MEADERO, n. **Ishpanacuchu.**

MEADOS, n. **Ishpa; Ishpashca**

MEAR, v. n. **Ishpana.**— IR A MEAR, **Ishpagrina.**— EMPEZAR MEANDO, **Ishpacuna.**— VENIR MEANDO O DESPUES DE MEAR, **Ishpamuna.**— HACER MEAR, **Ishpachina.**— MEARSE, **Ishparina.**— MEAR CON FRECUENCIA O POR LARGO TIEMPO, **Ishparana.**

MECEDOR, a, adj. **Cuyuchig.**

MECER, v. a. **Cuyuchina.** Véase MOVER.

MECIDO, a, p. p. **Cuyuchishca.**

MECHINAL, n. **Pircapi rurrashca tucu.**

MEDIADO, a, p. p. **Chaupichishca.**

MEDIANAMENTE, adv. **Chasnachasnalla.**

MEDIANO, a, adj. **Pagtalla.**

MEDIAR (dimidiar), v. a. **.Chaupina; Chaupinchina.**

MEDICACION, n. **Jambina.**

MEDICAMENTO, n. **Jambi.**

MEDICINA, n. Lo mismo que MEDICAMENTO.

MEDICINAL, adj. **Jambingapag alli.**

MEDICINAR, v. a. **Jambina** Véase CURAR.

MEDICION, n. **Tupuy.**

MEDICO, a, adj. **Jambig.**

MEDIDO, a, p. p. **Tupushca.**

MEDIDA, n. **Tupu; Tupushca.**

MEDIDOR, a, adj. **Tupug.**

MEDIO, a, adj. **Chaupipi tiag.**

MEDIOCRE, adj. Véase MEDIANO.

MEDIODIA, n. **Chaupipunzha.**

MEDIR, v. a. **Tupuna.**— IR A MEDIR, **Tupugrina.**— ESTAR MIDIENDO, **Tupucuna.**— VENIR MIDIENDO O DESPUES DE MEDIR, **Tupumuna.**— HACER MEDIR, **Tupuchina.**— MEDIRSE, **Tupurina.**— AYUDAR A MEDIR, **Tupunacuna.**— MEDIR UNA Y OTRA VEZ, **Tupurana.**

MEDITACION, n. **Imallata yuyaypi charicuna.**

MEDITAR, v. a. **Imallata yuyaracuna.**

MEDROSO, a, adj. **Manchaysapa.**

MEDULA, n. **Ñutu.**

MEDULOSO, a, adj. **Ñutcuyug; Ñutcujunda.**

MEJILLA, n. **Uya.**

MEJOR, adj. **Ashun alli.**

MEJORADO, a, p. p. **Ashun allishca.**

MEJORAR, v. a. **Ashun alliyachina.**

MEJORIA (de un enfermo), n. **Alliashpa rina.**

MELANCOLIA, n. **Llaquilla cana.**

MELANCOLICO, a, adj. **Llaquilla cag.**

MELENUDO, a, adj. **Agchasapa**

MELOSO, a, adj. **Mishquijunda.**

MELLA, n. **Pimi.**

MELLADO, a, p. p. **Pimiquiru.**

MELLAR, v. a. **Pimina.**

MELLIZO, a, adj. **Shughuanpagta chay huachayllapita huiñashca.**

MEMORABLE, adj. **Yuyaypag; Mana cungaypag.**

MEMORAR, v. a. **Yuyarina.** Véase ACORDARSE.

MEMORIA, n. **Yuyay.**

MEMORIOSO, a, adj. **May yuyayta charig.**

MENCION, n. **Shutichina.**

MENCIONADO, a, p. p. **Shutichishca.**

MENCIONAR, v. a. **Shutichina.**

MENDAZ, adj. **Llulla.**

MENDICANTE, adj. Véase LIMOSNERO.

MENDICIDAD, n. **Yupay huagcha cana.**

MENDIGANTE, adj. Lo mismo que LIMOSNERO.

MENDICAR, v. a. **Micunata mañash purina.**

MENDIGO, a, adj. Véase LIMOSNERO.

MENEADO, a, p. p. **Cuyuchishca.**

MENEADOR, a, adj. **Cuyuchug.**

MENEAR, v. a. **Cuyuchina.** Véase MOVER.

MENO, n. **Cuyug.**

MENESTEROSO, a, adj. **May huagcha.**

MENESTRAL, adj. **Cullquimanta, punzhandi imata rurrash.**

MENGANO, a, n. **Imashuti; Imasti.**

MENGUADO, a, adj. **Pishishungu; Millay.**

MENGUANTE, n. **Quillapishiay.**

MENGUAR, v. n. **Pishiana.**— IR A MENGUAR, **Pishiagrina.**— ESTAR MENGUANDO, **Pishiacuna.**— EMPEZAR A MENGUAR. **Pishiamuna.**— HACER MENGUAR, **Pishiachina.**— MENGUARSE, **Pishiarina.**

MENOR, adj. **Ashun uchilla.** MENOR EN EDAD, **Quipahuiñay.**

MENOS, adv. **Ashun pishi; Mana cachca.**

MENOSCABADO, a, p. p. **Pishiyachishca.**

MENOSCABAR, v. a. Véase MENGUAR

MENOSCABO, n. **Pishiay.**

MENSAJERO, a, adj. **Imallata huillag shamug; Huillagrig.**

MENSTRUACION, n. **Mapacuy.**

MENSTRUAR, v. n. **Mapacuna**

MENSUALMENTE, adv. **Quilla pagtapi; Quillandi; Quillancama.**

MENSURA, n. **Tupuy.**

MENSURABLE, adj. **Tupuypag; Tupuripag.**

MENSURADO, a, p. p. **Tupushca.**

MENSURADOR, a, adj. Véase MEDIDOR.

MENSURAR, v. a. **Tupuna.** Véase MEDIR.

MENTADO, a, p. p. Véase MENCIONADO.

MENTAL, adj. **Yuyayllapi tiag.**

MENTAR, v. a. Véase MENCIONAR.

MENTE, n. **Yuyay.**

MENTECATO, a, adj. **Upa; Muspag.**

MENTIDO, a, p. p. **Llullashca.**

MENTIR, v. n. **Llullana.**— IR A MENTIR, **Llullagrina.**— ESTAR MINTIENDO, **Llullacuna.**— VENIR MINTIENDO O DESPUES DE HABER MENTIDO, **Llullamuna.**— HACER MENTIR, **Llullachina.**— MENTIRME O MENTIRTE, **Llullahuana.**— MENTIR POR HABITO, **Llullarana.**— MENTIR MUTUAMENTE, **Llullanacuna.**

MENTIRA, n. **Llulla.**

MENTIROSO, a, adj. **Llulla.**

MENUDO, a, adj. **Ñutu.**

MEOLLO, n. **Ñutcu.**

MEON, adj. **Ancha ishpag.**

MERCADER, adj. **Imallata catush causag.**

MERCADERIA, n. **Imalla catuna.**

MERCADO, n. **Catunapamba.**

MERCANCIA, n. Lo mismo que MERCADERIA.

MERCAR, v. a. **Randina.** Véase COMPRAR.

MERDOSO, a, adj. **Ismajunda.**

MERECIDO, a, p. p. **Mashcashca.**

MERENDAR, v. a. **Chizhita micuna.**

MERENDONA, n. **Chizhijuncia.**

MERETRIZ, n. **Pihuanpish juchallishpa causag huarmi.**

MERIENDA, n. **Chizhimicuy.**

MERMA, n. **Pishiay.**

MERMAR, v. n. **Pishiana.** Véase MENGUAR.

MES, n. **Quilla.** TODO UN MES, **Quillapagta.** MES POR MES, **Quillandi.**

MESAR, v. a. **Agchata aysanacuna.**

MESCLILLA (color) n. **Zhiru.**

Pata

MESETA, n. **Pata.** Conjunto de mesetas vecinas **Papa-rata.**

MESON (en los caminos), n. **Tambu.**

MESONERO, a, adj. **Tambucama.**

MESTIZO, a, (persona), adj. **Huiracuchahuan runahuan**

METEDOR, a, adj. **Satig.**

METEORISMO, n. **Huigsa pungui.**

METER, v. a. **Satina.**— IR A METER, **Satigrina.**— ESTAR METIENDO, **Saticuna.**— VENIR DESPUES DE METER, **Satimuna.**— HACER METER, **Satichina.**— METERSE, **Satirina.**— AYUDAR A METER, **Satinacuna.**

METICULOSO, a, adj. **Manchaysapa.**

METIDO, a, p. p. **Satishca.**

MEZCLA, n. **Chapu.**

MEZCLADO, a, p. p. **Chapushca.**

MEZCLADOR, a, adj. **Chapug.**

MEZCLAR, v. a. **Chapuna.**— IR A MEZCLAR, **Chapugrina.**— ESTAR MEZCLANDO, **Chapucuna.**— VENIR MEZCLANDO O DESPUES DE HABER MEZCLADO, **Chapumuna.**— HACER MEZCLAR, **Chapuchina.**— AYUDAR A MEZCLAR O MEZCLAR DESORDENADAMENTE, **Chapunacuna.**—MEZCLARSE, **Chapurina.**

MEZCOLANZA, n. **Chapu.**

MEZQUINDAD (cicatería), n. **Misa cana.**

MEZQUINO (cicatero), adj. **Misa.**

MI, genit. del pron. YO, **Ñucamanta. MI,** dat. **Ñucaman;** vga. "Acuérdate de mí"; "Dame algo": "Ñucamanta yuyari"; "Ñucamna' imallata cuy".

MI, mío, mía, adj. pos. **Ñucapag.**

MICO, n. **Machi.** Véase MONO.

MICHO, a, n. **Misi.** La palabra castellana parece derivada de la quichua.

MIEDO, n. **Manchay.**

MIEDOSO, a, adj. Véase MEDROSO.

MIEL, n. **Mishqui.**

MIEMBRO, n. Véase PENE.

MIENTRAS, adv. **Cama** o **Camaca,** pospuestos a la palabra o a la frase; vga. "Mientras él venga": "Pay shamungacama o shamungacamaca".

MIERDA, n. **Isma; Huanu.**

MIES, n. **Chagra.**

MIL, adj num. **Huaranga.**

MILESIMO, a, adj. **Huaranganiqui,** desus

MILLAR, n. **Shug huaranga.**

MILLON, adj. num. **Huaranga huaranga.**

MILLONARIO, a, adj. **Huaranga huaranga cullquipi charig.**

MINA, n. **Curisurcuna, cullquisurcuna caca; Curimayllana huaycu; Quillaysurcuna; Antisurcuna urcu.**

MINERO, a, adj. **Curita, cullquita, quillayta, antita surcug.**

MINIMO, a, adj. **Tucuytayalli uchilla.**

MINORAR, v. a. **Pishiyachina** Véase MENGUAR.

MINORIA, n. **Huambra cana; Quipa huiñay cana.**

MIOPE, adj. **Ancha cuchullamanta ricug.**

MIRADA, n. **Ricuy; Ricuray.**

MIRADERO, a, n. **Ricuna pata.**

MIRADO, a, p. p. **Ricushca.**

MIRADOR, a, adj. **Ricug; Ricurag.**

MIRAR, v. a Véase VER.

MIRLO, a, n. **Sugsug.**

MIRON, a, adj. **Ricurag.**

MISCELANEA, n. **Chapu; Chagru.**

MISERABLE, adj. **Yupay huagcha; Cuyayla causag.**

MISERIA, n. **May huagcha cana; Cuyayla causana.**

MISERICORDIA, n. **Shugmanta llaquishpa nanarina; Juchallishcata cungana.**

MISERICORDIOSO, a, adj. **Shugmanta nanarig; Juchata cungag.**

MISERO, a, adj. Lo mismo que MISERABLE.

MISMO, a, adj. **Llata**, pospuesto a otra palabra; vga. "Tú mismo": "Canllata". También se usa del adjetivo **QUIQUIN (propio)**, igualmente pospuesto; vga. "El mismo ha venido": "Payquiquinmi shamushca".

MITA (antigua servidumbre de los indios), n. **Mita.**

MITAD, n. **Chaupi.**

MITAYO (indio sujeto a la mita), n. **Mitayug;** Mitayu. Hoy no se usa sino como insulto.

MIXTURA, n. Véase MISCELANEA.

MOCADERO, n. **Singapichana.**

MOCEDAD, n. **Huambracana**

MOCITO, a, adj. **May huambra.**

MOCO, n. **Cuña.**

MOCOSO, a, adj. **Cuñasapa.**

MOCHILA, n. **Tulu.**

MOCHO, a, adj. **Mutugachu; Mutu.**

MODERNO, a, adj. **Mushug.**

MODO (en las expresiones: DE ESTE MODO, DE AQUEL MODO), n. **Casna; Chasna; Shina.** Todas estas palabras son adverbios modales.

MODORRA, n. **Ungugcunapa llashag puñuy**

MOHO, n. **Muca**, desus.

MOHOSO, a, adj. **Mucashca; Mucasapa.**

MOFA, n, **Camishpa umana.**

MOFADOR, a, adj. **Camishpa umag.**

MOFAR, v. a. **Camishpa, piñarishpa umana.**

MOGICON, .n. **Curpashca maquihuan huagtag.**

MOJADO, a, p. p. **Jucuchishca; Jucushca.**

MOJADOR, a, adj. **Jucuchig.**

MOJADURA, n. **Jucuy.**

MOJAR, v. a. **Jucuchina.**— IR A MOJAR, **Jucuchigrina.**— ESTAR MOJANDO, **Jucuchicuna.**— VENIR MOJANDO O DESPUES DE MOJAR, **Jucuchimuna.**— MOJARSE, **Jucuna.**— MOJARSE ENTRE DOS O MAS, **Jucunacuna.**— MOJARME O MOJARTE, **Jucuchihuana.**

MOJON, n. **Alipa unanchi.**

MOLEDERO, a, adj. **Cutaypag; Cutaripag.**

MOLEDOR, a, adj. **Cutag.**

MOLEDURA, n. **Cutay**

MOLENDERO, a, adj. Lo mismo que MOLEDOR.

MOLER, v. a. **Cutana.**— IR A MOLER, **Cutagrina.**— ESTAR MOLIENDO, **Cutacuna.**— VENIR DESPUES DE MOLER, **Cutamuna.**— HACER MOLER, **Cutachina.**— MOLERSE, **Cutarina.**— AUDAR A MOLER, **Cutanacuna.**— MOLER CONSTANTEMENTE, **Cutarana.**

MOLESTADO, a, p. p. **Piñachishca; Piñashca.**

MOLESTAR, v. a. **Piñachina.** Véase EMBRAVECER

MOLESTO, a, adj. **Piñachig.**

MOLIDO, a, p. p. **Cutashca.**

MOLIENDA, n. **Cutay.**

MOLINERO, a, adj. **Cutachig.**

MOLINO, n. **Cutagrumicuna.**

MOLLERA, n. **Puguyu**, desus.

MOMENTANEO, a, adj. **Utca tucuriglla.**

MOMIA, n. **Ama ismuchun, jambishpa huacaychishca aya.**

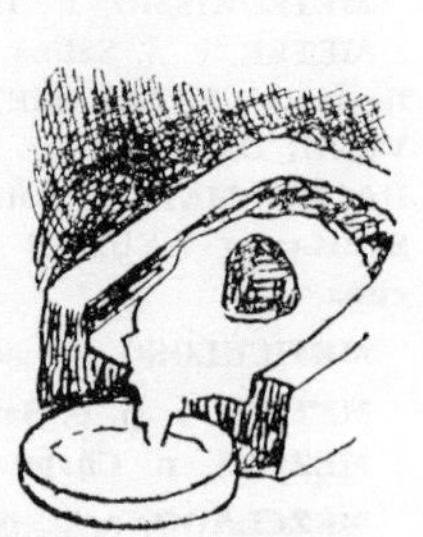

Cutashca

MONA, n. **Huarmimachi.** Mona, en la acepción de EMBRIAGUEZ, **Jatun machay.**

MONARCA, n. **Inga.**

MONDADO, a, (tratándose de legumbres), p. p. **Tipcashca.**

MONDAR (legumbres), v. a. **Tipcana.**— IR A MONDAR, **Tipcagrina.** Véase DES-

CASCARAR. También suele decirse **Tigpana.**

MONDONGO, n. **Chunzhullicuna.**

MONEDA, n. **Cullqui.**

MONEDERO, adj. **Cullquirurrag.**

MONO, n. **Machi; Cushillu,** desus.

MONTADO, a, p. p. **Sicashca.**

MONTADOR, a, adj. **Sicag.**

MONTADURA, n. **Sicay.**

MONTANO, a, adj. **Urcupi tiag.**

MONTAÑA, n. **Urcu; Sacha.**

MONTAÑES, a, adj. **Urcupi causag.**

MONTAÑOSO, a, adj. **Sachajunda; Sachasacha; Sachalla.**

MONTAR, v. n. **Sicana.**— IR A MONTAR, **Sicagrina.**— ESTAR MONTANDO, **Sicacuna.**— VENIR MONTANDO, **Sicamuna.**— HACER MONTAR, **Sicachina.**— MONTAR ENTRE DOS O MAS, **Sicanacuna.**— MONTAR CON MUCHA FRECUENCIA O ESTAR MONTADO POR LARGO TIEMPO, **Sicarana.**

MONTARAZ, adj. **Urcupi causag; Quita.**

MONTE, n. **Urcu; Sacha.**

MONTEAR, v. a. **Sachapi imallata mashcash purina.**

MONTERA, n. **Umaquirpana tulu.**

MONTES, adj. **Urcupi shayag; Urcupi pucug.**

MONTICULO, n. **Uchilla urcu.**

MONTON (especialmente de piedras), n. **Shundur.**

MONTUOSO, a, adj. **Sachajunda.**

MOQUETE, n. **Maquicurpa.**

MOQUETEAR, v. a. **Maquicurpahuan huagtana.**

MORADO, a, adj. **Sañiashca; Sañi.**

Sachajunda

MORADOR, a, adj. **Maypi causag.**

MORAR, v. n. **Maypi causana.**

MORATORIA, n. **Shuyay**

MORBIDO, a, adj. **Samba; Nutulla.**

MORBO, n. **Unguy.**

MORBOSO, a, adj. **May unguchig.**

MORDAZ, adj. **Ancha caminata yachag.**

MORDEDOR, a, adj. **Canig.**

MORDEDURA, n. **Canishca.**

MORDER, v. a. **Canina.**— IR A MORDER, **Canigrina.**— ESTAR MORDIENDO, **Canicuna.**— VENIR MORDIENDO O DESPUES DE MORDER, **Canimuna.**— HACER MORDER, **Canichina.**— MORDERSE, **Canirina**— MORDERSE RECIPROCAMENTE, **Caninacuna.**— MORDERME O MORDERTE, **Canihuana.**— MORDER INCESANTEMENTE, **Canirana.**

MORDICANTE, adj. **Jayag.**

MORDICAR, v. a. **Jayana.** Véase PICAR.

MORDIDO, a, p. p. **Canishca.**

MORDISCO, n. **Canishca; Cani.**

MORENO, a, adj. **Yanalla; Uqui.**

MORIBUNDO, a, adj. **Huañucug.**

MORIR, v. n. **Huañuna.**— IR A MORIR, **Huañugrina.**— ESTAR MURIENDO, **Huañucuna.**— VENIR EL CADAVER DEL MUERTO, **Huañumuna.**— HACER MORIR, **Huañuchina.**

MOROCHO, a, adj. **Sinchi.**— MAIZ MOROCHO, **Muruchu sara.** Tratándose de persona fuerte o robusta, se dice también **Muruchu,** sobre todo si es de alguna edad. Esta palabra quichua ha pasado ya, como otras varias, al Diccionario de la Academia Española.

MOROSIDAD, n. **Unayay.**

MOROSO, a, adj. **Unayag.**

MORTAJA, n. **Ayamaytuna; Ayamaytu.**

MORTAL, adj. **Huañuglla; Huañunalla.**

MORTANDAD, n. **Jatun huañuy.**

MORTECINO, a, adj. **Huañucug.** Res mortecina, **Payllatag huañushca.**

MORTIFERO, a, adj. **Huañuyta cug; Huañuchiglla.**

MORTIFICADO, a, p. p. **Piñashca.**

MORTIFICADOR, a, adj. **Piñachig.**

MORTIFICAR, v. a. **Piñachina.**

MOSCA, n. **Chuspi.**

MOSCARDON, n. **Jatun chuspi.**

MOSCO, n. Lo mismo que MOSCA.

MOSQUEADO, a, adj. **Chuspishca.**

MOSQUEADOR, a, adj. **Chuspicarcug.**

MOSQUEAR, v. a. **Chuspita manchachina.**

MOSQUITO, n. **Ñutuchuspi.**

MOSQUIL, adj. **Chuspipag.**

MOSTRADO, a, p. p. **Ricuchishca.**

MOSTRADOR, a, adj. **Ricuchig.**

MOSTRAR, v. a. **Ricuchina.**— IR A MOSTRAR, **Ricuchigrina.**— ESTAR MOSTRANDO, **Ricuchicuna.**— VENIR MOSTRANDO O DESPUES DE HABER MOSTRADO, **Ricuchimuna.**— MOSTRARSE, **Ricuchirina** o **Ricurina.**— MOSTRARME O MOSTRARTE, **Ricuchihuana.**— MOSTRAR ENTRE VARIOS O MOSTRARSE MUTUAMENTE **Ricuchinacuna.**— MOSTRAR CON INSISTENCIA, **Ricuchirina.**

MOSTRENCO, a, adj. **Jichushca; Tarinalla.**

MOTE (maíz cocido), n. **Muti.** El castellano ha adoptado del quichua esta palabra.

MOTEJADO, a, p. p. **Camishca.**

MOTEJADOR, a, adj. **Camig.**

MOTEJAR, v. a. **Camina.** Véase INSULTAR.

MOTOR, a, adj. **Cuyuchig.**

MOVEDIZO, a, adj. **Cuyuglla.**

MOVEDOR, a, adj. Lo mismo que MOTOR.

MOVER, v. a. **Cuyuchina.**— IR A MOVER, **Cuyuchigrina.**— ESTAR MOVIENDO, **Cuyuchicuna.**— VENIR MOVIENDO O DESPUES DE HABER MOVIDO, **Cuyuchimuna.**— MOVERSE, **Cuyurina; Cuyuna.**— AUDAR A MOVER, **Cuyuchinacuna.**— MOVER A CADA MOMENTO, **Cuyuchirana.**

MOVIBLE, adj. **Cuyuglla.**

MOVIDO, a, p. p. **Cuyushca.**

MOVIENTE, adj. **Cuyuchig.**

MOVIL, adj. **Cuyuglla.**

MOVIMIENTO, n. **Cuyuy.**

MOZA, n. **Huambra; China.** En la acepción de CONCUBINA, **Shipas.**

MOZALBETE, n. **Lungu.**

MOZO, n. **Carihuambra; Huambrara.**

MUCHACHO, a, adj. **Carihuambra; Huarmihuambra.**

MUCHACHUELO, a, adj. **Uchilla huambra.**

MUCHEDUMBRE, n. **Jatun tanday; Tandanacuy.**

MUCHO, a, adj. **Achca; Ancha.**

MUCHO, adv. **Ancha; May; Yupay.**

MUDA (de vestido), n. **Mushugyay.**

MUDABLE, adj. **Chicanyaglla; Tucuriglla**

MUDANZA, n. **Chicanyana.**

MUDAR, v. a. **Chicanyachina.** MUDAR DE VESTIDO, **Mushugyana.**

MUDO, a, adj. **Amu,** desus.

MUELA, n. **Cuchuquiru.**

MUELLE, adj. **Samba; Ñutulla.**

MUERMO, n. **Chulli.**

MUERTE, n. **Huañuy.**

Huañuy

MUERTO, a, adj. **Ñuañushca; Huañug; Aya.**

MUGRE, n. **Mapa; Huisiay; Tara.**

Mugriento, a, adj. **Mapa; Huisiacug; Tarayashca**

MUJER, n. **Huarmi.**

MUJERIEGO, adj. **Huarmimunag.**

MUJERIL, adj. **Huamipag.**

MULADAR, n. **Huanshitana.**

MULETA, n. **Tauna.**

MULTIFLORO, a, adj. **Ancha sisag.**

MULTIPLICABLE, adj. **Mirachipag.**

MULTIPLICACION, n. **Mirachina; Miray.**

MULTIPLICADO, a, p. p. **Mirachishca.**

MULTIPLICADOR, a, adj. **Mirachig.**

MULTIPLICAR, v. a. **Mirachina.** Véase AUMENTAR.

MULTITUD, n. Véase MUCHEDUMBRE.

MULLIDO, a, p. p. **Sambayachishca; Ñutuchishca.**

MULLIR, v. a. **Sambayachina; Ñutuchina.**

Mashu

MUNDO, n. **Caypacha.**

MURALLA, n. **Pirca.**

MURADO, a, p. p. **Pircashca.**

MURAR, v. a. **Muyundita pircana.**

MURCIELAGO, n. **Mashu; Tutapishcu.**

MURMURACION, n. **Cami.**

MURMURADOR, a, adj. **Camig.**

MURMURAR, v. a. **Camina.** Véase INSULTAR.

MURO, n. **Pirca.** Si es de maderos delgados, **Quinzha.**

MURRIA, n. **Piñay; Quillañacuy.**

MUSCULO, n. **Cuy.**

MUSICA, n. **Taqui,** desus.

MUSICO, a, adj. **Taquig,** desus.

MUSLO, n. **Mamachanga.**

MUSTIO, a, adj. **Piña; Puscushca.** Tratándose de vegetales, **Huañurishca.**

MUTACION, n. **Chicanyana.**

MUTILADO, a, p. p. **Mutushca; Mutu.** Parecen derivaciones de la palabra castellana.

MUTILAR, v. a. **Cuchuna; Mutuyachina.**

MUY, adv. Véase MUCHO.

NACER, v. n. **Huiñana.**- IR A NACER, **Huiñagrina.**— ESTAR NACIENDO, **Huiñacuna.**- EMPEZAR A NACER, **Huiñamuna.**— HACER QUE ALGO NAZCA, **Huiñachina.**

NACIDO, a, p. p. **Huiñashca.**

NACIENTE, adj **Huiñag; Huiñacug.**

NACIMIENTO, n. **Huiñay.**

NACION, n. **Llagta.**

NACHO, a, adj. **Ñatu; Ñato.** Es de presumir que estas voces se deriven de la castellana.

NADA, n. **Nanaima.**

NADADERO, n. **Huambuna.**

NADADOR, a, adj. **Huambug.**

NADADURA, n. **Huambuy.**

NADANTE, adj. **Huambug.**

NADAR, v. n. **Huambuna.**— IR A NADAR, **Huambugrina.**— ESTAR NADANDO, **Huambucuna.**— VENIR NADANDO O DESPUES DE HABER NADADO, **Huambumuna.**— HACER NADAR, **Huambuchina.**— ESTAR NADANDO POR LARGO TIEMPO, **Huamburana.**

NADIE, n. **Manapi.**

NADO, n. **Huambuy.**

NAGUAS, n. **Ucuchurana; Ucunchi.**

NALGA, n. **Siqui; Siquipata.**

NALGADA, n. **Siquihuan huagtay.**

NALGUDO, a, adj. **Siquisapa; Quipisiqui..**

NALGUEAR, v. a. **Siquita huayrachish purina.**

NAO, n. **Jatun huambu.**

NARCOTICO, a, adj. **Puñuchig jambi; Muspachig**

NARCOTISMO, n. **Jambihuan puñuna.**

NARIGON, a, adj. **Singasapa.**

NARIGUDO, a, adj. Lo mismo que NARIGON.

NARIZ, n. **Singa.** INTRODUCIR ALGO EN LA NARIZ, como rapé o cosa semejante, **Singallina.**

NARRABLE, adj. **Huillaripag.**

NARRACION, n. **Huillay.**

NARRADO, a, p. p. **Huillashca.**

NARRADOR, a, adj. **Huillag.**

NARRAR, v. a. **Huillana.** Véase AVISAR.

NASAL, adj. **Singahuan rimashca.**

NATACION, n. **Huambuy.**

NATIVO, a, adj. **Chay llagtapi huiñashca.**

NAUSEA, n. **Millanayay; Shugutigranayay.**

NAUSEABUNDO, a, adj. **Millanayachig; Shuguta tigrachishanig.**

NAUSEAR, v. n. **Shunguta tigrachishanina.**

NAUSESOSO, a, adj. Lo mismo que NAUSEABUNDO.

NAVE, n. **Jatun huambu.**

NAVEGACION, n. **Huambucunapi maymanrina.**

NAVEGAR, v. n. **Yacupi huambushpa purina.**

NAVIO, n. Lo mismo que NAVE.

NEBLINA, n. **Izhi.**

NEBULOSO, a, adj. **Puyujunda.**

NECEDAD, n. **Muspay.**

NECIO, a, adj. **Muspag.**

NEGABLE, adj. **Mana arinipag.**

NEGACION, n. **Mana arinina.**

NEGADO, a, p. p. **Mana nishca.**

Izhi

NEGAR, v. a. **Mana arinina; Mana nina; Mana cuna; Misana; Manarigsig tucuna.**

NEGLIGENCIA, n. **Quilla.**

NEGLIGENTE, adj. **Quilla; Paypaylla.**

NEGOCIANTE, adj. **Randishpa, catushca purig.**

NEGOCIAR, v. a. **Randishpa, catushpa purina.**

NEGOCIO, n. **Randina, catuna.**

NEGREAR, v. n. **Yanayana.**— IR A NEGREAR, **Yanayagrina.**— ESTAR NEGREANDO, **Yanayacuna.**— EMPEZAR A NEGREAR O VENIR NEGREANDO, **Yanayamuna.**— HACER NEGREAR, **Yanayachina.**

NEGRO, a, adj. **Yana.**

NEGRURA, n. **Yanayay.**

NEGRUZCO, adj. **Yanalla; Uqui.**

NENE, n. **Chuchucug huahua.**

NERVIO, n. **Angu.**

NESCIENCIA, n. **Mana yachana.**

NESCIENTE, adj. **Manayachag.**

NEVADA, n. **Rasu.**

NEVADO, a, adj. **Rasujunda; Rasushca.**

NEVADO, a, (de color blanco puro), adj. **Rasuchina yurag.**

NEVAR, v. imp. **Rasuna.**— IR A NEVAR, **Rasugrina.** — ESTAR NEVANDO, **Rasucuna.**— EMPEZAR LA NEVADA, **Rasumuna.**— HACER NEVAR, **Rasuchina.**

Rasuna

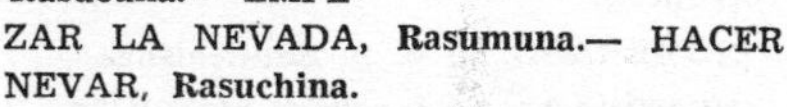

NEVASCA, n. Lo mismo que NEVADA.

NEVERA, n. **Rasucaja.**

NEVERIA, n. **Rasucatuna.**

NEVERO, a, adj. **Rasucatug.**

NEVOSO, a, adj. **May rasuyug.**

NI, adv. **Amapish; Amatag;** vga. "Ni lo pienses": "Amapish chayta yuyaychu". También se traduce por **Pish**, posponiendo esta partícula al verbo y agregando la complementaria **Chu**, vga. "Ni ha de venir otra vez": "Mana cutin shamungapishchu".

NIDIFICAR, v. a. **Cuzhana.**— IR A NIDIFICAR, **Cuzhagrina.**— ESTAR NIDIFICANDO, **Cuzhacuna.**— EMPEZAR LA NIDIFICACION, **Cuzhamuna; Cuzhay callarina.**— HACER NIDIFICAR, **Cuzhachina.**— NIDIFICAR CON MUCHA FRECUENCIA, **Cuzharana.**

NIDO, n. **Cuzha.**

NIEBLA, n. **Puyu.**

NIEVE, n. **Rasu.**

NIGUA, n. **Chaquipiqui; Piqui.** Nigua, QUE HA ENTRADO RECIENTEMENTE O QUE NO ENTRA AUN, **Iñu.**

NIMIO, adj. **Ancha.**

NINFA (de insecto), n. **Marucha.**

NINGUN, a, adj. **Manapi; Manaima.** DE NINGUN MODO, **Manatag.**

NIÑA (del ojo), n. **Pishiu,** desus.

NIÑADA, n. **Huambrapàg rurrashcaman rigchag.**

NIÑO, a, n. **May huambra; Huahua.**

NO, adv. **Mana.** NO MISMO, **Manatag.**

¿NO ES ASI?, **¿Manachu?**. NO TODAVIA, **Manarag**. NO, POR CIERTO!, **Manaca!** DE NO, DONDE NO, **Manacashpaca**. PARA QUE NO, **Ama**. ¿POR QUE NO?, **¿Imashinamana?** NO SEA QUE!, **Pagta!**, **Pagtar!**, **Pagtapish!**

NOBLE, adj. **Huiracucha; Chuya.**

NOCTURNO, a, adj. **Tutapi llugshig; Tutapi tiag.**

NOCHE, n. **Tuta.** EN ALTA NOCHE o TARDE DE LA NOCHE, **Tutapacha.**

NODRIZA, n. **Nuñu.**

NOGAL (americano), n. **Tugti; Togte**, por corrupción

NOMBRADO, a, p. p. **Shutichishca.**

NOMBRAR, v. a. **Shutichina.**— IR A NOMBRAR, **Shutichigrina.**— ESTAR NOMBRANDO, **Shutichicuna.**— VENIR NOMBRANDO O DESPUES DE NOMBRAR, **Shutichimuna.**

NOMBRE, n. **Shuti.**

NONAGENARIO, a, adj. **Iscunchunga huatayug.**

NONATO, a, adj. **Mana huiñashca; Huañug mamapag huigsamanta surcushca.**

NONO, a, adj. **Iscunniqui**, desus.

NO OBSTANTE, frase conj. **Chasnapish; Nishpapish**

NOQUE, n. **Yacu churana pugru**

NOS, dat. y acus. plur. de YO. Cuando viene como dativo, se traduce por **Ñucanchiman**; cuando como acusativo, por **Ñucanchita**; vga. "Danos dinero, ya que nos quieres": "Cullquita nacanchiman, ñucanchita cuyashpaca".

NOSOTROS, as, pron. plur. **Ñucanchi.**

NOTICIA, n. **Huillay.**

NOTICIAR, v. a. **Imatiagta huillana.**

NOTICIOSO, a, adj. **Imatiagta huillash purig.**

NOTIFICAR, v. a. **Apucunapa camashcata** yachachina.

NOTORIO, a, adj. **Tucuypa yachashca.**

NOVECIENTOS, as, adj. num. **Iscunpasag.**

NOVENO, a, adj. Lo mismo que NONO.

NOVENTA, adj. **Iscunchunga.**

NOVIA, n. **Huarmicana.**

NOVICIO, a, adj. **Mushug.**

NOVILUNIO, n. **Mushug quilla.**

NOVIO, n. **Cusacana.**

NOVISIMO, a, adj. **Tucuytayalli mushug.**

NUBARRON, n. **Jatun puyu.**

NUBE, n. **Puyu.**

NUBIL, adj. **Cazaraypag; Cazaranapagta.**

NUBLADO, a, p. p. **Puyujunda.**

NUBLARSE, v. r. **Puyu jundarina.**

NUBLOSO, a, adj. Lo mismo que NUBLADO.

NUCA, n. **Umahuasha.**

NUDO, n. **Huatay; Quipu.**

NUDOSO, a, adj. **Mucusapa; Sutusutu.**

NUESTRO, a, adj. **Ñucanchipa.**

NUEVE, adj. **Iscun.**

NUEVO, a, adj. **Mushug.**

NUEZ, n. **Tugtimuru.** Si es de otro árbol distinto del nogal, **Muru.**

NUMERABLE, adj. **Yupaypag.**

NUMERACION, n. **Yupay.**

NUMERADOR, a, adj. **Yupag.**

NUMERAR, v. a. **Yupana.** Véase CONTAR.

NUMERARIO, n. **Cullqui.**

NUMEROSO, a, adj. **Ancha; May.**

NUNCA, adv. **Manajaycapi.**

NUTRIMENTO, n. Véase ALIMENTO.

NUTRIR, v. a.**Carana.** Véase ALIMENTAR.

OÑO, a, adj. Upa; Muspag.

ÑUDO, n. Lo mismo que NUDO.

ÑUDOSO, a, adj. Lo mismo que NUDOSO.

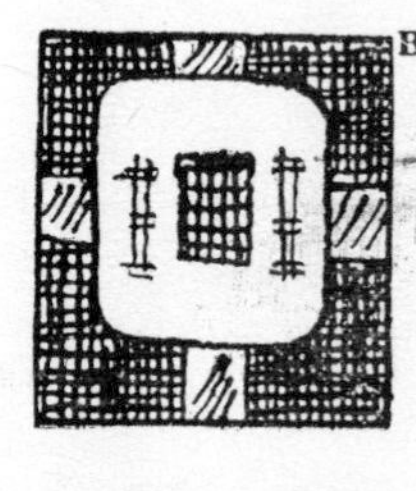

(O)BEDECER, v. a. **Maycan acupa yayapa camashcata rurrana.**

OBEDIENCIA, n. **camashcata rurrana.**

OBEDIENTE, adj. **Camashcata rurrag.**

OBESIDAD, n. **Ancha racu, ancha huira cana.**

OBESO, a, adj. **Yalli racu; Anchahuira; Baturucu.**

OBITO, n. **Huañuy.**

OBRA, n. **Imalla rurray.**

OBRADOR, a, adj. **Ymallata rurrag**

OBRANTE, adj. Lo mismo que OBRADOR

OBRAR, v. a. **Imallata rurrana.** Véase HACER.

OBRAR (por defecar), v. n. **Ismana.**

OBRERO, a, adj. **Cullquimanta, imallata shugman rurrashca cug.**

OBSCENIDAD, n. **Mapa rimay; Zagra jucha.**

OBSCENO, a, adj. **Mapashimi; Zagra juchata rurrag.**

OBSCURECER, v. a. **Purayachina.**— IR A OBSCURECER, **Purayachigrina.** — ESTAR OBSCURECIENDO, **Purayachicuna.**— OBSCURECERSE, **Purayana.**

Purayachina

OBSCURECIDO, a, p. p. **Purayachishca; Purayashca.**

OBSCURIDAD, n. **Pura cana.**

OBSCURO, a, adj. **Pura.**

OBSEQUIAR, v. a. **Camarina. Véase** REGALAR.

OBSEQUIO, n. **Camari.**

OBSEQUIOSO, a, adj. Véase DADIVOSO.

OBSTANTE, adj. Véase NO OBSTANTE.

OBSTAR, v. a. **Jarcana.** Véase ATAJAR.

OBSTRUIR, v. a. **Jarcana.**

OCA, n. **Uca.** De esta misma voz ha provenido la castellana.

OCASION, n. **Cuti.**

OCASO, n. **Inti huañuna; Inti chingana.**

OCCIDENTE, n. Lo mismo que OCASO.

OCCISO, a, adj. **Huañuchishca.**

OCEANO, n. **Mamacucha.**

OCIO, n. **Quilla.**

OCIOSIDAD, n. **Quilla cana.**

OCIOSO, a, adj. **Quilla; Mana imata rurrag; Yangamicug.**

OCTAVO, a, adj. **Pusagniqui**, desus.

OCTAVO (de real), n. **Shug randi; Shug tanda.**

OCTINGENTESIMO, a, adj. **Pusagpasagniqui**, desus.

OCTOGENARIO, a, adj. **Pusagpasag huatayug.**

OCTOGESIMO, a, adj. **Pusagchunganiqui**, desus

OCTUPLE, adj. **Pusagchishca.**

OCULAR, adj. **Ñahuipag; Quiquinñahuihuan ricushca.**

OCULTACION, n. **Pacay.**

OCULTADO, a, p. p. **Pacashca.**

OCULTAMENTE, adv. **Pacalla.**

OCULTAR, v. a. **Pacana.**

OCULTO, a, adj. **Pacashca; Pacalla.**

OCUPACION, n. **Imalla rurray.**

OCUPADO, a, p. p. **Imallata rurracug;** Utensilio ocupado con alguna cosa, **Imallahuan tiacug.**

OCUPAR, v. a. **Imallata maycanhuan rurrachina; Imallata, rurrangapa, charicuna.**

OCUPARSE, v. a. **Imata rurracuna.**

OCHENTA, adj. **Pusagchunga.**

OCHENTON, a, adj. **Pusagchunga huatayug.**

OCHO, adj. **Pusag.**

OCHOCIENTOS, as, adj. **Pusagpasag.**

ODIADO, a, p. p. **Millashca; Chignishca.**

ODIAR, v. a. **Millana.**— IR A ODIAR, **Millagrina.**— ESTAR ODIANDO, **Millacuna.**— EMPEZAR A ODIAR, **Millamuna.**— HACER ODIAR, **Millachina.**— ODIARSE A SI PROPIO, **Millarina.**— ODIARSE PROFUNDAMENTE, **Millarana.** Las misformas admite **Chignina.**

ODIO, n. **Millay; Chigni.**

ODIOSIDAD, n. Lo mismo que ODIO.

ODIOSO, a, adj. **Millaypag.**

ODONTALGIA, n. **Quiru nanay.**

ODORIFERO, a, adj. **Mishquimutquig.**

OESTE, n. Lo mismo que OCASO.

OFICINA, n. **Imallata rurrana usu.**

OFICIO, n. **Imalla yachacushca rurray.**

OFUSCAR, v. a. **Imallata, ama yacharina, purayachina.**

OGAÑO, adv. **Cunanhuata.**

OIDO, n. **Uyay.**

OIDO, a, p. p. **Uyashca** DE OIDAS, **Uyashpalla; Uyashcalla.**

OIDOR, a, adj. **Uyag.**

Uyana

OIR, v. a. **Uyana.**— IR A OIR, **Uyagrina.**- ESTAR OYENDO, **Uyacuna.**— VENIR OYENDO O DESPUES DE OIR, **Uyamuna.**— HACER OIR, **Uyachina.** — OIRSE ALGO, **Uyarina.**— OIR ENTRE DOS O MAS, **Uyanacuna.**— OIRME U OIRTE **Uyahuana.**

OJALA, interj. **Icha.**

OJEADA, n. **Ricuy; Ricuray; Chapay.**

OJEADOR, a, adj. **Ricug; Ricurag; Chapag.**

OJEO, n. Lo mismo que OJEADA.

OJERIZA, n. **Millay; Chigni.**

OJETE, n. **Siquijutcu.**

OJIALEGRA, adj. **Cushiñahui.**

OJINEGRO, a, adj. **Yanañahui.**

OJO, n. **Ñahuimuru; Ñahuirurru; Ñahui.**

OJOTA, n. **Ushuta.** Corrompida esta palabra, ha pasado al castellano.

OJUELO, n. **Uchilla ñahuirurru.**

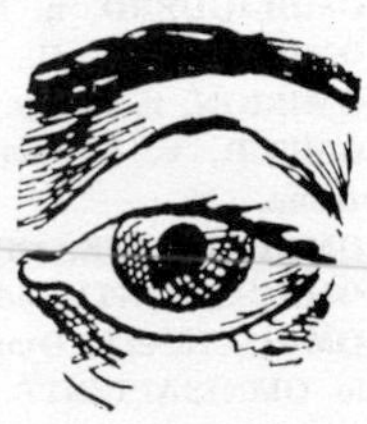

Ñahui

OLA!, interj. **Uyay!; Uyanguichu!; Achu**

OLEDOR, a, adj. **Mutquig.**

OLER, v. a. **Mutquina.**— IR A OLER, **Mutquigrina.**— ESTAR OLIENDO, **Mutquicuna.**— VENIR OLIENDO O DESPUES DE HABER OLIDO, **Mutquimuna.**— HACER OLER, **Mutquichina.**— OLER ENTRE VARIOS, **Mutquinacuna.**

Mutquina

OLER, v. n. **Mutquina.**

OLFATEAR, v. a. **Mutquirana.**

OLFATO, n. **Mutqui.**

OLISCAR (empezar a heder), v. n. **Asnay callarina.**

OLOR, n. **Mutqui.**

OLOR, n. **Mutqui.** MAL OLOR, **Asnay.**

OLOROSO, a, adj. **May mutquig.**

OLVIDADIZA, a, adj. **Cungaglla.**

OLVIDADO, a, p. p. **Cungashca.**

OLVIDAR, v. a. **Cungana.**— IR A OLVIDAR, **Cungagrina.**— ESTAR OLVIDANDO, **Cungacuna**— EMPEZAR A OLVIDAR, **Cungamuna.**— HACER OLVIDAR, **Cungachina.** — OLVIDARSE, **Cungarina.**— OLVIDARSE UNOS A OTROS, **Cunganacuna.**— OLVIDARME U OLVIDARTE, **Cungahuana.**

OLVIDO, n. **Cungay.**

OLLA, n. **Manga.**

OLLERIA, n. **Manga rurrana huasi; Manga catuna ucu.**

OLLERO, a, adj. **Mangarurrag; Mangacatug.**

OLLETA, n. **Uchilla, shilaman rigchag manga.**

OMBLIGO, n. **Pupu.**

OMBLIGUERO, n. **Pupuhuatana.**

OMINOSO, a, adj. **Chiqui.**

OMISION, n. **Cungay.**

OMITIR, v. a. **Imallata cungana; Mana rurrana.**

OMNIPOTENTE, adj. **Tucuyta rurrag.**

OMNISAPIENTE, adj. **Tucuyta yachag.**

OMNISCIENTE, Omniscio, adj. Lo mismo que OMNISAPIENTE.

OMOPLATO, n. **Pilischaca.**

ONCE, adj. num. **Chungashug.**

ONCENO, a, adj. **Chungashugniqui,** desus.

OPACAMENTE, adv. **Puralla.**

OPACIDAD, n. **Pura cana.**

OPACO, a, adj. **Pura.**

OPERACION, n. **Imalla rurray.**

OPERAR, v. a. **Imallata rurrana.** Véase HACER.

OPERARIO, a, adj. **Rurrag.**

OPINION, n. **Yuyay; Rigchay**

OPONERSE, v. r. **Imallata jarcashca nina.**

OPOSICION, n. **Jarcay.** Oposición de la luna, **Quillajunday.**

OPOSITOR, a, adj. **Jarcag.**

OPRESION, n. **Ñiti.**

OPRENSIVO, a, adj. **Ñitig.**

OPRESO, a, p. p. **Ñitishca.**

OPRESOR, a, adj. **Ñitig.**

OPRIMIDO, a, p. p. **Ñitishca**

OPRIMIR, v. a. **Ñitina.**— IR A OPRIMIR, **Ñitigrina.** — ESTAR OPRIMIENDO, **Ñiticuna.**— VENIR OPRIMIENDO, **Ñitichina.**— OPRIMIRSE, **Ñitirina.** — OPRIMIRME U OPRIMIRTE, **Ñitihuana.**— AYUDAR A OPRIMIR, **Ñitinacuna.** — OPRIMIR CONSTANTEMENTE, **Ñitirana.**

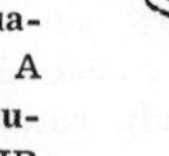
Ñitina

OPTIMAMENTE, adv. **May alli; Sumaymana.**

OPTIMO, a, adj. **Yupay alli.**

OPULENCIA, n. **May chayug cana.**

OPULENTO, a, adj. **Yupay chayug.**

ORACION, n. **Apunchiman mañarina**

ORATE, n. **Muspag; Utig,** ant.

ORBE, n. **Cay pacha.**

ORDENAR, v. a. **Imallata allichish churana.** Ordenar, en la acepción de MANDAR, **Camana.**

ORDEÑAR, v. a. **Capina.** Véase EXPRIMIR.

ORDINARIO, a, (de poca importancia), adj. **Chasnachasnalla.**

OREJA, n. **Ringri; Rinri.**

OREJON, a, adj. **Ringrisapa; Pagllarringri.**

OREJUDO, a, adj. Lo mismo que OREJON.

ORFANDAD, n. **Yayahuagcha, mamahuagcha cana.**

ORGIA, n. **Jatun machay; Jatun sagsay.**

ORIENTE, n. **Inti llugshina.**

ORIFICIO, n. **Jutcu.** Orificio humano o de animal, **Siquijutcu.**

ORILLA (de río o arroyo), n. **Yucupata.**

ORILLAR (poner a un lado alguna cosa), v. a. **Manyaman churana; Manyachina.**

ORIN, n. **Muca,** desus.

ORINA, n. **Ishpa**

ORINAL, n. **Ishpana.**

ORINAR, v. n. **Ishpana.** Véase MEAR.

ORIUNDO, a, adj. **Maycan llagtapi huiñashca.**

ORO, n. **Curi.**

ORTIGA, n. **Chini.**

ORTIGAR, v. a. **Chinina.**— IR A ORTIGAR, **Chinigrina.**— ESTAR ORTIGANDO, **Chinicuna.**— VENIR ORTIGANDO O DESPUES DE HABER ORTIGADO, **Chinimuna.**— HACER QUE OTRO SE ORTIGUE, **Chinichina.**— ORTIGARSE, **Chinirina**— AYUDAR A ORTIGAR, **Chininacuna.**— ORTIGARME U ORTIGARTE, **Chinihuana.**

ORTO, n. Véase ORIENTE.

OS, dat. y acus. plur. de TU. **Cansunaman,** cuando es dativo; **Cancunata,** cuando acusativo; vga. "He de daros de comer, si acaso os llamo": "Cancunaman carashami, cancunata cayashpaca".

OSA, n. **Huarmi uturungu.**

OSAR, v. n. **Churanacuna.**

OSCURAMENTE, adv. **Puralla.**

OSCURECER, v. n. Véase OBSCURECER.

OSCURECIDO, a, p. p. Véase OBSCURECIDO.

OSCURIDAD, n. Véase OBSCURIDAD.

OSCURO, a, adj. Lo mismo que OBSCURO.

OSEO, a, adj. **Tullumanta rurrashca; Tulluman rigchag.**

OSO, n. **Uturungu; Ucumari,** desus.

OSTENSIBLE, adj. **Ricuchipag.**

OSTENTACION, n. **Munachingapag ricuchina.**

OSTENTADO, a, p. p. **Munachuncunalla ricuchishca.**

OSTENTAR, v. a. **Munachingapa ricuchina.**

OTORGADO, a, p. p. **Arinishca; Cushca.**

OTORGAR, v. a. **Arinina; Imallata cuna.**

OTRO, a, adj. **Shug; Chican.**

OVILLADO, a, p. p. **Cururushca.**

OVILLAR, v. a. **Chururuna.**— IR A OVILLAR, **Chururugrina.**— ESTAR OVILLANDO, **Chururucuna.**— VENIR OVILLANDO O DESPUES DE HABER OVILLADO, **Chururumuna.**— HACER OVILLAR, **Chururuchina.**— OVILLARSE UNA COSA, **Chururrina.**— AYUDAR A OVILLAR, **Chururunacuna.**

OVIPARO, a, adj. **Rurruta huachag; Rurruta churag.**

OXIDACION, n. **Mucarina,** ant.

OXIDARSE, v. r. **Mucarina,** ant.

OXIDO, n. **Muca,** desus.

OYENTE, adj. **Uyag**

ACER, v. n. Quihuata micushpa purina; Michirina.

PACIENTE (enfermo), adj. **Ungug.**

PACIFICO, a, adj. **Mana piñarig; Casilla causag.**

PACHORRA, n. **Quilla cana; May unayana.**

PADECER, v. n. **Ñacarina; Ima llaquipi tiana.**

PADRASTRO, n. **Layaya.**

PADRE, n. **Tayta; Yaya.** Padre y madre juntos, **Yayamama.**

PAGANO, a, adj. **Auca.**

PAYCO, n. **Paycu.** El mismo vocablo quichua ha pasado al castellano, sin más cambio que el de una letra.

PAIS, n. **Llacta.**

PAISANO, a, adj. **Chay llagtallapita huiñashca.**

PAJA, n. **Ugsha.**

PAJAREAR, v. a. **Pishcucunata manchachina.**

PAJAREAR, v. n. **Imallapipish mancharina.**

PAJARERA, n. **Pishcuhuichcana.**

PAJARERO, a, adj. **Pishcucama.** En la acepción de ASUSTADIZO, **Imapipish manchariglla.**

PAJARILLO, n. **Uchilla pishcu; Llullu pishcu.**

PAJARO, n. **Pishcu.**

PAJADIZO, a, adj. **Ugshaman rigchag; Ugshahuan catashca huasi.**

PAJOSO, a, adj. **Ugshasapa.**

PALABRA, n. **Rimay; Shimi.**

PALABRERO, a, adj. **Yallirimag; Camchashimi.**

PALACIO, n. **Capaghuasi,** ant.

PALADEAR, v. a. **Mallina; Mishquillina.**

PALADEO, n. **Malli.**

PALIAR, v. a. **Pascana; Pacagtucuna.**

PALIDO, a, adj. **Quilluyashca.**

PALIZA, n. **Caspihuan jatun huagtay.**

PALMA (la de la mano), n. **Maquipamba.**

PALMA (algunas especies de este vegetal), n. **Chunta.**

PALMETA, n. **Maquihuagtana.**

PALMETEAR, v. a. **Maquita palmeta caspihuan huagtana.**

PALMOTEO, n. **Maquicunata cushishpa huagtarina.**

PALO, n. **Caspi; Quiru.**

PALPABLE, adj. **Japipaglla; Llapipag**, desus.

PALPAR, v. a. **Japina; Llapina**, desus.

PALUDOSO, a, adj. **Guzusapa; Guzuguzu.**

PALUSTRE, adj. **Cuchacunapi tiag.**

PAMPA, n. **Pamba.** Ha pasado del quichua al castellano, en la primitiva forma de **PAMPA.**

PAN, n. **Tanda.** Cosa que constituye el pan cuando no lo hay, como el maíz cocido, la harina de cebada, etc. **Guzha.**

PANADERIA, n. **Tandarrurrana, tandacatuna ucu.**

PANADERO, a, adj. **Tandarrurrag; Tandacatug.**

PANAL (de abejas silvestres), n. **Mishquipuru.**

PANECILLO, n. **Uchilla tanda.** Panecillo (montículo del sur de la ciudad de Quito), n. **YAVIRA.**

PANELA (de azúcar morena), n. **Chancaca.**

PANTANO, n. **Guzu; Pambarina turu.**

PANTANOSO, a, adj. **Guzusapa.**

PANTEON, n. **Ayapambana.**

PANTORRILLA, n. **Changa.**

PANTORRILLUDO, a, adj. **Changasapa; Racuchanga.**

PANZA, n. **Huigsa; Puzun.**

PANZON, a, adj. **Huigsasapa.**

PAÑAL, n. **Huahuamaytuna; Maytu.**

PAPA, n. **Papa**, palabra quichua que ha pasado al castellano.

PAPA, n. Véase PADRE.

PAPACITO, n. dim. **Taytacu.**

PAPAGAYO, n. **Uritu.**

PAPERA, n. **Cutu; Coto**, por corrupción.

PAPIROTE, n. **Tingay.**

PAPIROTEAR, v. a. **Tingana.**

PAR (conjunto de dos cosas de la misma clase), n. **Imalla ishcanchishcacuna.**

PAR (igual), adj. **Pagta.**

PAQUETE, n. **Quipi.**

PARA, prep. **Man**, pospuesto al nombre; **Pa** o **Pag**, pospuestos al verbo, por ejemplo: "Para mi hermano": "Ñuca huauquiman"; "Para comer": "Micungapag"; "Para qué quieres?": "¿Imapata ningui?"

PARADERO (posada), n. **Pascana; Tambu.**

PARADERO (lugar donde para algún animal), n. **Shayana.**

PARADO, a, p. p. **Shayashca.**

PARADOR, a, adj. **Shayariglla.**

PARADOR (mesón o posada), n. **Lo mismo que PARADERO.**

PARAISO, n. **Cushipacha.**

PARALITICO, a, (de las piernas), **adj. Suchu.**

PARAMO, n. **Chiri urcu; Ugsha.**

PARAR, v. a. **Shayachina.— IR A PARAR, Shayachigrina.—** ESTAR PARANDO, **Shayachicuna.—** VENIR DESPUES DE HABER PARADO ALGO, **Shayachimuna.—** PARAR ENTRE DOS O MAS, **Shayachinacuna.**

PARAR, v. n. **Shayarina.** Esta misma forma sirve para el recíproco **PARARSE.** Cuando PARAR significa encontrarse un animal en algún paraje, **Shayana. Si se** trata de otra cosa, **Tiana.**

PARDO, a, adj. **Uqui.**

PARDUSCO, a, adj. **Uquiashca; Uquilla.**

PAREADO, a, p. p. **Ishcanchishca**

PAREAR, v. a. **Ishcanchina.— IR A PAREAR, Ishcanchigrina.—** ESTAR PAREANDO, **Ishcanchicuna.—** VENIR DESPUES DE PAREAR O PAREANDO, **Ishcanchimuna.—** PAREARSE, **Ishcanchigrina.—** PAREAR ENTRE DOS O MAS, **Ishcanchinacuna.**

PARECER (opinión), n. **Yuyay; Rigchay.**

PARECER, v. n. **Yuyana; Rigchana.** En la significación de DEJARSE VER UNA COSA, **Ricurina.** Véase APARECER.

PARECIDO, a, adj. **Rigchag.**

PARED, n. **Pirca.**

PAREDON, n. **Jatun pirca**

PAREJO, a, adj. **Pagta.**

PARENTELA, n. **Ayllucuna; Ayllu.**

PARENTESCO, n. **Ayllu cana.**

PARIDA, n. **Huachag; Huachashca.**

PARIDERA, adj. **Huachanata; Yachag; Huachag.**

PARIENTE, adj. **Ayllu.**

PARIETAL, adj. **Pircapag; Pircapi tiag.**

PARIHUELA, n. **Huandu; Chacana.**

PARIR, v. n. **Huachana.— IR A PARIR, Huachagrina—** ESTAR PARIENDO, **Huacha-**

cuna.— VENIR DESPUES DE HABER PARIDO, **Huachamuna.**—HACER PARIR, **Huachachina.**— PARIR FRECUENTEMENTE, **Huacharana.**

PARLADOR, a, adj. **May rimag.**

PARLANCHIN, a, adj. **Ancha rimag; Camchashimi.**

PARLAR, v. a. **Rimana.** Véase HABLAR.

PARLERIA, n. **Rimay; Rimanacuy; Yangarimay.**

PARLERO, a, adj. **Yallirimag; Yanga rimarig.**

PARLON, a, adj. Lo mismo que PARLADOR

PARPADEAR, v. n. **Quimllana.**

PARPADEO, n. **Quimllay.**

PARPADO, n. **Quimlla; Quisipra,** desus.

PARRICIDA, adj. **Yayata, mamata, quiquin huarmita, huahuata huañuchig.**

PARRICIDIO, n. **Yayata, mamata, huarmita, huahuata huañuchina.**

PARTE, n. **Chaupi; Piti.**

PARTEAR, v. a. **Huachachina.**

PARTERA, n. **Huachachig huarmi.**

PARTIBLE, adj. **Chaupipag.**

PARTICION, n. **Chaupina.**

PARTICIPAR (comunicar), v. a. **Imallata huillana.**

PARTICIPAR (dar una parte de algo), v. a. **Chaupita cuna; Pitillapish cuna; Mallichina.**

PARTIDA, n. **Rina; Llushina.**

PARTIDO, a, p. p. **Chaupishca.**

PARTIDOR, a, adj. **Chaupig.**

PARTIR (dividir), v. a. **Chaupina.**— IR A PARTIR, **Chaupigrina.**— ESTAR PARTIENDO, **Chaupicuna**— VENIR PARTIENDO O DESPUES DE PARTIR, **Chaupimuna.**— HACER PARTIR, **Chaupichina.**— PARTIRSE ALGUNA COSA, **Chaupirina.**— PARTIR ENTRE VARIOS, **Chaupinacuna.**

PARTIR (por marchar separándose), v. n. **Yallina.**

PARTO, n. **Huachay.**

PARTURIENTE, n. **Huachag; Huachacug.**

PARVO, adj. **Uchilla; Cutu.**

PARVULO, a, adj. **Uchilla huambra.**

PASAJERO, a, adj. **Ñanta purishpa ricug.**

PASEADOR, a, adj. **Rishpa, cutishpa puricug**

PASEAR, v. n. **Purina; Tatquicuna.** Véase ANDAR.

PASEO, n. **Puri; Tatqui.**

PASION (padecimiento), n. **Ñacay; Llaqui.**

PASMADO, a, p. p. **Mancharishca.**

PASMAR, v. a. **Manchachina.** PASMARSE, **Mancharina.** Véase ESPANTAR.

PASMO, n. **Manchay.**

PASO, n. **Tatqui.**

Michina

PASTAR, v. a. **Michina.** IR A PASTAR, **Michigrina.**— ESTAR PASTANDO, **Michicuna.**— VENIR PASTANDO O DESPUES DE HABER PASTADO, **Michimuna.**— HACER PASTAR, **Michichina.**— PASTARSE, **Michirina.**— AYUDAR A PASTAR, **Michinacuna.**— PASTAR CON ESMERO Y CONSTANCIA, **Michirana.**

PASTO, n. **Michina quihua.**

PASTOR, a, adj. **Michig.**

PASTOREAR, v. a. **Michish purina.**

PASTOREO, n. **Michish purishca**

PASTORIL, adj. **Michigcunapag**

PATA, n. **Chaqui.**

PATADA, n. **Jaytay.**

PATALEAR, v. n. **Jaytarina; Jaytanacuna.**

PATALEO, n. **Jaytanacuy.**

PATATA, n. **Papa.** PATATA PRECOZ, **Chaucha papa.** PATATA TARDIA, **Huata papa.** PATATA NACIDA DE SUYO, en el lugar de la anterior cosecha, **Chas papa; Iñal.** Idem aquerenciada constantemente entre las sementeras de maíz u otras, sin necesidad de especial cultivo, **Chiu papa.**

PATEADO, a, p. p. **Jaytashca.**

PATEADOR, a, adj. **Jaytay.**

PATEAR, v. a. **Jaytana.**— IR A PATEAR, **Jaytagrina.**— ESTAR PATEANDO, **Jaytacuna.**— VENIR PATEANDO O DESPUES DE HABER PATEADO, **Jaytamuna.**— HACER PATEAR, **Jaytachina.**— PATEARSE, **Jaytarina.**— PATEARME O PATEARTE, **Jaytahuana.**— PATEARSE MUTUAMENTE, **Jaytanacuna.**— PATEAR A CADA MOMENTO, **Jaytarana.**

PATENTE, adj. **Alli ricuricug.**

PATENTIZAR, v. a. **Alli ricuchina.**

PATEO, n. Véase PATADA.

PATERNAL, adj. **Yayapag.**

PATERNALMENTE, adv. **Yayashina.**

PATERNIDAD, n. **Yaya cana.**

PATERNO, a, adj. Lo mismo que PATERNAL.

PATETA, n. **Supay**

PATETICO, a, adj. **May llaquichig; Shunguta nanachig.**

.**PATIABIERTO,** a, adj. **Pascachaqui.**

PATIBLANCO, a, adj. **Yuragchaqui.**

PATIBULO, n. **Millaycunata huañuchina pata.**

PATIESTEVADO, a, adj. **Huistuchaqui; Huingu; Huigru.**

PATIO, n. **Canzha,** desus.

PATITIESO, a, adj. **Caspichaqui.**

PATITORCIDO, a, adj. Véase PATIESTEVADO

PATITUERTO, a, adj. **Huistuchaqui.**

PATIZAMBO, a, adj. Lo mismo que PATITUERTO.

PATO, n. **Nuñuna,** desus.

PATOJO, a, adj. **Huistuchaqui; Piquichaqui; Huirlas.**

PATON, a, adj. **Chaquisapa.**

PATRIA, n. **Quiquin llagta.**

PATRIMONIO, n. **Yayacunapag saquishca allpa, saquishca cullqui.**

PATRIO, a, adj. **Nucanchi llagtapi tiag.**

PATRIOTA, adj. **Llactacuyag.**

PATRIOTISMO, n. **Llagta cuyay.**

PATRON, a, n. **Amu, Ama,** tomados del castellano.

PATUDO, a, adj. **Véase PATON.**

PAULATINO, a, adj. **Unayashpa shamug; Unaypi rurrarig.**

PAUSADO, a, p. p. **Unayag; Mana utca rurrag.**

PAUSAR, v. a. **Unayana; Mana Utca rurrana.**

PAVOR, n. **Jatun manchay.**

PAVORIDO, a, adj. **Yupay mancharishca.**

PAVOROSO, a, adj. **Manchaypag.**

PAYO, a, adj. **Aucaman rigchag; Jahuallagta.**

PECA, n. **Mirca.**

PECABLE, adj. **Juchallipag.**

PECADO, n. **Jucha.** Pecado mortal, **JAtun jucha.** Pecado venial, **Uchilla jucha.**

PECADOR, a, adj. **Juchallig ;Juchayug.**

PECAR, v. n. **Juchallina.**— IR A PECAR, **Juchalligrina.**— ESTAR PECANDO, **Juchallicuna.**— VENIR DESPUES DE HABER PECADO, **Juchallimuna.**— HACER PECAR, **Juchallichina.**— PECAR ENTRE VARIOS, **Juchallinacuna.**

PECOSO, a, adj. **Mircasapa.**

PECUNIA, n. **Cullqui.**

PECHO, n. **Cascu,** ant.

PECHUGA, n. **Cuca,** desus.

PECHUGUERA, n. **Ujuj.**

PEDAZO, n. **Piti.**

PEDAZUELO, n. **Uchilla piti; Pitilla.**

PEDERNAL, n. **Ninarrumi.**

PEDESTRE, adj. **Chaquilla purig.**

PEDIDO, a, p. p. **Mañashca.**

PEDIDOR, a, adj. **Mañag.**

PEDIGUEÑO, a, adj. **May mañag.**

PEDIMENTO, n. **Mañay.**

PEDIR, v. a. **Mañana.**— IR A PEDIR, **Mañagrina.**- ESTAR PIDIENDO, **Mañacuna.**— VENIR PIDIENDO O DESPUES DE PEDIR,

Mañana

Mañamuna.— HACER PEDIR, **Mañachina.**— PEDIRSE ALGUNA COSA, **Mañarina.**— PEDIRME O PEDIRTE, **Mañahuana.**— PEDIR CON INSTANCIAS, **Mañarana.**

PEDO, n. **Supi.**

PEDORRERO, a, adj. **Supisiqui; Supitulu.**

PEDRADA, n. **Rumihuan shitay; Rumihuan shitashca.**

PEDREGAL, n. **Rumipamba.**

PEDREGOSO, a, adj. **May rumiug.**

PEDRISCO n. **Racu rundu.**

PEER, v. n. **Supina.** PEERSE, **Supirina.**

PEGADIZO, a, adj. **Llutariglla.**

PEGADO, a, p. p. **Llutashca.**

PEGAJOSO, a, adj. Lo mismo que PEGADIZO.

PEGAR, v. a. **Llutana.** Véase EMBARRAR.

PEGAR (adherirse), v. n. **Llutarina.**

Macana

PEGAR (castigar), v. a. **Macana.**— IR A PEGAR, **Macagrina.**— ESTAR PEGANDO, **Macacuna.** VENIR PEGANDO O DESPUES DE PEGAR, **Macamuna.**— HACER PEGAR, **Macachina.** — PEGARME O PEGARTE, **Macahuana.** — PEGARSE UNOS A OTROS, **Macanacuna.**— PEGAR CON FRECUENCIA, **Macarana.**

PEINADO, a, p. p. **Ñagchasca.**

PEINADOR, a, adj. **Ñagchag.**

PEINAR, v. a. **Ñagchana.**— IR A PEINAR, **Ñagchagrina.**- ESTAR PEINANDO, **Ñagchacuna.** — VENIR DESPUES DE HABER PEINADO, **Ñagchamuna.**— HACER PEINAR, **Ñachachina.** — PEINARSE, **Ñagcharina.**— AYUDAR A PEINAR, **Ñagchanacuna.**— PEINAR FRECUENTEMENTE, **Ñagcharana.**

Ñagchana

PEINE, n. **Ñagcha.**

PEINERO, a, adj. **Ñagcharrurrag; Ñagchacatug.**

PEJE, n. **Challua.**

PELADO, a, p. p. **Lluchushca; Lluchu; Llustishca; Llusti.**

PELADOR, a, adj. **Llustig; Lluchug.**

PELADURA, n. **Llustishca; Lluchushca**

PELAR, v. a. **Llustina; Lluchuna.** Véase DESOLLAR.

PELEA, n. **Macanacuy.**

PELEADOR, a, adj. **Macanacug.**

PELEAR, v. a. **Macanacuna.**— IR A PELEAR, **Macanacugrina.**— ESTAR PELEANDO, **Macanacucuna.**— VENIR PELEANDO O DESPUES DE HABER PELEADO, **Macanacumuna.**— HACER PELEAR, **Macanacuchina.**

PELIBLANCO, a, adj. **Yuragagcha.**

PELICORTO, a, adj. **Cutuagcha.**

PELIGRO, n. **Chiqui,** desus.

PELINEGRO, a, adj. **Yanaagcha.**

PELIRROJO, a, adj. **Pucaagcha.**

PELIRRUBIO, a, adj. **Catiri; Sucu.**

PELO, n. **Agcha.**

PELON, adj. **Agchasapa.**

PELOSO, a, adj. Lo mismo que PELON.

PELOTA, n. **Curpa.**

PELUCA, n. **Chanta.**

PELUDO ,a, adj. Véase PELON.

PELUQERO, a, adj. **Agcharrutug; Agchata allichig.**

PELLEJA (cuero), n. **Cara.**

PELLEJA (concubina), n. **Shipas.**

PELLEJO, n. **Cara.**

PELLEJUDO, a, adj. **Batucara.**

PELLIZCADO, a, p. p. **Tispishca**

PELLIZCADOR, a, adj. **Tispig.**

PELLIZCAR, v. a. **Tispina.**— IR A PELLIZCAR, **Tispigrina.**— ESTAR PELLIZCANDO, **Tispicuna.**— VENIR PELLIZCANDO O DESPUES DE HABER PELLIZCADO, **Tispimuna.**— HACER PELLIZCAR, **Tispichina.**— PELLIZCARSE, **Tispirina.**— PELLIZCARME O PELLIZCARTE, **Tispihuana.**— PELLIZCARSE UNOS A OTROS O AYUDAR A PELLIZCAR, **Tispinacuna.**— PELLIZCAR CON FRECUENCIA, **Tispirana.**

PELLIZCO, n. **Tispi.**

PENA (pesar), n. **Llaqui.** PENA (castigo), **Tigzhi.**

PENAR (castigar), v. a. **Juchamanta tigzhina.**

PENAR (padecer), v. n. **Ñacarina; Llaquish causana.**

PENCA (de Agave), n. **Chahuar panga.**

PENDENCIA, n. **Ninacuy,** si es de palabra; **Macanacuy,** si es de obra.

PENDER (estar colgada alguna cosa), v. n. **Huarcuracuna; Huaylumnicuna.**

PENDIENTE, adj. **Huarcuracug; Huaylumnicug.**

PENDON, n. **Unancha, desus.**

PENE, n. **Pishcu; Ullu.**

PENITENTE, adj. **Juchallishcamanta nanarig.**

PENOSO, a, adj. **Llaquijunda.**

PENSADO, a, p. p. **Yuyashca.**

PENSADOR, a, adj. **May yuyayta charig.**

PENSAMIENTO, n. **Yuyay.**

Yuyana

PENSAR, v. a. **Yuyana.**— IR A PENSAR, **Yuyagrina.**— ESTAR PENSANDO, **Yuyacuna.** VENIR PENSANDO O DESPUES DE HABER PENSADO, **Yuyamuna.**- HACER PENSAR, **Yuyachina.**— PENSAR ENTRE DOS O MAS, **Yuyanacuna.**- PENSAR FRECUENTEMENTE, **Yuyarana.**

PENSATIVO, a, adj. **Yuyacug.**

PENURIA, n. **Musuy.**

PEÑA, n. **Caca.**

PEÑASCAL, n. **Cacajunda pata; Cacalla urcu.**

PEÑASCO, n. **Jatun caca.**

PEÑASCOSO, a, adj. **Cacasapa.**

PEÑON, n. Lo mismo que PEÑASCO.

PEON (jornalero), n. **Cullquimantashugman, imallata rurrag.**

PEONZA (hecha de una diminuta calabaza), n. **Guzhgui.**

PEOR, adj. **Ashun mana alli; Shugtayalli millay.**

PEOR (tratándose de un enfermo), adj. **Anchayashca.**

PEORIA, n. **Ashun millay tucuna.** Peoría de enfermo, **Anchayay.**

PEPITA, n. **Muru; Rurru.**

PEPITOSO, a, adj. **Murusapa.**

PEQUEÑEZ, n. **Uchilla cana.**

PEQUEÑO, a, adj. **Uchilla; Cutu.**

PERCIBIR (notar), v. a. **Ricuna; Uyana.** Percibir, en la acepción de RECIBIR ALGO, **Chasquina.**

PERDEDOR, a, adj. **Chingachiglla.**

PERDER, v. a. **Chingachina.**— IR A PERDER, **Chingachigrina.**— ESTAR PERDIENDO, **Chingachicuna.**— VENIR PERDIENDO O DESPUES DE HABER PERDIDO, **Chingachimuna.**- PERDERSE, **Chingarina; Chingana.**— PERDER UNA COSA ENTRE VARIOS, **Chingachinacuna.**— PERDERSE, en la acepción moral de CORROMPERSE, **Millay tucuna.**

PERDICION, n. **Chingay.** PERDICION MORAL, **Huigllina; Millay tucuna.**

PERDIDA, n. **Chingay.**

PERDIDIZO, a, adj. **Chingagtucug.**

PERDIDO, a, p. p. **Chingashca.** Perdido, por CORROMPIDO, **Huaglli.**

PERDIZ, n. **Yutu.**

PERDON, n. **Cungay.** Perdón de pecados, **Juchata pambanchina.**

PERDONAR, v. a. **Cungana.** Perdonar los pecados, **Juchata pambanchina; Juchata mayllana.**

PERDURABLE, adj. **Mana jaycapi tucurig.**

PERECEDERO, a, adj. **Huañunalla; Tucuriglla.**

PERECER, v. n. **Huañuna; Tucurina.** Véase MORIR y ACABAR.

PEREGRINACION, n. **Chican llagtapi ñacarish purina.**

PERENNE, adj. **Shayaglla; Mana tucurig.**

PEREZA, n. **Quilla.**

PEREZOSO, a, adj. **Quillajunda.**

PERFECCIONAR, v. a. **Allichina.**

PERFECTO, a, adj. **May alli.**

PERFIDO, a, adj. **Millayshungu.**

PERFORADO, a, p. p. **Jutcushca.**

PERFORAR, v. a. Véase AGUJEREAR.

PERFUME, n. **Mishqui mutqui.**

PERGAMINO, n. **Agcha anchuchishca cara.**

PERICO, n. **Uritu**, desus.

PERILAN, adj. **Huaglli; Jichapacha.**

PERITO, a, adj. **Imallata alli yachag.**

PERJURAR, v. n. **Jatun Apunchipa llullana.**

PERJURIO, n. **Apunchita shutichishpa llullashca.**

PERJURO, a, adj. **Apunchita shutichishpa llullaga.**

PERMANECER, v. n. **Causash catina; Shayarana; Tiacuna.**

PERMANENTE, adj. **Causaglla; Tiaglla; Mana tucurig.**

PERNIABIERTO, a, adj. **Pascachanga.**

PERNIL, n. **Cachichishpa chaquichishca cuchichanga.**

PERNITORCIDO, a, adj. **Huistuchanga.**

PERO, conj. **Chasnapish; Shunapish; Nishpapish.** Vga. "Parece que seguirá abonanzando; pero ha de llover": "Usiaypagmi rigchag; chasnapish tamiangami".

PERPETUO, a, adj. **Manajaycapi tucurig.**

PERRA, n. **Huarmi allcu.**

PERRERA, n. **Allcupag cuzha.**

PERRERO, a, adj. **Allcucama.**

PERRILLO, a, n. **Uchilla allcu; Quisqui.**

PERRO, n. **Allcu.**

PERRUNO, a, adj. **Allcupag.**

PERSECUCION, n. **Catiray.**

PERSEGUIDO, a, p. p. **Catirashca.**

PERSEGUIR, v. a. **Catirana; Mashcash mana saquina.**

PERSONA, n. **Shug runa; Maycan runa, caripish huarmipish cachun.**

PERVERSIDAD, n. **Ancha millay cana.**

PERVERSO, a, adj. **Ancha millay.**

PERVERTIR, v. a. **Millayta yayachachina; Huagllichina.** PERVERTIRSE, **Huagllina.**

PESADEZ, n. **Llashay.**

PESADO, a, p. p. **Llashag.**

PESADOR, a, adj. **Llashashcata ricug.**

PESADUMBRE, n. **Llaqui.**

PESAR, n. **Llaqui.**

PESAR (apesadumbrar), v. n. **Llaquichina.**

PESAR (examinar el peso), v. a. **Llashayta ricuna.**

PESAROSO, a, adj. **Llaquisapa; Llaquilla.**

PESCA, n. **Challuna japina.**

PESCADO, n. **Challua.**

PESCADOR, a, adj. **Challuajapig.**

PESCAR, v. a. **Challuata japina.**

PESCOZUDO, a, adj. **Cungasapa.** Si el pescuezo es largo y delgado, **Huallucunga.**

PESCUEZO, n. **Cunga.**

PESIMO, a, adj. **Tucytayalli millay.**

PESO, n. **Llashay.** Peso (moneda), **Tatacun**, derivado del vocablo castellano PATACON.

PESQUERIA, n. **Challuajapina yacupata.**

PESTAÑA, n. **Quimlla.**

PESTAÑEAR, v. n. **Quimllana.**

PESTE, n. **Taucata catig unguy.**

PESTILENCIA, n. Lo mismo que PESTE.

PESTILENCIA (fetidez), n. **Jatun asnay; Puncay.**

PETALO, n. **Sisapanga.**

PETICION, n. **Mañay.**

PETICIONARIO, a, adj. **Mañag; Mañarig.**

PETRIFICACION, n. **Rumi tucuna; Rumiana.**

PETRIFICANTE, adj. **Rumiachig.**

PETRIFICAR, v. a. **Rumiachina.**

PEZ, n. **Challua.**

PEZON, n. **Nuñu.**

PIAR (las aves), v. n. **Huacana; Huarpina**, desus.

PICADURA, n. **Curu canishca; Casha tugsishca.**

PICANTE, adj. **Jayag.**

Ñuñu

PICAR (enardecer el paladar y la lengua), v. a. **Jayana.**— IR A PICAR, **Jayagrina.**— ESTAR PICANDO, **Jayacuna.**— EMPEZAR A PICAR, **Jayamuna.**— HACER PICAR, **Jayachina.**— PICARME O PICARTE, **Jayahuana.**— PICAR FUERTEMENTE Y POR LARGO TIEMPO, **Jayarana.**

Rumi

PIFANO, n. Pingullu.

PIGMEO, a, adj. Ancha uchilla; Umutu.

PILAR, n. Shayag caspi. Pilar o estante central de una casa, Chucu.

PILCHE, n. Pilchi. De esta voz proviene la castellana.

PICARO, a, adj. Yupay huaglli; Ancha millay.

PICAZON, n. Shigshi.

PIE, n. Chaqui.

PIEDRA, n. Rumi.

PIEL, n. Cara.

PIERNA, n. Changa. Parte superior de la pierna o muslo, Mamachanga.

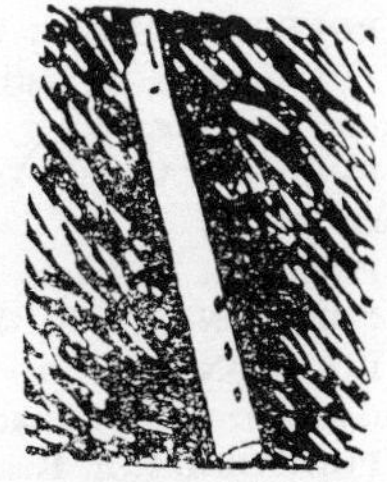
Pingullu

PILOSO, a, adj. Yalli agchayug.

PILLAJE, n. Jatun shuay.

PILLO, a, adj. Huaglli.

PIMENTON, n. Jatun uchu; Rucutu.

PIMIENTO, n. Uchu.

PINCHAR, v. a. Tugsina. Véase PUNZAR.

PINCHAZO, n. Tugsi.

PINGüE, adj. May huira.

PINTADO, a, (cosa de varios colores), adj. Muru; Shuyu.

PIOJO, n. Pilis. Si es de la cabeza, Usa.

PIOJOSO, a, adj. Pilisapa; Usajunda.

PISADA, n. Chaquisarushca; Chaquisaruy.

PISADO, a, p. p. Sarushca.

PISADOR, a, adj. Sarug.

PISAR, v. a. Saruna.— IR A PISAR, Sarugrina.— ESTAR PISANDO, Sarucuna.— VENIR PISANDO, Sarumuna.— HACER PISAR, Saruchina.— PISARSE ALGO, Sarurina.— PISARME O PISARTE, Saruhuana. — PISARSE UNOS A OTROS O PISAR ATROPELLADAMENTE, Sarunacuna.— PISAR UNA Y OTRA VEZ, Sarurana.

PISO, n. Saruy; Sarushca.

PISON, n. Tagtana caspi.

PISOTEADO, a, p. p. Tagtashca; Sarunacushca.

PISOTEAR, v. a. Sarunacuna; Tagtana.

PISOTON, n. Sinchi sarushca.

PITUITA, n. Cuña, desus.

PLACENTA, n. Huahuamana.

PLACER, n. Cushi.

PLANA (de albañil), n. Llunzhina.

PLANICIE, n. Pamba.

PLANO, a, adj. Pamballa; Pamba.

PLANTA, n. Yura, aún tratándose de arbustos y yerbas. Planta que se cultiva, por ser frutal o de adorno, Mallqui.

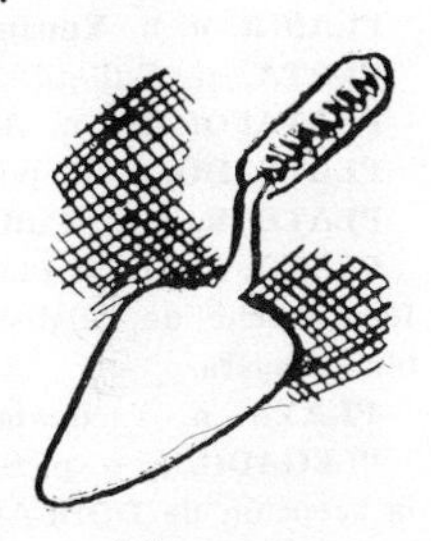
Llunzhina

PLANTA (del pie), n. Chaquisaruna.

PLANTACION (acto de plantar), n. Mallquina. Plantación (por plantel), Mallquichagra.

PLANTADOR, a, adj. Mallqui.

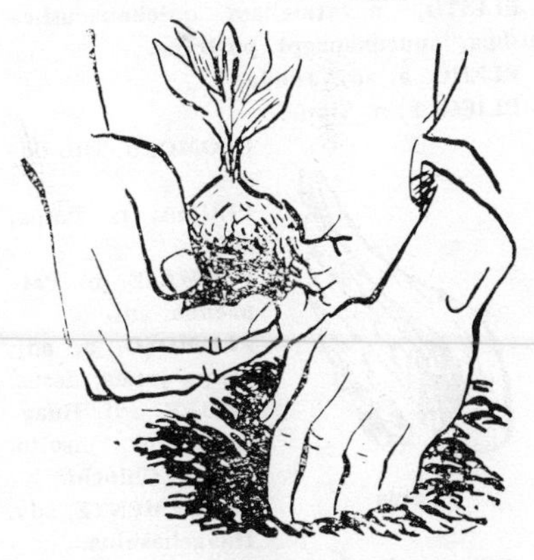
Mallquina

PLANTAR, v. a. Mallquina.— IR A PLANTAR, Mallquigrina.— ESTAR PLANTANDO, Mallquicuna.— VENIR PLANTANDO O DESPUES DE PLANTAR, Mallquimuna.

— HACER PLANTAR, **Mallquichina.**— AYUDAR A PLANTAR, **Mallquinacuna.**— PLANTARSE UN VEGETAL, **Mallquirina.**

PLANTEL, n. **Mallquichagra.**

PLANTIO, n. Lo mismo que PLANTACION.

PLAÑIDERA, n. **Ayamanta yupanchishpa huacag huarmi.**

PLAÑIR, v. n. **Yupanchishpa huacana.**

PLATA, n. **Cullqui.**

PLATAFORMA, n. **Allichishca pata.**

PLATEADO, a, p. p. **Cullquinchishca.**

PLATEAR, v. a. **Cullquinchina.**

PLATO, n. **Mulu.** Plato de madera, **Mica.** Idem hecho de calabaza, **Mati;** si es amplio, **Angara.**

PLAYA, n. **Yacupata.**

PLEGADO, a, p. p. **Sipushca.** Plegado, en la acepción de DOBLADO, **Patarishca.**

PLEGADOR, a, adj. **Sipug; Patarig.**

PLEGAR, v. a. **Sipuna.** En la acepción de DOBLAR, **Patarina.**

PLEGARIA, n. **Apunchiman mañarina.**

PLEITEAR, v. a. **Allpamanta, cullquimanta, apucunapag ucupi, ninacushpa, churacushpa purina.**

PLEITO, n. **Imallata quichunacushca nishpa, apucunapagpi purirana.**

PLENO, a, adj. **Junda.**

PLIEGUE, n. **Sipu.**

Patpa

PLOMO, n. **Titi,** desus.

PLUMA, n. **Patpa,** ant.

PLUMAJE, n. **Patpacuna,** ant.

PLUMOSO, a, adj. **Patpa junda,** desus.

POBRE, adj. **Huagcha.** Por insulto, **Llusti; Chinchi.**

POBREMENTE, adv. **Huagchashina.**

POBRETON, a, adj. **Huagchalla.**

POBREZA, n. **Huagcha cana; Mana imata charina.**

POCILGA, n. **Cuchihuatana; Cuchihuichcana.**

POCO, a, adj. **Ashalla; Ashlla; Pitilla.**

POCO, adv. **Ashalla.** POCO A POCO, **Ashillancama.**

PODAR, v. a. **Mallquicunata, caypi chaypi cuchushpa, allichina.**

POBRE, n. **Imalla ismushca; Quia.**

PODRIDO, a, p. p. **Ismushca.**

PODRIR, v. a. **Ismuchina.**— IR A PODRIR, **Ismuchigrina.**— ESTAR PUDRIENDO, **Ismuchicuna.**— VENIR PUDRIENDO O DESPUES DE HABER PODRIDO, **Ismachimuna.**— PODRIRSE UNA COSA, **Ismurina; Ismuna.**

POETA, n. **Yaravicu,** desus.

POLEO, n. **Muñay; Muña,** desusados.

POLIGAMO, a, adj. **Tauca huarmiug; Tauca casuyug.**

POLIGLOTA, adj. **Tauca callucunata rimag.**

POLILLA, n. **Puyu.**

POLTRON, a, adj. **Quilla; Yangamicug.**

POLTRONERIA, n. **Quilla cana; Mana imata rurrashpa causacuna.**

POLVAREDA, n. **Huayrapi jatarishca ñutu allpa.**

POLVO, n. **Ñutu allpa; Ñutu machca.**

POLLA, n. **Huarmi chuchi.**

POLLADA, n. **Tauca chuchi; Chuchicuzha.**

PONCHO (interior y pequeño), n. **Cuzhma.**

PONDERACION, n. **Imallata rimayhuan jatunyachina.**

PONDERADOR, a, adj. **May jatunyachishpa rimag.**

PONDERAR, v. a. **Rimashpa, imallata jatunyachina.**

PONDERATIVO, a, adj. Lo mismo que PONDERADOR.

PONEDOR, a, adj. **Churag.**

PONER, v. a. **Churana.**— IR A PONER, **Churagrina.**— ESTAR PONIENDO, **Churacuna.**— VENIR PONIENDO O DESPUES DE PONER, **Churamuna.**— HACER PONER, **Churachina.**— PONERSE, **Churarina.**— PONERME O PONERTE, **Churahuana.**— AYUDAR A PONER, **Churanacuna.**

PONIENTE, n. **Intichingana; Intihuañuna.**

PONTEZUELO, n. **Uchilla chaca.**

PONZOÑOSO, a, adj. **Upiagpi, japigpi, unguchig.**

POQUITO, a, adj. **Yupay ashalla.**

POR, prep. **Manta** o **Raycu**, pospuestos; vga. "Por tí": "Canmanta"; "Por no verlo": "Mana payta ricungaraycu". Cuando esta preposición denota dirección o rumbo, se traduce por **TA**, igualmente pospuesto, vga. "Voy por en medio de la sementera": "Chagra chaupitami rini". ¿POR QUE?, **¿Imaraycu?, ¿Imamanta?**

PORQUE, conj. **Manta** o **Raycu**, pospuestos; vga. "Nada sembré, porque no llovía": "Mana tamiashcaraycumi mana imata tarpurcami".

PORCUNO, a, adj. **Cuchipag.**

PORDIOSERO, a, adj. Véase MENDIGO.

PORFIAR, v. n. **Mana uyasha nina; Paynishcahuan llugshina.**

PORQUERIA, n. **Mapa.**

Cuchicama

PORQUERIZO, a, adj. **Cuchicama.**

PORRAZO, n. **Sinchi huagtay.**

PORRON, a, adj. **Quilla; Anchu unayag.**

PORTADOR, a, adj. **Imallata apag.**

PORTAR, v. a. **Apana.** Véase LLEVAR.

PORTATIL, adj. **Apaypaglla.**

PORTEADOR, a, adj. **Astashpa purig.**

PORTEAR, v. a. **Astashpa purina.** Véase ACARREAR.

PORTERO, a, adj. **Punguta ricurag; Pungucama.**

PORTEZUELA, n. **Uchilla pungu.**

PORTILLO, n. **Quinzhapi, pircapi pimishca pungu.**

PORTON, n. **Jatun pungu.**

PORVENIR, n. **Quipa huatacuna; Shamug pacha.**

POS, prep. **Cati**; vga. "En pos de tu padre": "Yayayquipa catipi". En composición con otras palabras, es **Quipa**, vga. "Posponer": "Quipayachina".

POSADA (en los caminos), n. **Tambu; Pascana.**

POSADERAS, n. **Siqui.**

POSADERO, a, adj. **Tambucama; Huasiug.**

POSAR, v. n. **Tambupi samana.**

POSEEDOR, a, adj. **Imallata charicug.**

POSEER, v. a. **Imallata charicuna.**

POSEIDO, a, p. p. **Charishca; Charicushca.**

POSESION, n. **Charina; Charicuna.**

POSESIONAR, v. a. **Imallata, maycanman, charichun, cuna.**

POSEYENTE, adj. Lo mismo que POSEEDOR.

POSIBLE, adj. **Caypag.** ES POSIBLE?, **¿Anchu?**

POSMA, adj. **Quilla; Llashag.**

POSPONER, v. a. **Quipayachina.**

POSPUESTO, a, p. p. **Quipayachishca.**

POSTA, n. **Quillcahuan callpash purig.**

POSTE, n. **Shayag caspi.**

POSTEMA, n. **Quiayug pungui; Jatun chupu.**

POSTERGADO, a, p. p. **Huashayachishca.**

POSTERGAR, v. a. **Huashayachina.**

POSTERIOR, adj. **Quipahuiñag; Quipashamug; Quipapi tiag.**

POSTERIORMENTE, adv. **Quipapi; Quipa.**

POSTIGO, n. **Huasha pungu.**

POSTIZO, a, adj. **Churashcalla; Anchuchinalla.**

POSTRERO, a, adj. **Tucypa quipa.**

POSTULANTE, adj. **Imallata mañaricug.**

POSTULAR, v. n. **Imallata mañarina.**

POSTUMO, a, adj. **Yaya huañushca quipa huahua.**

POSTURA, n. **Churay; Churana.**

POTABLE, adj. **Upiangapag alli; Upiaypag.**

POTAJE, n. **Micuy.**

POTENTADO, a, adj. **May jatun; May chayug.**

POTRERO, n. **Quihuapamba.**

POYO, n. **Tiarina pata.**

POZA, n. **Pugyu.**

PRADERA, n. **Quihuayug, sisayug pamba.**

PRADO, n. Lo mismo que PRADERA.

PRAVO, a, adj. **Millay.**

PRE, prep. compon. **Ñaupa**, antepuesto a

otra palabra; vga. "Preexistente": **Ñaupatiag**".

PRECEDENCIA, n. **Imapipish ñaupag cana.**

PRECEDENTE, adj. **Ñauparig.**

PRECEDER, v. a. **Ñauparina; Shugtayalli cana.**

PRECEPTO, n. **Camashca; Camay.**

PRECEPTUAR, v. a. **Camana.**

PRECES, n. **Apunchiman mañaycuna.**

PRECISAMENTE, adv. **Ta,** pospuesto a verbo o a otra palabra; vga. "Tráelo precisamente a tu hermano": "Cambag huauquica apamuyllata".

PRECIO, n. **Randishcamanta cuna cullqui.**

PRECIOSO, a, adj. **Sumaymana.**

PRECIPICIO, n. **Singuna pata; Singuna huaycu.**

PRECIPITADO, a, p. p. **Singuchishca.**

PRECIPITAR, v. a. **Singuchina; Urayman shitana.**

PRECOZ (tratándose de plantas), adj. **Utca pucug.**

PREDECIR, v. a. **Quipacanata nina.**

PREDESTINADO, a, p. p. **Jatun; Apunchipag agllashca.**

PREDESTINAR, v. a. **Ñaupamantapacha agllana.**

PREDICAR, v. a. **Apunchipa shutipi cunana.**

PREDICACION, n. **Apunchipa shutipi cunay.**

PREDICCION, n. **Quipacanata huillana.**

PREEXISTIR, v. n. **Ñaupa causana; Ñaupa causashcana.**

PREGONAR, v. a. **Imallata caparishpa huillana.**

PREGONERO, a, adj. **Caparishpa huillag.**

PREGUNTA, n. **Tapuy.**

PREGUNTADOR, a, adj. **Tapug.**

PREGUNTANTE, adj. Lo mismo que PREGUNTADOR.

PREGUNTAR, v. a. **Tapuna.**— IR A PREGUNTAR, **Tapugrina.**— ESTAR PREGUNTANDO, **Tapucuna.**— VENIR PREGUNTANDO O DESPUES DE HABER PREGUNTADO, **Tapumuna.**— HACER PREGUNTAR, **Tapuchina.**— PREGUNTARSE, **Tapurina.**— PREGUNTAR UNA Y OTRA VEZ, **Tapurana.**— PREGUNTARSE MUTUAMENTE, **Tapunacuna.**— PREGUNTARME O PREGUNTARTE, **Tapuhuana.**

PREGUNTON, a, adj. **Tapurag.**

PRENDEDOR, n. **Tupu.**

PRENDEDOR, a, adj. **Japig.**

PRENDER, v. a. **Japina.** Véase COGER. Prender el vestuario, **Tupullina.**

PRENDIDO, a, p. p. **Japishca.** Tratándose del vestuario, **Tupullishca.**

PRENDIMIENTO, n. **Japina; Japi.**

PREÑADA, adj. **Chichu; Huigsayug.**

PREÑEZ, n. **Huigsayug cana; Chichuy.**

PRESAGIAR, v. a. Véase PREDECIR.

PRESBICIA, n. **Rucuyashpa mana alli ricuna.**

PRESCINDIR, v. n. **Saquina; Mana yuyarig tucuna.**

PRESENCIA, n. **Ñaupagpi cana.**

PRESENCIAR, v. a. **Imallata ricucuna**

PRESENTAR, v. a. **Ricuchina; Ñaupagpi churana.**

PRESENTE, adj. **Ñaupagpi tiacug.**

PRESERVADO, a, p. p. **Quishpichishca.**

PRESIDIO, n. **Millaycunata huichcana ucu.**

PRESION, n. **Ñiti.**

PRESO, a, adj. **Huichcashca.**

PRESTADO, a, p. p. **Mañachishca.**

PRESTAR, v. a. **Mañachina.**— IR A PRESTAR, **Mañachigrina.**— ESTAR PRESTANDO, **Mañachicuna.**— VENIR DESPUES DE PRESTAR, **Mañachimuna.**— PRESTARME O PRESTARTE, **Mañachihuana.**— PRESTARSE UNOS A OTROS, **Mañachinacuna.**

PRESTEZA, n. **Utcana.**

PRESTO, adv. **Utca.**

PRESUMIR (conjeturar), v. a. **Yuyana.** Véase PENSAR.

PRESUNCION (conjetura), n. **Yuyay.**

PRESUNTO, adj. **Yuyashcalla.**

PREVALECER, v. n. **Atina.** Véase VENCER.

PREVER, v. a. **Quipacanata ricuna.**

PREVISOR, a, adj. **Quipacanata ricug.**

PREVISTO, a, adj. **Ñaupamantapacha ricushca.**

PRIETO, a, adj. **Uqui.**

PRIMERAMENTE, adv. **Rag,** pospuesto a

otra palabra; vga. "Primeramente tú": "Canrag"; "Comamos primeramente": "Micushunrag". A veces se usa sólo **Ra.**

PRIMERIZO, a, adj. **Mushug.**

PRIMERO, a, adj. **Shugniqui,** muy poco us.

PRIMERO, adv. Véase PRIMERAMENTE.

PRIMOROSO, a, adj. **Sumaymana.**

PRINCESA, n. **Ñusta; Palla,** desusados.

PRINCIPIADO, a, p. p. **Callarishca.**

PRIMOGENITO, a, adj. **Pichuri; Pihuahua.**

PRINCIPIANTE, adj. **Cunan callaricuglla.**

PRINCIPIAR, v. a. **Callarina. Véase** EMPEZAR.

PRINCIPIO, n. **Callari.** DESDE EL PRINCIPIO, **Callarimanta; Callaymanta.**

PRINGAR, v. a. **Timbug yacuhuan, cunug huirahuan rupachina.**

PRINGUE, n. **Imalla timbucughuan rupachishca.**

PRISA, n. **Utcay.**

PRISION, n. **Huichcay.**

PRISIONERO, a, adj. **Macanacuypi japishca; Huichcashca tiacug.**

PRIVAR, v. a. **Imata anchuchina; Mana cuna.**

PROBAR (gustar un poco de alguna cosa), v. a. **Mallina.**— IR A PROBAR, **Malligrina.**— ESTAR PROBANDO, **Mallicuna.**— VENIR PROBANDO O DESPUES DE PROBAR, **Mallimuna.**— HACER PROBAR, **Mallichina.**— PROBARSE ALGO, **Mallirina.**— PROBAR ENTRE DOS O MAS, **Mallinacuna.**

PROBO, a, adj. **Alli.**

PROCAZ, adj. **Millayshimi; Callusapa.**

PROCREACION, n. **Miray.**

PROCREADOR, a, adj. **Mirachig cari; mirag huarmi.**

PROCREAR, v. a. **Mirachina; mirana.**

PRODIGIO, n. **Imalla mana ricushca, mana uyashca.**

PRODIGO, a, adj. **Jichapacha.**

PRODUCCION (de frutos vegetales), n. **Pucuy.**

PRODUCIR (las mieses), v. a. **Pucuna; Cuna.**

PRODUCTO, n. **Pucuy.**

PROFERIDO, a, p. p. **Nishca; Rimashca.**

PROFERIR, v. a. **Nina; Rimana.**

PROFUGO, a, adj. **Miticush purig.**

PROGENITOR, a, adj. **Ñaupa yayacuna, manacuna.**

PROHIBICION, n. **Jarcay; Jarca.**

PROHIBIDO, a, p. p. **Jarcashca.**

PROHIBIR, v. a. **Jarcana.**

PROHIJADO, a, p. p. **Huiñachishca.**

PROHIJAR, v. a. **Huiñachina.**

PROLETARIO, a, adj. **Mana imata charig; Mirachingapalla causag.**

PROLONGACION, n. **Suniay.**

PROLONGADO, a, p. p. **Suniachishca.**

PROLONGADOR, a, adj. **Suniyachig.**

PROLONGAR, v. a. **Suniyachina** o **Suniachina.** Véase ALARGAR.

PROMEDIAR, v. a. **Chaupina.**

PROMEDIO, n. **Chaupi.**

PRONOSTICAR, a, adj. **Huatug,** desus.

PRONOSTICAR, v. a. **Huatana,** desus.

PRONTAMENTE, adv. **Utca; Utcashpa.**

PRONTITUD, n. **Utcay.**

PRONTO, a, adv. **Utca rurrag; Utcashpa rurrarig.**

PRONTO, adv. Véase PRONTAMENTE.

PRONUNCIACION, n. **Rimay.**

PRONUNCIAR, v. a. **Rimana.** Empezar los niños a pronunciar. **Rimay callarina; Shimi pascaricuna.**

PROPAGACION, n. **Miray.**

PROPAGAR, v. a. **Mirachina.** Véase AUMENTAR.

PROPIETARIO, a, adj. **Imallata charig; Allpayug; Cullquiug.**

PROPINA, n. **Imallamanta cushca uyansa.**

PROPIO, a, adj. **Quiquin.**

PROPOSITO, n. **Yuyay.**

PRORRATA, n. **Churanacuy; Churanacushca.**

PRORRATEO, n. Lo mismo que PRORRATA.

PROSECUCION, n. **Cati; Catina.**

PROSEGUIR, v. a. **Rurrash catina; Catina.**

PROSTITUTA, n. **Tauca caricunahuan juchallig huarmi.**

PROTEGER, v. a. **Yanapana.** Véase AYUDAR.

PROTERVO, a, adj. **Ancha millay.**

PROTUBERANCIA, n. **Pungui.**

PROVENIR, v. n. **Shamuna; Llugshina.** Véase VENIR y SALIR.

PROVIDENCIA (disposición u orden), n. **Camay.**

PROVIDO a, adj. **Alli yuyayhuan camag.**

PROVINCIA, n. **Quiti**, ant.

PROXIMO, a, adj. **Cuchulla.**

PRUDENTE, adj. **Alli yuyayta charig.**

PUA, n. **Casha.**

PUBER, adj. **Ña cazaraypag.** Véase CASAMIENTO.

PUBERTAD, n. **Cazaranapacha.**

PUBLICAR, v. a. **Tucuyman huillana.**

PUBLICO, a, adj. **Tucuypag yachashca.**

PUCHERO, n. **Jaucha.**

PUDENDO, a, adj. **Pingana jucha.**

PUDOR, n. **Pingay.**

PUDOROSO, a, adj. **Pingay junda.**

PUENTE, n. **Chaca.**

PUERCA, n. **Huarmi cuchi.**

PUERCO, n. **Cuchi.**

PUERTA, n. **Puńgu.**

PUES, conj. **Yari**, en oración imperativa o permisiva; vga. "Que venga pues": "**Shamucun yari**". **Ca**, en proposición asertiva, por ejemplo, "Pues ya llega": "**Ña shamunca**". **Chari** en frases dudibativas, vga. "Lloverá pues": "**Tamiangachari**".

PUESTO, a, p. p. **Churashca.**

PUJA (en una subasta), n. **Yapay; Yapanacuy.**

PUJAR, v. a. **Yapana; Yapanacuna.**

PULGA, n. **Piqui.**

PULGOSO, a, adj **Piquijunda.**

PULIDO, a, p. p. **Llambuyachishca.**

PULIR, v. a. **Llambuyachishpa allichina.**

PULMON, n. **Yuragshungu.**

PULPERA, n. **Tanda aycha, cachi, imata catug huarmi.**

PULPERIA, n. **Tanda, cachi, imatacuna ucu.**

PULPEJO (un zoófito), n. **Llullucha.**

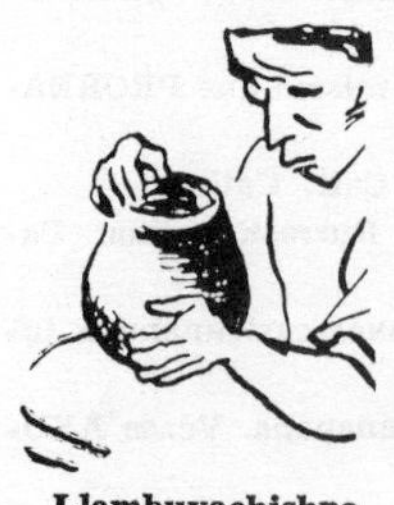

Llambuyachishpa

PULQUE, n. **Chahuarmishqui.**

PULSO, n. **Circa**, ant.

PULULAR, v. n. **Usana.** IR A PULULAR, **Usugrina.**— ESTAR PULULANDO, **Usucuna.**— Véase ABUNDAR.

PULVERIZADO, a, p. p. **Ñutuchishca.**

PULVERIZAR, v. a. **Ñutuchina.**— IR A PULVERIZAR, **Ñutuchigrina.** — ESTAR PULVERIZANDO, **Ñutuchicuna.**— VENIR PULVERIZANDO O DESPUES DE PULVERIZAR, **Ñutuchimuna.** — PULVERIZARSE, **Ñuturina; Ñutuchina Ñutuyana.**— AYUDAR A PULVERIZAR, **Ñutuchinacuna.**

PUNTAL, n. **Shayag caspi.**

PUNZADA, n. **Tugsi; Tugsishcaman rigchag nanay.**

PUNZAR, v. a. **Tugsina.**— IR A PUNZAR, **Tugsigrina.**— ESTAR PUNZANDO, **Tugsicuna.**— VENIR PUNZANDO O DESPUES DE HABER PUNZADO, **Tugsimuna.**— HACER PUNZAR, **Tugsichina.**— PUNZARSE, **Tugsirina.**— PUNZARME O PUNZARTE, **Tugsihuana.**— PUNZAR A CADA MOMENTO, **Tugsirana.**

PUNZON, n. **Tugsina.**

PUÑADO, n. **Maqui; Maquipagta.**

PUÑO, n. **Maquicurpa.**

PURIFICAR (limpiar), v. a. **Chuyayachina.**

PUS, n. **Quia.**

PUSILANIME, adj. **Pishishungu.**

PUSILANIMIDAD, n. **Pishishungu cana.**

PUSTULA, n. **Chupu.** Pústula pequeña, **Pishcuchupu.**

PUSTULOSO, a, adj. **Chupujunda.**

PUTA, n. Véase PROSTITUTA.

PUTATIVO, a, adj. **Nishca; Nishcalla.** Padre putativo, **Yayaminishca.**

PUTERIA, n. **Maycan huarmicunapag juchallishpa causay.**

PUTREFACCION, n. **Ismuy.**

PUTREFACTO, a, adj. **Ismushca.**

PUTRIDO, a, adj. **Ismu.**

QUE (interrogativo), adj. **Ima?**

QUEBRADA, n. **Huaycu.**

QUEBRADIZO, a, adj, **Paquirigpalla; Paquiriglla.**

QUEBRADOR, a, adj. **Paquig.**

QUEBRAJOSO, a, adj. Lo mismo que QUEBRADIZO.

QUEBRANTADO, a, p. p. **Paquicallarishca; Chancashca.**

QUEBRANTAR, v. a. **Paquicallarina; Chancana.**

QUEBRAR, v. a. **Paquina.**— IR A QUEBRAR, **Paquigrina.**— ESTAR QUEBRANDO, **Paquicuna.**— VENIR QUEBRANDO O DESPUES DE QUEBRAR, **Paquimuna.**— HACER QUEBRAR, **Paquichina.**— QUEBRARSE, **Paquirina.**— QUEBRAR ENTRE VARIOS O ATROPELLADAMENTE, **Paquinacuna.**

QUEDADO, a, p. p. **Saquirishca.**

QUEDAR, v. n. **Saquirina.**— IR A QUEDAR, **Saquigrina.**- ESTAR QUEDANDO, **Saquiricuna.**— HABER QUEDADO ALGO EN EL LUGAR DE DONDE SE VIENE, **Saquirimuna.**— HACER QUEDAR, **Saquichina.**— QUEDARSE, lo mismo que QUEDAR.

QUECHUA, n. **Quichua.**

QUEDO, a, adj. **Casilla.**

QUEDO, adv. **Sumagllata; Casilla.**

QUEJIDO, n. **Alaunishca; Huacay.**

QUEMA, n. **Rupay.**

QUEMADO, a, p. p. **Rupashca.**

QUEMADOR, a, adj. **Rupachig.**

QUEMADURA, n. **Rupashca.**

QUEMANTE, adj. **Rupachig; Rupachicug.**

QUEMAR, v. a. **Rupachina.** — IR A QUEMAR, **Rupachigrina.**— ESTAR QUEMANDO, **Rupachicuna.**— VENIR QUEMANDO O DESPUES DE QUEMAR, **Rupachimuna.**- HACER QUEMAR, **Shughuan rupachina.** — QUEMARSE, **Rurina.**— QUEMAR ENTRE DOS O MAS, **Rupachinacuna.** —

Rupachina

QUEMARME O QUEMARTE, **Rupachihuana.**— QUEMAR CONSTANTEMENTE, **Rupachirana.**

QUEMAZON, n. **Rupay; Rupashca.**

QUERER, n. **Cuyay; Munay.**

QUERER, v. a. En la acepción de AMAR, **Cuyana;** en la de DESEAR, **Munana;** en la de ADMITIR, a ACEPTAR, **Nina.** Véanse estos verbos castellanos.

QUERIDO, a, p. p. **Cuyashca; Munashca; Nishca,** según las acepciones en que se tome.

QUERIENTE, adj. **Cuyag; Munag; Nig.**

QUICHUA, n. **Quichua.** Muy poco usada es tal palabra por los indios del Ecuador, quienes suelen llamar a su idioma **Ingashimi, Inga.**

QUIDAM, n. **Paqui.**

QUIEN (interrogativo), adj. **Pi?** NO SE QUIEN, **Pichari.**

QUIENQUIERA, adj. **Pipish; Maycampish; Pipishmaypish.**

QUIETO, a, adj. **Casi; Casilla.**

Casi

QUIETUD, n. **Casilla cana.**

QUIJADA, n. **Jasha.**

QUINCE, adj. **Chungapichca.**

QUINCENA, n. **Chungapichca punzha.**

QUINCENAL, adj. **Chungapichca punzhapi cutimug.**

QUINCENO, a, adj. **Chungapichcaniqui,** desus.

QUINCUAGENARIO, a, adj. **Pichcachungahuatayug.**

QUINCHA, n. **Quinzha.** Adoptado por el castellano, con variación de una letra.

QUINGENTESIMO, a, adj. **Pichcapasagniqui,** desus.

QUINIENTOS, as, adj. **Pichcapasag.**

QUINTO, a, adj. **Pichcaniqui,** desus.

QUINTUPLICAR, v. a. **Pichcanchina.**

QUIPOS, n. **Quipucuna; Quipu.** Voz que ha pasado al castellano.

QUISTO, a, (en las frases BIEN QUISTO, MAL QUISTO), adj **Alli ricushca; Mana alli ricushca.**

QUITA ALLA!, interj. **Anchuy caymanta!; Llugshi!**

QUITADOR, a, adj. **Quichug; Anchuchig.**

QUITANTE, adj. Lo mismo que QUITADOR.

QUITADO, a, p. p. **Quichushca; Anchuchishca.**

QUITAR, v. a. **Anchuchina; Quichuna.**— IR A QUITAR, **Quichugrina.**— ESTAR QUITANDO, **Quichucuna.**— VENIR DESPUES DE QUITAR O QUITANDO, **Quichumuna.**— HACER QUITAR, **Quichuchina.**— QUITARSE, **Quichurina.**- QUITARME O QUITARTE, **Quichuhuana.**— QUITARSE ENTRE VARIOS O AYUDAR A QUITAR, **Quichunacuna.**— Las mismas derivaciones admite **Anchuchina.**— QUITARSE, por SEPARARSE una persona de algún asiento o lugar, **Anchurina.**

QUIZA, adv. **Icha; Ichapish.**

QUIZAS, adv. Lo mismo que **QUIZA.**

ABADILLA, n. **Siquipata.**

RABEAR, v. a. **Chupata huayrachina.**

RABIA, n. Jatun piñay.

RABIAR, v. n. **Piñarìshpa tushuna.**

RABIATAR, v. a. **Chupapi huatana.**

RABICANO, a, adj. **Sucuchupa.**

RABICORTO, a, adj. **Cutuchupa.**

RABILARGO, a, adj. **Sunichupa; Chupasapa.**

RABIOSO, a, adj. **Ancha piña.**

RABO, n. **Chupa.**

RABON, a, adj. **Chupasapa.**

RABUDO, a, adj. Lo mismo que RABON.

RACIMO, n. **Mullapa.**

RACIONAL, adj. **Yuyayta charig; Alliyuyanata yachag.**

Mullapa

RADIANTE, adj. **Llipiacug; Jagannicug.**

RADIAR, v. n. **Llipiana; Jagannina.**

RADICAR (echar raíces), v. n. **Sapiana; Japirina.** RADICARSE una persona en cierto lugar, **Yacharina; Tiarana.**

RAIGON, n. **Quirusapi.**

RAIZ, n. **Sapi.**

RAJA, n. **Chigta; Ragra.** Esta última voz parece tomada del castellano RAJA.

RAJABLE, adj. **Chigtaypag; Ragraripag.**

RAJADO, a, p. p. **Chigtashca; Ragrashca; Ragra.**

RAJANTE, adj. **Chigtag; Ragrag.**

RAJAR, v. a. **Ragrana; Chigtana.**— IR A RAJAR, **Chigtagrina.** — ESTAR RAJANDO, **Chigtacuna.**— VENIR RAJANDO O DESPUES DE RAJAR, **Chigtamuna.**— HACER RAJAR, **Chigtachina.**— RAJARSE, **Chigtarina.** — ESTAR RAJADA

Ragrashca

HABITUALMENTE UNA COSA, **Chigtarana.**

RALO, a, adj. **Mana quichqui; Caypichaypi.**

RAMA, n. **Callma; Tanca,** ant.

RAMAZON (seca), n. **Zhapra.**

RAMERA, n. **Maycan carihuampish juchalliglla huarmi.**

RAMO, n. Lo mismo que RAMA.

RANA, n. **Jambatu.** Rana de tamaño mayor, **Ucug.**

RANACUAJO, n. **Chullshig.**

RANCHO, n. **Rurraypunzha micuna.**

RANAILLA, n. **Huaru; Huaruangu.**

RANUNCULO (una especie de este género botánico), n. **Taruga tañi.**

RAPACIDAD, n. **Shua cana.**

RAPAZ, adj. **Shua.**

RAPAZ (niño), n. **Huahua.**

RAPIDAMENTE, adv. **Utca; Utcashpa.**

RAPIDEZ (de alguna acción), n. **Utcay.**

RAPIDO, a, adj. **Utca rurrag; Utca tucurig.**

RAPIÑA, n. Véase ROBO.

RAPIÑADOR, a, adj. Lo mismo que RAPAZ.

RAPIÑAR, v. a. Véase ROBAR.

RAPOSA (especie americana), n. **Yalu.**

RAPOSO (lobo americano), n. **Atug.**

RAPTO, n. **Huambrahuarmita husimanta surcushpa apana.**

RAPTOR, a, adj. **Shugpa cashcata japirig;** RAPTOR DE MUJER, **Huambrahuarmita surcush apag.**

RAQUIS (tusa del maíz), n. **'Curunda.**

RAQUITICO, a, adj. **Ili.**

RAQUITISMO, n. **Ili cana.**

RARAMENTE, adv. **Maycancutilla; Huaquinhuaquinlla.**

RARO, a, adj. **Maycancutilla tiag; Huaquinhuaquinqui ricurig.**

RASCADO, a, p. p. **Aspishca.**

RASCADOR, a, adj. **Aspig.**

RASCADURA, n. **Aspi.**

RASCAR, v. a. **Aspina.**— IR A RASCAR, **Aspigrina.**— ESTAR RASCANDO, **Aspicuna.**— VENIR RASCANDO O DESPUES DE HABERLO HECHO, **Aspimuna.**— HACER RASCAR, **Aspichina.**— RASCARSE, **Aspirina.**— RASCARME O RASCARTE, **Aspihuana.**— RASCAR ENTRE VARIOS, O RASCARSE MUTUAMENTE, **Aspinacuna.**—RASCAR A CADA MOMENTO, **Aspirana.**

RASCON, a, adj. **May aspig.**

RASGADO, a, p. p. **Lliquishca; Chillpishca.**

RASGADOR, a, adj. **Lliquig; Chillpig.**

RASGAR, v. a. **Lliquina.**— IR A RASGAR, **Lliquigrina.**— ESTAR RASGANDO, **Lliquicuna.**— VENIR RASGANDO O DESPUES DE RASGAR, **Lliquimuna.**— HACER RASGAR, **Lliquichina.**— RASGARSE, **Lliquirina.**— RASGAR ENTRE VARIOS O DESORDENADAMENTE, **Lliquinacuna.**— ESTAR INDEFINIDAMENTE RASGADA UNA COSA, **Lliquirana.**— RASGAR DE PRINCIPIO A FIN, SEPARANDO LOS GIRONES, **Chillpina** y sus derivados.

RASGUÑAR, v. a. **Aspina.** Véase RASCAR.

RASGUÑO, n. **Aspi.**

RASO, a, (por suelo o campo llano), adj. **Pamballa.**

RASPADO, a, p. p. **Aspishca.**

RASPADOR, a, adj. Lo mismo que RASCADOR.

RASPADURA, n. **Aspishca.**

RASPADURA (azúcar morena), n. **Chancaca.**

RASPAR, v. a. **Aspina.** Véase RASCAR.

RASTREAR, v. a. **Sarushcata catina.**

RASTRERO, a, adj. **Pambata aysarishpa purig.**

RASTRO, n. **Chaquisarushca.**

RATA, n. **Jatun ucucha.**

RATERO, a, adj. **Imalla shugpa charishcacunata japirishpa causag.**

RATON, n. **Ucucha.**

RATONA, n. **Huarmi ucucha.**

RATONADO, a, p. p. **Ucuchashca.**

RATONARSE, v. r. **Ucucharina.**

RATONERA, n. **Ucuchatuglla.**

RAYO, n. **Illpa,** desus, RAYO DE LUZ, **Huachi,** ant.

Ucucha

RAZON, n. **Yuyay.**— TENER USO DE RAZON, **Ña yuyayta charina.**

REALIDAD, n. **Shuti.**

REALIZABLE, adj. **Caypag.** En la acepción de VENDIBLE, **Caturipag.**

REALIZAR, v. a. **Imalla yuyashcata rurrana.** En la significación de VENDER, **Catuna.**

REALMENTE, adv. **Shuti; Shutitag.**

REASUMIR, v. a. **Cutin japina.**

REATA (faja angosta), n. **Ñañu chumbi.**

REBAJADO, a, p. p. **Pishiyachishca; Cutuyachishca.**

REBAJAR, v. a. **Pishiyachina; Cutuyachina.**

REBALSAR, v. n. **Huambuna.**

REBANAR, v. a. **Pitinacuna.**

REBATIÑA, n. **Huayca.**

REBELDE, adj. **Apuhuan churacug; Auca.**

REBELDIA, n. **Maycan apuhuan churacuna; Aucayana.**

REBELION, n. **Apuhuan churacuy; Aucayay.**

REBENQUE, n. **Macana angu.**

REBLANDECER, v. a. **Sambayachina.** Véase ABLANDAR.

REBLANDECIMENTO, n. **Sambayay.**

REBOZADO, a, p. p. **Tallirishca; Talliricug.**

REBOZAR, v. n. **Tallirina; Talliricuna.**

REBOZO, n. **Huarmicunapag catallina.**

REBULLIR, v. n. **Cuyuy callarina.**

REBUSCA, n. **Yanandi mashcay.** REBUSCA que hacen los pobres de los restos de la cosecha ajena, **Chalay; Chala.**

REBUSCADO, a, p. p. **Cutin mashcashca; Chalashca.**

REBUSCADOR, a, adj. **Cutin mashcag; Chalag.**

REBUSCAR, v. a. **Cutin mashcana; Chalana.**

RECAER, v. n. **Cutin urmana.** RECAER en el pecado, **Cutin juchallina.**

RECAIDA, n. **Mushug urmay; Cutin juchallina.**

RECALENTADO, a, p. p. **Cutin cunuchishca.**

RECALENTAR, v. a. **Cutin cunuchina.**

RECAPACITAR, v. a. **Imallata cutin alli yuyana.**

RECARGAR, acrecentar la carga), v. a. **Yalli aparichina.**

RECATAR, v. a. **Imalla mana alli cashcata pacana.**

RECELAR, v. a. **Ashalla manchayta charina.**

RECELO, n. **Ashalla manchay.**

RECELOSO, a, adj. **Manchagmanchaglla.**

RECEPCION, n. **Chasqui.**

RECEPTOR, a, adj. **Chasquig.**

RECETA, n. **Ungugta jambingapa rurrashca quillca.**

RECETAR, v. a. **Ungugman jambicunata quillcashpa cuna.**

RECIBIR, v. a. **Chasquina.**— IR A RECIBIR, **Chasquigrina.**— ESTAR RECIBIENDO, **Chasquicuna.**— VENIR RECIBIENDO O DESPUES DE RECIBIR, **Chasquimuna.**— HACER RECIBIR, **Chasquichina.**— RECIBIRSE ALGO, **Chasquirina.**— RECIBIRME O RECIBIRTE, **Chasquihuana.**

RECIBO (acto de recibir), n. **Chasqui.** RECIBO (escrito en que el acto consta), **Chasquishcata huillag quillca.**

RECIEN, adv. **Cunanlla.**

RECIENTE, adj. **Cunanlla cashca; Cunanlla rurrashca.**

RECIO, a, adj. **Sinchi.**

RECLAMAR, v. a. **Cutin mañarina.**

RECLINAR, v. a. **Cumurichina; Saunachina.**

RECLUSION, n. **Huichcay.**

RECLUSO, a, adj. **Huichcashca.**

RECLUTA, n. **Japina; Japi.**

RECLUTADO, a, p. p. **Japishca; Japitucushca.**

RECLUTAR, v. a. **Japina.** Véase COGER.

RECOBRAR, v. a. **Quiquincashcata chasquina, quichuna, tarina.**

RECOCER, v. a. **Cutin yanuna; Patachina.**

RECOCIDO, a, p. p. **Cutin yanushca; Patashca.**

RECOGEDOR, a, adj. **Tandag; Tandachig; Pallag.**

RECOGER, v. a. **Tandana; Pallana.**— IR A RECOGER, **Pallagrina.**— ESTAR RECOGIENDO, **Pallacuna.**— VENIR RECOGIEN-

DO O DESPUES DE HABER RECOGIDO, **Pallamuna.**— HACER RECOGER, **Pallachina.**— RECOGERSE ALGUNA COSA, **Pallarina.**— AYUDAR A RECOGER, **Pallanacuna.**— RECOGER CON ESMERO, **Tandarana.** Las mismas derivaciones tiene **Tandana.**

RECOGIDO, a, p. p. **Tandashca; Pallashca.**

RECOLECCION, n. **Tanday; Pallay.**

RECOLECTAR, v. a. Lo mismo que RECOGER.

RECOMENDADO, a, p. p. **Imalla mingashca.**

RECOMENDAR, v. a. **Mingana.** Véase ENCARGAR.

RECOMPONER, v. a. **Cutin allichina.**

RECOMPUESTO, a, p. p. **Cutin allichishca.**

RECONDITO, a, adj. **Mana yacharipag; Pacashca.**

RECONOCER, v. a. **Cutin rigsina.** RECONOCERSE MUTUAMENTE, **Rigsinacuna.**

RECONOCIDO, a, p. p. **Cutin rigsishca; Alli rigsishca.** RECONOCIDO, por AGRADECIDO, **Mana challishungu.**

RECONTADO, a, p. p. **Cutin yupashca.**

RECONTAR, v. a. **Cutin yupana.**

RECONVENIR, v. a. **Ñahuinchina.**

RECORDABLE, adj. **Yuyaypaglla.**

RECORDACION, n. **Yuyay.**

RECORDADO, a, p. p. **Yuyashca.**

RECORDADOR, a, adj. **Yuyarig.**

RECORDAR, v. a. **Yuyana; Yuyarina.** Véase ACORDARSE.

RECORTAR, v. a. **Ashallata cuchuna; Puchuta pitina.**

RECREAR, v. a. Véase ALEGRAR.

RECREACION, n. **Cushi.**

RECREO, n. Lo mismo que RECREACION.

RECTIFICAR, v. a. **Huistuta allichina.**

RECTO, a, adj. **Manahuistu.**

RECUERDO, n. **Yuyay.**

RECUESTO, n. **Huichay.**

RECUPERAR, v. a. Véase RECOBRAR.

RECHAZADO, a, p. p. **Mana chasquishca nishca; Shitashca.**

RECHAZAR, v. a. **Mana chasquishca nina; Shitana.**

RED (para cargar algo en ella), n. **Linchi.**

REDEDOR, n. **Muyundi.**

REDENCION, n. **Apunchi ñucanchita quishpichishca.**

REDENTOR, n. **Ñucanchita quishpichig jatun; Apunchi.**

REDENTOR, a, adj. Véase LIBERTADOR.

REDIMIDO, a, p. p. **Quispichishca; Quishpi.**

REDIMIR, v. a. **Quishpichina.**— IR A REDIMIR, **Quishpichigrina.**— ESTAR REDIMIENDO, **Quishpichicuna.**— VENIR DESPUES DE HABER REDIMIDO, **Quishpichimuna.**— REDIMIRSE, **Quishpirina.**— REDIMIRME O REDIMIRTE, **Quishpichihuana.**

REDOBLAR, v. a. **Cutin patarina; Shugcutitahuan ishcanchina.**

REDONDEADO, a, p. p. **Curpashca.**

REDONDEAR, v. a. **Curpata rurrana; Curpana.**

REDONDO, a, adj. **Curpa; Muyu,** ant.

REDRO, adv. **Huashaman.**

REDROJO, a, adj. **Piri.**

REEDIFICAR, v. a. **Cutin huasichina; Cutin pircana.**

REFECTORIO, n. **Micunaucu.**

REFERIR, v. a. **Uyashcata, ricushcata huillana.**

REFLEXION, n. **Alli yuyay.**

REFLEXIONAR, v. n. **Imallata alli yuyaypi charicuna.**

REFLEXIVO, a, adj. **Alli imatapish yuyag.**

REFLORECER, v. n. **Cutin sisana.**

REFORMADOR, a, adj. **Imallata allichig.**

REFORMAR, v. a. **Imallata allichina.**

REFREGADO, a, p. p. **Cacushca.**

REFREGAR, v. a. **Cutin cacuna; Cacuna.** Véase FREGAR.

REFREGON, n. **Cacuy.**

REFRESCADO, a, p. p. **Chiriyashca.**

REFRESCAR, v. a. **Chiriyachina.** Véase ENFRIAR.

REFRIEGA, n. **Macanacuy.**

REFRIGERACION, n. **Chiriay.**

REFRIGERANTE, adj. **Chiriachig.**

REFRIGERAR, v. a. Véase REFRESCAR.

REFRIGERATIVO, a, adj. Lo mismo que REFRIGERANTE.

REFRIGERIO, n. Lo mismo que REFRIGERACION.

REFUNFUÑAR, v. n. **Piñarishpa rimaricuna.**

REGADO, a, p. p. **Jichashca.** REGADO EN DISPERSION, **Shiguashca.** REGADO DESORDENADAMENTE, **Chagchushca.** REGADO CON AGUA, tratándose de plantas, **Parcushca.**

REGADOR, a, adj. **Jichag; Shiguag; Chagchug,** según los casos. **Parcug.**

REGALAR (dar gratis una cosa), v. a. **Imallita yanga cuna.**

Camari

REGALO, n. **Camari.**

REGAÑAR, v. a. **Maycanhuan piñarishpa rimaricuna.**

REGAÑON, a, adj. **Piñarishpa rimaricug.**

REGAR, v. a. **Jichana.**— En la acepción de DISPENSAR, **Shiguana.** EN LA DE DERRAMAR CON DESORDEN O MEZCLANDO DESATINADAMENTE, **Chagchuna.**— EN LA DE ECHAR RIEGO A LAS PLANTAS, **Parcuna.**— IR A REGAR, **Jicharina.**— ESTAR DERRAMANDO, **Jichacuna.**— VENIR DERRAMANDO O DESPUES DE HABER DERRAMADO, **Jichamuna.**— HACER DERRAMAR,**Jichachina.**— DERRAMARSE **Jicharina.**— DERRAMAR ENTRE VARIOS O ALBOROTADAMENTE, **Jichanacuna.**— DERRAMAR CONSTANTEMENTE, **Jicharana.** Derivaciones análogas tienen **Shiguana, Chagchuna y Parcuna.**

REGAZO, n. **Changa; Miglla.**

REGION, n. **Pacha; Llagta.**

REGISTRAR, v. a. **Mashcana; Mashcarina.** Véase BUSCAR.

REGOCIJADO, a, p. p. **Cushilla.**

REGOCIJAR, v. a. **Cushichina.** Véase ALEGRAR.

REGOCIJO, n. **Cushi.**

REGOLDAR, v. n. **Cutichina; Japana,** ant.

REGRESAR, v. n. **Cutina.**— IR A REGRESAR, **Cutigrina.**— ESTAR REGRESANDO, **Cuticuna.**— VENIR DE REGRESO, **Cutimuna.**— REGRESARSE, **Cutirina.**— REGRESAR FRECUENTEMENTE, **Cutirana.** — HACER REGRESAR, **Cutichina.**

REGRESO, n. **Cutina; Cuti.**

REGüELLO, n. **Cutichishca; Japay,** ant.

REGULARMENTE, adv. **Chasnachasnalla.**

REHACER, v. a. **Cutin rurrana; Callaymanta allichina.**

REHECHO, a, p. p. **Cutin rurrashca; Tucuy allichishca.**

REHERVIR, v. a. **Cutin timbuchina.**

REHUSAR, v. a. **Mana chasquina; Mana arinina.**

REIDOR, a, adj. **Asig; Jizi.**

REINCIDENTE, adj. **Cutin urmag; Cutin juchallig.**

REINCIDIR, v. n. **Cutin urmana; Cutin juchallina.**

REIR, v. n. **Asina.**— IR A REIR, **Asigrina.**— ESTAR RIENDO, **Asicuna.**— HACER REIR, **Asichina.**— REIR EN COMPAÑIA DE OTROS, **Asinacuna.**— REIR INCESANTEMENTE, **Asirana.**— VENIR RIENDO, **Asimuna.**— REIRSE, **Asina; Asirina.**

REINTEGRAR, v. a. **Cutin imallata rurrana.**

REJON, n. **Chuqui,** ant.

REJONAZO, n. **Chuquihuan tugsishca.**

REJONERO, a, adj. **Chuquihuan tugsig.**

REJUVENECER, v. n. **Huambrayana.**

RELACION (referencia de algo), n. **Huillay.**

RELAMER, v. a. **Cutin llaguana.**

RELAMPAGO, n. **Lliulliu, Puycunapi jagannina.**

RELAMPAGUEAR, v. n. **Puyucanapi jagannina.**

RELATAR, v. a. **Imalla ricushca, uyashcata huillana.**

RELATOR, a, adj. **Huillag.**

RELENTE, n. **Shulla.**

RELIGION, n. **Pachacamag; Apunchita cuyana, manchana; Payman mañarina.**

RELIGIOSO, a, adj. **Apunchita; Payman mañarishpa causag.**

RELIQUIA (resto de algo), n. **Puchu.**

RELUMBRAR, v. n. **Llipiana; Jagannina.**

RELENAR, v. a. **Alli jundachina.**

RELLENO, n. **Alli jundachishca.**

REMATE (fin de alguna acción o cosa), n. **Puchucay.**

REMECER, v. a. **Cutin cuyuchian.**

REMEDADOR, a, adj. **Catichig.**

Jambi

REMEDAR, v. a. **Catichina.**

REMEDIO, n. **Jambi.**

REMEDO, n. **Catichishca.**

REMEMBRAR, v. a. **Cutin yuyarina.**

REMENDADO, a, p. p. **Llachapahuan sirash allichishca.**

REMENDAR, v. a. **Llachapahuan sirashca allichina; Ratapana,** ant.

REMENDON, a, adj. **Llachapashcata allichig.**

REMESA, n. **Imalla cachashca;** REMESA SEMANAL O QUINCENAL DE LAS HACIENDAS AL PATRON, **Uyari.**

REMESAR, v. a. **Imallata cachana.**

REMEZON, n. **Allpa chugchuy.**

REMIENDO, n. **Llachapahuan sirashca.**

REMINISCENCIA, n. **Yupay.**

REMIRAR, v. a. **Cutin ricuna; Ricurana.**

REMISION (envío), n. **Cachay.**

REMISION (perdón de las culpas), n. **Juchacungay.**

REMITENTE, adj. **Cachag.**

REMITIR, v. a. **Cachana.**

REMOJADO, a, p. p. **Nuyushca.**

REMOJAR, v. a. **Nuyuchina.**— IR A REMOJAR, **Nuyuchigrina.**— ESTAR REMOJANDO, **Nuyuchicuna.**— VENIR REMOJANDO O DESPUES DE HABER REMOJADO, **Nuyuchimuna.**— REMOJARSE, **Nuyuchirina; Nuyuna.**— REMOJARME O REMOJARTE, **Nuyuchihuana.**

REMOJO, n. **Nuyuy.**

REMOLON, a, adj. **Quilla; Llashag.**

REMORDER (la conciencia), v. a. **Llaquichina.**

REMORDERSE, v. r. **Canirina.**

REMORDIDO, a, p. p. **Canirishca.**

REMORDIMIENTO (de conciencia), n. **Llaqui.**

REMOTO, a, adj. **Carupi tiag; Caru.**

REMOVER, v. a. **Cutin cuyuchina.** Véase MOVER.

REMOVIDO, a, p. p. **Cutin cuyuchishca.**

REMOZADO, a, p. p. **Huambrayachishca; Huambrayashca.**

REMOZAR, v. a. **Huambrayachina.** REMOZARSE, **Huambrayana.**

REMPUJAR, v. a. **Tangana.** Véase EMPUJAR.

REMPUJON, n. **Tangay.**

RENACER, v. n. **Cutin huiñana.**

RENACIMIENTO, n. **Cutin huiñay.**

RENACUAJO, n. Lo mismo que RANACUAJO.

RENCILLA, n. **Ninacuy; Macanacuy.**

RENCILLOSO, a, adj. **Ninacush, macanacush causag.**

RENCOR, n. **Yuyarashpa pita millacuna.**

RENCOROSO, a, adj. **Shughuan piñarishcalla causag.**

RENDIJA, n. **Chigta; Ragra.**

RENDIR (cansar), v. a. **Shaycuchina.** RENDIR A UN ENEMIGO, **Atina.**

RENGO, a, adj. **Huistuchaqui; Huistuchanga.**

RENOVACION, n. **Mushugyay.**

RENOVADO, a, p. p. **Mushugyachishca; Mushugyashca.**

RENOVADOR, a, adj. **Mushugyachig.**

RENOVAR, v. a. **Mushugyachina.** RENOVARSE, **Mushugyana.**

REÑIR, v. n. **Ninacuna; Anyana,** ant.

REO, a, adj. **Jatun juchayug; Pita huañuchig.**

REPARAR (componer algo), v. a. **Allichina.** REPARAR en alguna cosa o acción, **Alli ricuna.**

REPARON, a, adj. **Tucuyta ricurash purig.**

REPARTIBLE, adj. **Raquiripag.**

REPARTIDO, a, p. p. **Raquishca.**

REPARTIDOR, a, adj. **Raquig.**

REPARTIR, v. a. **Raquina.**— IR A REPARTIR, **Raquigrina.**— ESTAR REPARTIENDO, **Raquicuna.**- VENIR REPARTIENDO O DESPUES DE HABER REPARTIDO, **Raquimuna.**— HACER REPARTIR, **Raquichina.**— REPARTIRSE ALGO, **Raquirina.**— REPARTIRSE ENTRE VARIOS O AYUDAR EN LA REPARTICION, **Raquinacuna.**

REPARTO, n. **Raqui; Raquinacuy.**

REPELER, v. a. **Mana chasquina.** REPELER A UNA PERSONA, **Shitana; Carush shitana.**

REPENTINAMENTE, adv. **Manapish yuyagpi.**

REPETICION, n. **Yanandi.**

REPETIDOR, a, adj. **Yanandichig.**

REPETIR, v. a. **Yanandichina.**

REPLANTAR, v. a. **Cutin mallquina; Catichina.**

REPLETO, a, adj. **Junda.** REPLETO DE COMIDA, **Sagsashca.**

REPONER, v. a. **Cutin churana.** REPONER un animal en lugar de otro muerto o perdido, **Shugta shayachina.** REPONERSE persona o animal enfermo, **Cutirina.**

REPOSADO, a, p. p. **Samashca.**

REPOSAR, v. n. **Samana.** Véase DESCANSAR.

REPOSO, n. **Samay.**

REPREGUNTA, n. **Cutin tapushca; Yanandi tapuy.**

REPREGUNTADOR, a, adj. **Cutin tapug.**

REPREGUNTAR, v. a. **Cutin tapuna.**

REPRENDER, v. a. **Mana alli rurrashcamanta piñarishpa, rimana, macana.**— REPRENDER AGRIAMENTE DE PALABRA, **Tushuna.** HACERLO SEVERAMENTE DE OBRA, **Tigzhina.**

REPRENSION, n. **Mana alli rurrashcamanta rimay, macay.**

REPUESTO, a, p. p. **Cutin churashca.** Animal que ha convalecido, **Cutirishca.**

REQUEMADO, a, p. p. **Ancha ruparishca.**

REQUEMAR, v. a. **Cutin rupachina.** REQUEMARSE, **Ancha ruparina.**

RESBALADIZO, a, adj. **Lluchca.**

RESBALADO, a, p. p. **Lluchcashca.**

RESBALADOR, a, adj. **Lluchcaglla.**

RESBALADURA, n. **Lluchcay.**

RESBALAR, v. n. **Lluchcana.**— IR A RESBALAR, **Lluchcagrina.** — ESTAR RESBALANDO, **Lluchcacuna.**— VENIR RESBALANDO O DESPUES DE HABER RESBALADO, **Lluchcamuna.**- HACER RESBALAR **Lluchcachina.**— RESBALARSE, **Lluchcachina.**— RESBALARSE, **Lluchcarina.**— RESBALAR CON MUCHA FRECUENCIA, **Lluchcarana.**

Lluchcana

RESBALON, n. Lo mismo que RESBALADURA.

RESBALOSO, a, adj. **Lluchca.**

RESECO, a, adj. **Yupay chaquishca; Chuntayashca.**

RESEMBRADO, a, p. p. **Cutin tarpushca; Catichishca.**

RESEMBRAR, v. a. **Cutin tarpuna; Catichina.**

RESENTIDO, a, p. p. **Ashalla piñashca.**

RESENTIMIENTO, n. **Ashalla piñay.**

RESENTIRSE, v. r. **Ashallata piñarina.**

RESERVADO, a, p. p. **Chicanchish churashca; Pacashca.**

RESERVAR, v. a. **Chicanchish saquina; Pacana; Huacaychina.**

RESFRIADO, n. **Chiriunguy.**

RESFRIAR, a, p. p. **Chiriyachishca; Chiriyashca.**

RESFRIAR, v. a. **Chiriyachina.**— RESFRIARSE, **Chiriyana.** Véase **ENFRIAR.**

RESIDENCIA (lugar en que se habita), n. **Causana llagta; Causana huasi.** RESIDENCIA (acto de residir), **Causay.**

RESIDIR, v. n. **Maypi causana.**

RESIDUO, n. **Puchu.**

RESIEMBRA, n. **Mana huiñashcata catichina.**

RESISTENTE, adj. **Sinchi.**

RESOLLAR, v. n. **Samayta cacharina.**

RESONANTE, adj. **Sinchita huacag.**

RESONAR, v. a. **Sinchita huacana.**

RESOPLAR, v. n. **Pucuna.** Véase SOPLAR.

RESOPLIDO, n. **Pucuy.**

RESPIRACION, n. **Samay.**

RESPIRAR, v. n. **Samayta aysana.**

RESPIRO, n. **Samay.**

RESPLANDECER, v. n. **Llipiana.**— IR A RESPLANDECER, **Llipiagrina.**— ESTAR RESPLANDECIENDO, **Llipiacuna.**— EMPEZAR A RESPLANDECER, **Llipiamuna.**— HACER RESPLANDECER, **Llipiachina.**

RESPLANDECIENTE, adj. **Llipiacug.**

RESPLANDOR, n. **Llipiay.**

RESPONDER, v. a. **Rimayta cutichina.**

RESPONDON, a, adj. **Rimayta cutichishpa piñachig.**

RESPUESTA, n. **Tapugman huillashca.**

RESQUICIO, n. **Chigta.**

RESTABLECERSE (un enfermo), v. r. **Cutirina.**

RESTANTE, adj. **Puchushca; Puchu.**

RESTAÑAR, v. a. **Shutucug yahuarta jarcana.**

RESTAR (quedar algún residuo), v. n. **Puchuna.**

RESTAR (quitar o disminuir), v. a. **Anchuchina.**

RESTITUCION, n. **Shugpa cashcata cutichina.**

RESTITUIDO, a, p. p. **Cutichishca.**

RESTITUIR, v. a. **Shuashcata cutichina.**

RESTO, n. **Puchu.**

RESTREGADO, a, p. p. **Cacushca.**

RESTREGAR, v. a. **Cacuna.**

RESUCITADO, a, p. p. **Huañushquipa rigcharishca.**

RESUCITAR, v. a. **Huañushquipa causarina.**

RESUELLO, n. **Samay.**

RESURRECCION, n. **Huañushca quipa, causag jatarina.**

RETAR (reprender insultando), v. a. **Tushuna.**

RETARDADO, a, p. p. **Unayachishca; Unayashca.**

RETARDADOR, a, adj. **Unayachig.**

RETARDAR, v. a. **Unayachina.** RETARDARSE, **Unayana.**

RETARDO, n. **Unayay.**

RETAZO, n. **Piti.**

RETEJER, v. a. **Cutin ahuana.**

RETEJIDO, a, p. p. **Cutin ahuashca.**

RETEMBLAR, v. n. **Chugchucuna; Chugchurana.**

RETENER, v. a. **Jarcana; Mana cacharina.**

RETIRADO, a, p. p. **Caruyashca.**

RETIRAR, v. a. **Caruyachina; Ñaupagmanta anchuchina.**

RETOÑAR, v. n. **Huagllishca mallquicuna cutin huiñay callarina.**

RETORCER, v. a. **Ashun huistuchina; Ashun cauchuna.**

RETORCIDO, a, p. p. **Ashun huitushca; Ashun cauchushca.**

RETORNAR, v. a. **Camarita cutichina.**

RETORCIJON, n. **Huigsa huacanacushpa nanana.**

Ashunhuitushca

RETOZAR, v. a. **Cayman chayman callpanacuchpa pugllana.**

RETOZON, a, adj. **Callpanacushpa pugllag.**

RETRASADO, a, p. p. **Quipayashca.**

RETRASAR, v. a. **Quipayachina.**

RETROCEDER, v. n. **Huashaycutirina.**

RETROCESO, n. **Huashaycutirishca.**

REUNIDO, a, p. p. **Tandashca; Tandachishca.**

REVENDEDOR, a, adj. **Randishcacunata cutin catug.**

REVENTA, n. **Randishcata cutin catuna.**

REVENTADO, a, p. p. **Tugyashca.**

REVENTAR, v. n. **Tugyana.**— IR A REVENTAR, **Tugyarina.**— ESTAR REVENTANDO, **Tugyacuna.**— EMPEZAR A REVENTAR, **Tugyamuna.**— HACER REVENTAR, **Tugyachina.**— REVENTAR FRECUENTEMENTE, **Tugyarana.**

REVENTAZON, n. **Tugyay.**

REVER, v. a. **Cutin ricuna.**

REVERENCIADO, a, p. p. **Cuyashpa manchashca; Muchashca,** desus.

REVERENCIAR, v. a. **Cuyashpa manchana; Muchana,** desus.

REVERBERAR, v. n. **Jagannicuna.**

REVISADO, a, p. p. **Cutin ricushca.**

REVISAR, v. a. **Cutin ricuna.**

REVISION, v. a. **Quipa ricuy.**

REVISTO, a, p. p. Lo mismo que REVISADO.

REVIVIR, v. n. **Causarina.**

REVOLCARSE, v. r. **Singuna.** Véase RODAR.

REVOLCON, n. **Singuy.**

REVOLVER (volver el rostro), v. n. **Tigrana. REVOLVER**, v. a. Véase VOLTEAR.

REVOQUE (nuevo embarre de una pared), n. **Yanandi llutay.**

REY, n. **Jatun apu; Inga.**

REYERTA, n. **Ninacuy; Macanacuy.**

REZAR, v. a. **Apunchiman shimuhuan mañarina.**

REZO, n. **Apunchiman shimihuan mañay.**

RIACHUELO, n. **Uchilla yacu.**

RIBERA, n. **Yacupata.**

RIBEREÑO, a, adj. **Yacupatapi causag; Yacupatapi tiag.**

RICACHO, a, adj. **Chayuglla.**

RICO, a, adj. **Chayug.**

RIEGO, n. **Parcu; Yacuapana rarca.**

RIGIDO, a, adj. **Caspiyashca; Chuntayashca; Ratug.**

RINCON, n. **Cuchu.**

RINGLERA (de mieses), n. **Huachu.** Ringlera de una mies puesta en la sementera de otra diversa, como de cebada o trigo en maíz, **Cashil.**

RIÑA, n. Véase REYERTA.

RIO, n. **Jatun yacu.**

RISA, n. **Asi; Asina.**

RISCO, n. **Caca.**

RISIBLE, adj. **Asichipag.**

RISUEÑO, a, adj. **Asig; Ñahuiñahuilla; Jizi.**

RIZADO, a, p. p. **Zhirbuyachishca; Tipuyashca; Tipu.**

RIZAR, v. a. **Zhirbuyachina.** Véase ENCRESPAR.

ROBADO, a, p. p. **Shuashca.**

ROBAR, v. a. **Shuana.**— IR A ROBAR, **Shuagrina.**— ESTAR ROBANDO, **Shuacuna.**— VENIR ROBANDO O DESPUES DE HABER ROBADO, **Shuamuna.**— HACER ROBAR, **Shuachina.**— ROBARSE, **Shuarina.**— ROBARTE O ROBARME, **Shuahuana.**— ROBAR CONSTANTEMENTE, **Shuarana.**— ROBAR ENTRE VARIOS O ROBARSE MUEUAMENTE, **Shuanacuna.**

ROBO, n. **Shuay.**

ROBUSTECER, v. a. **Sinchiachina.**

ROBUSTO, a, adj. **Sinchi; Chaquimaqui.**

ROBUSTEZ, n. **Sinchi cana.**

ROCA, n. **Jatun rumi; Caca.**

ROCIO, n. **Shulla.**

RODADERO, n. **Singuna quingray; Singuna huaycu.**

RODADIZO, a, adj. **Singuglla.**

RODADO, a, p. p. **Singushca.**

RODAR, v. n. **Singuna.**— IR A RODAR, **Singugrina.**— ESTAR RODANDO, **Singucuna.**— VENIR RODANDO O DESPUES DE HABER RODADO, **Singumuna.**— HACER RODAR, **Singuchina.**— HACER RODAR ENTRE VARIOS, **Singuchinacuna.**

RODEAR, v. n. **Muyuna.**— IR A RODEAR, **Muyugrina.**— ESTAR RODEANDO, **Muyucuna.**— VENIR RODEANDO O DESPUES DE HABER RODEADO, **Muyumuna.**— HACER RODEAR, **Muyuchina.**

RODEO, n. **Muyuy.**

RODILLA, n. **Cunguri.**

RODILLUDO, adj. **Cungurisapa.**

ROER, v. a. **Asllancama canirashpa micuna.**

ROGAR, v. a. **May imallata mañarina.**

ROJIZO, a, adj. **Pucalla.**

ROJO, a, adj. **Puca; Pichi.**

ROMADIZO, n. **Chulli,** poco us.

ROMAZA (una especie de este género vegetal), n. **Gulag.**

ROMPER, v. a. **Paquina.**— ROMPER, en la acepción de RASGAR, **Lliquina.**— IR A ROMPER, **Paquigrina.**— ESTAR ROMPIENDO, **Paquicuna.**— VENIR ROMPIENDO O DESPUES DE HABER ROTO, **Paquimuna.**— HACER ROMPER, **Paquichina.**— ROMPERSE, **Paquirina.**— AYUDAR A ROMPER O ROMPER DESORDENADAMENTE, **Paquinacuna.**

RONCAR, v. n. **Curcuna,** ant.

RONCO, a, adj. **Chaquicunga; Chaca,** ant.

RONQUERA, n. **Chaquicunga cana.**

ROÑA, n. **Caracha.**

ROPA, n. **Churana; Churacuna.**

ROSTRO, n. **Nahui.**

ROTO, a, p. p. **Lliquishca; Lliqui.**

ROTURA, n. **Lliqui.** Rotura de cosa rígida, como un palo o una piedra, **Paqui.**

ROZA (vulgarmente llamada DESMONTE), n. **Chacu.**

ROZADO, a, p. p. **Chacushca.**

ROZADOR, a, adj. **Chacug.**

ROZAR, v. a. **Chacuna.** Véase DESMONTAR.

RUBICUNDO, a, adj. **Pucañahui; Sucu.**

RUBIO, a, adj. **Pucauma; Catiri.**

RUBOR, n. **Pingay.**

RUBORIZAR, v. a. **Pingachina.** Véase AVERGONZAR.

RUBOROSAMENTE, adv. **Pingaylla.**

RUBOROSO, a, adj. **Pingayjunda.**

RUCIO, a, adj. **Yaragyashca; Sucu.**

RUDAMENTE, adv. **Sinchi; Zagra maquihuan.**

RUECA, n. **Puchcana huangu.**

RUEDO, n. **Muyuy.** EN RUEDO, **Muyundi; Muyundita.**

RUEGO, n. **Mañay.**

RUFO, a, adj. Lo mismo que RUBIO.

RUGA, n. **Sipu.**

RUGAR, v. a. **Sipuna.**

RUGIDO, n. **Jatun huacay.**

RUGIR, v. n. **May sinchi huacana.**

RUGOSIDAD, n. **Sipusipu cana.**

RUIN, adj. **Challi; Huaglli.**

RUMBO, n. **Ñan.**

RUMIADOR, a, adj. **Cutichishpa castug.**

RUMIAR, v. a. **Tunguriman cutichishpa castuna.**

RUPTURA, n. Lo mismo que ROTURA.

RUSTICO, a, adj. **Chagra.** En la acepción de CHARRO, **Laychu.**

RUTA, n. Lo mismo que RUMBO.

RUTILANTE, adj. **Llipiacug; Jagannicug.**

RUTILAR, v. n. **Llipiacuna; Jagannicuna.**

ABANA, n. **Cata.**

SABANA (llanura), n. **Pamba.**

SABANDIJA, n. Curu.

SABEDOR, a, adj. **Yachag.**

SABER, n **Yachag.**

SABER, v. a. **Yachana.**— IR A SABER O ESTAR A PUNTO DE SABER, **Yachagrina.** — ESTAR SABIENDO, **Yachacuna.**— VENIR DESPUES DE SABER, **Yachamuna.**— HACER SABER, **Yachachina.**— SABERSE, **Yacharina.**

SABIAMENTE, adv. **May yachagshina.**

SABIDO, a, p. p. **Yachashca.**

SABIDURIA, n. **Jatun yachay.**

SABIHONDO, a, adj. **Yachagtucug; Anchayachag.**

SABIO, a, adj. **May yachag.**

SABLON (arena gruesa), n. **Racu tiu.**

SABOR, n. **Mishqui cana; Gamu cana.**

SABOREAR, v. a. **Mallina.** SABOREARSE, **Mishquillina.**

SABROSO, a, adj. **Mishqui.**

SABUESO, n. **Shug allcu.**

SABURRA, n. Véase EMPACHO.

SACA, n. **Jatun tulu.**

SACADO, a, p. p. **Llugchishca.**

SACADOR, a, adj. **Llugchig.**

SACAMUELAS, adj. **Quirullugchig; Quirusurcug.**

SACAR, v. a. **Surcuna.— IR A SACAR, Surcugrina.**— ESTAR SACANDO, **Surcucuna.**— VENIR SACANDO O DESPUES DE HABER SACADO, **Surcumuna.**— HACER SACAR, **Surcuchina.**— SACARSE, **Surcurina.**— SACARME O SACARTE, **Surcuhuana.**— AYUDAR A SACAR, **Surcunacuna.**— Formas semejantes admite **LLUGCHINA.**

SACIADO, a, p. p. **Amishca.**

SACIAR, v. a. **Amichina.— IR A SACIAR, Amichigrina.**— ESTAR SACIANDO, **Amichicuna.**— EMPEZAR A SACIAR, **Amichimuna.**— SACIARSE, **Amina; Ajitana,** que admite las mismas formas.

SACIEDAD, n. **Ami; Ajitay.**

SACO, n. **Tulu.** Saco de fibra de ágave, tejido a modo de red, **Shigra.**

SACUDIDO, a, p. p. **Chaspishca.**

SACUDIDOR, a, adj. **Chaspig.**

SACUDIR, v. a. **Chaspina.— IR A SA-**

CUDIR, **Chaspigrina.**— ESTAR SACUDIENDO, **Chaspicuna.**— VENIR SACUDIENDO O DESPUES DE HABER SACUDIDO, **Chaspimuna.**— HACER SACUDIR, **Chaspichina.**— SACUDIRSE, **Chaspirina.**— AYUDAR A SACUDIR, **Chaspinacuna.**

SAETA, n. **Huachi**, ant.

SAHUMADO, a, p. p. **Cusnichishca.**

SAHUMAR, v. a. **Cusnichina.**— IR A SAHUMAR, **Cusnichigrina.**— ESTAR SAHUMANDO, **Cusnichicuna.**— VENIR SAHUMANDO, **Cusnichimuna.**— SAHUMARSE, **Cusnichirina.**— SAHUMAR ENTRE DOS O MAS, **Cusnichinacuna.**— SAHUMAR MUCHAS VECES, **Cusnichirana.**— SAHUMARME O SAHUMARTE, **Cusnichihuana.**

SAJAR, v. a. **Cuchuna; Pascana.** Véase CORTAR y ABRIR.

SAL, n. **Cachi.**

SALADAR, n. **Cachiyacu; Cachiguzu; Cachi.**

SALADERO, n. Lo mismo que SALADAR.

SALADO, n. **Cachi.**

SALADO, a, p. p. **Cachichishca; Yalli.** COSA MUY SALADA, **Yalli cachiug.**

SALADOR, a, adj. **Cachichig.**

SALADURA, n. **Cachichi.**

SALAR, v. a. **Cachichina.**— IR A SALAR, **Cachichigrina.**— ESTAR SALANDO, **Cachichicuna.**— VENIR DESPUES DE HABER SALADO, **Cachichimuna.**— AYUDAR A SALAR, **Cachichinacuna.**

SALARIO, n. **Rurrashcamanta chasquirig cullqui.**

SALERO, n. **Cachichurana.**

SALIDA, n. **Llugshi; Llugshina pungu.**

SALIDO, a, p. p. **Llugshishca.**

SALIENTE, adj. **Llugshirig; Llugsihicug.**

SALIR, v. n. **Llugshina.**— IR A SALIR, **Llugshigrina.**— ESTAR SALIENDO, **Llugshicuna.**— VENIR SALIENDO O DESPUES DE HABER SALIDO, **Llugshimuna.**— SALIRSE, **Llugshirina**, especialmente el enfermo que empieza a convalecer.— HACER SALIR, **Llugshichina.**

SALITRAL, n. Véase SALADAR.

SALIVA, n. **Tuca.**

SALIVAR, v. a. **Tucana.**— IR A SALIVAR, **Tucagrina.**— ESTAR SALIVANDO, **Tucacuna.**— VENIR SALIVANDO, **Tucamuna.**— HACER SALIVAR, **Tucachina.**

SALIVOSO, a, adj. **Ancha tucag.**

SALMUERA, n. **Cachiyacu.**

SALOBRE, adj. **Cachisapa.**

SALON, n. **Ashun jatun ucu.**

SALSA, n. **Jaucha; Imalla uchuhuan cutashca micuy.**

SALTADOR, a, adj. **Tushug**, ant.

SALTEADO, a, p. p. **Shuashpa quichushca.**

SALTEADOR, a, adj. **Shuashpa quichug.**

SALTEAMIENTO, n. **Shuashpa quichug.**

SALTEAR, v. a. **Shuashpa quichuna.**

SALUD, n. **Mana ungug cana.**

SALUDAR, v. a. **Chayarighuan rimanacuna.**

SALUDO, n. **Chayarighuan raminacuy.**

SALVACION, n. **Quishpina.**

SALVADOR, n. **Jatun Quishpichig Apunchi.**

Auca

SALVADOR, a, adj. **Quishpichig.**

SALVAJE, n. **Auca.**

SALVAR, v. a. **Quishpichia.** Véase REDIMIR.

SALVIA, n. **Mangapaqui.** Otra especie de ella, **Quindissungana.**

SALVO, a, adj. **Quishpichishca; Quishpishca.**

SANABLE, adj. **Alliaypag.**

SANAR, v. a. **Jambishpa alliyachina.** Véase CURAR.

SANATIVO, a, adj.

SANDALIA, n. **Ushuta.**

SANDEZ, n. **Uparrimay; Uparrurray.**

SANDIO, adj. **Upa; Muspag.**

SANGRADOR, a, adj. **Yahuarta surcug.**

SANGRAR, v. a. **Yahuarta surcuna.**

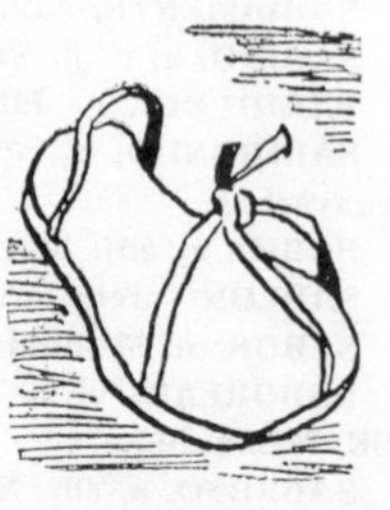

Ushuta

SANGRE, n. **Yahuar.**

SANGRIA, n. **Yahuarta llugchina.**

SANGRIENTO, a, adj. **Yahuarsapa; Yahuaryashca.**

SANGUAZA, n. **Yacuyahuar.**

SANGUIJUELA, n. **Yahuarta sangug curu.**

SANGUINO, a, adj. **Yahuarsapa.**

SANGUINOSO, a, adj. Lo mismo que SANGRIENTO.

SANIDAD, n. Véase SALUD.

SANO, a, adj. **Mana ungushca; Alli.**

SANTO, a, adj. **Yupay alli; Apunchipag agllashca.**

SAÑA, n. **Yallimanta piñay.**

SAÑUDO, a, adj. **Huiñay piñashca.**

SAPO, n. **Jambatu.** Véase RANA.

SAQUE, n. **Surcuy.**

SAQUEAR, v. a. **Huasihuasita purishpa, tiashcata shuana.**

SAQUEO, n. **Huasicunapi jatun shuay.**

SARNA, n. **Sisu.** Sarna purulenta, **Caracha.**

SARNOSO, a, adj. **Sisu; Piri.**

SARPULLIDO, n. **Pishcuchupu; Llilli**, ant.

SASTRE, n. **Churanacunata sirag.**

SATANAS, n. **Ucupaychapi tiag jatun millay.**

SATIVO, a, adj. Véase SEMBRABLE.

SAYA, n. **Agsu**, ant.

SAZON (de las mieses), n. **Pucuypacha.**

SAZON (de la comida), n. **Mishqui cana; Gamu cana.**

SAZONADO, a, p. p. **Pucushca.** Tratándose de comidas, **Mishquichishca.**

SAZONAR, v. a. **Pucuchina.** Sazonar comidas, **Mishquichina.** Véase MADURAR y ENDULZAR.

SE, pron. de tercera persona, **Ri**, interpuesto entre las radicales y la desinencia de los verbos, para las formas pasiva y reflexiva; vga. "Quererse": "Cuyarina"; — "Quedarse': "Saquirina".

SEBO, n. **Sinchi huira.**

SEBOSO, a, adj. **Huirasapa; Huisiacug.**

SECA, n. **Usiay.**

SECADO, a, p. p. **Chaquishca.**

SECAR, v. a. **Chaquichina.— IR A SECAR, Chaquichigrina.—** ESTAR SECANDO, **Chaquichicuna.—** VENIR SECANDO O DESPUES DE SECAR, **Chaquichimuna.—** SECARSE, **Chaquichirina; Chaquina.—** AYUDAR A SECAR, **Chaquichinacuna.**

SECION, n. **Chuchuy.**

SECO, a, p. p. **Chaquishca; Chaqui.**

SECRETO, n. **Imalla mana huillaypag.**

SECRETO, a, adj. **Pacashca.** EN SECRETO, **Pacalla.**

SECUESTRO, n. **Apupa jarcashca.**

SED, n. **Yacunayay.**

SEDA, n. **Llipig**, ant.

SEDICION, n. **Apucunahuan churanacuy.**

SEDICIOSO, a, adj. **Apucunahuan churanacug.**

SEDIENTO, a, adj. **Yacunayag.**

SEGADOR, a, adj. **Cuchug.** Segador de maíz maduro, **Calchag.**

SEGAR, v. a. **Cachuna.** Segar maíz maduro, **Calchana.**

SEGREGAR, v. a. **Imallata raquishpa saquina.**

SEGUIDAMENTE, adv. **Catipi.**

SEGUIDOR, a, adj. **Catipi purig.**

SEGUIR, v. a. **Catina.—** IR A SEGUIR, **Catigrina.—** ESTAR SIGUENDO, **Caticuna.—** VENIR SIGUIENDO O DESPUES DE HABER SEGUIDO, **Catimuna.—** SEGUIRSE, **Catirina.—** HACER SEGUIR, **Catichina.—** SEGUIRSE UNOS EN POS DE OTROS, **Catinacuna.—** SEGUIRME O SEGUIRTE, **Catihuana.—** SEGUIR CON INSISTENCIA, **Catirana.**

SEGUNDO, a, adj. **Ishcayniqui**, desus.

SEISCIENTOS, as, adj. **Sogtapasag.**

SEIS, adj. **Sogta.**

SELECCION, n. **Agllay.**

SELECTO, a, adj. **May agllashca.**

SELVA, n. **Sacha; Urcu.**

SELVATICO, a, adj. **Sachamanta; Sachapi tiag.**

SELVOSO, a, adj. **Sachajunda; Sachasacha.**

SELLADO, a, p. p. **Unanchishca.**

SELLAR, v. a. **Unanchina.** Véase SEÑALAR.

SEMANA, n. **Canchis punzha.**

SEMANAL, adj. **Canchis punzhapi cutimug.**

SEMBLANTE, n. **Ñahui.**

SEMBRABLE, adj. **Tarpuripag; Tarpuna.**

SEMBRADIO, n. **Tarpuna pamba.**

SEMBRADO, n. **Chagra.**

Tarpug

SEMBRADO, a, p. p. **Tarpushca.**

SEMBRADOR, a, adj. **Tarpug.**

SEMBRADURA, n. **Tarpuy; Tarpunapagta.**

SEMBRAR, v. a. **Tarpuna.**— IR A SEMBRAR, **Tarpugrina.** — ESTAR SEMBRANDO, **Tarpucuna.** — VENIR SEMBRANDO O DESPUES DE HABER SEMBRADO, **Tarpumuna.**— HACER SEMBRAR, **Tarpuchina.**— SEMBRARSE, **Tarpurina.**— AYUDAR A SEMBRAR, **Tarpunacuna.**— SEMBRAR CONSTANTEMENTE, **Tarpurana.**

SEMEJANTE, adj. **Rigchag.** MUY SEMEJANTE, **Payta ricushcalla.**

SEMEJANZA, n. **Rigchay.**

SEMEJAR, v. n. **Shugman rigchana.**

SEMENTERA, n. **Chagra.**

SEMESTRE, n. **Sogta quilla.**

SEMILLA, n. **Muyu.**

SEMILLERO, n. **Muyu cuchanchishca allpa; Mallquichagra.**

Muyu

SEMPITERNO, a, adj. **Manajajcapi tucuripag.**

SENDA, n. **Chaquiñan.**

SENDERO, n. Lo mismo que SENDA.

SENECTUD, n. **May yuyag cana.**

SENIL, adj. **Rucupag.**

SENO, n. **Quinzhu.** Seno de una superficie, **Pugru.**

SENSIBLE, adj. **Llaquiglla,** tratándose de personas, **Llaquipag, Llaquichig,** hablando de cosas.

SENTADO, a, p. p. **Tiarishca.**

SENTAR, v. a. **Tiachina.**— IR A SENTAR, **Tiachigrina.**— ESTAR SENTANDO, **Tiachicuna.**— VENIR DESPUES DE HABER HECHO SENTAR, **Tiachimuna.**— SENTARSE, **Tiarina.**— ESTAR INDEFINIDAMENTE SENTADO, **Tiarana.**

SENTIMIENTO (pesar), n. **Llaqui.**

SENTIDO, n. **Ricuna, Uyana, Mutquina, Mallina, Japina.**

SENTIR (pesar), n. **Llaqui.**

SEÑAL, n. **Unanchishca; Unanchi.**

Unanchina

SEÑALADO, a, **Unanchishca.**

SEÑALAR, v. a. **Unanchina.**— IR A SEÑALAR, **Unanchigrina.**— ESTAR SEÑALANDO, **Unanchicuna.**— VENIR SEÑALANDO O DESPUES DE SEÑALAR, **Unanchimuna.**— HACER SEÑALAR, **Unanchichina.** — SEÑALARSE UNA COSA, **Unanchirina.** — AYUDAR A SEÑALAR, **Unanchinacuna.**

SEÑOR, n. **Apu; Amu, tomado del castellano?**

SEÑORA, n. **Ama.**

SEPARABLE, adj. **Raquipag; Chicanchipag.**

SEPARACION, n. **Raqui; Chicanchi.**

SEPARADAMENTE, adv. **Chican.**

SEPARADO, a, p. p. **Raquishca; Chicanchishca; Chican.**

SEPARADOR, a, adj. **Raquig; Chicanchig.**

Raquina

SEPARAR, v. a. **Chicanchina; Raquina.**— IR A SEPARAR, **Raquigrina.**— ESTAR SEPARANDO, **Raquicuna.** — VENIR SEPARANDO O DESPUES DE SEPARAR, **Raquimuna.** — HACER SEPARAR, **Raquichina.**— SEPARARSE, **Raquirina.**- SEPARARME O SEPARARTE, **Raquihuana.**— HACER SEPARAR, **Raquichina.**— AYUDAR A SEPARAR, **Raquinacuna.** Véase APARTAR.

SEPTIMO, a, adj. **Canchisniqui,** desus.

SEPTUPLE, adj. **Canchischishca.**

SEPTUPLICAR, v. a. **Canchischina.**

SEPULCRAL, adj. **Tulapag.**

SEPULCRO, n. **Ayapambana jutcu; Tula.**

SEPULTADO, a, p. p. **Pambashca.**

SEPULTADOR, a, adj. **Pambag.**

SEPULTAR, v. a. **Pambana.** Véase ENTERRAR.

SEPULTO, a, adj. Lo mismo que SEPULTADO.

SEPULTURA, n. Lo mismo que SEPULCRO.

Tula

SEPULTURERO, a, adj. Véase SEPULTADO.

SEQUEDAD, n. **Chaquishca cana.** En la acepción de BONANZA PROLONGADA, **Usiay.**

SEQUIA, n. Lo mismo que SEQUEDAD, segunda acepción.

SER, n. **Cag.**

SER, v. sustantivo, **Cana.**— IR A SER, **Cagrina.**— ESTAR A PUNTO DE SER, **Cacuna.**— HACER QUE SEA, **Cachina.**

SERENO (rocío), n. **Shulla.**

SERENO, a, (tiempo o época), **Pascarishca; Usiacug.**

SERPIENTE, n. **Amaru,** desus.

SERRANIA, n. **Sachacuna; Urcucuna.**

SESENTON, a, adj. **Sogtachungahuatayug**

SESGO, a, adj. **Huistu; Huingu.**

SESO, n. **Ñutu.** Seso Por BUEN JUICIO, **Yuyay.**

Amaru

SESTEAR, v. n. **Punzhapachapi puñuna.**

SETECIENTOS, adj. num. **Canchispasag.**

SETENTA, adj. **Canchischunga.**

SETENTOS, a, adj. **Canchischungahuatayug.**

SETIMO, a, adj. Lo mismo que SEPTIMO.

SEVERO, a, adj. **Piña.**

SEXAGESIMO, a, adj. **Sogtachunganiqui,** desus.

SEXO, n. **Cari cana, Huarmi cana.**

SEXTUPLE, adj. **Sogtanchishca.**

SEXTUPLICAR, v. a. **Sogtanchina.**

SI, pron, de genit., dat. y ablat. **Paymanta, Payman, Payhuan;** vga. "Habla de sí": "Paymanta riman"; — "Quiere para sí": "Payman munan"; — "Lo trae consigo": "Payhuan apamun". ENTRE SI, **Paypag shungui.** ENTRE SI SOLOS, **Saypuracuna.**

SI, adv. **Ari; Shuti.** SI DIZQUE, **Ashi; Chasnashi.**

SI, conj. **Ca,** pospuesto a la palabra respectiva; vga. "Si acaso él viene": "Pay shamugpica". También se usa algunas veces de **Man,** igualmente pospuesto, por ejemplo: "Si yo lo viese": "Ñuca ricuyman".

SIEGA, n. **Cuchuy.** Siega de maíz, **Calchay.**

SIEMBRA, n. **Tarpug.** Epoca de la siembra, **Tarpuypacha.**

SIEMPRE, adv. **Tucuy pachapi; Manajaycapi tucurigta; Huiñay.**

SIERRA, n. Lo mismo que SERRANIA.

SIESO, n. **Siquijutcu; Ucuti.**

SIESTA, n. **Punzhapuñuy.**

SIETE, adj. **Canchis.**

SIGILAR, v. a. **Mana huillana; Pacana.**

SIGILO, n. **Pacay.**

SIGLO, n. **Pasag huata.** Siglo en la acepción de ESTE MUNDO, **Cay pacha.**

SIGNAR, v. a. **Unanchina.** SIGNARSE, **Apunchipag shutipi unanchirina.**

SIGNO, n. **Unanchi; Unanchishca.**

SIGUIENTE, adj. **Catig.**

SILBAR, v. n. **Juynina,** ant.

SILBO, n. **Juyni,** ant.

SILENCIO, n. **Upallay.**

SILENCIOSAMENTE, adv. **Upalla; Chunlla.**

SILENCIOSO, a, adj **Upalla.**

SILVESTRE, adj. **Sachapi tiag; Urcupi pucug; Sacha.**

Juynina

SIMPLE (bobo), adj. **Upa.**

SIMPLEZA, n. **Upapag nishca, paypag rurrashca.**

SIMULACION, n. **Nigtucuy; Pacay.**

SIMULAR, v. a. **Nigtucuna; Pacana.** Véase ESCONDER.

SIN, prep. Carece de correspondencia directa. Se la suple con frases negativas o con el participio **Illag** del verbo **Illana:** NO HABER; vga. "Viene sin él": "**Mana payhuanchu shamun**"; — "Suelo sin sementera": "**Chagra Illag pamba**".

SINCERO, a, adj. **Llambushungu.**

SIN EMBARGO, modo adv. **Chasnapish; Shinapish; Ñatag.**

SINGULAR, adj. **Mana shugman rigchag; Paylla.**

SINIESTRA (mano), n. **Lluqui maqui.**

SINIESTRO, a, adj. **Chiqui.**

SINUOSO, a, adj. **Quinguquingu.**

SIQUIERA, adv. **Llapish o Llatapish,** pospuestos a nombre o verbo; por ejemplo: "Tú siquiera' : "Canllapish"; — "Tráeme siquiera uno": "Shugllatapish apamuhuay".

SITUAR, v. a. **Imallata maypi churana.**

SO, prep. **Ucupi.** Vga. "So lo piedra". "Rumiucupi".

SOBACO, n. **Rigraucu; Huallhuacu,** desus.

SOBADO, a, p. p. **Cacushca.**

SOBAR, v. a. **Cacuna.** Véase FREGAR.

SOBERBIA, n. **Apuy,** desus.

SOBERBIO, a, adj. **Apushca,** desus.

SOBRA, n. **Puchu.**

SOBRADO, a, p. p. **Puchushca.**

SOBRAR, v. n. **Puchuna.**— IR A SOBRAR, **Puchugrina.**— ESTAR SOBRANDO, **Puchucuna.**— EMPEZAR A SOBRAR, **Puchumuna.**— HACER SOBRAR, **Puchuchina.**

SOBRE, prep. **Jahuapi.** Vga. "Sobre la casa": "Huasijahuapi".

SOBRECARGA (carga adicional), **Palta.**

SOBRECARGAR, v. a. **Yallita apachia; Paltana.**

SOBRECOGER, v. a. **Manchachina.** Véase ESPANTAR.

SOBRECOGIMIENTO, n. **Manchay.**

SOBREDICHO, a, adj. **Ña nishca; Nucalla nishca.**

SOBREDORAR, v. a. **Jahuallata curichina.**

SOBRENADAR, v. n. **Huambuna.**

SOBREPARTO, n. **Huachagcunapag unguy.**

SOBREPONER, v. n. **Paltash churana.**

SOBREPRECIO, n. **Paltana.**

SOBREPUESTO, a, p. p. **Paltashca.**

SOBREPUJAR, v. a. **Atina; Yallina.**

SOBRESALIR, v. n. **Llugshirina; Shugcunatayalli cana.**

SOBRESALTAR, v. a. **Manchachina.** Véase ESPANTAR.

SOBRESALTO, n. **Jatun manchay.**

SOBRESCRIBIR, v. a. **Jahuallata quillcana.**

SOBRESCRITO, n. **Jahuallapi quillcashca; Canzhaquillca.**

SOBREVIVIR, v. n. **Shug huañugpi, cusashpa saquirina.**

SOBRIEDAD, n. **Ashallata micuna; Ricushpallaupina.**

SOBRIO, a, adj. **Mana allita micug; Mana ancha upiag.**

SOCAVAR, v. a. **Ucuta allana.**

SOCAVON, n. **Ucuta allashca.**

SOCORRER, v. a. **Llaquigta yanapana.**

SOCORRO, n. **Yanapay.**

SOEZ, adj. **Huaglli.**

SOFOCAR, v. a. **Samayta jarcana.**

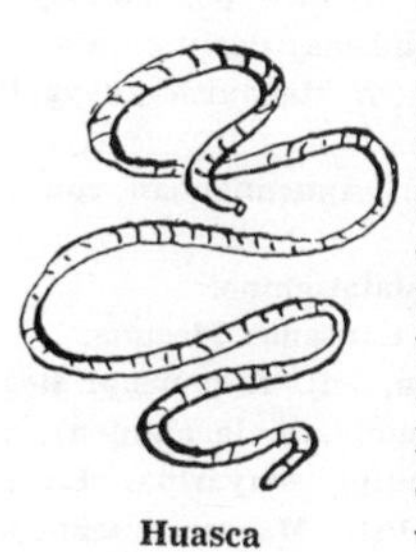
Huasca

SOGA, n. **Huasca.**

SOGUERO, a, adj. **Huascarrurrag; Huascata catug.**

SOGUILLA, n. **Uchilla huasca.**

SOL, n. **Rupay; Inti.**

SOLAMENTE, adv. **Lla**, pospuesto a la dicción respectiva; vga. "Solamente por él estoy llorando": "Paymantallami huacacuni".

SOLAZ, n. **Cuzhi.**

SOLDAR, v. a. **Tinguina.**

Inti

SOLEDAD, n. **Sapalla cana.**

SOLER, v. a. **Yachana**; vga. "Suele enfadarse": "**Piñarinata yacharmi**".

SOLEVANTAR, v. a. **Ucumanta jahuaman tangashpa jatarichina.**

SOLICITAR, v. a. **Imallata munashpa, mañacuna.**

SOLICITO, a, adj. **Cusi.**

SOLIDO, a, adj. **Sinchi; Racu; Mana purulla.**

SOLILOQUIO, n. **Sapalla rimaricuna.**

SOLITARIO, a, adj. **Sapalla causag.**

SOLO, a, adj. **Sapalla.**

SOLTADOR, a, adj. **Cacharig.**

SOLTAR, v. a. **Cacharina.**— IR A SOLTAR, **Cacharigrina.**— ESTAR SOLTANDO, **Cachiricuna.**— VENIR SOLTANDO O DESPUES DE SOLTAR, **Cachirimuna.**— SOLTARSE, **Cacharina.**— SOLTARME O SOLTARTE, **Cachirihuana.**— AYUDAR A SOLTAR, **Cacharinacuna.**— TENER ALGUNA COSA SUELTA POR LARGO TIEMPO O HABITUALMENTE, **Cacharirana.**

SOLTERA, adj. **Manara cusayug huarmi.**

SOLTERO, adj. **Manara huarmi cari.**

SOLTERON, a, adj. **Mana cazarashpa rucuyacug.**

SOMBRA, n. **Llandu.**

SOMBREADO, a, p. p. **Llandushca; Llandu.**

SOMBREAR, v. a. **Llanduna.**

SOMBRERO, n. **Umacatama.**

SOMBRIO, a, adj. **Llandu; Puralla.**

SOMBROSO, a, adj. **Llandusapa.**

SOMERO, a, adj. **Jahualla.**

SOMNIFERO, a, adj. **Puñuchig.**

SOMNOLENCIA, n. **Puñunayay.**

SON, n. **Huacay.**

SONADOR, a, adj. **Huacag.**

SONAMBULO, a, adj. **Puñushca purig.**

SONAR, v. n. **Huacana.**

SONIDO, n. **Huacay.**

SONREIR, v. n. **Asirina.**

SONRISA, n. **Asiri.**

SONROJO, n. **Pingay.**

SOÑADO, a, p. p. **Muscushca.**

SOÑADOR, a, adj. **Muscug.**

SOÑAR, v. a. **Muscuna.**— IR A SOÑAR, **Muscugrina.**— ESTAR SOÑANDO, **Muscucuna.**— VENIR SOÑANDO O DESPUES DE HABER SOÑADO, **Muscumuna.**— HACER SOÑAR, **Muscucchina.**— Se dice también **Muspana**, que tiene las mismas derivaciones.

SOÑOLIENTO, a, adj. **Puñurigllla; Puñuysapa.**

SOPA (de papas), n. **Lugru.**

SOPAPO, n. **Maquihuagtay; Sagmay.**

SOPLADO, a, p. p. **Pucushca.**

SOPLADOR, a, adj. **Pucug.**

SOPLADURA, n. **Pucuy.**

SOPLAR, v. a. **Pucuna.**— IR A SOPLAR, **Pucugrina.**— ESTAR SOPLANDO, **Pucucuna.**- VENIR SOPLANDO O DESPUES DE SOPLAR, **Pucumuna.**— HACER SOPLAR, **Pucuchina.** — SOPLARSE, **Pucurina.** SOPLARME O SOPLARTE, **Pucuhuana.**— SOPLAR INCESANTEMENTE, **Pucurana.**

Pucuna

SOPLO, n. **Pucuy.**

SOPOR, n. **Puñunayay.**

SOPORIFERO, a, adj. **Puñuchig.**

SORBEDOR, a, adj. **Sungag.**

SORBER, v. a. **Sungana.** Véase CHUPAR.

SORBIDO, a, p. p. **Sungashca.**

SORBO, n. **Sungay.**

SORDERA, n. **Mana alli uyag cana; Uyayta mana charina.**

SORDIDO, a, adj. **Ancha mapa; Zagra.**

SORDO, a, adj. **Mana alli uyag; Uyag illag.**

SOSEGADO, a, p. p. **Casilla.**

SOSEGAR, v. a. **Casichina.** SOSEGARSE, **Casilla saquirina.**

SOSIEGO, n. **Casilla cana.**

SOSLAYO (en la expresión VER DE SOSLAYO), n. **Quingrayman ricuna.**

SOSO, a, adj. **Gamu.**

Charicuna

SOSTENER, v. a. **Charicuna; Chariranna.**

SOTANO, n. **Allpata allashpa rurrashca ucu.**

SOTERRADO, a, p. p. **Pambashca.**

SOTERRAR, v. a. **Pambana.**

SU, Suyo, adj. pron. **Paypag; Paypa.**

SUAVE, adj. **Samba; Sapalla.**

SUAVEMENTE, adv. **Samballa; Samballata.**

SUAVIDAD, n. **Samba cana.**

SUAVIZADO, a, p. p. **Sambayachishca.**

SUAVIZADOR, a, adj. **Sambayachig.**

SUAVIZAR, v. a. **Sambayachina.**

SUBDIVIDIR, v. a. **Chaupishcata cutin chaupina.**

SUBDIVISION, n. **Yanandi chaupi.**

SUBIDA, n. **Huichaycuy.**

SUBIDO, a, p. p. **Huichaycushca.**

SUBIR, v. n. **Huichaycuna.**— IR A SUBIR, **Huichaycugrina.**— ESTAR SUBIENDO, **Huichaycucuna.**— VENIR SUBIENDO O DESPUES DE HABER SUBIDO, **Huichaycumuna.**— HACER SUBIR, **Huichaycuchina.**— SUBIR, también se traduce por **Jahuayana**, que admite las mismas derivaciones.

SUBITAMENTE, adv. **Manapish yuyagpi; Pachampi.**

SUBLEVACION, n. **Apucunahuan churanacushpa jatarina.**

SUBLEVAR, v. a. **Jatarichina.**

SUBSISTIR, v. n. **Causana; Tiacuna.**

SUBTERRANEO, a, adj. **Allpaucupi tiag.**

SUCEDER (en reemplazo de alguien), v. n. **May campa randipi shayarina.** En la acepción de HEREDAR, **Maycan huañugpa saquishcata chasquina.**

SUCESIVO, a, adj. **Catipi; Catipi rurrarig.**

SUCESOR, a, adj. **Shugparandipi shayarig; Shugpa saquishcata chasquig.**

SUCIEDAD, n. **Mapa.**

SUCIO, a, adj. **Mapa.**

SUDADO, a, p. p. **Jumbishca.**

SUDAR, v. n. **Jumbina.**— IR A SUDAR, **Jumbigrina.**— ESTAR SUDANDO, **Jumbicuna.** — VENIR SUDANDO O DESPUES DE HABER SUDADO, **Jambimuna.**— HACER SUDAR, **Jambichina.**

Jumbina

SUDARIO, n. **Ayacatana; Ayamaytu.**

SUDOR, n. **Jumbi.**

SUDOROSO, a, adj. **Jumbisapa.**

SUEGRA, n. **Aqui**, en relación al yerno, **Quihuachi**, respecto de la nuera. Ambas voces son anticuadas. Hoy no dicen los indios sino **Causapag mama; Huarmipag mama.**

SUEGRO, n. **Caca**, respecto del yerno; **Quihuachi**, con relación a la nuera. Una y otra dicción es anticuada. Hoy dicen **Causapag yaya; Huarmipag yaya.**

SUELO, n. **Pamba.**

SUELTO, a. p. p. **Cacharishca.**

SUEÑO, n. **Puñuy.**

SUFICIENTE, adj. **Pagta.**

SUFOCAR, v. a. SOFOCAR.

SUFRIR, v. n. **Maycan llaquipi tiana; Ñacarina; Musucuna.**

SUICIDA, n. **Payquiquin huañuchirig.**

SUICIDARSE, v. r. **Huañuchirina.**

SUICIDIO, n. **Huañuchirina.**

SUMA, n. **Tanday; Callay.**

SUMAR, v. a. **Tandaylla yupana.**

SUMERGIDO, a, p. p. **Yacupi pambashca.**

SUMERGIR, v. a. **Yacupi pambana.**

SUMIDO', a, p. p. Lo mismo que SUMERGIDO.

SUMIR, v. a. Lo mismo que SUMERGIR.

SUMO, a, adj. **Tucytayalli jatun.**

SUPERABUNDANCIA, n. **Usuy.**

SUPERABUNDANTE, adj. **Usug; Usucug.**

SUPERANTE, adj. **Atig; Yallig.**

SUPERAR, v. a. **Atina; Yallina.**

SUPERAVIT, n. **Puchu.**

SUPERFICIAL, adj. **Jahualla.**

SUPERFLUO, a, adj. **Yanga.**

SUPERIOR, adj. **Shugtayalli jatun; Ashun alli.**

SUPERNUMERARIO, a, adj. **Yupashcamanta yallig.**

SUPERSTICION, n. **Huacamuchay,** ant.

SUPERVIVENCIA, n. **Chayra causanacuna; Shug huañushcaquipa causag saquirina.**

SUPINO, a, adj. **Azhan; Azhannicug.**

SUPLENTE, adj. **Shugparandi imallata rurrag.**

SUPLICA, n. **Mañay.**

SUPLICANTE, adj. **Mañarig.**

SUPLICAR, v. a. **Mañana; Mañarina.**

SUPLIR, v. a. **Shugparandipi imata rurrana.**

SUPONER, v. a. **Yuyana; Yuyanalla.**

SUPOSICION, n. **Yuyay.**

SUPREMO, a, adj. **Tucytayalli jatun.**

SUPRIMIDO, a, p. p. **Anchuchishca.**

SUPRIMIR, v. a. **Anchuchina.** Véase QUITAR.

SUPUESTO, a, p. p. **Yuyashcalla.**

SUPURACION, n. **Quia shutuy.**

SUPURAR, v. n. **Quia shutuna.**

SURCAR (la tierra), v. a. **Yapushpa huachuta pascana.**

SURCO, n. **Huachu.**

SURGIR, v. n. **Jatarina; Llugshina.**

SURRAPA, n. **Cunzhu; Mapa.**

SURTIR (el agua), v. n. **Yacu allpamanta tugyana.**

SUSODICHO, a, adj. **Ñacalla shutichishca.**

Huachu

SUSPENDER (dejar de hacer algo), v. a. **Chayllapi saquina.** Suspender, por COLGAR, **Huarcana.**

SUSPENDIDO, a, p. p. **Saquishca; Huarcushca.**

SUSPENSO, a, p. p. Lo mismo que SUSPENDIDO.

SUSPENCION, n. **Huarcuy.**

SUSTENTAR (alimentando), v. a. **Carana.**

SUSTENTO, n. **Caray; Micuy.**

SUSTO, n. **Manchay.**

SUYO, a,dj pron. Véase SU.

ABACO (silvestre), n. **Sayri.**

TABARDILLO, n. **Jatun unguy; Bichu.**

TABERNA, n. **Upiaycatuna ucu.** Taberna improvisada en fiestas campestres, **Chingana.**

TABERNERA, n. **Upiaytacatug huarmi.**

TABERNERO, n. **Upialitacatug.**

TABIQUE, n. **Chagllapirca.**

TABLA, n. **Cullcu**, ant. en esta significación.

TACAÑERIA, n. **May misa cana.**

TACAÑO, a, adj. **Misa; Tili.**

TACITURNO, a, adj. **Piñañahui; Llaquiñahui.**

TACTO, n. **Japina; Llancay**, ant.

TAHUR, n. **Chungashpa causag.**

TAIMADO, a, adj. **Upatucushca.**

TAJADO, a, p. p. **Cuchushca.**

TAJAR, v. a. **Cuchuna.** Véase CORTAR.

TALADRADO, a, p. p. **Jutcushca.**

TALADRAR, v. a. **Jutcuna.** Véase AGUJEREAR.

TALADRO, n. **Jutcuna.**

TAL (semejante), adj. **Rigchag; Payta-rricushcalla.**

TALA, n. **Chacu.**

TALADO, a, p. p. **Chacushca.**

TALAR, v. a.**Chacuna.** Véase DESMONTAR.

TALEGA, n. **Tulu.**

TALENTO, n. **May alli yuyay.**

TALENTOSO, a, adj. **May alli yuyayta charig.**

TAMAÑO, a, adj. **Jatun.**

TAMBALEAR, v. n. **Sansaliana; Urmacuna.**

TAMBALEO, n. **Sansaliay.**

TAMBIEN, adv. **Pish**, pospuesto; vga. "El mes que viene también araremos": "Shamug quillapish yapushunmi'.

TAMBOR, n. **Huancar**, ant.

TAMBORA, n. **Jatun huancar.**

TAMBORIL, n. **Uchilla huancar.**

TAMIZ, n. **Shushuna.**

TAMO, n. **Nutu ugsha; Sarunacushca ugsha.**

Huancar

TAMPOCO, adv. **Pish**, pospuesto, en oración o frase negativa; vga. "El tampoco me ayuda": "Paypish mana yanapahuanchu".

TAN (comparativo), adv. **Shina; vga.** "Tan malo como el otro": "Chayshugshina millay". TAN, en ponderación, se traduce por **Cacha**, vga. "No lo quiere tan pequeño": "Mana cachca uchillata ninichu".

TANTEADORA, adj. **Japig; Llaucag**, ant.

TANTEAR, v. a. **Japina; Llaucana**, ant.

TANTEO, n. **Llaucay**, ant.

TANTO, a, adj. **Cachca**. TANTO, en el sentido de EQUIVALENCIA, **Chasnallata; Pagta.**

TAÑEDOR, a, adj. **Taquig**, ant.

TAÑER, v. a. **Taquina**, ant.

TAÑIDO, n. **Taqui**, ant.

TAPA, n. **Quirpana.**

TAPADO, a, p. p. **Quirpashca.**

TAPADOR, a, adj. **Quirpag.**

TAPAR, v. a. **Quirpana.**— IR A TAPAR, **Quirpagrina.**— ESTAR TAPANDO, **Quirpacuna.**— VENIR TAPANDO O DESPUES DE HABER TAPADO, **Quirpamuna.**— HACER TAPAR, **Quirpachina.**— TAPARSE, **Quirparina.**— TAPARME O TAPARTE, **Quirpahuana.**— ESTAR HABITUALMENTE TAPADA ALGUNA COSA, **Quirparana.**

TAPIA, n. **Pirca.**

TAPIAR, v. a. **Pircana.**

TARASEADO, a, p. p. **Pitinacushca.**

TARASEAR, v. a. **Pitinacuna.**

TARDADOR, a, adj. **Unayag.**

TARDANZA, n. **Unayay.**

TARDAR, v. n. **Unayana.**— IR A TARDAR, **Unayagrina.**— ESTAR TARDANDO, **Unayacuna.**— VENIR TARDANDO O DESPUES DE TARDAR, **Unayamuna.**— TARDARSE, **Unayarina.**

TARDE, n. **Chishi.**

TARDE, adv. **Unayashpa; Chishiashpa.**

TARDIO, a, adj. **Unayashca; Chishiashca.**

TARDON, a, adj. **Unayag; Chishiag.**

TARIMA, n. **Palti; Cahuitu.**

TARJA, n. **Punzhandi rurrashcata unanchina caspi.**

TARJADO, a, p. p. **Caspipi unanchishca rurray.**

TARJAR, v. a. **Rurrashcata caspipi unanchina.**

TARTAJOSO, a, adj. **Jarcarishpa rimag; Piticallu.**

TARTAMUDO, a, adj. **Mana alli rimag.**

TARUGA, n. **Taruga**, adoptado por el castellano, sin ninguna alteración.

TARUGO, n. **Tacurpu**, ant.

TASAJEADO, a, p. p. **Charquishca.**

TASAJEAR, v. a. **Charquina.**

TASAJO, n. **Charqui.**

TASCADO, a, p. p. **Castunacushca.**

TASCAR, v. a. **Castuna; Castunacuna.**

TATE!, interj. **Shuyay!; Asta shuyay!**

TAZ (en la expresión TAZ CON TAZ), adv. **Pagta.**

TE, dat. y acus. de TU, **Canman; Canta;** vga. "Te daré, porque te he estimado": Canman cusha, canta cuyashcaraycu".

TECHAR, v. a. **Huasita catana.**

TECHO, n. **Huasicata; Huasicumba.**

TEDIO, n. **Millanayay; Quillanayay.**

TEJA, n. **Sañu**, ant.

TEJADO, n. **Sañucata**, ant.

TEJEDOR, a, adj. **Ahuag.**

TEJEDURA, n. **Ahuay.**

TEJER, v. a. **Ahuana.**— IR A TEJER, **Ahuagrina.**- ESTAR TEJIENDO, **Ahuacuna.**- VENIR DESPUES DE TEJER O TEJIENDO EN EL CAMINO, **Ahuamuna.**— TEJERSE, **Ahuarina.**— HACER TEJER, **Ahuachina.** TEJER HABITUALMENTE, **Ahuarana.**

Ahuana

TEJIDO, a, p. p. **Ahuashca.**

TELA, n. **Pacha; Llica**, ant.

TELAR, n. **Ahuana caspicuna.**

TELARAÑA, n. **Urullica**, ant.

TEMBLADOR, a, adj. **Chugchug.**

TEMBLANTE, adj. Lo mismo que TEMBLADOR.

TEMBLAR, v. n. **Chugchuna.**— IR A TEMBLAR, **Chugchugrina.**— ESTAR TEMBLANDO, **Chugchucuna.**— VENIR TEM-

BLANDO, **Chugchumuna.**— HACER TEMBLAR, **Chugchuchina.**

TEMBLEQUE, adj. **Chugchug.**

TEMBLON, a, adj Lo mismo que TEMBLEQUE.

TEMBLOR, n. **Chugchuy.** Temblor de tierra, **Allpachugchuy.**

TEMEDOR, a, adj. **Manchag.**

TEMER, v. a. **Manchana.**— IR A TEMER, **Manchagrina.**— ESTAR TEMIENDO, **Manchacuna.**— VENIR TEMIENDO O DESPUES DE HABER TEMIDO, **Manchamuna.**— HACER TEMER, **Manchachina.**— TEMERSE, **Mancharina.**— TEMERME O TEMERTE, **Manchachuana.**— TEMER MUCHO O INCESANTEMENTE, **Mancharana.**

TEMERARIO, a, adj. **Manapita, manaimata manchag.**

TEMEROSO, a, adj. **Manchaysapa.**

TEMIBLE, adj. **Manchaypag.**

TEMOR, n. **Manchay.**

TEMPERATURA, n. **Chiri cana; Cunug cana.**

TEMPESTAD, n. **Huayrayug, runduyug tamia.**

TEMPLANZA, n. **Pagtallata micuna; ricushpalla upiana.**

TEN CON TEN, fras. adv. **Sumagllata; Allilla; Allimantalla.**

TENDER, v. a. **Mandana.**— IR A TENDER, **Mandagrina.**— ESTAR TENDIENDO, **Mandacuna.**— VENIR TENDIENDO O DESPUES DE TENDER, **Mandamuna.**— HACER TENDER, **Mandachina.**— AYUDAR A TENDER, **Mandanacuna.**

TENDIDO, a, p. p. **Mandashca.**

TENDON, n. **Huaruangu; Huaru.**

TENEBROSO, a, adj. **Purayashca; Pura.**

TENEDOR, a, adj. **Charig.**

TENER, v. a. **Charina.**— IR A TENER, **Charigrina.**— ESTAR TENIENDO, **Charicuna.**— VENIR TENIENDO, **Charimuna.**— HACER TENER, **Charichina.**— TENERSE, **Charirina.**— TENERME O TENERTE, **Charihuana.**— AYUDAR A TENER, **Charinacuna.**— TENER CON ESFUERZO Y TESON, **Charirana.**

TENIDO, a, p. p. **Charishca.**

TENSION, n. **Chutay; Aysay.**

TENSO, a, adj. **Aysarishca; Chutarishca.**

TENTACION, n. **Juchanayay.**

TENTAR, v. a. **Juchanayachina.**

TENUE, adj. **May ñañu; Ili.**

TENUIDAD, n. **May ñañu cana; Ili cana.**

TEÑIDO, a, p. p. **Tullpushca,** ant.

TEÑIR, v. a. **Tullpuna,** ant.

TERCER; TERCERO, a, adj. **Quimsaniqui,** desus.

TERCIADO, a, (cruzado oblicuamente sobre el pecho), p. p. **Tajallishca.**

TERCIARSE (una banda o cosa semejante sobre el pecho), v. r. **Tajallina.**

TERCIANA, n. **Chugchuy.**

TERCO, a, adj. **Piña; Rumiuma.**

TERMAL (fuente), **Cumugpugyu; Timbugpugyu; Timbug.**

TERMINADO, a, p. p. **Tucuchishca; Puchucashca.**

TERMINAR, v. a. **Tucuchina; Puchucana.** Véase ACABAR.

TERNERO, n. **Bizi.**

TERNILLA, n. **Cutuglli,** desus.

TERNURA, n. **Huaylluy,** ant.

TERQUEDAD, n. **Rumiuma cana.**

TERREMOTO, n. **Jatun allpachugchuy.**

TERRENAL, adj. **Caypachapi tiag.**

TERRENO, n. **Allpa.**

TERRENO, a, adj. Lo mismo que TERRENAL.

TERREO, a, adj. **Allpamanta rurrashca.**

TERRESTRE, adj. Véase TERRENAL.

TERRIBLE, adj. **Manchaypag; Manchanaypag.**

TERRIBLEMENTE, adv. **Manchanaypata.**

TERRIFICO, a, adj. **Manchachig.**

TERRITORIO, n. **Llacta; Pacha; Marca.** Esta última palabra sólo subsiste en composición, como en **Patamarca, Pillcumarca,** etc.

TERRON, n. **Chamba.**

TERROR, n. **Jatun manchay.**

TERROSO, a, adj. **Allpajunda.**

TERSO, a, adj. **Chuya.**

TERSURA, n. **Chuya cana.**

TERTULIA, n. **Rimanacuy.**

TESORERO, a, adj. **Cullquihuacaychig; Cullquicaman.**

TESTA, n. **Uma.**

TESTARUDO, a, adj. Véase TERCO.

TESTICULO, n.**Rurru.**

TESTIFICAR, v. a. **Ricushcata, uyashcata huillana.**

TESTIGO, n. **Ricushcata, uyashcata huillag.**

TETA, n. **Chuchu; Ñuñu.**

TETUDA, adj. **Chuchusapa.**

TI, caso oblicuo de TU. En genit.: **Canmanta**; en dat.: **Canman**; en abl.: **Canhuan, Canraycu, Canmanta**, etc., según la proposición castellana correspondiente. Ejemplos: "De tí me acuerdo": — "Canmantami yuyarimi"; "Para tí lo compré": "Canmanmi randicarmi"; "Contigo lo comeremos": "Canhuanmi miscushun".

TIA, n. **Yayapag pani; Mamapag ñaña.**

TIBIEZA, n. **Mana may cunugcana.**

TIBIO, a, adj. **Cunuglla.**

TIEMPO, n. **Pacha.** HACE TIEMPO, **Maypacha; Imapachapi.** EN ALGUN TIEMPO, **Jaycapica.**

TIENTO (en la espresión HACER CON TIENTO), n. **Allimanta; Sumagllata.**

TIERNO, a, adj. **Llullu.**

TIERRA, n. **Allpa.**

Allpa

TIESO, a, adj. **Sinchi; Ratag; Chuntayashca.**

TIESTO, n. **Callana.**

TIGRE, n. **Uturungu**, ant.

TIMIDO, a, adj. **Manchaysapa; Pishishungu.**

TIMORATO, a, adj. **Jatun apunchita manchag.**

TINA, n. **Huirqui.**

TINAJA, n. **Jatun manga.**

TINAJON, n. **Yalli jatun manga.**

Uturungu

TINTA, n. **Tullpu**, ant.

TINTORERO, a, adj. **Tullpug**, ant.

TIO, n. **Yayapa huauqui; Mamapag turi.**

TIRADO, a, p. p. **Shitashca.** En la significación de ESTIRADO, **Chutashca; Aysashca.**

TIRADOR, a, adj. **Shitag.** Significando el que TIRA DE UNA CUERDA o cosa semejante, **Chutag; Aysag.**

TIRANO, a, adj. **Auca**, desus.

TIRAR (por DISPARAR), v. a. **Shitana.** En la significación de ESTIRAR, **Chutana; Aysana.**

TIRO, n. **Shitay.** ACTO DE TIRAR CUERDA o cosa análoga, **Chutay; Aysay.**

TIRON, n. **Sinchi chutay.**

TIROTEO, n. **Shitanacuy.**

TIZON, n. **Ninahuishi.**

TO!, interj. para azuzar perros, **Mushca!; Jarga!**

Taquina

TOBILLO, n. **Chaquimucu; Picushqui,** ant.

TOCAR, v. a. **Japina.** Véase COGER. Tocar INSTRUMENTO MUSICO, **Taquina,** ant.

TODAVIA, adv. **Chayra.** TODAVIA NO, **Manara.**

TODO, a, adj. **Tucuy.**

TOLDO, n. **Carpa.**

TOMADO, a, p. p. **Japishca.** En la acepción de BEBIDO, **Upiashca.**

TOMADOR, a, adj. **Japig; Upiag.**

TOMAR, v. a. **Japina.** TOMAR AGUA O LICOR, **Upiana.**

TOMINEJO, n. **Quinde.**

TONTO, a, adj. **Upa; Muspag.**

TOPAR (hallar algo), v. a. **Tarina.**

TOPETEAR, v. a. **Umahuan huagtana.**

TOPETON, n. **Umahuan huagtay.**

TOQUE, n. **Taqui,** ant.

TORCAZ, n. **Urcu urpi.**

TORCEDOR, a, adj. **Huistuchig; Cauchug.**

TORCEDURA, n. **Huistushca; Cauchushca.**

TORCER, v. a. **Huistuchina.**— IR A TORC7R, **Huistuchigrina.**— ESTAR TORCIENDO, **Huistuchicuna.**— VENIR TORCIENDO O DESPUES DE TORCER, **Huistuchimuna.**— TORCERSE, **Huisturina.**— TORCER ENTRE DOS O MAS, **Huistuchinacuna.** Las mismas derivaciones admite **Cauchuna.**

TORCIDO, a, p. p. **Huistushca; Huistu.**

TORDO, n. **Chihuacu,** ant.

TORNAR, v. a. **Cutichina.** Tornar, en la acepción de REGRESAR, **Cutina.**

TORPE, adj. **Batu; Llashag.** Torpe, en la significación de BOBO, **Upa.** Torpe en la acepción de OBSCENO, **Mapa; Zagra.**

TORRIDO, a, adj. **Yalli cunug; Rupachig.**

TORTERO, n. **Piruru.**

TORTOLA, n. **Urpi.** Tórtola de una especie mayor, **Tuga.** Idem, muy pequeña, **Allpaurpi.**

TORVO, a, adj. **Piña; Puscushca.**

TOS, n. **Ujuy.**

TOSCO, a, adj. Lo mismo que TORPE.

TOSER, v. n. **Ujuna.**— IR A TOSER, **Ujugrina.**— ESTAR TOSIENDO, **Ujucuna.**— VENIR TOSIENDO, **Ujumuna.**— HACER TOSER, **Ujuchina.**

TOSTADO, n. **Camcha.**

TOSTADO, a, p. p. **Camchashca.**

TOSTADOR, a, adj. **Camchag.**

TOSTAR, v. a. **Camchana.**— IR A TOSTAR, **Camchagrina.** — ESTAR TOSTANDO, **Camchacuna.**— HACER TOSTAR, **Camchachina.**- AYUDAR A TOSTAR, **Camchanacuna.**— TOSTARSE, **Camcharina.**— TOSTAR INCESANTEMENTE, **Camcharana.**

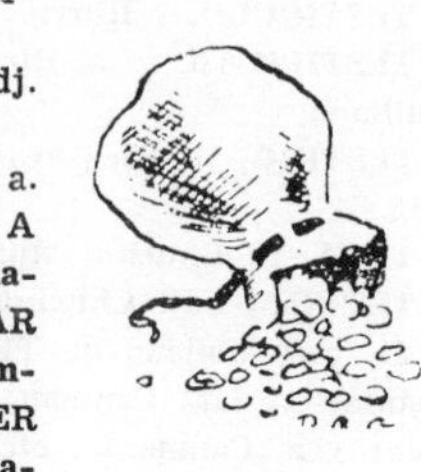

Camcha

TOTAL, adj. **Tucuy; Pichagta.**

TOTALMENTE, adv. **Tucuyta; Callaymanta; Pichagta.**

TOTORA (palabra del quichua), n. **Tutura.**

TRABAJAR, v. a. **Imallata rurrana; Llancana,** ant.

Rurray

TRABAJO, n. **Rurray; Llancay,** ant.

TRABAJOSO, a, adj. **Mana rurraypaglla; Ñacachig.**

TRAER, v. a. **Apamuna.**— IR A TRAER, **Apamugrina.**— ESTAR TRAYENDO, **Apamucuna.**— HACER TRAER, **Apamuchina.**— AYUDAR A TRAER, **Apamunacuna.**—

TRAERSE, **Apamurina.**

TRAGADERO, n. **Millpuna; Tunguri.**

TRAGADO, a, p. p. **Millpushca.**

TRAGADOR, a, adj. **Millpug.**

TRAGANTON, a, adj. **Yalli millpug.**

TRAGANTONA, n. **Jatun millpuy.**

TRAGAR, v. a. **Millpuna.**— IR A TRAGAR, **Millpugrina.**— ESTAR TRAGANDO, **Millpucuna.**— VENIR TRAGANDO O DESPUES DE HABER TRAGADO, **Millpumuna.**— HACER TRAGAR, **Millpuchina.**— TRAGAR INCESANTEMENTE, **Millpurana.**

TRAGO, n. **Millpu.** Trago de LICOR, **Upiay.**

TRAGON, a, adj. Lo mismo que TRAGADOR.

TRAIDA, n. **Apamuy.**

TRAIDO, a, p. p. **Apamushca.**

TRAJE, n. **Churana.**

TRAJIN, n. **Caymanchayman purishca.**

TRAJINAR, v. a. **Caymanchayman purina.**

TRAMA, n. **Mimi.** Trama, en la acepción de ENREDO, **Aulli.**

TRAMAR, v. a. Minita churash ahuana. Tramar algún embrollo, **Aullina.** Véase URDIR.

TRAMPA (de perros u otros animales dañinos), n. **Tuglla.**

TRANQUILIZAR, v. a. **Casichina.**

TRANQUILO, a, adj. **Casi; Casilla.**

TRANSEUNTE, adj. **Ñanta rig; Ñanta yallicug.**

TRANSITAR, v. a. **Ñanta purina.**

TRANSITO, n. **Yallina.**

TRANSITORIO, a, adj. **Riglla; Tucuriglla.**

TRAPALA, n. **Cururu.**

TRAPALON, a, adj. **Cururug.**

TRAPERO, a, adj. **Llachapatandag.**

TRAPO, n. **Llachapa.**

TRAPOSO, a, adj. **Llachapajunda; Llachapa; Chirchi.**

TRAS, adv. **Huashapi; Huasha; Quipa.**

TRASANTEAYER, adv. **Sarun.**

TRASCENDER (por heder mucho), v. n. **Yupay asnana.**

TRASCORDARSE, v. r. **Mana alli yuyarina.**

TRASCRIBIR, v. a. **Shug quillcata catishpa, chican quillcana.**

TRASERA, n. **Huasha.**

TRASERO, a, adj. **Huashapi tiag.**

TRASFERIR, v. a. **Imallata shugman cuna; Imata shug punzhapa saquina.**

TRASFORMADO, a, p. p. **Chicanyachishca; Chicanyashca.**

TRASFORMAR, v. a. **Chicanyachina.**

TRASFORMARSE, **Chicanyana.**

TRASMITIR, v. a. Véase TRASFERIR, primera acepción.

TRASMONTAR, v. a. **Urcuta tigrash rina.**

TRASPIE, n. **Ñitcay.**

TRASPLANTAR, v. a. **Mallquicunata surcushpa, shug allpapi churana.**

TRASPONER, v. a. **Imallata huashayachina.**

TRASPORTAR, v. a. **Apana; Astana.**

TRASPORTE, n. **Apay; Astay.**

TRASPUESTO, a, p. p. **Huashanchishca; Pacashca.**

TRASQUILADO, a, p. p. **Rutushca; Rutu.**

TRASQUILADOR, a, adj. **Rutug.**

TRASQUILADURA, n. **Rutuy.**

TRASQUILAR, v. a. **Rutuna.— IR A** TRASQUILAR, **Rutugrina.**— ESTAR TRASQUILANDO, **Rutucuna.**— VENIR DESPUES DE HABER TRASQUILADO, **Rutumuna.**— HACER TRASQUILAR, **Rutuchina.**— TRASQUILARSE, **Ruturina.**— AYUDAR A TRASQUILAR, **Rutunacuna.**— TRASQUILARME O TRASQUILARTE, **Rutuhuana.**

TRASTORNADO, a, p. p. **Tallishca.**

TRASTORNAR, v. a. **Tallina.** Véase DERRAMAR.

TRASTORNO, n. **Talli; Tallinacuy.**

TRASUDAR, v. n. **Ashallata jumbina.**

TRASUDOR, n. **Ashalla jumbi.**

TRASVERSAL, adj. **Quingrayman churashca.**

TRAVES, n. **Quingray.**

TRAVESEAR, v. a. **Pugllana.**

TRAVESIA, n. **Quingray.**

TRAVESURA, n. **Pugllay.**

TRAVIESO, a, adj. **Pugllag.**

TRECE, adj. **Chungaquimsa.**

TRECENO, a, adj. **Chungaquimsaniqui,** desus.

TRESCIENTOS, as, adj. **Quimsapasag.**

TREINTA, adj. **Quimsachunga.**

TREMEBUNDO, a, adj. **Manchanaypag.**

TREMEDAL, n. **Pambarina guzu.**

TREMENDO, a, adj. Lo mismo que TREMEBUNDO.

TREMULO, a, adj. **Chugchug.**

Jimba

TRENZA, n. **Jimba.**

TRENZAR, v. a. **Jimbana.**— IR A TRENZAR, **Jimbagrina.** .— ESTAR TRENZANDO, **Jimbacuna.** — VENIR TRENZANDO O DESPUES DE TRENZAR **Jimbamuna.** — HACER TRENZAR, **Jimbachina.**— TRENZARSE, **Jimbarina.**— TRENZARME O TRENZARTE, **Jimbahuana.**— AYUDAR A TRENZAR, **Jimbanacuna.**— TRENZAR FRECUENTEMENTE, **Jimbarana.**

TREPADOR, a, adj. **Sicag; Huichaycug.**

TREPAR, v. n. **Sicana; Huichaycuna.**— IR A TREPAR, **Sicagrina.**— ESTAR TREPANDO, **Sicacuna.**— VENIR TREPANDO O DESPUES DE HABER TREPADO, **Sicacuna.**— HACER TREPAR, **Sicachina.**

TREPIDACION, n. **Chugchuy.**

TREPIDANTE, adj. **Chugchug.**

TREPIDAR, v. n. **Chugchuna.** Véase TEMBLAR.

TRES, adj. **Quimsaquillayug.**

TRESTANTO, n. **Quimsanchishca.**

TRIBULACION, n. **Llaqui.**

TRIFULCA, n. **Macanacuy.**

TRIMESTRE, n. **Quimsa quilla.**

TRINAR (de cólera), v. n. **Tushuna.**

TRINCAR, v. a. **Japish huatana; May huatana.**

TRIPA, n. **Chunzhulli.**

TRIPARTIDO, a, p. p. **Quimsapi chaupishca.**

TRIPARTIR, v. a **Quimsapi chaupina.**

TRIPERO, a, adj. **Chunzhullicatug.**

TRIPLE, adj. **Quimsanchishca.**

TRIPLICADO, a, p. p. Lo mismo que TRIPLE.

TRIPLICAR, v. a. **Quimsanchina.**

TRIPUDO, a, adj. **Chunzhullisapa.**

TRISCAR, v. n. **Ashallata pugllash tushuna.**

TRISTE, adj. **Llaquisapa; Llaquichig.**

TRISTEZA, n. **Llaquiug cana.**

TRISTURA, n. Lo mismo que TRISTEZA.

TRITURAR, v. a. **Cutashpa ñutuchina.**

TRIUNFAR, v. a. **Atina; Jayllina,** ant.

TRIUNFO, n. **Atishca; Ati; Jaylli.**

TRIZA, n. **Piti.** HACER TRIZAS, **Pitinacuna.**

TROCARSE, v. r. **Chicanyana.**

TROCEAR, v. a. **Pitinacuna.**

TROCHA, n. **Quichqui ñan.**

TROJ o **TROJE,** n. **Taqui.**

TROMPADA, n. **Maquihuagtay.**

TRONAR, v. n. **Tulunnina.**

TRONCO, n. **Caspi.** Seco y algo pasmado, **Cullcu.**

TRONCHADO, a, p. p. **Pitishca; Paquishca.**

TRONCHAR, v. a. **Pitina; Paquina.** Véase CORTAR y QUEBRAR.

TROPEZADOR, a, adj. **Ñitcag.**

TROPEZAR, v. n. **Ñitcana.** — IR A TROPEZAR, **Ñitcagrina.** ESTAR TROPEZANDO, **Ñitcacuna.**— VENIR TROPEZANDO O DESPUES DE HABER TROPEZADO, **Ñitcamuna.**— HACER QUE TROPIECE, **Ñitcarina.** — TROPEZAR CON FRECUENCIA, **Ñitcarana.**

Ñitcana

TROPEZON, n. **Ñitcay.**

TROZO, n. **Piti.**

TRUENO, n. **Puyucunapi tulunnishca.**

TRUNCADO, a, p. p. **Pitishca; Mutu.**

TRUNCAR, v. a. **Pitina; Mutuyachina.**

TRUNCO, a, adj. Lo mismo que TRUNCADO.

TU, pron. **Can.**

TUERTO, a, adj. **Huistu. TUERTO** de un ojo, **Chullañahui; Chullpi.**

TUETANO, n. **Ñutcu.**

TUGURIO, n. **Yupay huagcha chuglla.**

TULLIDO, a, adj. **Suchu.**

TULLIRSE, v. r. **Suchuyana.**

TUMBA, n. **Ayapambana jutcu; Ayachurana cahuitu.**

TUMBAR, v. a. **Urmachina.** Véase DERRIBAR.

TUMIDO, a, adj. **Punguishca; Pungui.**

TUMOR, n. **Chupu; Quiapungui.**

TUMULTO, n. **Tandanacuy; Piñarishpa jatarinacuy.**

TUNDA, n. **Macay; Tigzhi.**

TUNO, a, adj. **Huaglli; Jichapacha.**

TUPIDO, a, p. p. **Quichquiyachishca; Quichqui.**

TUPIR, v. a. **Quichquiyachina.**

TURBIO, a, adj. **Mapa.**

TURGENCIA, n. **Pungui.**

TURGENTE, adj. **Punguillishca.**

TURNIO, a, adj. **Huistuñahui.**

TURPIAL (una especie de él), n. **Chitu.**

TUYO, a, adj pos. **Cambag.**

BRE, n. **Ñuñu; Chuchucuna.**

UFANO, a, adj. **Cushilla.**

ULTRAJADO, a, p. p. **Camishca; Macashca.**

ULTRAJADOR, a, adj. **Camig; Macag.**

ULTRAJAR, v. a. **Camina; Macana.**

ULTRAJE, n. **Cami; Macay.**

UMBRIO, a, adj. **Llandu.**

UMBROSO, a, adj. **Llandusapa.**

UN, UNO, a, adj. **Shug.**

UNCIDO, a, p. p. **Huatanacushca; Yugushca.** Esta última palabra se deriva manifiestamente del vocablo castellano YUGO.

UNCIR, v. a. **Huatanacuna; Yuguna** (derivado del nombre castellano YUGO).

UNDECIMO, a, adj. **Chungashungnique,** desus.

UNGIDO, a, adj. **Llutashca.**

UNGIR, v. a. **Llutana.**

UNGüENTO, n. **Llutana jambi.**

UNICO, a, adj. **Paylla; Sapalla.**

UNION, n. **Tandanacuy.** Unión, en la significación de MEZCLA, **Chapuy.** En la acepción de ENSAMBLE, **Tingui.**

UNIR, v. a. **Tandachina.** UNIR MEZCLANDO, **Chapuna.** UNIR CUERDAS, MADEROS O COSAS ANALOGAS, juntándolas por los extremos, **Tinguina.**

UNTADO, a, p. p. Lo mismo que UNGIDO.

UNTADOR, a, adj. **Llutag.**

UNTADURA, n. **Llutay.**

UNTAR, v. a. **Llutana.** Véase EMBARRAR.

UNTO, n. **Llutana huira; Chahuapi huacaychishca cuchihuira.**

UNTUOSO, a, adj. **Huirasapa.**

UNTURA, n. Lo mismo que UNGUENTO.

UÑA, n. **Shillu.**

UÑOSO, a, adj. **Shillusapa.**

URDIDO, a, p. p. **Aullishca.**

URDIDOR, a, adj. **Aullig.**

URDIDURA, n. **Aulli.**

URDIMBRE, n. **Ahuangapag aullishca.**

URDIR, v. a. **Aullina.**— IR A URDIR, **Aulligrina.**— ESTAR URDIENDO, **Aullicuna.**— VENIR DESPUES DE HABER URDIDO, **Aullimuna.**— HACER URDIR, **Aullichina.**— URDIRSE, **Aullirina.**— AYUDAR A URDIR, **Aullinacuna.**

URGENTE, adj. **Rupachig; Rupag.**

URGIR, v. a. **Imallamanta sipicuna.**

USADO, a, (por ACOSTUMBRADO), adj. **Yachashca.** Usado, en la acepción de ALGO ENVEJECIDO, **Maucalla.**

USTED, pron. **Can.**

USURPADOR, a, adj. **Shugpacashcata quichug.**

USURPAR, v. a. **Shugpata japirina.**

UTIL, adj. **Imallapag alli.**

ACIADO, a, p. p. Tallishca; Chushayachishca.

VACIAR, v. a. Tallina; Chushagyachina.

VACILAR (como para caer), v. n. Sansaliana; Urmagricuna

VACIO, a, adj. Chushag.

VADEAR, v. a. Chimbana.

VADO, n. Chimbana.

VAGABUNDEAR, v. n. Mana imata rurrashpa caytachayta purina.

VAGABUNDO, a, adj. Yangapurig.

VAGANCIA, n. Yanga purina.

VAGAR, v. n. Caytachayta purina.

VAGO, a, adj. Lo mismo yue VAGABUNDO.

VAGUIDO, n. Umamuyuy.

VAHIDO, n. Lo mismo que VAGUIDO.

Yangapurig

VAHO, n. Samay; Cusni.

VAIVEN (de cosa colgada) n. Huaylunnina.

VALENTIA, n. Sinchi cana; Mana pita manchana.

VALENTON, a, adj. Mana may manchag.

VALEROSO, a, adj. Mana manchayta charig.

VALERSE (de alguien), v. r. Maycampi huarcurina.

VALETUDINARIO, a, adj. Ungushcalla causag.

VALIENTE, adj. Lo mismo que VALEROSO.

VALOR, n. Mana pita, mana imata manchana.

VALLA, n. Pirca; Quinzha.

VALLADAR, n. Lo mismo que VALLA.

VALLADO, a, n. Véase VALLA.

VANAMENTE, adv. Yanga; Yangamanta.

VANILOCUO, a, adj. Yangarimag; Shagshu.

VANO, a, (por VACIO o ESTERIL), adj. Chushag.

VAPOR, n. Cusni; Canguil.

VAPOROSO, a, adj. Cusniman rigchag.

VAPULAR, v. a. **Anguna.**
VARA (de madera), n. **Ñañu caspi; Chaglla.**
VAREAR, v. a. **Ñañucaspihuan huagtana.**
VARETA, n. **Ñañu chaglla.**
VARIABLE, adj. **Chicanyaglla.**
VARIACION, n. **Chicanyay.**
VARIADO, a, p. p. **Chicanyashca.**
VARIAR, v. a. **Chicanyachina.**
VARIAR, v. a. **Chicanyana.**
VARIO, a, adj. **Chican**, por MAS DE DOS, **Tauca.**
VARON, n. **Cari.**
VARONIL, adj. **Caripag.**
VASTO, a, adj. **May jatun.**
VATE, n. **Yaravicu**, ant.
VAYA (burla), n. **Umay.**
VECINO, a, adj. **Cuchullapi causag; Cuchullapi tiag.**
VEDAR, v. a. **Imallata, ama rurrarichun, jarcana.**
VEDOR, a, adj. **Ricurag; Chapacug.**
VEGETAL, n. **Yura; Sacha; Yuyu; Quihua; Mallqui**, según los casos.
VEGETAR, v. n. **Huiñashpa; sisashpa; Pucuna.**
VEINTE, adj. **Ishcaychunga.**
VEINTENO, a, adj. **Ishcaychunganiqui**, desus.
VEINTICINCO, adj. **Ishcaychungapichca.**
VEINTICUATRO, adj. **Ishcaychunga chuscu.**
VEINTIDOS, adj. **Ishcaychunga ishcay.**
VEINTINUEVE, adj. **Ishcaychunga iscun.**
VEINTIOCHO, adj. **Ishcaychunga pusag.**
VEINTISEIS, adj. **Ishcaychunga sogta.**
VEINTISIETE, adj. **Ishcaychunga canchis.**
VEINTITRES, adj. **Ishcaychunga quimsa.**
VEINTIUNO, a, adj. **Ishcaychunga shug.**
VEJANCON, adj. **Ruculla.**
VEJANCONA, adj. **Payalla.**
VEJETE, adj. **Rucu.**
VEJEZ, n. **Rucu cana.** Si es de mujer, **Paya cana.**
VEJIGA, n. **Ishpapuru.**
VELAR, v. n. **Tupati; imata rurrangaraycu, mana puñuna.**
VELEIDOSO, a, adj. **Challi.**
VELETA, adj. Lo mismo que VELEIDOSO.
VELOZ, adj. **Utca purig; Utca rurrag.**
VELOZMENTE, adv. **Utca; Utcalla.**
VELLON, n. **Millma.**
VELLOSIDAD, n. **Millma.**
VELLOSO, a, adj. **Millmayug; Millmasapa.**
VELLUDO, a, adj. Lo mismo que VELLOSO.
VENADO, n. **Taruga.**
VENCEDOR, a, adj. **Atig.**
VENCER, v. a. **Atina.**— IR A VENCER, **Atigrina.**— ESTAR VENCIENDO, **Aticuna.**— VENIR VENCIENDO O DESPUES DE VENCER, **Atimuna.**— HACER QUE OTRO VENZA, **Atichina.**— VENCERME O VENCERTE, **Atihuana.**— HACER QUE UN TRABAJO NO SE ACABE, esto es, que VENZA, **Atichina.**
VENCIDO, a, p. p. **Atishca.**
VENDAR, v. a. **Ñahuita quirpana.**
VENDEDOR, a, adj. **Catug.**
VENDER, v. a. **Catuna.**— IR A VENDER, **Catugrina.**— ESTAR VENDIENDO, **Catucuna.**— VENIR VENDIENDO O DESPUES DE HABER VENDIDO, **Catumuna.**— HACER VENDER, **Catuchina.**— VENDERSE, **Caturina.**— AYUDAR A VENDER, **Catunacuna.**— VENDERME O VENDERTE, **Catuhuana.**— VENDER HABITUALMENTE, **Caturana.**
VENDIBLE, adj. **Catuypag; Caturipaglla.**
VENDIDO, a, p. p. **Catushca.**
VENENO, n. **Jambi.**
VENERABLE, adj. **Manchashpa cuyaypag; Muchaypag**, desus.
VENERACION, n. **Muchay**, desus.
VENERAR, v. a. **Muchashpa cuyana; Muchana**, desus.
VENIDA, n. **Shamuy.**
VENIDERO, a, adj. **Shamug.**
VENIDO, a, p. p. **Shamushca.**
VENIR, v. n. **Shamuna.**— IR A VENIR, **Shamugrina.**— ESTAR VINIENDO, **Shamucuna.**— HACER VENIR, **Shamuchina.**— VENIR FRECUENTEMENTE, **Shamurana.**
VENTA, n. **Catuy.**
VENTARRON, n. **Jatun huayra.**
VENTEAR, v. n. **Huayrana.**
VENTILAR, v. a. **Huayrachina.**— VENTILAR, por DISCUTIR, o INDAGAR, **Tari-**

pana.

VENTOLERA, n. Lo mismo que VENTARRON.

VENTOSEADOR, a, adj. **Ancha supirig; Supisiqui.**

VENTOSEAR, v. n. **Supina; Supirina.**

VENTOSEDAD, n. **Supi.**

VENTOSO, a, adj. **May huayrag; Huayrasapa.**

VENTRUDO, a, adj. **Huigsasapa.**

VENTURA, n. **Cushi.**

VENTURO, a, adj. Véase VENIDERO.

VENTUROSO, a, adj. **Cushiug; Cushijunda.**

VER, v. a. **Ricuna.**— IR A VER, **Ricugrina.**— ESTAR VIENDO, **Ricucuna.**— VENIR VIENDO O DESPUES DE HABER VISTO, **Ricumuna.**— HACER VER, **Ricuchina.**— VERSE, **Ricurina.**— VERSE UNOS A OTROS, **Ricunacuna.**— VERME O VERTE, **Ricuhuana.**— VER CON ESMERO Y CONSTANCIA, **Ricurana.**

VERACIDAD, n. **Shuticashcata nina.**

VERANO, n. **Usiay.**

VERAS (en la expresión DE VERAS), n. **Shuti; Shuticashca.**

VERAZ, adj. **Shuticashcata rimag.**

VERBAL, adj. **Shimillahúan nishca; Rimashcalla.**

VERBALMENTE, adv. **Shimillahuan; Rimashpalla.**

VERBOSO, a, adj. **Yallirimag.**

VERDAD, n. **Shuticashca; Shuti.**

VERDADERAMENTE, adv. **Shutita.**

VERDADERO, a, adj. **Shuticashca; Shutitarrimag.**

VERDE, adj. **Lumar**, ant.

VEREDA, n. **Quichqui ñan; Chaquiñan.**

VERGONZANTE, adj. **Pingag; Pingashpalla mañag huagcha.**

VERGONZOZAMENTE, adv. **Pingayhuan.**

VERGONZOSO, a, adj. **Pingayjunda.** En la acepción de ACTO o COSA QUE AVERGüENZA, **Pingachipag.**

VERGüENZA, n. **Pingay.**

VERIDICO, a, adj. **Shutita rimag.**

VERIFICAR, v. a. **Shuticashcata ricuchina.** En la acepción de REALIZAR, **Rurrana.**

VERMINOSO, a, adj. **Curusapa.**

VEROSIMIL, adj. **Shuti rigchag.**

VERRACO, n. **Yayacuchi.**

VERRUGA, n. **Misha.**

VERRUGOSO, a, adj. **Mishasapa.**

VERSATIL, adj. **Huayrauma; Challi.**

VERTEDOR, a, adj. **Jichag; Tallig.**

VERTER, v. a. **Jichana; Tallina.**

VERTIBLE, adj. **Tallipag; Jichaypag.**

VERTIDO, a, p. p. **Jichashca; Tallishca.**

VERTIGO, n. **Umamuyuy; Umaysay.**

VESTIDO, n. **Churana; Churarina; Pachallina.**

VESTIDURA, n. Lo mismo que VESTIDO.

VESTIGIO (huella), n. **Chaquisarushca.**

VESTIR, v. a. **Churachina.** VERTIRSE, **Churarina.**

VESTUARIO, n. Véase VESTIDO.

VETUSTO, a, adj. **Mauca.** Véase VIEJO.

VEZ, n. **Cuti.**

VIA, n. **Ñan.**

VIABLE, adj. **Causaypag.**

VIAJANTE, adj. **Caruta purig.**

VIAJAR, v. n. **Chican llagtacunaman purina.**

VIAJE, n. **Caruman rina.**

VIAJERO, a, adj. Lo mismo que VIAJANTE.

VIANDA, n. **Micuna.**

VICIO, n. **Jucha.**

VICIOSO, a, adj. **Cutimpish cutimpish juchallish causag.**

VICTORIA, n. **Macanacushpa atina.**

VICTORIOSO, a, adj. **Atig.**

VIDA, n. **Causay.**

VIDENTE, adj. **Ricug.**

VIEJO, a, adj. **Mauca**, si se trata de una cosa; **Rucu**, si de un hombre; **Paya**, si de una mujer.

VIENTO, n. **Huayra.**

VIENTRE, n. **Huigsa.**

VIGA, n. **Pircacunapi chacatana caspi.**

VIGESIMO, a, adj. **Ishcaychunganiqui**, desus.

VIGIA, n. **Chapag.**

VIGILAR, v. a. **Chapana.**

VIGILANTE, adj. **Ricucug; Tutapi rigcharacug.**

VIGILAR, v. a. **Ricucuna; Tutapi rigcharacuna.**

VIGILIA, n. **Tutapi rigcharana.**

VIGOR, n. **Sinchi cana.**

VIGOROSO, a, adj. **Sinchi; Chaquimaqui.**

VIL, adj. **Mapa; Jacuy; Millanaypag.**

VINCULO (lazo), n. **Huatay.**

VIRAR, v. a. **Tigrachina.**

VIRGEN, n. **Mana huarmita rigsig cari; Mana carita rigsig huarmi.**

VISIBLE, adj. **Ricuypag; Ricuricug.**

VISION, n. **Ricuy; Imalla ricurishca.**

VISITAR, v. a. **Maycanta paypag huasipi ricugrina.**

VISTA, n. **Ricuy.** VISTA (sentido de la), **Ñahui.**

VISTO, a, p. p. **Ricushca.**

VISTOSO, a, adj. **Sumag.**

VITALICIO, a, adj. **Causaglla; Tiaglla.**

VITUPERAR, v. a. **Huiñayta camina.**

VITUPERIO, n. **Jatun cami.**

VIUDEZ, n. **Huamihuagcha; Cusahuagcha, cana.**

VIUDEDAD, n. **Cusa huañushcamanta, sapalla saquirig huarmi; Pasu**, ant.

VIUDO, n. **Huarmi huañushcamanta, sapalla saquirig cari.**

VIVERES, n. **Micuna.**

VIVIDOR, a, adj. **Ancha causag.** En el sentido de LABORIOSO y ECONOMICO, **Mashcarig.**

VIVIENDA, n. **Causana ucu.**

VIVIENTE, adj. **Causag; Causacug.**

VIVIFICAR, v. a. **Causachina.**

VIVIR, v. n. **Causana.**— IR A VIVIR, **Causagrina.**— ESTAR VIVIENDO, **Causacuna.**— VENIR DESPUES DE HABER VIVIDO EN ALGUNA PARTE, **Causamuna.**— HACER VIVIR, **Causachina.**— VIVIR JUNTOS, **Causanacuna.**

VIVO, a, adj. **Causag; Causacug.**

VOCEAR, v. n. **Caparina.** VOCEARSE MUTUAMENTE, **Caparinacuna.**

VOCERIA, n. **Caparinacuy.**

VOCIFERAR, v. n. **Camishpa caparina.**

VOCINGLERIA, n. **Jatun caparinacuy.**

VOCINGLERO, a, adj. **Ancha caparig.**

VOLCAN, n. **Ninata shitag urcu.**

VOLTEAR, v. a. **Tigrachina.**— IR A VOLTEAR, **Tigrachigrina.**— ESTAR VOLTEANDO, **Tigrachicuna.**— VENIR VOLTEANDO O DESPUES DE VOLTEAR, **Tigrachimuna.**— VOLTEARSE, **Tigrarina.**— VOLTEARME O VOLTEARTE, **Tigrahuana.**— VOLTEAR UNA VASIJA, poniéndola boca abajo, **Pagchana.**

VOLTEO, n. **Tigray.**

VOLUNTAD, n. **Munay.**

VOLUNTARIAMENTE, adv. **Quiqiunmunayhuan.**

VOLVER, v. n. **Cutina.** Véase REGRESAR.

VOMITAR, v. a. **Shungutigrana.**

VOMITIVO, n. **Shunguta tigrachig.**

VOMITO, n. **Shungutigray.**

VOMITORIO, n. **Shungutigrachun jambi.**

VORAZ, adj. **Ancha micug.**

VOS, plural del pron. TU, **Cancuna.**

VOSOTROS, as, plural de TU. Lo mismo que VOS.

VOZ, n. **Shimi; Rimay; Huacay; Taqui.**

VUELCO, n. **Urmay.**

VUELTA, n. **Cutimuy; Muyuy.**

VUELTO, a, p. p. **Cutishca; Cutimushca.**

VUESTRO, a, adj. **Cancunapag.**

VULNERAR, v. a. **Chugrina.** Véase HERIR.

VULNERARIO, a, adj. **Chugrishcata jambingapag alli.**

VULVA, n. **Chuspa; Raca; Cuñu.**

con. **Pish;** vga. "Tú y yo": "Campish, ñucapish".

YA, adv. **Ña; Ñamaycuti.**

YACENTE, adj. **Siricug.**

YEMA (de vegetal), n. **Ñahui; Mugmu.**

YERBA, n. **Quihuay; Yuyu.**

YERNO, n. **Huarmihuahuapa cusa.**

YERRO, n. **Panday.**

YERTO, a, adj. **Chiri; Chuntayashca.**

YO, pron. **Ñuca.**

YUNTA, n. **Ishcaypagta yapungapa shayarig huagracuna.**

YUXTAPONER, v. a. **Imallata shugpa cuchupi churana.**

ZABULLIR, v. n. **Yacupi ucuyash chingarina.**

ZAFAR, v. a. **Quishpichina.** Véase LIBRAR.

ZAGAL, n. **Michishpa purig huambra.**

ZAGALA, n. **Michig huarmi huambra.**

ZAGALEJO, n. **Anacu.**

ZAGUAN, n. **Jatun huasipi yaycuna pungu.**

ZAHAREÑO, a, adj. **Quita.**

ZAHERIR, v. a. **Camina.**

ZALAMERO, a, adj. **Mishquishimi.**

ZAMBO, a, adj. **Huistuchanga.**

ZANAHORIA, n. **Racacha.**

ZANCAJO, n. **Tullu.**

ZANJA (de cerramiento), n. **Jarata.**

Jarata

ZAPATEAR (de cólera), v. n. **Tushuna.**

ZAPE, interj. **Llugshi!; Anchuy caymanta!**

ZARANDA, n. **Shushuna.**

ZARRAPASTROSO, a, adj. **Llachapa; Chirchi.**

ZONZO, a, adj. **Upa.**

ZOPENCO, a, adj. **Upa; Muspag.**

ZOQUETE, adj. Lo mismo que ZOPENCO.

ZORRERA (trampa de zorros), n. **Huanchaca.**

ZORRO, n. **Yalu.** Zorro hediondo, **Añas.**

ZOZOBRA, n. **Manchay.**

ZUMO, n. **Yuyucunapi tiag yacu.**

ZUPIA, n. **Puchu; Cunzhu.**

ZURCIR, v. a. **Lliquirishcata sirana.**

ZURDO, a, adj. **Lluqui.**

ZURRAPA, n. **Mapa cunzhu.**

ZURRAR, v. a. **Cacushpa sambayachina.** Zurrar, por AZOTAR cruelmente, **Yupay anguna; Lluchuna.**

ZURRIAGO, n. **Macana angu.**

ZURRON, n. **Caramanta rurrashca tulu.**

APENDICE

EL QUICHUA EN EL AZUAY

ESTUDIOS Y COMPOSICIONES

Por vía de análisis y de aplicación, nos ha parecido oportuno posponer a nuestros Diccionarios la copia de una carta dirigida a un distinguido americanista francés y algunas composiciones poéticas que se recitan o cantan por los indios del Azuay, en ciertas solemnidades religiosas. Copiaremos, además, algunos versos compuestos por nosotros en la dulce, pomposa y expresiva lengua de los hoy infelices hermanos de Huaynacápac y Atahuallpa.

CARTA

a Mr. LEON DOUAY, residente en Niza.

Cuenca (Ecuador), Enero 1º de 1901.

Hace pocos días que fuí honrado con su apreciable carta de 25 de Octubre último, a la cual correspondí inmediatamente, asegurándole que no había recibido todavía sus **"Nouvelles recherches philologiques sur l'antiquité américaine"**. Hoy tengo el gusto de avisarle que el interesante libro se halla ya en mis manos y que, habiéndolo leído rápidamente, aunque con el vivo interés que en mi ánimo despiertan publicaciones de su índole, he tenido por conveniente añadir a las observaciones hechas por usted, sobre materia de tanta importancia, algunas sencillas y breves anotaciones mías, que bien pueden no ser útiles.

De todas veras aplaudo la admirable laboriosidad con que usted estudia las principales lenguas de los aborígenes americanos, guiado por el laudable intento de asignarles el origen común de que seguramente han de haber provenido.

Largos años de investigación, tan constante como profunda, ha necesitado la ciencia europea, especialmente la alemana, para establecer la maternidad del sánscrito respecto del persa, del griego, del latín, del francés del italiano, del español, del portugués, del alemán, del inglés y de otros idiomas afines; y aún continúa el paciente estudio de sabios lingüistas, que prueban a incorporar el hebreo y otras lenguas semíticas en la misma familia de las indo-europeas.

El descubrimiento feliz de unas pocas centenas de raíces sánscritas que andan incrustadas, dirélo así, en vocablos de esas lenguas, pregonando el parentesco mutuo de todas, ha infundido en americanistas doctos e infatigables, como usted, la esperanza de dar con el idioma que, por comparación, llamaremos el sánscrito de América. ¿Será éste el **maya**? ¿Será el **nahual**, el **quiché**, el **quichua**, el **aymará**, el **guaraní**, o más bien alguno de los antiguos o presentes del Asia, como parece probable? Día vendrá en que este problema quede satisfactoriamente resuelto; pues la ciencia filológica hace progresos tan sorprendentes, que al fin llegará a descubrir el tronco de que son vástagos todos los idiomas de la tierra, demostrando, por el origen único del lenguaje, el génesis, también único, de la especie humana. Será tal vez, la obra del siglo que hoy principia.

Lo que, entre tanto, no admite duda es que las lenguas americanas enumeradas hace poco tienen muchos elementos comunes. Resta sólo indagar a cuál de ellas corresponde el derecho de primacía en el orden de filiación, aunque, a su vez, haya dimanado de fuente asiática.

Cuantos se afanen, como usted, en recoger datos, para la acertada solución de esta grave dificultad, harán un gran servicio a la lingüística y otro, igualmente grande, a la etnología y a la historia, empeñadas en rastrear la procedencia de las razas, su dispersión, sus emigraciones, su desarrollo y su civilización o barbarie.

Siento mucho que el exceso de trabajo, en materia que tánta prolijidad requiere, haya alterado la salud de usted, poniéndole en la penosa necesidad de interrumpir por algún tiempo sus labores de americanista. Ojalá que pronto recobre el vigor físico y moral indispensable para tan difícil trabajo.

No poseo un ejemplar de sus "**Estudios etimológicos**". De mucho me serviría esta obra, a lo menos para suministrar a usted algún contingente de observaciones relativas al quichua ecuatoriano, en conexión con otras lenguas del Continente.

Ya comuniqué a usted que tenía en prensa, desde 1895, un Diccionario quichua, compuesto por mí. Las turbulencias políticas, que son el pan nuestro de cada día en estas infortunadas repúblicas, han retardado, y quizá están a punto de frustrar, la publicación de mi pobre libro. Expulsados del Ecuador los Padres Salesianos, que imprimían la obra, ha sido también expulsado mi manuscrito, y sé que anda a peregrinar por Buenos Aires, donde espero, con muy poca fe, que se haga al fin la edición. Si ella se realiza, tendrá usted, naturalmente, el ejemplar respectivo.

Después de estos preliminares, paso a escribir las observaciones de que le hablé al principio. Al efecto, citaré, en un primer párrafo, la doctrina de usted, y expondré, en uno o más siguientes, lo que yo discurra sobre el particular. Tal será el orden que observe en cada caso, contrayéndome, sólo, según ya lo habrá presumido usted, a los pasajes de su libro que alguna relación tenga con el quichua, y muy especialmente con el del Ecuador.

No extrañará usted que hable en castellano, una vez que este idioma le es tan familiar como el de su patria, gracias a una larga permanencia en Colombia.

Página 14 de su libro.

En la lengua TUPI (dice usted), **ahuati** significa **mes.**
En la quichua (diré yo), **huata** significa **año.**

Página 20

..."la colina **Huaca-Yñan**".

Este nombre, con la corrección de que luego hablaré, no es propio de una colina, sino de uno de los montes más altos del ramo oriental de los Andes, en esta provincia llamada del **Azuay**, de la República del ECUADOR. Se halla al sudeste de la ciudad de Cuenca, donde escribo estos apuntamientos, y domina a la población de la parroquia del **Sigsig**, levantándose a no muy considerable distancia oriental de ella. Hoy se llama **Fasayñan**, por manifiesta corrupción del vocablo **Huashayñan**, que significa **"camino de atrás"**. Por un antiguo documento concerniente a la propiedad de las montañas de **Chihuinda** y **Sangurima**, que están a la falda oriental de la expresada cordillera, me consta que **Huashayñan** ha sido el nombre de ese encumbrado monte; mas, aunque fuese el citado por usted, debería escribirse **Huacay-Ñan**, como palabra compuesta de los sustantivos **huacay**-LLORO y **ñan**-CAMINO.

Página 20, nota 2ª

"Tomebamba... ciudad cuya situación se ignora. La etimología quichua es **tumi**-PIEDRA, **y pampa**-LLANO".

Me place comunicar a usted que la famosa ciudad de TOMEBAMBA existió en la localidad en que estoy trazando estos renglones. Algo se ha disputado sobre el lugar preciso que ocupaba; pero yo creo haber demostrado (en otros escritos), con el acta de la fundación de Cuenca, los pasajes de algunos historiadores y la exposición de varios datos, que TOMEBAMBA estuvo en la parte oriental de la presente población cuencana. El hermoso río que linda con ésta por el sur, se llamaba, cabalmente, Río de TOMEBAMBA; pero los españoles que, con Don Gil Ramírez Dávalos, fundaron la nueva ciudad, al occidente de la antigua, en la vasta planicie de PAUCARBAMBA (llanura de pájaros o de flores), empezaron a dar a este Río el repugnante nombre de MATADERO, sólo por la impertinente circunstancia de haberse situado una carnicería en la ribera de PUMAPUNGU (puerta del leopardo). cuyos cimientos, construidos con una argamaza muy consistente, subsisten todavía en dicha margen izquierda.

Buena es la interpretación que da usted a la palabra TOMEBAMBA. En efecto, **Tumi-pamba**, llano de piedras; **Tuñi-bamba**, meseta del derrumbadero; **Turibamba**, planicie de **Turi**, son las significaciones que cuadran al nombre de la antigua ciudad, ya por lo muy pedregoso que hasta hoy es el extenso campo del sur, ya por el notable barranco que el río ha formado por esa parte, ya, finalmente, porque la cuenca de las ciudades vieja y actual se halla dominada por la alta cordillera transversal de **Turi**, perteneciente al Nudo del **Portete**.—La palabra TURI, quiere decir **"hermano de hermana"**, en la copiosa lengua quichua, y quizá se le puso este nombre al monte más elevado de dicha cordillera para indicar que, a modo de hermano, guarnecía y custodiaba a la hermosa TOMEBAMBA.

Página 21

"En guaraní. . .se cuentan, entre las palabras que significan PERICO o HUACAMAYO, las siguientes: **Paracau, Arapacha, Aruay, Araraca".**

Yo añado que en la costa del Ecuador llaman **Pacharaca** a una de estas aves, aunque no sé positivamente a cuál de ellas.

Página 22

"**Ach** (palabra maya), REUNION, ABUNDANCIA. . ."

El quichua tiene el adjetivo **Achca,** que significa **mucho, muchos,** y el adverbio de ponderación **Cachca,** que equivale a **tan, tanto,** en frases admirativas.

Página 23

"**Chi** (también maya) BOCA, ABERTURA, PUERTA".

El quichua tiene el sustantivo **shimi,** que, a más de significar **boca,** se usa en acepciones análogas, como la de **abertura, abra, portillo, etc.**

Idem.

"**Ma** (maya) significa NO, DE NINGUN MODO; MANO".

Mana, en quichua, es adverbio de negación; **Ama** es prohibitivo, y **Maqui,** significa **mano.**

Idem.

"**Ya** (maya), DOLOR, TRISTEZA; **Yaa,** AGONIA".

En quichua tenemos las muy expresivas interjecciones **Ayau! Ayayau!,** que denotan grave dolencia física. Tenemos también el sustantivo **Llaqui,** en que el sonido de la LL difiere muy poco del de la Y de **yaa.**

Idem.

"**Yuk** (maya), UNION, CONJUNTO, de **uk,** COMPAÑERO".

Yug, en el quichua ecuatoriano, al cual nos vamos refiriendo en estas notas, es partícula pospositiva, que, añadida a un nombre, denota posesión de la cosa significada por éste. Así es cómo de **cusa,** MARIDO, p.e., se forma **cusayug,** MUJER QUE LO TIENE; de **allpa,** TIERRA, **allpayug,** PROPIETARIO DE TERRENOS.

Página 25

"**Abo** (haitiano), MAESTRO, JEFE, SUPERIOR".

En quichua y en aymará, **apu** significa **jefe,** como lo expresa usted mismo.

Idem.

"**Akani** (haitiano), ENEMIGO. **Akhanual, ID**".

Quichua: **auca,** ENEMIGO, SALVAJE.

Idem.

"**Achi** (lengua guayanesa), PIMIENTA ROJA o AJI".
Es lo mismo que el quichua llama **uchu.**

Página 26

"**Aou** (haitiano), PERRO. **Anli** (arruago), ID".
En quichua **allcu.**

Idem.

"**Ba, baba, baya** (haitiano), PADRE. **baba** (galibi), ID. **Ba** (maya), lo mismo.

En quichua **yaya** o **tayta.**

Y es curioso notar que **ab**, en hebreo, y **habra**, en siriaco, significan también **padre**, "palabra tierna y cariñosa, dice Scio de San Miguel, con que los hijos pequeñitos llamaban a sus padres, y que después se usó en las oraciones que se dirigían a Dios, llenas de afecto". El quichua tiene, por su parte, voces que parecen hebreas, y especialmente algunas que en muy poco se diferencian de las griegas correspondientes. "MACABEO dice Poujoulat (Historia de Jerusalem), significa en lengua hebrea, **el que hiere**; en griego, **el que pelea**". No solamente hay semejanza, sino casi identidad entre esta palabra y los vocablos **macana, macanacuna, macanacug,** con que el quichua expresa ideas de **pegar, pelear, peleador.** Los vocablos griegos REEMA, REEMATION, palabreja, REEMATICOS, verbal, en muy poco difieren de los quichuas **Rimay**, habla, **Rimana**, hablar, **Rimashca,** hablado, y otros de esta familia de voces, usadas generalmente en las comarcas del RIMAG y en todas las demás regiones habitadas por los que Colón y sus compañeros dieron en llamar **indios.** Mucho hay que rastrear y descubrir en los idiomas de tan notable raza.

Idem.

En la nota 4, correspondiente a la palabra **bajareque** (por **bahareque**), dice usted: "palabra que ha quedado en el español que se habla en **Guyaquil**".

Permítame usted indicarle que el nombre de esta notable ciudad del Ecuador, es **GUAYAQUIL.**

Página 27

"Haitiano: **bo, po,** COLOR PURPUREO ESCARLATA. Maya: **puy,** TEÑIR EN ROJO".
En quichua se llama **puca** el color rojo, y algunas veces **pichi.**

28

"Quiché: **can,** VIVIR, PERMANECER".
En Quichua, el verbo **cana** (de que **can** es tercera persona singular de indicativo) significa también VIVIR, PERMANECER, y muy especialmente SER, ESTAR.

29

"Quichua: **cuchi,** ACTIVO".

Cuchi significa CERDO en quichua. La palabra que significa ACTIVO, es **cusi**. Si se escribe **cushi,** con **SH,** viene a significar PERSONA ALEGRE, CONTENTA o FESTIVA.

Idem.

"Haitiano: **chon,** CALOR, FIEBRE, ARDENCIA. Quichua: **con,** CALIENTE, etc."

En el quichua ecuatoriano se dice **cunug.** No olvide usted que a este dialecto quichua se refieren todas las observaciones que hago en el presente estudio.

Idem.

"Haitiano: **coa,** FUENTE. Quiché: **qua,** ID".
Quichua: **yacu,** AGUA.

30

"Haitiano: **cocuyo,** LUCIERNAGA. Maya: **cocay,** ID".

Quichua: **cucuyo** o **cocuyo.** La forma primera es la propia de la pronunciación ecuatoriana; pues sólo por corrupción entran las vocales **O, E** en una lengua que no las ha tenido.

31

"Haitiano: **haba,** CESTA. Arruago: **haba,** lo mismo. Quichua: **apa,** LLEVAR".

LLEVAR, en quichua, es **apana.** De este verbo procede el participio activo **apag,** EL QUE LLEVA.

32

"Haitiano: **hiqui,** QUE. Maya: **hi,** QUIEN SABE?"
Quichua: **ima,** QUE; **imachari,** QUE SERA?

Id.

"Maya: **hua,** COSA ELEVADA".
Quichua: **jahua,** LO ALTO, LO DE ARRIBA.

Id.

"Maya: **uc,** UNIDOS, o **uc,** CON".

Quichua: **yug,** terminación que (como he dicho ya) añadida a un nombre, denota el poseedor o dueño de la cosa significada por este nombre; vga. **Allcuyug,** QUE TIENE PERRO.

33

"Haitiano: **ma,** NO, NI. Maya: **ma,** NO".

Quichua: **mana,** NO; **manaca,** NO POR CIERTO; **manatag,** DE NINGUN MODO; **ama,** NO, en sentido de prohibición, vga. **Ama chayta micuychu,** NO COMAS ESO.

34

"Haitiano: **mi,** YO. Caribe: **nu, ni.** Maya: **in.** Nahual: **ni.** Quichua: **ni**".

Efectivamente, **ni,** en la desinencia de las primeras personas de los verbos, significa **yo,** p.e. **Shamuni, Shamurcani,** VENGO YO, VINE YO; pero, como pronombre independiente y aislado, es **Ñuca.**

35

"Arruago: **annaca,** LO DEL MEDIO. Maya: **nak,** PANZA, VIENTRE".

El Quichua da el nombre de **anacu** a una tela que los muchachos o las mujeres de ciertas poblaciones se arrollan en derredor de la cintura, para cubrirse el vientre y la parte baja del cuerpo.

Id.

"Haitiano: **nigua,** CHIQUE o PULGA PENETRANTE. Maya: **nich,** ENTRAR POCO A POCO".

Muy usada es en el Ecuador la palabra **nigua,** pero sólo para significar el estado del fastidioso insecto **pulex penetrans,** cuando se encuentra abultado ya bajo la epidermis del hombre o del animal en cuyo cuerpo se aloja. El abultamiento es debido, como se sabe, al desarrollo de los huevos que lleva en el abdomen la hembra del mortificante bicho. Mas los indios ecuatorianos no lo llaman **nigua,** sino **piqui,** en el estado de abultamiento de que hablamos, dándole el nombre de **iñu,** cuando no ha penetrado todavía en el cuerpo del animal o del hombre.

La voz **piqui,** sirve también para denominar la pulga, **(pulex irritans),** insecto del propio género.

37

"Quiché: **tacahah,** APLANAR, AJUSTAR".

Quichua: **tacana,** GOLPEAR; **tactana,** APELMAZAR; **tatquina,** CAMINAR, MARCANDO EL PASO.

38

"Haitiano: **tocheta,** MUCHO. Maya: **to,** ABULTADO, AÑADIDO; **toch,** LLENAR DESMESURADAMENTE".

Quichua: **tauca,** VARIOS, EN NUMERO CONSIDERABLE.

Id.

"Maya: **tul,** TODO".
Quichua: **tucuy,** TODO, TODOS.

Id.

"Haitiano: **yaruma,** CAÑA, BAMBU".
Quichua: **yarumo** o **huarumo,** ARBOL **(ceropia peltata).**

44

"Caribe: **calibuna, caribuna,** nombre dado, según el Dr. Martius, por las mujeres a sus esposos".
También las indias del Ecuador suelen decir **caricuna,** hablando de sus maridos. **Cari-cuna,** plural de **cari,** quiere decir LOS VARONES.

65

"El mejicano **mana,** podría venir del maya **ma,** MANO".
MANO, en quichua, es **maqui.**

66

"**Tucapacha,** DIOS CRIADOR, en Michoacán. Ignoramos la etimología de esta palabra en tarasco; pero el maya nos da el sentido probable, etc."
Por si le sea de algún provecho mi indicación, tenga usted presente que **pacha,** en el idioma quichua, significa, unas veces, MUNDO, COMARCA, REGION, y otras, TIEMPO o EPOCA. Así se llama **Jahua-Pacha,** la región superior o cielo, y se dice **Punzha-pacha,** que significa EN PLENO DIA. Me parece, pues, que el **tucapacha** de los michoacanes equivale a **tucuypacha,** TODO EL MUNDO, EL UNIVERSO, de nuestros indios.

67

"**Giuh-teuctli,** según Clavijero, es el SEÑOR del AÑO Y DE LA HIERBA, en México. En nahualt, **xihuitl,** AÑO, HIERBA".
En quichua, **quihua** significa también HIERBA.

75

"**Uemac,** nombre del jefe militar de los Toltecas de Tulla".
Uma, en quichua, quiere decir CABEZA, y muchas veces se aplica, en sentido figurado, a la persona que hace de superior o jefe.

89

"**Tutul-xiu,** nombre patronímico de la familia real, a la que Kukulcan (divinidad de los Mayas?) había dejado el poder. Significa ABUNDANTE EN HIERBAS. La significación literal es exacta; pero nos deja grandes dudas sobre el verdadero sentido. Finalmente, en rigor, **tutul** podría ser contracción de **tuzutul**, EN CONTORNO, o también corrupción de **kutul (ku**, DIOS, y **tul**, sufijo para contar los dioses)".

En el norte del Ecuador, se llama **cutul** el conjunto de hojas o brácteas que envuelven y cubren la espiga o mazorca de maíz. No se si usted pueda sacar algún partido de esta noticia. En la comarca donde escribo tiene esta envoltura foliácea el nombre de **pucun**, del verbo **pucuna**, MADURA, **Kiu** es muy semejante a **quihua**, nombre quichua de la HIERBA.

105

"Citemos **caspi**, del quichua **Caspi-caracha (caspi**, ARBOL, y **cara**, PIEL); **quincha**, CAÑA, etc."

Caspicara, significa CORTEZA DE PALO o DE ARBOL. **Caspi-caracha** significaría SARNA DE PALO o DE ARBOL, a lo menos en el Ecuador.

La palabra **quinzha** (que así se pronuncia en el quichua suave de mi país) es el nombre de una cerca de varas o palos delgados, hecha para resguardar prados, sementeras, etc.

114

"Esta palabra **(mingas)** puede ser de los Moguexs; pero se parece al quichua **minka**, JORNALERO, OBRERO".

Las palabras **minga, mingay**, y **mingana**, que significan CONVITE PARA EL TRABAJO, las dos primeras, y CONVIDAR PARA id., la última, son muy propias del quichua y de uso frecuentísimo, como lo es entre los indios de muchas comarcas del Ecuador el invitar a parientes, allegados y vecinos, para que auxilien a quien los convida, en la construcción de una casa, en la siembra o deshierba del maíz y otras faenas análogas. Se entiende que no ha de faltar en este trabajo suficiente provisión de **chicha de jora** (maíz germinado), distribuída de tiempo en tiempo, y dos regulares comidas (al medio día y por la tarde), de las cuales participan no solamente los trabajadores, sino también sus mujeres, madres, hermanas, etc., que aún suelen llevar consigo un sobrante de potajes, llamado **huanlla**, es decir AHORRO o RESERVA, para comer en casa.

Jamás he visto, sin especial complacencia, estas simpáticas reuniones de indios labriegos, que, convirtiendo el trabajo en bulliciosa fiesta, recorren, a veces, toda una comarca, ayudando hoy al un propietario, mañana al otro, y divirtiéndose en la común labranza, al son de la **quipa** (caracol marino perforado para el soplo) o de la bocina, con que se entusiasman, alientan, y aún acaban por cantar.

Hasta los blancos que somos dueños de fincas algo mayores, solemos aprovechar de esta laudable propensión de los indios y reunirlos en **mingas** en casos de trabajo urgente, quedando casi siempre contentos de la buena voluntad y empeño con que nos ayudan.

121

"Paez: **Alco**, PERRO".

Quichua: **allcu**, palabra casi idéntica.

122

"Paez: **Guagra, Guagrads,** VACA, VACAS".

Quichua: **huagra, huagracuna,** BUEY, BUEYES. La s de **guagrads** me parece signo de un plural indebidamente castellanizado.

130

"Ellos (los aborígenes de Quimbaya y sus sucesores) llamaban **chucha** un pequeño animal con una bolsa en el vientre, para criar sus hijuelos".

Este animal es la ZARIGUEYA (**Didelphis virginiana** Dem.). Los indios la llaman **yalu;** los blancos o mestizos ZORRO, nombre que, sin duda, se le dió por los españoles venidos a este continente, en razón de alguna semejanza que creyeron notar entre la forma o las propensiones rapaces de este cradrúpedo y las de la afamada ZORRA del Viejo Mundo (**Canis vulpes** de Lin).

131

"Los indios de Cali... llevaban joyas, llamadas **caricuris,** en las manos, orejas y cuello".

Caricuri es palabra quichua, que quiere decir ORO VARON u ORO DE VARON. La s de **caricuris** es manifiestamente añadida por los españoles, para significar dos o más de esas alhajas.

132

"**Chiriguano...** Este nombre, como el **Chili,** viene del quichua **Chilli,** FRIO, y tal vez de **huahua,** NIÑO".

En la palabra **chiriguano,** digo yo, hay dos términos quichuas, **chiri** y **guano.** El adjetivo **chiri** (no **chilli**) significa COSA FRIA; **guano** o **huano** significa ESTIERCOL. Bien puede **chiriguano** tener otra significación en la lengua a que pertenece; pero en quichua tiene la que le doy.

Una población bastante notable de mi patria se llama también **GUANO,** en la vecina provincia del Chimborazo.

134

"**Camariken,** nombre del médico, en piapoco".

Camari, en quichua, es OBSEQUIO o REGALO. ¿No tendrá esto algo que ver con el honorario de ese facultativo?

135

"**Hucha,** DIOS INFERNAL de los Tapuyas".

Jucha, en el idioma de nuestros indios, significa PECADO. Supongo que la **h** de los **Tapuyas** será aspirada o fuerte y equivaldrá a la **j** del quichua.

136

"**Ule.** Nombre del árbol más brillante de los bosques, que entre los Yuzucaris se transformó en hombre... El quichua **urku,** MACHO; el guaraní

u, ur, yu, VENIR; el maya **ul, ulel,** LLEGAR, VENIR o **ulak,** SEMEJANTE, IGUAL, y el nahualt **ulli,** CAUCUC, no dan más que similitudes de nombre, pero no significaciones bien determinadas".

El quichua **urcu,** que en algunas naciones del sur de América significa MACHO y es sinónimo de **cari,** no tiene en el Ecuador esta significación, a lo que yo sepa, sino la de MONTE o CERRO. En cuanto a la etimología de la palabra **ule** o **hule,** he aquí lo que dice el notable escritor salvadoreño Don Santiago I Barberena, en su curioso libro intitulado "**Quicheismos**", pág. 171: "La voz nahualt **ulli** o **olli,** de que proviene la primera de dichas dos voces (**ule** y **caucho**), es de claro origen quiché, por más que la docta Academia Española la haga venir del alemán **hulle,** CUBIERTA. En quiché, **ul** significa AVENIDA de AGUA, y se dió este nombre a la goma elástica de que tratamos, aludiendo al modo de extraer ésta, lo cual se hace practicando incisiones en la corteza del árbol, por las cuales sale el líquido. La terminación **lli** de **ulli (ul-li)** o de **olli (ol-li),** no es más que el vocablo quiché **lig,** BLANDO, RESBALOSO y también RESBALAR, y hace referencia a lo espesa que chorrea la resina del **olguahuitl.** En cuanto a la voz **caucho,** creo que se compone de **cau,** ATAVIO, es decir, ADORNO, prenda del vestido, y de **chuk,** CUBRIR; significa, pues, OBJETO PARA CUBRIRSE, lo que demuestra que los indios ya empleaban esa resina para hacer **ahulados,** para taparse".

Por mi parte diré, que la palabra **cauchu** significa, en quichua, CORDEL, TORZAL, y que bien conviene a la resistencia y elasticidad del **jebe.** Respecto del uso que de esta sustancia vegetal hacían los indios de la que hoy es mi patria, testifico que en el año de 1880 remití a la exposición nacional de Guayaquil unos listones o cintas de caucho, que se extrajeron de un sepulcro o **huaca** del punto de HUARAN, y se me proporcionaron, al efecto, por don Antonio Pozo, Jefe Político de Azogues, en la Provincia de Cañar. Eran esos listones bastante largos, del ancho de dos centímetros, poco más gruesos que una cinta de las comunes y de color blanquecino terroso. Su estado de conservación era regular, no obstante los tres o cuatro siglos durante los cuales habían permanecido sepultados en el fondo de dicha **huaca.** Fue éste un hallazgo que sorprendió a cuantas personas vieron el interesante material, que no se me devolvió de Guayaquil.

138

"Guaraní: **Acu,** CALIENTE. **Tacu,** CALOR".

He dicho ya que CALIENTE, en quichua, es **cunug;** CALOR, **cunuy.**

141

"Chibcha: **chuquen,** DIOS que presidía más particularmente a las carreras de a pie. Su nombre tiene alguna semejanza con el maya **chek,** PIE, BASE, y con el quichua **chaqui,** PIE".

Existe, además, en quichua la palabra **chuqui,** que significa DANZANTE. De ella provienen, verbigracia, los nombres **Chuquipata,** MESETA DE LOS DANZANTES; **Chuquimarca,** REGION de los mismos; **Chuquipogyo,** FUENTE de ellos; y otras denominaciones análogas.

146

"Chibcha: **chimi,** VIANDA. Maya: **chi,** BOCA, MORDER".

Quichua: **shimi,** BOCA.

Id.

"Chibcha: **chicuy,** SACERDOCIO, SACERDOTE".

Quichua: **chiqui,** PERSONA SINIESTRA o de MAL AGüERO. **Chichi,** DUENDE.

147

"Chibcha: **Gue**, CABAÑA, CASA. Maya: **uay,** ABRIGO, RETRETE DORMITORIO".

Quichua: **huasi,** CASA.

150

"Chibcha: **uca,** DEBAJO. Maya: **cuk,** SENTARSE".

Quichua: **ucu,** DENTRO, DEBAJO.

151

"Chibcha: **uque,** FIGURA, IMAGEN. Quiché: **huch,** DIBUJAR, PINTAR CON TINTA".

Quichua: **uqui,** COSA DE COLOR NEGRUZCO.

153

"**Mossok,** nombre de su soberano (el de los Atapillus) vendría de la misma lengua (la quichua), **mosok,** NUEVO".

En el quichua ecuatoriano, lo NUEVO se llama **mushug.**

Id.

"**Tia** significa también SITIO en quichua".

En la significación de HABER o de RESIDIR, tenemos el verbo **tiana;** en las de SENTARSE o ESTABLECERSE, el reflexivo **tiarina.** EL SITIO de residencia, es **tiana.**

157

"EL quichua **sillu,** UÑA, y el aymará **sillukhtaara,** que TIENE GRANDES UÑAS, no pueden ser la etimología de esta palabra **(Sillustani)".**

Me limitaré a advertir que el equivalente de UÑA, en el quichua ecuatoriano, es **shillu,** y que se llama **shillusapa** al que tiene grandes uñas.

Id.

Umayo. El Señor de Larrabure y Unanue hace derivar este nombre del aymará **humayo,** SUDOR. Nosotros pensamos que proviene más bien del quichua **uma,** CABEZA, y tal vez de **yoc,** partícula de posesión".

Y piensa usted con mucho acierto: **Umayug** significa EL QUE TIENE CABEZA, EL HOMBRE DE TALENTO, así como se llama **huillag-uma,** CABEZA QUE AVISA o ADVIERTE, a un pontífice de los indios. En cuanto a la partícula **yug** (**yog** en el Perú), es, realmente, signo de posesión, como ya lo tengo indicado.

Id.

"Las palabras aymaraes **coya** y **tiana** tienen el mismo significado en quichua".

En efecto, **coya** significa PRINCESA y **tiana,** HABITACION, MORADA o LUGAR. El único reparo que haré es el de que en la palabra **Coyastiana,** del artículo a que me refiero, hay una **s** intrusa, propia de los plurales castellanos e interpuesta, sin duda, por quienes quisieron españolizar el plural de **coya.** En el quichua no hay necesidad de tales refinamientos. Basta decir simplemente **Coyatiana,** como se dice **Rumipamba,** LUGAR EN QUE HAY MUCHAS PIEDRAS; **pangasapa,** PLANTA ABUNDANTE EN HOJAS; **puyujunda,** CIELO LLENO DE NUBES, etc.; pero, si se quiere determinar mejor el plural, se dice **Coyacunatiana,** en el caso que anotamos.

158

"**Pata**, en quichua, quiere decir GRADA, ESCALON, COLINA".

Pata llaman los indios de mi país a una meseta o a un plano en localidad elevada.

Id.

"El quichua **munay,** AMOR..."

AMOR, en quichua ecuatoriano, es **cuyay.** La palabra **munay** significa VOLUNTAD, DESEO, AFICION o ANTOJO.

159

"En quichua **kkollqui** y en aymara **ccolque,** PLATA".

La mayor suavidad y dulzura del quichua ecuatoriano harán, tal vez, que no se necesiten la **k** ni la **c** duplicadas, para la correcta pronunciación de la palabra equivalente, que en mi país es **cullqui.**

160

"Por tanto **Pacha-camag**... viene de **Ppacha,** TIERRA, MUNDO, y **Kamani,** CREAR".

Antes advertí que **Pacha** (con **p** sencilla) significa, entre otras cosas, MUNDO. Ahora añado que **camag,** participio activo del verbo **camana,** significa también EL QUE CUIDA o CONSERVA; por manera que **Pachacamag** quiere decir CREADOR y CONSERVADOR DEL MUNDO, uniendo la idea de PODER a la de PROVIDENCIA.

162

"Garcilazo dice que el nombre **viracocha** o **uira-cocha** no es compuesto de **vira,** GRASA, y de **cocha,** MAR, y que este dios es como un fantasma o como hijo del sol".

Siempre he presumido que **huiracocha** significase LAGO DE MANTECA y que esta denominación, dada hasta hoy día a los blancos por los indios de mi patria, se fundase en la analogía de los colores. Ya habrá usted comprendido que **cocha** en el Ecuador, es LAGO, LAGUNA. Los indios de la mar parece que la han llamado **mamacocha,** LAGUNA MADRE, antes que la lengua castellana suplantase este vocablo, como otros muchos, con los suyos equivalentes.

165

"**Cori-quenque.** Pájaro cuyas plumas, negras, blancas y medio doradas, adornaban la cabeza del Inca".

No sé si tenga algo que ver con esta ave la que los indios del Ecuador llaman **Curiquinga,** la cual abunda en las serranías de los Andes. Tiene también las plumas negras y blancas, aunque nó las medio doradas de que usted habla.

166

"En quichua **ttica,** FLOR".

En el quichua de mi país, **sisa.**

Id.

"**Kkau** viene del quichua **kaupimi,** HACER HILOS".

En el Ecuador se dice **caupuni,** presente de indicativo del verbo **caupuna,** TORCER HILOS o CUERDAS.

Id.

"**Akka,** CHICHA".

Aquí se dice **azua,** vocablo que, con otros varios de estirpe quichua, han tenido ya la fortuna de ingresar al diccionario de la Academia Española.

Id.

"**Palla,** PRINCESA CASADA. Del quichua **pallami,** ESCOGER".

En el quichua ecuatoriano, **pallani** (no **pallami**), significa YO RECOJO, del verbo **pallana,** RECOGER. El verbo que significa ESCOGER, **es agllana.**

167

"**Mayta-capag...** Es probable que este nombre venga del maya **may,** GRAN SACERDOTE".

May, en quichua, es adverbio de cantidad y de ponderación, que significa MUCHO; verbigracia: **May jatunmi chay yuraca**, MUY GRANDE ES ESE ARBOL.

Id.

"**Sinchi-roca**, Hijo de Mancocapac, según Garcilazo. Su nombre no tiene significación quichua".

Sinchi es adjetivo que en quichua significa FUERTE. Lo llevan todavía como apellido muchos indios de mi tierra. **Roca** no tiene, efectivamente, aspecto quichua, a menos que sea corrupción de **rucu**, que no siempre es palabra despectiva; pues muchas veces denota consideración, cariño o respeto, **Ñuca rucu**, MI VIEJO, llama algunas veces la india a su marido.

Id.

"**Kuna**. Signo de plural, en quichua; aunque Garcilazo dice que a veces tiene otra significación, y hablando de la viuda de un Inca, la llama él la **mamacuna**. En efecto, **kumac** significa SACERDOTE y viene del maya **kuma**, TEMPLO, sentido que se debe atribuir al quichua **cuna**, en **mamacuna**, LA MADRE DEL TEMPLO, y en **yanacuna**, LOS SIRVIENTES DEL TEMPLO".

En mi concepto (muy poco apreciable, ya se ve), la terminación **cuna** es siempre signo de plural, excepto cuando es palabra completa, esto es, verbo, que significa DAR. Tanto en **mamacuna**, LAS MADRES, como en **yanacuna**, LOS NEGROS, se designa, según me parece, un conjunto de personas; aunque alguna vez, por una especie de sinécdoque, se tome el todo por la parte, designando a un solo individuo con la palabra de plural. Por lo demás, bien puede **cunac**, participio de presente del verbo **cunaca**, aplicarse a un sacerdote; porque este verbo significa ACONSEJAR, ADVERTIR, etc.

168

"**Khoy, koy**. COCHINILLO DE INDIAS, ofrecido al Sol".

Este cochinillo o conejo de Indias, como lo llaman en Europa, es el **Musporcellus** de Linneo. Abunda mucho en las provincias interiores del Ecuador, donde se lo llama **cuy** y se tiene su carne por exquisita.

169

En esta página y la siguiente habla usted del drama quichua **Ollanta** u **Ollantay**, y hace, entre otros, los apuntamientos que copio: "La heroina se llama **Cusi-Kkoylluy**, ESTRELLA DEL PLACER (del quichua **kusi**, PLACER, y **Kkoyllur**, ESTRELLA), y su hija **Ima-Sumak**, BELLA NIÑA (de **imilla**, NIÑA, y **sumak**, BELLA)... **Huika-Uma** es el jefe de los sacerdotes (de **huilca** o **villca**, SACERDOTE, y **uma**, CABEZA).—**Urco** o **Hurcu-Huaranka** significa MIL VARONES (de **urcu**, VARON, y **huaranka**, MIL).—**Piki-Chaqui**, QUE QUIERE POSTRARSE A LOS PIES DEL INCA, esto es, EL PIE MUELLE (de **chaqui**, PIE, y **piqui**, MUELLE).—**Rumi-Nahui** quiere decir OJO DE PIEDRA (de **rumi**, PIEDRA y **nahui**, OJO)".

Mi comentario es el siguiente, y no le doy, por supuesto, grande importancia:

Respecto de **cusi**, he dicho ya que esta palabra significa AGIL, en el quichua ecuatoriano, y que, para traducir ALEGRE, se usa del adjetivo **cushi.**

Ima sumac quiere decir, en mi concepto, QUE BELLA o CUAN BELLA; pues **ima** es adjetivo de interrrogación y significa QUE o CUAL y también adverbio de ponderación que equivale a CUAN.

Huilca-uma debe ser **Huillac-uma,** CABEZA QUE ENSEÑA o AVISA, como ya lo tengo dicho.

Urcu-huaranga, en quichua ecuatoriano, quiere decir MIL DE CERRO o MIL MONTAÑESES.

Piquichaqui significa NINGüENTO o PATOJO, y es nombre burlesco dado al muchacho que interviene en el drama, como personaje cómico. Aún hoy se prodiga este insulto familiar a los que tienen los pies lastimados por el **Pulex penetrans** de que he hablado antes.

Rumiñahui quiere decir también CARA DE PIEDRA, y es, cabalmente el nombre del tirano que, después de la sangrienta perfidia de Cajamarca y del asesinato posterior del Inca, se vino a asesinar en Quito a la familia de Atahuallpa, por adueñarse del trono. Vencido por Benalcázar, se dice que fugó, trasponiendo la montaña que hasta hoy lleva su nombre; aunque mi sabio amigo el finado Doctor Don Pablo Herrera halló, en el primer Libro de Actas del Cabildo de Quito, una en la cual consta la ejecución del **tirano Orominavi** (Vea usted cómo se desfiguran algunas palabras quichuas).

Ahora bien, hace algunos años que leí **Ollantay**, edición de Pacheco Segarra, y desde luego me convencí de que este tan celebrado drama había sido compuesto, mucho después de la conquista del Perú, por sujeto no poco ejercitado en la versificación castellana. El metro octosílabo, tan propio del Teatro peninsular, el uso de la rima, la disposición de las escenas y otras muchas particularidades, delatan manifiestamente al poeta español o criollo que, componiendo sobre el tema tradicional de los amores y la rebeldía de uno de los Generales del Imperio de los Incas, se propuso interesar y divertir a los indios de una comarca, o a los de la Nación toda, valiéndose, muy acertadamente, del hermoso idioma quichua, única prenda restante de la pasada grandeza. Estoy con los que opinan que el autor de tal drama fue el Cura del pueblo de Tinta, Don Antonio Valdez, entre cuyos papeles se encontró el primer manuscrito, y no tengo por justo que se le dé el título de **mero compilador,** como se lo da Don José Domingo Cortés, en su "Diccionario Biográfico Americano", artículo "Ollanta".

Tal ha sido y será mi opinión, y he recibido, hace poco, muy grata sorpresa, al leer lo que escribió el insigne literato peruano Don Ricardo Palma, en su prólogo a la traducción de "Ollantay" hecha por Don Constantino Carrasco. Copiaré de ese prólogo lo que me parece conducente:

"Si el "Ollantay"... es la prueba testimonial que de esta opinión se me presenta (la de que existió la poesía dramática entre los antiguos peruanos), tentado estoy de sostener que la obra no fue compuesta en la época de los Incas, sino cuando ya la conquista española había echado raíces en el Perú. En efecto, basta fijarse en la distribución de las escenas y en la introducción de los coros, para que se agolpen al espíritu reminiscencias del Teatro griego. Dirase que las unidades de tiempo y lugar no están consultadas; pero esto no probaría más sino que el autor quiso apartarse de los preceptos clásicos, forzado acaso por la imposibilidad de encerrar su argumento en la estrechez de los límites por aquellos establecida. La escena del acto primero entre el galán y el gracioso nos recuerda la obligada exposición de los poetas dramáticos del antiguo, original y admirable Teatro español. Así en las Comedias de Lope, Calderón, Moreto, Alarcón, Tirso y demás ingenios de la edad de oro de las letras castellanas, vemos siempre aparecer galán y gracioso, preparando al espectador, con una larga tirada de versos, al desarrollo del asunto. Otra de las circunstancias que me hace presumir que el "Ollantay" fue escrito en el segundo o tercer siglo de la conquista, y por pluma entendida en la literatura de los pueblos europeos, es la de que ni los antiguos ni los modernos poetas que han versificado en quichua hicieron uso de la rima, ya fuese esta asonante o consonante. Plumas muy autorizadas han sostenido que la rima no entra en la índole del quichua, y de ello dan prueba concluyente los "yaravíes", versos esencialmente populares".

Con esta opinión, tan razonada y respetable, he tenido el gusto de ver confirmada la humilde mía. En lo único en que no estoy completamente de acuerdo con el distinguido Señor Palma, es en aquello de que la rima no es de la índole del quichua. Si se trata de la rima perfecta o consonancia, es cierto que el quichua no la admite con la amplitud y variedad que otros idiomas; pero si de la imperfecta o asonancia, me fundo en muchísimos "yaravíes" ecuatorianos, y hasta en algunas modestas composiciones mías, para afirmar que cuadra tan bien como en la versificación castellana esa concordancia musical, leve, pero gallarda y fácil, que campea con tanta donosura en el copioso e interesante Romancero español. Mil ejemplos podría poner, en confirmación de lo que digo; pero, me limitaré a dos, para no fatigar la atención de usted.

¿Maypita cangui, shungulla?
Punzhapunzhami mashcani;
Allcullami huacash causan
Camba jichushca chogllapi.

que pudiera traducirse de este modo:

¿Dónde estás, corazón mío?
Te busco tarde y mañana.
Sólo tu perro está aullando
En tu desierta cabaña.

Shigshicunmi, rauracunmi,
Cauchurinmi shungu huahua;
Yachagcuna, huillahuaychi
¿Caychu cuyana juchaca?

cuya versión pudiera ser ésta:

Se me agita, se me abrasa,
Se me tuerce el corazón:
Sabedores, avisadme
Si esto es pecado de amor.

Aún del mismo drama "Ollantay" puedo citar pasajes en que no deja de lucir satisfactoriamente la rima, y no sólo la imperfecta, sino también la consonancia. Bástenme los seis versos siguientes de la alocución en que el General enamorado alega, ante el Inca, la importancia de los servicios que éste le debe. Me he permitido reducirlo, con muy poca modificación, al quichua de mi patria:

Ñucaraycu, tucuy llagta
Chaquiquiman shamurirca,
Natag llambuta llullashpa,
Natag piña caparishpa,
Natag yaguarta shitashpa,
Natag huañuyta tarishpa.

Los traduzco de este modo, conservando las asonancias:

Por mí todas las comarcas
Fueron a tus pies rendidas,
Ya con mis ficciones blandas,
Ya con mi brava energía,
Ya con sangre derramada,
Ya con muerte recibida.

Disimule usted, Señor Don León, digresiones como ésta, en que de propósito incurro, porque disminuya en algo la natural aridez del presente estudio.

Ya no me resta sino una observación concerniente a su nuevo Libro, y que se refiere a la página.

171

"**Ají.** En castellano PIMIENTA ROJA. En piapoco: **aasí.** En achagua: **ají.** En aruago: **achi**".

En quichua, tienen el nombre común de **uchu** todas las especies de **ají,** aunque se distingan unas de otras por calificaciones adjetivas; verbigracia **Mishqui uchu (Capsicum annuum); Rocoto uchu (C. violaceum o C. frutecens),** etc. La palabra **mishqui,** de la primera denominación, significa DULCE, es decir más suave, más aromático, menos picante que los demás.

Aquí doy fin, Señor y amigo, a mis cortas y, tal vez, algo infundadas observaciones. Usted las estimará en lo poco que valgan. Repito que me es sensible no poseer un ejemplar de sus "Estudios etimológicos", para aumentar en lo posible el contingente de voces quichuas del Ecuador con que desearía contribuir a sus importantes disquisiciones, en materia tan abstrusa como la lingüística.

Y debía terminar esta mi carta, demasiado extensa ya; pero he de añadirle todavía algunas páginas, con el intento de cooperar al interesante trabajo de usted.

Creo que no será fuera de propósito una breve comparación de las palabras zapotecas y huastecas con las quichuas respectivas, y la voy a hacer en este lugar; pues, tengo, felizmente, a la vista unos vocabularios de esos idiomas de México.

La semejanza de estas voces manifiesta que el quichua y esotras lenguas han provenido de la misma fuente (en época remotísima, sin duda); pues, a pesar de haberse hablado, respectivamente, en comarcas muy distantes, sin comunicación alguna y durante muchos siglos, conservan todavía sílabas, y aún vocablos, comunes; hecho del cual no puede menos de inferirse que el primitivo manantial de estos idiomas fue uno mismo, aunque de caudal escaso y apenas suficiente para la expresión de lo más rudimentario y preciso, entre gentes que sólo trataban de darse a entender sobre las necesidades físicas de la existencia. Después de ramificada el habla común, a consecuencia de la emigración de algunos grupos de la familia a países distintos, prosperaron, naturalmente, las ramas, se enriquecieron, dirélo así, con nuevo y abundante follaje, diverso del primitivo, por ser diversas también las circunstancias que lo hicieron brotar; pero, entre la frondosidad de diferente aspecto, sobrepuesta a las antiguas hojas, quedaron todavía subsistentes muchas de éstas, como para testificar la procedencia del árbol. No repare usted en lo mal hilvanado de mi alegoría y acepte benévolo los cortos catálogos siguientes.

I

CASTELLANO	**ZAPOTECO**	**QUICHUA**
Arboleda	Saache-yagazo	Sacha
Ahora	Anna	Cunan
Ayer	Nay	Cayna
Decir	Rinni	Nini (a)
Fabricar	Roni	Rurani (b)
Gato	Misto	Misi
Hablar	Renaa	Rimana.
Ir	Riaa	Rina
Manteca	Zaa**cuchi**	**Cuchi** huira
Mirar	**Ri**guixeloo	Ricuna
Mitad	Choo	Chaupi
Nalga	Xicohui	Siqui
Negro	Yace nagaa	Yana
Puerco	Cuchi	Cuchi
Rostro	Biahui	Ñahui
Seis	Xoopa, Soxopa	Sogta
Ser	Nacani	Cani (c)
Siete	Canche	Canchis
Tocino	Bela**cuchi**	**Cuchi** huira
Todo hombre	**Teuti**beni	**Tucuy** runa
Trabajar	Runichina	Rurachina, Rurana
Trasquilar	**Roto**gochiqui	Rutuna
Ver	Rennaa	Ricuna
Ya	Cia, Baa	Ña
Yerba	Guiixi, Guigui	Quihua
Yo	Naa	Ñuca

(a) Presente de indicativo, primera persona de singular.
(b) Idem. id. id.
(c) id. id. id.

II

CASTELLANO	HUASTECO	QUICHUA
Abandonar	Jilcon	Jichuna
Beber	Utzal	Upiana
Bermejo	Tzocoy	Sucu
Breve	Ica	Utca
Bueno	Alhua	Alli
Cabra	Itu	Cita
Cacarear	Cococol	Cuglag (clueca)
Cano	Tzacuy	Sucu
Cansarse	Tzequel	Shaycuna
Carne	Tullec	Tullu (la flaca)
Cobija	Puelab	Pullu
Cogollo	Ichun	Ichu (yerba gramínea)
Comezón	Tziqui	Shigshi
Conejo	Cuy	Cuy
Cortar	Cotoy	Cuchuy (corte)
Criar niño	Chuchuzal	Chuchuchina
Ano o nalga	Tzi	Siqui
Deshilar	Tiza	Tizana (escarmenar)
Estornudar	Atzxim	Achig nina
Feo	Atax	Atatay! (qué feo)
Gato	Mitzo	Misi
Corcovado	Cutu	Cutu (enano)
Labrar	Huahual	Huag-nina
Ladrón	Cuae	Shua
Lodo	Lulu	Turu
Piojo	Utz	Usa (el de la cabeza)
Llamar	Cani	Cayana
Llorar	Uquim	Huiqui (lágrima)
Mamar	Chuchuy	Chuchuna
Mañana	Calam	Caya
Mio	Nanaucal	Ñucapag
Murciélago	Zut	Mashu
Morder	Catu	Castuna
Mucho	Yam	Yalli (demasiado)
Nariz	Zam	Singa
Nido	Cutil	Cuzha
Oscurecer	Zamamal	Amsayana
Padrón	Yam	Yaya (padre)
Quebrar	Poqueitz	Paquina
Quedo	Cayum	Casi
Quien	Itama	Ima (qué)
Rabo	Huchu	Chupa
Rodilla	Cualal	Cunguri
Sapo	Cua	Ucug
Sierra	Cotop	Cuchug (que corta)
Tajo	Cotoy	Cuchuy

Toser	Ojobal	Ujuna
Tos	Ojob	Ujuy
Uno	Hum	Shug

Aunque deformadas de diverso modo las palabras del zapoteco, del huesteco y del quichua, que acabo de comparar, no permiten que se dude razonablemente acerca de su origen común. Siento no disponer, por ahora, de otros diccionarios, que procuraré adquirir, para cotejar el quichua con las demás principales lenguas de los aborígenes americanos.

Antes de terminar este opúsculo, que se lo envío impreso, para evitar toda equivocación en la lectura de palabras exóticas, he de discurrir algo sobre el origen probable de los idiomas maya, quichua, quiché, aymará, guaraní, haitiano y demás afines, que han sido la base principal de cuantos se hablan en el Continente. Mucho he meditado sobre el particular, aunque deplorando la falta de obras que me den cuanta luz fuere posible.

Sentaré algunos antecedentes, para fundar en ellos una conjetura, una sospecha, que puede no ser exclusivamente mía, aunque ignoro si algún otro escritor la habrá enunciado.

Las palabras que menos gasta y altera el uso, las que más difícilmente se corrompen, al contacto de las lenguas extrañas, son, lo creo, las que forman la nomenclatura geográfica de cada localidad, en cualquiera parte del mundo. Parece que toda población cuida incesantemente de que los nombres de su comarca no sufran detrimento alguno y pasen a la posteridad tan intactos como la antigüedad los ha trasmitido. Concretándome a estos países del Ecuador, diré a usted que, en la denominación de campos, montes y ríos, etc., abundan, a par de las palabras quichuas, otras que indudablemente han sido de diversos idiomas, y que, a pesar de los siglos, han llegado vivas a nuestra edad, como indeleblemente estampadas en la faz de la tierra.

Si los nombres geográficos, suelo decir yo, tienen el raro privilegio de estereotiparse y subsistir sin alteración en el suelo de cada lugar, eximiéndose de la acción corrosiva y destructora del tiempo, que cercena, deforma, desgasta y modifica, si no borra y suprime totalmente las palabras del lenguaje ordinario, al estudio de esos nombres debemos apelar siempre que tratemos de inquirir cuál pudo ser y de dónde provenir el lenguaje primordial de una región. Muchas veces me he figurado que haría un buen servicio a la lingüística de Sudamérica el filólogo que, con paciente laboriosidad, formase, en mi país, un vocabulario de esta clase de palabras; pues, así resultaría una copiosa colección de datos muy útiles a la ciencia que estudia las varias formas externas y los secretos vínculos del habla humana en todas las zonas del globo.

¿De dónde dimanaría el idioma primitivo de los aborígenes americanos, idioma cuyos vestigios quedan todavía en valles y montañas, según lo acabo de expresar? Veamos si hay algún rastro que nos indique.

"L'identité de la langue des **Tchuktchis** sedentaires asiatiques et des Esquimeaux americaines (dice un moderno escritor francés) est un fait dont la gravité n'echaperá a personne". ("Encyclopedie du dix-nueviéme siécle": Langue americaine).

¿Quiénes son estos Tchuktchis? Son una tribu de la Siberia, región del Asia setentrional, que linda por el Este, con el antiguo estrecho de Anián, llamado hoy **de Berhing**. Al Oeste se hallan los Montes Urales y los que se conocen con el nombre de Altar, mayor y menor.

De otra obra, no menos notable ("Diccionario enciclopédico hispanoamericano") transcribo lo siguiente: "El idioma primitivo del Japón es el Yamato, lengua **polisilábica** y **aglutinante**, que no tiene relación con el chino y si una semejanza con los idiomas **uralo-altaicos**. Es muy sonoro; el adjetivo **precede siempre al sustantivo**; el régimen **antecede al verbo**; no hay artículos, y las declinaciones y conjugaciones se indican **por medio de sílabas añadidas al final de la dicción**... La lengua japonesa es muy rica para expresar **objetos reales**; pero es muy pobre en voces **abstractas**, e **ideas generales**".

¿No le parece a usted, le diré de paso, que en esta descripción se está hablando del quichua o de alguno de sus congéneres?

Ahora llamo la atención de usted sobre la semejanza del **yamato** con los idiomas **uralo-altaicos**, y me permito recordarle que los **Tchuktchis** habitan, cabalmente, en la región uralo-altaica, parte fronteriza respecto de los esquimales, con el estrecho de Berhing de por medio.

"Los Japones, dice el sabio filólogo Don Lorenzo Hervás (cuyos interesantes trabajos comienzan a ser hoy más apreciados que en su tiempo), los Japones no entienden ninguna lengua china, sino algunas palabras de ellas introducidas en sus libros". ("Catálogo de las lenguas" tomo 2º, tratado II, cap. II).

"El ruso Esteban Krasheninicoff (dice el mismo autor), fundándose en sus propias observaciones y en las del Steller, conjetura que pertenecen a una misma nación los **tchutkis**, **kamchadales** y **americanos** de las costas de América que están vecinas a la extremidad oriental del Asia... La prueba de su respectiva descendencia se tendrá cuando se puedan **cotejar sus lenguas**, las cuales casi en todas las naciones, y principalmente en las bárbaras, hacen conocer claramente su origen". (Id. tomo 2º pág. 278).

"Los **Tchutkos** (añade en otra parte el Sor. Hervás), desde su país, vecino al promontorio **Tchuskotkoi**, llegan en un día de estío a América, con sus barcas de hueso de ballena y de pieles de vacas marinas con que las cubren Asia y América, en tiempo de invierno, se unen por medio del hielo. La mayor cercanía de los dos Continentes está a 66 grados de latitud: allí lo largo (anchura del estrecho) es de trece leguas". Para consignar estos datos, se funda el autor en la narración del tercer viaje de Cook. (Tomo 2º pág. 285 de la obra que voy citando).

"Estas noticias, dice en otro lugar, hacen conocer la facilidad con que la América se pudo poblar y debió poblarse, por medio de dicho estrecho, cuya poca profundidad hace conjeturar prudentemente, que no existió, cuando se pobló la América".

El muy distinguido geógrafo ecuatoriano Don Antonio de Alcedo, en su magistral Diccionario, artículo AMERICA, escribe lo siguiente: "Mucho han discurrido sobre este problema tantos célebres historiadores y filósofos; siendo lo más recibido hoy que el paso se hizo por el mar **Kamstchaia** (Kamstchatka) a la América setentrional".

No quiero abundar en citas, cosa que me sería muy fácil; pues, me parece que ya no cabe cuestión sobre el modo cómo se poblaron las comarcas setentrionales de América; aunque el hecho no excluya la posibilidad de que también recibiese este Continente otra inmigración de procedencia china, por ejemplo, en alguna de las regiones del Sur.

Lo notable, para mí, es que se bosqueja una ruta de hombres y de idiomas, desde el Japón e islas circunvecinas, hasta la región uralo-altaica o siberiana, y desde ésta al Continente americano, en el cual parece que ha ido prolongándose de norte a sur, según el testimonio constante de las tradiciones prehistóricas y según lo manifiesta el innegable parentezco de las principales lenguas, habladas antiguamente las unas, y actualmente las otras, desde México hasta las inmediaciones del Plata.

Pero ¿habrá en alguno de estos idiomas palabras que se asemejen a las del yamato japonés? Respondo que las hay, y muchas, pertenecientes a la lengua quichua y a otras que, indudablemente, la han precedido, como lo he insinuado ya. Harto en qué meditar me ha dado esta curiosa coincidencia, y hoy que se me ha presentado la ocasión, he formado, para usted, una breve lista de voces japonesas (geográficas casi todas) y otra paralela de americanas (geográficas también las más), a fin de que resalte la semejanza, que a nadie ha de parecerle meramente casual por la frecuencia con que la similitud se nota aún entre palabras de diversa índole gramatical.

No expresaré la equivalencia castellana de las que en quichua la tienen; porque ignoro la que tengan las similares del Japón, y aún las que hayan tenido aquellas otras, de lenguas americanas ya extinguidas. Me limito únicamente a manifestar la identidad de estructura y valor fonético de las voces que comparo, sin asegurar que signifiquen cosas más o menos análogas.

No doy, por supuesto, importancia alguna a mi observación: puede ser que me alucine la forma externa, la simple **facies** de los vocablos, y que éstos, según el valor de sus raíces, tengan sentido muy distinto. Expongo solamente una conjetura, una presunción, respecto de esta particularidad, digna de ser estudiada por persona que, teniendo aptitudes superiores a las mías, disponga de los libros necesarios para ilustrar en lo posible tan ardua materia.

No sé si algún escritor se haya fijado en este hecho, y hé aquí mi diminuto vocabulario comparativo.

PALABRAS JAPONESAS	**PALABRAS AMERICANAS**
Amanguchi. Yamaguchi	Anguchi. Cutuchi. Anchuchi. Cuchi (Ecuador).—Chataouchi (Norteamérica).—Amaguntick (Canadá).
Amipa. Zipan	Amipac. Llashipa. Quipa. (E). Arequipa. Atiquipa (Perú).—Atipac, Amilpa (México).—Zipa (Colombia).
Bulac	Buglag. Gulag (E).
Jima. Cango jima. Zuxima. Tagima. Irosima. Achima. Urashima. Kagosima. Buninsima	Jima. Cajilima. Uruchima. Zhima (E). —Yurima Yurimaguas (P).—Siquima (C).—Barima (Venezuela).—Sibarina (Guayanas).
Dairi. Dairo	Sairi. Huayru (E).—Ihuairi (Paraguay)

Fusán. Asán. Quichán	Licán. Cancán. Chicán. Huapán. (E).—Michoacán. Mazatlán. Mecatlán. Mesquitlán. Huayapán. Tepchuacán. Apán. Tizpán (M).—Cuscután. (San Salvador).—Popayán (C).—Yupán. Smán (P).—Tucumán (Argentina).
Isimonaqui. Misaqui. Nangasaqui. Ibacaqui.	Maqui. Llaqui. Chaqui. Taqui. Saqui. Huaqui. Jatuntaqui. Paqui. Raqui (E). —Tunaqui. Cozaqui (M).—Sotaqui (P). Calchaqui (A).
Karachir. Schumitir. Kunatir	Shumir. Duquir. Pillachiquir. Zhiquir (E).—Taquir (Brasil).—Altamir. Cachir (V).—Taucir (P).
Macao. Tacao. Tatao	Llacao. Pucao. Balao. Cotocollao (E).—Silao. Yatao. Cocupao. Cumbao (M).—Batacao. Macao (C).—Chacao. Pao. Niquitao. Caricao (V).—Callao. Collao. Apleao. Cao. Chillao. Conchao. Panao. Chinchao (P).—Abtao. Chacao. (Chile).
Morocosi	Murucusi (E).
Nagoya. Magoya	Huamboya. Andagoya. Coya. Moya. (E).—Agoya (A).
Nangato. Yamayo	Ambato, Bato (E).—Aguanato (M).—Tupungato (CH).
Nigata. Nichigata	Zhingata (E).—Nayguata (V).
Oki	Uqui. Lluqui. Chuqui. Suqui (E).
Okosiri	Ucusirig. Shiri. Chiri. Ziri. Piri. Mishquiri. Pitiri. (E).—Casiri (P).—Piquiri (Paraguay).
Osaka. Mimasaca. Homasaca	Colaysaca. Curaysaca. Viñaysaca. Viñansaca. Machisaca. Velesaca (E).—(C).—Chuquisaca (Bolivia).
Sacay. Senday. Funay. Matomay. Kikiay. Xangay	Sangay. Sacay. Secay. Sidcay. Bucay. Bullcay. Burgay. Monay. Balsay. Shiucay. Sitincay. Ayancay. Pacay. Bibillcay. Cutillcay. Chigticay. Yanuncay. Tabacay. Pirincay. Gullancay. Uchucay y mil otros nombres (E). — Ubay, Abancay. Yucay. Chancay. Yungay.

	(P).—Pucay (CH).—Paraguay. Uruguay. Ñandubay.
Tanaxuma. Ladsuma. Sasuma	Zaruma. Cajanuma. Huahualzhuma. Uma. Puma. Caluma. Zhimazhuma. Tutuma. (E).—Otzuma (M).— Ostuma (Guatemala).—Tacasaluma (C).—Ziruma. Pacaruma. (V).—Ancuma. (P).—Curuma. Piruma. (CH).—Payruma (A) —Acuna (Brasil).
Shinikiru	Chiniquiru. Pimiquiru. Quiru. Huiru. Zhiru (E).
Sitsi	Sigsi. Shigshi. Sigsig. Rigsi. Sisit (E).
Simonosiqui. Cosiqui. Iqui	Iqui. Siqui. Chiqui. Piqui. Huiqui. Lliqui. Riqui. (E).—Simochiqui (M).—Tambiqui (C).
Simonosura. Sacura. Kawamura.	Ura. Pura. Cheura. Jimbura. Piñantura (E).—Piura. Sechura (P).
Taruri	Tacuri. Curi. Churi. Turi. Puri. Uri. Anchuri. Buri (E).—Caturi. Amacuri. (V).—Usicuri (C).—Tapucuri (P).—Amicuri (B).
Taikun	Yaycun. Uraicun. Huichaycun (E).
Tomari. Isicari	Ucumari. Cañari. Cari. Chunucari. Llangari. Uyaguari. (E).—Teopari. Nacosari. (M).—Acari. Cabari. Coari. Tapacari. Yamari. (P).—Pasatari. Soapari (B).
Totori	Totora (E).—Totoro (C).
Toyama. Asayama. Okama. Yokoama. Pama. Fusiyama. Asamayama	Payama. Chicama. Pachamama. Cocama. Chama (E).—Osatama. (C).—Ticama. Lambrama. Salama. Tiacama. (M). —Mallama. Osatama (C).—Lesama. Chama (V). — Huancarana. Sacsana. Aucayama (P).—Atacama (CH).
Tundi	Muyundi. Tugtundi. Puchundi (E).—Tunduli. (Jibaría de id.).
Yalu	Yalu (E).
Yanamasi	Huasi. Casi. (E).—Aycasi. Maracasi.

	Matahuasi. Tatasi. Uncahuasi (P).— Cundurhuasi (A).
Yoximasa	Pishumasa. Tenemasa. Bobonaza (E).

Pocas son las palabras japonesas que cito; porque no son muchas las que conozco, por falta de un vocabulario del **yamato** (nó del chino monosilábico que posteriormente se ha mezclado con él). En cambio, puedo presentar mil voces americanas tan semejantes a las citadas japonesas, que son como vaciadas en el propio molde. Si tanto se parecen las unas a las otras, en lo que podemos llamar el aire de familia, algo debe haber común en el origen de éstas y de aquellas, y aún algo de analogía en el valor intrínseco de los términos que así concuerdan.

En varias islas del Pacífico se oyen también palabras de estructura y sonidos semejantes a los de otras americanas, como **Haway, Sanay, Kauay, Honolulu** (en el Archipiélago de Sandwich), que se parecen a **Galuay, Jahuay, Saucay, Bulubulu** (en el Ecuador); **Poukapouka** o **Pucapuca** (en las Islas de Pomotú), palabra idéntica a **Pucapuca,** del quichua, que en castellano quiere decir ROJO ROJO, es decir, rojo intenso; Uka, Eluqui, ríos de Kamtchatca; Konchaca, nombre de un jefe de esa península; **Kuthu,** primer padre de los habitantes de ella; **Kushi,** nombre que éstos dan a los Kuriles; **Sirinki** y **Urupe,** islas de estos últimos, etc. Mucho se asemejan estos vocablos de los Kamtchatcas a las palabras quichuas **uqui, lluqui, chaca, cutu, cushi, siringui, jurupi** y otras. Aún algunos como **cushi** y **cuthu,** son idénticos; pues ninguna variación causan en el sonido la **K** equivalente a la **C,** y la **H,** que debe ser muda, a menos que **TH** tenga el valor fonético que en inglés; mas, aún entonces se asemejaría la última palabra a **cuzu,** que en quichua significa gusano.

De la obra que cité del Señor Barbena (pág. 147), copio el siguiente pasaje, que viene muy a propósito: "Muchos escritores han llamado ya la atención del mundo sabio respecto a las numerosas palabras de las lenguas americanas que, con igual sonido y **significado,** figuran en los léxicos de diversos idiomas de las islas del Océano Pacífico". Cierto es que el Señor Barbena añade: "Lo que estos escritores presumen es que de América han emigrado estas palabras"; pero yo contrapongo a la presunción de los escritores aludidos esta sola observación del Señor Hervás: "Preguntad en la lejana América a los mexicanos y californios de qué países salieron sus mayores, y ellos, según sus tradiciones y pinturas, que la crítica más severa halla convenir con las historias sagradas y profanas, os responderán uniformemente, que salieron del norte de América, esto es, del Asia" (Tomo citado, pág. 9).

A probar que la inmigración primitiva vino del Continente asiático, fuese del Japón o de la China, o de uno y otro de estos países, conducen, por último, dos hechos de actualidad, referidos por uno de los diarios de Guayaquil ("El Grito del Pueblo", número 2.156). Cuenta este diario, refiriéndose a su corresponsal mexicano, que, en una excavación recientemente practicada cerca de la Catedral de México, se han hallado varios objetos de oro y gran cantidad de cuentas de **jade,** piedra que sólo se encuentra en la China, lo cual corrobora (dice) la teoría de que los Aztecas procedían de los chinos. Quien da esta noticia, agrega, para confirmar la deducción, que telegramas recientes de Pekin hacen saber que del saqueo que las fuerzas europeas y americanas han hecho de los archivos han resultado documentos que prueban que, siglos antes de la era cristiana, los chinos habían descubierto y conquistado una gran parte del Continente americano, desde la Península de California, hasta la de Yucatán. El **jade** o diamante azteca viene ahora en apoyo del hecho.

En cuanto a este **jade**, que es una piedra compuesta de sílice, álumina, cal, potasa, sosa y óxido de hierro, sería preciso averiguar si es la **nephritis**, que procede realmente de la China, como que, en cantos rodados, se halla en el lecho de los torrentes del Himalaya, o el **jade oxiniano** de la Nueva Zelanda, o la saussurrita de Córcega y otros lugares europeos, o —finalmente— una variedad de alguna comarca del Nuevo Mundo.

El examen de esta cuestión concierne a los químicos, así como a esotros químicos de la lingüística corresponde el docto análisis idiomático y la síntesis consiguiente, para descubrir los elementos comunes y recomponer la inmensa variedad de lenguas que sirven de vehículo al pensamiento humano.

El indagar si del Asia han provenido los habitantes de América, así como toda la humanidad, es ya cuestión inútil, por resuelta. La verdadera ciencia y los Libros Santos me parece que están acordes sobre este punto sustancial. Si yo he dicurrido acerca de él, ha sido solamente porque deseaba comunicar a usted, bondadoso Señor Douay, mi conjetura de que el quichua tiene algún parentesco, siquiera leve y remoto, con el yamato del Japón. Nada importa que esta mi presunción sea desacertada. En la investigación científica, como en las campañas militares, no suele, de ordinario, venir el triunfo sino después de consecutivas derrotas. **Errando errando deponitur error.**

Disimule usted cuanto haya de empírico en esta difusa carta. Culpa es de mi corto ingenio, escasa erudición y poca perspicacia. Lo es, sobre todo, de la falta de obras especiales que consultar, para mi ilustración o desengaño.

A particular honra tengo el repetirme su muy atento y obsecuente amigo y servidor.

Luis CORDERO.

CARTAS CONCERNIENTES AL QUICHUA ECUATORIANO Y AL PERUANO, ESCRITAS A PROPOSITO DE UNA OBRA DE LA SRA. MATTO DE TURNER, COMPUESTA EN EL ULTIMO DE ESTOS IDIOMAS

En "EL GRITO DEL PUEBLO", diario de Guayaquil, se dió a luz, con fecha 29 de Agosto de 1901, un artículo que decía:

"Tenemos a la vista un ejemplar del "EVANGELIO DE N. S. JESUCRISTO SEGUN SAN LUCAS", vertido al idioma quichua por la notable escritora peruana Doña Clorinda Matto de Turner, quien, como todos saben, une a sus altos méritos literarios en la lengua de Cervantes, otros que son más raros hoy en la moribunda lengua de los Incas".

"La obra ha sido escrita por encargo de la Sociedad Bíblica Americana de Buenos Aires, y ha merecido los elogios de los inteligentes en la materia".

"Se interesa la Señora de Turner en averiguar si el quichua peruano en que ella ha escrito será comprendido por los indígenas del Ecuador. No podemos responderle a esta pregunta, tratándose de una lengua absolutamente desconocida para nosotros; pero como no faltan en este país personas que poseen a fondo el quichua ecuatoriano, como el Sr. Dr. Luis Cordero, que lleva escritas varias obras en este idioma, esperamos adquirir los informes que solicita la autora del **"Evangelion San Lucaspa quelkascan"**.

"Para muestra, copiamos el primer párrafo:

Ascaña churacuncu qquelkaman huillacuspa ñoccanchis uccupi checcanchaskata; ñoccanchisman ccoska saccay ccallariyñinmantapacha ricuspa, huillacuspa, simiuchaspa".

A esta interpelación, bastante directa, contestó Cordero ofreciendo estudiar la obra de la Señora Matto, y después de examinada con el cuidado que en ello se debía emplear, escribió la exposición que en seguida se trascribe:

EL QUICHUA
DIFERENCIA ENTRE EL DIALECTO PERUANO Y EL ECUATORIANO

Señor director de "EL GRITO DEL PUEBLO":

Cumplo con el ofrecimiento que le hice de manifestarle mi modesta opinión acerca del último libro de la muy distinguida escritora peruana Sra. Doña Clorinda Matto de Turner, es decir, de la traducción del Evangelio de San Lucas a la lengua quichua. Ya sabe usted que he de limitarme a expresar si esta traducción puede o no ser entendida por los indios del Ecuador, prescindiendo del mérito literario de la obra, que otras personas, competentemente versadas en el quichua peruano, deben graduar con más acierto que yo, atendiendo, como es natural, a los extraordinarios esfuerzos que demanda la traslación del sagrado texto a un idioma tan pobre en palabras adecuadas a las ideas abstractas y morales en que ese texto abunda y considerando que, por éste y otros motivos, es frecuentemente necesario valerse de vocablos españoles desvirtuándolos con cierta violencia, para que, acomodándose a la índole del quichua, vengan a manifestar lo que esta lengua no puede, por falta de vocablos suyos.

Prescindo también de consideraciones de cualquiera otra especie y, copiando algunos de los versículos del sobredicho Evangelio, voy a demostrar a usted la gran diferencia que hay entre los dos dialectos del quichua; para lo cual, después de transcribir el texto latino y de traducirlo con toda fidelidad, pondré la versión peruana de la Señora y luego la ecuatoriana mía. Ya di a usted un especimen de la primera en mi carta anterior; pero en la presente seré algo más extenso, aunque no tanto que abuse de la paciencia de mis lectores, si es que tengo algunos, al tratar de materia tan árida y extraña.

Permítame suplicarle que se sirva recomendar el mayor esmero al señor Corrector de pruebas, a fin de que no salgan absurdamente deformados los términos quichuas, que de suyo son leídos con harta dificultad, por ser muy rara la vez en que se los escribe, y sobre todo, en que se los imprime.

Previo este indispensable prólogo, he aquí la comparación en que me fundo, para ratificar mi concepto, ya expresado, de que mis compatriotas indios no han de entender la traducción hecha, para los del Perú, por la muy laboriosa y hábil Señora.

Válganme para el efecto los versículos siguientes del Capítulo XVIII del citado Evangelio.

33. ET POSTQUAM VENERUNT IN LOCUM QUI VOCATUR CALVARIAE, IBI CRUCIFIXERUNT EUM, ET LATRONES; UNUN A DEXTRIS ET ALTER A SINISTRIS.

"Y después que llegaron al lugar llamado Calvario, le crucificaron allí, y a ladrones, uno a la diestra y otro a la siniestra".

La Señora Matto traduce, en el quichua peruano:

Calvario ñescamanchayactincutac, chaypi chacatarcancu, mana alli rurayniyoc suhuacunatacuan, ucta pañanpi uctatac lloquempi.

Yo traduzco de este modo, en el ecuatoriano:

Calvario nishca pataman chayashca quipa, chaypi payta chacatarcacuna, shuacunatapish, shugta alli maquiman, shugta lluquiman churashpa.

34. JESUS AUTEM DICEBAT: PATER, DIMITE ILLIS; NON ENIM SCIUNT QUID FACIUNT. DIVIDENTES VESTIMENTA EJUS, MISERUNT SORTES.

"Mas Jesús decía: Padre, perdónalos; pues no saben lo que hacen. Dividiendo sus vestidos, echaron suertes".

Traduce la Señora en el quichua del Perú:

Jesustac ñispa ñiscarcan: Yapa, pambachay; mana rurascancuta yachancuchu. Paycuna ucupi ppachancunata raquinascuspatac suertechancarcu.

Traduzco yo en el del Ecuador:

Ñatag, Jesusca nircami: Paycunapa juchata cungay, Yaya; mana yachashpami cayta rurancuna. Paycunaca chungarcacunami, pachata raquinacushpa.

35. ET STABAT POPULUS SPECTANS, ET DERIDEBANT EUM PRINCIPES CUM EIS DICENTES: ALIOS SALVOS FECIT, SE SALVUM FACIET, SI HIC EST CHRISTUS DEI ELECTUS.

"Y estaba contemplándole el pueblo, y él y los príncipes se burlaban diciendo: A otros salvó; se salvará a sí mismo, si es el Cristo elegido de Dios".

En el quichua peruano:

Llactatac chaquilla sayarispa ccahuascarccan; llactamachicunapas paycunahuan, paymanta chansacuspatacñispa: Uccunata qquespichercan, paytapas qquespichecuchun, sichus Pachacamacpa Criston acllacuskan.

En el ecuatoriano:

Llagtacunaca shayashpa ricuracunmi. Paycunahuan pagta, apucunapish, paymanta asishpa, nincunami: Shugcunata quishpichirca: paypish quishpiringami, Apuchipa agllashca Cristo cashpaca.

36. ILLUDEBANT AUTEM ET MILITES ACCEDENTES ET ACETUM OFFERENTES.

"Y se burlaban de El, aún los soldados, acercándose y ofreciéndole vinagre".

Peruano:

Imallatac soldadocunapas paymanta asircancu vinagreta aihuarispa.

Ecuatoriano:

Shinallata soldadocunapish paymanta asircacunami, jayag upiayta cushanishpa.

37. ET DICENTES: SI TU ES REX JUDEORUM, SALVUM TE FAC.

"Y diciendo: Si Tú eres Rey de los judíos, sálvate".

Peruano:

Nispatac: Sichus ccan judiocunac reynin canqui, qquepichecuy quiquiquita.

Ecuatoriano:

Casna nishpa: Judiocunapag Inga cashpaca, canquiquinllata quishpiri.

38. ERAT AUTEM ET SUPERSCRIPTIO SCRIPTA SUPER EUM, LITERIS GRECIS ET LATINIS ET HEBRAICIS: HIC ETS REX JUDEORUM.

"Y estaba sobre él, en letras griegas, latinas y hebreas, una inscripción que decía: Este es el Rey de los judíos".

Peruano:

Carcantac uc qquelka ahuanpi churaska, griego simi, latin simi, hebreo simicunapi: Caymi judiocunac reynin.

Ecuatoriano:

Ñatac paypa jahuapi tiag quillca, griego, latin, hebreo shimicunapi churashca, nicunmi: Caymi judiocunapag Ingaca.

39. UNUS AUTEM DE HIS QUI PENDEBAT LATRONIBUS, BLASPHEMABAT EUM DICEN: SI TU ES CHRISTUS, SALVUN FAC TEMETIPSUM ET NOS.

"Mas uno de los ladrones que con El estaban crucificados blasfemaba de El y decía: Si tú eres Cristo, sálvate y sálvanos".

Peruano:

Payhuan cusca chacatasca suhuacunamantatac ucnin simita uccarispa nerkan: ¿Manachu ccanca Cristo canqui? qquespichicuya, ñocaycutapas.

Ecuatoriano:

Payhuan chacatashca huarcuracug shuacunamanta, shugca, payta camishpa, nicunmi: Shutita Cristo cashpaca, canpish quishpiri, ñucanchitapish quishpichihuay.

40. RESPONDENS AUTEM ALTER, INCREPABAT EUM DICENS: NEQUE TU TIMES DEUM, QUOD IN EADEM DAMNATIONE ES.

"Respondiéndole el otro, le reprendía, diciendo: Ni tú temes a Dios, estando en el mismo suplicio".

Peruano:

Uccac suhuata cutichispa, nerkan: Ccanca manan Pachacamacllatapas manchanquichu, quiquin ñacariypi ricucuspa?

Ecuatoriano:

Cayshug, cayta uyashpaca, cunanmi, casna nishpa: ¿Canpish manachu Pachacamagta manchangui, chay llaquillapita ñacaricushpa?

41. ET NOS QUIDEM JUSTE, NAM DIGNA FACTIS RECIPIMUS: HIC VERO NIHIL MALI GESSIT.

"Y nosotros padecemos justamente, pues recibimos la pena de nuestros delitos; pero éste no ha hecho mal ninguno".

Peruano:

Ñocanchisca, checampi, cañallanchistan, ñas, mana ruray rurasccanchismantan cayta chasquicunchis; caycan manan ima mana allitapas ruranchu.

Ecuatoriano:

Ñucanchica, millayta rurashcamantami, cay llaquipi tianchi; payca mana imapi juchallishcachu.

Temo, Señor Director, haber cansado a usted y a los lectores; pero era indispensable que yo hiciese esta prolija comparación, a lo menos de algunos versículos, para deducir de ella las breves observaciones siguientes, en apoyo de mi expresado dictamen.

Primera: Una simple y rápida lectura basta para manifestar la diferencia que existe entre varias palabras del uno y el otro quichua, y esto sin reparar en que hay muchas propias del uno que ni variadas se hallan en el otro.

Vayan algunos ejemplos de las primeras, tomados sin orden alguno:

PERUANAS	ECUATORIANAS
Ñescaman	nishcaman
Chayanticuntac	chayashca quipa
Chacatarcancu	chacatarcacuna
Allin	alli
Rurayniyoc	rurag o rurrag
Suhuacunatahuan	shuacunahuan
Ucta	shugta
Lloquempi	lluquiman o lluquipi
Ñispa	nishpa
Ñiscarcan	nishcarca
Manas	mana
Rurascancuta	rurashcata
Yachancuchu	yachancunachu
Ppachancunata	pachacunata
Raquinacuspatac	raquinacushpa
Suertechancarcu	chungarcacuna
Llactatac	llagtaca
Sayarispa	shayarishpa
Ccahuascarccan	ricucun o ricuracun
Chansacuspa	asishpa o umashpa
Uccunata	shugcunata

Qquespichercan	quishpichirca
Paytapas	Paytapish
Sichus (Cristo)	(Cristo) cashpaca
Acllacuskan	agllashca.
Inallatac	shinallacta
Pas	pish
Asircancu	asircacuna
Asuycuspa	chayarishpa o cuchuyashpa
Ayhuarispa	cusha nishpa.

Segunda: Basta la comparación de estas pocas palabras, que tomo de la traducción de los primeros versículos copiados, para conocer que el quichua peruano tiene las vocales **e** y **o**, de que carece el del Ecuador; que el primero usa en los plurales de la desinencia **ancu**; y el segundo de la terminación **cuna**; que aquél carece (no sé si del todo) del sonido **sh**, que tánta suavidad comunica a las palabras que lo llevan en el otro; que el quichua peruano intercala en la aglutinación de las voces ciertas sílabas o letras que no interpone el ecuatoriano, como en **suhuacunatahuan, lloquempi**, palabras que los indios de mi país pronuncian con mayor sencillez, diciendo **shuacunahuan, lluquipi**; que en el idioma de estos últimos hay algunas consonantes iniciales que no se usan en el de los peruanos, como la mencionada **sh** en **chug, shina**, que los segundos pronuncian **ug, ina**, pues así escribe la Señora Matto; que la partícula **ta** o **tag**, de acusativo, en el Ecuador, se usa a veces en nominativo por los paisanos de esta distinguida Señora, como en la frase **Jesustac ñispa**, en lugar de **Jesusca nirca**, que sería la frase ecuatoriana; que hay en el quichua del Perú sonidos muy fuertes, y aún rudos, que, sin duda, por ser tales, requieren para ser propiamente expresados, la duplicación de consonantes ásperas, como la **c** y la **q**, duplicación que no exige el quichua del norte, indudablemente por su mayor suavidad y dulzura; que en muchas voces en que el indio ecuatoriano usa de **n** inicial, el peruano usa de **ñ**, como en **nishpa**, que éste pronuncia **ñispa**; que la copulativa equivalente a las conjunciones castellanas **y, también**, es el Perú **pas** y en el Ecuador **pish**, etc., etc.

Nada digo sobre la relativa superioridad del uno o del otro dialecto. Juzguen de ella filólogos competentes. Estas y otras muchas observaciones que omito, sirven sólo de fundamento a mi opinión de que los indios ecuatorianos muy poco, o nada, tal vez, entenderían del Evangelio de San Lucas, traducido para los del Perú, por la respetable Señora de Turner.

Puede usted, Señor Director, dar o nó a luz este escrito, que, contra mi explícita voluntad, me ha salido difuso.

Muy atento servidor de usted.

Luis CORDERO.

CARTA DE LA SEÑORA MATTO

sobre el contenido de la anterior de Cordero

Buenos Aires, 1º de Febrero de 1902.
Señor Director de "EL GRITO DEL PUEBLO".

Señor y amigo:

Debo al puntual envío que la Administración me hace de su ilustrado diario el conocimiento de las dos cartas que le ha dirigido mi ilustre amigo, poeta y hombre de estado, Dr. Dn. Luis Cordero, sobre mi reciente traducción del Evangelio de Nuestro Señor Jesucristo, según San Lucas, al idioma quichua.

Apreciando en lo que vale la opinión de persona tan competente en letras sagradas y profanas, como es el Expresidente del Ecuador Doctor Cordero, voy a observarle solamente unos puntos en los que encuentro desviado el criterio. Parece que se quiere entrar en un examen filológico del idioma, pasando por alto la declaración que hago en la carta dirigida al Rev. Milne e impresa al frente de mi citada traducción. En ella digo que "haré la traducción al quechua vulgarizado, no al clásico que ya pocos conocen", y entre estos pocos considero a Don Luis. Por tal razón uso palabras castellanas quechuizadas, prescindiendo del nombre clásico.

Mi objeto no ha sido el de hacer un libro para lucirme en el conocimiento del quechua, que he aprendido desde mis primeros balbuceos humanos, sino secundar la noble, divina labor de la Sociedad Bíblica, llevando ante los millares de indígenas el libro santo, para que ellos lo oigan (ya que no saben leer), lo comprendan y, al amparo de la divina palabra, vean dulcificada su actual situación con la luz de la esperanza y la fortaleza de la Verdad.

Hecha esta rectificación, entraré en el primer punto.

En mi libro "LEYENDAS Y RECORTES", publicado en Lima el año de 1893, digo: El presbítero Don Federico González Suárez, citado también por el ilustre escritor salvadoreño Don Santiago I. Barberena, afirma que la civilización indígena ecuatoriana se componía de dos elementos distintos: del ecuatoriano genuino, con variantes correspondientes a las diversas tribus, y del incásico o de los **quichuas peruanos**, y comprueban que eran cuatro las naciones principales que ocupaban el territorio del Ecuador, antes de la llegada de los Conquistadores: 1º la de Puná y otros puntos de la costa de Guayaquil y de Manabí; 2º los puruhaes y los cañaris, en la región interandina, y 4º los incas, que llegaron poco antes de la conquista, con su rico idioma". ("Leyendas", pág. 96).

Conozco la obra titulada "ECUADOR RUNACUNAPA REZANA LIBRO, P. Julio Paris, Redentoristapacallichishca, santo Obispopac munaininhuan", —Benzinzer etc. Co. tipógrafos de la Santa Sede Apostólica, en Einsiedeln, Suiza, 1884, cüya lectura me ha sido tan fácil como si yo misma la hubiese escrito. No sé si a ello ha contribuído la voluntad de comprensión con la cual fui a su lectura o la convicción que tengo de que el quichua que se habla en el Ecuador y el Perú es uno solo, con diferencias desinenciales pequeñas, y esta convicción la he adquirido mediante conversaciones sostenidas con ecuatorianos naturales de Quito, con quienes me he entendido tan correctamente como si usásemos el castellano. La única barrera que existe está en la forma de la escritura; pero el que pronuncia bien, acomodándose a una u otra ortografía, seguramente que ha de ser entendido por los que oigan y quieran entender. Tomaré ejemplos de las mismas palabras que mi ilustre amigo publica para comprobar la distancia que hay entre el quechua peruano y el ecuatoriano:

Escritura peruana	**Escritura ecuatoriana**
Sayarispa	Shayarishpa
Nispa	Nishpa
Rurascata	Rurashcata
Niscaman	Nishcaman
Raquinacuspa	Raquinacushpa

y otras muchas que sería cansado enumerar, en que no hay más diferencia que la de la haches de la escritura que se ha querido poner por puro gusto, pues, al pronunciar, el sonido tiene que ser el mismo.

En lo que no estoy de acuerdo con mi erudito amigo Doctor Cordero, es en que el quechua sea dialecto e idioma pobre.

Voy a observarle, dando, a la vez, razón de por qué escribo **quechua** con **e** y no **quichua** con **i.** La etimología de la palabra, según el Padre Mossi, el Dr. Villar y otros, es **quehuiy** (torcer), **ichu** (paja), de donde salió **queshua** (soga de paja), industria u oficio de los que hablaban este idioma. El quechua es un idioma hablado por más de quinientos millones de personas, y tan rico, que puede competir con el latín, puesto que tiene palabras propias para cada concepto, sin valerse sólo de las desinencias, como ocurre en el castellano. Un ejemplo: en castellano decimos: **hermano, hermana,** y esto lo usa el hombre o la mujer, sin ninguna distinción; pues en quechua, cuando una mujer habla de su hermana, dice **ñañay**, cuando habla de su hermano, dice **turay.** Si es varón el que habla de su hermana, dice **panay,** y si de su hermano, dice **huauquey.** ¿En qué otro idioma encontramos esta precisión y esta riqueza?

Para expresar el verbo **lavar,** tenemos las siguientes especialidades. **Maillicuy**, lavarse uno; **uppacuy**, lavarse la cara; **tacsay,** lavar la ropa. Pero no voy a hacer una disertación sobre las excelencias de un idioma cuya viveza de imágenes nos hace el efecto onomatópico en el oído y mímico en la concepción, por cuanto nos hace ver el objeto mismo en la situación que describimos.

Cuando se dice: **"Jesucristotac chacatasca, iscay suhuacunac chaupimpi, runacunatac ccaparicuspa; allpatac chapchicuspa: intitac tutayaspa!"**, presenciamos gráficamente la tragedia del Calvario, oímos la algazara de los unos, sentimos el temblor de tierra y vemos el eclipse del sol. Para expresar esto mismo en castellano, tendríamos que valernos de un montón de frases explicativas y aclarativas de la idea, sin llegar a expresar lo mismo. "Y, cuando Jesucristo estaba crucificado en medio de dos ladrones, las gentes vociferaban, la tierra estaba en temblor y el sol se oscurecía", y aun no expresa lo mismo. El texto griego dice **malhechores** y el latino, **ladrones:** me he atenido al segundo, al poner el ejemplo.

No quiero abusar de su bondad, abarcando mayor espacio en su diario, y agradecida a la atención de usted, me repito su atenta segura servidora.

Clorinda MATTO DE TURNER

POCAS PALABRAS MAS
SEGUNDA CARTA DE CORDERO AL DIRECTOR DE "EL GRITO DEL PUEBLO"

Señor Director:

En el número 2613 de su interesante diario he leído la carta que, sobre el Evangelio de San Lucas, traducido en Quichua, ha dirigido a usted la muy notable escritora peruana y caballerosa amiga mía, Señora Doña Clorinda Matto de Turner.

Creo que las mil consideraciones que de mi parte merece dama tan inteligente y distinguida me obligan a prescindir de una larga discusión con ella, mucho más cuando se trata de un asunto que, a estilo forense, pudiéramos llamar de hecho, es decir, de una cuestión que pudiera ser inmediatamente resuelta de un modo práctico y expedito, sin otra diligencia que la de poner el importante libro de que se trata en manos de algunos indios ecuatorianos (que los hay, felizmente, provistos de mediana instrucción) y ver si ellos no opinan lo mismo que yo, a saber, que, por la diferencias analógicas y sintáxicas de los dos dialectos, el del Ecuador y el del Perú, no puede ser comprendida por los indios de mi país la traducción de que voy hablando. Bien puede ser, que, con algún trabajo, lleguen a comprenderla personas de mayores alcances, así como la ilustrada y hábil escritora ha entendido el quichua del Ecuador, en el Devocionario del Reverendo Padre Paris, amigo también del que escribe estos renglones; pero no se trata de esto, sino de que lo entiendan los descendientes de Atahuallpa, y para descubrir si lo entienden, nada más hacedero que la prueba.

Yo puedo decir lo mismo que mi noble amiga, en asunto a que desde la infancia he hablado el idioma de los indios de las serranías del Ecuador; pues en medio de ellos pasé los primeros años de mi vida y a mis padres les he oído asegurar que la frase con que se estrenaron mis labios fue una mezcla macarrónica de voces castellanas y quichuas.

Con todo esto y con la particularidad de que nunca dejo de frecuentar el trato de la infeliz gente indígena, debo confesar, aunque ello me avergüence, que me cuesta bastante dificultad el entender la expresada traducción, no siendo con vista de los textos castellano y latino.

No he pretendido, ni pretendo hacer un estudio filológico de ella. Harto comprendo cuán arduo es hallar, en una lengua desprovista de palabras concernientes a ideas morales (por más que la Señora pondere la fecundidad del quichua) expresiones que alcancen a declarar los sabios, y no pocas veces sublimes, pensamientos y sentencias de los libros santos. Disculpo, por consiguiente, a la Señora Matto, al R. P. Paris y a cuantos escriban en quichua, si se ven forzados, por la relativa pobreza de esta lengua, a emplear palabras de la castellana, desnaturalizándolas, como es indispensable, para que se acomoden a la índole del otro idioma. Así es como el citado Padre dice, verbigracia, "RUNACUNAPA **REZANA LIBRO**", título en el cual, al lado de una palabra quichua, figuran dos españolas, hallándose la una **REZANA**, convertida en infinitivo indígena, porque el autor no tenía otra voz castiza y propia de que disponer. Casos como éste han de abundar, sin remedio, en todas las obras que para los indios se escriban, mucho más cuando ellas sean traducciones de otras; pues no le queda al traductor, en su esclavitud literaria, libertad para prescindir de la expresión de algunos pensamientos o ideas, por falta de vocablos convenientes.

A pesar de esta desnaturalización inevitable de muchos términos, digo y sostengo que en el Ecuador no ha de ser comprendido el quichua peruano de mi talentosa amiga, por la marcada diferencia de muchas voces, por las variaciones de construcción y por otras particularidades que sería cansado enumerar.

Nada significa que en una breve conversación, en que no se cambian sino frases o palabras sueltas, de las más usuales y comunes, nos entendamos sin mucha dificultad los de una y otra comarca, reconociendo la innegable verdad de que los dialectos son provenientes de un mismo idioma original o primitivo. Yo recuerdo que, en el año de 1875, viajando por Chile, dialogué sin notable tropiezo con Don Alejandro Dorado, distinguido caballero de Bolivia, como también con un pobrecito peón que cuidaba de un rebaño de llamas y vicuñas, llevadas por otro caballero de la misma República a la exposición de Santiago; mas, ya puede presumirse el tema de nuestras breves conversaciones, de mero pasatiempo y familiaridad. **¿Pita cangui? ¿Maymanta shamungui? ¿Jaycamata cutinaca yuyangui?** y otras sencilleces semejantes. Cuánto va de ellas a la traducción de todo un libro de la Biblia!... Repito una y otra vez que deseo engañarme, y añado que, con positiva satisfacción, confesaré mi engaño, si los indios de mi tierra me desmienten; pero, muy de veras dudo que tal cosa suceda.

Haré dos observaciones más, para terminar esta nueva carta.

Si la Señora de Turner escribe y pronuncia **quechua** con **e**, y yo lo escribo y pronuncio con **i**, diciendo **quichua** (quizá más propiamente derivado de **ichu** y **quihuig**, que significan **paja** y **torcedor**), es porque en el idioma de los indios mis paisanos no existen, como ya lo tengo dicho, las vocales **e** y **o** (tal vez, por ser dialecto más antiguo que el otro, según el sentir de sabios lingüistas). En el Ecuador llamamos, pues, **quichua** y no **quechua** a la lengua que hasta hace poco se llamaba también **inca** o **inga**, adjetivando estos sustantivos. "Hablando en inca": **Inga rimayta rimashpa**, eran expresiones frecuentemente usadas en el Ecuador, donde ahora prepondera el nombre **quichua**. El afamado Padre Mossi y otros gramáticos escriben también **quichua**, y es de notar que una especie de paja de los Andes se llama también **ichu** en algunas provincias como la del Chimborazo, donde existe, por esta razón, una hacienda llamada Ichubamba, planicie de paja. El nombre botánico Stipa Ichu, designa la especie de que, por incidencia, acabo de hablar.

No es indiferente emplear la **s** o la **sh** en la escritura de ciertas palabras; porque estas letras denotan sonidos muy diversos, y el uso promiscuo de ellas puede dar lugar a notables equivocaciones. Pongo el primer ejemplo que se me ocurre: **Suru, Shuru, Zhuru,** son tres palabras de significación harto diversa, y resultaría una lastimosa confusión, si indistintamente se escribiese con s. **Suru** es el nombre de una planta de la familia de las Gramíneas (la **Chusquea scandens** de H. B. K.); **Shuru** es una cestilla tosca que construyen los indios para el transporte de frutas, sobre todo de las del **Cerasus Capuli** de Cav.; **Zhuru** es apodo con que se califica a un sujeto cacarañado por la viruela. Usada la s en todos tres casos, no se hablaría sino de una sola y misma cosa. No sé lo que pueda decirse del quechua del Perú y de Bolivia; mas, respecto del ecuatoriano, digo que hay necesidad de caracteres distintos para expresar valores fonéticos distintos también, que fácilmente los pudieran confundir personas poco versadas en el habla de nuestros indios. Estos sonidos son el de la **ch,** que no difiere de la castellana, como en **chaqui,** pie; el de las **s,** que es también idéntico al de la española, como en **saruna,** pisar; el de la **sh,** equivalente al de la **sh** inglesa, como en **shamuy,** vente, y el de la **zh,** que se asemeja al de la **j** francesa, como en **zharu,** cosa áspera. Esto sin contar con el de la **z,** más suave el de la misma letra correctamente pronunciada en algunas provincias de España.

Pero canso ya, Señor Director, la atención de usted y muy particularmente la de mi docta amiga, con esta exposición árida, que bien pudiera prolongar hasta el fastidio. La corto, pues, aquí, para repetirme su muy atento servidor.

Luis CORDERO.

Cuenca, Marzo 22 de 1902.

EL QUICHUA EN LA BOTANICA

Escrito enviado por Luis Cordero al Segundo Congreso Científico Latinoamericano, reunido en Montevideo, en el año de 1901.

De algún provecho puede ser, para los extranjeros o para los principiantes, un breve catálogo de los nombres quichuas que tienen ciertas plantas en la República del Ecuador. No dejará, por otra parte, de dispertar el interés, o provocar siquiera la curiosidad, de los filólogos; pues la serie de vocablos que voy a escribir pertenece a una lengua reputada, justamente, como la principal entre las americanas, por copiosa, rotunda. grave, dulce y expresiva.

Entre las palabras con que los actuales indios de mi país conocen y designan las plantas, hay varias compuestas de dos voces quichuas, o de una quichua y otra castellana. No repararán mis lectores en lo último, si toman en cuenta el incesante contacto de los dos idiomas y su mutua compenetración consiguiente.

Haré, además, algunas otras advertencias, para que se entienda mejor este opúsculo, con el cual deseo contribuir, aunque sin el lucimiento debido, a las meritorias labores del Segundo Congreso Científico Latino-Americano, que ha de funcionar próximamente en la culta Capital del Uruguay.

El acento prosódico de las palabras quichuas carga siempre sobre la sílaba penúltima, excepto, como es natural, en las monosilábicas. Sólo por corrupción lo llevan algunas actualmente en la última, circunstancia que haré notar en ellas poniéndolas acento ortográfico.

La combinación literal **sh** tiene el mismo sonido que en la lengua inglesa, o que la **ch** en la francesa. La **zh** suena como la **j** de esta última lengua.

Tanto en la colocación de los adjetivos, como en la de los genitivos de posesión, de materia, etc., sigue el quichua la regla alemana e inglesa de que "lo explicante precede a lo explicado". Así se construye, por ejemplo, **Jatun urcu, Grande** cerro; **Runapag huasi, Del indio** casa.

En las palabras compuestas separaré con un guión las simples de que constan, para que alguien pueda traducirlas más fácilmente, con vista de un Diccionario de la lengua. Presto saldrá a luz el que tengo escrito hace más de cinco años.

Entre las especies botánicas que menciono, hay algunas europeas, vga. **Capsella bursa-pastoris, Silene cerastoides**, etc. De la primera dice Lindley (The Tresaury of Botany) lo siguiente: "A native of Europe, it has accompanied Europeans in all their migrations, and established itself wherever they have settled to till the soil". De la segunda y de otras que se hallan en su caso suelen decir otros botánicos: "Forsan cuis segetibus advectas". Lo mismo digo yo, agregando que se han aclimatado o naturalizado tan por completo, que hasta el quichua les ha impuesto nombre particular, como reconociéndolas por suyas.

Sabido es que el quichua ecuatoriano, en su pureza primitiva, carece de las vocales **e** y **o**, quizá por haber sido anterior al peruano, como opinan algunos lingüistas; pero, de su comercio con el castellano, especialmente en el híbrido lenguaje del vulgo, ha tomado para muchas voces esas letras que le faltaban, como lo verá el lector de este mi sencillo catálogo, que no es más que un ligero especimen de nomenclatura quichua.

Se notará que, a veces, sirve una misma denominación para plantas de diversa especie, y hasta de género y familia distintos. Esto ha provenido del hecho de haberse dejado guiar los indios de cierta semejanza entre uno y otro de los vegetales que hoy tienen nombre igual. Al botánico le es fácil diversificarlos mediante las denominaciones científicas.

Advierto, finalmente, que en el orden de mi exposición, he seguido a Lindley y otros botánicos modernos, y que, para no cansar a quienes me honren leyendo mi simple enumeración de unos doscientos vegetales ecuatorianos, cuyos nombres quichuas conozco, omitiré en algún caso la designación de los autores de la nomenclatura científica; pues nada tan fácil para quien desee llenar este vacío, como consultar el afamado "PRODROMUS" de Decandolle u otra de las muchas obras que tratan de la Botánica descriptiva.

Escribo de prisa, para una Corporación sabia, que no tiene tiempo que perder, y he aquí la insignificante colaboración con que ante ella comparezco.

CATALOGO

FAMILIAS BOTANICAS y nombres quichuas de algunas especies.	**NOMBRES CIENTIFICOS de las especies que se enumeran**
RANUNCULACEAS	
Shihuisa o Shihuiza	Clematis serices H. B. K.
Taruga-tañi (Achicoria de venado)	Ranunculus (varias especies)
ANONACEAS	
Chirimoyo (Chirimuyu, semilla fría)	Anona Cherimolia H. B. K.
BERBERIDACEAS	
Shushpilla o Espuelas-casha	Berberis rigidifolia y otras especies
CRUCIFERAS	
Chichira	Capsella bursa-pastoris Moench.
CAPARIDACEAS	
Tagma	Cleome anomala H. B. K.
VIOLACEAS	
Cuy-chunzhulli (tripa de cuy)	Ionidium parviflorum Vent.
POLYGALACEAS	
Ihuila	Monnina nemorosa H. B. K.
CARYOPHILACEAS	
Huallu-sacha (yerba de cántaro)	Silene Cerastoides Linn.
PORTULACACEAS	
Papa-sacha (yerba de los papeles)	Calandrinia caulescens H. B. K.

HYPERICACEAS	
Mate-quillcana (de escribir en calabazo)	Hypericum Laricifolium y otras especies.
CLUSIACEAS	
Ducu	Clusia elliptica y otras especies.
MALVACEAS	
Cuchi-malva (malva de puerco)	Malva Peruviana Linn.
ESTERCULIACEAS	
Sayba o Ceiba	Bombax Ceiba Linn.
TILIACEAS	
Chulchul	Vallea stipularis Mutis.
ERYTHROXYLACEAS	
Coca	Erythroxilum Coca Lam.
OXALIDACEAS	
Oca	Oxalis crenata Jacq.
Oca-sacha (yerba de oca)	Oxalis Microphyla H. B. K.
Chulco	Oxalis Peduncularis y otras especies
Chiri-siqui (nalga fría)	Oxalis Elegans? H. B. K.
CORIARIACEAS	
Piñán (Shanzhi, en el norte)	Coriaria Thimifolia H.
GERANIACEAS	
Auja-sacha (yerba de agujas)	Geranium Chiloense H. B. K.
TROPAEOLACEAS	
Chulla-chaqui (de un solo pie)	Tropaeolum peltophorum Benth.
Mashua	Tropaeolum tuberosum R. et Pav.
SAPINDACEAS	
Pillig-muru	Cardiospermum Loxense H. B. K.
Jurupi	Sapindus Saponaria Linn.
Chamana	Dodonaea viscosa Linn.
TEREBINTACEAS	
Molle o Mulli	Schinus Molle Linn.
LEGUMINOSAS	
Chocho	Lupinius albus Linn.
Tauri	Lupinus Tauris Benth.
Huallua	Psoralea Mutisii H. B. K.
Shurdán	Dalea Mutisii H. B. K. y D. humifusa (Benth.
Maní	Arachis hypogaea Linn.
Cañaro	Erythrina umbrosa H. B. K.
Poroto	Phaseolus, varias especies

Pileo o Pelileo	Cassia tomentosa Vogel.
Faique	Mimosa?
Huarango	Acacia?
ROSACEAS	
Capulí	Prunus salicifolia. H. B. K.
Juacte	Prunus?
Jalug	Hesperomeles glabrata y otras especies
Pacarcar	Hesperomeles ferrugínea Lind.
Taruga-moras (moras de venado)	Rubus marocarpus Benth.
Chili-moras (moras finas)	Rubus Rosaefolius Hook.
SANGUISORBACEAS	
Soto	Acena argentea R. et Pav.
Quinua (árbol de los pajones)	Polylepis incana H. B. K.
CUNONIACEAS	
Sarar o Sara	Weinmannia Fagaroides H. B. K.
GRASULACEAS	
Vaca-callu (lengua de vaca)	Sedum, varias especies.
MYRTACEAS	
Huayaba	Psidium pyriferum Linn.
Huahual	Myrtus, varias especies.
Inga-huahual	Myrtus microphilla?
Putuchuela	Eugenia?
MELASTOMACEAS	
Quillu-yuyu (yerba amarilla)	Miconia quitensis Benth.
Bigbig	Miconia?
Aya-pugllana (de jugar los muertos)	Chaetogastra sarmentosa DC.
Sarcillo-sacha (yerba de zarcillos)	Chaetogastra Rosmarinifolia James.
Serrag	Cremanium? aspergillare DC.
LITRACEAS	
Pichanilla	Cuphea Serpyllifolia H. B. K.
ONAGRACEAS	
Shullu o Shunguir	Oenothera virgata R. et P.
Quilli-shullu (shullu amarillo)	Oenothera Tarquensis H. B. K.
Sarcillo-sacha (yerba de zarcillos)	Fuchsia Loxensis H. B. K. y otras
LOASACEAS	
Urcu-chini (ortiga del cerro)	Loasa, varias especies.
PASIFLORACEAS	
Tumno	Passiflor quadrangularis Linn.
Tagso	Tacsonia mixta Juss.
Gullán	Tacsonia tripartita Juss.
Piri-gullán (gullán sarnoso)	Tacsonia manicata Juss.

CUCURBITACEAS	
Mate o Poto	Lagenaria vulgaris Ser.
Sapallo	Cucurbita máxima Duch.
Achogcha	Sechium edule Sw.
Shunshún	Sicyos parviflorus W.
REGONIACEAS	
Carnaval-sisa (Flor de carnaval)	Begonia Frebelii
CACTEAS	
Ahuacolla	Cereus Peruvianus tabern.
Pitaya	Cereus Pitajaya DC.
Yurac-casha (Espino blanco)	Cereus sepium DC.
UMBELIFERAS	
Racacha	Aracacha esculenta DC.
ARALIACEAS	
Puma-maqui (Mano de leopardo)	Hedera Avicaenniaefolia DC.
CAPRIFOLIACEAS	
Zañas	Viburnum glabratum H. B. K.
ESCALONIACEAS	
Chachacoma	Escallonia Mytilloides Linn.
CINCHONIACEAS	
Quinaquina	Cinchona, varias especies.
Urpi-sisa (Yerba de la tórtola)	Hedyotis Ericoides R. et P.
VALERIANACEAS	
Romero-sacha (Yerba del romero)	Valeriana microphylla H. B. K.
Shipalpal	Valeriana tomentosa H. B. K.
SINANTEREAS	
Chuzalongo	Eupatorium glutinosum Lam.
Huaco	Mikania Guaco H. B.
Chilca	Baccharis, varias especies.
Yana-chilca (Chilca negra)	Baccharis Hambatensis H. B. K.
Zhadán	Baccharis resinosa H. B. K.
Chicama	Polymnia?
Guzguz	Polymnia?
Colla	Polymnia?
Bayán	Monactis dubia H. B. K.?
Casha-marucha (crisálida espinosa)	Xanphium catharticun H. B. K.
Marcu	Franseria Artemisoides Wild.
Llipug	Tragoceros?
Llipis	Especies de Senecio?
Shirán	Rubifolia H. B. K.
Ñachag	Bidens humilis H. B. K.

Aya-rosa (Rosa de muerto)	Tagetes patula Linn.
Chilchil	Tagetes terniflora H. B. K.
Aya chilchil (Chilchil de muerto)	Tagetes multiflora H. B. K.
Sacha anís (Anís silvestre)	Tagetes pusilla H. B. K.
Pichana	Tagetes?
Viravira o Huirahuira	Gnaphalium lanuginosum H. B. K.
Tañi	Achyrophorus Quitensis Shultz
Yurag-tañi (Achicoria blanca)	Werneria nubigena H. B. K.
Cubilán	Senecio Vaccinioides Wedd.
Huacamullu	Especie de Caléndula?
Shiñán	Barnadesia spinosa Linn.
Chuquiragua	Chuquiraga insignis H. B. K.
Pacunga	Wiborgia urticaefolia H. B. K.
LOBELIACEAS	
Purugrug	Siphocampylus giganteus H. B. K.
ERICACEAS	
Uchupa-caspi (Palo ceniciento)	Gualtheria cinerea?
Tirag	Pernettya parviflora Benth.
Payama	Befaria grandiflora H. B. K.
VACCINIACEAS	
Joyapa o Hualicón	Ceratostema, varias especies
Mortiño de los pajones	Caccinium Mortinia Benth.
MYRSINIACEAS	
Zhiripi	Myrsine?
Yubar	Myrsine?
SAPOTACEAS	
Lugma	Achras Lucuma R. et Pav.
ASCLEPIADACEAS	
Condur-angu (Bejuco del buitre)	Macroscepis Triannae?
GENCIANACEAS	
Callpachina-yuyu (yerba para hacer correr)	Gentiana, varias especies.
Misha-sara (Maíz con misha)	Gentiana cernua Kth.
Siquita pacay (cúbrete la nalga)	Gentiana Sedifolia H. B. K.
Taruga-gachu (cuernos de venado)	Swertzia brevicornis H. B. K.
Canchalagua	Erythrea Quitensis H. B. K.
CONVOLVULACEAS	
Cumar o Camote	Batatas edulis Chois.
Porotillo	Convolvulus, varias especies.
CUSCUTACEAS	
Chogllo-agcha (pelo de choclo)	Cuscuta pycnantha Benth.

SOLANACEAS	
Chamico	Datura Stramonium Linn.
Huandug o Huarhuar (Floripondio rojo)	Datura sanguinea R. et Pav.
Yurag-huandug (Floripondio blanco)	Datura suaveolens H. et B.
Sacha-pepino (pepino silvestre)	Lycium Fuchsioides H. B. K.
Shulalag	Cestrum?
Yana-sauco	Cestrum auriculatum H. B. K.
Judas-sipi (Horca de Judas)	Cestrum hediundinum Dun?
Uchu	Capsicum, varias especies.
Rocoto-uchu (ají rústico)	Capsicum voilaceun y otros.
Casha-uvilla (Uvilla espinosa)	Solanum Sisymbriifolium Lam.
Allcu-jambi (Veneno de perro)	Solanum sessile R. et Pav.
Turpag o Turpug	Solanum stellatum Jaq.
Mortiño (yerba)	Solanum nigrum Linn.
Sayri	Nicotiana Lancifolia W
ESCROFULARIACEAS	
Chugchug	Calceolaria Salicifolia R. et P.
Sapo-sacha (yerba del sapo)	Mimulus glabratus H. B. K.
Chitu-sisa (Flor del chirote)	Castilleja conmunus Bth.
Idem de los pajones	Castilleja nubigena H. B. K.
Chuchipchi	Budleja?
Guisguis	Alonsoa inciseafolia R. et P.
BIGNONIACEAS	
Huaylug	Delostoma dentatum Don.
Pilchi o Totuma	Crescentia cucurbitinea Linn.
VERBENACEAS	
Shayag-verbena (Verbena erecta)	Stachytarpha Jamaicensis Vhal.
Sirig-verbena (Verbena rastrera)	Verbena microphila H. B. K.
Inga-rosa (Rosa del Inca)	Lantana rugulosa H. B. K.
Udur o Mote-casha (Espino de mote)	Duranta triacantha Juss.
LABIADAS	
Manga-paqui (fragmento de olla)	Salvia Scutellarioides H. B. K.
Azul-chilca (Chilca azul)	Salvia corrugata Vhal.
Quindi-sungana (de chupar el quinde)	Salvia phoenicea y otras especies
Muña	Bystropogon mollis H. B. K.
Tipu	Micromeria nubigena Bth.
Cuy-chunzhulli (Tripa de cuy)	Stachis elliptica H. B. K.
FITOLACEAS	
Atug-chogllo (Choclo de raposo)	Phytolaca decandra Linn.
POLIGONACEAS	
Mollentín	Mühllenbeckia, varias especies.
Gulag	Rumex aquaticus Linn.

Chagra-gulag (Gulag de las sementeras)	Rumex crispus Linn.
NICTAGINACEAS	
Tasu o Taso	Boerhaavia tuberosa Lam.?
Sacha-taso	Otras especies de Boerhaavia.
AMARANTACEAS	
Sangurachi o Ataco	Amaranthus caudatus Linn.
Camchana-quinua (Quinua de tostar)	Amaranthus frumentaceus Bucham.?
QUENOPODIACEAS	
Quinua	Chenopodium Quinoa W.
Payco	Chenopodium Ambrosioides Linn.
BASELACEAS	
Millucu o Melloco	Basella tuberosa H. B. K.
Lutuyuyu	Basella obovata H. B. K.
LAURACEAS	
Palta	Persea gratissima Gaertn.
PROTEACEAS	
Gañal o Galuay	Oreocalis grandiflora R. Br.
Garao	Lomatia obliqua R. Br.
URTICACEAS	
Chini	Urtica urens Linn.
Burro-chini (Ortiga de burro)	Urtica Magellanica Poir?
BETULACEAS	
Rambrán o Ranrán	Betula acuminata Wall.
EUFORBIACEAS	
Pinllug	Euphorbia calyculata H. B. K.
Pamba-pinllu	Euphorbia?
Sapán	Styloceras Kunthianum A. Juss.
Yuca	Manihot utilissima Pohl
Sulsúl	Croton spherocarpus H. B. K.
Aya-togte (nogal de muerto)	Phyllanthus Salviaefolius H. B. K.
YUGLANDACEAS	
Togte (nogal americano)	Juglans?
LORANTACEAS	
Simar	Loranthus pycnanthus Benth.
Ashapud	Loranthus nitidus H. B. K.
PIPERACEAS	
Tililín	Piper, varias especies
Congona	Peperomia, varias especies.

CONIFERAS	
Huapsay	Podocarpus Taxifolia H. B. K.
GNETACEAS	
Achira	Canna edulis?
MUSASEAS	
Bijao	Heliconia Bihay Plu.
BROMELIACEAS	
Huicundu	Varias especies de Tillandsia y Guzmania
Achupalla o Achupilla	Pourretia piramidata
Ahuarongo	Id. ?
ORQUIDACEAS	
Inguil	Epidendrum, varias especies
Chuspi-sisa	Tricoceros antenifer H. B. K.
IRIDACEAS	
Laplag o Zhillag	Sisyrinchium Galaxioides
AMARILIDACEAS	
Arirumba	Chlidanthus fragans
Amancay	Pancratium, varias especies
Ishpa-puru (vejiga de orina)	Alstroemeria Caldasii
Yana chahuar (Penco negro)	Agave americana
Yurag chahuar (Penco blanco)	Fourcroya gigantea
PALMAS	
Chonta-ruru (Huevo de chonta)	Guilielma speciosa Lind.
ARACEAS	
Pelma o Tuyo	Colocasia esculenta
COMELINACEAS	
Canyuyu	Commelina coelestis
Cuchi-chicama (chicama de puerco)	Commelina tuberosa
Calsug	Tradescantia gracilis
CIPERACEAS	
Totora	Scirpus Totora
Totorilla	Scirpus?
Chocar	Carex?
GRAMINACEAS	
Huaylla (grama común)	Triticum repens
Sara (Maíz)	Zea Mays
Ugsha (Paja)	Stipa Ichu, &.
Zhal	Arundo?

Sucu	Phragmites?
Sigsig	Ginerium argenteum
Shalshacu	Avena fatua
Suru	Chusquea scandens
Huamag o Huadua	Bambusa Guadua
HELECHOS	
Calahuala	Polypodius Calaguala
Chonta	Gleichenia y otros géneros
Llashipa	Asplenium, &.
EQUISETACEAS	
Caballo-chupa (Cola de caballo)	Equisetum palustre y otras especies
LICOPODIACEAS	
Cuchi-chupa (Rabo de puerco)	Lycopodium tenue y otras especies.
MUSINEAS	
Caspi-barba (Barba de palo)	Musci, varias especies
LIQUENES	
Callamba	Lichen, varias especies
AGARICEAS	
Rumi-Carba (Barba de piedra)	Fungi, todos ellos
CONFERVACEAS	
Gazhúl	Conferva?

NOTA

Entre los vegetales enumerados, hay muchos de conocida utilidad. Citaré algunos de ellos.

Producen granos alimenticios: Sara, Chocho, Poroto, Cañaro.

Dan raíces comestibles: Papa, Oca, Melloco, Mashua, Racacha, Taso, Cumar, Yua Chicama.

Producen frutas agradables: Capulí, Pacay, Chirimoyo, Lugma, Togte, Gullán, Chontaruru, Yoyapa.

Suministran buena madera de construcción: Pacarcar, Jalug, Sarar, Chachacoma, Huhual, Garao, Rambrán, Huapsay, Guamag, Suru, Zhal.

Tienen propiedades medicinales: Huallua, Shurdán, Pichanilla, Ingarosa, Pingugpingu, Chuzalongo, Cuychunzhulli, Shipalpal, Viravira, Ayarosa, Chuquirahua, Cubilán, Canchalahua, Yana-sauco, Sapán, Laglag, etc.

Son tintoreas: Matequillcana, Quilluyuyu, Shushpilla, Ñachag, Rumibarba.

CUENCA, Noviembre 15 de 1902.

Luis CORDERO.

BREVE EXAMEN DEL COMPENDIO DE GRAMATICA QUICHUA DEL R. PADRE CARLI
Artículo escrito en 1890

Por recomendación de un respetable amigo nuestro, hemos leído el "COMPENDIO DE GRAMATICA QUICHUA", dado a luz, en Santiago de Chile, por el R. Padre Fray Antonio Carli, religioso dominicano, con el objeto de que sirva para los jóvenes de la Orden que se preparan a ser Misioneros "entre los indígenas de la República del Ecuador", según lo dicen los últimos renglones del Prólogo.

Aunque medianamente instruídos nosotros en el hermoso idioma quichua, que bien merece dispertar el interés del sacerdote y del filólogo, a más de excitar el del gobernante, no lo somos tánto que podamos preciarnos de conocer los varios dialectos de la misma lengua en el Ecuador, sobre todo el que se habla en Macas y en otras regiones del Oriente. Entendemos algo bien el de nuestras comarcas del Azuay, parte notable, ciertamente, de la República, y a este dialecto han de referirse las pocas observaciones que vamos a hacer, sólo por dar el informe que nos ha pedido aquel benévolo amigo nuestro.

No procederemos sin manifestar la fundada presunción que tenemos de que, si hay diferencia entre el lenguaje de los indios azuayos y el de las otras poblaciones interandinas, debe ser muy poca, y más bien relativa a la pronunciación de las palabras que a su estructura gramatical.

Anticipadas estas advertencias, decimos, francamente, que el libro del R. Padre Carli, aunque supone en su autor profundo estudio del quichua peruano, y acaso del boliviano, y un sagaz espíritu de observación, tan necesario en quien analiza una lengua de las que se llaman aglutinantes, muy poco útil puede ser, por desgracia, para las personas que deseen tratar con indios ecuatorianos, entendiendo lo que ellos hablan y hablando de modo que ellos entiendan.

Con algo que, sobre el mismo asunto, discurramos, se verá si tenemos o no razón para asegurar que esa Gramática, importante, no lo dudamos, donde subsiste en vigor el quichua primitivo del Cuzco, será de escaso provecho en un país en que, a pesar de ser idéntico el idioma, en cuanto a lo sustancial, se diversifica en sus pormenores lo bastante para dejar más bien confundido que instruído a cualquiera que, entre nosotros, se valga sólo de ella.

En una de las interesantes novelas del famoso Julio Verne figura un viajero que, empeñado en estudiar el castellano, para hablarlo en Sudamérica, se valió de un libro que halló a bordo del buque en que navegaba, y se dedicó a la faena tan decididamente que saltó en el Nuevo Mundo con la seguridad de que poseía la lengua de Cervantes; pero ¡oh desengaño! el idioma que había aprendido era el de Cámoens, que de nada le sirvió en la América Española. A chasco muy semejante se vería expuesto el religioso, que, para una misión ecuatoriana, estudiase el quichua en la apreciable Gramática de que tratamos, a no ser que lo hiciese para ilustrar la lectura de otras más adecuadas al intento.

Basta de prólogo y fundemos nuestro modesto dictamen, mediante algunos ejemplos. No es posible que lo hagamos más minuciosamente en un simple artículo de periódico (La "Gaceta Cuencana", Nº 10).

△

El quichua de que habla el R. Padre Carli carece de la letra **b**. El ecuatoriano la tiene en multitud de palabras, en que esta letra ha sustituído a la **p**, suavizando notablemente la pronunciación, v. g. en **Tumibamba, Cunchibamba, Cañaribamba** (nombres de lugares), **jambi** (remedio o veneno), **huambuna** (flotar) y otras voces.

Falta la **d** en aquel dialecto; pero no escasea en este otro, como lo manifiestan los vocablos **tanda**, pan; **randina**, comprar; **ishcandi**, los dos juntos; **huandug**, floripondio, etc.

No hay **g** en el primero; mas es muy usada en el segundo, en que ha suavizado con mucha frecuencia la dureza de las sílabas **ca, ca**, según lo demuestran estas voces: **yanga**, en vano; **anga**, gavilán; **yunga**, país cálido; **tunguri**, esófago; **gullán**, fruto de una **Tacsonia**.

Dice el R. Padre Carli que el quichua no tiene **z**, es decir, el sonido especial que esta consonante indica. Los indios ecuatorianos la pronuncian con rara suavidad en palabras como **paza**, cosa arrugada o fruncida; **bizi**, ternero; **tuza**, amilanado; **puzun**, estómago mayor de las reses, etc. Lo extraño es que el mismo autor usa también de **z** en las dicciones **zaza, zazalla, mitayzanay, zapay, zapay-churi** y otras (páginas 156, 173 y 174 de su libro).

La **h** aspirada de que habla el R. Padre no tiene papel que desempeñar entre nuestros indios, quienes pronuncian claramente la **j** en todas las palabras que algunos autores han escrito indebidamente con aquella letra; v. g. **jatun**, grande.

La **c** del quichua ecuatoriano no difiere de la castellana; de modo que es inútil usar de signos exóticos, como **kc** o **cc**. Será sin duda porque este nuestro quichua es incomparablemente más suave que el peruano.

La vocal **e** no se usa en el nuestro, a no ser en tal o cual dicción incorrectamente pronunciada. En las demás se halla siempre reemplazada por la **i**. De aquí es que el indio del Ecuador no dice: **are, yare** (sí, pues), sino **ari, yari**.

Tampoco hay **o**, a no ser en unas pocas palabras, como **sogta**, seis, **cocha**, laguna, tomadas indudablemente, del Perú, o en algunas otras, deformadas por el contacto de la lengua castellana. En todas las demás en que el quichua de los Incas la tiene, está sustituída por la **u**, v. g. **ñuca, yo; jucha**, pecado; **cuchi**, cerdo.

Posee nuestro dialecto dos sonidos que, dejándose oir frecuentemente, dan mucha blandura y gracia a la locución. El primero puede representarse con el signo **sh**, como en el idioma inglés, y tal es el valor que tiene en **shamuna**, venir; **shua**, ladrón, y otras voces. El segundo equivale a la **j** francesa, y puede escribirse con **zh**, como en **zhadan** (arbusto de la familia de las Compuestas); **canzha; cuzha**, nido, etc. Los ecuatorianos no pronuncian, pues, **casca, cuyasca**, con s simple, como lo hace el P. Carli, sino **cashca, cuyashca**, para decir SIDO, AMADO. Es verdad que el mismo Padre usa alguna vez dos

ss, para expresar igual sonido, como en **cassag,** seré; pero lo hace en muy pocas palabras, a pesar de ser muchas las que requieren **sh** en el quichua de nuestro país.

Sin embargo de que en una Gramática no puede haber gran caudal de vocablos, pues, quedando casi todos para el diccionario respectivo, sólo se emplean los que bastan para ejemplos, se notan en las que examinamos muchísimas palabras que se pronuncian de diverso modo en el Ecuador, y otras varias enteramente desconocidas en él.

Como ejemplo de las primeras vayan las siguientes: **punchau,** día; **huc,** uno; **pachag,** ciento; **tantalla,** todos juntos, o todo; **huasa,** detrás; **muyuupi,** el derredor; **conallam,** hace poco; **punchaunincaman,** diariamente; **pactach!,** cuidado!; **ytitiy,** qué asco!, etc. Nuestros indios las pronuncian: **punzha, shug, pasag, tandaylla, huasha, muyundi, cunanlla, punzhandi, pagta** o **pagtara! atatay!**

De las segundas podemos citar éstas: **silul,** la verdad: **tahua,** cuatro; **ciaspa,** junto; **pañañecman,** a la derecha; **callaristin,** en este momento; **ichaca,** al contrario; **amare!,** cuidado! Sus equivalentes en el Ecuador, son: **shuti, chuscu, cuchupi, alliman** o **allimaquiman, cunanlla, randica, ama** o **amata!**

La desinencia de gentivo de singular, en la declinación de los nombres, nunca es una simple **p,** como lo afirma el autor, respecto de los sustantivos que terminan en una sola vocal: es una de las partículas **pa** o **pag.** No se dice, pues, **runaP,** del indio, sino **runaPA** o **runaPAG,** y alguna vez se cambia la **p** en **b,** v. g. en **camBag,** tuyo o de tí.

La partícula **man,** no es, en el Ecuador, signo de acusativo, sino de dativo. Quien dijese, v.g. **Churiquiman ricuy,** no expresaría lo mismo que con decir **ChuriquiTA ricuy.** La primera proposición significa VE (algo) PARA TU HIJO; la segunda, VELO A TU HIJO. La partícula complementaria de acusativo es **ta** o **tag,** y hay que advertir, por otra parte, que nunca se emplea la **cta** de que habla el R. Padre.

No se conoce la forma **ñocaycu,** que este mismo autor señala como exclusiva, en el pronombre de primera persona. Aquí se dice siempre **ñucanchi,** NOSOTROS, sea cual fuere el sentido de la frase.

Los pronombres posesivos no se sustituyen ordinariamente por afijos agregados al nombre de la cosa poseída. Esto sólo se observa alguna vez, con la terminación **iqui,** como en **churiqui,** hijo tuyo. En los demás casos se usa siempre **ñucapag,** mío; **cambag,** tuyo; **paypag,** suyo; v. g. **Ñucapag churi,** MI HIJO. La terminación **pag** denota que estos pronombres se hallan en genitivo; de modo que **cambag huasi,** por ejemplo, significa literalmente DE TU CASA, o más bien, TU DE CASA.

Las desinencias **ani, ini, uni,** de los verbos, no son de infinitivo, sino de la primera persona del presente de indicativo; por manera que **cayani, rigsini, tapuni,** significan YO LLAMO, YO CONOZCO, YO PREGUNTO. La terminación propia del tiempo que muchos gramáticos llaman presente de infinitivo, es **ana, ina** o **una;** por lo cual hay que decir **cayana, rigsina, tapuna,** si se quiere traducir en quichua los infinitivos castellanos LLAMAR, CONOCER, PREGUNTAR. Tampoco puede afirmarse que las terminaciones **ay, uy** denoten el **nomen verbi** de los latinos; porque ellas son propias de un sustantivo verbal, y no de Modo alguno del verbo. Asi es que **causay huañuy** significan VIDA, MUERTE, y no VIVIR, MORIR.

El pretérito imperfecto de indicativo no se forma, como lo sienta el R. Padre, con el pretérito perfecto y el adverbio **chay pachapi,** diciendo, v. g.

Chay pachapi cuyarcani, que en el Ecuador se traduciría EN ESE TIEMPO AME. Lo que entre nosotros se hace, a falta de forma simple para dicho pretérito imperfecto, es unir el participio de presente del verbo que se conjuga con el presente o el pretérito perfecto del auxiliar **CANA** (SER), y decir, p. e. **Ñuca cuyagcani** o **Ñuca cuyagcarcani**, que significan YO SOLIA o YO HABIA SOLIDO AMAR, pudiendo ya se ve añadir la frase adverbial **chay pachapi**, para determinar mejor la época de la acción.

El futuro compuesto (futuro perfecto de los gramáticos) no se forma con la palabra **nach**, el imperfecto de subjuntivo y la partícula **cha**; de modo que en el Ecuador no se dice, vga. **Ñach rimaymancha**, para significar YO HABRE HABLADO; lo que se hace es juntar el participio de pretérito del verbo principal con el futuro simple del auxiliar **CANA**, y decir **Rimashca casha**, que literalmente significa HABLADO HABRE. La confusión que, de expresarse así, pudiera resultar entre este tiempo y el futuro de la voz pasiva, en el que también se dice, p. e. **Cuyashca casha**, la desvanecen fácilmente el sujeto y el complemento de la respectiva oración. No es, en verdad, lo mismo **payta cuyashca casha**, HABRE AMADO A EL, que **paypag cuyashca casha**, SERE AMADO DE EL o POR EL.

Afirma el autor que la interposición de la partícula **cu** sirve para convertir el verbo en recíproco. Nosotros, refiriéndonos siempre al quichua ecuatoriano, y aún concretándonos al del Azuay, por si la doctrina no fuere exactamente aplicable al que se habla en otras provincias de nuestra Patria, decimos que aquella partícula da a la acción del verbo el sentido de actualidad y persistencia. Así, de **micuna**, COMER, se forma **micucuna**, ESTAR COMIENDO, que nada tiene de recíproco. Si se quiere un verbo que lo sea propiamente, esto es, que denote acción reflexiva, es decir, acción que recaiga sobre la misma persona que la produce, debe interponerse la partícula **ri** entre la raíz y la terminación: de esta manera se convierte, p. e. **mayllana**, LAVAR, en **mayllaRIna**, LAVARSE. Si se desea, por último, un verbo cuya significación sea, en efecto, recíproca, esto es, mutua entre dos o más personas o cosas, lo que se hace es interponer la partícula **nacu** entre la raíz y la desinencia del verbo que se quiere transformar, diciendo, v. g. **mayllaNACUna**, y aún, **mayllariNACUna**, LAVARSE MUTUAMENTE. Claro está que la forma recíproca requiere sujeto en plural, pues, nunca puede haber singularidad en semejante acción.

Todo complemento directo lleva pospuesta la partícula **ta o tag**, que es signo de acusativo. No sería, pues, correcto decir, en el quichua ecuatoriano, **cuyani pay**, por **amo a el**, como lo ha escrito el R. Padre, en la pág. 131 de su libro, sino **cuyani payta**.

Tampoco sería correcto dar otra persona que la tercera de singular a los verbos impersonales, diciendo, por ejemplo, **rupasag** (o **rupasha**), si se toma el verbo **rupana** en la acepción de HACER CALOR, como lo ha tomado el R. Padre en la pág. 130 de la obra. Suponemos, no obstante, que por error tipográfico, se habrá escrito **rupasac**, en vez de **rupanca** (entre nosotros **rupanga)** cuya traducción es HARA CALOR, la misma que se lee en el pasaje citado.

Otras muchas observaciones haríamos sobre esta Gramática; pero nos parecen suficientes las expuestas. No tienden, como se ve, a negar, ni a menguar siquiera, la importancia de la obra para el aprendizaje del quichua peruano: limítanse a demostrar que no es adecuada para el Ecuador, país en donde no deja de ser algo diverso el lenguaje, sin duda por haberse hablado con independencia desde mucho antes que Huayna Capac conquistase el reino de Quito. Algunos historiadores cuentan que este Inca se sorprendió agradablemente, al notar que el idioma de tal reino era muy semejante al del Perú. No es grande, por cierto, la diferencia entre los dos; pero sería absurdo desconocer que el nuestro requiere un estudio especial de parte de quien pretenda entenderse con los numerosos indios que pueblan extensas comarcas de nuestras serranías. Para evangelizar a éstos, para civilizarlos y educarlos, con el intento de mejorar su condición actual y procurar que no dilate mucho la época en que puedan hombrear con la raza de origen español, es preciso que se tome su propia lengua (sonora, expresiva y fecunda en elementos componentes) como uno de los principales medios para la satisfactoria realización de tan humanitaria empresa.

Aplaudimos, para concluir, a cuantos ilustren, como el R. Padre Carli, la interesante materia a que, por condescender con el mencionado amigo nuestro, hemos dedicado este artículo, mal escrito, sin duda, y afeado, quizá, por algunos errores, que el inteligente lector sabrá discernir y enmendar según convenga.

Luis CORDERO.

ALGUNAS POESIAS RELIGIOSAS

AL NIÑO RECIEN NACIDO

Composición de la cual suelen cantarse por el pueblo algunas estrofas en la época de la Navidad. Es manifiestamente compuesta por algún versificador de mediana ilustración y tiene la particularidad de llevar en muchos de sus versos acentuación final, impropia del idioma quichua.

Cay chiri tutapi
huiñashcanguimí;
casyhuan, shullahuan
chugchucunguimí.

Cuyaylla huiquita
huacacunguimí;
ñatag shunguyquica
ruparicunmí.

Runata cuyashpa
shamushcanguimí;
mana chasquihuanchu
paypag shungupí.

Michig huambracuna
ricuhuangamí
taquishpa, yumbushpa
cushicungamí.

Quimsa jatun Inca
cunguringamí;
Herodes supayca
millahuangamí.

Huacana shimita
ruracunguimí;
cuyana huacayhuan
huacagringuimí.

Quimsa tucuy punzha
chingaringuimí:
yachagpa chaupipi
tiaringuimí.

Urcupi, sapalla,
causagringuimí;
pacarina shulla
jucuchingamí.

Miticushcashina
puriranguimí;
may chican llagtapi
jatunyanguimí.

Huauquiquicunahuan
tandaringuimí;
shug millayshunguca
catuhuangamí.

Quimsachungaquimsa
huata causanguí;
runata mashcashpa
ñacaringuimí.

Yahuarjumbitapish
jumbicunguimí;
japig runacuna
huatash ringamí.

Pichca huarangahuan
chugrihuangamí;
cashayug llaututa
churaringuimí.

Cruzta aparichishpa,
ñaupachingamí;
cuyay juchamanta
chacatangamí.

Cachca ñacaymanta,
camba chaquipí,
cuyag churishina
huañugrinimí.

Natag, Jesus huahua,
maymi mañamí,
huagcha rurayquita,
pagta cunganguí!

TRADUCCION DE ESTAS SENCILLAS TERNURAS, HECHA POR L. CORDERO

En noche tan fría
nacidito estás,
entre escarcha y hielo,
que te hacen temblar.

Tiernas lagrimitas
viertes; pero ya
tu corazoncito
arde sin cesar.

Al hombre buscando
te has venido acá;
y abrigo en su pecho
no te quiere dar.

Dichosos pastores
te visitarán;
con cantos y danzas
te han de festejar.

Tres grandes monarcas
se arrodillarán;
mas el fiero Herodes
te ha de detestar.

Tiernos pucheritos
tu labio hace ya;
con llanto de amores
viniste a llorar.

Tres días enteros
desaparecerás;
y entre los doctores
te has de colocar.

Solo, en los desiertos,
a vivir irás;
rocío del alba
te habrá de mojar.

Como fugitivo
errante andarás
y en tierras extrañas
te irás a criar.

Tus fieles amigos
te acompañarán;
pero un traicionero
la venta te hará.

Por treinta y tres años
aquí vivirás,
buscando a las almas
con perpetuo afán.

Sudores de sangre
debes derramar;
perversos verdugos
te han de maniatar.

Cinco mil azotes
te maltratarán ;
con duras espinas
te coronarán.

Con la cruz a cuestas
te habrán de llevar
y, por fino amante,
clavado serás.

Por tántos favores,
a tus pies, leal,
como hijo que te ama,
morir me verás.

Pero, Jesús mío,
ruego a tu bondad
que a tu infeliz indio
no olvides jamás.

JESUSPAG HUAÑUY

Versos que se cantan en la iglesia, por los indios de algunas parroquias, especialmente en las funciones de Semana Santa.

Uyay, churicuna,
cristianos cashpaca,
uyay tucuy shungu
Iglesia mamata.

Paymi camachicun
juchallig runata;
shitipag shimimi
paypag rimashcaca.

Jesúspag pasiónta
uyaychi huacashpa,
casnami huillacun
paypag quipucama.

Quiquin Diospag Churi,
runa tucushcahuan,
runashina huañun,
runata cuyashpa.

Paypag yachachishca
Apostolcunata
tucuy tandachinmi,
misata ningapa.

Sisashca pascuapi
pay quiquimpa aychata
raquinmi tucuyman,
tandapi churashpa.

Ama Judasshina,
catuna yuyayhuan,
Diosta chasquichichu,
juchapi tiashpa.

Huañuy chayamugpi,
Apunchi yayaman
cuyay mañarishpa,
jumbinmi yahuarta.

"Huañuñata, ninmi,
manchanimi, Yaya;
cachunlla, chasnapish
cambag munashcaca.

Aparishcanimi
runapa juchata,
runa quishpirichun
ñuca huañuymanta".

Mañarish llugshigpi,
huatayllami huatan,
Judas muchash quipa,
cayhuan rigcunaca.

"¿Imapag shamungui?"
ninmi Judastaca,
"¿Muchashpachu, huauqui,
catungui ñucata?"

Taucami chaspicun
chay curi agchamanta;
millay runashina
purinmi huatashca.

Indushpami tucuy
apacun fangaylla,
Anaspag huasipi
taripayangapa.

Maycanta tapunmi
San Pedro runanaman:
"Rigsishpaca, huillay
pimi cay runaca?"

"Mana rigsinichu"
nishpami llullata
riman quimsa cuti,
Gallutaquicama.

Ñahuinchishca quipa,
sinchita huatashpa,
Anasca cahanmi
Caifas apupagman .

Malco nishca runa,
sinchita sagmashpa,
pay Diosta chugrinmi,
uya sañiyagta.

Upatashinami,
ñahuita quillpashpa,
"¿pita huagtan?" nishpa,
huagtancuna tauca.

Aysashca llugshinmi
Cayfaspa ucumanta,
Pilatos apupag
huasiman apashca.

Anguchincunami
pichca huarangahuan;
yahuar tallirinmi
allpa cuchayagta.

Unaman aullishca,
cashayug raprata
llautuchincunami
tugsichun cashahuan.

Tucuylla ricuchun
chugrita, yahuarta,
Pilatos apuca
llugchinmi canzhaman.

"Chayca runa!" ninmi;
"ricuychi cunaca".
—"Huañuchi! huañuchi!"
ninmi paycunaca.

Millay Pilatosca,
aputa manchashpa,
"Huañuchun!" nishquipa,
maquitami mayllan.

Ña cruzta marcanmi;
ña rinmi cuyaylla,
urmash jatarishpa,
Calvario pataman.

Anchami llashacun
ñucanchi juchaca;
ñacayllami tatquin,
yahuarta jichashpa.

Chicanllagta runa
Simonmi yanapan,
cristianos illagpi,
pay cruzta marcashpa.

Huacashpa mashcanmi
Jatun Virgenmama.
Chayca, ña tarinmi
cuyashca huahuata!

"¿Mayman ringui, shungu,
cachca yahuarsapa?
¿pita chasna, ninmi,
chugrishpa churarca?"

"Yayami cachacun;
rinimi, Mamalla,
runa quishpirichun,
cruzpi huañungapa".

Yupaylla huacanmi,
Huahuata ugllarashpa.
Llautapi ñahuica;
shungupi cashaca.

"¿Caychu Diospag Churi?
Caychu ñuca Huahua!
Mana rigsimanchu,
shug huarmi cashpaca".

"Ñucapa huañuyta
Yuyayqui munanman,
cushilla, canrandi,
huañuyman ñucaca".

"Jaculla, chay cruzpi
huañushun ishcayta,
runa quishpirichun
paypag huañuymanta".

Saquirilla Dioshuan,
cuyashca Mamalla",
nishpami raquirin,
huañuyman ringapa.

Veronica huarmi,
uyayta pichashpa,
pachapimi llugchin
uyaman rigchagta.

Calvario patapi,
paypag churanata
suchushpami surcun
huañuchigcunaca.

Huayrupimi chungan
Mamapag ahuashca,
siray mana charig,
munana cushmata,

Ñami, chaqui maqui
cruzpi chacatashca,
tucuyta cayacun,
rigrata pacashpa.

"Quishpicilla, ninmi,
Yanahuan rimashpa,
cay, mana rigsishpa,
chacatagcunata".

Dimas shua nigpi:
"Yuyangui ñucata!"
"Ari, ninmi, cunan
ringuimi ñucahuan".

Mamataca ninmi:
"Cayca cambag huahua";
ninimi San Juantapish:
"Chayca cambag Mama".

Cruzpi ñacarispa,
huañucun sapalla;
tapunmi, chayraycu:
"¿Cunganguichu, Yaya?"

Yacuta mañagpi,
cuncuna jayagta;
huiquita cushunchi:
chaytami munanga.

"Ñami tucuytapish
puchucami, Yaya;
chasquihuaylla", ninmi,
huañuyta shuyashpa.

Chayca Diospag Churi,
cruzpi chacatashca,
caparishpa huañun,
millay runamanta!

Pachapish chugchunmi,
intipish tutayan,
quilla yahuaryacun;
angelcuna huacan.

Chayca ayacunapish
rigcharin manchayhuan;
Judas, sipirishpa,
urmanmi pambaman.

Jesusta chugrishpa,
Longinos runaca,
ñahuipimi chasquin
quishpichig yahuarta.

Cruzpag chaquipimi
shayacun Mamaca,
yuyayhuan, shunguhuan,
ñahuihuan huacashpa.

Ña, ugllashpa, rigrapi,
charicunmi ayata,
huiquihuan, chaquishca
yahuarta mayllashpa.

Cuyag Magdalena,
ishcay ayllu ñaña,
yupay huacashpami
Virgenta yanapan.

Josemi charishca
shug mushug tulata;
chaypimi pambarin,
Cielota pascashpa.

Llaquishun tucuylla,
cayta yuyarashpa:
ñucanchi juchami
Payta chacatashca!

TRADUCCION DE CORDERO

Si acaso cristianos
sois, hijos del alma,
oid a la Iglesia,
nuestra amada Madre.

El hombre culpable
por ella se salva;
verdadero es siempre
cuanto ella declara.

Llorando de Cristo
la pasión sagrada
oid. Sus cronistas
así la relatan:

De Dios el propio Hijo
a ser hombre baja,
y como hombre muere
por la dicha humana.

A sus ya instruídos
Apóstoles llama
para la solemne
misa que prepara.

Por Pascua florida,
su propia sustancia
dales, en la forma
del pan que consagra.

(Oh! no, como Judas,
en torpes entrañas
recibais el sacro
sustento del alma!)

Postrado ante el Padre,
contempla cercana
la muerte, y sudores
de sangre le manan.

"Oh Padre! le dice,
la muerte me espanta;
mas Hijo soy tuyo,
se hará lo que mandas"

"Tomé ya las culpas
del hombre por carga,
a fin de que vida
mi muerte le traiga".

Apenas concluye
su tierna plegaria,
besándole Judas,
verdugos le asaltan.

"Amigo, ¿a qué vienes
con estos?, exclama.
¿Por qué con un beso
traidor me señalas?"

Ya le asen del rubio
cabello, le ultrajan
y, a modo de insigne
malvado, le amarran.

Atado lo llevan,
con ruda algazara
a ser procesado
de Anás en la casa.

Algunos a Pedro
se acercan y le hablan;
"¿Conoces a este hombre?
¿Con él no te hallabas?"

"Ignoro quien sea"
responde y engaña;
tres veces lo ha dicho,
cuando el gallo canta.

Ya ultrajan a Cristo
de Anás en la casa,
y atado, a presencia
de Cayfás lo pasan.

Recibe de Malco
feroz bofetada,
que al rostro le pone
rubicunda mancha.

Como a un vil idiota,
cúbrenle la cara,
hiérenle y preguntan:
¿Sabes quién te ultraja?

Ya sale, dejando
de Caifás la casa
y atado, al pretorio
de Pilatos marcha.

Cinco mil azotes
su cuerpo desgarran
y hasta formar lagos
su sangre derrama.

Con rudos zarzales
fórmanle guirnalda
de espinas, que punzan
sus sienes sagradas.

Porque todos miren
su sangre y sus llagas,
Pilatos a vista
del pueblo le saca.

"Ved al Hombre!" dice;
mas la turba infanda
"Que muera!" responde,
"Castígalo" clama.

Por miedo del César,
Pilatos lo manda
matar y las manos
pérfido se lava.

Mas ya Jesús parte,
la cruz a la espalda
llevando al Calvario,
y cae y levanta.

Oh cuánto mis culpas
tendrán de pesadas,
que así se fatiga,
que así se levanta.

Simón, un extraño,
ayúdale, a falta
de fieles que carguen
el leño de infamia.

Llorando, la Virgen,
a Cristo buscaba.
Ay, Madre! ya encuentras
al Hijo de tu alma!

"A dónde vas, Hijo?
¿Qué sangre te baña?
¿Quién ha lastimado
tu faz adorada?"

"Voy, Madre, al suplicio:
mi Padre me manda
morir expiando
las culpas humanas".

Con duelo infinito
María le abraza,
y aquellas espinas
su seno desgarran.

"¿Es tu Hijo, Dios Santo!
Es mi Hijo?" clamaba;
"A ser otra Madre,
tal vez me engañara".

"Ay, por qué a tu Padre
mi muerte no aplaca?
Por qué con la tuya
mi vida no cambia?

Muramos, al menos,
los dos, prenda amada,
por la humana dicha,
que cuesta tan cara".

"Guárdete Dios, Madre,
le dice, y se aparta,
para ir a la muerte,
que mira cercana.

Verónica, el rostro
limpiándole, saca
en lienzo, su imagen
divina estampada.

Llegado al Calvario,
le avivan las llagas
verdugos, que crueles
la veste le arrancan.

Al dado sortean
la túnica sacra
que, toda inconsúltil,
María labrara.

Ya de pies y manos
al leño le clavan;
ya los brazos tiende,
que a todos nos llaman.

"Perdónalos, Padre,
pues, por su ignorancia,
no conocen estos
lo que hacen!" exclama.

Luego al ladrón Dimas,
que amparo demanda,
"Hoy serás, le dice,
conmigo en la Patria".

"Mujer, mira a tu hijo!"
dice y lo señala
a Juan, y a éste añade:
"Es tu Madre amada!"

Sufriendo indecibles
tormentos, exclama:
"Padre, tú me olvidas
y me desamparas?"

Agua pide y danle
la hiel más amarga.
Démosle, cristianos,
raudales de lágrimas!

"Padre, ya he cumplido
tu voluntad santa;
recíbeme!" dice
y el morir aguarda.

Qué asombro! Dios Hijo,
colmado de infamia,
da un grito y expira
por culpas humanas!

De horror tiembla el orbe;
luna y sol se apagan;
los rostros angélicos
se cubren de lágrimas.

Los muertos dispiertan
y salen y vagan,
y ahórcase Judas
de despecho y rabia.

De Cristo en el pecho
clavando su lanza,
recibe un soldado
la sangre que salva.

Al pie del suplicio
la Madre sagrada
su vida en torrentes
de sangre derrama.

Ya el cuerpo divino
recibe y abraza;
ya el rostro sangriento
con lágrimas lava.

La fiel Magdalena,
sus nobles hermanas,
en trance tan triste,
le ayudan y amparan.

José su sepulcro
nuevo le consagra,
y entiérrase Cristo
porque el Cielo se abra.

Sintamos, lloremos
por lástima tánta:
sólo nuestras culpas
han sido la causa!

MAGNIFICAT

Traducido DEL LATIN AL QUICHUA

En el curioso libro intitulado "CANTARES DEL PUEBLO ECUATORIANO", dado a luz en 1892, por el insigne Don Juan León Mera, se publicó esta traducción, con la siguiente nota:

"Este cántico sagrado no debía en rigor ponerse entre los cantos populares; mas le damos cabida aquí en razón de la lengua a que está traducido, y porque, a esta causa, es probable que llegue a ser recitado o cantado por los indios, como lo son otras poesías quichuas. Esta versión fue hecha para la edición políglota del MAGNIFICAT, que los P. P. de Lerins presentaron a la Santidad de León XIII, en sus Bodas de Oro, y es debida al Exmo. Sr. Dr. Don Luis Cordero, actual Presidente del Ecuador, quien con sorprendente destreza ha expresado las ideas del original, en una lengua que algunos tienen, erradamente, por pobre e inadecuada para todo lo abstracto y espiritual. No se pone la traducción castellana, porque quien lo quisiera puede verla, en prosa o verso, en muchos libros piadosos".

Magnificat anima mea Dominum,
Et exultavit spiritus meus in Deo salutari meo.

Huiñaytami cuyani
Pay Capag Apunchita;
Paypimi, cushisapa, ñuca shungu
causayta tarigrishca.

Quia respexit humilitatem, &

Paymi huagcha pashñata
Tandarca, yayashina:
Cunanmanta ñucata tucuyllami
Cushiug shitichinga.

Quia fecit mihi magna, &

May jatarichihuashpa,
Tucuyta yallichishpa,
Anchami Pachacamag paypa jatun
Munayta ricuchishca.

El misericordia ejus a progenie, &

Paymi, ñucanchimanta
Nanaylla nanarishpa,
Masna Payta manchagta, cay pachapi
Tandashpa quishpichihuan.

Fecit potentiam in brachio sno, &

Muyundi, pacharrurrag
Rigrata cuyuchishpa,
Millay runacunata, cayman chayman
Shiguashpa, callpachirca.

Deposuit potentes de sede, &

Supay apucunata
Camaymanta anchuchishpa,
Uchillacunatami, paypag randi,
Cayashpa, shayachirca.

Esurientes implevit bonis, &

Maymi micuyta curca
Yarcashpa mañarigman;
Manapimanpish carag chayugtaca
Chushaglla cacharirca.

Suscep:t Israel puerum suum, &

Cuyaylla chasquircami
Paypag Israel churita,
Tauca cuti camash quishpichishcata
Cutimpish yuyarishpa.

Sicut locutus est ad patres nostros Abraham, &

Imashinami ñaupa
Abraham yayaman nirca,
Chasnami, cunan punzha, cayandipish,
Huiñayta pagtachinga.

NOTA.—Se ha dicho por el ilustre Señor Mera que "erradamente tienen algunos a la lengua quichua por pobre e inadecuada para todo lo abstracto y espiritual". No nos ciega nuestro afecto a tan hermoso idioma hasta el punto de afirmar que sea rico en palabras y expresiones propias para la designación de objetos morales y filosóficos y la manifestación de conceptos superiores a lo material y sensible. Ya hemos manifestado que a este respecto es realmente pobre el quichua, como no podía menos de serlo, aún en la época de su mayor brillo; pues bien se ve que el progreso de quienes lo hablaban no fue tal que los alzase sobre el nivel de lo puramente relativo a la cómoda satisfacción de las ordinarias exigencias de la vida. De aquí la dificultad con que a cada paso tropieza quien pretende traducir para los idiomas actuales las enseñanzas del catecismo católico o algo de lo mucho que ha dado de sí la cultura del espíritu en las naciones propiamente civilizadas. De aquí, por lo mismo, la necesidad en que todo traductor se ve de apelar a palabras extrañas respecto del quichua y desnaturalizarlas, a fin de que se adecúen a esta lengua y signifiquen de algún modo, así deformadas, lo que expresaban en el idioma de que se las toma. Mucho tiene, pues, que cavilar y afanarse quien desea dar, en alguna traducción, una muestra de prosa o de verso escritos en quichua puro. Discúlpenos esta observación para con los lectores a quienes no les parezca literal o exacta cualquiera de las traducciones nuestras. Lo que con ellas nos hemos propuesto es únicamente indicar todo el partido que, para la ilustración de la infeliz raza indígena, puede sacarse de su preciosa lengua, aún recurriendo a perífrasis y circunloquios que preserven su pureza, en cuanto ello fuere posible.

PIÑAY PUNZHA

Versión quichua del DIES IRAE, dedicada a los infatigables y dignos Padres misioneros de la Congregación del Santísimo Redentor.

Piñay punzha, chay punzhaca,
Ninahuanmi cay pachata
cunyachishpa puchucanga.

Imashinacha, chugchushpa,
Pay Apunchi chayamugta
Juchalligca shuyacunga!

Quipahuanmi, muyundita,
Ayatapish rigchachishpa,
Taripayman tandachinga

Manchangami Huañuy quiquin,
Allpaucupi chingash sirig
Ayacuna jatarigpi.

Quillcapimi catichishpa,
Juchataca, juchalligman,
Callaymanta ricuchinga.

Cungashcapish, pacashcapish,
Pay Apunchipa ñaupapi,
Pingachishpa llugshingami.

¿Imatacha payman nishca?
May allipish manchagpica,
¿Pimanchari cutirishca?

Apuyaya, piñayquipi,
Canllatami nanaringui:
Canpitami huarcurini.

Yuyarilla, cuyag Yaya,
runashina, runamanta
ñacarishpa, huañushcata.

Mashcahuashpa shamurcangui,
Huañungapa, chacatapi:
Ama yanga cambag llaqui!

Chugchunimi piñaytaca;
Cungash churay cunanllata
Jatun punzha taripayta.

Llaquinimi; pinganimi;
Huacayjunda cungurini;
Chasquihuaylla shunguyquipi!

Shuatapish, juchasapa
huarmitapish uyashjahua,
¿Carcunguichu runataca

Yayamanmi mañarini;
Canllatami, rupagrigpi,
Ninamanta quishpichingui.

Allicunahuan agllashpa,
Cuchuyquipi churayllata,
Pachayquiman pushangapa

Ucupachaman carcushca,
Tucuymasna millaycuna
Rupagrichun, mana ñuca.

Shungumanta mañarishpa,
Huacanimi: quishpichilla,
Mañaricug runayquita!

Piñay punzha, chay punzhaca,
Ayacuna, taripayman,
Llugshingami tulamanta!

¡Quishpichilla, Jesús Yaya!
¡Quishpichilla ñucataca!

Pareciéndole aceptable la versión precedente, tuvo uno de los R.R. P.P. Redentoristas la amabilidad de escribirle al autor la carta que copiamos, no tanto por lo favorable del dictamen, como por lucir la corrección y elegancia de la sabia lengua en que está expresado.

"Ornatissimo Doctori Vatique inclyto Aloysio Cordero,
Augustinus Georgius Kaiser C. SS. RR.
Veras deprecatur salutes ab Eo sine quo non est salus.

Quod sera sit mea rescriptio, tua cuique notissima benignitas condonabit. Evangelicis enim operariis operosam esse quadragesimam, majorem imprimis hebdomadem, te minime fugit. Quam ingens confitentium multitudo, ab orto sole ad altam usque noctem, nostro usa fuerit ministerio, tuis conspexisti oculis. Uno verbo, tanta exstitit, ad Patrem, qui in coelis est, reverentium turba, ut nobis vix respirandi copia foret. Gratias agamus Deo nostro, ¡in terra peregrinationis nostrae fides mortua non est! Multi adhuc reperiuntur qui Deum patrum suorum adorant in spiritu el veritate, qui Deum juventutis suae colunt ore et corde, ut verbis loquar Augustini. Utinam crescat illorum vivorum numerus, qui tua prementes vestigia, perseverent in doctrina Apostolorum et communicatione fractionis Panis et orationibus! Utinam augeatur illorum pusillus grex quos Scriptura hisce verbis ad vivum depingit: "In peritia sua requirentes modos musicos et narrantes carmina Scripturarum; homines divites in virtute, pulchritudinis studium habentes: pacificantes in dómibus suis". Quorum beatae societati tu jure meritoque accecendus est, quis inficias ibit?

Tuum poema: "PIÑAY PUNZHA" legi, mecumque legerunt hujus Communitatis Patres: quanta vero animi voluptate elegantissimas tuas versiones legerimus, dicto haud facile est! Ommium haec vox est opus quod agressurus es difficultatibus merito possis: Opus egi perfectum absolutumque! superasti ut exclamare merito possis: Opus egi perfectum absolutumque! Liceat igitur mihi gratias tibi referre, tua Patrum nostrorum nomine tum etiam indigenarum nostrorum, quibus tuum poema comunicare corde habebimus; imo coelum terramque movebo in Sacris missionibus ut et memoria addicant te voce cantent.

Unum te rogo, Amice, cun Omnipotens Deus egregiis mentis cordisque dotibus te cumulatum voluerit, cum etiam te excelsorum poetarum numine ditaverit, pergratum mihi foret si indico idiomate ceteros Ecclesiae himnos, sequentias prosaque (v. g. Veni, creator Spiritus, Stabat Mater, etc.) tradas hujusmodi elucubrationibus, Dei gloriam promovens, necnon animarum salutem! Faxit Dominus ut votum hocce meum exitu potiatur!

Antequam concludam, rogo Dominum ut magis magisque tuam illuminet mentem splendore veritatis, tuum cor possideat ardore charitatis, tuam animan repleat robore virtutis. Memento mei, amice, qui tui tuorumque domesticorum haud inmemor vivo vivamque.

A. GEORGIUS KAISER C. SS. R.

Ad S. Alphonsum, die 27 Martti,
In Coena Domini, 1902.

STABAT MATER

Versión aproximada en lo posible al tenor literal del texto latino.

Shayacunmi Virgen Mama,
cruzchaquipi, llaquisapa,
Jesus huañucugpi.

Tugsigshina, shungutami
chugriracun jatun nanay,
huahuapa cuchupi.

Maymi huacan, maymi llaquin,
Diospag Churi, chacatapi,
huañugta ricushpa.

Manchacunmi, chugchucunmi,
huiquijunda shuyacunmi
huahuapag huañuyta.

¿Maycan runa chari, payta
ricushpaca, mana huacan,
cachca llaquipica?

Cuyag Mamapa nanaypi,
¿ima rumishungu chari
mana nanaringa?

Ñucanchipa juchamanta,
huañucunmi paypag huahua
jatun ñacarigpi.

Yahuarsapa, chugrijunda,
chacatashcami, huañuyhuan,
runata quishpichin.

Shamunimi, cuyag Mama,
llaquiquita chaupingapa,
Jesuspa cuchupi.

Shungupimi nanayquita,
cuyayquita tandachishpa,
cruzman chayamuni.

Chasquihuaylla, Virgen Mama;
cambag huahuapa yahuarhuan
ñucata unanchilla;

Diospag Churi, ñucajahua,
musushcata, llaquishcata
ñucahuan chaupishpa.

Huacashami, llaquishami;
canhuanpacta shayashami
esuspa chaquipi.

Cuzta ugllashpa cungurishpa,
tucuy shungu nanarishpa,
causasha ninimi.

Jatun Ñusta, mana jayag
yaycungachu cambag nanay
ñuca shungupica.

Paypa huañuyta yuyachi;
paypag cruztami munami;
canhuan llaquichilla.

Paypag chugrita muchasha;
Canhuan pagtami causasha,
canhuami huañusha.

Pay Jesusta cuyash quipa,
cambag llandupimi richa
jatun taripayman.

Cruzhuan catay cay pachapi;
Virgen Mama, canmi apangui
huañuy chayagpica.

Aycha yacuy urmatigpi,
canhuantami risha nini
cushi llagtayquiman.

POESIAS PROFANAS

Originales del autor de este Diccionario y traducidas por él.

!RINIMI, LLACTA¡

¡Rinimi, Llagta, rinimi
may carupi causangapa;
mana quiquin llagtashina
cuyanguichu runataca!

Huarmi, churita saquishpa,
ayllucunata cungashpa,
cay tuta, quilla llugshigpi,
ñanta japinimi, Llagta.

Anga millayta ricushpa,
imashinami urpi huahua,
urcuta tigrash, chingarin,
cacapi miticungapa;

Chasnami cuyayla rini,
supay aputa manchashpa;
chasnami, mana jaycapi
ricuringapa, chingasha.

Chayug runa cashca quipa,
huagchami cani cunanca:
paymi callaymanta quichun
Jatun Apunchi cushcata.

Ñuca huasi paypag huasi;
ñuca allpapish paypag allpa:
¡huyrapi rig ugshashina
causacunimi, Llagtalla!

Ushi huahuapish huañunmi,
paypag ucupi huacashpa:
¡ushita quichuna randi,
shunguta quichunman carca!...

¡Alau! nishpa, cungurishpa,
maquicunata churashpa,
Quishpichigpa ñaupagpimi
huacami runa cashcata.

Pay Apunchicha ricunga;
Paychari caita munarca;
Payhuanmi saquishpa rini
ishcay curipiticaca.

Ichapish, Pay cutichigpi,
muyumusha carumanta,
huarmihuanpish, churihuanpish,
miticushpa callpangapa.

Maycan tuta, chaupi tuta,
sachata catish, chayashpa,
huiquijunda ugllashachari
cunan jichushcacunata.

¡Icha quimsandi llugshishun,
quimsandilla causangapa,
mana pipish tarigrina
urcuhuashapi chogllashpa!

Huañunatami llaquini
chican llagtapi, sapalla,
manapish cayman cutishpa
manarag ishcayta ugllashpa.

¿Pichari, chasna huañugpi,
"Huañunmi" nishpa huillanga?
Ishcayca ñuca cutigta
shuyangachari shuyaylla...

¡Chayca ña quilla shamunmi,
puyuchaupita quimllashpa!
Chayca jatarish purina
llaquipish chayana cashca!...

Rinimi, Llagta, rinimi
may carupi huañungapa:
¡mana quiquin llagtashina
cuyanguichu runataca!

TRADUCCION

Yo me voy, Patria querida,
me voy a vivir distante:
no tienes tú, para el indio,
ternura propia de madre.

De esposa, de hijo y parientes
compelido a separarme,
parto esta noche, en el acto
que la luna se levante.

Cual huye la tortolilla
del gavilán que la invade,
y allá, tras los montes, busca
peñasco que la resguarde;

Así cuitado me alejo
de mi opresor implacable
y a ocultarme voy por siempre
en remotas soledades.

Rico fui: su tiranía
me ha dejado miserable;
él me despoja de todo
cuanto a Dios le plugo darme.

Suya es mi casa; son suyas
mis perdidas heredades.
¡Ay, Patria! Patria! yo vivo
cual paja que lleva el aire!

Aun la hija de mis entrañas
ha muerto en su vasallaje:
¡el corazón, en vez de ella,
debió el bárbaro arrancarme!

¡De hinojos, puestas las manos,
dando lastimeros ayes,
la desdicha de ser indio
lloro ante el Supremo Padre!

Haga El lo que justo fuere;
tal vez mi dolor le place:
a su cuidado abandono
mis prendas en este trance.

¡Quiza, si El me lo permite,
de lejos vendré más tarde,
y, con mi hijo, con mi esposa,
saldré corriendo al instante!

Quizá podré, en alta noche,
llegar por los matorrales
y de improviso, bañado
de lágrimas, abrazarles.

¡Oh, si a los tres, en el fondo
de algún solitario valle,
nos cubriese una cabaña,
donde no lo sepa nadie!...

Mas ¡ay! peregrino y solo,
tal vez mi existencia acabe,
Patria! sin pisar tu tierra
y el último abrazo darles.

Muerto yo, ¿quién a los tristes
dirá: "Muerto es; olvidadle"?
¡Ay de los dos! cada noche
se cansarán de esperarme!...

¡Hé ahí brillando la luna
por entre las nubes sale!
Hé ahí, también me aguardaba
la desdicha de expatriarme!...

Yo me voy, Patria querida,
me voy a morir distante:
¡no tienes tú, para el indio,
ternura propia de madre!

NOTA.—Esta poesía quichua y su traducción, lo mismo que la poesía y versión siguientes, se imprimieron por segunda vez, en el volumen, ya citado, de "CANTARES DEL PUEBLO ECUATORIANO", dado a luz por el Señor Mera, quien las creyó dignas de figurar en su interesante compilación.

Cuando "RINIMI, LLAGTA" se publicó por la vez primera, muchas personas creyeron, con la mayor buena fe, que realmente contenía las lamentaciones de nuestros desventurados indios, expresadas por uno de ellos. Esta creencia sirvió de principal fundamento para que llegasen a ser populares los versos del indio **Huamán**, que era quien, aparentemente los suscribía, y este concepto no se desvaneció sino cuando uno de los más notables poetas y escritores del Azuay dirigió al autor de la poesía la comunicación que en seguida se transcribe:

CARTA DEL MUY DISTINGUIDO LITERATO
Dr. Dn. Tomás Rendón,
al autor de la poesía intitulada "RINIMI, LLAGTA", que se publicó firmada por **Huamán**, indio representante de toda su raza infeliz.

Señor Doctor Don Luis Cordero.
Su Casa, a 17 de mayo de 1875.

Mi muy estimado amigo:

He visto sus sentimentales versos, escritos en idioma quichua, y le felicito mucho, muchísimo, por tan curiosa e inesperada producción. No dudo que algunos necios, con tufos de **españolía**, dirán que los que así pensamos somos **indios**, u hombres de precedentes muy humildes; porque tal es el lenguaje que tienen y el modo cómo opinan en esta materia; pero los inteligentes, los hombres reflexivos y sensatos, que juzgan de las cosas como corresponde, los que han leído al inmortal Caldas, cuya pluma ha encarecido tánto la belleza, la gracia y la ternura inimitables de la lengua de nuestros indios, serán de otro dictamen, formarán otro concepto y tributarán a usted los elogios que merece todo hombre que estudia con fruto y procura hacer algo en obsequio de la literatura patria.

Las abejas gustan de flores frescas y jugosas, de rosas y jazmines bañados con el llanto de la mañana, para nutrirse en los nectarios y elaborar su miel. Me parece que usted hace, amigo mío, algo más que ellas, porque saca la miel de sus composiciones, no sólo de las flores frescas y llenas de vida, sino aún de las que han caído agotadas al soplo del verano. Tal es, para mí, la hermosa y expresiva lengua **quichua**, flor degenerada y marchita, flor olvidada y aun vista con el mayor desprecio entre los ignorantes, que afectan no entenderla, por ser cosa de indios.

Felicito a usted otra vez, por su precioso trabajo, cuyo mayor atractivo está en el idioma, en ese idioma que tiene no sé qué de bello, de melancólico, de gráfico, un no sé que de tierno, que denota haber nacido para la queja, para el dolor, para la desgracia, para sembrar el remordimiento en las entrañas de los verdugos, y obrar más prodigios de emoción que la flauta de Timoteo en el incendio de Persépolis. Ningún poeta que escriba en otra lengua, será capaz de herir tánto el corazón, como lo ha hecho usted, en la cuarteta que dice:

"Alau! nishpa, cungurishpa,
maquicunata churashpa,
Quishpichigpa ñaupagpimi
huacani runacashcata".

Esto es poético; esto conmueve un corazón marmóreo; esto no se puede traducir, mi buen amigo. ¡Vea usted la lengua que desdeñan algunos de nuestros españoles **hechizos**!

Me exige usted una traducción de sus versos, y siento no poder complacerle a medida de mi deseo, por hallarme abrumado al presente con las insípidas y muy prosaicas atenciones del foro: este es el tormento de mi vida. Sin embargo, escribo ese romance que le adjunto, en medio de la inquietud y de la perturbación, fijándome más en el sentido que en las palabras, y, si usted lo encuentra de algún mérito, puede hacer de él lo que tuviere por conveniente.

Disponga como guste de su afmo. amigo y S.S.

Tomás RENDON.

Versión castellana de los versos del infeliz concierto HUAMAN, escritos en idioma QUICHUA.

Me voy, ¡oh Patria! me voy
a otra tierra, peregrino;
porque amor cual propia patria
no tienes para los indios.

A esposa, prole y parientes
dando, por ahora, al olvido,
esta noche, con la luna,
tomaré, Patria, el camino.

Cual suele la tortolilla,
cuando ve al azor temido,
salvar montes, y entre breñas,
buscar un secreto abrigo;

Así yo, triste y lloroso,
huyendo de un amo indigno,
para no volver jamás,
me iré a un lejano retiro.

Después de haber sido un día
indio feliz, indio rico,
cuanto el Cielo me había dado
mi amo se llevó consigo.

Ahora mis campos son suyos,
suyos mis lares queridos;
ahora soy cual paja errante
por el aire sin destino.

Mi hija de pesar ha muerto,
bajo su fatal dominio:
En vez de mi hijo, quitarme
debiera el corazón mismo.

Ayes dando, de rodillas,
pongo las manos, y a gritos
deploro, a la faz del Cielo,
la condición de ser indio.

¡Allá Dios lo verá todo!
mi suerte le habrá placido.
Queden con El y a su amparo
las prendas de mi cariño.

Escuchando mis clamores,
quizá dispondrá, benigno,
que torne yo y en mis brazos
las lleve con regocijo.

Alguna noche, tal vez,
a deshoras, dolorido,
vendré a ver, cruzando selvas,
a los que lloro perdidos.

Quizá todos tres, entonces.
podremos vivir tranquilos,
construyendo una chozuela
tras montes y ocultos riscos.

Solamente el morir temo
en otro lugar distinto,
antes que abrazar consiga
ni ver lo que tánto estimo.

¿Habrá quien, cuando yo muera,
separado de los míos,
les diga, mientras me aguarden,
que en polvo estoy convertido?...

¡He ahí, ya sale la luna,
tras un celaje sombrío!
De levantarme y partir
al fin me llega el conflicto!...

Me voy, ¡oh Patria! me voy
a morir en otro asilo,
ya que no hay en tus entrañas
clemencia para los indios.

T. R.

CUSHIQUILLCA

Jatun Quitu Curacacunaman
quipushca.

(Composición escrita con motivo de la abolición del diezmo y consiguiente supresión de los odiosos especuladores llamados DIEZMEROS, en Marzo de 1884).

Huañuytami cushicunchi,
curishungu Yayacuna,
ñashi **diezmerocunapag**
puchucaypish chayamushca.

¿Tucurinchu cay llaquica?
¿chingantachu cay jacuyca?
¡Jatarishpa caparichi
muyundita, runacuna!

Tarpugmanmi sarahuahua
cunanmantaca pucunga:
ñatapishmi quiquimucun,
sumaymanta tugtushpa.

Huarmi, churi, huauqui, pani,
jumbishunlla punzhapunzha;
sapallami tandachishun
ñucanchi huagcha micuyta.

Ña mana callpamungachu
diezmero nishca laychuca ,
quillcapi churash ringapa
pucugta mana pucugta.

Ña mana, **padrón** aysashca,
chagracunata muyunga,
imashinami ushcu muyun,
mutquishpa, paypay huañugta.

Mana yupash puringachu
huayra paquishca huiruta,
"¡Millpushcanguimi!" ningapa;
"Caypimi chagra purulla!".

Ña mana huallpahuahuata,
huasihuashata muyushpa,
chuchindi pigtush ringachu,
cuyaylla caparicugta.

Bizipish ña quishpirinmi;
¿imapata miticunga?
Punguñaupagpi pugllashpa,
mamandi shayacuchunlla.

Quisquipish machagmi carca,
auca laychuta ricushpa.
"Allcu **diezmo** tiangami"
nigchari pishishunguca.

¡Imapata mana ricun!
¡imapata mana yupan!
¡imata mana japirin
cay shillusapa cundurca!

Atugpish, paypa ñaupagpi,
callpanmi, jurujurulla;
angapish, manchaymanchaylla,
chapanmi, mana cuyushpa.

Llugshi, huambra, ricugrishun
cambag quipandi tarpuyta:
diezmero illagta yachapashpa,
ñachari tugyamucunga.

Suruta jucuchi, huarmi;
utcashpami cutimusha,
ishcay taquita ahuangapa,
cunan punzha, caya punzha.

Jinchishpami huacaychishun,
jalmana quilla musuypa.
Ña mana pi quichungachu
camba huahuapa micuyta.

¡Jatun Apu, shuti Yaya,
casayhuan tigzhi, runduhuan;
amallata cacharichu
cutin **diezmero** curuta!

Chaupituta muscunimi
cay supay ricurimugta;
ungugshina, jumbisapa,
jatarinimi chugchushpa.

¡Chayca! yaycunmi, mashcanmi
runapag chushag ucuta;
camin; huagtan; **prendan**; callpan,
chingangacama tushushpa.

"Mana pucunchu" ninimi;
"Tarillapish shug muruta:
huahuacuna, yarcaymanta,
huacacuncari tucuylla".

¡Rumihuan chari rimayman;
icha, sambayash, cuyunman!
Cay millayshunguca ninmi:
"Paypaylla, huacachuncuna".

Cayandi punzha, pimanpish,
prendata catushpa churan.
Runaca llatan saquirin;
dibica mana cutuyan.

Apuman huillagrigpipish,
paypatag ayllumi apuca;
quillcagtucushpa, aullingami
allpa catuna quiputa.

Allpa mana pagtagpica,
¿imata tucungui, runa?...
¡Huahuayquitacha, marcashpa,
catugringui, huiquijunda!...

¡Alau! rigcharinitachu?
¡Cungurichi, huahuacuna!
Ñami quiquin Pachacamag
ishcay ñahuihuan ricushca.

Paymantami causacunchi;
payllami runata cuyan;
paymi millayta manchachin;
paymi quishpichishpa churan.

Paymi, Curacacunapag
shungucunapi yaycushpa,
ruramanta nanarina
yuyayta tucuyman cushca.

Payllamanta mañarishun,
mingaylla tandanacushpa,
paypag pachaman apachun
tucuy quishpichig aputa.

¡Quitupi rimash ñacarig,
cuyarashca Yayacuna,
imahuan camaringapag,
shungutachari surcuyman!

Shungullatami charinchi,
yupay huagcha runacuna,
llaquish causag, huacash purig,
yarcaysapa, nanayjunda.

¡Pushachunlla Pachacamag
paypag llipiacug ucuman.
Mana jaycapi tucurig
cushita cuchun tucuyman!

CHIMBAYCELA

NOTA DEL ORIGINAL.—**Diezmero**cunapish, maycanmaycanca mana millaychu. Chaycunata mana ñuca runaquillcapi camina yuyayta charinichu: usucug huagllicunatami tushuni. Caycunami runapag anga, runapag puma. **Diezmo** chungana punzhapica, maymi, yapashpa, churanacuncuna; maymi cullquita mirachin. Paypaylla! runanu tucuyta, yallichishpa, cutichinga. Alli **diezmero**cunaca, huagchamanta nanarishpa, paycunapish huagchayanmi; shuacunallami chayugyan. Cunanmantapachaca quiquin jumbihuan chayugyachun. Tucuy **diezmero**cuna alli cagpica, mana imata ninchimanchu: runa cashpapish, yuyayta charinchimi.

Traducciones de esta composición y de su Nota.

COPLAS DE CONTENTO

¡Oh Padres! de gozo henchidos
nos tiene vuestra ternura.
Conque también el diezmero
¿cayó por fin en la tumba?

¿Terminó la horrible plaga?
¿Cesó al cabo nuestra angustia!...
¡Levantad a la redonda,
indios, un clamor que aturda!...

Desde ahora, para el que siembra
será lo que el maíz produzca:
¡en hora buena, con flores
lozanas, el fruto anuncia!

Mujer, hijo, hermano, hermana,
trabajemos más que nunca:
nuestra cosecha de pobres
la disfrutará el que suda.

Ya no vendrá de improviso,
un mozo de faz adusta,
a tomar necios apuntes
aun de lo que no madura.

No dará, **padrón** en mano,
vueltas a la diminuta
estancia, a modo de cuervo
que res mortecina busca.

Ya no contará las cañas
que, tiernas, el viento tumba,
para decirme: "Has comido!
la sementera está trunca!"

No empuñará tras la casa,
antes que su dueño acuda,
gallina y pollos que pían,
denunciando al que los hurta.

Libre mi becerro queda;
desde hoy es inútil que huya:
Trisque aquí, junto a su madre,
que también está segura.

Aun mi gozque se escondía,
al ver su cara sañuda,
temiendo que de los perros
haya diezmo por ventura.

¿En qué cosa no repara?
¿Qué no encuentra? ¿qué no suma?
¿qué no atrapa? ¿qué no lleva,
el buitre de largas uñas?

Cuando lo divisa el lobo,
tímido corre y se oculta.
El gavilán que lo atisba,
medroso eriza las plumas.

Sal, hijo mío, veamos
la postrera siembra tuya.
Sabiendo que no hay diezmero,
tal vez el brote apresura.

Mujer, moja esos carrizos:
Vuelvo sin tardanza alguna.
Hemos de tejer dos trojes,
que hoy y mañana concluyan.

Rellenos los guardaremos,
para la mayor penuria.
Ya el pan de tus pobres hijos
un extraño no te usurpa.

¡Oh Dios, verdadero Padre,
castíguenos la ira tuya
con el hielo o el granizo;
mas, con el diezmero nunca.

Todavía, estupefacto,
lo sueño en la noche oscura,
y tiemblo, como un enfermo
a quien el delirio asusta.

Hé aquí que a mi pobre choza
entra, me ultraja, me insulta,
prendas me arranca, y de oprobios
aun desde lejos me abruma.

"Nada coseché", le digo;
"No has de encontrar mies alguna
¿No ves, cómo de hambre lloran
mis hijos con amargura?"

¡Hablara yo con las piedras!
fueran, quizá, menos duras.
El responde: "¡Qué me importan
a mí las lágrimas suyas!"

Mañana estarán las prendas
vendidas por cualquier suma,
y yo, su dueño, desnudo,
sin que el cargo disminuya.

¿A la justicia quejarme?
¿Cómo, si es pariente suya?
Escribe, embrolla, y mi fundo
se vende en subasta pública.

¿Qué harás, indio, si aun con esto,
el bárbaro no te indulta?
Cargar con tu hijo y, llorando,
sacarlo a vender, sin duda!...

¡Ay de mí!... Mas ya dispierto.
¡De rodillas, criaturas!
con ambos ojos nos mira
por fin la Clemencia Suma!

Por su amor nos conservamos.
Su providencia conjura
los infortunios que al indio
desventurado atribulan

Ella ha dispuesto, piadosa,
que la compasión influya
en los que con noble mano
desatan nuestra coyunda.

Juntémonos a pedirle
que ella misma retribuya
tan grande bien con el premio
de la celestial ventura.

¡Defensores generosos,
que bregais en nuestra ayuda,
fuera el corazón mi ofrenda,
a fin de daros alguna!

Sólo corazón tenemos
los de esta raza desnuda,
nacida a soportar penas
y lamentar desventuras.

¡Dios, en las santas mansiones
que con su esplendor alumbra,
conceda a todos vosotros
la dicha que siempre dura!

VERSION DE LA NOTA.—Entre los diezmeros, hay unos pocos que no son de malas entrañas. No tengo el intento de censurar a éstos en mi indiana poesía. Satirizo únicamente a la muchedumbre de injustos y temerarios. Ellos son, para los indios, lo que el gavilán, lo que el leopardo de nuestros bosques. A tiempo de rematar los diezmos, riñen y se alborotan entre sí, acrecentando el precio con pujas imprudentes. ¿Qué les importa? El indio ha de pagarles eso y mucho más. Los diezmeros de recta conciencia se duelen del pobre y empobrecen a la vez. Los ladrones son los únicos que medran. Háganlo de hoy en adelante con su sudor y trabajo. Si todos fuesen considerados y buenos, no diríamos una sola palabra: aunque somos indios, no nos falta cordura.

RUNAPAG LLAQUI

Cuyatucug apucuna,
cancunahuanmi rimani:
Runapag jatun llaquita,
uyasha nishpaca, uayaychi.

Cuyayllami causacunchi,
cushilla causana randi,
cancuna yaycushcaraycu
runapa cashca llagtapi.

May alli llagtashi cana
(yuyagcuna huillahuanmi);
mayshi Inga yayaca cuyag;
mayshi camag; mayshi charig.

Cayman chayman cutirishpa,
muyundita ricuragshi,
ama pi yarcash purichun,
amapiman cachun llaqui.

Huahuacuna miragpica,
tarpuna allpata yapanshi;
huañugpica, shugman cunshi,
chasnata huahua miragpi.

Quitumanta Cuscucama,
tucuy pugru, tucuy Anti,
tucuy pamba, tucuy quingray,
runapa causanallashi.

Maypipish tugtucug chagra;
maypipish cusnicug huasi;
caypi minga; chaypi juncia;
llamacuna caypi chaypi.

Cuscu ñanta, curushina,
pasag huaranga quirpanshi,
Inga yayata pushashpa,
llipiacug huandu jahuapi.

Huancarhuan, quipacunahuan,
urcu, cutichish, huacanshi;
allpa chugchumugshi rigchan
jatun Ingapa ñaupagpi.

Pallacuna, chuquicuna,
lalay nishpa, tushushpashi,
sisata shitaylla shitan
pichashca, llambushca ñanpi.

Yayata ricungaraycu,
carupi causagcunapish
manyaman tacarimunshi,
pacarin mana pacarin...

Chasna, tushushpa, quipashpa,
allpata chugchuchishpashi,
Piru ñanta Quitucuna,
Atahuallpahuan, shitarin...

Chaymantaca...! Pacharrurrag
Apunchi, canmi yachangui!
May carumanta, huambupi,
chayarca runapa llaqui.

Mana jaycapi rigsishca,
chican shimi, chican ñahui,
chican yuyay, chican shungu,
huiracucha shamurcami.

Chayashca quipa quipalla,
Cajamarcaman callpanmi;
runata illapan, huañuchin,
Ingata huatashpa japin.

¡Alau! chacatashpa sipin!...
¡Jatun Dios, maypita cangui?
Chasnachu millaycunaca
canta yallishpa jatarin?...

¡Chayca, manapita manchan!
¡Chayca muyundi shiguarin!
Allpa, huasi, llagta, tucuy
runapa cashca paypagmi

¿Ñucanchica?... Ñucanchica
yuyayug llamami canchi,
payman aparishpa purig,
payman jumbishpa ñacarig.

Urcupi sisashca yura,
sapita pitigpi, urmanmi;
chasnami runapa aylluca
sapindi pambayarcanchi.

Chaquingapa, huañungapa,
manapish huañuna cagpi,
yarcayhuan irqui tucushpa,
tugyashpa llashag rurraypi.

Huiñan mana huiñan, runa,
ñami, huiracucha randi.
yapushpa, jallmashpa causan
amupagmi nishca allpapi.

Huayrallami ñucanchipag.
Quichunmanchari chaytapish,
mana tucuyman Apunchi
maypipish churashca cagpi.

Micuyta, pishipishilla,
maycan amuca caranmi,
ama runa pitirichun
chayra rurrana triagpi.

Maycan ashun caragtaca,
chayshugcunaca rimanmi,
"Canmi huagllichingui, nishpa;
yallimanami carangui".

Churanaca, lliquilliqui,
mana llandunchu rupaypi;
chiripi mana cunuchin;
mana catahuan tutapi.

. Shutunchimi tamiapica,
usiaypica chuntayanchi,
cunanca yunga huaycupi,
cayaca rasu patapi.

Maycanlla chugllayuy runa;
ñatag, chugllayug cashpapaish,
¿imata charin huagchaca
paypag purulla chugllapi?

Chuscu manga shug cuchupi,
chaypish pimi, chaypish paqui;
pingupi quimsa huayunga,
chaypish chalashca shugpapi.

Ninaca mana cunyanchu:
huarmi llugshishpa rishcami,
imallata mashcangapa,
maypi mashcana tiagpi.

Huahuaca, chushag ucupi,
allcuhuan pagta huacanmi...
¡Chasnachu, Jatun Apunchi,
cambag runata cungangui!

¡Apucuna, nanarichi!
maymi musushpa causanchi,
cancuna cushish tiachun
runapa cashca llagtapi.

Shungupi, maycan cutica,
ña mana pagtanchu llaqui;
ña yuyag tutayamunmi;
ña causay millanayanmi.

Huañushpaca samarinshi:
¡Shamuylla, shamuylla, huañuy!
allpapi pacahuash churay!
Ycha quishpirishun chaypi...

¿Ñatag huarmica, huahuaca?
Ñatag pay Diospag ñaupapi
allichu ricurinaca,
manara pay Dios cayagpi?...

¡Runapag quiquin Apunchi,
Can Yaya chari yachangui
imapata ñucanchita
charicungui cay pachapi.

Cay llaquishca, cay musushca,
cay punzhandi, cay tutandi,
canta cayash huacashcaca,
cantapish llaquichipagmi.

Canta shutichishpa cunag
Padrecunata uyashpami,
causayta millashca jahua,
Can huañupigta shuyanchi.

"Callpashpa rinmi causayca;
shuyashunlla, nincunami:
caya mincha uyarishunmi
Jatun Yayapa llagtapi".

"Huacashcata, musushcata
paypag chaquipi churaychi;
Pay, nanarishpa, ricuchun
chasquinchu, manachu chasquin".

"Pay Yayaman mañarigpi,
maquita churash huacagpi,
cay pacha llaquicunaca
chayshug llagtapi sisanmi..."

Huagtag apu, ñitig apu,
causayca tucuringami:
tula ñantami ricunchi,
can chayug, ñuca huagchapish.

Imatapish runayquihuan
rurray cay huiqui llagtapi;
ña chischi chayamucunmi;
canmanpish tutayangami.

Ñatag, llipish pacarigpi
Jatun Yayapa llagtapi,
rigsishpa ningami Payca:
"Yacuylla; runami cangui".

Estos versos escritos con notorio fundamento de verdad, especialmente en cuanto concierne a multitud de indios conciertos, es decir, a gran número de verdaderos esclavos, pueden traducirse en la forma siguiente, aunque con notable pérdida de la expresiva propiedad que, para lamentaciones semejantes, tienen las palabras del idioma quichua.

DESVENTURA DEL INDIO

Jefes que fingís querernos,
a vosotros me dirijo;
oíd, si os place, la historia
de la desdicha del indio.

En vez de vivir alegres,
llenos de pesar vivimos,
desde que os hicisteis dueños
del suelo en que hemos nacido.

Bella dizqué fue esta Patria
(los mayores nos lo han dicho);
dizqué poderoso y grande
fue el monarca que tuvimos.

Dizqué de un extremo a otro,
cuidando de sus dominios,
no consintió desgraciados,
hambrientos ni desvalidos.

Dizque aumentaba heredades
al padre de nuevos hijos,
o, al morir éstos, las daba
a quien los tuviese vivos.

Cuentan que de Quito al Cuzco,
todo campo, todo sitio,
toda falda, todo monte
eran patria de los indios.

En medio a floridas mieses,
humeando los edificios;
fiestas de labor; rebaños;
holganzas y regocijos...

¡Ahí marcha al Cuzco un enjambre
de cien mil hombres de Quito,
que, alzando en brillante trono,
llevan al Inca querido!

Cajas y bocinas hacen
tronar los montes vecinos.
Temblando viene la tierra
bajo el inmenso gentío.

Bailarinas y danzantes,
con aplausos repetidos,
todo cubierto de flores
dejan el amplio camino.

Aun la gente habitadora
de lejanos caseríos,
desde el alba, a ver el paso
de su monarca, ha salido.

Así, con cantos y bailes,
sobre un suelo estremecido,
llevan al grande Atahuallpa,
para el Cuzco, los de Quito...

¿Y después?... Dios soberano,
bien sabes tú cómo vino,
surcando remotos mares,
la desventura del indio!...

De tierra ignota llegaron
hombres nunca conocidos,
de otro color, de otro idioma
y de corazón distinto.

Hacia Cajamarca corren,
y, cayendo de improviso,
disparan, matan, dispersan,
y al Inca toman cautivo.

¡Oh qué horror! en horca infame
perece del Sol el hijo!...
¡Señor, conque a tu justicia
se sobrepone el delito?...

Ningún temor les arredra;
se apropian de cuanto han visto,
y casas, tierras y patria
son de los advenedizos.

¿Mas nosotros? ¡Ay, nosotros
a ser hemos descendido
bestias con entendimiento,
sujetas a su servicio!

Arbol lozano y frondoso,
que de raíz ha caído,
yace, arrancada del suelo,
la estirpe infausta del indio.

Y ha de secarse y morirse
antes del tiempo preciso,
por lo escaso del sustento,
por lo rudo del servicio.

Esclavos del blanco somos,
poco después de nacidos,
y en su provecho labramos
campos que nuestros han sido.

Solo aire tenemos propio,
y aun esto porque Dios quiso
darlo en cantidad inmensa
a todos los seres vivos.

Si algún mísero alimento
nos da un amo previsivo,
es porque donde hay trabajo
no debe morir el indio.

Y a quien algo más nos brinda,
"mire, le dice el vecino,
usted es el que los daña,
por darlas de compasivo".

Nuestro vestido, en harapos,
ni nos preserva del frío,
ni contra el sol es defensa,
ni por la noche es abrigo.

Cuando arde el día, tostados;
siempre que llueve, ateridos;
hoy en calores de infierno;
mañana en nevados picos...

Pocos son los que una choza
tienen: pero en el recinto
de tan miserable albergue,
¿qué existe sino el vacío?

En un rincón cuatro tiestos,
y en el techo un hacecillo
de mal granadas mazorcas,
del ajeno desperdicio.

En medio, el hogar sin fuego;
pues la pobre india ha salido
a ver si rebusca espigas
en las siegas de los ricos.

En esa choza desierta
llora el perro, llora el hijo...
¿Qué es esto? ¿Tanta desdicha
no te conmueve, Dios mío?

¡Tened compasión, patrones!
Mucho padecen los indios,
para que vivais contentos
en la patria que han perdido.

Ya en su corazón no cabe
tan prolongado martirio;
ya su razón se oscurece;
ya el vivir les causa hastío.

Dizque los muertos descansan.
¡Muerte, tráenos alivio!
Vuélvenos bajo la tierra,
la libertad que perdimos...

¿Mas, la mujer que nos ama?
¿mas, el infeliz del niño?
¡Y esto de ir sin que nos llames,
a tu presencia, Dios mío!...

¡Oh, nó, Poderoso Dueño
de cuanto sér es nacido,
Tú sabrás por qué conservas
esta raza de proscritos!

Hambre, desnudez, miseria,
fatigas, llanto, castigos,
¿qué padre mira sereno,
si los soportan sus hijos?

En nombre tuyo nos hablan
tus bondadosos ministros;
por eso, aunque la existencia
nos abrume, la sufrimos.

"Corta es la vida", nos dicen,
"toleradla, pobrecitos:
presto en la patria estaremos
de nuestro Padre divino".

"Vuestras penas, vuestro lloro
vayan ante él de continuo;
El verá si los acepta,
como Padre compasivo".

"Si humildes lágrimas vierten
a sus pies los afligidos,
a florecer en los cielos
van los pesares del siglo..."

¡Amo, que injusto me oprimes,
mientras nos hallamos vivos,
mira que al sepulcro vamos,
yo, aunque pobre, tú, aunque rico!

Haz aquí lo que te plazca
con este siervo sumiso;
tarde es ya; la noche viene
para opresor y oprimido.

Mas yo espero que amanezca
mi luz de perpetuo brillo,
y que mi Padre me diga:
"Entra, infeliz: eres indio!..."

EL TOMEBAMBA

Con este título compuso el autor un soneto, para ponderar la belleza del río impropiamente llamado "Matadero", que corre al sur de la ciudad de Cuenca, entre márgenes llenas de verdura y amenidad. Transcríbese en este lugar, para poner en seguida la variente quichua, compuesta por el mismo autor, que se ha propuesto hacer ensayos de varias especies en el lenguaje indiano del Ecuador.

Canta y corre, chispeando diamantes,
Que aljofaran la verde ribera,
En su terso cristal reverbera
Sol que lanza centellas radiantes.
Como copos de nieblas errantes,
Albos linos ondulan doquiera.
De cien brazos fantástica hilera
Bate la onda con lienzos flotantes.
¡Cuánta vida! ¡Qué inmenso gentío
En el cauce, en la orilla, en el llano
Y entre el grupo de arbustos umbrío!...
¡Tomebamba imponente y galano,
Más hermoso que tú no habrá río,
Si aparece en tu margen SOLANO!...

Advertimos, antes de reproducir la poesía quichua, que el Tomebamba es muy frecuentado por gente que en sus frescos remansos se baña y por multitud de lavanderas, que aprovechan de sus limpias corrientes; por lo cual y por la hermosura de los alrededores, lo miran los cuencanos con tal predilección, que tienen, de tiempo atrás, el patriótico intento de erigir, en el paseo de la ribera meridional, cuando las circunstancias les sean propicias, una estatua al sabio escritor y religioso ejemplar FRAY VICENTE SOLANO, gloria de Cuenca y lustre de la Patria Ecuatoriana.

He aquí la versión quichua del soneto precedente:

TUMIPAMBA

Taquishpa uraycun. Ishcay pataman,
Huaylla jahuapi, shullata shitan.
Paypag llipiacug llambu riripupi
Inti ninaca cunyagman rigchan.
Jucu lligllaca puyushinami
Yuraglla cuyun caypi chaypica.
Pasag rigrami pachata huagtan,
Timbug puscuta jatarichishpa.
¡Masnami chayan! ¡Masnami huambun!
Shugcuna tagshan. Shugcuna chimban.
Maycanca purin. Maycanca llandum...
¿Ima yacuta cantag atinga,
Tumibamballa, manyapi jatun
SOLANO yaya shayarigpica?

CHICO PLEITO
acerca de una palabra quichua

En el año de 1901 dí a luz el folleto sobre **Lingüística americana,** que he copiado en los primeros folios de este Apéndice. Hablando en aquél con mi amigo el distinguido americanista Mr. León Douay, estampé (página 312) las siguientes palabras:

"**Cuchi** significa CERDO, en quichua".

Y poco más abajo escribí esta advertencia (repetida en otros lugares de mi opúsculo), para el inteligente filólogo con quien me entendía:

"No olvide usted que a este quichua (el ecuatoriano) se refieren todas las observaciones que hago en el presente estudio".

Ahora bien, debo a la cortesía de otro amigo ilustre, el Señor Don Ricardo Palma, la recepción del número 148 del "DIARIO DE VERACRUZ", número en cuya primera página se lee un artículo del Señor José Miguel Macías, quien estudia, en estilo jocoso y con copia, no sé si mal gastada, de erudición, el que le parece origen de la palabra **cuchi**, opinando que se deriva de la voz COCHINO, y ésta del vocablo latino **COCTO**, ablativo de **COCTUS, A, UM**, participio de pretérito del verbo **COQUO...** Todo esto para sostener que **cuchi** no es, ni ha sido nunca, término castizo del quichua.

Verdadera controversia tendría yo que entablar con el escritor mejicano, si en alguna parte del citado folleto hubiese asegurado, como bien lo pude, que "**cuchi** es y ha sido siempre vocablo castizo de esa lengua", mas, como no he dicho tal cosa, vano resulta el esmero del Señor Macías, y duéleme el empeño de haber sido causa, aunque inculpable, de que hayan venido a quedar mal parados, en concepto de este señor, que no en el mío, el Diccionario de la Academia Española, el de Don Roque Barcia, el Hispano Americano, el de Littré, etc.

Véase lo que me propuse, al escribir el pasaje copiado.

Había dicho el Señor Douay (pág. 29 de su interesante obra "NOUVELLES RECHERCHES SUR L'ANTIQUITE AMERICAINE") que **cuchi** significa ACTIVO; pero, aunque esto parece verdad, tratándose del quichua peruano, como puede verlo cualquiera que consulte un diccionario de este idioma, por ejemplo, el de Torre Rubio, que tengo a la vista, y que fue publicado el año de 1700, yo que conozco el quichua del Ecuador como cualquiera de mis compatriotas indios, no pude resistirme a la tentación de distinguir, por su respectiva significación ecuatoriana, los vocablos **cuchi, cusi, cushi,** y aseguré, por ser cierto, que **cuchi** significaba CERDO, **cusi,** ACTIVO y **cushi,** ALEGRE.

No conocían los indios de mi país con otros nombres que los de **cuchi** o **chanchu** al paquidermo que en castellano se llama PUERCO o CERDO, en francés COCHON, en inglés HOG, en alemán SCHWEIN, en latín PORCUS, en griego COIROS, en sánscrito KIRAS, etc.

Lo han llamado y lo llamarán **cuchi** dichos indios, y aún los jíbaros de Gualaquiza, según me consta, por más que el señor Macías suponga que esta palabra no pertenece al quichua. Yo no sé a qué otra lengua podrá pertenecer, no siendo a su hermana la zapoteca, en la cual tiene el mismo significado. Abro el diccionario de González Holguín, adicionado por el notable religioso redentorista Padre Juan Alberto Lobato, indio talentoso y culto de nuestra provincia del Chimborazo, y doy con el significado del vocablo **cuchi.** Consulto el magistral vocabulario del sabio Padre Mossi y hallo que esta palabra significa lo propio en el sur del continente. Derecho me queda, por ello, para calificar de violenta la interpretación latina que le da el lingüista mejicano, haciéndola provenir de **COCTUS**, como si el CERDO desde vivo fuese cocinado (permítaseme la ocurrencia).

Curioso es observar que la voz **kuchi** es también japonesa, aunque con diversa significación, pues tiene la de BOCA. La que significa PUERCO es **buta.** Nada difícil es alardear de erudición con sólo hojear diccionarios.

Volviendo a la palabra **cuchi** de nuestros indios, es ella tan quichua, como lo son **chuchi**, POLLO; **ruchi**, caballejo de mala catadura; **muyuchi** tarima movible, que cuelgan para guardar algo: **suchi**, una planta de flores bellas y aromáticas (**Plumaria bicolor** R. et P.); **cuyuchi, ricuchi, tucuchi,** segundas personas del imperativo de los verbos **cuyuchina, ricuchina, tucuchina**... etc. La simple estructura de las palabras es, en una lengua, lo que en la sociedad suele llamarse **el aire de familia** que fácilmente da a conocer la parentela de que es miembro una persona.

Y es tan usado por los indios, tan antiguo, tan general el vocablo de que se trata, que, a más de emplearse en la conversación cotidiana, ha entrado en composición con otros varios. Asi se llama **Cuchipamba** (planicie de los cerdos) un lugar cercano a la comarca oriental de Gualaquiza; **Cuchipirca** (pared o corral de los puercos) un paraje de la parroquia de Girón, cabalmente aquél en que una bala peruana mató, en 1829, al famoso lancero de Colombia Pedro Camacaro. Asi se llaman también **Cuchichupa** (rabo de puerco) varias plantas criptógamos del género Lycopodium. Finalmente, así se llama, por apodo, **Cuchiquiru** a la persona que tiene dientes irregulares y sobrepuestos.

Pudiera citar mayor número de ejemplos; pero los tengo por innecesarios; porque no creo que nadie se incline a creer que de la pedantesca retorsión del verbo latino COQUO haya venido a resultar el vulgarísimo **cuchi** de los aborígenes de América. Aún en la suposición absurda de que así fuese, habría adquirido ya esta palabra, cuando menos por prescripción, el derecho de que nadie lo niegue su índole quichua. Ya lo dijo el Maestro, en su inmortal Epístola a los Pisones:—"**Licuit semperque licebit signatum presente nota producere nomen.**

FABULAS EN QUICHUA

Mal o bien traducidas, unas; originales otras, aunque, por lo mismo, malas, voy a poner en seguida algunas de las que he compuesto, a ratos perdidos, con el objeto de ensayar el idioma de los indios en ficcioncillas que puedan ser entendidas y recitadas por los niños indígenas de nuestras escuelas rurales, copiosamente frecuentadas por estos infelices en aquellas localidades en que la suerte de sus padres no es tan desvalida y triste como en otras.

Vaya una imitación de LOS GATOS ESCRUPULOSOS de Samaniego.

MANA JUCHALLIG MISICUNA

Ishcay jillu misicuna
cusashca chuchita ricun;
tucuman jahuayan; micun;
caspillata saquincuna.

¿Cay caspitapish micuna
cangatachu? nincuanami;
ña cushag huicupallami;
hurapish mana shutunchu...
Chasna nishpaca, ¿mucunchu?
Mana micunchu: juchami.

LAS MOSCAS, del mismo autor:

Ishcay huaranga chuspimi,
mishquita mutquish, shitarin;
chayan; millpun; chaymanataca,
llutarish, mana jatarin.
Chasnatami, jillu chuspi,
ñucanchi shungucunaca,
juchapi aullirishpa huañun,
sagsash amishca quipaca.

Bien se notará que no necesito copiar las fábulas de los autores que, a mi modo, interpreto. Fácil que las lea en el libro correspondiente quien lo tuviere a bien, y compare, en lo sustancial, el desarrollo del tema. Rara vez traduzco exactamente; las más de ellas me limito a exponer el pensamiento principal, variando cosas y aplicaciones en la manera que tengo por más aceptable para mi intento de escribir algunos de estos útiles juguetes en la lengua quichua.

EL RAPOSO, LA MUJER Y EL GALLO, del mismo.

ATUGTA UMAG CHUCHI

Jatun chuchitami
atug, amullishpa,
lluchush micungapag,
apacun cushilla.
Chaqui chaquipimi
catin shug huarmica,
"¡Jarcaychi! ¡jarcaychi!
ñucapimi" nishpa.
"¡Callpaychi! ¡japichi!
¡Sipishun caypilla,
huañush cacharichun
ñucapa chuchita!"
Atughuan rimashpa,
nimi chay chuchica:
"Mana paypag cani;
llullapi japilla".
"¡Chayca, ninmi atugca,
payllatami huillan;
mana cambag chuchi;
llullanguimi, china!"

Shimita pascanmi
chasna rimarishpa.
Chuchica yuraman,
quishpirishpa, sican.
Taquicunmi chaypi,
atugta umash quipa...
¡Ancha rimagcuna,
yuyaychi chuchita!

LA LECHERA, del mismo:

MUSPAG HUARMI

Cushillami apacun,
shug mushug shilapi,
cunanlla capishca
lecheta shug huarmi.
Rimaspami purin;
uyashun imami:—
"Cayta catushpaca,
micumuna randi,
malta huallpazhuya
randimushca chari".
"Cay huallpa huahuaca,
shug ishcay quillapi,
chunga ishcay quillapi,
chunga ishcay rurruta
churashpa, ugllangami".
"Tugyashca quipaca,
pi, pi; clug, clug nishpa,
catish puringami".
"Tucuyta catushpa,
chuchi jatunyagpi,
chanchuta randini,
quihuata carani".
"Paytapish catuni,
ña huiralla cagpi;
llashag cullquihuanca
vacata mashcani".
"Caypish cayandilla
bizita huachanmi.
¡Chayca, ricunimi.
jatunmi, yuragmi!"
Nishpaca, cushilla
tushunmi shilandi.
Lecheca, tushuyhuan,
tallirin pambapi... •
Huallpapish, chuchipish,
chanchupish, vacapish,

leche talliripi,
pichagta chingarin.
pichagta chingarin.
¡Mushpag runacuna,
cayta ama cungaychi!

LA GALLINA DE LOS HUEVOS DE ORO, de idem.

CURI RURRUTA CHURAG HUALLPA

Curi rurrutashi
punzhandi churashpa
causacug shug upa
runapa huallpaca.
Cayandi, minchandi,
rurruta paltashpa,
ñashi jundachicun
shug jatun cuzhata.
Huallpayugca ninshi:
¿imata shuyasha
chasna chulla chulla
shutuchicugtaca?
Pascashpa llugchishun;
achcami tianga.
Huigsata chillpishpa,
¿terinchu imataca?
Ñutu rurrullami
cuchupi tiashca.
Chaymi, punzha, punzha,
jatunyanman carca...
Tucuylla huanashun;
mana allichu chasna
manara pucugta
tandash micunaca.

CANIS NATANS, de Fedro.

LLANDUTA JAPIG ALLCU

Aychata shuashpa,
shug millay allcuca,
chimbananmi ricun,
yacupi huambushpa.
Shug allcuman rigchag,
paypagta llanduca,
aycha amullishcami
caticun ucuta.

Cay aychata ricun;
ashun cayta munan;
¡huag! nishpa, quichugrin...
¿imata quichunga?
Quiquin aychatami
cacharishpa churan.
Shinami, pandashpa,
tauca runacuna
micuyta cacharin,
llanduta ricushpa.

L'ECREVISSE ET SA FILLE, de La Fontaine

APANGURA CUNAY

¡Ñaupaman purichi!
purichi ñaupaman!
nispami cunacun
shug apanguraca,
paypag huitush purig
uchillacunata.
Mamaca, nishpachish,
llucanmi quingrayman,
yachachina randi,
chicanta rurrashpa.
Ñucaca ninimi
yachachigcunaman:
Rurash ricuchichi
yachacunataca.

LOS VIAJES, de Don Juan Eugenio Hartzembush:

UMAILLAG CHALLUA

Maypichari, shug jatun
challuata pigtush quipa,
casnashi payta japig
huiracuchca riman.
Cunanca, sumagllata,
surcusha chunzhullita;
huysaiquita mayllashpa,
huiñayta cachichisha.
Pimanspish catuhuasha,
umata pitish quipa;
may caru llagtamanpish
ringuimi chaquichishca.
¡Alau! nimi challuaca,

¡alau! uma illagpica,
¿imashinata caru
llagtacunaman risha?
¡Jay, pishishungu! ninmi
payhuahuata japigca,
tauca laichumi chasna
puricun muyundita.

EL PERRO, EL GALLO Y EL ZORRO, de autor desconocido para mí.

UMAGTA UMANA

Shug chuchi, shug allcu,
asishpa, rimashpa,
urcuman ricunmi,
purish cutingapa.
Sachaman yaycugpi,
japinmi tutaca.
Caypimi puñuypag
canchi, ninmi ishcayta.
Sicanmi chuchica
shug rambran yuraman;
allcuca sapipi
siririn curpalla.
Chuchica, loriagpi,
taquinmi sumagta.
¡Chayca, yalu shamun,
taquishcata uyashpa!
Sumaymanatami
taquingui, mashalla,
Asta uraycumuylla;
cuchuyquipi uyasha!
Ña uraycugrinimi,
canman taquingapa;
punguta pascachi
ninmi chuchihuahua.
Pambapimi puñun
ñuca huasicama;
utca rigacharichun,
huagtay sumagllata.
Yalu huagtagpica,
allcuca, rigchashpa,
caninmi, castunmi,
ñutuchingacama.
Chuchipish, allcupish
allitfa rurrarca:
umash tigzhinami
umasha nigtaca.

Copiaré los versos originales de esta graciosa fábula, que los sé de oidas, pues repito que ignoro de qué autor sea ella.

Un perro y un gallo
iban de camino,
contándose cuentos
como muy amigos.
En un despoblado
la noche les vino;
suspender el viaje
les era preciso.
De un árbol el gallo
se subió a un ramito,
y el perro en las raíces
se quedó dormido.
Al canto del gallo,
un zorro maldito,
del vecino bosque,
acudió muy listo.
¡Oh qué hermoso canto!
le dice, ladino;
baja, porque quiero
de más cerca oirlo.
Respóndele el gallo:
Ya bajo, querido;
pero antes la puerta
abrir es preciso.
Aquí abajo duerme
el portero mío;
para dispertarlo,
da dos golpecitos.
Oyele el raposo;
da con su enemigo;
este le agazapa
y ajusta el colmillo...
¡Vaya que lo tuvo
muy bien merecido!
pues quien a otro engaña
es, por ello, digno
de que se lo paguen
haciendo lo mismo.

LA ULTIMA COPITA, de Don Ricardo Palma.

QUIPA AMULLIMI JUCHAYUG

"¡Urmagrinishinaca! Muyundita
Cuyunmi huasicuna;
Chaqui mana pambapi sarumunchu;
Umapish aysacunmi, muspag, muspag.
Achcata upiarcanimi, upianataca,

Asuata caypi chaypi mugumushpa.
Chasnapish yuyanimi
Mayllag puricushcata tucuy punzha.
Ñuca masha Mishquirimi juyachug:
Paymi ñacalla curca,
Shug uchilla pilchpi,
Payapag pashquir, cunanlla timbucugta.
Cay quipa amullillami
Casna ñucta machachishpa churan".
Shinami pay sapalla rimaricun,
Pircapi saunarish, shug machag runa.
Cay upashinatami, tauca huaglli,
Punzhandi pandacushpa,
Panday huacana cuti chayagpica,
Cunan pandahcallata llaquincuna.

Como es muy graciosa y poco conocida entre la Juventud del Azuay la fábula que me ha suministrado tema para la mía ,recomiendo la lectura de ella.

LA CARAMBOLA, de Campoamor.

LLAQUICHIGPA LAQUI

Misita randishpa,
shug urcu runaca,
huasimanmi apacun,
huagrapi paltashpa.
Ricun mana ricun,
callpaylla, shug huambra,
huashata tispinmi
misipi chupata.
Huagrata, sisica,
aspinmi, nanayhuan;
huagra, piñarishpa,
jaytanmi huambrata.
¡Ama rurraychichu
jaycapi millayta;
pagta cutimunman
cancunamanllata!

CANES FAMELICI, de Federo.

YARCAYSAPA ALLCUCUNA

Shug ratag carata nuruchingaraycu,
Rumihuan ñitishpa, shug jatun yacupi,
Churanashi cashca pichari runaca,
Yarcag allcucuna chayta ricucugpi.
Cayandi punzhaca, ricug allcucuna,
Carata nayashpa, callpaylla shamunshi.

¿Imata rurranchi? ninshi ashun yuyagca:
Surcush micungapa, yacuta upiashunchi.
  Nishpaca, yacuman tucuy cumurishpa,
Upianshi, sagsanshi, punguinshi, chugchunshi;
Yacuca chasnata; Caraca chaypita;
Surcugrigcunaca tugyashpa tucurin.
  Mana canatac, yuyaycharig runa,
Ama callarichu: allcupa muscuymi.

EL ZAGAL Y LAS OVEJAS, de Samaniego.

LLULLAG HUAMBRA

  ¡Atug shamunmi! shamunmi!
¡tandarichi, michigcuna!
nishpami shug huaglli huambra
cutinpish cutinpish llullan.
  Ima atug mana ricurin.
Piñarinmi michigcuna.
Payca, chasnata llullashpa,
capericun tucuy punzha.
  Cayandica, jatunrucu,
shamuntami shug atugca;
huambrapag huagchuta micun;
quipaca allimanta urcuyan.
  Yangami michigcunata
huambra jacuy cayacurca.
Cutin llullacunmi nishpa,
sapalla saquircacuna.
  Llullapa shuti nishcapish
tucymanmi rigchan llulla.

EL LABRADOR Y LA PROVIDENCIA, del mismo.

APUNCHIPA RURRASHCACA TUCUY ALLIMI

  Paypag sumag chagrata,
Zhiru huacangacama jallmash quipa,
Samacunmi shug runa,
Capulis yura ucupi siririshpa.
  ¿Imanishpacha, ninmi,
Cay jatun, raprajunda, yurapica
Cachca ñutu muruta
Apunchipa yuyayca pucuchirca?
  ¿Manachu, cay pambapi,
Uchilla murucunata saquishpa,
Sapalluta huarcunman
Racu, sinchi, pucushca quirupica?
  Chasna rimaricugpi,
Apunchipa rurrashcata camishpa,

Singapi urmag murumi
Cay upaman yuyayta cutichirca.
¡Chayca, diajo! nircami,
Sapallu camba singapi urmagpica,
Ñachari, muspag runa,
Cunan chishi llapchishca huañunguiman!
Cay punzhamantapacha,
Ninguimi, singa jacuyta aspirishpa,
¿Pita, Yachag apunchi,
Can Yayapa rurrashcata allichinga?

Zhiru es una especie de cigarra que sirve como de reloj a nuestros indios; pues chirria a poco más de las cinco de la tarde, hora en que se alzan ellos precisamente de cualquier trabajo, diciendo: **Ña zhiru huacanmi,** ya llora el zhiru.

EL PATO Y LA SERPIENTE, de Don Tomás de Iriarte.

AMA TUCUYTA YACHASHCA NINGA

Pugyumanta llugshishpa,
Ñuñumaca nicunmi:
¿Ñucaman rigchagtaca
jaycapita ricurin?
Munashpaca, purini;
munashpaca, huambuni;
munashpaca, patpani:
¿tianchu chasna cusi?...
Cay shagshuta ricushpa,
ninmi shug malta chuchi:
Callpaypi mana atingui
tarugataca, turi;
mana challuahuan pagta
yacupica huambungui;
mana shararanshina
patpanguichu muyundi.
¡Tucytapish callarig,
mana imata tucuchig,
imallatapish alli
rurrashcata ticuchi!

VULPES AD PERSONAM TRAGICAN, de Fedro. No hago más que imitarla; no traduzco, según se habrá notado ya en muchas de las fábulas anteriores. Lo que procuro casi siempre es conservar el pensamiento del autor que cito.

YUYAG ILLAG UMA

Caspimanta rurrashca
shug laychuta ricushpa,

alli mutquishpa quipa,
casnami nin yaluca:
¡Cachca sumag ñahuichu
mana charin ñutcuta!
Cay caspilaychumanmi
rigchan maycanpag uma:
canzhataca llipiacug;
ucutaca purulla.

LA PAVA Y LA HORMIGA, de Samaniego:

UCHILLACUNAPAG LLAQUI

"Alau! imashinata quishpirinchi
Cay laychucunamanta?
Tucuyllami ñucanchita huañuchin,
Ashllata jatunyagpi, micungapa.
¿Ima junciata tian
Mana shug aya pavuhuan cashpaca?
Ñucanchipag aychaschi yalli mishqui;
Laychucunapa jillu paymi canga.
Cungata pitin, lluchun, yanun, causan;
Chaymantaca saquinmi tullullata".
Chasnashi, nanarishpa,
Sapalla rimaricun pavuyaya.
Ñatag shug ñutu chuspi,
Carullapi tiarishpa, ninshi cayta:
"Ama cungaychu, rucu, juchayquita.
Canpish chuspicunata
Punzha punzha micushpami causangui;
Yangami camicungui laychutaca".
Callarimantapacha, jatuncuna
Micunmi uchillataca;
Micushpami catinga
Cay pacha jacuy tucuringacama.

EL CONGRESO DE LOS RATONES, del mismo.

UCUCHACUNAPAG YUYAY

Pichcachunga ucucha,
shug pura cuchupi,
rimacuncunami,
misi puñucugpi:
"Chunaquimsatami
caynalla huañuchin;
puchucasha ninmi;
¿imata tucunchi?
Manapish jillushpa,
pugllash puricugpi,

shitarishpa llapchin,
umata ñutuchin.
Ñucanchica mana
misita ricunchi;
payca ñucanchita
amsapi ricunmi.
Mana mutquinchichu
pay muyumucugpi;
payca maymantapish
ñucanchita mutquin.
Miticunchimancha
cay curu shamugpi,
ñatag tutapimi
cungachishpa purin.
Ña mana causaychu;
¿imata tucunchi?
Ashun yachagcuna
yuyashpa ricuychi..."
Tauca chasnallata
llaquish rimacugpi,
shug rucu ucuchami
casna nishpa llugshin:
"Ñucapa yuyaymi
caytaca tucuchin,
quishish causangapa,
casna rurrashunchi:
Ricushcanguichimi
dansa tushucugpi,
cascabel nishcaca
tintilin nicunmi.
Misipa cungapi
chayta huarcushunchi;
chasnaca maypipish
shamugta uyashunmi".
"Alli ningui, masha!
may allimi, turi!
cascabel tianmi;
utcash huatashunchi!"...
Tucyllami munan;
tucuyllami cushin.
Ñatag ¿pita huatan?—
Upallanmi tucuy.

EL RAPOSO ENFERMO, de idem.

HUAÑUCUG ATUG

Shug atugmi huañucun,
May rucuyangacama cauash quipa.

Paypag urcu machaypi
Rigchag ayllucunami tandarishca.
"¡Chayca ricuychi, ninmi,
Imashinami causay tucurinlla!...
Cunanmi shuashcata
Yuyarini; cunanmi, manchachishpa,
Tucuy huallpa jatarin,
Tucuy huagchu ñucapa huañuchishca.
Yahuarllami, shutushpa,
Cunan ricurin ñuca ñahuipica.
¡Huanaychi cancunaca!
Amapita jaycapi huañuchishpa,
Murullata micuychi:
Atug chugllu, juyapa maymi tian".
Huacashpa cunacugpi,
Uyarinmi canzhapi **clug! clug!** nishca.
Tucuyllami, callpashpa,
Canzhaman llugshin, huallpata mutquishpa.
Caparishpami nin ungug yayaca:
"¡Japichi ñucampish shug chuchita!
Ycha paypag aychazhuta micushpa,
Cay millay unguymanta jambirisha!"

YAPUG CHUSPI

Huagra yapucugpi,
cachca ñacarishpa,
armapimi ricun
shug ñutu chuspica,
jaytaylla jaytashpa,
yapunchimi nishpa.
Cay chuspishinami
maycan ili runa,
ancha rurrag tucun,
mana imata rurran.

Traducción

Araban los bueyes
con sumo trabajo
y una mosca insulsa
pateaba el arado,
diciendo: ¡que vean
lo mucho que aramos!
Como el vil insecto,
diferentes maulas .
fingen hacer mucho,
cuando no hacen nada.

RANA RUPTA, de Federo.

TUGYAG JAMBATU

Huagrata ricush quipa, shug jambatu,
Shayarishpa nircashi:
"¿Canllachu jatunrucu cuyucungui?
Ñucapish, jatarish, jatunyashami".
Shutita shayarishpa punguillinmi;
Ñatag, huiñana randi,
Huayrata ñacarishpa millpucugpi,
Huayra tacashca huigsaca tugyanmi.
Uyaychi, runacuna;
Jambatupi churashpami cunami:
Uchillaca ama jaycapi punguichun;
Tugyashpa huañungami.

EL CAMELLO Y LA PULGA, de Samaniego.

PIQUIPA LLASHAY

Jatun rumita apachishca,
"Huacashpa ninmi llamaca:
¡Urmanimi! huañushami!
Yanapaychi! maymi llashan!"
Shamucushcami shug piqui
Rumijahuapi sicashca .
Payllami, llaquig tucushpa,
Uray shitarin pambaman,
Ama llamingu huañuchun
Piquipa jatun llashayhuan.
Taucami, cay piquishina,
Cungarin ñutu cashcata.

EL BURRO FLAUTISTA, de Iriarte.

PINGULLUG BURRU

¿Pichari jichurca
shug pingullutaca?
Burrupa ñaupagpi
sirinmi shitashca.
Huiruchari, nishpa,
mutquigrimi upaca.
¡Chayca, pingulluca
(¿pita ninman carca?)
huacaylla huacanmi,
Burrupa samayhuan!...
Pingullur canica
diasqui! ninmi payca.
Puripagmi cani

cunamantapacha,
taquish, tushuchishpa
maypipish danzata.
Shugcuna tianmi
cay Burrushinaca:
pingullupi pucun,
manapish munashpa;
chaymantaca muspan
ancha yachanata.

EL RATON DE LA CORTE Y EL DEL CAMPO, de Samaniego.

ISHCAY UCUCHA

Shug chayug huasipi
causacug ucucha
sacha ucuchatami
mingash pushamushca.
Huasita purichin
tucuyta muyushpa:
chaymantaca yaycun
pay causana ucuman.
Usucunmi chaypi
tauca jillucuna:
munashpaca, tanda ,
munashpaca, chugmal;
aychata nishpapish,
shug charqui huayunga.
"Tucuymi ñucapag;
agllashpa micuylla;
caypi chaypi castuy",
ninmi huasiugca.
Huarcuracushcami
shug jatun cuchi uma;
chaymanmi mashaca
sicanata yuyan.
Ñapish huichaycugpi,
¡chayca yaycumunca
micug rurrag huarmi,
misita apamushpa!...
Urmash, jatarishpa,
ishcay shuacuna
callpanmi huayralla
shug pirca jutcuman.
Quishpin mana quishpin,
manchayhuan chugchushpa,
shamuglla ucuchaca
ninmi huaiugman:
"Micucuylla, huauqui,
chaytucuy jilluta;

caychaqui ñucaca
cutinimi urcuman".
"Huhual murutami
chaypica micusha;
ñatag mana chasna
chugchush miticushpa".

EL PATO Y LA SERPIENTE, de Iriarte.

SHAGSHU ÑUÑUMA

Cuchamanta llugshishpa,
shug ñuñuma nicunmi:
"Ñucaman rigchagtaca
¿Jaycapita ricurin?
"Munashpaca, purini;
munashpaca, huambuni;
munashpaca, pahuani:
¿tianchu chasna cusi?"...
Cay shagshuta uyashpaca,
ninmi shug malta chuchi:
"Callpaypi, mana atingui
tarugataca, turi;"
"Mana challuahuan pagta
yacupica huambungui;
mana shararán shina
pahuanguichu muyundi".
Tucuyta rurragmanca,
tucuymi panda llugshin;
imallatapish, shagshu,
rurrashpaca, alli rurray".

RANA RUPTA, de Fedro. (Escójase entre ésta y la de la pág. 401)

TUGYAG UCUG

Ucug, llugshishpa
shug guzumanta,
huagara cuchuman
rinmi, llucashpa.
"Cunan ricushun,
manachu paytag
yalli tucuni",
ninmi muspagca.
Maymi ñacarin,
jatunyangapa;
maymi punguillin,
tugayangacama.

Ucugshinami
cutucunaca
tugyashpa huañun,
punguillishpaca.

LUPUS ET AGNUS, de Fedro.

MILLAY ATUGPA LLULLA

Yacuta upiangaraycu,
sapallami shug uña,
paypag cuyag mamata
maypichari saquishpa, chayamushca.
Sachamanta llugshishpa,
"Ñucapish upagrigpi,
mapayachish churanguimi yacuta".
—¿Imashinata canman
mapayachisha ñuca?
Urapimi upiacuni:
Yacu mana cutinchu camba urcuman.
—Cunami yuyarini,
ninmi millay atugca;
sarun huata asircangui,
ñuca sisuyug cashcata ricushpa.
—¿Imashinata asiman
sarun huataca? Pusag
quillayugllami cani:
¿Manachu canpish ricucungui, llulla?
—Yayayquichari asirca,
nishpami chay jacuyca
uña huahuata chugrin
lluchun, micun, cuyaylla huacacugta.
Chay atughuanpagtami,
manapish juchayugta,
llullash, sipin, tucuchin,
millpush causangaraycu, supay runa.

CERVUS A CORNIBUS IMPEDITUS, de Fedro.

GACHUSAPA TARUGA

Paypag sumag gachuta ricungapa,
Pugyumanmi chayarin shug taruga.
Manyapi shayarishpa, maymi cushin,
chay quingu pallcapallcata ricushpa.
Ninmi, umata chaspishpa, cay shagshuca;
Changallami ancha ñañu; pingachinmi
Cay chuscu millanaypag chagllacuna.
Chasna rimaricugpi, rigchag allcu
Shitarinmi, huagnushpa, tushumushpa.

Payca, shamugta ricun, mana ricun,
Chupata shayachish, callpanmi urcuman.
Chayca, quishpichigrinmi paypag chuscu,
Ñacallapi camishca chagllacuna...
¿Imata quishpichinga? Raprapimi
Aullirishpa saquirin, callpacushpa.
Chay pallcasapa gachumi juchayug;
Chayta charishcamantami huañunga.
Mana sumagta, allitami ricushun,
Yuyayta charishpaca, huauquicuna.

LOS DOS CONEJOS, de Samaniego?

ISHCAY UPA CUNU

Callpaylla callpashpa,
allcu caticugpi,
sachaucumantami
shug cunuca llugshin.
Paypag cuchullapi
shayarishpa, shugpish,
¿mayman ringui?, ninmi;
Shuyay, rimashunchi.
—¡Imata rimasha!
maymi shaycumuni;
ishcay yurag allcu
catipi shamunmi.
—Alli ninguitaca;
cunanmi ricuni;
ñatag mana yurag.
—¿Imata?
—Quillumi.
—Pandanguimi, masha.
—Canmi pandacungui.
—Ishcayta yuragmi.
—Ishcayta quillumi.
—¡Muscunguishinaca!
—Canchari muscungui.
—Quillumi.
—Yuragmi...
Chasna ninacushpa,
ña piñaricugpi,
allcucuna chayan,
ishcayta ñutuchin.
Maycan upacuna
may rimaricugpi,
chasnami llaquica
rimayta tucuchin.

Imitación de LA ARDILLA Y EL CABALLO, de Iriarte.

YANGA CUYURIG

Cuchinanmi chucurillu
chasna riman: "Uyay, cuchi,
¿imata, pambayquipi
chutarishca, rurracungui?
Ñuca rini, caruyani;
cayta chayta muyumuni;
cacamanta, yuramanta
shitarini, cusicusi;
Callpay callpay caruyani;
huayra huayra cutimuni.
Can llashagca chayllapita
rumishina siricungui".
—"Pandanguimi, chucurillu,
huaglli curu, ninmi cuchi,
cambag callpay, cambag chingay,
cambag shamuy, cambag muyuy,
cambag shamuy, cambag muyuy,
cambag challi causayhuanca
¿imatata surcucungui?
Sirishpapish, mana ñuca
yangallachu siricuni:
huirapimi cutichisha
micushcata, maycan cuti.
Can millayca, huañush quipa,
Sachaucupimi asnacungui.
Yuyarilla, guaglli runa,
llagta muyug, yunga purig;
can huanachunmi caytaca
calluyquipi quillcacuni.

Imitación de PASER ET LUPUS, de Fedro.

MILLAY SUGSUG

Quillillicumi, japishpa,
lluchucun urpihuhuata.
Sugsugca, chayta ricushpa,
Asinmi carullamanta.
Ñatag, ashun asicugpi,
shitarishpa, jatun anga,
japin, apan, llustin, micun
paytapish, urpishinata.
Chasnami millayshunguman
catipi llaquica chayan.

De EL COJO Y UN PICARON, de Samaniego.

JANCA

Shug jancami ñanta ricun,
cumurishpa caypi chaypi,
lluqui rigrata sauñashpa
shug taunapi.
Shug millay lungu, ricushpa,
¿Jancachu? nishpami camin:
¡Atatay! Shug, ishcay, quimsa;
¡jancatami!...
May piñarishpa, jancaca,
taunahuanta huicupanmi,
chugchug, urmag saquirishpa
shug changapi.
Mana callpanichu, ninmi,
chayllami ñucapag llaqui;
¡canta japish llapchingapa,
lungu jacuy!
¿Imajahuata camingui?
¿ñucachu juchayug cani?
Jancayca pay Apunchipa
rurrashcami.

De RANAE AD SOLEM, de Fedro.

INTIPA CAZARAY

Shug vuti, Rupay, huarmita mashcashpa,
Pani Quillahuan cazarasha nigpi,
Cullshigcunaca, huañuy mancharishpa,
cuchapi ninshi:
—¡Alau! tucuylla chuntayashun chari,
pay, cazarashpa, churita charigpi;
cunan, sapalla cashpapaish, guzuta
yaca chaquichin.
Huarmita mashcag, supay laychucuna,
ama jaycapi cayta cungarichi:
Runacunaman, atugpa mirayca
jatun llaquimi.

De EL LABRADOR Y LA PROVIDENCIA, de Semaniego.

YUYAG ILLAG RUNA

(Variante de la pág. 396).

Huhual chaquipi llandushpa,
siricunmi shug runaca.
¡Sumaymana yurarucu!

ninmi, azhanlla ricurashpa.
Murullami mana racu:
¿pandanchu Apunchi yayaca,
jatun yurapa raprapi
ñutu muyuta churashpa?
Sapallutami huarcuyman
caracani, ñuca cashpaca.
Chasna muspash rimacugpi,
yurata chaspinmi huayra;
shug muru pitirish urman;
runapa singata huagtan.
¡Ayau! ninmi, jatarishpa;
sapallurucu cashpaca,
ñacha, singata, jazhandi
paquishpa churanman carca...
Muspag runa, may allimi
Apunchipag rurrashcaca.

De LAS DOS RANAS, de Samaniego.

ISHCAY JAMBATU

Shug jambatumi guzupi causan;
shugca ñanta llucashpa puricun.
Guzu ucupi huasiugca ninmi:
Ama chasna cay ñanta purichu;
Huagracuna llapchish shitangami;
punzha punzhami ricun cuticun.
—Mana, ninmi, chay shug rumiuca;
mana imata manchash causanichu;
Caypitami purish huiñashcani:
Nishca quipa, ñan chaupillapita
tucuy punzha llucacun, siricun.
Chayca uraycun shug quita urcumanta;
sarun, llapchin... ¿Imata nishun?
Ñutuchishca chunzhullitami,
chayshug ucug llugshishpaca, ricun.
¡Huambracuna, yuyaypi, shungupi
alli cushca cunayta chasquichun!

De EL PESCADOR Y EL PEZ, de Samaniego.

LLULLU CHALLUA

¡Asta cacharihuay!
uchillami cani;
chayshug huatapaca
jatunyasha chari.
Shitahuay yacupi;
may cutumi cani;
cunan micushpaca,

ashunmi yarcagni.
Chasnami shug challua
cuyaylla mañarin,
shug runa japishpa,
nastipi churagpi.
Mana, ninmi cayca,
cunan chishitami
cusashpa micusha,
cacharina randi.
¿Can jatunyacugta
ñuca shuyaymanshi?
shamug huatacama
huañugpagmi cani.
Upallash jaculla:
shug upacunami,
jatunta munashpa,
cututa cacharin.

De EL ASNO Y LAS RANAS, de Samaniego.

YANGA PIÑARIG LLAMA

Huiñayta shaycushpa,
ricunmi yantahuan
shug mauca llamingu
maychari llagtaman.
Jumbishpa, chugchushpa,
rumipi ñitcashpa,
ña tigranmi urcuta,
ña uraycun huashaman.
Chayca shug guzuta
chimbagrinmi... chayca
pambarish ucuyan
yanta caspicama.
Jaytashpa, singushpa,
manchayta piñashpa,
huañuytami munan,
supaytami cayan...
Guzu chullshigcuna,
cay rucuta uyashpa,
nincari tucuylla:
¡Muspanguimi, tayta!
Yangami, tushushpa,
cayangui supayta.
¿Supaychu shamunga
canta llugchingapa?
Ricunguiman, upa,
cay chullshigcunata:
guzupimi pugllan,
turupimi causan.

Apunchipa munay
cuchapi churarca;
cunanca paycuna
cuyanmi cuchata...
Llaquisapa runa,
yachacuylla cayta,
llaquipish ñutulla
tucuchun nishpaca:
Chasquichun shunguhuan
Apupa munayta.

JILLU CHUSPICUNA

Maymi chuspicuna
jundarimun, huambra;
ricuy: chay cullcupi
mishquimi tianga.
Mana tandarinchu
cay piricunaca,
mana ima jilluta
mutquishca quipaca.
Chasnami, muyundi,
maycampa junciaman,
callpash, shitarimun,
caymanta chaymanta,
tauca runacuna,
mugush machangapa.
Maymi cuyag tucun;
maymi ugllan mashata:
¿imapata llullan?
azutami mashcan.

Traducción

Enjambre de moscas
al tronco se agrupa;
ten cuenta, muchacho:
la miel es segura.
Jamás estos bichos
insulsos se juntan,
si el olor del dulce
no los estimula.
No de otra manera
las indianas turbas,
en fiesta que huelen
corriendo se agrupan,
por beber a costa
del bobo que suda.
Oh, cómo al prioste
lo alaban y adulan!

Mienten' los bellacos:
chicha es lo que buscan...

MONS PARTURIENS, de Fedro.

UCUPA HUACHAY

Jatun urcumi, huacashpa,
manchanaypata caparin,
chugchun, chaspirin, chigtarin,
tuñirish urman rigchashpa.
Cunanshi, huigsayug cashpa,
mirangapa ñacaricun...
¡Chayca, ña huahua siricun!
¡Chayarish ricuychi imami!...
Shug piri ucuchallatami
tucuypa ñahuica ricun!

MILVIUS ET COLUMBAE, de Fedro.

URPICUNAPAG APU

Canhuanuacunaca maymi machanguichi,
Charcu, quillillicu, ushcuta ricushpa:
Maymampish callpashpa, maypipish chugchushpa...
¿Imashina chari chasna causanguichi?
Ñucapa cuchuman tucuy tandarichi;
Ñuca, cancunapa Curaca tucushpa,
Tucuyta cuyashpa, tandaylla muyushpa,
Punzhandi camasha: cayta yuyarichi.
Angami rimacun.—Una urpicunaca
Tucuylla ari ninmi; paymi shayaringa
Ñucanchipag apu, ñucanchi Curaca.
Shayarircatami; ñatag, ¿pita ninga?
Micush tucuchinmi urpicunataca.
¿Quispinchu maycanpish? ¡Imata quishpinga!

MILLAYCA MANA HUANANCHU

Shug rucu atugmi,
tugllapi urmashpa,
yacalla huañun
sarun punzhaca.
Chugrichugrilla,
jancajancalla,
llucash ricunmi
sacha quingrayta.
Chaypimi ricun
uña huahuata,
huañucushpapish
aychanayashpa.

"Curipitilla,
chayari cayman;
asta jambihuay",
ninmi supayca.
Curipitica,
carullamanta,
"Anchuri, rucu!"
ninmi ungugmancà.
Urmacushpapish,
ñucapa aychata
munacunguimi,
jambiringapa.
Tucuymi rigsin
can huagllitaca:
atugca atugmi
huañungacama.

De EL OSO, LA MONA Y EL CERDO, de Iriarte.

DANSA TUCUG UTURUNGU

Dansa tucushpami,
shug uturunguca,
machi ricucugpi,
tushuylla tushurca.
Tapunmi machiman
¿allichu tushuyca?
¿imata alli canga?
ninmi manchizhuca.
Shug punzha, llugshishpa,
paypish ricucushpa,
maymi sumag, ninmi;
punzhandi tushuylla.
Cuchita uyashpaca,
chay uturunguca,
chasnami rimarin,
yuyaypi yaycushpa:
Machimanca millay;
cuchimanca sumag,
¿imata alli canga
ñucapac tushuyca?
Masna rurraypipish,
may uturungupa
nishcata yuyashpa
purishun tucuylla:
yachagpa camita
manchayhuan ricushpa,
upapa **añañayta**
manchashun ashuntag.

AQUILA, FELIS ET APER, de Fedro.

MISIPAG AULLI

Shug yurallapita
quimsami cuzhashca,
charcuca zhaprapi,
misica urallaman,
cuchica sapipi,
ashallata allashpa.
Caspipa jutcumi
misipa machayca.
Shug punzha, llugshishpa,
rinmi charcupagman,
may manchag tucushpa,
casna rimangapa:
¡Pagta cuyunguiman
cambag cuzhamanta!
Chapaypagmi cangui
cay cuchi milayta.
¿Manachu rincungui
masnatami allashca,
yurata urmachishpa,
tucuy micungapa ,
cambag chuchizhata,
ñucapa huahuata?
Chasna nishca quipa,
shamunmi pambaman,
may chugchug tucushpa,
cuchiman ningapa:
¡Ama cuyunguichu
yura chaquimanta!
Chay millay charcuca
chapayllami chapan
ñucanchi llugshigta,
japish millpungapag
cambag cuchizhuta,
ñucapag huahuata.
Ñuca cuzhapimi
caynami ñucata.
Ishcandita aullishpa,
cutinmi cuzhaman.
Chaypimi puñushpa
siricun punzhaca;
tutayagllapimi
llugshish rin cungaylla,
cayandi micuyta
mashcarimungapa.
Charcuca, cuchica,
huahuata cuyashpa
cuzhapi pacarin,
cuzhapi tutayan.

¿Imata micunga,
mana llugshishpaca?
Ishcayta, huahuandi,
huañunmi yarcayhuan.
Misipami juncia
tucuypag aychaca.
¡Masna llaquipimi
churan shug millayca,
pay millpungaraycu
taucata llullashpa!

PIÑA QUISQUI

Jatun sachamanta
ña quita llugshinmi;
chungaishcay allcumi
catimun chaquipi.
Ña runacunapish
callpash shitarinmi;
tucuyllami anguta
chaspicun maquipi.
Caparicunami;
ñallami japigrin;
allcumi muyushca
shug guzu chaupipi.
Carumanta uyashpa
shug uchilla quisqui,
uchupapi puñug,
mashaspalla sirig,
millanaypag mapa,
manchanaypag ili,
paypish nigtucushpa
¡huag! nishpa llugshimi.
Tucuy runatami
cay llausaca asichin.
Chasnatami ñuca
piñarishpa asini,
maycan irqui huambra
cariyashpa nigpi.

ASINUS EL LEO VENANTES, de Fedro.

SHIMILLAMI

Pumashi, mingashpa, urcuman **burruta**
tarugacunata japingapa, aparca.
Canmi caparingui, mancharish llugshichun;
ñucami japisha, nircashi pumaca.
Shug pura machaypi pacashpashi churan,
may caparicuchun, chay ringrisapata.

Payca shug quichquipi shayash chapacunshi,
taruga callpagpi llapchish churangapa.
Urcupish chugchugta, caparicuntashi
mingashca jacuyca, machay ucumanta,
mancharinshi tucuy sacha curucuna,
miticush callpanshi tarugacunaca.
Burruca huacacun; pumaca japicun;
chasnashi urcupica chisian ishcayta.
Chaymantaca puma, burruta llugchishpa,
Cuchijundallashi ricuchin aychata.
¡Cachcatachu ñuca huañuchish churani
sumag tungurihuan! nishi chay upaca.
Asishpashi puma casna cutichirca:
¿Shug chuspillatapish japinguichu canca?
¡Ama piñachichu! ñucapa maquimi
cay chacuta rurran. ¿Shimillacunaca
pitata huañuchin? caparishpallami,
Can pagllungushina cay pachapi causan.

De EL LABRADOR Y SUS HIJOS, de Esopo.

CHAYUGYANGAPAG

Shug rucu, huañugricushpa,
casnami churiman nirca:
Chay pambapimi saquirin
tucuy ñucapa charishca:
allanguilla; cay allpami
cantaca chayugyachinga.
Payta pamban mana pamban,
allanmi, allanmi churica;
tucuy allpata cuyuchin;
rumita surcushpa shitan;
mana shug cuchuta saquin,
callaymanta tigrachishpa.
Caypimi cullquita canga;
caypimi canga curica,
nishpami allacun allacun,
allacun huata yallita.
Mana imatapish tarinchu,
tucuyta allarashca quipa:
¿imata tarinman carca
cachca chushag allpapica?
Huirutami tarpugrini,
nircami, may piñarishpa,
tucuyta alashca quipaca,
¿imajahuata saquisha?
¡Icha huarapullatapish
upiacusha, pucugpica!
Cayandica tarpush churan.
¡Allitapish yuyarirca!

chay ñutu, chay samba allpapi,
sumaymana jatarishpa,
suni, racu, quichqui pucun
huiruca tauca cutita.
¡Chayca cullqui! chayca curi!
ninmi allash causag churica;
allitapish ñuca yaya
umag tucushpa saquirca!
chayugyachig cashcatami
huirupish ñutu allpapica.
Chaytami ñucapish nini;
allpayugcuna uyaychilla;
maymi alli chagraca pucun
curi· allashca pambapica.

VULPES ET UVA. de Fedro.

MANARA PUCUNCHU

Rambran yurapimi
tacsu quilluyacun.
Micusha nishpami
yaluca chapacun.
¿Imashina chari
sicashpa japisha?
¿imata, ricushca
quipaca, saquisha?
Nishpami aspiricun
cullcuman llucashpa;
ñatag, chunga cuti
pambaman urmashpa.
Yangalla shaycushpa,
yanga huagtarishpa,
tagsuta saquinmi,
llulluranmi nishpa.
Cay yalushinami
ñucanchi runaca
llullurami ninchi
mana caypagtaca.

CURI RURRU CHURAG HUALLPA

(Variante de la pág. 391)

Shug curi rurru churag huallpatashi
Maypichari shug rucuca charirca;
Punzha punzhashi shugta churag carca,
Cuzhapi quilluyacugta saquishpa.
Rucuca shug rurruta, ishcay, quimsata,
Chungatapish pitush japishca quipa,
Shug cutilla pasagta munashpashi,

Paypag sumag huallpata huañuchirca.
 Huigsata chillpishpashi, mashcaracun.
¿Imata muspag yayaca taringa?
Cunan huiñashpa rig rurrucanapish
Uchilla murullashi huigsapica.
 Yallita munashpami, cay rucuca,
Chushag maqui huacashpa saquirirca.
Pachacamagpa cushcata chasquishun,
Mana ashumpi muspashpa, ñucanchica.

EL ASNO CARGADO DE RELIQUIAS, de Samaniego.

UPA LLAMINGU

 Santuta apachishca,
sunicunga llama,
umata chaspishpa,
ricunmi junciaman.
 Santuta ricushpa,
ñanta rigcunaca,
cungurin tucuylla,
maquita churashpa.
 Llaminguca ninmi:
—Caycuna ñucapa
sumag chaquipimi
cungurin tandaylla.
 Jatunmi cashcani,
¿pita ninman carca?
May cuyarishami
cunanmantapacha.
 Nishpaca, ashuntami
shayachin cungata;
sinchitami pucun
llapchi singa huanca.
 Shug allcuca, asishpa,
ninmi cay upaman:
—¿Pita cunguringa
can upamantaca?
Huashayquipi santu
ricunmi paltashca;
paymanmi mañacun
cungurigcunaca
tamiata cachachun
tugtucug chagraman.
 Cay llamashinami
punguillin maycanca,
imalla junciapi
pendonta marcashpa.
Shug allcuhuanchari
rimachina canman.

EL LATIGO, de Don Juan Eugenio Hartzembush.

SHUAPAG LLAQUI

Shug paya huarmini huascata rurracun,
Maquipi, changapi pagpata caupushpa,
Huambrami shuashca, mana canzhayagpi,
Paypish ahuangapa, shug pagpa maytuta.
Mamaca saquinmi huascata caupuchun;
Chaymantaca, racu cashcata ricushpa,
Llatan siricugpi, cungaylla japishpa,
Chay huascahuanllata, tigshinmi lunguta.
Huagra llustigcuna, cayta yuyarichi;
Ama amsa tutapi callpaychichu urcuman;
¡Pagtapish, carata cuchush anguchigpi,
Huagrata chingachig japishpa lluchuman!

De LA RANA Y LA GALLINA, de Iriarte.

RURRU CHURAG HUALLPA

¡**Cararag**! nishpami shug huallpa huillacun
Cunanlla cuzhapi rurru churashcata.
Jambatuca, uyashpa, carullamantami
Camicun huallpata.
¡Carishina! ninmi, caparicunguica,
Shug chulla rurruta huachashca quipaca;
Pichcachungallapish, tandaricugpica,
¡Imachari canman!
Huallpaca, guzuman chayarig tucushpa,
¡Anchuy, llausa! ninmi, ¿cunganguichu canca
Cambag, tuta punzha, turu machayquipi,
huirarag nishcata?
Churanimi ñuca shug rurrullatapish,
Chasna caparishpa chayta huillangapa;
Can yangamicugca ¿imata churangui
Caparingapaca?...
Maycan shagshumanmi cayta quillcacuni,
Yalli rimarigpi jatarish ningapa:
¡Uyay, camchashimi, shugllatapish churay,
Rimaringapaca!

De ASINUS EGREGIE CORDATUS, de Fedro.

HUAGCHACA MANA MANCHANCHU

¡Japigcuna shamunmi! jatari!
Miticushpa callpashun urcuman!...
Chasna nishpami laychu tangacun
Chutarishpa siricug **burruta**.
—¿Imata callpasha ñucaca?

Japigcuna chutash apachunlla.
Aparishpallatami causani;
Aparishpallatami huañusha.
Ñucashina huagchaca mana ima
Manchanata charinchu. Cancuna
Urcuyashpa, cacapi masnacaychi
Pacacush quishpirina jutcuta.

De ASINUS ET GALLI, de Fedro.

MANA TUCURIG LLAQUI

Imacha llagtapi
causanashi cashca,
yalli ñacarishpa,
shug allcu huahuaca.
Cuchitashi michin
loriamantapacha,
urcupi purishpa
tutayangacama.
Amsayagricugpi,
ñashi huatarashca,
huagrapa chaquipi
shayacun cuyaylla,
ama shuacuna
llustichun huagrata.
Lorian mana Lorian,
cuchita pushashpa;
cutin mana cutin,
mutquishpa shuata;
Tamiapi jucushca;
turupi llutashca;
rupay camchacugpi
calluta chutashpa.
Micunaca pishi;
caspica sagsagta,
chasnashi rucuman
allcuca chayarca,
chushag tullupapi
saquiringacama.
Ña huañugricushpa
nircashi: "Cunanca
samagrinitami
tucuy allpayashpa".
¡Huañunmi! ¿Samanchu?
¿Imata samanga?
Huasi huambracuna
lluchunshi carata,
millmata anchuchinshi,
rurranshi huancarta,

turundun nichishpa
huagtaracungapa.
¡Huañushca quipapish,
Huagchami huagchaca!

De LOS DOS AMIGOS Y EL OSO, de Samaniego.

PUMATA UMAG RUNA

Ishcay runacuna
yantacunmi urcupi.
¡Chayca jatun puma
callpaylla shamunmi!
Shugca, mancharishpa,
yuraman sicanmi;
chayshugca, ayashina,
pambapi chutarin.
Puma, chayamushpa,
mutquinmi caytaca:
Caynami huandushca,
ninmi, cay runaca.
Ñami asnay callarin;
¿imata micusha?
ismuchunlla caypi,
tarishami shugta.
Nishpaca, saquimi,
ñanta caruyashpa,
Asishpa, catipi
jatarinmi ayaca.
Yurapi, chayshugca
chayra huarcurishpa,
unaytami shuyan
puma chingarigta.
Uyay, huauqui, ninmi,
uraycush quipaca,
mayllami cushini
can quishpirishcata.
Cunanca asta huillay
imatami puma,
cachca chayarishpa,
canhuan rimacurca.
—Ari, ninmi; caymi
paypag rimashcaca:
Utca carcush cachay
pishishungutaca.
Maycan llaquipica,
payra miticushpa,
cantami saquinga
sapalla huañugta.

De VACCA, CAPELLA, OVIS ET LEO, de Fedro.

PUMACA PUMAMI

Tarugatami,
urcuman rishpa,
ishcay allculla
catish japishca,
sachapi, ugshapi
shaycushca quipa.
Ñami lluchushca;
¿picha raquinga,
ama micuchun
pipish yallita?
Pumami shamun;
paimi chaupinga.
Chayarin, mutquin;
castun ringrita;
aymi mishquillin;
casnami riman:
—Quimsachinami
canchi caypica;
changacunata
ñuca japisha;
mana yangachu
puma shutica.
Rigrata cushun
ashun cariman;
nichi cancuna
pimi carica.
Puchug aychata
micusha nishpa,
cancuna huaglli
chayarigpica,
cay pambapimi
nitish llapchischa.
Chunzhullindimi
tucuy quipishca,
quiquin carapi,
cunan chishita,
ñuca machayman
pichagta ringa.
Nishpaca, ujunmi,
piñarigshina.
Allcucunaca,
llaquillaquilla,
cutishpa rinmi
paypag huasiman .

De EL VIEJO Y LA MUERTE, de Samaniego.

HUAÑUYTA CAYAG RUCU

Jatarin, urman,
urman, jatarin,
nishpami purin
urcu quingraypi
shug irqui rucu
tayta Sihuanchi;
yatami llashan
cumu huashapi.
Anchami jumbin;
maymi ñacarin;
changa chugchuyhuan
cutin urmanmi;
chayca singunmi
lluchca pambapi;
chayca yantaca
tucuy shiguarin...
Turupi aullishca,
¡Diajo! nishpami
umata aspirin,
yanga jaytarin,
cutimpish singun
lluchca pambapi.
Anchami huacan;
maymi piñarin ;
millay huañuyta
tushush cayanmi.
¡Shamuylla, ninmi,
shamuyta, Huañuy!
causayta anchuchi!
llapchishpa saqui!
pambashca ismusha
cay turullapi...
Millay Huañuyca
shayarintami,
rejon marcashca,
paypag ñaupapi.
¿Canchu Huañuyta
cachca cayangui?
Huillahuay rucu;
caypimi cani;
can munagpica
tugsishallami.
Casna rimashpa,
rejonta chaspin.
Mauca jacuyca,
imashinapish,
turu chaupipi

cungurishpami,
Huañuy supayman
casna mañarin:
Maymi shutita
caparircani,
jatun mammalla,
cay lluchca ñanpi.
Chayra morocho
runami cani;
yanta jacuymi
caypi shiguarin;
cayllami tucuy
ñucapag llaqui.
¡Asta rejonta
maypi cachari;
yanta caspita
turupi tanday;
chay sacha anguhuan
huatash apamuy;
can apachigpi,
callpashallami.
Jatun llaquita
huacacushpapish,
causanataca
maymi munanchi.

GATO GUARDIAN

Graciosa fábula de Don Rafael Pombo.
(la copio anticipadamente).

Un campesino, que en su alacena
guardaba un queso de Noche Buena,
oyó un ruido ratoncillesco
por los contornos de su refresco,
y pronto, pronto, como hombre listo,
que en nada peca por desprovisto,
trájose el gato, para que en vela
le hiciese al pillo la centinela;
e hízole el gato con tal suceso
que ambos marcharon, ratón y queso.
Gobiernos dignos y timoratos,
donde haya quesos, no pongáis gatos.

Imitación quichua

Tucujahuapi churagshi cana
maycancha runa cusashca aychata
cayandi punzha jatun junciapa.
Ñatag, ucucha ricurigpishi,
misiman callpan, saquin, cutirin,
jillu ucuchata micuchun misi.

Tutamantaca, surcug shamushpa,
mana tarinchu paypa aychazhuta:
ucuchandimi misi millpushca.
Aycha huacaychig Apucunaca
ama jaycapi misicunata
churash saquichun aychahuanpagta...

TUCUYPAG ALLCU

(Pensamiento de Don Pablo de Jérica, en una de sus fábulas).

Pagtalla mangapi
cucayuta apashpa,
urcuman ricunmi
pipachari huambra.
Shug allcumi ñanpi
siricuna cashca;
micuyta mutquishpa,
catinmi huambrata.
Icha yacharinga
cay allcu huahuaca,
nishpami lunguca
cucayuta caran.
Jacuyca, cushilla
micuyta tandashpa,
chaquipi catinmi
jatun urcucana.
"¡Chayca yacharirca!
Huasimanmi apasha
huagrata punzhandi
nichichun ñucahuan.
Inti yaycugrigpi,
cutishunmi ishcayta,
yantata aparishpa,
tuta yanungapa.
Quishquitu! quishquitu!
nishpami catasha,
shug sumag shutita
yachachingacama.
Ña allcuyugmi cani;
mana pi cunanca
huagtasha ningachu,
allcuta manchashpa..."
Chasna rimarishpa,
caruyanmi upaca.
Allcuca maycuti
jichushpa callpashca.
Manga chushagyagpi,
pugllacugshinalla,
manyaman tucurca,
sachapi cingarca.

Sirish caynangami,
sagsacha quipaca,
maycan shug mangayug
ricuringacana.
Allcupi, runapi,
chasnatami tauca,
nicuy tucurigpi,
raquirushpa callpan.
Tucuypag allcumi
cay challicunaca.

Traducción

PERRO DE TODOS

Llevando su ollita
de escaso alimento,
ahí pasa un muchacho
camino del cerro.
Un perro que ocioso
yace en el sendero,
al olor de la olla
le sigue contento.
Quizá este me sirva
de fiel compañero,
dice el chico y dale
parte de su almuerzò
Mil caricias le hace
el can zalamero
según la comida
que va recibiendo.
"Ya se me aquerencia;
ahora me lo llevo,
para que reunidos
los bueyes pastemos.
Cuando el sol se oculte
juntos bajaremos,
llevando la leña
del nocturno fuego.
Perrito! perrito!
ven, le iré diciendo,
hasta que algún nombre
le ponga más bello.
¡Bien haya el hallazgo
que me hace su dueño!
Nadie ha de insultarme,
por temor del perro..."
Mientras así el chico
discurre inexperto,
ya el can ha tomado
las de villadiego.

Al oler que en la olla
ya no hay alimento,
retirándose algo,
corrió bosque adentro.
Y en el mismo sitio
debe estar durmiendo,
hasta otra comida
de otro pasajero.
Hay perros y hay hombres
en quienes a un tiempo
principian y acaban
merienda y afecto.
Perros son de todos
estos viles perros.

APUYASH JATARIGCUNAMAN

Ama, apu tucushpa,
jatarichu, huambra.
¿Manachu ricungui
yapug huagrataca?
Umaca cumulla
ñahuica pambanan
may allimi rurran
paypag yapunata.
¿Llamingushinachu,
cungata chutashpa,
puyuta ricushpa,
sungashpa huayrata,
canpish pascasinga,
canpish ñahuisapa,
tucuypa jaguapi
chaspish ringui umata?
Cay upaman rigchag
ñutcuillagcunata
camishpa millanmi
yuyayugcunaca.
Ama apuyarishpa
jatarichu, huambra:
llamingu, llamingu
nishpami cayasha.

Traducción

No te ensoberbescas,
muchacho; repara
en el buey que lleva
la cabeza baja
y en tierra los ojos,
mirando lo que ara.

¿Por qué quieres, fatuo,
parecerte al llama
que empina el pescuezo,
las orejas alza
y viendo a las nubes,
muy orondo marcha,
y sorbe el ambiente
con narices amplias,
irguiendo la testa
sobre cuantos pasan?
Los necios a quienes
el seso les falta
la risa provocan
de gente sensata.
Pero, si te gusta
ser como ese maula,
dilo, y te pondremos
el nombre de **llama.**

FIN